2026

NEW 전면개정

브랜드 만족 1위

7·9급 공무원 시험대비

박문각 공무원
기본서

합격까지 함께
교육학 만점 기본서

방대한 교육학 이론을 체계적으로 정리

최신 출제 경향 및 개정 법령 반영

오현준 편저

오현준
정통교육학 #2

동영상 강의 www.pmg.co.kr

PREFACE 이 책의 머리말

집필 동기

"흔들리면서 피지 않는 꽃이 어디 있으랴."라고 노래했던 어느 시인의 말처럼 오랜 시련을 딛고 새 책 하나를 세상에 내어놓습니다.

이 책을 통해 교육의 장(場)에서 저마다의 꿈을 꾸고 그 꿈을 실현하려는 이 땅의 많은 수험생들과 삶과 교육, 인간, 그리고 희망을 이야기하고 싶습니다.

책과의 만남은 거듭될수록 맛이 새로워지는 만남이기에 '맛남'이라고 합니다. 꿈을 꿈으로만 묶어 두지 않고 현실화하려는 수험생 여러분들에게 이 책이 좋은 발판(scaffolding)이 되었으면 합니다. 읽고 또 읽으십시오. 맛(의미)이 거듭 새로워질 것입니다.

본서의 구성

「정통교육학」 2026년도 판은 기존의 정통교육학의 기본 틀을 유지하면서도 새로운 변화를 주려고 노력했습니다.

하나. 본서는 유·초·중등 교원임용, 9급 국가·지방직과 7급 국가직 교육행정직 그리고 5급 교육사무관 승진을 준비하는 수험생을 위하여 쓰였습니다.

둘. 내용 구성은 학교교육의 장(場)을 중심으로 제1장 '교육의 이해'에서부터 제7장 '교수-학습이론'까지를 1권으로, 제8장 '교육공학'부터 제14장 '교육사회학'까지를 2권으로 나누어 교육학의 하위 영역들을 기초 이론부터 심화 이론까지 체계적으로 정리하였습니다.

본서의 공부법

하나. "숲을 보고 나무를 본다."라는 말이 있습니다. 각 단원별 전체 내용(숲)의 흐름을 먼저 파악하고 나서 단원의 세부 사항과 이론(나무)을 정리합니다. 즉 전체에서 부분으로, 숲에서 나무로 연역적으로 공부합니다.

둘. "가장 훌륭한 교재는 세상이다."라는 말이 있습니다. 교육학은 우리의 교육 현실의 문제에서부터 출발하여 다시 현실로 돌아오는 여행길입니다. 지금 우리의 학교와 사회(지역 사회 포함)에서 일어나고 있는 일 중에서 교육과 관련된 것이 무엇이 있는가를 깨어 있는 관심으로 찾아보고, 그와 관련된 이론들을 찾아봅니다.

셋. "역사는 되풀이된다."라는 말이 있습니다. 시험에는 기출문제가 다시 나올 확률이 가장 높습니다. 교육행정직 시험은 물론 임용, 사무관 승진 시험 등 기출문제를 중심으로 그와 관련된 이론들을 하나도 놓치지 말고 확실하게 내면화합니다.

넷. "개념에 대한 확인으로부터 출발하여 원리 이해로" 나아갑니다. 기본적 개념에 대해 정확히 확인하여 암기합니다. 그런 다음 중요 원리를 이해하고 그것이 어떻게 현실에 적용되는가를 생각해 봅니다.

작지만 소중한 희망

이 책을 공부하는 모든 수험생들의 합격을 기원합니다.

교육학(敎育學)은 인간학(人間學)입니다. 교육은 인간과 세상을 바꾸는 아름다운 노동입니다.
그리고 교육학을 공부하는 모든 수험생 여러분은 우리 교육 현장에 작은 희망을 심는 아름다운 사람입니다.
고맙습니다. 정상에서 만납시다.

한 분 한 분 제 머릿속에 지금도 명멸(明滅)하는 소중한 분들
이 책이 나오기까지 도움을 주셔서 고맙습니다.

오현준 드림

GUIDE 출제경향 살펴보기

영 역		2025 국가직 9급		2025 지방직 9급
01 교육의 이해	2	• 「평생교육법」제2조(용어) – 평생교육, 문해교육, 평생교육사업, 평생교육이용권 • 평생교육제도 – 학점은행제	2	• 평생교육의 특징 • 「평생교육법」의 평생교육사 – 제24조(평생교육사), 제24조의2(자격취소)
02 한국교육사	1	• 고려시대 관학 – 국자감, 5부학당	2	• 고려시대 교육기관(국자감) • 1995년 5·31 교육개혁 이후 교육조치 – 교원정년단축(1999.1.1.), 교원노조합법화(1999.7.1.), 교육복지투자우선지역 사업 시행(2003)
03 서양교육사	1	• 고대 그리스 교육사상가 – 아리스토텔레스(Aristoteles)	1	• 플라톤(Platon)의 교육사상
04 교육철학	1	• 20세기 현대 교육철학 – 항존주의	1	• 진보주의 교육철학
05 교육과정	1	• 교육과정 유형 – 잠재적 교육과정	1	• 학문중심 교육과정(지식의 구조, 나선형 교육과정) 주창자 – 브루너(Bruner)
06 교육심리학	2	• 인지발달이론 – 피아제(Piaget)의 용어(조절), 발달단계 특성 • 성격발달이론 – 에릭슨(Erikson)의 심리사회적 이론 제4단계(근면성 대 열등감)	2	• 지능이론과 검사 – 가드너(H. Gardner), 카우프만ABC검사, 웩슬러(D. Wechsler)지능검사, 스탠포드–비네 지능검사 • 강화계획(고정간격강화계획)
07 교수–학습이론	2	• 교수체제설계 – 딕과 캐리(Dick & Carey) • 교수이론 – 가네(Gagné)의 목표별 수업이론	1	• 가네(Gagné)의 교수사태 9단계 순서
08 교육공학	1	• 온라인 활용 수업형태 – 플립러닝(flipped learning)	1	• 교수매체 선정 및 활용 모형(ASSURE) – 제5단계(R)
09 생활지도와 상담	1	• 위(Wee) 프로젝트 – Wee 센터(2차 안전망)	1	• 생활지도의 과정(추수활동)
10 교육평가	–	–	1	• 교육평가 유형(규준지향평가, 준거지향평가, 형성평가, 총합평가)
11 교육통계	1	• 표준점수 개념 – Z점수, T점수, C점수(스테나인점수)	–	–
12 교육연구	–	–	–	–
13 교육행정학	5	• 교육행정의 기본 원리 – 기회균등, 자주성, 효율성, 전문성, 안정성, 민주성 • 교육행정이론 – 인간관계이론 • 교육비 유형 – 공교육비 • 인사행정 – 승진, 전직, 전보 • 교육관계법 – 「초중등교육법」의 규정 내용	4	• 지도성 이론 – 번즈와 배스(Burns & Bass)의 변혁적 지도성 • 「지방교육자치에 관한 법률」제34조 교육지원청 관련 사항 • 교내장학의 유형(일상장학) • 「초·중등교육법」제20조 교직원의 임무
14 교육사회학	2	• 구교육사회학 이론 – 기능이론적 교육관 • 기능이론의 유형 – 인간자본론	2	• 갈등론적 관점 학자(보울스와 진티스, 부르디외, 애플) • 해석적 접근 개요
계	20		20	

영역		2024 국가직 9급		2024 지방직 9급
01 교육의 이해	2	•「헌법」의 교육관련 조항(제31조) •학교의 평생교육(「평생교육법」 제29조)	3	•「평생교육법」(제2조) - 평생교육 용어 정의 •평생교육 참여의 장애요인 - 크로스(Cross)의 분류 •다문화교육 - 뱅크스(J. Banks)의 다문화 교육과정 접근법 4단계
02 한국교육사	1	•조선 후기 실학자가 편찬한 한자 학습용 교재 - 정약용의 「아학편(兒學編)」	1	•한국교육사 개관(삼국시대~근대)
03 서양교육사	-	-	-	-
04 교육철학	1	•실존주의 교육사상가 - 부버(M. Buber)	1	•포스트모더니즘(post-modernism) 교육론의 특징
05 교육과정	2	•타일러(Tyler)의 교육과정 조직 원리 - 계속성, 계열성, 통합성 •2022 개정 교육과정 - 교육과정 구성 중점	3	•보비트(Bobbitt)의 교육과정 개발 •타일러(Tyler)의 교육과정 개발 절차 •「초·중등교육법 시행령」(제48조의2) 자유학기 수업운영방법
06 교육심리학	4	•카텔(Cattell)과 혼(Horn)의 지능이론 - 유동지능 •바이너(Weiner)의 귀인이론 - 일시적 노력(내적-불안정적-통제가능) •켈러(Keller)의 학습동기 유발요소 - ARCS •마르샤(Marcia)의 정체성 지위이론 - 정체성 유예	2	•학습동기 - 목표지향성 이론(숙달목표, 수행목표) •학습이론 - 형태주의 심리학의 관점
07 교수-학습이론	-	-	1	•교수설계 모형 - 딕과 캐리(Dick & Carey)의 체제적 모형
08 교육공학	1	•슐만(Schulman)의 TPACK - 내용지식, 교수방법 지식, 테크놀로지 지식	-	-
09 생활지도와 상담	1	•생활지도의 원리 - 균등성, 적극성, 통합성	1	•개인상담 대화기법 - 경청, 공감반영, 질문
10 교육평가	1	•검사(도구)의 양호도 - 타당도, 신뢰도	1	•검사도구의 양호도 - 공인타당도
11 교육통계	-	-	1	•측정치(척도)의 종류 - 명명척도
12 교육연구	-	-	-	-
13 교육행정학	4	•의사소통이론 - 조하리(Johari)의 창[은폐(hidden) 영역] •학교조직의 운영 원리 - 적도집권, 분업, 조정, 계층의 원리 •조직의 유형 - 참모조직과 계선조직 •교육비의 종류 - 표준교육비	5	•교육행정의 기본원리 - 효율성의 원리 •교육정책 의사결정 관점 - 합리적 관점 •서지오바니(Sergiovanni)의 학교 유형 - 정략적 학교 •학교 컨설팅 장학의 원리 - 자문성의 원리 •교육비의 종류 - 간접교육비
14 교육사회학	3	•번스타인(Bernstein)의 코드이론 - 제한된 언어, 정교한 언어 •부르디외(Bourdieu)의 문화재생산이론 - 아비투스 (habitus) •교육격차 이론 - 문화실조론	1	•갈등이론 - 애니온(J. Anyon)의 교육과정 연구
계	20		20	

GUIDE 출제경향 살펴보기

영역	2023 국가직 9급		2023 지방직 9급	
01 교육의 이해	–	–	4	• 피터스(Peters)의 교육개념의 성립 기준 – 인지적 기준 • 평생교육 접근방법 – 일리치(I. Illich)의 학습망 • 성인학습의 특징(Lindeman) • 「독학에 의한 학위취득에 관한 법률」 내용
02 한국교육사	–	–	1	• 갑오개혁 시기(1894~1896)의 학교교육 관제
03 서양교육사	2	• 17C 실학주의 교육 – 코메니우스(Comenius)의 교육사상 • 19C 계발주의 교육 – 페스탈로치(Pestalozzi)의 교육사상	1	• 신인문주의 교육사상 – 헤르바르트(Herbart)
04 교육철학	1	• 현대 교육사조(20세기 전반) – 항존주의 교육철학	–	–
05 교육과정	1	• 블룸(Bloom)의 교육목표 분류 범주 – 인지적 영역 중 분석력	2	• 아이즈너(Eisner)의 교육과정 이론 • 교육과정 유형 – 학문중심 교육과정
06 교육심리학	2	• 비고츠키(Vygotsky)의 사회문화이론 용어 – 근접발달영역(ZPD) • 콜버그(Kohlberg)의 도덕성 발달이론	2	• 행동주의 학습이론 용어(강화, 사회학습이론, 조작적 조건화) • 학습전이 이론 – 동일요소설
07 교수–학습이론	2	• 출발점 행동 진단의 의미 • 캐롤(Carroll)의 학교학습모형	1	• 교수설계 일반모형(ADDIE)
08 교육공학	1	• 가상현실(VR) 기술 활용 교육	–	–
09 생활지도와 상담	3	• 생활지도의 활동과 적응사례 – 조사활동, 정보제공활동, 배치활동, 추수활동 • 상담이론 – 정신분석상담의 상담기법 • 청소년 비행발생이론 – 머튼(Merton)의 아노미 이론	2	• 상담이론과 상담기법 – 현실치료 • 청소년 비행발생이론 – 사회통제이론
10 교육평가	1	• 교육평가 유형 – 속도검사, 준거지향평가, 형성평가, 표준화검사	2	• 교육평가 유형 – 성장참조평가 • 문항분석 – 고전검사이론
11 교육통계	–	–	–	–
12 교육연구	–	–	–	–
13 교육행정학	5	• 교육행정 과정 – 기획(planning) • 지도성이론 – 분산적 지도성 • 동기이론 – 허즈버그(Herzberg)의 위생요인, 맥그리거(McGregor)의 Y이론 • 「초·중등교육법」상 학교운영위원회의 심의사항 • 「학교폭력예방 및 대책에 관한 법률」상 학교폭력의 예방 및 대책	4	• 의사결정이론 – 교육정책 형성 관점(참여적 관점) • 동기이론 – 허즈버그(Herzberg)의 동기·위생이론(동기요인) • 교육재정의 구조와 배분 – 교육기회비용 • 「사립학교법」의 내용 – 기간제교원의 임용기간
14 교육사회학	2	• 신교육사회학 – 애플(Apple)의 문화적 헤게모니이론 • 콜만(Coleman)의 사회자본 개념	1	• 신교육사회학 이론 – 문화재생산이론
계	20		20	

영역		2024 국가직 7급		2023 국가직 7급
01 교육의 이해	3	•「교육기본법」의 내용 •평생교육 제도 -「평생교육법」의 내용 •매클래건(P. McLagan)의 인적자원 수레바퀴 모형-인적자원개발(HRD) 영역	2	•피터스(Peters)의 교육 개념 준거 •평생교육제도 - 독학학위제
02 한국교육사	1	•조선시대 교육기관 - 관학의 종류	1	•조선시대 교육기관 - 서당(書堂)
03 서양교육사	1	•현대 교육사상가 - 니일(A. S. Neill)	1	•소크라테스(Socrates)의 교육사상(회상설)
04 교육철학	1	•현대 교육철학 사조 - 본질주의 교육사상	-	-
05 교육과정	4	•공식적 교육과정 유형 - 학문중심 교육과정 •아이즈너(Eisner)의 예술적 교육과정 •2022 개정 교육과정 - ①교육과정 구성 중점(총론), ②고교학점제	1	•잠재적 교육과정의 개념과 특징
06 교육심리학	3	•도덕성 발달단계이론 - 콜버그(Kohlberg)의 6단계 •지능이론 - ①가드너(H. Gardner)의 다중지능 개요, ②스턴버그(R. Sternberg)의 삼원지능 구성요소	2	•동기이론 - 자기효능감(self-efficacy)의 개념 •학습이론 - 쏜다이크(Thorndike)의 자극-반응 연합설
07 교수-학습이론	1	•교수설계 모형 - ADDIE모형의 분석단계	4	•발견학습의 개념과 특징 •가네(Gagné)의 교수·학습이론 •구성주의 관점에서의 학습 •구성주의 교수·학습방법 - 문제중심 학습(problem-based learning)
08 교육공학	-	-	-	-
09 생활지도와 상담	1	•상담이론 - 엘리스(A. Ellis)의 합리적·정서행동치료(REBT)	2	•집단상담의 기법 - 명료화(clarification) •인지상담이론 - 합리적 정서 치료 이론(RET)
10 교육평가	1	•검사도구의 양호도 - 구인타당도	2	•교육평가 모형 - 스터플빔(Stufflebeam)의 의사결정 모형 •검사도구의 양호도 - 내용타당도, 반분신뢰도, 재검사신뢰도, 동형검사신뢰
11 교육통계	1	•규준점수 산출(Z, T, C점수, 백분위점수)	-	-
12 교육연구	-	-	-	-
13 교육행정학	6	•교육행정 이론 - 인간관계론 •의사결정 모형 - 쓰레기통모형 •「지방교육자치에 관한 법률」상 교육감의 관장사무 •학급경영의 영역 •학교회계 등 교육재정 •교육공무원 승진제도	8	•과학적 관리론이 적용된 교육행정의 내용 •교육정책 결정 모형 - 최적 모형(optimal model) •지도성 이론 - 변혁적 지도성 •동기이론 - 아담스(Adams)의 공정성이론 •조직화된 무질서 조직(Organized Anarchy)으로서의 학교조직의 특성 •「지방교육자치에 관한 법률」상 교육감 관련 규정 •장학의 유형 - 임상장학 •「학교폭력예방 및 대책에 관한 법률」내용
14 교육사회학	2	•신교육사회학 - 윌리스(P. Willis)의 저항이론 •교육평등관과 그 예시	2	•기능주의 관점에서의 학교교육 •부르디외(P. Bourdieu)의 문화자본론
계	25		25	

CONTENTS 이 책의 차례

#1권

Chapter 01 교육의 이해

01 교육의 개념
1. 교육의 어원 — 18
2. 교육개념에 대한 비유적 정의 — 19
3. 교육개념의 정의 — 21
4. 교육사상가들의 교육에 대한 정의방식 — 26
5. 교육활동의 성립조건 — 27
6. 교육학 — 27

02 교육의 목적
1. 교육목적의 개념 — 29
2. 교육목적의 위계와 유형 — 29
3. 우리나라의 교육목적 — 31

03 교육의 유형(형태)
1. 평생교육 — 34
2. 영재교육 — 61
3. 특수교육 — 63
4. 대안교육 — 67
5. 다문화교육 — 71

04 교육제도
1. 교육제도의 개요 — 74
2. 학교제도의 종류 — 74
3. 우리나라의 학교제도 — 76

05 교사론
1. 교직관의 유형 — 79
2. 교권과 학습권 — 81

Chapter 02 한국교육사

01 한국교육사 개관
1. 교육사 — 86
2. 교육기관의 변천 과정 및 전통교육의 흐름 — 86

02 삼국시대의 교육
1. 고구려의 교육 — 87
2. 백제의 교육 — 88
3. 신라의 교육 — 89

03 남북국시대의 교육
1. 통일신라의 교육 — 91
2. 발해의 교육 — 93

04 고려시대의 교육
1. 개관 — 93
2. 학교제도 — 93
3. 과거제도 — 97
4. 고려의 교육사상가 — 99

05 조선시대의 교육(I) : 조선 전기의 교육
1. 교육이념 — 99
2. 학교제도 — 100
3. 과거제도 — 107
4. 교육법규 — 110
5. 교육사상가 — 111

06 조선시대의 교육(II) : 조선 후기의 교육
1. 등장배경 — 117
2. 교육원리 — 117
3. 교육사상가 — 119
4. 교육사적 의의와 한계 — 125

07 근대교육 : 개항~한일합방 이전
1. 개관 125
2. 근대학교의 성립 127

08 일제하 교육
1. 일제 교육의 기본방향과 특징 132
2. 을사늑약 이후의 교육정책 132
3. 식민지 시기의 교육정책 133
4. 민족교육운동 전개 134
5. 일제 식민지 교육의 영향 138
6. 교육사상가 138

09 해방 이후(현대)의 교육
1. 미 군정기 141
2. 정부수립기 이후 142

Chapter 03 서양교육사

01 서양교육사 개관 146

02 고대의 교육
1. 그리스의 교육 147
2. 로마의 교육 153

03 중세시대의 교육
1. 개관 154
2. 전기의 교육 155
3. 후기의 교육 156

04 근대의 교육(I) : 르네상스기의 인문주의
1. 개관 159
2. 유형 159
3. 한계점 161

05 근대의 교육(II) : 종교개혁기의 교육
1. 개관 162
2. 신교의 교육 162
3. 구교의 교육 164

06 근대의 교육(III) : 실학주의 교육
1. 개관 165
2. 유형 166

07 근대의 교육(IV) : 계몽주의 교육
1. 개관 171
2. 유형 172

08 근대의 교육(V) : 신인문주의 교육
1. 개관 178
2. 유형 179

09 현대의 교육(20C) : 신교육운동
1. 개관 186
2. 교육사상가 186

CONTENTS 이 책의 차례

Chapter 04 교육철학

01 교육철학의 개관
1. 교육철학의 개념 — 190
2. 교육철학의 연구영역 — 190
3. 교육철학의 기능 — 192

02 지식과 교육
1. 지식의 종류 — 194
2. '지식을 가르친다'는 것의 의미 — 195

03 전통철학과 교육
1. 이상주의와 교육 — 196
2. 실재주의와 교육 — 197
3. 자연주의와 교육 — 198
4. 프래그머티즘 — 200

04 현대의 교육철학
1. 현대의 교육철학(I) — 203
2. 현대의 교육철학(II) — 212

05 동양철학과 교육
1. 도가사상 — 233
2. 유가사상 — 235

Chapter 05 교육과정

01 교육과정의 기초
1. 교육과정의 어원 — 242
2. 교육과정의 의미 — 244
3. 아이즈너의 교육과정 개념 모형 — 245

02 교육과정 개발모형
1. 타일러의 합리적 모형 — 245
2. 타바의 확장 모형 — 252
3. 스킬벡의 모형 — 253
4. 브루너의 내용 중심 모형 — 255
5. 워커의 실제적 개발 모형 — 255
6. 아이즈너의 예술적 접근 모형 — 257
7. 위긴스와 맥타이의 후진 설계 모형 — 259

03 교육과정연구에 대한 이론적 접근방법
1. 전통주의 — 260
2. 개념—경험주의 — 261
3. 재개념주의 — 261

04 교육과정의 개발절차
1. 구성요소와 절차 — 262
2. 교육목표의 분류 — 262

05 교육과정의 유형(I) : 공식적 학교 교육 과정의 유형
1. 공식적 교육과정 — 265
2. 교과 중심 교육과정 — 266
3. 경험 중심 교육과정 — 267
4. 학문 중심 교육과정 — 269
5. 인간 중심 교육과정 — 273
6. 통합 교육과정 — 274
7. 교육과정 결정요소와 교육과정 유형 — 276

06 교육과정의 유형(II) : 학교 교육과정을 비판하는 교육과정 유형
1. 잠재적 교육과정 — 278
2. 영 교육과정 — 281

07 우리나라의 교육과정
1. 교육과정의 결정 — 282
2. 우리나라 교육과정의 역사 — 283
3. 2015 개정 교육과정 — 290
4. 2022 개정 교육과정 — 297

Chapter 06 교육심리학

01 교육심리학의 개요
1. 개관 — 326
2. 교육심리학의 기초이론 — 326

02 발달이론의 개관
1. 발달의 개념 — 329
2. 발달의 주요 원리 — 329
3. 발달연구의 최근 동향 — 331
4. 발달단계이론 — 333

03 발달이론의 유형
1. 인지발달이론 — 335
2. 성격발달이론 — 350
3. 도덕성 발달이론 — 357
4. 사회성 발달이론 — 363
5. 발달과업이론 — 365

04 발달과 개인차(I) : 인지적 특성과 교육
1. 지능 — 366
2. 창의력 — 383
3. 인지양식 — 390

05 발달과 개인차(II) : 정의적 특성과 교육
1. 동기 — 394
2. 성취동기 — 403
3. 자아개념 — 405
4. 자아정체감 — 406
5. 불안 — 408

06 학습이론
1. 행동주의 학습이론 — 410
2. 인지주의 학습이론I – 형태주의 학습이론 — 428
3. 인지주의 학습이론II – 정보처리이론 — 435
4. 사회학습이론 — 449
5. 인본주의 학습이론 — 453

07 학습의 개인차
1. 전이 — 455
2. 부적응 — 457
3. 적응기제 — 459

Chapter 07 교수-학습이론

01 교수-학습이론의 기초
1. 교수와 수업, 학습 — 466
2. 학습지도의 원리 — 468
3. 수업효과에 영향을 주는 변인 — 469

02 수업설계
1. 개관 — 470
2. 수업목표의 설정과 진술 — 472
3. 학습과제의 분석 — 474
4. 출발점행동의 진단 — 475
5. 수업전략의 결정 — 476
6. 수업매체의 선정 — 476

03 교수설계모형
1. 수업과정모형 — 477
2. 체제적 교수설계모형 — 478
3. 메릴의 구인전시이론 — 480
4. 라이겔루스의 정교화이론 — 483

04 교수-학습의 방법
1. 강의법 — 485
2. 토의법 — 486
3. 구안법 — 493
4. 협동학습 — 494
5. 개별화 수업 — 499

05 교수이론
1. 완전학습모형 — 504
2. 브루너의 발견학습모형 — 506
3. 오수벨의 유의미 수용학습이론 — 508
4. 가네의 목표별 수업이론 — 512
5. 구성주의 학습모형 — 517
6. 자기주도적 학습 — 528
7. 자기조절학습 — 529

■ Index — 531

CONTENTS 이 책의 차례

#2권

Chapter 08 교육공학

01 교육공학의 기초
1. 개념 562
2. 교수–학습방법에 대한 교육공학적 접근의 특징 563

02 교육공학의 이론
1. 역사 565
2. 시각교육 565
3. 시청각교육 566
4. 시청각통신 568

03 교수(수업)매체
1. 개념 570
2. 교수매체의 특성 570
3. 교수매체 연구 571
4. 교수매체의 선정 및 활용 572
5. 교수매체의 종류 573

04 컴퓨터를 활용한 교육
1. 컴퓨터 활용수업 577
2. 컴퓨터의 교육적 활용방안 578

05 뉴미디어와 원격교육
1. 개관 583
2. 원격교육 583
3. 인터넷 588
4. 멀티미디어 594
5. 하이퍼미디어 596
6. 자원기반학습 597

06 우리나라의 교육정보화
1. ICT 활용수업 600
2. NEIS 601

Chapter 09 생활지도와 상담

01 생활지도의 기초
1. 개관 606
2. 생활지도의 원리 607
3. 생활지도의 과정 608
4. 생활지도의 새로운 흐름 610

02 상담활동
1. 상담 611
2. 생활지도, 상담, 심리치료의 개념적 비교 611
3. 상담의 기본조건 612
4. 상담의 대화기술 614

03 상담이론
1. 상담이론의 분류 618
2. 인지적 영역의 상담이론 620
3. 정의적 영역의 상담이론 628
4. 행동적 영역의 상담이론 649
5. 기타 상담이론 650

04 생활지도의 실제
1. 비행이론 655
2. 진로교육 660

Chapter 10 교육평가

01 교육평가의 기초
1. 개관   674
2. 교육평가에 관한 3가지 관점   675
3. 교육관과 평가관   675

02 교육평가의 모형
1. 가치중립모형   677
2. 가치판단모형   678
3. 의사결정모형   680

03 교육평가의 유형
1. 평가기준에 따른 교육평가 유형   683
2. 수행평가   688
3. 평가시기·목적·기능에 따른 교육평가 유형   695
4. 기타 평가 유형   697

04 교육평가의 절차
1. 일반적 절차   698
2. 정의적 영역의 교육평가   700
3. 평가의 오류   701

05 평가도구
1. 타당도   703
2. 신뢰도   708
3. 객관도   714
4. 실용도   715

06 검사문항의 제작
1. 검사문항 제작의 기초   716
2. 객관식 검사와 주관식 검사   716
3. 객관식 선다형 검사문항   718
4. 주관식 서술형 검사문항   721
5. 표준화검사   723

07 문항의 통계적 분석
1. 문항분석   724
2. 문항난이도   726
3. 문항변별도   727
4. 문항반응분포   729
5. 문항특성곡선   729

Chapter 11 교육통계

01 교육통계의 기초
1. 교육통계의 이해   736
2. 변인   737
3. 측정치   737

02 집중경향치
1. 개관   740
2. 최빈치   740
3. 중앙치   741
4. 평균치   742
5. 평균치, 중앙치, 최빈치 간 비교   743

03 변산도
1. 개관   743
2. 범위   744
3. 사분편차   745
4. 평균편차   746
5. 표준편차   746
6. 변산도 간 비교   749

04 상관도
1. 개관   750
2. 상관관계도   753
3. 상관관계분석과 회귀분석   754

05 원점수와 규준점수
1. 원점수   755
2. 규준점수   756

CONTENTS 이 책의 차례

Chapter 12 교육연구

01 교육연구의 기초
1. 교육연구의 개관 — 762
2. 교육연구의 분류 — 763
3. 양적 연구와 질적 연구 — 763
4. 교육연구의 절차 — 765

02 표집방법
1. 표본조사 — 768
2. 표집방법 — 769

03 자료수집방법
1. 관찰법 — 772
2. 질문지법 — 775
3. 면접법 — 776
4. 사회성 측정법 — 777
5. 투사법 — 779
6. 척도법 — 784
7. 의미분석법 — 785
8. Q 방법론 — 786

04 교육연구의 방법
1. 기술적 연구 — 787
2. 실험연구 — 790
3. 현장연구 — 794
4. 문화기술적 연구 — 795

05 가설의 검증
1. 개관 — 796
2. 가설의 검증 — 797

Chapter 13 교육행정

01 교육행정의 기초
1. 교육행정의 개념 — 804
2. 교육행정의 성격 — 806
3. 교육행정의 기본원리 — 809
4. 교육행정가의 자질 — 810

02 교육행정의 이론
1. 과학적 관리론 — 812
2. 인간관계론 — 817
3. 행동과학론 — 820
4. 체제이론 — 821
5. 사회과정이론 — 825
6. 체제이론의 대안적 관점 — 828
7. 의사결정이론 — 830
8. 지도성 이론 — 836
9. 동기이론 — 854
10. 의사소통이론 — 868

03 교육행정 조직
1. 조직의 기초 — 871
2. 학교의 재구조화 — 884
3. 교육자치제 — 886
4. 학교조직풍토론 — 895
5. 조직문화론 — 899

04 교육기획
1. 개관 — 902
2. 교육기획의 접근방법 — 904

05 교육정책
1. 개관 — 906
2. 교육정책 결정의 원칙과 결정 과정 — 907

06 장학론
1. 개관 — 911
2. 장학의 유형 분류 — 914

07 교육제도
1. 개관 923
2. 교육이념과 교육제도 924
3. 교육제도의 원리 926

08 학교경영 및 학급경영
1. 학교경영 927
2. 학급경영 930

09 교육재정론
1. 개관 931
2. 교육비 933
3. 교육수입 941
4. 교육예산 946
5. 교육예산제도 946

10 교육인사행정론 및 학교실무
1. 개관 950
2. 채용 951
3. 교원의 능력계발 959
4. 교원의 근무조건과 사기 966
5. 교육법 977
6. 교원노조 979
7. 학교실무 982

Chapter 14 교육사회학

01 교육사회학의 기초
1. 교육사회학의 학문적 기초 998
2. 교육사회학의 연구 1000

02 교육사회학의 이론
1. 구교육사회학 1000
2. 신교육사회학 1013

03 사회와 교육
1. 사회화 1029
2. 사회변동과 교육 1032
3. 사회계층과 교육 1033
4. 사회이동과 교육 1035
5. 사회집단과 교육 1038

04 문화와 교육
1. 문화의 개념 1040
2. 문화변동과 교육 1040
3. 문화기대와 교육 1041

05 교육의 기회균등
1. 학교교육과 사회평등 1042
2. 교육평등의 원리 1046
3. 교육평등관의 유형 1047
4. 교육기회 분배의 측정 1052
5. 교육격차의 인과론 1053

06 학력상승이론
1. 학습욕구이론 1058
2. 기술·기능이론 1059
3. 신마르크스이론 1060
4. 지위경쟁이론 1060
5. 국민통합론 1061
6. 근대 공교육제도의 형성 및 팽창이론 1063

- Index 1064
- 참고 도서 1070

오현준 정통교육학

핵심 체크 노트

★ **1. 개념:** 설계, 개발, 활용, 관리, 평가

2. 교육공학의 이론
① 시각교육: 호반(Hoban)의 교육과정 시각화 이론
② 시청각교육: 올센(Olsen)의 대리적 학습경험 이론, 데일(Dale)의 경험의 원추모형, 킨더(Kinder)의 지적 과정 이론
③ 시청각(AV) 통신: 벌로(Berlo)의 SMCR 모형, 쉐논과 슈람(Schannon & Schramm)의 통신과정모형, 핀(Finn)의 체제모형

3. 교수매체
① 교수매체의 특성: 수업적 특성(대리자, 보조물), 기능적 특성(고정성, 조작성, 확충성, 반복성, 구체성)
② 교수매체 연구: 매체비교 연구, 매체속성 연구, 매체선호 연구, 매체활용의 경제성에 관한 연구
★ ③ 교수매체 선정 및 활용 모형: 하이니히와 모렌다(Heinich & Molenda)의 ASSURE
④ 매체의 분류: 비투사적 매체, 투사적 매체

4. 컴퓨터 활용교육
① CAI(컴퓨터보조수업): 시뮬레이션형, 게임형, 개인교수형, 반복학습형
② CMI, CMC, CAT, 컴퓨터 리터러시

5. 원격교육
① 개념: 비면대면 교육
★ ② 형태: E-learning, U-learning, M-learning
③ 원격교육 매체선정 기준: 베이츠(Bates)의 ACTIONS 모형
★ ④ 인터넷 활용 수업: 웹기반 탐구수업(WQI), 플립러닝(거꾸로 수업)

6. 멀티미디어와 하이퍼미디어

7. 자원기반학습: Big 6 Skills 모형

CHAPTER 08

교육공학

01 교육공학의 기초
02 교육공학의 이론
03 교수(수업)매체
04 컴퓨터를 활용한 교육
05 뉴미디어와 원격교육
06 우리나라의 교육정보화

CHAPTER 08 교육공학

학습 포인트

1. **교육공학의 개념**: 설계, 개발, 활용(ASSURE), 관리, 평가
2. **교육공학의 이론**: 데일(Dale)의 경험의 원추모형, 벌로(Berlo)의 SMCR이론
3. 교수매체의 특성(고정성, 조작성, 확충성, 반복성)과 활용(ASSURE 모형)
4. 원격교육: 블렌디드 러닝, U-learning, M-learning
5. 자원기반학습: 플립러닝(flipped learning)

제1절 교육공학(Educational technology)의 기초

1 개념 10. 전북

1. 효과적인 교수-학습을 위하여 인적·물적 자원(technology)을 효율적으로 활용하는 것

2. 학습을 위한 과정과 자원의 설계, 개발, 활용, 관리 및 평가에 관한 이론과 실제(Seels & Richey)
   ⇨ 1994년 AECT(미국교육공학회)의 정의방식

   (1) '교육공학'을 '교수공학(instructional technology)'으로 정의하였다.

   (2) 교육공학의 목적은 교수-학습과 직접적으로 관련된 문제를 해결하는 데 있으며, 궁극적으로는 학습의 증진에 있다.

   (3) 교사와 교수매체를 구별하지 않고 모두 광범위한 의미에서 학습을 위한 자원으로 간주하였다.

영역	의미	하위 영역 15. 국가직
설계 (design) 11. 인천	교수심리학과 체제이론의 적용, 순수하게 계획하는 일 ⇨ 교육공학의 이론 발전에 기여	교수체제 설계, 메시지 디자인, 교수전략, 학습자 특성
개발 (development)	실제 교수자료의 형태로 제작 ⇨ 공학(technology) 과 기술발전에 좌우	인쇄공학, 시청각공학, 컴퓨터 기반 공학, 통합공학
활용 (utilization)	학습자들에게 구체적인 학습경험을 제공 ⇨ 역사가 오래된 영역(ASSURE 모형과 관련)	매체의 활용, 혁신의 보급(혁신의 확산), 실행과 제도화, 정책과 규제
관리 (management)	경영학과 행정학적 지식을 적용, 시설 및 기자재 관리	프로젝트 관리, 자원관리, 전달체제 관리, 정보관리
평가 (evaluation)	교수-학습의 적절성을 결정하는 과정	문제분석, 준거지향 평가, 형성평가, 총괄평가

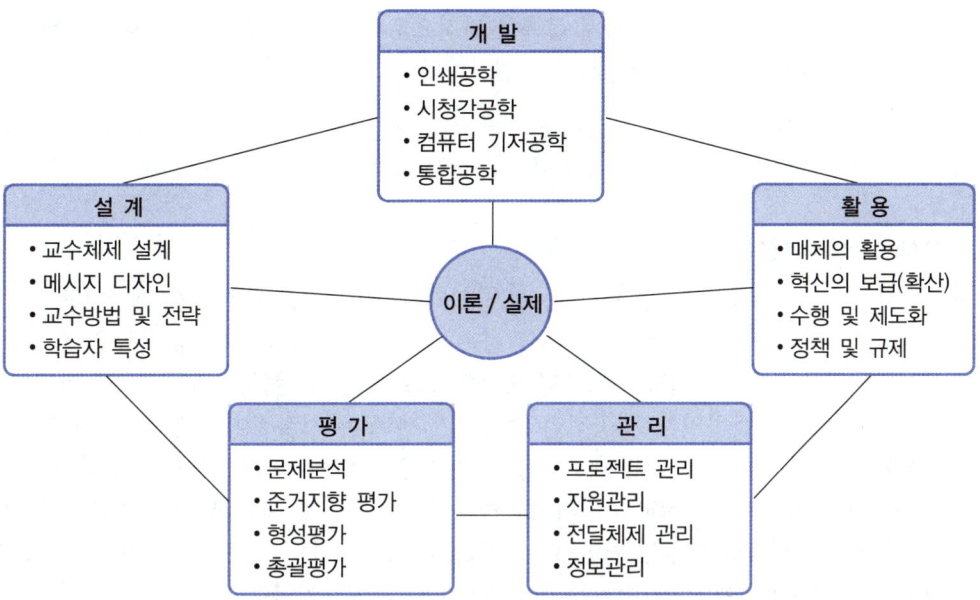

> ◇ **혁신의 확산**(diffusion of innovation) 1960년대 로저스(Rogers)가 주장한 개념으로 '새로운 아이디어를 받아들이도록 촉진시키며, 정보를 알리기 위한 커뮤니케이션 과정'을 말한다. 이 개념의 등장으로 새로운 매체의 적용을 단순히 매체를 이용하는 차원을 넘어 하나의 혁신으로 인식하는 계기가 마련되었다.

3. 학습(learning)과 수행(performance) 문제의 분석 그리고 다양한 환경, 특히 교육기관과 직장에서의 학습과 수행을 증진시킬 수 있는 교수적(instructional) 및 비교수적(non-instructional) 과정과 자원의 설계, 개발, 활용, 관리, 평가에 관한 이론과 실제 ⇨ 2002년 레이저(Reiser)의 정의방식

   (1) 교육공학을 '교수설계 공학(instructional design and technology)' 또는 '수행공학'으로 정의

   (2) 학교에서 일어나는 학습(learning)의 증진과 직장에서의 수행(performance) 증진에 동등한 비중을 두는 정의방식이다.

   (3) 교수적 처방(예, 직장에서의 교육과 훈련)보다는 비교수적 처방(예, 업무에 대한 보상체제의 변화, 담당부서의 재배치, 새로운 업무지원 시스템의 제공)에 주안점을 두고 있다.

❷ 교수-학습방법에 대한 교육공학적 접근의 특징

교육공학이 적용되는 영역이 교수와 학습이라는 점에서 교수와 학습에 대한 교육공학적 접근의 특징은 크게 '체제적'이고, '처방적'이며, '학습자 지향적'이라는 데에 있다.

1. 체제적 특성

(1) 시청각교육의 틀에서 벗어나 교육공학으로 재규정되는 과정에서 가장 커다란 영향을 미친 개념은 공학(technology)인데, 공학은 '실제적 문제를 해결하기 위하여 과학적 지식 또는 조직화된 지식을 체계적으로 적용하는 것'(Galbraith, 1967)이다. 공학의 이러한 정의 중에서 초점을 맞춘 개념은 공학에 내재되어 있는 체계(system) 혹은 체제이다.

체제는 세상을 바라보는 한 가지 독특한 관점으로서 상호연관된 요소들의 집합체로 특정의 현상을 파악하거나 문제를 해결하려는 입장이다.

(2) 교육공학의 체제적 특성이 드러나는 대표적인 교수방법은 체제적 교수설계 관점(ADDIE), 매체의 활용방식 모형(ASSURE), 가네(Gagné)의 9가지 수업사태가 있다.

2. 처방적(處方的) 특성

(1) 행동주의적, 인지주의적 학습이론은 성격상 기술적(記述的) 혹은 서술적(敍述的) 지식이다. 이러한 기술적 지식의 시사점이나 함의점을 바탕으로 수업 등의 실제적 활동을 안내하고 개선하려는 노력은 성공적이기도 하였지만, 전체적으로는 수업 현실을 체계적으로 안내하고 개선하는 데 충분하지 못하였다. 성공적인 수업 실행 여부는 시사점이나 함의점의 타당성에 따라서 나타나기보다는 교사의 창의적인 적용 노력 혹은 준비에 좌우되었다. 그 결과 특정의 교수 조건(conditions)과 기대한 교수 결과(outcomes)가 주어졌을 때 가장 적합한 교수방법(methods)이 어떠한 것인가를 다루는 처방적 지식(Reigeluth)의 필요가 대두된 것이다. 그러므로 교수방법 혹은 교육방법에 관한 지식은 궁극적으로는 처방적이어야 한다.

(2) 교육공학적 교수·학습방법의 처방적 특성이 드러나는 이론으로는 가네(Gagné)의 수업사태를 들 수 있다.

3. 학습자 지향적 특성

(1) 교육공학적 교수·학습방법의 '학습자 지향적' 특성은 앞의 두 특성(체계적, 처방적 특성)이 공학의 의미로부터 나올 수 있는 개념적이며 논리적인 특징을 지닌 것에 비하여, 최근에 강조·부각되고 있는 교육 패러다임의 변화로부터 제기되고 있다는 점에서 다르다.

(2) 교육공학이 학습자 지향적이라는 것의 의미는 크게 다음 두 가지 상징적 사건에 바탕을 두고 있다.
① 1994년 미국 교육공학회의 공식적인 정의: "교육공학은 학습을 위한 과정과 자원의 설계, 개발, 활용, 관리, 평가에 관한 이론과 실제이다."라는 정의에 따르면, 학습은 교육공학이 추구하는 활동의 궁극적인 결과이다.
② 최근 정보화 사회의 도래에 따라서 대두되고 있는 학습자 중심의 교육 패러다임이다.

(3) 학습자 지향적이라는 말은 '학습자의 학습 과정을 지원하는 방식'으로 교육환경, 즉 교수·학습환경이 제공되어야 한다는 말이다. 즉, 학습자가 보다 의미 있는 학습활동에 참여하도록 하기 위해서는 어떠한 환경을 제공할 것인가에 관심이 있다. 학습이 의미 있고, 재미있고, 효율적이기 위해서는 어떠한 노력을 하여야 하는가에 초점이 맞추어져야 한다.

(4) 학습자의 학습 과정을 지원하기 위해서는 크게 다음과 같은 세 가지 측면이 고려되어야 한다.
① 학습자의 요구를 그 어느 때보다도 제대로 반영하려고 노력하여야 한다.
② 학습자의 사전지식 및 경험을 고려하고 반영하는 교수·학습방법이 개발되어야 한다.
③ 학습자의 적극적인 참여를 도모하는 교수·학습방법이 개발되어야 한다.

제2절 교육공학의 이론

1 역사

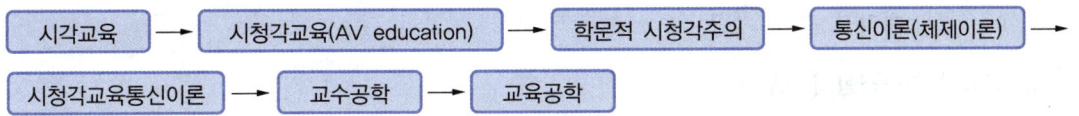

2 시각교육

1. **시작**

   NewYork주(州) 시각수업과 설치 ⇨ 각종 슬라이드를 학교에 보급

2. **호반(Hoban)의 교육과정 시각화(Visualizing the Curriculum) 이론**

   (1) **개요**: 「교육과정 시각화」(1937) ⇨ 시각자료와 교과과정의 통합 시도

   ① 시각화된 자료의 특징: '구체성'과 '경험의 일반화' 제공
   ② 교수 목적: 경험의 일반화 ⇨ 학습자에게 시각자료와 함께 언어를 제공

   (2) **시각화된 자료 모형**: 구체성 정도에 따라 구체적인 것에서 추상적인 것으로 시각교재를 위계화하여 분류

   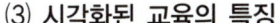 견학(전체장면) ⇨ 실물 ⇨ 표본(모형) ⇨ 필름(영화) ⇨ 입체도 ⇨ 슬라이드 ⇨ 회화 및 사진 ⇨ 지도 ⇨ 도표 ⇨ 언어

   (3) **시각화된 교육의 특징**

   ① 생생한 경험 제공
   ② 복잡한 내용을 단순화
   ③ 학습내용의 명확한 제시를 통해 추상적 개념에 대한 이해 증진
   ④ 지리적·시간적 제한성 해소
      (∵ 과거 사건이나 원경을 실감나게 제시)

   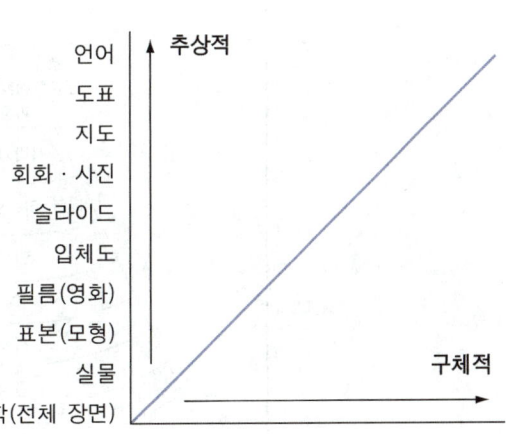

   (4) **한계**: 시각교육 자체를 교수보조물 정도로 취급

③ 시청각교육(Audio-Vidual education) : 시각자료 + 청각적 요소

1. **올센(Olsen)의 대리적 학습경험론** – 「학교와 지역사회」

    (1) **시청각 자료의 필요성** : 유리(遊離)된 학교와 지역사회를 연결짓는 기술·가교 ⇨ 시청각 자료에 의한 '대리적 경험' 제공

    (2) **대리적 학습경험의 모형**

    ① 직접적 경험에 의한 직접적 학습
    ㉠ 지역사회 경험을 통한 직접적 학습(1단계, 감각적 접촉) : 현장실습 – 학교캠핑 – 지역사회활동, 자원인사 – 면담 – 견학 – 조사연구
    ㉡ 표현적 활동을 통한 직접적 학습(2단계, 개인적인 중계활동) : 벽화 만들기 – 연극 – 조립 – 수집 – 게시판 꾸미기, 제도하기 – 그림 그리기 – 모형 만들기

    ② 시청각교육을 통한 대리학습(3단계, 기계적인 제시) : 사진 – 슬라이드 – 필름스트립 – 영화 – 라디오 – 녹음자료 – 텔레비전, 지도 – 도표 – 그래프 – 실물 – 표본 – 모형

    ③ 언어를 통한 대리학습(4단계, 추상적 상징) : 토의 – 토론 – 편지 – 수필 – 보고서 – 공식, 책 – 잡지 – 신문 – 강의

2. **데일(Dale)의 경험의 원추모형(Cone of Experience, 1954)** 13. 지방직, 08. 경기·국가직 7급, 06. 대구, 04. 경기

    「교수에서의 시청각 방법」, 진보주의 ⇨ 브루너(Bruner)의 표현방식에 영향을 줌.

    (1) **구성**

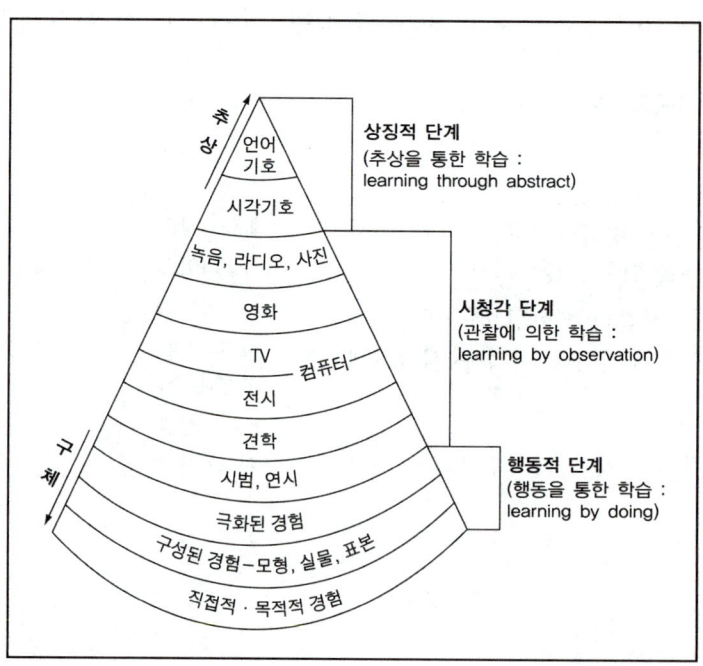

✎ 브루너(Bruner)는 '직접적·목적적 경험'에서부터 '전시'까지를 행동적 단계로 구분한다.

(2) 특징
① 학습자의 연령이나 발달단계와 관련된다. ⇨ 발달단계가 낮으면 하단, 높으면 상단 이용
② 상단일수록 교사 중심 수업, 하단일수록 아동 중심 수업이 효과적이다.
③ 학습시간을 절약하려면 상단의 원추를 이용한다. ⇨ 학습의 경제성
④ 성공적인 학습을 위해서는 가능한 한 하단의 원추를 이용한다. ⇨ 학습의 실용성

> **데일과 브루너의 차이**
> 1. Dale: 학습자에게 제시되는 자극(stimulus)의 특성을 중시
> 2. Bruner: 학습자의 정신적 조작(operation)의 특성을 강조 ⇨ 직접적·목적적 경험부터 전시까지를 행동적 경험으로 분류

(3) 단점
① **자료를 통한 경험의 개념 설정의 어려움**: 자료를 통한 경험의 한계를 설정하기가 애매한데, 각각의 경험을 구분지어 제시하고 있다.
   예 극화 경험, 시범, 전시, 견학 ⇨ 직접 극에 참여하는 경험 이외에 관람을 하면서 느끼는 경험이 있다(직접경험과 관찰학습 모두 가능).
② **언어를 추상적인 경험으로만 분류하는 것의 문제점**: 추상적 언어에만 의존하는 학습은 무의미하고, 언어의 의미는 시청각적 경험이나 직접경험에 의해서만 명확히 전달될 수 있다고 보았는데, 사진이나 그림도 언어의 도움이 필요하고 언어와 함께 사용할 때 의미가 명확해진다.

3. 킨더(Kinder)의 지적 과정이론 – 「시청각 자료와 기술」 09. 서울, 06. 경기

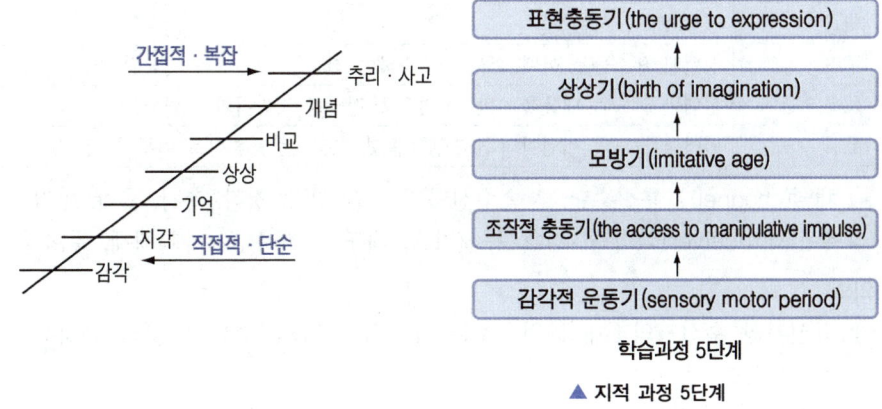

▲ 지적 과정 5단계

④ 시청각통신(Audio-Visual communication, 교육통신)

1. 개념

(1) 학습 과정을 통제하는 의미 있는 메시지의 고안과 사용에 대한 연구를 통해 학습자 행동을 변화시키는 것

(2) 교사의 교육기술을 발달시키기 위해서 기자재의 사용을 목적으로 하는 것이 아니라, 학습자의 발달가능성을 최대한으로 신장시킬 수 있도록 커뮤니케이션(communication)의 모든 방안과 수단을 효과적으로 이용하는 것

(3) **신행동주의 학습이론에 기초**: 헐(Hull)의 체계적 조건화설, S-O-R설

(4) 시청각교육에 전체적으로 접근하려는 체제이론과 교수-학습의 과정을 통신과정으로 보려는 통신이론의 결합

2. 유형

(1) **벌로(Berlo)의 SMCR 모형(1960)**

① 통신과정 모형의 하나 ⇨ 통신은 교사와 학습자 간의 상호작용

② 통신과정 요소: 송신자(S), 메시지(M), 통신수단(C), 수신자(R) ⇨ 선형적 모형

㉠ 송신자(sender, source, communicator): 정보원으로서의 교사 ⇨ '통신기술, 태도, 지식수준, 사회체제, 문화양식'

㉡ 메시지(message): 전달내용, 학습자에게 전달된(제시된) 정보, 교육내용 ⇨ 송신자가 수신자에게 보내는 의미체, 교사에 의해 교수목표에서 선택된 기호로 고안

요소	많은 내용 중 어떠한 내용을 선택하여 어떻게 할 것인가와 관련된 것
내용	전달하고자 하는 것
구조	선택된 요소들을 어떤 순서로 조직하여 전달할 것인가와 관련된 것
처리	선택된 코드와 내용을 어떤 방법으로 전달할 것인가와 관련된 것
코드	언어적 코드와 비언어적 코드(예 몸짓, 표정, 눈 맞추기)로 이루어지는 것

㉢ 채널(channel): 통신수단 ⇨ 송수신자의 오감(시각, 청각, 촉각, 후각, 미각)을 통해 통신

㉣ 수신자(receiver): 학습자 ⇨ '통신기술, 태도, 지식수준, 사회체제, 문화양식'

③ 의의

㉠ 송신자와 수신자의 5개 하위요소는 쉐논과 슈람의 '경험의 장'과 유사

㉡ 교육내용을 메시지로 파악

㉢ 통신수단을 '시청각'이라는 제한된 경험 개념에서 탈피, 5감각(예 시각, 청각, 촉각, 후각, 미각)으로 확대

④ 모형도

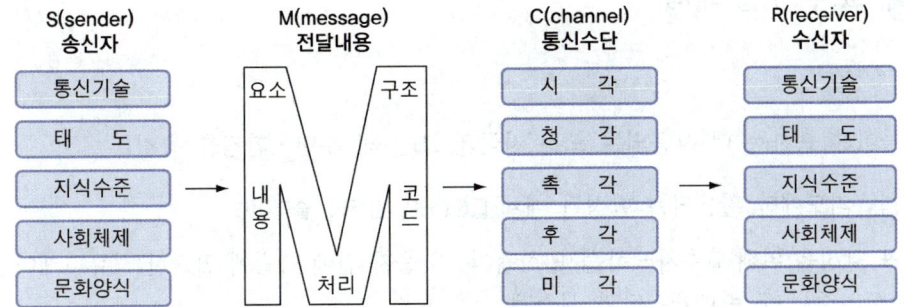

(2) 쉐논과 슈람(Schannon & Schramm)의 통신과정모형(1964)
① 통신과정의 구성요소(비선형적 모형): 경험의 장, 피드백, 잡음 ⇨ 송신자와 수신자의 공통된 경험의 장, 피드백의 원활한 활용, 잡음의 제거 시 효과적인 학습 가능
  ㉠ 경험의 장(field of experience): 송신자와 수신자의 경험의 장이 서로 중복될 때 교수효과가 크다. ⇨ 벌로(Berlo)가 제시한 송신자(S)와 수신자(R)의 하위 요소와 유사
  ㉡ 기호화(encoding): 송신자가 수신자의 경험의 장에 알맞게 메시지를 보내는 과정
  ㉢ 신호(sign): 5감각(시각, 청각, 촉각, 후각, 미각)을 활용
  ㉣ 해독(decoding): 수신자가 송신자에게서 메시지를 수용하는 과정
  ㉤ 잡음(noise): 수업의 방해 요소
    예 복도의 소음, 학생들의 잡담, 교실의 혼탁한 공기, 급식실에서 퍼져오는 냄새, 부적절한 조명 ⇨ 적절한 조치를 통해서 제거하거나 최소화해야 하는 요소
  ㉥ 피드백(feedback): 송신자의 메시지에 대한 수신자의 반응이 다시 화자에게 전달되는 과정으로, 수신자(학습자)의 반응에 의해 송신자(교사)는 수업방법을 수정·보완할 수 있고 수업결과를 판단할 수 있다.
    예 교사와 학생의 상호작용, 학생들의 몸짓 등을 포함
② 특징
  ㉠ 교사와 학습자 간에 공유하는 경험의 중요성을 부각시켰다.
  ㉡ 통신과정에 피드백 요소를 포함시켜 과정 개념의 부각 및 평가와 수정 기능을 환기시켰다.
  ㉢ 통신과정에는 통신의 충실도를 떨어뜨리는 잡음이 있기 마련이며 이는 교수-학습 과정에도 적용되므로, 효과적인 교수-학습을 위해서는 학습에 필요한 최적 환경을 구축하여 잡음을 최소화해야 한다.
③ 모형도

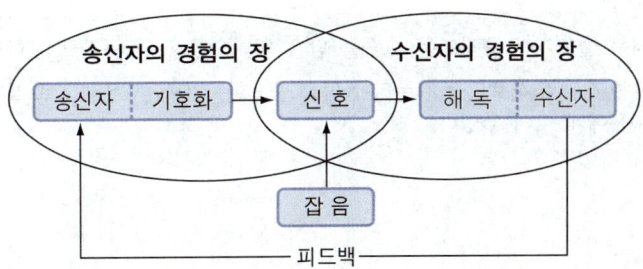

제3절 교수(수업)매체

1 개념 17. 국가직

1. 학습자들이 학습하는 데 사용되는 모든 자극의 조건 및 수단·환경을 총칭
2. 교수-학습지도에만 활용되는 한정된 매체 **예** OHP, 컴퓨터, 슬라이드
3. 교육목표 달성을 위해 교수자-학습자, 학습자-학습자 간에 학습에 필요한 커뮤니케이션이 발생하도록 도와주는 모든 매개수단과 시스템

2 교수매체의 특성 04. 제주

1. **수업적 특성** – 수업을 매체에 적용
   (1) **대리자적 특성**: 매체는 수업의 전 과정에서 교수활동을 수행하는 교사의 대리자이다.
   (2) **보조물적 특성**: 매체는 수업의 보조물로서 교사의 교수활동을 돕는다.

   > "어떤 특정한 교구(敎具)를 사용하는 목적이 무엇인가 하는 문제는 어디서나 제기되는 문제다. ······ 우리가 알아야 할 것은 교구 그 자체가 목적을 결정하지 않는다는 것이다. 시청각 교구나 티칭머신을 만병통치약으로 생각하고 무조건 그것을 찬성하는 사람들은 그것으로 어떤 목적을 달성하려고 하는지가 가장 중요하다는 사실을 간과하고 있다. 이 세상에서 가장 좋은 교육영화들로 끝없이 향연을 베푼다 해도, 그것이 다른 교수방법과 아무 관련을 맺지 못하면, 관람석에 가만히 붙어 있는 관객을 만들어 낼 뿐이다. ······ 결국, 지식의 전달자로서, 학문의 모범으로서, 또 동일시 모형으로서의 교사의 과업은 경험의 폭을 넓히고 그 경험을 명료화하여 그 경험에 개인적인 의미를 부여하는 여러 가지 교구를 잘 활용함으로써 훨씬 효과적으로 완수될 수 있다. 교사 자신이야말로 학교수업 실제에서 수업의 주된 교구이다."
   > — 「교육의 과정」(Bruner)

2. **기능적 특성** – 매체를 수업에 적용
   (1) **고정성**: 어떤 사물이나 상황을 포착하여 있는 그대로 보존, 재생하는 것
   예 사진, 비디오테이프, 녹음테이프
   (2) **조작성**: 사물이나 상황을 여러 가지 방법으로 변형시키는 것
   예 컴퓨터로 사진을 합성, 제시 속도나 크기의 조절

   > • 김 교사는 물고기가 움직이는 모습을 담은 비디오를 느린 동작으로 학생들에게 보여 주었다.
   > • 최 교사는 개구리 해부도를 컴퓨터에 담고 중요한 부분을 붉은색으로 칠한 후 빔프로젝터로 확대하여 학생들에게 보여 주었다.

(3) **확충성**(분배성, 배분성): 거의 동일한 경험을 많은 사람들에게 제공하는 것 ⇨ 경험의 공간적 확대 예) TV, 라디오, 영화

(4) **구체성**: 개념이나 가치를 구체화하여 제시 예) 생물의 진화도

(5) **반복성**: 동일한 내용을 계속하여 사용할 수 있음. ⇨ 시간적 반복 예) 비디오테이프

3 교수매체 연구

매체비교 연구	① 상이한 매체 유형이 학업성취도에 미치는 효과 연구 ② 행동주의 패러다임에 토대 ③ 학습의 결과적 측면을 연구한 초기의 매체연구 경향 ④ 독립변인은 특정 교수매체, 종속변인은 학습의 결과인 지식·기술 습득 ⇨ 새로운 매체가 기존 학습보다 더 효과적인가에 중점 예) 텔레비전 수업과 교사에 의한 전통적 수업의 효과 비교 연구 ⑤ 새로운 매체의 사용으로 인한 신기성 효과(novelty effect)나 교수방법의 효과를 통제하지 못했다는 비판을 받음.
매체속성 연구	① 특정 매체가 지닌 속성 자체가 학습자의 인지 과정 혹은 학업성취도에 어떤 영향을 미치는가에 관한 연구 ⇨ 학습의 과정적 측면을 중시 ② 인지주의 심리학과 구성주의 패러다임에 토대 ③ 대표적 연구 • 굿맨(Goodman)의 상징체제이론: 상징체제의 구조적 특성을 결정짓는 요소로 '표기성(notationality)', 즉 한 상징체제 내의 구조의 명확성 정도를 제시 • 살로만(Salomon)의 매체속성이론: 매체의 상징적 특성과 학습자의 인지적 표상과의 관련성 연구
매체선호 연구	① 매체활용에 대한 학습자의 태도에 관한 연구 ② 교수매체에 대한 학습자의 태도, 가치관, 신념 등의 정의적 특성 변인들이 학습에 미치는 효과를 탐색 ③ 대표적 연구 • 클락(Clark)과 살로만(Salomon)의 연구: 태도와 학습은 직접적 관련이 없음. • 반두라(Bandura)와 살로만(Salomon)의 연구: 학습자들의 학습에 노력을 기울이는 정도는 지각된 매체 난이도와 지각된 자기효능감에 따라 달라짐. ⇨ 매체 난이도 지각 수준이 중간 정도일 때 학습을 위한 노력이 최고로 높아짐(역U자형 곡선).
매체활용의 경제성에 관한 연구	① 교수매체의 비용효과에 관한 연구: 다양한 교수매체의 비용효과에 영향을 주는 조직적 요소, 관리적 요소, 실행요소를 연구 예) 컴퓨터는 실제 교사보다 저렴한 비용으로 개별화 학습에 기여할 수 있다. ② 비용(cost)은 학습자가 성취수준에 도달하는 데 걸리는 시간, 개발팀이 교수 프로그램을 개발하고 수정하는 데 소요되는 시간의 양, 소요되는 자원의 비용 등을 의미한다.

4 교수매체의 선정 및 활용 10. 경북

1. 매체 선정 시 고려할 사항

(1) **학습자의 특성**: 학습자의 연령, 지적 발달수준, 흥미, 적성 등을 고려
  - 예 연령이 낮은 학습자에게는 그림을, 연령이 높은 학습자에게는 표를 활용하여 정보 제공

(2) 교육목표와 교육내용에 적합할 것

(3) **수업사태**(수업상황): 수업집단의 형태(대집단, 소집단)나 수업전략(강의법, 토의법)을 고려
  - 예 소집단 개별학습에는 컴퓨터를, 대집단 강의법에는 OHP나 슬라이드를 활용

(4) 매체의 물리적 속성(예 시각, 청각, 시청각, 크기, 색채 등)과 기능

(5) **난이도**: 학습자의 수준에 적합할 것

(6) **실용성**: 매체를 사용하기 편리하거나 사용할 여건이 조성되었느냐에 따라 결정
  - 예 수업장소의 시설, 이용 가능성, 시간, 비용

(7) 질적(質的) 양호성

2. 매체 선정 및 활용 절차 – 하이니히와 모렌다(Heinich & Molenda)의 ASSURE 모형 20. 국가직 7급, 11. 인천

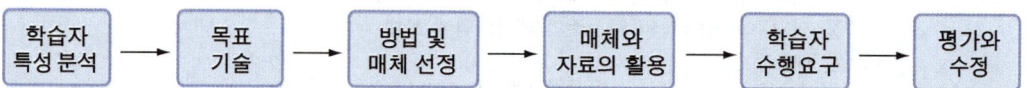

학습자 특성 분석 → 목표 기술 → 방법 및 매체 선정 → 매체와 자료의 활용 → 학습자 수행요구 → 평가와 수정

(1) **학습자 특성 분석**(Analyze learners): 학습자의 일반적 특성(예 연령, 학력, 지적 특성, 문화적 요인), 구체적인 출발점행동, 학습 유형(예 정보처리습관, 동기요소)

(2) **목표의 기술**(State objectives): 학습자가 수업의 결과로 획득해야 할 학습경험과 지식 위주로 진술 ⇨ ABCD기법 예 학습대상자(Audience), 행동(Behavior), 학습의 조건(Condition), 평가수준(Degree)

(3) **방법 및 매체의 선정**(Select methods & materials): 교수방법(예 강의법, 토의법)의 선정, 교수매체의 선정, 교수자료의 선택

(4) **매체와 자료의 활용**(Utilize media & materials): 자료의 사전 검토, 자료의 준비, 환경 준비, 학습자 준비, 학습경험의 제공(자료 제시) ⇨ 교사활동 09. 경기

> **더 알아보기**
>
> **매체활용의 5P 원칙**
> 1. **매체의 점검**(preview the materials): 수업에 사용하고자 하는 매체자료를 사전 검토
> 2. **매체의 준비**(prepare the materials): 계획한 수업활동에 알맞게 순서를 조정하거나 자료의 부분적인 제시 가능하도록 준비
> 3. **환경의 준비**(prepare the environment): 매체의 활용이 이루어질 환경을 준비
> 4. **학습자의 준비**(prepare the learners): 매체활용 수업의 주제와 내용, 주의집중의 필요성에 대해 학습자를 준비시킴.
> 5. **학습경험의 제공**(provide the learning experience): 교수매체를 활용한 학습경험 제공

(5) **학습자의 수행 요구**(Require learners participation) : 연습과 강화 제공 ⇨ 학습자 활동 25. 지방직

(6) **평가와 수정**(Evaluate & revise) : 학습목표(학습자 성취도) 평가, 매체와 방법의 평가, 교수-학습 과정의 평가, 수정

5 교수매체의 종류

▶ 전달되는 도구와 전달되는 내용에 따른 분류

분류		특징	종류
시각매체	비투사적 매체	광학적·전기적 투사방법을 사용하지 않는 매체	실물, 모형, 표본, 디오라마, 파노라마, 실물정화, 융판, 시뮬레이션, 차트, 그래프
	투사적 매체	광학적·전기적 투사방법을 사용하는 매체	슬라이드, OHP, 실물화상기, 필름스트립
청각매체		청각적인 정보를 전달하는 매체	라디오, 녹음기, 카세트테이프, MP3
시청각매체		시각과 청각적 정보를 동시에 전달하는 매체	TV, VTR, 영화
상호작용매체(복합매체)		매체와 사용자가 상호작용이 가능한 매체, 컴퓨터와 관련된 매체	멀티미디어, 쌍방향TV, CAI, 상호작용 비디오

1. 비투사적 매체

실물, 모형, 표본, 디오라마, 파노라마, 실물정화(實物靜畵), 융판, 시뮬레이션, 괘도, 게시판, 도표, 사진, 그림, 칠판, 그래프 05. 경북

(1) **모형**(sample) : 실험, 전시, 교육 등의 용도로 기존 또는 계획 예정인 대상물(실물)의 입체적인 특성을 명시하기 위해 실물을 본떠 만든 것
  예 실물모형, 확대모형, 축소모형

(2) **표본**(specimen) : 생물학·고생물학·의학·광물학 등에서 자연물의 전체 또는 일부를 연구용 또는 교재용으로 보존할 수 있도록 어떤 종류의 처치를 행한 것
  예 박제(剝製) 표본, 건조 표본, 액침(液浸) 표본, 현미경 표본(프레파라트)

(3) **디오라마**(diorama) : 전시자료의 일종, 배경 위에 모형을 설치하여 하나의 장면을 만든 것, 또는 그러한 배치 ⇨ 실제 장면이나 상황을 확대 또는 축소하여 상자 같은 곳에 제작해 놓은 입체화와 같은 구실을 하는 시각매체

▲ 디오라마

① 종류
  ㉠ Shadow box type : 직육면체의 한 쪽 앞면을 잘라내고, 그 속에 사진이나 그림을 이용하여 반달모양의 배경을 세우고, 채색된 작은 모형이나 인형을 앞에 고정시켜 전면에서 들여다 볼 수 있게 만든 유형 ⇨ 가장 보편적인 형태
  ㉡ Top view type : 직육면체의 위쪽을 잘라내어 아래쪽에 모형을 전시한 유형
  ㉢ circle type(회전형) : 둥글게 만들어 전면의 창을 통하여 내부에 있는 2~3개의 장면을 돌려가면서 볼 수 있게 만든 유형

② 장점
  ㉠ 입체효과, 원근효과, 색채효과 등을 통해 강한 현실감을 준다.
  ㉡ 입체적인 제시로 각 부분의 상관성을 제시할 수 있다.
  ㉢ 역사적·지리적 대상에 적응도가 높다.
  ㉣ 직접 보고 느낄 수 있어 구체적인 설명을 대신할 수 있다.
  ㉤ 실물의 개별적인 진열에 그치지 않고 그것의 환경을 함께 전시할 수 있어 인상적인 학습에 효과적이다.
  ㉥ 제작 비용도 적게 들어 자작(自作)할 수 있어 학습동기를 높여 준다.

(4) **융판**(felt board, flannel board) : 베니어판이나 두꺼운 하드보드지에 펠트, 융 등과 같이 보풀이 있는 헝겊을 씌운 펠트판(felt board)이나 융판(panel board) 위에 사진이나 이야기의 중심이 되는 부분(인물, 동물, 사물 등)을 그려서 오려 붙인 후 뒷면에 융, 모래종이, 벨크로(매직테이프, 찍찍이 등) 등을 붙여 활용하는 자료

▲ 융판

(5) **실물정화** : 사람, 장소, 물건을 평면시각으로 표현한 것
  예 사진, 스케치, 만화, 벽화, 신문이나 잡지에서 오려 낸 그림이나 도표·그래프·지도 등

2. 투사적 매체

슬라이드, 필름스트립, 실물환등기, 실물화상기, 투시물환등기(OHP), 빔프로젝터 ⇨ 키스토닝 현상(화면 왜곡 현상) 발생

> **더 알아보기**
>
> **키스토닝(keystoning) 현상**
> 1. **의미** : 투사매체를 사용할 때 스크린에 제시되는 영상의 양끝이나 좌우가 왜곡되어 사다리꼴이나 평행사변형으로 제시되는 화면 왜곡 현상
> 2. **발생매체** : OHP, 슬라이드, 실물화상기, 필름스트립 등 ⇨ TV는 발생하지 않는다.
> 3. **발생원인** : 투사매체와 스크린이 적절히 배치되지 않을 때 발생한다.
> 4. **키스토닝 현상의 종류와 수정**
>   ① 수평적 키스토닝 : 투사되는 면의 좌우의 길이가 다르게 나타나는 현상 ⇨ 투사매체가 좌우측으로 기울어져 있을 때 발생하므로 투사매체를 스크린과 평행하게 배치하여 수정한다.
>   ② 수직적 키스토닝 : 화면의 상하의 길이가 다르게 나타나는 현상 ⇨ 투사매체를 스크린과 수직이 되도록 위로 이동시키거나 스크린 상단을 앞쪽으로 기울여 투사매체와 스크린이 수직이 되도록 조정한다.

(1) **슬라이드**(slide): 여러 장의 필름(35mm)을 한 장 단위로 분리해 테두리를 씌워 보관하며, 이 각각의 필름(frame, 사진)들을 한 장씩 차례로 보여 줄 수 있도록 고안된 매체

(2) **필름스트립**(film strips): 여러 개의 필름이 연결되어 있어 계속되는 필름을 연속적으로 보여주는 매체

(3) **투시물환등기**(OHP, over head projector)

07. 국가직 7급

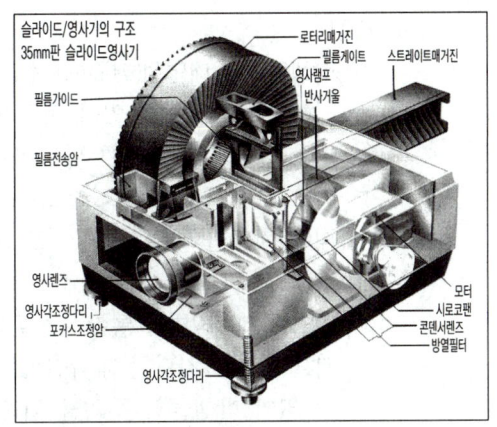

▲ 슬라이드

① **개념**: 학생들과 마주 보면서 투시물 자료(TP)를 투영판 위에다 올려 놓고 교사의 머리 위를 지나서 교사 뒤편에 있는 스크린에 제시하는 매체

　🖉 TP　OHP 위에 얹어져 투사되는 내용의 필름

② **특징**

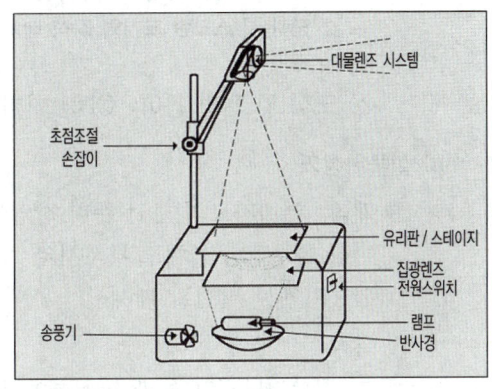

▲ 투시물환등기

　㉠ 추상적이고 복잡한 사실을 시각적으로 쉽게 이해시켜 준다.
　㉡ 포인터(pointer)나 연필로 투시물 자료의 내용을 지적하면 포인터의 그림자가 스크린에 나타나 학생들의 주의를 집중시키고 호흡을 같이할 수 있다.
　㉢ 너무 많은 자료를 한꺼번에 제시하지 않도록 한다. ⇨ 한 시간 수업에 6~7매의 자료가 적당하다.
　㉣ OHP의 종류는 직접 투사를 통해 정보를 제시하는 투사식과 반사를 통해 제시하는 반사식이 있다.

③ **사용기법**

　㉠ **판서법**: 학생들에게 가르칠 내용을 미리 TP에 쓰거나 인쇄해 제시하는 방법
　㉡ **합성분해**(overlay)**법**: 같은 그림을 바탕으로 여러 장의 TP를 겹쳐가면서 보여 주는 방법 ⇨ 복잡한 내용을 단계적으로 제시할 때 사용　예　지도 그리기
　㉢ **부분제시**(masking)**법**: TP의 전체를 다 보여 주지 않고 단계적으로 부분 부분만 제시하는 방법 ⇨ 학생들의 호기심과 동기 유발
　㉣ **기입소거법**: TP에 지워질 수 있는 사인펜을 사용해서 바로 쓰거나 지워가면서 활용하는 방법
　㉤ **실물투영법**: 투명한 물체(예　플라스틱 삼각자, 각도기)를 OHP에 그대로 놓고 투영시키는 방법 ⇨ 자료들의 크기나 각도 등을 비교할 때 사용

④ 장점
  ㉠ **학생들과의 대면적(對面的) 수업 진행 가능**: 교사는 학습자와 마주한 상태에서 자료를 제시하거나 설명할 수 있어, 학습자의 반응을 쉽게 관찰하면서 수업의 속도를 조절할 수 있다.
  ㉡ **밝은 실내에서도 활용**: 암막(暗幕) 시설 없이 밝은 장소에서도 선명한 상을 볼 수 있다.
  ㉢ **자료 제작 용이(容易)**: 손으로 직접 그리거나, 복사기 및 프린터를 이용해서 빠른 시간 내에 저렴한 가격으로 자료 제작이 가능하다.
  ㉣ **수업시간의 절약**: 미리 준비한 자료를 제시하기 때문에 수업시간이 단축될 수 있다.
  ㉤ **다양한 제시방법을 통한 학생들의 주의집중력 향상**: TP뿐만 아니라 플라스틱 자료나 비커를 이용한 간단한 화학실험, 불투명한 자료를 통한 그림자 영상 등을 다양하게 제시할 수 있어 학생들의 주의를 집중시킬 수 있다.
  ㉥ 스크린 대신 칠판이나 벽을 사용할 수 있다.
    ✐ **영사 시 스크린 크기와 좌석 배치** 2×6의 원리 ⇨ 첫 줄(스크린 가로길이×2), 마지막 줄(스크린 가로길이×6)
  ㉦ **조작 및 관리 용이**: OHP 기기 자체가 단순하여 특별한 훈련 없이도 조작이 쉽다.

(4) **실물화상기**
  ① **개념**: 투사자료의 사전 준비 작업이 필요 없이 투명한 물체뿐만 아니라 불투명한 물체도 투사시켜 스크린에 재생시키는 기계 ⇨ 실물환등기에서 발전된 매체

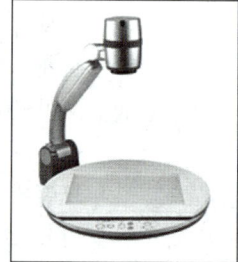
▲ 실물화상기

  ② **특징**
    ㉠ 컴퓨터나 TV 등과 연결하여 사용하며, 컴퓨터와 연결 사용 시 스캐너와 같이 편집과 수정이 가능하다. ⇨ 외부입력 단자에 다른 AV기기를 동시에 연결해서 입력선택 버튼으로 TV모니터에 각각의 영상을 바로 전환해서 볼 수 있다.
    ㉡ 실물환등기의 단점을 보완하면서도 실물자료(예 암석, 나뭇잎, 동전), 사진, 필름 등 모든 자료를 영상화할 수 있다.
    ㉢ 실물화상기의 화상을 컴퓨터에 띄워 컬러 TP로 복사해서 TP자료를 제작할 수 있다.
  ③ **장점**
    ㉠ 잡지, 사진, 지도, 표본 등 다양한 자료를 다양한 각도에서 제시할 수 있다.
    ㉡ 원자료의 손상 없이 자료를 제시할 수 있다.
    ㉢ 하나밖에 없거나 크기가 작아서 여러 사람이 보기 힘든 자료를 확대 투영하여 많은 학습자에게 동시에 보여 줄 수 있다.
    ㉣ 3차원적 자료, 식물표본, 책이나 잡지, 사진 등을 가공의 단계를 거치지 않고 크게 확대하여 제시할 수 있어 실물을 자세하게 관찰할 수 있다.
    ㉤ 모든 자료를 생생하고 선명한 고화질로 영상을 제공할 수 있다.
  ④ **단점**
    ㉠ 반드시 출력기기(예 TV 모니터, 빔프로젝터, 컴퓨터)가 필요하다.
    ㉡ 상이 커질수록 선명도가 떨어진다.

제4절 컴퓨터를 활용한 교육

1 컴퓨터 활용수업(CBI, Computer Based Instruction) 05. 경북

1. 개념
컴퓨터가 직접 학습활동을 지원하고 가르치는 것

2. 장점
(1) 개별화 수업을 가능하게 한다.
(2) 학습자의 반응에 대하여 빠른 속도로 개별적 반응을 하게 한다.
(3) 수업내용의 표준화에 기여한다. ⇨ 교수자, 시간, 장소에 따라 달라질 수 있는 수업내용을 어떤 학습자에게나 매우 유사한 내용으로 전달할 수 있다.
(4) 정의적인 측면에서 긍정적인 수업분위기를 만들어 준다.
　예 컴퓨터를 사용하기 위한 안내, 개인적 태도, 학습지진아 등의 실수나 잘못이 동료들에게 노출되지 않음.
(5) 수업의 효과성(학업성취도 증대)과 효율성(시간과 경비의 절약)을 높인다.
(6) 학습자의 흥미를 끌고 수업내용의 현실성을 높여 준다. ⇨ 다양한 색깔이나 음악, 만화화된 영상 등의 구현 가능
(7) 컴퓨터 사용을 통해 학습자는 논리적인 방법으로 의사소통을 하도록 자극받는다.

3. 단점
(1) 학습자의 사회적 관계가 결여되기 쉽다. ⇨ 상호협력에 의한 대인관계 기술 교수×
(2) 학습자로 하여금 컴퓨터에 대한 비현실적인 기대를 갖게 한다. ⇨ 노력을 하지 않아도 컴퓨터가 모든 것을 해결해 줄 수 있다는 착각을 심어준다.
(3) 컴퓨터로 가르칠 수 있는 교육내용이나 이용목적에는 한계가 있다. ⇨ 정의적인 측면, 심동적인 측면, 대인관계 기술 등의 교수에 어려움.
(4) 수업에서의 창의성이 무시되기 쉽다.
(5) 초기 단계에서 지녔던 매력(신기효과, novelty effects)이 차츰 상실될 수 있다.
　신기효과(novelty effects) 새로운 매체의 사용으로 인한 효과로 단기적이라는 한계를 지닌다.
(6) 초기 도입 시나 질 높은 수업 전개 시 비용이 많이 든다.
(7) 호환성이 문제가 되기 쉽다.

② 컴퓨터의 교육적 활용방안

1. **컴퓨터 보조수업**(CAI, Computer Assisted Instruction) 06. 전북·부산, 05. 국가직

   (1) **개념**
   ① 컴퓨터를 직접 교수매체로 활용하여 교과내용(예 지식, 기능, 태도 등)을 학습자에게 가르치는 교수방법
   ② 스키너(Skinner)의 프로그램 학습(PI)에 기초 : 작동적 조건화 이론
   ③ 교육용 소프트웨어 또는 코스웨어 프로그램을 사용함으로써 컴퓨터가 교사를 대신하여 가르치는 것

   (2) **교육용 소프트웨어**(코스웨어 프로그램) **유형**
   ① 개인교수형 11. 인천
      ㉠ 컴퓨터가 교사의 역할을 담당하여 학습자에게 새로운 내용을 가르치고 확인하는 프로그램 : 컴퓨터가 학습자에게 직접 정보를 제시하는 프로그램
      ㉡ 컴퓨터가 새로운 개념이나 지식을 가르치고자 할 때 활용되는 소프트웨어
      ㉢ 가네(Gagné)의 학습전략(교수 9단계)에 따라 설계 : 학습목표를 제시하고, 정보를 계열화하고 조직하여 제시하며, 학습이 이루어졌는가를 확인하기 위한 문제로 구성
      ㉣ 기본구조 : 개요 부분(도입) ⇨ 정보 제시 ⇨ 질문과 응답 ⇨ 응답에 대한 판단 ⇨ 피드백과 교정 ⇨ 종결

   ② 반복학습형(반복연습형)
      ㉠ 학습자들이 이미 다른 방법을 통해서 배운 지식이나 개념을 유지하고 더욱 정확하게 수행하게 하는 데 활용되는 소프트웨어 : 특정한 과제에 대한 숙련도를 높여 자율화(Automaticity) 단계에 도달하는 것을 목표로 함.
      ㉡ 연습체제를 CAI 체제에 저장해서 학생의 요구가 있을 때나 교사가 임의로 제시하여 연습하도록 하는 양식 ⇨ 가장 많이 사용
         예 영어단어 암기, 수학문제 풀이
      ㉢ 기본구조 : 개요 부분(도입) ⇨ 문항 선정 ⇨ 질문과 응답 ⇨ 응답에 대한 판단 ⇨ 피드백 ⇨ 종결

   ③ 시뮬레이션형(모의실험형) 05. 전남
      ㉠ 현실 상황과 유사한 모의학습 상황체험을 제시하여, 학습자가 다음에 실생활에서 적용해야 할 지식과 기술을 간접적으로 경험시켜 학습효과를 증대시키는 프로그램
         예 비행기 조정훈련, 위험한 과학실험
      ㉡ 프로그램의 목적은 학습자가 현실의 어떤 부분에 대한 유용한 모델을 세우도록 도와주면서 그 모델을 안전하고 효율적으로 점검해 보는 기회를 제공하는 데 있다.
      ㉢ 기본구조 : 개요 부분(도입) ⇨ 시나리오 제시 ⇨ 반응 요구 ⇨ 학생 반응 ⇨ 피드백과 조절 ⇨ 종결

② 유형

물리적 모의실험형	실험실 상황이 아닌 컴퓨터를 통해 간접적으로 실험을 조작하는 유형
절차적 모의실험형	컴퓨터와 학습자의 상호작용을 통해 일의 순서와 절차를 학습하는 유형
상황적 모의실험형	다양한 상황에 대한 문제해결능력을 기르기 위한 유형
과정적 모의실험형	여러 가지 변인을 상호작용시켜 사건이 일어나는 과정이 어떻게 변하는가를 파악하도록 하는 유형

⑩ 장점
ⓐ 실제 상황보다 위험부담이 적어 안전하게 변인들의 통제가 가능하다.
ⓑ 경험을 반복할 수 있어 비용과 시간이 절약되므로 교육의 효율성이 높다.
ⓒ 실제 상황과 유사한 상황에서 여러 가지 지식 및 기술을 습득하게 함으로써 학습의 전이도를 높일 수 있다.
ⓓ 학습자를 학습 과정에 능동적으로 참여시켜 현실적 감각을 부여하고 학습동기를 촉진시킨다.
ⓔ 시간통제가 가능하여 실제 상황을 가속시키거나 시간을 지연시킴으로써 특수한 상황에 대한 통찰력과 이해력을 높인다.
ⓕ 어떤 현상의 구체적인 상황에 초점을 맞추는 능력이 증가된다.

④ 게임형
㉠ 게임의 흥미 유발적 요소를 활용하여 학습과제를 재미있게 학습하도록 하기 위한 프로그램: 현실세계에서 일어나는 경쟁적·갈등적 상황을 인위적으로 조성하여 학생의 학습동기를 유발하여 효과를 얻으려는 수업방식
㉡ 게임형의 구조는 시뮬레이션형과 유사하나, 현실 상황과 유사할 필요가 없다는 점과 상대방의 반응이 추가된다는 점이 다르다.
㉢ 기본구조: 개요 부분(도입) ⇨ 시나리오 제시 ⇨ 반응 요구 ⇨ 학생 반응&상대방 반응 ⇨ 재정비 ⇨ 종결

디지털 기반 게임형의 요소
1. 몰입(flow)
2. 경쟁 및 도전
3. **스토리텔링**(story telling): 데이터(정보)를 주제와 목적에 맞게 생생하고 재미있는 이야기로 꾸민 것

㉣ 장점
ⓐ 동기유발: 상대방과의 경쟁을 통해 학습동기를 유발하고, 학습자에게 도전감과 흥미를 준다.
ⓑ 우연적 학습: 게임의 목표를 달성하는 과정에서 자연스럽게 학습목표가 습득된다. 즉, 학습이 의도적으로 이루어지기보다는 학습자가 의식하지 못하는 과정에서 이루어진다.
ⓒ 학습자의 능동적 참여: 교수 또는 학습자의 주도권은 학습자에게 있으며, 학습자는 게임의 목표를 성취하기 위해 능동적으로 참여한다.

⑤ 발견학습형
  ㉠ 귀납법에 의한 교수-학습을 진행하여 학습자 스스로 일련의 시행착오을 통해 문제를 해결하도록 하는 과정 중심의 프로그램
  ㉡ 컴퓨터의 분지능력과 데이터 저장능력을 활용하여, 학습자가 여러 변인을 고려하여 문제해결 방안을 모색하는 형태
  ㉢ 학습자는 컴퓨터와의 일련의 질의·응답을 통해 데이터베이스로부터 필요한 정보와 문제에 대한 해답을 탐색
    예 컴퓨터가 제시하는 직업선정과 관련된 일련의 질문에 응답함으로써 자신에게 알맞은 직업을 발견하는 방식

(3) **코스웨어(courseware)의 개념 및 개발순서**
  ① **개념**: 컴퓨터를 이용한 교육용 프로그램, 즉 수업목표 달성을 위한 소프트웨어의 총칭
  ② **개발순서**: 요구분석 및 주제선정 ⇨ 목표 및 내용분석 ⇨ 교수방법 및 전략설계 ⇨ 흐름도 작성 ⇨ 스토리보드 작성 ⇨ 프로그래밍 ⇨ 시범적용
    ◇ 흐름도 프로그램의 전체적인 구성과 내용의 연관관계를 한눈에 파악 가능한 그림
  ③ **스토리보드(story board)**: 구체적인 단위 화면
    ㉠ 주제를 효과적으로 나타내기 위하여 내용을 분석하고, 화면 내용구성이나 표현방식을 독서카드 크기에 나타낸 것이다.
    ㉡ 계열화된 내용, 즉 내용의 순서, 각 화면과 음성 및 음향 등을 구체적으로 나타내야 한다.
    ㉢ 가능한 한 시각적 표현을 사용하여 구체적으로 나타낸다.
    ㉣ 독서카드 크기에 장면번호, 스케치, 내용설명, 촬영거리, 카메라 촬영각도를 기록하여 편집한다.
    ㉤ 시청자의 입장에서 사건의 전개를 이해할 수 있도록 화면의 전환이나 전개의 연속성을 고려하면서 작성해야 한다.

2. **컴퓨터 관리수업**(CMI, Computer Management Instruction)
  (1) **개념**
    ① 컴퓨터를 활용, 교수-학습활동을 기록·분석하고 학업 진전 상황을 기록하여 교사의 수업활동을 지원하는 방법 예 컴퓨터 시험출제, 컴퓨터 채점, 성적처리 프로그램 등
    ② 컴퓨터를 직접 수업에 활용하지 않음. ⇨ 개별 처방식 수업(IPI)에 활용

  (2) **장점**
    ① 학습자의 수준이나 필요에 따라 적절한 교수활동을 지원함으로써 학습 상황에 대한 통제가 쉽다.
    ② 학습에 어려움을 지닌 학습자를 찾아 교정활동을 할 수 있다.
    ③ 교사의 일상적인 행정업무 부담을 경감시켜 준다.
    ④ 교수자원을 효율적으로 활용할 수 있도록 교수자원을 배치하는 데 도움을 준다.

(3) 단점
  ① 시험문제 은행, 진단원칙, 처방을 개발하는 데 전문적인 지식, 노력, 시간, 경비가 많이 소요된다.
  ② 정의적 영역, 운동기능적 영역과 같은 목표 영역을 평가하는 데 어려움이 있다.

3. **컴퓨터 매개통신**(CMC, Computer Mediated Communication System)
  (1) **컴퓨터 기능＋통신 기능**: 컴퓨터를 전화선과 모뎀, 정보통신망을 연결하여 사용자 간의 정보 공유와 교환, 의사소통 등을 가능하도록 하는 시스템
    ① 인터넷 활용수업: Hyper-text, 문자 중심 ⇨ 비선형적 정보 제공
    ② 웹 기반수업(WBI): Hyper-media, 영상과 음향 중심
  (2) 학생들이 자기주도적으로 상호작용을 하며 다양한 최신 정보에 접근하기에 가장 적절한 교수－학습 유형
  (3) **장점**
    ① 시공을 초월하여 학습자 간에 비동시적으로 사회적 상호작용의 기회를 제공한다.
    ② 협동적 문제해결의 기회를 제공한다.
    ③ 고차적 사고기술을 습득할 수 있는 기회를 제공한다.

4. **컴퓨터 리터러시**(computer literacy) 04. 서울
  (1) 컴퓨터에 대한 이해와 활용능력을 갖추는 것 ⇨ 컴퓨터에 관한 기초 소양
  (2) 컴퓨터 또는 정보산업사회에서 기능적으로 불편함이 없이 생활하기 위해 필요한 기본 지식과 기술로서의 컴퓨터에 관한 이해와 활용능력

5. **컴퓨터 적응평가**(CAT, Computerized Adaptive Testing) 04. 부산
  (1) 학습자의 능력을 측정하기 위해 개발된 평가용 프로그램 예 TOEFL, GRE
  (2) **각 개별 학생의 능력 수준에 맞는 문제로만 구성된 검사를 치르게 되는 검사**: 전통적 검사와 비교하여 적은 수의 문항으로 학습자의 능력을 측정할 수 있는 프로그램
    ① 개인의 능력에 맞추어 제시되는 검사가 측정의 오차를 줄일 뿐만 아니라 교육적으로도 바람직할 것이라는 아이디어에 기초한 맞춤검사(tailored test)의 한 유형이다.
    ② 피험자의 정답 여부에 따라 능력 수준에 맞는 난이도를 가진 문항을 선택하여 제시하는 과정을 반복함으로써 수행되는 검사로, 적은 수의 문항으로 보다 정확한 검사결과를 얻을 수 있다.
    ③ 평균 정도의 능력 수준에 맞는 문항이 제시되고 문항에 대한 피험자의 정답 여부에 따라 어려운 문항이나 쉬운 문항으로 제시되므로 모든 피험자들이 다른 문항을 접하게 되면, 이러한 절차가 종료를 위한 기준을 만족할 때까지 반복되면서 피험자의 최종 능력 수준이 산출되는 절차를 거친다.

(3) 장점과 단점
　① 장점
　　㉠ 측정의 정확성·효율성(적은 수의 문항으로 능력을 정확히 측정)
　　㉡ 측정의 융통성(검사 목적, 필요에 따라 검사전략 채택)
　　㉢ 부정행위 불가능(학생마다 다른 문항을 제공)
　② 단점
　　㉠ 맥락효과(context effect; 특정 영역 관련 문제만을 치른 수험생에게만 적용)
　　㉡ 보안(문제은행의 노출)
　　㉢ 이전의 문항에 대한 정답 수정 불가능
　　㉣ 개발 비용·시간·경비·노력이 많이 소요됨.

◈ CBT와 CT
　(1) **컴퓨터 이용 검사(Computer-Based Test; CBT)**: 컴퓨터를 이용한 모든 검사
　　① 검사결과에 대한 즉각적인 피드백이 이루어지기 때문에, 학습능력에 대한 신속한 진단이나 교정이 용이하다.
　　② 컴퓨터를 통해 검사점수나 합격여부가 통보되므로 채점과 결과 통보에 걸리는 인력과 시간, 경비를 절약할 수 있다.
　　③ 컴퓨터 화면을 통하여 여러 가지 색상과 글자, 사진, 동영상 등 다양한 문항제시[예 정보활용형, 매체(미디어) 활용형, 도구조작 및 모의상항(시뮬레이션)형, 대화형 등]가 가능하여 지필검사로는 측정하지 못했던 능력들을 측정할 수 있다.
　　④ 검사의 시기와 장소에 있어서도 융통성이 있으므로 원하는 때에 언제든지 검사를 실시할 수 있다.
　(2) **컴퓨터화 검사(Computerized Test, CT)**: 지필검사와 동일한 내용과 순서로 시행되는 검사

6. 컴퓨터 프로젝터

(1) **개념**: 컴퓨터 모니터의 화면을 프로젝터를 활용하여 스크린에 투사해 주는 기기　예 LCD Panel, 빔 프로젝터

▲ 빔 프로젝터

(2) **장점**
　① 그림, 사진 등 정적 자료뿐만 아니라 애니메이션, 동영상 등 멀티미디어 자료를 제시할 수 있다.
　② 컴퓨터 화면에 모든 작동(예 컴퓨터 프로그램의 기능, 소프트웨어의 작동)을 보여줄 수 있다.
　③ 컴퓨터 화면뿐만 아니라 비디오, 방송 케이블과 연결시켜 사용할 수 있으므로, 따로 TV를 갖출 필요가 없다.
　④ 한번 자료를 제작해 놓으면 반복해서 영구히 사용할 수 있다.

제5절 뉴미디어(New Media)와 원격교육

1 개관

1. 개념
(1) 컴퓨터 공학의 발달에 따라 새롭게 등장한 매체들을 지칭하는 말 ⇨ 1970년대 중반 이후 통신기술의 발달과 더불어 본격화
(2) 원격교육에 활용되는 다양한 매체들

2. 종류
(1) **인터넷**(Internet): 전 세계의 컴퓨터망을 연결하여 각각의 컴퓨터가 가지고 있는 정보를 주고받을 수 있는 컴퓨터 통신망
(2) **멀티미디어**(Multi-media): 두 가지 이상의 상이한 매체가 결합된 것
(3) **하이퍼미디어**(Hypermedia): 하이퍼텍스트 형태로 조직된 멀티미디어
(4) **화상강의 시스템**: 격리된 두 곳 이상의 장소에 음성과 영상을 전송하는 시스템

3. 특징
개별화에 기여, 상호작용의 증대, 개인의 경험을 확장, 시·공간적 제약을 극복

2 원격교육(distance education) 20. 지방직, 19. 국가직 7급, 09. 대전

1. 개념
(1) 교수자와 학습자가 직접 대면(face-to-face)하지 않고 방송교재나 오디오·비디오 교재 등을 매개로 하여 교수-학습활동을 전개하는 교수전략
  ① 「디지털기반의 원격교육 활성화기본법」 제2조 제3호: 교육기관이 지능정보기술(「지능정보화기본법」 제2조 제4호에 따른 지능정보기술)과 정보통신매체를 이용하여 시간적·공간적 제약에 구애받지 아니하고 실시하는 일체의 교육활동(다수의 교육기관이 공동으로 운영하는 것을 포함)
  ② 역사: 우편통신 기반(1800's; 우편제도와 인쇄교재 활용 ⇨ 공교육 보완) → 대중매체 기반(1930's; 라디오, TV 활용 ⇨ 대량정보 전달) → 정보통신기술 기반(1980's; CMC, 인터넷, 통신위성 등 ⇨ 면대면 교육 보완)
(2) **비면대면**(non-face to face / Untact) **수업형태**: 모든 종류의 교육공학적 매체들을 종합적으로 사용하는 '다중매체 접근방식(multimedia approach)'의 장점을 최대한 활용 ⇨ 평생교육에서 중시 예. E-learning, U-learning, M-learning

(3) 교수자와 학습자가 시간과 공간이 분리된 상황에서 일어나는 교수·학습(Coldway)

콜드웨이(Coldway)의 교육실천 형태 분류

	같은 시간	다른 시간
같은 장소	전통적 교실교육	미디어센터(학습센터)
다른 장소	동시적 원격교육	비동시적 원격교육

(4) **개념적 속성**
　① **독립성과 자율성**: 교수자와 학습자의 시간적 및 공간적 분리
　　㉠ 교수자는 교수내용을 제작하고 자료를 준비하는 과정이, 학습자가 학습을 하는 시간 및 공간으로부터 독립되어 있다. ⇨ 교수자는 학습교재를 잘 만들어야 할 책임이 요구됨.
　　㉡ 학습자는 언제, 어디서, 어떤 내용을 어떻게 학습할지에 대한 의사결정권을 가지며, 자율적으로 학습할 수 있다. ⇨ 학습자는 학습에 대한 선택권과 스스로 학습해야 할 책임이 요구됨.
　② **상호작용성(communication)**: 교수자, 학습자, 학습교재(매체) 간의 상호작용이 학습에 중요한 요인임.
　　㉠ 상호작용의 매개체가 되는 교재나 매체가 효과적으로 제작되어야 함.
　　　예 교수자와 학습자가 대화를 하듯 내용을 이해할 수 있도록 구어체로 잘 정리된 교재(elaborative text process)
　　㉡ 협동학습 등 다양한 쌍방향 상호작용이 촉진되어야 함.
　　　예 학습자-내용, 학습자-교수자, 학습자-학습자, 학습자-전문가 간 등
　③ **학습공간의 확장(Expansion of learning space)**: 정보통신기술의 비약적 발달, 교육관의 변화, 현대의 사회문화적 환경 등으로 인해 중시되는 원격교육의 현대적 속성
　　㉠ **정보 습득 공간의 확대**: 인쇄 교재나 오디오, 비디오 교재 등 제한된 공간에서 미리 확정된 정보를 얻게 되는 기존 원격교육에서 벗어나, 학습자가 정보를 습득할 수 있는 공간이 무한정으로 확대됨.(**예** 웹사이트, SNS 등)
　　㉡ **정보 활용 공간의 확대**: 학습자 자신의 학습력 향상을 위한 활용 위주의 기존 원격교육에서 벗어나, 습득된 정보는 보다 넓은 공간에서 활용됨.
　　㉢ **학습 대화 공간의 확대**: 교수자-학습자 간 대화 위주의 기존 원격교육에서 벗어나, 학습 대화 공간이 무한정으로 확대됨.
　　㉣ **지식 구성 공간의 확대**: 습득된 정보를 활용하여 고차원의 지식을 구성하는 것이 어려웠던 기존 원격교육에서 벗어나, 학습자가 지식을 구성할 수 있는 공간(**예** blog, 개인 홈페이지 등)이 확대됨.

2. 형태

(1) E-learning(Cyber-learning, 웹기반학습) 07. 국가직

① 멀티미디어, 웹 등 여러 형태의 정보기술을 활용한 교육으로 학습자가 시간과 공간의 제약 없이 자유롭게 교육을 받을 수 있으며, 웹을 항해하면서 학습자원을 다양하게 활용할 수 있는 교육 또는 인터넷상에서 시간과 공간의 제약 없이 교육이 가능한 온라인 학습체제
② 전자적 수단, 정보통신 및 전파방송기술을 활용하여 이루어지는 학습(e-러닝 산업발전법)
③ 인터넷 기반으로 학습자 상호작용을 극대화하면서 분산형의 열린 학습 공간을 추구하는 교육 (2003, e-러닝 백서)

(2) 유비쿼터스 러닝(Ubiquitous learning ; U-learning) 22. 국가직

① 개념
  ㉠ 유비쿼터스(Ubiquitous)란 물이나 공기처럼 시공을 초월해 '언제 어디에나 존재한다.'는 뜻의 라틴어(語)로, 사용자가 컴퓨터나 네트워크를 의식하지 않고 장소에 상관없이 자유롭게 네트워크에 접속할 수 있는 환경을 말한다.
  ㉡ 학생들이 언제 어디서나 내용에 상관없이, 어떤 휴대용 단말기, 즉 모바일(mobile ; '움직일 수 있는') 기기(예 휴대폰, PDA, DMB, PC, 노트북, 태블릿 PC, PMP 등)로도 학습할 수 있는 교육환경을 조성해 줌으로써, 보다 창의적이고 학습자가 중심이 되는 교육과정을 실현하는 통합적 학습체제를 말한다.
  ㉢ 컴퓨터 관련 정보화 기기들(예 휴대용 단말기, 자동차의 네비게이터, 각종 센서 등)이 무선 네트워크에 의해 연결될 때 어디에나 존재하는 컴퓨팅 환경이 가능해지는데, U-learning은 이처럼 컴퓨터가 도처에 편재된 상태인 유비쿼터스 컴퓨팅 기술을 활용하는 학습체제를 의미한다.

② 특징
  ㉠ 학습자가 중심이 되는 교육환경 제공
  ㉡ 학습참여자들 사이의 다양한 상호작용 형태의 촉진 예 면대면, 원격, 실시간, 비동시적 등
  ㉢ 풍부한 학습자료의 활용
  ㉣ 평생학습을 위한 기반 조성

③ 사례
  ㉠ RFID(Radio Frequency IDentification, 전자태그, 스마트태그, 무선식별, 전자라벨): 무선 통신 시스템을 이용하여 식품, 동물, 사물 등 다양한 개체의 정보를 관리할 수 있는 자동화 데이터 수집 장치(Automatic Data Collection) ⇨ 판독 및 해독 기능을 하는 판독기(Reader)와 정보를 제공하는 태그(Tag)로 구성, 제품에 붙이는 태그에 생산, 유통, 보관, 소비의 전 과정에 대한 정보를 담고, 판독기로 하여금 인공위성이나 이동통신망과 연계하여 정보를 읽는다.
    예 유통 분야, 동물 추적장치, 대중교통 요금징수 시스템, 도서 출납 등
  ㉡ 가상현실(VR, Virtual Reality) 23. 국가직: 현실과 관련 없이 가상의 공간에서 다각도의 영상을 보여주는 기술
  ㉢ 증강현실(AR, Augmented Reality): 현실세계에 컴퓨터 그래픽·문자 등 가상세계(virtual)를 겹쳐 보여주는 기술 ⇨ 현실세계에 실시간으로 부가정보를 갖는 가상세계를 합쳐 하

나의 영상으로 보여 주므로 혼합현실(Mixed Reality, MR)이라고 함 **예** 스마트폰 카메라로 주변을 비추면 인근 상점의 위치, 전화번호 등의 정보가 입체영상으로 표기됨. 원격 의료 진단 등
ⓔ **확장현실(XR, eXtended Reality)**: 가상현실(VR), 증강현실(AR), 혼합현실(MR)을 모두 지원할 수 있는 초실감형 기술
ⓜ **메타버스(meta-verse)**: VR·AR·XR 기술의 발달을 기반으로 가상 세계에서 일상의 모든 분야를 현실처럼 구현하는 플랫폼

◬ **몰입형 학습(Immersive Learning)** 크리스 디디(Chris Dede, 2012), 제레미 베일렌슨(Jeremy Bailenson, 2018), 칼 캡(Karl Kapp, 2012)이 주장
1. **개념**: 가상 현실(VR), 증강 현실(AR) 등을 활용하여 학습자에게 몰입감 높은 학습환경을 제공하는 학습방식
2. **특징**: 가상 현실(VR **예** 가상 실험실), 증강 현실(AR **예** 과학수업에서의 3D모델을 활용), 시뮬레이션(**예** 비행조정훈련, 의료수술훈련), 게임기반학습[**예** Kahoot(카훗; 교육용 퀴즈게임 플랫폼), Duolingo(듀오링고; 외국어 학습)]

(3) **모바일 러닝**(M-learning, Mobile learning) 18. 지방직
① **개념**
ⓐ 기술적인 측면에서 볼 때 무선인터넷 및 위성통신기술을 기반으로 PDA(Personal Digital Assistant, 개인휴대용 단말기), PMP(Portable Multimedia Player, 휴대용 멀티미디어 재생기), 태블릿 PC, 무선인터넷 지원 노트북, 스마트폰을 활용하는 학습환경을 의미한다.
ⓑ 이동성(mobility)이 있는 무선(wireless)의 매체들을 활용한 교육을 의미한다.
ⓒ 교실 내에서 특정한 시간대에 제한된 교육과 학습을 벗어나려는 e-러닝의 지향점은 M-러닝을 통하여 비로소 제대로 구현될 가능성을 보여주고 있다. 무선인터넷과 관련된 기구들을 활용함으로써 학생들은 자신들이 어디에 있는지에 상관없이 학습활동을 하게 될 것이다.
ⓓ 예를 들어, 위성 DMB를 통하여 교육방송을 시청할 수 있는 것이나, PMP 기기를 통해 다양한 학습 컨텐츠와 동영상을 다운로드 받아서 학습을 할 수 있게 하여 주는 사이트나, 디지털 교과서 등이 있다.

② **특징**
ⓐ **맥락적(context-sensitive, context aware)이다**: 이는 이동하는 개인의 위치와 처해 있는 상황과 맥락을 반영하여 그에 적합한 대응적 반응을 할 수 있는 교육 환경을 의미한다. 이 특징은 일반 교실 수업 혹은 일반 컴퓨터 앞에서의 교육환경과 M-러닝의 근본적 차이를 보여준다.
ⓑ **학습자의 개별성을 지원해 준다**: 이는 학습자의 개별 상황과 요구가 반영된 학습을 하도록 해주며, 학습자가 자신의 학습을 주도하도록 하여 궁극적으로 효과적인 학습을 돕는 것을 말한다.
ⓒ **개별학습의 결과를 학습자 간의 사회적 상호작용을 통해 공유하도록 하는 공유성의 특징을 가진다**: 이는 M-러닝의 기술적인 특성을 협동학습에 용이하게 활용함으로써 얻어지는 중요한 특성이 된다.

③ **디지털 교과서**: 전자교과서 또는 e-book이라고도 함. 14. 국가직
ⓐ 서책형 교과서를 디지털의 형태로 바꾼 뒤 유무선 통신망을 이용하여 그 내용을 읽고, 보고 들을 수 있도록 한 교과서를 말한다.

ⓒ 디지털 교과서는 기존의 서책형 교과서를 디지털화하여 서책이 가지는 장점과 아울러 검색, 내비게이션 등의 부가편의 기능과 멀티미디어, 학습지원 기능을 구비하여 편의성과 학습효과성을 극대화한 디지털 학습교재이다.

ⓒ 디지털 교과서는 이동의 편리함을 추구하고, 서책형 교과서와 같은 사용편의성을 도모하기 위하여 현재는 태블릿 PC 환경에서 개발되고 있다.

3. 특성

(1) **교수자와 학습자 간의 물리적 격리**: 비접촉성 커뮤니케이션

(2) **교수매체의 활용**: 인쇄자료, TV, 라디오, 컴퓨터 코스웨어 등

(3) **교수자와 학습자 간의 상호작용**(쌍방향 의사소통): 학습자-내용, 학습자-교수자, 학습자-학습자 간의 상호작용

(4) 다수 대상의 개별학습 가능

(5) 학습자의 책임감 및 지원 조직이 필요

(6) 평생학습 체제 구현에 기여

> **더 알아보기**
>
> **원격교육을 위한 매체선정 준거: 베이츠(A. W. T. Bates)의 ACTIONS모형**
>
> 원격교육을 위한 매체선정 준거로, SECTIONS모형으로 불리기도 하는데, 이때 S는 Student(학습자), E는 Ease of Use and Reliability(사용의 용이성과 신뢰성, 즉 접근성)을 말함. ⇨ A와 C를 우선적으로 중요시함.
> 1. A(Access, 접근, 수신, 접속): 학습자가 특정 매체에 어느 정도 접근 가능한지를 파악
> 2. C(Costs, 비용): 교육효과, 학생 수, 강좌 수, 초기 투자비용과 운영비용 등에 관한 고려가 필요함.
> 3. T(Teaching and learning, 교수와 학습): 매체가 가지는 교육적 특성, 제시형태뿐만 아니라 학습목표에 대한 분석을 통해 매체를 선정해야 함.
> 4. I(Interactivity and user-friendliness, 상호작용과 학습자 친화): 특정 매체로 가능한 상호작용의 형태와 그 사용이 용이한지에 대한 고려
> 5. O(Organizational issue, 조직의 문제): 매체가 성공적으로 활용되기 위해 고려해야 할 조직의 특성
>   ⇨ 조직 내의 장애요소 제거, 즉 조직개편과 인적 자원의 확충 등을 말함.
> 6. N(Novelty, 참신성): 학습자에게 얼마나 새롭게 인식되는가의 고려
> 7. S(Speed, 신속성): 얼마나 빠르게 학습내용을 전달하는가의 고려

4. 장점 11. 국가직

(1) 학습자들이 원하는 시간과 장소에서 원하는 내용을 학습할 수 있다. ⇨ 적시훈련(just-in-time training) 상황에 유용

(2) 각 지역에 있는 학습자원을 공유할 수 있다.

(3) 다수의 학습자를 대상으로 동시에 교육할 수 있다.

(4) 온라인 멀티미디어 코스웨어를 제공한다.

(5) 최신 정보를 입수할 수 있고, 원거리에 있는 교사나 전문가의 도움을 얻을 수 있다.

(6) 학습자 간의 상호작용을 통해 학습을 할 수 있다.

5. 단점

(1) 원격지의 학습자를 직접적으로 통제할 수 없기 때문에 학습의 질(質)이나 평가관리가 어렵다.
⇨ 혼합교육(blended learning)으로 보완

> **더 알아보기**
>
> **혼합교육(blended learning)**: 드리스콜(M. Driscoll, 2002), 그레이엄(C. Graham, 2003)이 주장 22. 지방직
> 1. (협의) 온라인 교육과 오프라인 교육을 통합하여 병행 실시하는 것이다. ⇨ (광의) 여러 가지 수업 방법(예, 강의법, 토의법, 협동학습)을 통합하여 실시하는 것
> 2. 사전에 수강자가 인터넷 학습을 통해 자신이 신청한 과목의 사전지식을 습득하고 전통적인 수업, 즉 교실에서 진행하는 집합교육에 참여함으로써 전문지식의 습득은 물론 교육의 이해도를 높일 수 있게 한다.

(2) 시스템 환경 구축에 필요한 초기 비용 부담이 크며, 계속적인 투자가 요구된다.

(3) 교수매체에 의존하는 의사소통으로 인해 교수자와 학습자 간에 심리적인 거리감이 생기고, 상호작용이 감소될 수 있다.

③ 인터넷(Internet) 04. 대구

1. 개념

국제적인 컴퓨터 통신망(global network)

2. 활용수업: E-learning(이러닝), Cyber-learning(사이버러닝), 웹기반학습 등으로 불림.

구분 기준	인터넷 활용수업 형태
서버 활용	정보검색, 정보교환, 온라인강좌
집단 구성	개별학습, 집단학습(협동학습)
교수-학습 유형	문제해결학습, 토의수업, 탐구학습

(1) **MOOC**(Massive Open Online Courses): 무크 17. 국가직 7급

① 개념: 인터넷을 활용한 대규모 공개 온라인 강좌
㉠ 수강인원에 제한 없이(Massive), 모든 사람이 수강 가능하며(Open), 웹 기반으로(Online) 미리 정의된 학습목표를 위해 구성된 강좌(Course): 인터넷이 되는 곳이면 국가나 지역에 상관없이 언제 어디서나 수강할 수 있다.

ⓒ **무크의 핵심은 쌍방향성이다**: 학습자가 수동적으로 듣기만 하던 기존의 온라인 학습동영상과 달리 교수자와 학습자, 학습자와 학습자간 질의응답, 토론, 퀴즈, 과제 제출 등 양방향 학습이 가능한 새로운 교육 환경을 제공하며, 학습자는 세계를 넘나들며 배경지식이 다른 학습자간 지식 공유를 통해 새로운 학습경험을 할 수 있다.

　② **운영형태**
　　㉠ 교수자와의 상호작용과 피드백을 중요시하는 cMOOC
　　㉡ 교수자의 개입을 최소화하고 수준 높은 강의내용 제공에 초점을 맞춘 xMOOC

　③ **등장 및 확산**
　　㉠ 2008년 캐나다에서 처음 시작되어, 2012년 미국, 2015년 독일과 프랑스 등 유럽과 인도·중국·일본 등 아시아에서 무크 서비스를 제공하기 시작했다.
　　㉡ 우리나라(K-MOOC)는 2015년 10월 서울대, KAIST 등 10개 국내 유수대학의 총 27개 강좌를 시작하였다.

(2) **교실온닷**: 온라인 공동교육과정 ⇨ 교육부에서 진행하는 온라인 화상수업

　① **개념**
　　㉠ 온라인 상의 교실, 실시간(on-line) 교육, 내 인생의 정점(dot)을 찍는 교실, 학생이 교실로 찾아가는 것이 아니라 교실이 학생들에게 온다는 의미도 내포
　　㉡ 희망학생이 적거나 교사 수급이 어려운 소인수·심화과목에 대해 여러 학교가 공동으로 과목을 개설하여 운영하는 공동교육을 실시간/양방향 온라인방식으로 제공하는 제도

　② **운영 목적**: 학생의 진로와 적성에 맞는 교육과정 제공, 학생의 과목선택권 보장, 향후 도입될 고교학점제 지원

　③ **운영 대상**: 수강을 희망하는 전국의 모든 일반고 고등학생

　④ **장점 및 학습효과**
　　㉠ **비실시간 온라인 수업의 한계 극복**: 일방향 동영상 수업중심에서 탈피, 실시간/양방향 참여형 수업 실시 ⇨ 플립러닝, 블랜디드러닝, 토론 등 다양한 수업이 가능
　　㉡ **오프라인 공동교육과정의 한계 극복**: IT기술을 활용하여 시·공간적 제약 극복, 안전 문제 해소, 학생의 과목 선택권 확대, 학생들의 소질과 적성·진로에 맞는 다양한 학습기회 보장
　　㉢ **온라인 수업의 장점 활용**: 수업 녹화 등을 통해 복습자료로 활용하여 학습효과 상승

　⑤ **운영 상황**: 2017년 서울, 대구, 인천, 충남, 전남, 경남교육청 ⇨ 2019년 전국으로 확대

(3) **에듀테인먼트(edutainment)**

　① **개념**
　　㉠ 교육적인 요소가 담긴 오락물이나 오락(놀이)적인 요소가 담긴 교육자료나 매체
　　㉡ 게임을 포함한 웹자료 ⇨ 루돌로지[ludology ; ludus(게임) + logos(학문)]

② 디지털 게임기반 학습(digital game-based learning)의 요소
  ㉠ 몰입(flow): 개인이 자신이 하고 있는 일에 빠지게 되는 심리상태 ⇨ 칙센트미하이
    (Csikszentmihalyi)는 '최적의 경험'으로 정의
    ⓐ 몰입 경험의 특징: 어떤 외적인 보상을 위해서가 아니라 몰입 그 자체를 추구하는
      자기목적성을 가진다.
    ⓑ 플로우 8채널 모델(Csikszentmihalyi): 몰입은 능력(skill level)과 과제(challenge level)
      라는 두 변수가 모두 높을 때 경험한다.

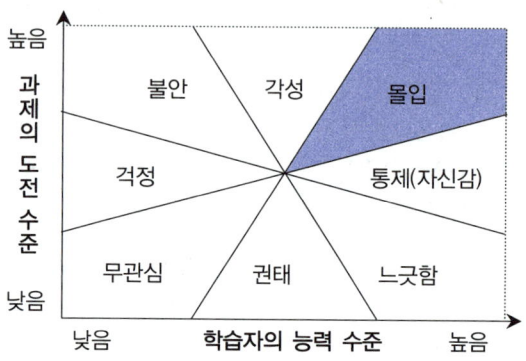

    ⓒ 웹기반교육에서 최적 몰입 경험 방안

      • 학습자가 생각하는 중요한 관심사를 지속적으로 파악하기
      • 학습내용이 실질적으로 필요한 내용으로 구성하기
      • 학습 자체가 즐거워 시간가는 줄 모르도록 설계하기
      • 탐색하고 사용하기 편리한 사용자 편의성에 입각하여 설계하기
      • 학습자와 상호작용을 극대화할 수 있도록 설계하기
      • 학습내용이 학습자에게 전달될 때 학습자의 주의를 분산시키지 않도록 설계하기

  ㉡ 경쟁 및 도전
  ㉢ 스토리텔링(storytelling): 데이터(정보)를 주제와 목적에 맞게 생생하고 재미있는 이야
    기로 꾸민 것

③ 장점
  ㉠ 동기유발: 상대방과의 경쟁을 통해 학습동기를 유발하고, 학습자에게 도전감과 흥미를
    준다.
  ㉡ 우연적 학습: 게임의 목표를 달성하는 과정에서 자연스럽게 학습목표가 습득된다. 즉,
    학습이 의도적으로 이루어지기보다는 학습자가 의식하지 못하는 과정에서 이루어진다.
  ㉢ 학습자의 능동적 참여: 교수 또는 학습자의 주도권은 학습자에게 있으며, 학습자는 게임
    의 목표를 성취하기 위해 능동적으로 참여한다.

3. 수업 사례 ①: 웹기반 탐구수업(Web Quest Instruction) 14. 지방직

(1) 교수활동

① 웹기반 탐구활동을 해 나가는 과정에 있어서 학습자들은 주제에 관해 능동적으로 그들 자신의 비평적인 이해를 구축해 가며, 탐구 질문 또는 문제의 해결을 위해 협동적 작업 과정을 거치기도 한다. 교수자들은 학습자들의 추상화 수준에 따라 그들을 과제 또는 활동에 도전하도록 함으로써 활동의 경직성을 변화시킬 수 있다. 교수자료의 관련성은 학습자들에게 증가된 동기를 제공한다는 측면에서 아주 중요한 요소이며, 이는 수업에 최근의 사건을 반영하기 위해 새로운 정보자원을 이용함으로써 제공될 수 있다.

② 학습자들은 전형적으로 협동그룹을 통해 웹기반 탐구활동을 완성해 나간다. 그룹의 각 학습자는 탐구주제에 대한 구체적 영역이나 역할을 부여받는다. 웹기반 탐구는 역할놀이의 형식을 취하며, 이 과정에서 학생들은 전문가나 역사적 인물의 역할을 맡기도 한다. 웹기반 탐구는 반드시 실제 웹사이트를 기반으로 개발될 필요는 없다. 이는 좀 더 낮은 수준의 테크놀로지(예 워드문서, 로컬pc)에 의해서도 행해질 수 있다.

③ 웹기반 탐구수업은 교실 안으로 테크놀로지를 통합시키는 획기적 방법이라고 할 수 있다.

(2) 절차

① **도입(instruction, 소개)**
   ㉠ 학습내용과 관련된 배경을 제시하되, 학습자들을 대상으로 학습활동이나 학습내용에 관해 간략하게 제시한다.
   ㉡ 학습자에게 특정 역할을 부여하거나 시나리오의 형태로 제시하여 학습의 동기를 유발할 수 있거나 또는 학습의 핵심적인 질문을 던져주어 웹기반 탐구활동이 이를 중심으로 진행될 수 있음을 알린다.

② **과제(task)**
   ㉠ 학습을 마쳤을 때 제출해야 하는 학습과제에 대해 설명한다. 즉 개별 학생들 또는 각 그룹원이 해야 하는 과제를 상세히 설명한다. 그룹으로 진행될 경우, 각 그룹원의 역할에 대해서도 설명한다.
   ㉡ 학습과제로 제시된 문제에 대한 해결책, 설득력 있는 신문기사, 예술작품 등 학습자들이 수집한 정보를 이용해 만들어 낼 수 있는 다양한 형태의 학습과제를 제시할 수 있다.
   ㉢ 만약, 특정 소프트웨어를 이용하여 학습과제를 완성해야 하면, 어떤 프로그램으로 어떤 형태로 제출해야 하는지 알려주도록 한다.

③ **과정(process)**
   ㉠ 학습과제를 완수하기 위해 필요한 학습 과정을 단계적으로 제시한다.
   ㉡ 관련된 학습사이트들을 연결시켜 주며, 사진, 동영상, 또는 학습자용 연습문제 파일 등 디지털화된 학습자료들을 제공한다.
   ㉢ 또한 학습자들은 단계적으로 제공된 웹사이트들에서 필요한 정보를 검색하고, 제공된 다양한 형태의 자료들을 이용하여 학습내용을 습득하여 학습과제를 해결해 가는 과정에 있으므로, 각 절차에서 필요한 학습 가이드라인도 같이 제공하는 노력이 필요하다.

④ 평가(evaluation)
  ㉠ 이 과제를 어떻게 평가할 것인지, 보상은 무엇인지에 대해 설명한다.
  ㉡ 학습자들의 수행에 대한 평가기준을 제시하는 부분으로서, 주로 매트릭스를 이용하여 그룹 및 개인 차원의 다양한 평가항목들에 대한 평가기준을 자세히 제시한다.
⑤ 결론(conclusion)
  ㉠ 제공된 학습활동을 마친 후 학습자들이 배운 내용에 대해 요약하여 설명한다.
  ㉡ 이론적인 질문이나 부가적인 학습링크를 제공함으로써 학습자들이 학습한 내용에 대해 심화학습이나 다른 학습으로 관심을 확장시킬 수도 있다.

4. 수업 사례 ② : 플립러닝(Flipped Learning) 25·19. 국가직

(1) 개념

① '거꾸로 수업, 거꾸로 학습' : 전통적 수업에서의 강의를 동영상 강의로 바꾸어 학습자에게 사전 과제로 제시하고, 사후 숙제로 제공하던 다양한 학습활동을 교실에서 실시하는 기존의 학습 방식을 뒤집는 교육 모델이다.
  ㉠ 교사나 교수의 강의는 동영상으로 수업 이전에 진행하고, 수업시간은 학생들과의 질문, 토론, 모둠활동 등에 주로 할애하는 것이다. 이렇게 종래 교실에서 주로 이루어져 온 강의식 수업을 교실 밖으로 빼내어 시간을 맞바꿈으로써, 교사는 수업시간을 학생들과의 활동에 사용하거나 관심이 필요한 학생들에게 개별적으로 할애할 수 있다. ⇨ 전통적 방식에서의 강의-숙제 형태의 교육방식을 역으로 하는 교육방식을 의미한다.
  ㉡ 기존의 강의식 수업과 구성주의적 학습 철학이 결합된 수업형태이다.
  ㉢ 온라인 교육과 오프라인 교육을 통합하여 병행 실시하는 혼합교육(blended learning)의 한 형태라고 할 수 있다.
    ⓐ 플립러닝은 정보통신기술을 활용한 온라인 사전학습(수업전 활동) 및 오프라인 사후학습(수업활동)으로 구성되는 학습형태를 의미한다.
    ⓑ 혼합교육은 효율성을 기반으로 온라인에서 출발했으나, 플립러닝은 전체 교육효과의 극대화를 기반으로 오프라인에서 출발했다는 점에서 큰 차이가 있다.
② 교실수업에 앞서 학습자 스스로 선행학습을 수행한 다음 수업에 적극적으로 참여(예 토론, 보충·심화학습, 모둠활동 등 체험기반학습)하는 방식이다(이동엽, 2013).
③ 학생들에게 동영상 강의를 숙제로 시청하고 교실에서는 해당 학습내용을 적용한 체험기반학습과 심화응용학습을 제공하는 것이다(Ash, 2012).
④ 수업 전 교실 밖에서 다양한 테크놀로지와 학습자료로 학생들이 미리 공부하고, 교실수업에서 구성주의적, 학습자 중심의 자기주도적 학습, 자기조절학습, 프로젝트기반학습, 체험학습, 토론학습, 탐구학습 등에 적극적으로 참여하는 형태로 진행되는 것이다.

(2) 특징

① 학생들이 수동적인 학습자에서 능동적인 주체, 무대의 현자(sage on the stage)로 변화한다.
  ⇨ 학생들이 자신의 학습에 대해 책임을 가지게 되며, 자기주도적인 학습태도를 기를 수 있고, 의사소통에도 적극적으로 참여하게 된다.

② 전통적인 수업에서 감독자 혹은 지식 전달자였던 교사는 안내자, 조력자, 객석의 안내자(guide on the side), 발판제공자의 역할로 변화한다.
③ 교사와 학생 간 상호작용이 증가하며, 학습자의 속도와 능력에 따른 개별화 교육이 가능하다.
④ 전통적인 교실수업시간과 과제를 하는 시간의 개념이 바뀌게 된다. 즉, 숙제를 먼저 하고, 교실수업은 나중에 한다.
⑤ 직접적인 교수(강의법)와 구성주의 학습의 혼합교육(blended learning)이 이루어진다.
⑥ 교실수업시간은 학생들에게 고차원적인 문제를 해결할 수 있는 시간[예. 블룸(Bloom)의 인지적 영역의 목표 중 적용력, 분석력, 종합력, 창의력을 달성]으로 활용된다.
  ㉠ 교실수업활동은 적용력, 분석력, 종합력, 평가력 등 고차원적인 목표 달성을, 수업 전 활동은 지식, 이해력 등의 목표 달성을 추구한다.
  ㉡ 교실수업에서는 학생들이 학습내용에 대해 지속적인 검토와 적용을 하는 기회를 제공한다. 이를 통해 학생들은 자신이 이해하지 못한 내용을 파악하고, 학생들의 이해 정도에 따라 개별적으로 지도하거나 문제해결 활동을 통해 고차원적 사고력이나 문제해결 능력을 기르도록 사용한다.
⑦ 학습자가 획득한 지식의 적용을 위한 다양한 수업방법을 적용할 수 있다.
⑧ 다양한 교수매체(테크놀로지)의 활용을 통해 수업이 촉진된다. 가정에서 개별적으로 진행되는 온라인 동영상의 경우 학습자들이 자신의 속도와 능력에 맞추어 개별화 학습도 가능하다.
⑨ 플립러닝 기반의 교실은 강의 기반이 아닌 체험(activity) 중심으로 이루어져 기존 교실의 교육방식을 뒤집고 있다.

5. 장점

(1) 학습자의 자기주도적 학습능력 촉진 ⇨ 하이퍼텍스트를 활용한 학습동기 유발

(2) 학습자의 특성에 맞는 개별학습과 원거리 학습자 간 협동학습 가능 ⇨ 다양한 전문가들의 조언 활용

(3) 시간과 비용 절약

(4) 시공을 초월한 융통성 있는 교육 가능

(5) 수업보다 학습 위주의 교수-학습 환경 제공

(6) 다양한 전문가들의 조언을 받을 수 있음.

(7) 글쓰기와 의사소통 능력 및 창의성과 종합적 사고력 함양

6. 단점

(1) 정보의 로딩 속도가 느릴 때 학습자들의 주의가 산만해질 수 있음.

(2) 외국과의 정보 교류를 위해서는 언어적 소통이 문제가 됨.

(3) 가치 없거나 유해한 정보 소통의 문제

(4) 하이퍼텍스트에서 나타날 수 있는 '인지적 과부하(寡負荷, overload)'나 '방향감 상실'의 문제

(5) 정보 접근 및 교육기회의 불평등 재생산의 문제(인터넷이 미설치된 학교의 경우)

(6) 초기 비용과 유지 비용의 부담

> **더 알아보기**
>
> **인지적 과부하**(cognitive overload): 기억의 병목현상
> 1. 학습자가 인지적으로 이해할 수 있는 학습량(작동기억의 용량, 7 ± 2 chunk)을 초과하여 너무 많은 양을 제공함으로써 지적인 작업에 혼란을 초래하는 현상을 말한다.
> 2. 한 화면에 여러 가지 학습내용들이 동시에 제시되는 멀티미디어나 하이퍼미디어 활용 수업에서 자주 나타나는 현상으로, 학습자의 인지구조에 비해 학습자료가 지나치게 많이 제공되어 학습자가 이를 처리하지 못함으로써 학습자료에 대한 이해도가 떨어지고, 학습효과가 감소하는 현상을 말한다.
> 3. 극복 방법: 청킹(chunking), 자동화, 이중처리(dual-processing)

4 멀티미디어(Multi-Media) 04. 경기

1. 개념

(1) 교수목적을 달성하기 위하여 두 개 이상의 매체를 통합하여 한 화면에 정보를 제시하는 것 - 독립적이고 비선형적(non-linear)으로 정보 제공 ⇨ 이중부호화 이론에 근거

(2) 문자(Text), 정지화상, 그래픽(graphic), 애니메이션, 동영상, 소리, 음향 등을 포함하는 다양한 형태의 정보 제시와 활용이 가능하며, 학습자가 제공되는 정보와 기기의 통제권을 가지고 상호작용이 가능한 매체

(3) 컴퓨터를 기반으로 하는 멀티미디어는 하이퍼텍스트와 하이퍼미디어 기능을 지닌다.

2. 특성

(1) **디지털화**(digitalization): 모든 정보가 아날로그에서 디지털 신호로 제공된다. ⇨ 정보의 손실이 적고 자료의 내용이 지속적으로 개선 가능하며, 자료의 공유가 쉽다.

(2) **영상화**(visualization): 문자, 음성, 영상, 기호 등 지각적 이해가 다른 정보 형태들이 TV 스크린을 통하여 영상화된 정보 형태로 변화되어 제시된다.

(3) **종합화**(integration): 유·무선 통신망과 근거리 정보 통신망 등을 종합 통신망으로 통합한다.

(4) **쌍방향성**(interactivity): 쌍방향으로 정보전달이 이루어진다.

(5) **비동시성**(asynchronicity): 정보전달자와 수용자가 서로 다른 시간과 공간에서 참여한다.
   예, 전자게시판, 전자사서함 ⇨ 융통성의 이념 구현

(6) **상호작용적 링크**(interactive link): 화면들이 서로 융통성 있게(비선형성) 연결되어 있다.

3. 멀티미디어 설계 및 개발 모형

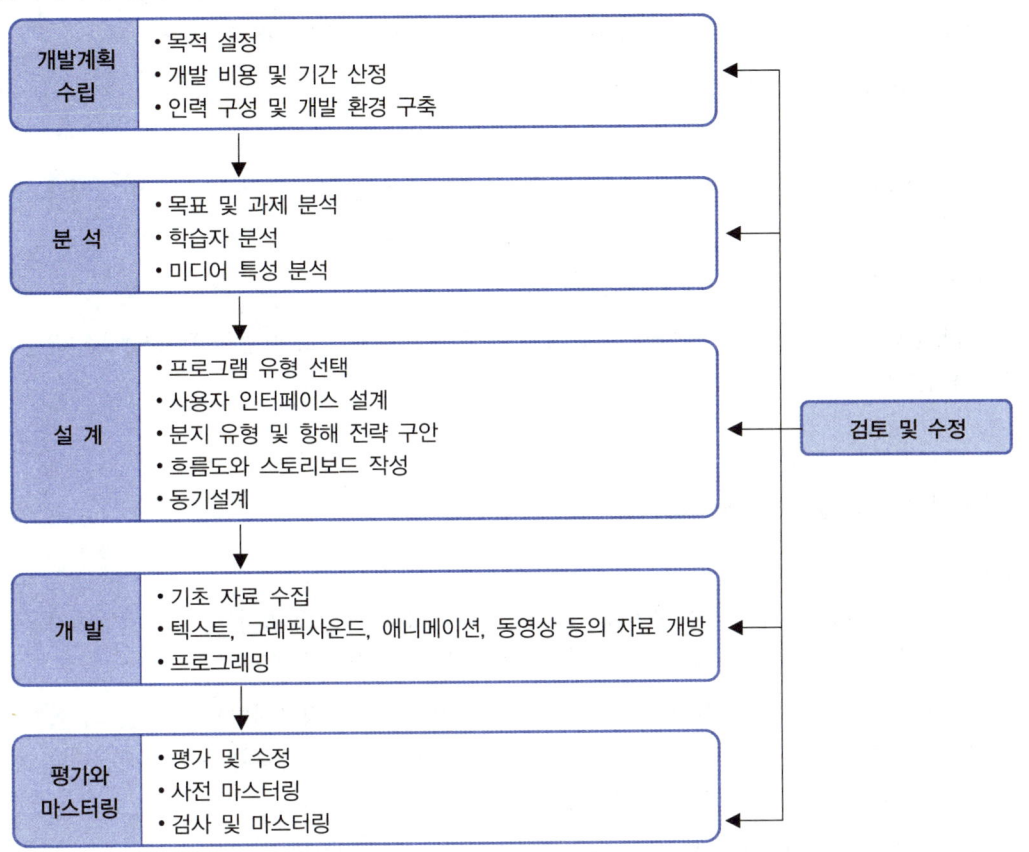

4. 장점

(1) **다양화**: 다양한 형태의 정보를 통합하여 한 화면에 제시한다.

(2) **경험의 확대**: 상호작용을 가능하게 하여 학습경험을 확장시켜 준다.

(3) **경험의 풍부화**: 다감각적인 학습을 통해 현실과 유사한 풍부한 환경을 제공한다.

(4) **몰입(沒入)**: 학생들의 흥미를 끌어 몰입할 수 있게 한다.

(5) **다감각성**: 문자에 소리와 영상을 결합시킴으로써 다양한 감각에 호소한다. ⇨ 이중부호화 효과 (언어정보와 시각정보를 함께 제시할 때 수업에 효과적)

(6) **상호 관련성**: 연결버튼을 사용하여 다른 미디어에 접속할 수 있다. ⇨ 비선형성

(7) **개별화**: 사용자는 자신이 원하는 경험을 통해 지식을 쌓을 수 있다.

(8) **창조성**: 교사와 학생은 자신이 창조하고 싶은 자료를 쉽게 만들 수 있다.

(9) 많은 양의 정보를 수록할 수 있다. 예 CD-ROM

(10) 시·공간적인 제약을 극복할 수 있다. ⇨ 융통성, Know-where

5. 단점

(1) **길잃음**: 학습자가 원하는 곳을 항해하다가 자신의 위치를 망각할 수 있다.

(2) **구조의 결핍**: 자료가 비선형적으로 제시되기 때문에 구조화된 안내를 선호하는 학생들은 당황할 수 있다.

(3) **비상호작용**: 구체적인 피드백(feedback)을 제공하지 않는 프로그램은 일방적인 정보 제시로 끝날 수 있다.

(4) **복잡성**: 고급 제작 도구일수록 사용하기가 어렵다.

(5) **시간 낭비**: 제공되는 정보가 비선형적이고 탐험을 요구하므로, 수업목표 도달에 많은 시간이 소요된다.

5 하이퍼미디어(Hyper-Media)

1. 개념

(1) 텍스트·정지영상·음성·음향·애니메이션 및 비디오 화상(동영상) 등 복수의 정보를 노드(node)와 링크(link)로 유기적으로 연결한 네트워크(그물망) 구조

(2) 하이퍼(Hyper - 정보의 비선형적 유통)와 미디어(Media - 정보전달의 매체들)의 합성어 ⇨ 각기 독립된 다양한 매체를 하나의 통합된 매체를 통해 각종의 자료와 정보를 요구자의 필요에 따라 비선형적으로 선택할 수 있게 하는 것

(3) 하이퍼텍스트(Hyper-text)의 원리에 멀티미디어(Multimedia)의 원리를 통합

(4) 인터넷도 하이퍼미디어 시스템이라고 할 수 있다.

2. 특징

(1) 하이퍼미디어가 구현되기 위해서는 통합매체와 매체 연결에 필요한 통신환경, 그리고 다양한 정보의 소스(Source)가 있어야 한다. ⇨ 온라인, CD-ROM, 멀티미디어 백과사전 등은 하이퍼미디어 데이터베이스

(2) 공유된 하이퍼미디어 시스템에서는 다중사용자의 동시 정보 접근이 가능하다.

3. 교육적 활용

(1) 학습자는 브라우징과 탐색을 통해 학습내용을 심층적으로 학습함으로써 자신의 지식을 확장해 나갈 수 있다.

(2) 하이퍼미디어 기법을 이용한 CAI는 학습자 위주로 학습내용을 링크로 연결해 나가므로 학습자는 스스로 학습하는 방법을 터득할 수 있다. ⇨ 학습자는 자신의 인지적 활동 및 사고 특성에 따라 스스로 자신에게 맞는 학습방법을 택하고, 문제를 해결하는 능력을 기를 수 있다.

(3) 흥미, 연상, 필요에 따라 정보를 탐색할 수 있으므로 학습자의 내적 학습동기를 유발한다.

(4) 학습자 개개인마다 자신의 독특한 학습방법을 가질 수 있는데, 하이퍼미디어는 학습자의 학습 스타일에 맞게 교재를 적용시킬 수 있다.

(5) 하이퍼미디어는 어떤 특정 과목에 한정되지 않고 여러 가지 풍부한 학습자료를 링크로 연결하므로 여러 학문 분야가 연관된 학습내용을 공부할 때 효과적이다. ⇨ 통합교과학습

(6) 텍스트 이외에 그래픽, 애니메이션, 오디오, 비디오 등의 다양한 유형의 학습정보를 제공할 수 있으므로, 현장감과 사실감이 필요한 학습에 효과적이다.

(7) 네트워크 기능을 이용하여 학습자 상호 간의 동시학습도 가능하다.

(8) 교수자와 학습자의 관계구도를 전제하고 있는 전통적 학습개념을 탈피하여 '학습자 통제'라는 새로운 개념의 학습도식을 가져다 줄 수 있다.

(9) 개별화된 자기주도적 학습을 위한 컴퓨터 학습환경을 구축할 수 있으나, 학습과정 시 학습진행 방향을 올바르게 지도해주는 사람이 필요하여 종래의 CAI보다 교사의 역할이 더욱 중요하다.

6 자원기반학습(Resources-Based Learning)

1. 개념

(1) 특별히 설계된 학습자원과 상호작용적인 매체와 공학기술을 통합함으로써 대량교육 상황에서 학습자 중심의 학습을 증진하기 위한 일련의 통합된 전략을 말한다.

(2) 학습자와 교사와 매체 전문가가 인쇄물이나 비인쇄물, 그리고 인간자원을 의미 있게 사용하면서 능동적으로 참여하는 교수모형이다.

(3) 교과학습에 있어서 광범위하고 다양한 학습자원을 사용하도록 하는 학습자 중심의 학습방법이다. 즉, 학습자 스스로 다양한 학습자원과 직접적인 상호작용을 함으로써 이루어지는 학습형태를 의미한다.

(4) 학습자가 자신의 학습진도와 학습활동 선택에 대한 자유를 부여받고 학습자에게 필요한 자료를 필요한 때에 활용할 수 있는 권한이 학습자에게 주어지는 학습유형을 말한다.

(5) 다양한 정보자원의 활용을 통해 문제해결력, 비판적 사고력, 정보활용능력을 향상시키는 것을 목적으로 한다.

2. 특징

(1) 학습자들은 자유롭게 자신의 속도에 맞추어, 자신이 직접 선택한 학습을 하게 되며, 교사는 학습자들이 필요로 하는 자원을 제공해 주어야 한다.

(2) 개방·원격교육과 깊은 연관을 맺고 있으며, 학습에 참여 시 의사소통기술을 적절히 사용할 것을 강조한다.

(3) 학습자들이 진정으로 관심 있는 문제나 질문에 직면했을 때 학습효과가 가장 크다.

(4) 학습자가 독립적으로 학습할 수 있는 기능을 기를 수 있도록 기회를 제공하고 돕는 것을 주요 목표로 한다.

(5) 교수와 학습의 관계에서 변화를 포함하며, 교수보다는 학습에 초점이 맞춰진다.
(6) 학습의 필수적 요소로는 다양한 학습양식에 대처할 수 있는 융통성과 학습자의 능동성을 촉진하는 것이다.
(7) 학습자들에게 학습하는 방법을 가르치고 학습자들이 자신들의 지적·사회적인 상황과 관련된 방법으로 학습할 수 있도록 자원을 제공한다.
(8) 하나의 독립된 학습모형이라기보다는 정보화 사회에서 학습자들의 평생학습의 필요성에 기반을 두고 정보능력의 함양을 위해 제안되고 있는 학습모형이다.

재래식 학습모델과 자원기반 학습모델의 비교(Rakes, 1996)

구분	재래식 학습모델	자원기반 학습모델
교사의 역할	내용전문가	과정촉진자 및 안내자
주요 학습자원	교과서	다양한 자원(매체)
주안점	사실적 내용	현장성 있는 문제 상황
정보의 형태	포장된 정보	탐구 및 발견 대상으로서의 정보
학습의 초점	결과	과정
평가	양적 평가	질적·양적 평가

3. 학습모형: Eisenburg & Berkowitz(1990)의 Big 6 Skills 모형(information literacy model ; 정보리터러시 모형)

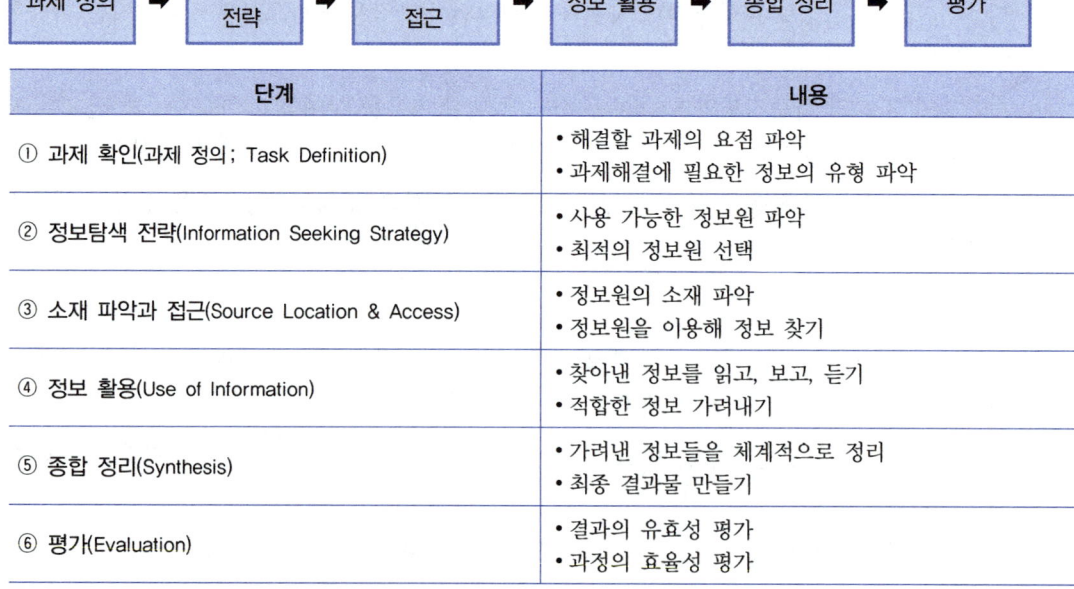

단계	내용
① 과제 확인(과제 정의 ; Task Definition)	• 해결할 과제의 요점 파악 • 과제해결에 필요한 정보의 유형 파악
② 정보탐색 전략(Information Seeking Strategy)	• 사용 가능한 정보원 파악 • 최적의 정보원 선택
③ 소재 파악과 접근(Source Location & Access)	• 정보원의 소재 파악 • 정보원을 이용해 정보 찾기
④ 정보 활용(Use of Information)	• 찾아낸 정보를 읽고, 보고, 듣기 • 적합한 정보 가려내기
⑤ 종합 정리(Synthesis)	• 가려낸 정보들을 체계적으로 정리 • 최종 결과물 만들기
⑥ 평가(Evaluation)	• 결과의 유효성 평가 • 과정의 효율성 평가

교사의 테크놀로지 활용 역량 : 테크놀로지 교수 내용 지식(TPACK) 24. 국가직

1. 교사들의 테크놀로지 활용의 어려움 및 테크놀로지와 교과지식과의 연결성을 강조한 개념
2. **슐만(Shulman, 1986)** : 교수내용지식(PCK ; Pedagogical Content Knowledge)을 처음으로 제시 ⇨ 교사가 갖추어야 할 전문지식으로 가르칠 교과 내용에 관한 내용 지식(content knowledge)과 특정 내용을 효과적으로 가르치는 방법에 관한 교수 지식(pedagogical knowledge)을 제시하고, 이 두 지식이 상호 작용하여 새롭게 혼합된 지식 영역인 교수내용지식(PCK)을 제안하였다.

    ◢ **교사의 지식기반 7가지** ① 내용지식, ② 일반적 교수지식, ③ 교과과정지식, ④ 교수내용지식, ⑤ 학습자와 학습자 특성에 대한 지식, ⑥ 교육 맥락에 대한 지식, ⑦ 교육의 결과, 목적, 가치와 철학적·역사적 근거에 대한 지식

3. **푸냐 미시라와 퀼러(P. Mishra & M. Köhler, 2006)** : 슐만(Schulman)의 교수내용 지식(Pedagogical Content Knowledge ; PCK)의 개념에 테크놀로지 활용 지식(Technological Knowledge)을 통합한 프레임 워크(framework)를 제시
    ① **교수 지식(PK)** : 교수·학습에 관한 과정과 방법, 전략에 관한 교사의 지식 ⇨ 교육의 목적과 가치, 목표를 포함하는 것으로 학생들이 학습을 실행할 때 나타나는 과정과 현상, 평가, 학급 경영과 관리 등의 제반 지식을 포함한다.
    ② **내용 지식(CK)** : 교육 내용에 대한 지식, 즉 교과에 관한 지식 ⇨ 교과 지식의 핵심 내용, 개념, 절차뿐만 아니라, 지식을 설명하거나 지식에 접근하는 방법까지도 포함한다.
    ③ **테크놀로지 지식(TK)** : 기본적 학습 도구인 연필, 공책부터 최신 테크놀로지인 컴퓨터와 각종 소프트웨어, 인터넷을 교수·학습에 활용할 수 있는 지식을 의미한다.
    ④ **테크놀로지 교수내용지식(TPACK)** : 테크놀로지 지식, 교수 지식, 내용 지식을 아우르는 핵심 요소로 이 세 가지 지식의 상호작용으로 나타난 지식

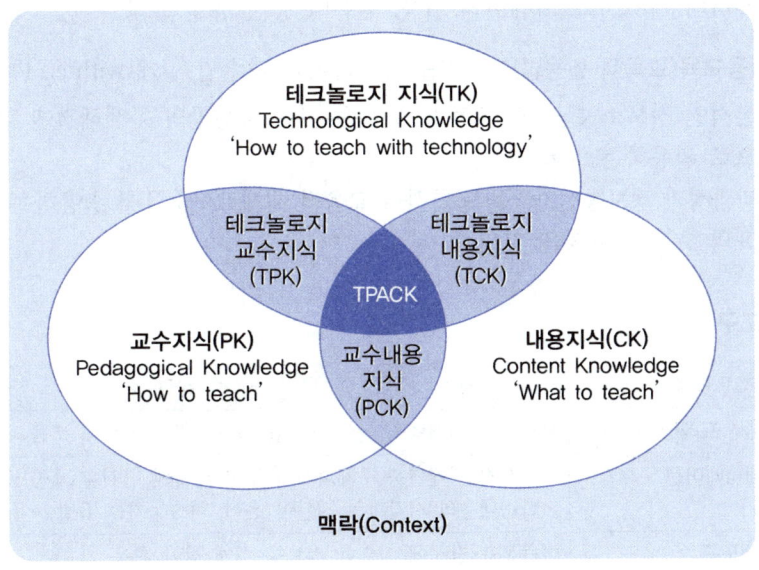

제6절 우리나라의 교육정보화

1 ICT(Information & Communication Technology) 활용

1. 개념 - 정보통신기술 교육 05. 국가직 7급

(1) 정보기술(Information Technology)과 통신기술(Communication)의 합성어
(2) 정보기기의 하드웨어 및 이들 기기의 운영 및 정보 관리에 필요한 소프트웨어 기술과 이들 기술을 이용하여 정보를 수집, 생산, 가공, 보존, 전달, 활용하는 모든 방법
(3) 기본적인 정보소양능력을 바탕으로 학습 및 일상생활의 문제해결에 정보통신기술을 적극적으로 활용하는 교육

2. 구성

(1) **ICT 소양교육**(도구적 활용법): ICT 활용 기술습득(about ICT) ⇨ 정보통신기술 자체에 관한 교육, 기본적인 정보활용능력을 기르는 교육
  ① 실과(초), 컴퓨터(중), 정보사회와 컴퓨터(고) 등의 교과 시간과 창의적 체험활동 시간을 활용
  ② 컴퓨터의 기초, 소프트웨어의 활용, 컴퓨터 통신 등을 교육

(2) **ICT 활용교육**(교육적 활용법): ICT를 활용하여 교과수업 전개(with ICT)
  ① 기본적인 정보소양능력을 바탕으로 학습 및 일상생활의 문제해결에 정보통신기술을 적극적으로 활용하는 교육
  ② 교과과정과 정보통신기술을 통합하여 교육적 매체로써 ICT를 활용하는 교육 ⇨ 교수-학습 목표의 효과적 달성을 지원

3. ICT 활용도구

ICT 종류	특징
워드프로세서 프레젠테이션	학생들의 이해력을 높이고 학습결과를 발표하는 데 도움
그래픽과 애니메이션	• 추상적인 개념을 구체화시켜 주고 학습의 단서를 제공 • 학습내용의 시각화로 전달이 용이, 학습동기를 유발
인터넷 검색도구	학습목표 달성에 필요한 정보를 쉽게 찾아 활용
전자우편, 채팅, 전자게시판	문화적 차이와 공간의 제약 없이 다양한 사람들과 의사교환을 통한 정보 수집, 폭넓은 사고력 형성
비디오 자료	• 제작, 편집이 용이 • 컴퓨터, 인터넷 시설이 없는 가운데서 사용이 가능

CD-ROM 자료	• 인터넷을 활용할 수 없는 환경에서 효과적임. • 멀티미디어 자료 등 큰 용량의 학습자료로 저장 • 학습자와의 상호작용 면에서 비디오 자료보다 수월 • 인터넷의 속도 저하에 따른 학습자료의 단점 극복
시뮬레이션 자료	• 직접 실험해 보기 어려운 현상들을 관찰할 수 있음. • 특정 상황에서 변수의 변화에 따른 결과를 탐구하거나 개념에 관한 이해를 강화할 수 있음.
데이터베이스 스프레드시트 11. 경기	• 변인 간의 관련성, 관련성의 유형을 발견해 낼 수 있음. • 검증하기 위해 정보를 조직·분류·탐색 • 공식이나 수치 변화에 따른 표·그래프의 변화를 신속하게 처리

2 NEIS(National Education Information System, 교육 - 행정 - 정보시스템)

1. 개념
(1) 전국 1만여 개의 초·중등학교, 17개 시·도 교육청 및 산하기관, 교육부를 인터넷으로 연결하여, 교육관련 정보를 공동으로 이용할 전산환경을 구축하는 전국 단위의 교육행정 정보시스템 ⇨ 웹 기반, 집중방식(전국 학교↔시·도 교육청↔교육부)

(2) 교육부가 구축한 전국 단위의 교육행정 정보체계

2. 목적과 장점
(1) 디지털화·정보화·통합화 추진을 위한 열린 행정 구현

(2) **교육행정 전반의 효율성 증가**: 일처리 방식의 변화를 통해 업무 효율성 증대

(3) **교원의 업무환경 개선**: 교사들의 잡무 경감을 통한 교육의 질 향상

(4) 국민과 학부모를 위한 서비스의 질 향상

3. 운영방식
(1) **co-location 방식**(IDC 방식): 교무학사(생활기록부), 보건(건강기록부), 입학·전학 영역 ⇨ 분산 보관

(2) **NEIS 방식**: 회계, 인사 등 24개 영역 ⇨ 집중 보관

(3) **교육정보시스템 관련 규정**(「초·중등교육법」 제30조의4 ~ 제30조의6)
  ① 시스템의 구축·운영의 목적 및 주체
    ㉠ 학교와 교육행정기관의 업무를 전자적으로 처리 ⇨ 교육부 장관과 교육감이 구축·운영 (필요 시 교육정보시스템의 운영 및 지원업무를 교육의 정보화를 지원하는 법인이나 기관에 위탁 가능)
    ㉡ 설치·운영 등에 필요한 사항은 교육부령으로 정한다.

② 정보시스템을 이용한 업무처리
  ㉠ 교육부 장관과 교육감은 소관업무의 전부 또는 일부를 정보시스템을 이용하여 처리하여야 한다.
  ㉡ 학교의 장은 제25조에 따른 학교생활기록과 「학교보건법」 제7조의3에 따른 건강검사기록을 정보시스템을 이용하여 처리하여야 하며, 그 밖에 소관 업무의 전부 또는 일부를 정보시스템을 이용하여 처리하여야 한다.

③ 학생관련 자료제공의 제한: 학교의 장은 제25조에 따른 학교생활기록과 「학교보건법」 제7조의 3에 따른 건강검사기록을 해당 학생(학생이 미성년자인 경우에는 학생과 학생의 부모 등 보호자)의 동의 없이 제3자에게 제공하여서는 아니 된다.

학생관련 자료제공이 가능한 경우
1. 학교에 대한 감독·감사의 권한을 가진 행정기관이 그 업무를 처리하기 위하여 필요한 경우 2. 학교생활기록을 상급학교의 학생선발에 이용하기 위하여 제공하는 경우 3. 통계작성 및 학술연구 등의 목적을 위한 것으로서 자료의 당사자가 누구인지 알아볼 수 없는 형태로 제공하는 경우 4. 범죄의 수사와 공소의 제기 및 유지에 필요한 경우 5. 법원의 재판업무 수행을 위하여 필요한 경우 6. 그 밖에 관계 법률에 따라 제공하는 경우

MEMO

오현준 정통교육학

핵심 체크 노트

1. **생활지도의 개요**
   ① 원리: 기본 원리(수용, 자율성, 적응, 인간관계, 자아실현), 실천 원리(계속성, 통합성, 균등성, 과학성, 적극성, 협동성, 구체적 조직)
   ② 과정: 학생조사활동, 정보제공활동, 상담활동, 정치활동, 추수활동

★ 2. **상담활동**
   ① 기본 조건: 수용, 공감적 이해, 일치(진실성), 신뢰
   ② 대화기술: 구조화, 수용, 반영, 명료화, 직면, 해석

3. **상담이론**
   ★ ① 문제 중심적 접근
      • 인지적 영역: 지시적 상담이론, 합리적·정의적 상담이론(RET), 인지치료
      • 정의적 영역: 정신분석적 상담, 개인심리상담, 비지시적 상담, 상호교류분석이론, 실존주의 상담, 형태주의 상담, 현실치료
      • 행동적 영역: 상호제지이론, 행동수정이론
   ② 해결 중심적 접근: 단기상담

4. **비행이론**
   ① 개인적 접근: 생물학적 이론, 심리학적 이론
   ★ ② 사회적 접근
      • 거시이론: 아노미이론, 하위문화이론
      • 미시이론: 사회통제이론, 차별접촉이론, 낙인이론, 중화이론

★ 5. **진로교육**
   ① 구조론적 접근: 파슨즈(Parsons)의 특성요인이론, 로우(Roe)의 욕구이론, 홀랜드(Holland)의 인성이론(RIASEC), 블라우(Blau)의 사회학적 이론
   ② 발달론적 접근: 진즈버그(Ginzberg), 수퍼(Super)

CHAPTER 09

생활지도와 상담

01 생활지도의 기초
02 상담활동
03 상담이론
04 생활지도의 실제

CHAPTER 09 생활지도와 상담

학습 포인트
1. 생활지도의 원리와 과정
2. 상담의 대화 기법: 구조화, 반영, 명료화, 직면, 해석
3. 상담이론: REBT이론, 비지시적 상담이론, 현실치료
4. 비행이론: 아노미이론, 차별교제이론, 낙인이론
5. 진로발달이론: 로우(Roe), 블라우(Blau), 홀랜드(Holland), 진즈버그(Ginzberg), 수퍼(Super)

제1절 생활지도의 기초

1 개관

△ 최근에는 '생활지도'라는 용어보다는 포괄적 의미를 지닌 '생활교육'이라는 용어로 많이 사용하고 있다.

1. **개념**

   (1) **어원적 의미**: guidance[방향을 가리키다, 안내하다, 이끌다, 지도·교도(教導)하다]
   ⇨ 학생들의 성장과 발달을 바람직한 방향으로 지도·안내하며 조언(助言)하는 활동

   (2) **일반적 의미**: 학생의 자율적인 성장을 돕는 학교의 조력(助力)과 봉사활동

   > 생활지도는 영어의 guidance에서 유래한 것으로 학생들을 안내한다, 이끌어준다, 지도한다는 의미를 가지고 있다. 이는 성장하는 아동 및 청소년을 바람직한 방향으로 이끌어준다는 의미이다. 생활지도의 개념은 관점에 따라 다소 다를 수 있으나 일반적으로 "개인으로 하여금 자기 자신의 이해와 현실 환경의 이해를 통하여 건전한 적응을 하며 또는 자신의 가능성을 발달시켜 계속 건전하게 성장할 수 있도록 조력하는 기술적이고 조직적인 교육활동"으로 정의할 수 있다. ─「교육심리학 서설」(이성진, 415p)

2. **궁극적 목적**: 자아실현 ⇨ 전인적 발달

2 생활지도의 원리 14. 국가직, 11. 광주, 10. 부산, 04. 경기·서울

1. 기본원리

(1) **개인존중과 수용의 원리**
① 생활지도는 기본적으로 인간의 존엄성을 인정하고 모든 개인은 한 인간으로서 존중받아야 한다는 민주적 이념에서 출발한다.
② 수용(受容)이란 학생 개인의 가치를 소중히 여겨 일방적 지시나 억압, 명령을 배제하고 인간으로서 받아들이는 것을 말한다. ⇨ '무조건적이고 긍정적인 존경'(C. Rogers)

(2) **자율성 존중의 원리**
① 생활지도는 학생 개인의 정상적인 성장과 발달을 돕는 조력(助力)의 과정이다.
② 문제해결의 자율적인 능력과 태도를 강조한 것으로, 어떤 문제의 해결은 학생 스스로 문제의 핵심을 파악하고 가능한 방안을 탐색하여 최종적인 결정을 내리는 것이다.

(3) **적응의 원리**
① 생활지도는 개인의 생활 적응을 돕는 조력 과정으로, 자아(自我)의 수정을 통해 현실에 순응하는 소극적 적응보다 개인의 능력과 인성 형성의 능동적 적응을 강조한다.
② 적응의 결여는 자신에 대한 현실적 이해의 부족에서 오는 것이므로, 자기 자신에 대한 올바른 이해를 통한 건전한 자아개념을 형성할 수 있도록 지도하는 원리이다.

(4) **인간관계의 원리**
① 생활지도는 태도나 가치관의 변화, 인격적 감화와 같은 정의적 학습과 관련이 깊고, 정의적 학습은 교사와 학생 사이의 참다운 인간관계가 형성될 때 가능하다.
② 상담의 중핵활동은 상담자와 내담자 사이의 허용적인 분위기(rapport) 조성이다.

(5) **자아실현(自我實現)의 원리**
① 생활지도의 궁극적 목적은 모든 개인이 자아실현(self-realization)할 수 있도록 돕는 것이다.
② 자아실현은 인간의 내적 동기를 인정하고 전인격적 발달을 통해서만 가능하다.

2. 실천원리 24. 국가직

(1) **계속성의 원리**: 생활지도는 단 한 번의 지도로 끝나는 것이 아니라, 진급, 진학, 졸업, 취직 후에도 계속적인 관심을 가져야 하는 과정이다. ⇨ 사전(事前)조사 활동 + 정치(定置) 활동 + 추수(追隨) 활동

(2) **전인적 원리(통합적 원리)**: 생활지도는 개인의 생활영역 중 일부(예 도덕교육, 훈육)만을 다루는 것이 아니라, 개인의 전체적인 면, 즉 지·덕·체의 조화로운 발달을 도모하는 활동이다.

(3) **균등의 원리**: 생활지도는 문제아나 부적응아들만을 대상으로 한 문제해결 활동이 아니라 전체 학생(재학생 및 퇴학생, 졸업생까지 포함) 개개인의 가능성을 최대한 발달시키는 과정이다.

(4) **과학성의 원리**: 생활지도는 학생을 올바르게 이해하기 위해서 구체적이고 객관적인 방법과 자료에 기초를 두고 출발해야 한다. ⇨ 상식적 판단이나 임상적 판단에만 기초하지 말 것

06. 국가직 7급

(5) **적극성의 원리**: 생활지도는 소극적인 치료나 교정보다는 적극적인 예방과 지도에 중점을 둔다.

(6) **협동성의 원리**: 생활지도는 담임교사나 상담교사의 업무만이 아니라 학교의 전 교직원은 물론 가정과 지역사회의 유기적인 연대와 협력이 필요하다.

(7) **구체적 조직의 원리**: 진로상담교사를 중심으로 구체적인 조직을 갖추어야 한다.

3 생활지도의 과정 23. 국가직, 18. 지방직, 05. 경기, 04. 제주

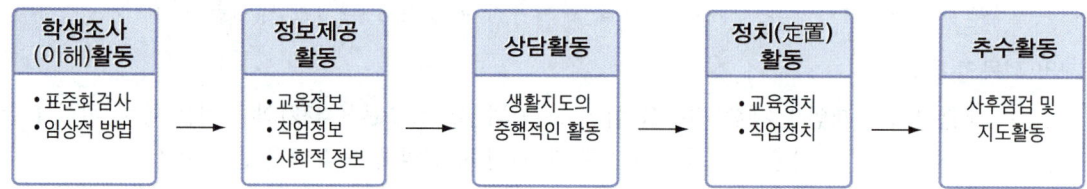

1. **학생조사(이해)활동(investigation service)**

   (1) **개념**
   ① 학생들을 개별적으로 이해하는 데 필요한 기초적인 자료를 조사하고 수집하는 활동
   ② 학생의 현재나 미래 활동에 대한 판단을 목적으로 학생에 관한 정보를 수집하는 과정

   (2) **필요성**: 도움을 필요로 하는 학생을 발견하고 도움을 필요로 하는 학생에 대한 좀 더 깊은 이해를 위함.

   (3) **조사 영역**
   ① 가정환경, 지적 능력, 건강상태, 교과 외 활동
   ② 직업적 · 교육적 흥미, 적성과 인성, 장래의 희망과 계획 등

   (4) **조사 방법**
   ① 표준화검사에 의한 방법
   ㉠ 표준화된 절차에 따라 전문가가 제작한 검사로 인간행동의 표본을 객관적으로 측정하는 심리적 검사를 말한다. ⇨ 타당도와 신뢰도, 객관도, 실용도가 모두 높다.
   ㉡ 규준(norm)에 있어서 학생들의 특성이나 능력을 학생이 속한 집단의 전체 평균과 상대적인 비교가 가능하다.
   예 지능검사, 적성검사, 학력검사, 흥미검사, 성격검사
   ② **임상적(臨床的) 방법**: 관찰법, 면접법, 질문지법, 평정법, 사회성 측정법(수용성 검사, 교우관계도 조사법), 투사법, 사례연구법(개별 조사)

2. 정보제공활동(information service)

(1) 개념
① 학생이 당면한 여러 가지 문제해결과 적응에 필요한 자료와 정보를 제공
② 학생이 원하는 정보 및 자료를 제공하여 학생의 개인적 발달과 사회 적응을 돕는 봉사활동

(2) 정보활동의 영역
① 교육정보: 학생들로 하여금 교육에 관련된 합리적인 선택과 결정을 돕고, 학습능률 향상에 필요한 지식으로, 교육의 과정(process)에 관한 모든 정보를 말한다.
② 직업정보: 직업에 관한 모든 정보이다.
③ 개인적·사회적 정보: 개인의 인성적 적응과 사회적 적응을 돕는 모든 정보를 말한다.

(3) 정보제공 방법: 정보제공실, 정보제공지, 학교신문과 방송, 게시판, 오리엔테이션, 학급회의 등

3. 상담활동(counseling service) - 생활지도의 중핵적인 활동

(1) 개념
① 상담자(相談者)와 내담자(來談者, 피상담자) 사이에 상담과 면접의 기술을 통해 행해지는 개별적인 문제해결 과정이다.
② 객관적인 학생조사활동과 정보제공활동을 통하여 획득한 자료와 정보를 근거로 하여 상담자와 내담자의 친밀한 인간관계(rapport) 속에서 전문적 대화가 전개되는 것을 말한다.

(2) 상담활동의 성격
① 상담은 전문적 조력의 과정이다.
② 상담은 문제를 가진 학생(내담자)과 그를 돕는 교사(상담자)와의 1대 1의 관계이다.
③ 상담은 언어적 수단에 의한 역동적인 상호작용 과정이다.
④ 상담은 학생 개인의 문제해결뿐만 아니라 전인적 성장과 조화로운 발달을 돕는 과정이다.
⑤ 상담은 학습의 과정이다.

4. 정치(定置)활동(placement service, 배치활동)

(1) 개념: 상담의 결과를 이용하여 학생들의 능력에 맞는 환경에 알맞게 배치하는 활동 ⇨ 내담자가 어떤 단계에서 다음 단계로 옮겨갈 때 필요한 도움을 준다.

(2) 영역
① 교육적 정치: 동아리활동의 부서 선택, 교과 선택, 수준별 수업반 배정, 방과 후 활동 선택, 상급학교 선택 등
② 직업적 정치: 진로 선택, 직업 선택, 부업 알선 등

> **더 알아보기**
>
> **위탁활동**
> 1. 상담자가 자기 능력으로 감당하기 어려운 내담자의 문제를 전문가나 전문기관에 맡기는 활동
>   **예** 주의력 결핍 과다 행동장애(ADHD)를 겪고 있는 학생을 전문치료기관에 위탁
> 2. 위탁활동은 정치활동과 구별되어야 한다.

5. **추수(追隨)활동**(follow-up service, 사후 지도활동) 25. 지방직
   (1) **개념**
       ① 정치활동 후에 계속해서 당면 문제에 대하여 잘 적응하고 있는지를 사후 점검하는 활동
       ② 상담활동을 받은 학생들의 결과를 분석·평가하여 새로운 생활지도 계획이나 전체적인 생활지도 프로그램 개선을 위한 가치 있는 자료로 활용하는 활동
   (2) **대상**: 재학생, 퇴학생, 졸업생, 전학생
   (3) **방법**: 전화, 면접, 관찰, 질문지, 방문지도 등

④ 생활지도의 새로운 흐름

생활지도의 영역 확대 ⇨ 부모교육, 또래 상담 등 가족과 집단을 단위로 한 상담이나 지도 확대
예 자문활동, 조정활동, 심리교육, 생애교육, 부모교육, 지역사회 생활지도 운동 등
✎ 생활지도의 3C 상담(counselling), 조정(coordination), 자문(consultation)을 가리킨다.

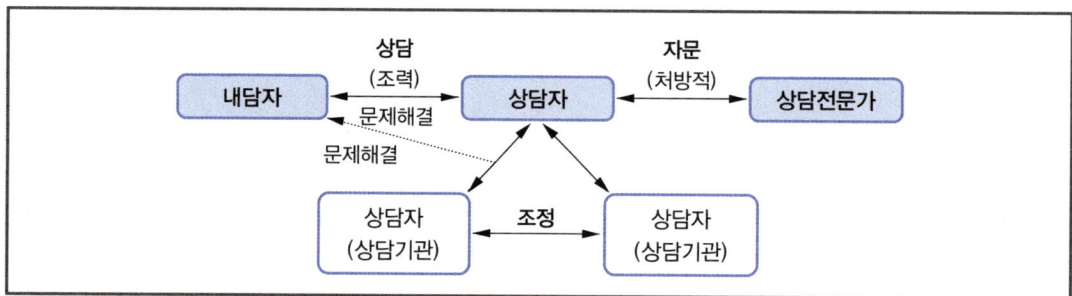

1. **자문활동**(consultation)

   생활지도기관이나 생활지도 종사자(**예** 카운슬러)가 생활지도 과정에서 직면한 관심사나 문제들을 해결할 수 있도록 전문적 조언이나 협조하는 활동

2. 조정활동(coordination)

두 사람 이상의 전문가나 두 개 이상의 전문기관이 동일한 문제해결을 위하여 공동으로 노력하는 것 ⇨ 생활지도의 목적 달성을 극대화하기 위해 개인이나 조직이 상호 협력하는 활동

> **예** 상호조절전략(내담자의 문제에 초점), 제휴전략(상담자 간의 상이한 특성에 초점), 조합전략(제 기관 간의 총체적 체제에 초점)

제2절 상담활동

1 상담(counseling)

상담자가 내담자가 지닌 문제해결을 도와주는 면 대 면(face to face) 과정

1. 상담이란 훈련과 기술, 믿음으로 상담자가 내담자의 적응문제를 해결하는 면(face) 대 면(face)의 활동이다(Williamson).
2. 상담이란 치료자와의 친밀한 관계(rapport)에서 자아의 구조가 이완되어 부정했던 경험을 자각해서 새로운 자아로 통합하는 과정이다(Rogers).
3. 상담이란 문제행동을 가진 사람들을 도와주는 과정이다(Krumboltz).

2 생활지도, 상담, 심리치료의 개념적 비교

1. **생활지도(guidance)**
    (1) 학생들이 학교 내외에서 직면하는 적응·발달상의 문제해결을 돕기 위한 교육적·사회적·도덕적·직업적 영역의 계획적인 지도활동이다.
    (2) 학급 담임교사, 상담교사 및 전 교직원이 담당한다.
    (3) 정보, 조언, 의사결정의 문제를 다룬다.

2. **상담(counseling)**
    (1) 자격을 갖춘 상담교사가 학생 개개인의 문제해결을 돕는 활동이다.
    (2) 생활지도의 일부분이다.
    (3) 행동과 태도의 변화, 사고와 심리적 갈등의 문제를 다룬다.
    (4) 정상인을 대상으로, 교육적·상황적 문제해결과 현재의 의식적 자각을 중시한다.

3. 심리치료(psycho-therapy)

(1) 훈련된 전문가가 개인(환자, 비정상인)과 전문적인 관계를 의도적으로 형성하여 정서적 문제를 심리적 방법으로 치료하는 것이다.

(2) 개인의 문제적 증상을 제거·완화·수정하고 장애행동을 조정하며, 긍정적 성격발달 증진을 목적으로 한다.

(3) 성격장애, 심리장애의 문제를 다룬다.

(4) 재구성적·심층분석적 문제해결과 과거의 무의식적 동기의 통찰(자각)을 중시한다.

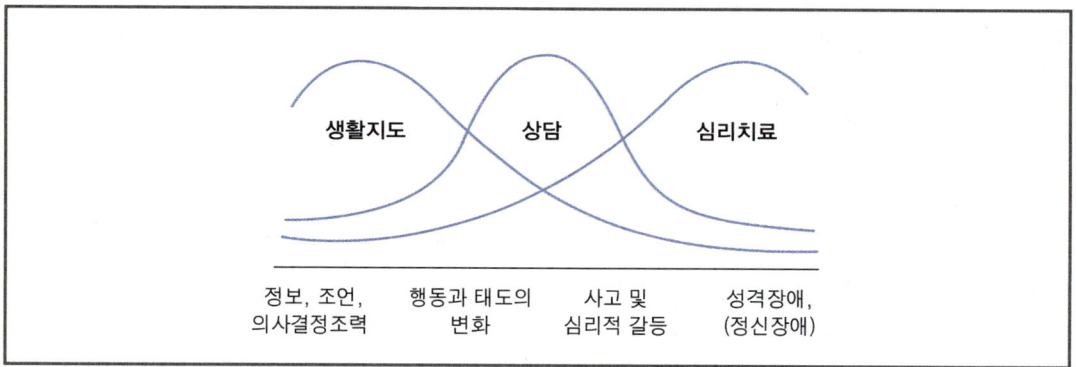

③ 상담의 기본조건

1. 기본조건 05. 인천, 04. 대구

(1) **수용**(acceptance) : 내담자를 귀중한 인간으로 존중하는 것, 민주주의의 기본이념, 내담자를 있는 그대로 받아들이는 것(가치중립적 태도) ⇨ 인내천(人乃天)사상, 경(敬)사상
 ① 무조건적이고 긍정적인 존경(Rogers), 비소유적 온정(Truax)
 ② 대상 : 존재 자체의 수용, 내담자의 제반 특성의 수용, 구체적인 행동의 수용

(2) **공감적 이해**(empathetic understanding, 감정이입적 이해, 내적 준거체제에 의한 이해) : 내담자의 경험·감정·사고·신념을 내담자의 준거체제(내담자의 입장)에 의해서 상담자가 내담자인 것처럼 듣고 이해하는 능력 ⇨ 동정 ×
 ① 대상 : 언어의 이면적 의미의 이해, 비언어적 표현의 이해, 내담자의 궁극적 동기의 이해 ⇨ "가면 뒤에 숨어 있는 고독한 영혼을 보게 하소서."(교사의 기도 中)
 ② 상담자에게 '제3의 귀(The Third Ear)', '제3의 눈(The Third Eye)'이 요구된다.
 ③ "내담자의 사적인 세계를 상담자는 마치 자기 자신의 세계처럼 느끼며, '마치도 ~처럼(as if)'의 성질을 잃지 않는 일이다."(Rogers)
 ④ 내담자의 감정에 빠져들지 않으면서 내담자의 감정을 자신의 감정처럼 느끼는 것을 말한다.
  예 내담자 : 우리 아빠는 나만 보면 야단치세요.
     상담자 : 아빠가 너만 미워하시는 것 같아 속상하구나.

(3) **일치**(genuineness, congruence, 진실성, 순수성, 명료성, 진정성, 솔직성)
   ① 상담자와 내담자의 상담목표와 동기가 서로 일치하는 것을 말한다.
   ② 내면적인 경험과 경험에 대한 인식, 인식된 경험의 표현 등이 서로 일치하는 것을 말한다.
      ⇨ 상담자의 내적인 경험과 외적 표현의 일치
   ③ 상담의 필수조건(Rogers): 상담자는 순수해야 하고 가면(假面)이나 역할 연기에 얽매여 있어서는 안 된다. ⇨ 상담자의 순수성(상담자가 내담자에게 개방적이고 정직하고 신뢰로운 사람이어야 함을 의미)
   ④ '일관적 성실성' 즉, 상담자가 내담자와의 관계에서 상담자의 역할을 하기보다는 한 인간으로서 내담자를 만난다는 의미가 포함되어 있다.

(4) **신뢰**(trust)
   ① 내담자가 상담자를 믿는 것을 말한다.
   ② 신뢰가 형성되기 위해서는 래포(rapport), 즉 상담자와 내담자 간 믿을 수 있는 친밀한 분위기가 형성되어야 한다.

2. 래포(rapport)의 형성 ⇨ 상담의 중핵적인 활동

(1) **개념**
   ① 상담자와 내담자 간에 서로 믿고 존경하는 감정의 교류에서 성립되는 친밀한 분위기를 뜻한다.
   ② 대화의 촉진적 관계, 원만한 인간관계, 서로 믿고 의지하는 관계를 말한다.
   ③ 상담자와 내담자 사이의 신뢰감, 친화감이다.
   ④ 상담관계 형성, 상담 작업동맹(working alliance), 또는 집단응집성(집단상담의 경우)이라고도 불린다.

(2) **형성 방법**
   ① 긍정적 언어: 내담자에게 긍정적인 언어로 대한다.
   ② 문제해결의 확신: 내담자의 문제는 해결될 수 있다는 확신을 주고 격려한다.
   ③ 동의(승인): 내담자의 말이나 행동에 동의와 승인을 표한다.
   ④ 유머(humor): 내담자의 긴장이나 불안 해소를 위해 유머를 사용한다.
   ⑤ 객관적 자료의 사용: 내담자의 문제해결을 위해 객관적인 자료(예, 교과서, 참고 도서, 연구결과 등)를 제시한다.
   ⑥ 개인 사례의 제시: 내담자의 문제와 유사한 상담자 자신의 사례를 제시한다.
   ⑦ 인도: 내담자의 말을 출발점으로 하여 다음 화제로 넘어간다.
   ⑧ 암시: 내담자의 문제행동을 방치할 경우 곤경에 처할 것임을 암시한다.
   ⑨ 수용: 내담자의 부정적 태도를 수용하기 위해 노력한다.

④ 상담의 대화기술(면접기법) 24. 지방직, 22·14. 국가직 7급, 07. 국가직

구조화 → 수용 → 반영 → 명료화 → 직면 → 해석

1. **구조화**(structuring): 장면 구성
   (1) 어떤 기대와 불안을 안고 찾아오는 내담자에게 상담이 제공하는 원조(援助)의 특징을 솔직하고 정확하게 전달하는 기술
   (2) 상담 과정의 본질, 제한조건 및 목적에 대하여 상담자가 정의를 내려주는 것
   (3) 상담 시작 초기에 상담에 필요한 제반 규정(예 상담에 적극 참여하기, 약속 시간 준수하기, 상담 연기 방법, 상담교사에게 연락하는 방법, 상담실 이용방법 등)과 상담의 한계에 관한 설명을 해주는 것
   ⇨ 시간 제한, 행동 제한, 상담자의 역할, 내담자의 역할, 상담 과정과 목표의 구조화, 비용 등에 대해 언급하기
   (4) 상담에 대한 방향 설정을 돕는다.

   > 학생: 상담실에는 매일 와야 해요?
   > 교사: 상담은 보통 1주일에 한 번 하는데, 필요하다면 더 자주 할 수도 있단다.

2. **수용**(simple acceptance): 내담자의 발언에 간단히 대응(언어적 + 비언어적 반응) 14. 국가직 7급
   (1) 내담자의 말에 대한 상담자의 긍정적이고 수용적인 말로 간단한 형식으로 응답하는 기법 ⇨ 내담자의 말에 대한 가치판단이나 평가는 금물(禁物)
      예 경청, 시선과 고개의 끄덕임, 긍정적인 표현("으흠", "으응", "그래", "음", "네") 등
      ◇ **경청**(listening) 내담자의 말과 행동에 상담자가 선택적으로 주목하는 것
      ① **적극적 경청**(active listening): 학생이 말한 이성적 내용과 감정적 내용에 충분히 반응하기
      ② **장단 맞추기**: 말하는 내담자의 분위기와 이야기 흐름에 짧은 어구나 몸짓으로 장단을 맞추기
         예 "으흠", "으응", "그래", "아! 저런!", "그랬니?" 등
   (2) 내담자의 이야기에 주의집중하며 듣고 있다는 것을 보여 주는 기법

3. **반영**(reflection of feeling)
   (1) 내담자의 말과 행동에서 표현된 기본적인 감정·생각·태도를 상담자가 다른 참신한 말(새로운 용어)로 부언(附言)해 주는 것 ⇨ 내담자의 자기이해를 돕고 내담자로 하여금 자기가 이해받고 있다는 인식을 제공, '온화한 해석'의 한 형태, 내담자에 대한 상담자의 감정이입적 이해가 이루어져야 가능

(2) 내담자의 말을 그대로 되풀이 하는 '재진술'이 아니라, 그 내용의 밑바탕에 흐르고 있는 감정(예 긍정적인 감정, 부정적인 감정, 양가적 감정)을 파악하는 것이 중요하다. ⇨ 표현은 "너는 ~때문에(~해서) ~이구나" 형식을 취한다.

◎ **양가적 감정** 같은 대상에 대하여 긍정적인 감정과 부정적인 감정을 동시에 느끼는 것

> 학생: 아무리 공부해도 성적이 안 나와요. 다 포기하고 싶어요.
> 교사: 너는 열심히 했는데 결과가 안 나와서 좌절감이 큰가 보구나.

> 학생: 친구들이 모두 저를 싫어하는 것 같아요. 저한테는 아무도 말을 걸지 않아요.
> 교사: 친구들과 친하게 지내고 싶은데 너에게 말을 거는 친구가 없어 속상한가 보구나.

(3) 내담자가 말로 표현한 수준 이상으로 깊이 들어가지 않아야 하며(내담자가 분명히 표현하지 않은 것을 언급하는 것은 명료화나 해석이 되기 때문), 반영의 시기에 유의해야 한다.

반영과 해석의 차이 비교

반영(reflection)	해석(interpretation)
부드러운 해석 또는 온화한 해석	강한 해석
상담의 초기에 사용	상담의 후기에 사용
표현되지 않은 내담자의 감정·태도에 대해 말하기	새로운 참조체계(frame of reference) 또는 시각 제공하기
대상은 내담자의 감정·태도 등	대상은 내담자의 방어기제·문제에 대한 생각·행동양식
내담자의 자기이해를 돕고 대화를 촉진하는 역할	문제를 해결하는 역할
인간 중심 상담이론의 기법	정신분석적 상담이론의 기법
말하지 않은 것을 추론해서 말하기	

4. 명료화(clarification) 23. 국가직 7급, 10. 부산

(1) 막연한 것(분명하지 않은 사고, 정서, 행동 등)을 분명히 정리하는 것

> 예 "이해가 잘 안 됩니다. 당신이 말하고자 하는 바를 좀 더 분명하게 말해 주십시오.", "예를 들어 다시 말해 주시겠습니까?", "나는 당신이 직업에 대해서 느끼는 감정이 어떤지 정확히 모르겠습니다."

(2) 내담자의 말 중에서 모호한 점을 확실하게 알게 해 주는 것

(3) 내담자의 말 속에 내포되어 있는 뜻을 파악하여 내담자에게 명확하게 말해 주는 것

> 학생: 나는 태어나지 말았어야 했나 봐요.
> 교사: 난 이해가 잘 안 되는데 무슨 뜻인지 자세히 설명해 줄래?

◎ '명료화'가 내담자 메시지의 전후 문맥(文脈)을 분명히 하기 위한 기술이라면, '구체화'는 내담자가 사용하는 언어 내용의 정체를 구체적으로 확인하는 기술(예 "너를 괴롭히는 아이가 철수, 갑수, 을수 맞니?")이라고 할 수 있다.

5. 재진술(restatement)

(1) 내담자의 말을 그대로 되풀이하는 것 ⇨ '반영'이 내담자의 메시지에 담긴 정서를 되돌려 주는 기술이라면, 재진술은 내담자의 메시지에 담긴 내용을 되돌려 주는 기술이다.

(2) 내담자가 말한 내용 중 일부를 반복함으로써 상담의 방향을 초점화(focusing)하는 기술이다.

> 학생: 어제 오빠랑 싸웠다고 엄마에게 혼났어요. 전 억울해요.
> 교사: 엄마에게 혼나서 억울하다는 거구나.

6. 직면(直面, 맞닥뜨림, confronting) 07. 국가직 7급

내담자가 미처 깨닫지 못하거나 인정하기를 거부하는 생각과 느낌에 대하여 주목하도록 하는 방법

(1) 내담자가 가지고 있는 불일치·모순·생략 등을 상담자가 내담자에게 기술해 주는 것

(2) 내담자가 모르고 있는 과거와 현재의 관련성, 언어적 행동과 비언어적 행동의 불일치, 행동과 감정의 유사점 및 차이점 등을 지적하고 그것에 주목하도록 하는 방법

> 예, 언어와 비언어 행동(동시적)의 모순, 언어 메시지와 취하는 행동(비동시적)의 모순, 두 개의 모순된 언어 내용, 두 개의 모순된 비언어 행동, 언어 메시지와 맥락(상황)의 모순, 언어 메시지와 숨겨진 내용(왜곡된 심리, 연막치기, 방어기제)의 모순

(3) 내담자가 자신의 경험의 일부로 지각하기를 두려워하거나 거부하는 어떤 측면에 주의를 돌리도록 요청하는 것

① 내담자의 변화와 성장을 증진시킬 수도 있지만 내담자에게 심리적인 위협과 상처를 줄 수도 있다.

② 상담자는 시의성(時宜性), 즉 내담자가 그것을 받아들일 수 있는 준비가 되어 있는지를 면밀히 고려하여 사용해야 한다.

③ 내담자를 배려하는 상호 신뢰의 맥락에서 행해져야 하며, 결코 내담자에 대한 좌절과 분노를 표현하는 수단으로 사용해서는 안 된다.

> 학생: (온몸이 경직되면서 두 주먹을 불끈 쥐며) 저는 이 세상에서 우리 아빠를 누구보다 사랑하고 존경해요.
> 교사: 너는 아빠를 사랑한다고 말하면서도 그 순간 온몸이 긴장하는구나.

7. 해석(interpretation): 말하지 않은 내용을 추론하여 말하기

(1) 내담자로 하여금 자신의 문제를 새로운 각도에서 이해하도록 그의 생활경험과 행동의 의미를 설명하는 것(= 재구조화) ⇨ 상담의 후기에 주로 사용

(2) 내담자가 과거의 생각과는 다른 새로운 참조체제(frame of reference)를 바탕으로 자신의 문제를 바라볼 수 있도록 돕는 것

(3) 내담자의 여러 언행 간의 관계 및 의미에 대해 가설을 제시하는 것

(4) 내담자가 인식하지 못하는 의미까지 설명해 준다는 면에서 해석은 가장 어려우면서 무의식에 관한 '분석적 전문성'을 요한다. ⇨ 인간 중심 상담(Rogers)에서는 저항을 조장하고 상담자에게 너무 많은 치료적 책임을 갖게 한다는 이유로 '해석'을 피하고 '감정의 반영'이나 '명료화'를 주로 사용한다.

(5) 해석의 대상은 내담자의 방어기제들, 문제에 대한 생각, 느낌, 행동양식 등이다.

> 학생: 친구들이 모두 저를 싫어하는 것 같아요. 저한테는 아무도 말을 걸지 않아요.
> 교사: 그런데 친구들이 너를 싫어한다는 것은 어떻게 알게 되었지?
> 학생: 그냥 알아요. 직접 듣지는 않았지만 느낌으로 알아요.
> 교사: 네 얘기를 들어 보니 선생님 생각에는 그것이 사실이라기보다 너 혼자서 그럴 거라고 짐작하고 있는 것 같구나.

8. **(관계의) 즉시성**: '지금 – 여기'를 다루기

   (1) 대인관계와 관련하여 '과거 – 거기'서 벌어졌던 일보다는 '지금 – 여기'서 벌어지는 일들에 직면하여 그것을 다루도록 하는 초점화 기술을 말한다.

   (2) 상담을 진행하는 동안 '지금 – 여기'에서의 상담자와 내담자의 관계를 탐색하는 기술이며, 상담자와 내담자는 그 순간 있는 그대로의 인간관계를 숨김없이 반응한다.

   (3) 즉시성은 상담 시간 중에 무엇이 일어나고 있는지를 다루는 기법으로, 현재 내담자와 대화를 하며 상담자가 내적으로 경험하는 것을 활용하여 피드백을 주는 것이다.

   (4) 즉시성에는 상담자가 내담자와의 관계를 이야기하면서 상담 밖의 관계에 대해 새로운 조망을 가지게 하는 '관계에 대한 즉시성(예 "저는 친구들하고는 괜찮은데 어른들과 이야기할 때는 눈을 맞추기가 힘들어요." "그럼 나하고 눈 맞추기는 어떠니?")'과, 지금 현재 일어나고 있는 상호작용을 논의하는 '지금–여기의 즉시성(예 "……" "무언가 할 말이 있는 것 같은데.")'이 있다.

   (5) 즉시성은 상담자와 내담자 간에 긴장감이 형성될 때, 내담자가 상담에 흥미를 보이지 않을 때, 내담자가 상담자에게 신뢰감을 보이지 않을 때, 상담이 방향성을 잃었을 경우, 내담자가 의존성이 있을 경우에 사용한다.

   > 학생: 애들이 저를 놀리고 때려요. 어쩌죠? 선생님이라면 어떻게 하시겠어요? 선생님이 시키시는 대로 할게요.
   > 교사: 글쎄. 그런데 선생님은 자세한 내용을 모르니까 당황스럽고, 또 마치 너한테 해결책을 줘야 할 것 같은 기분이 들어서 부담스럽기도 하구나.

9. **자기개방**(self-disclosure): '자기노출'

   (1) 상담자가 자신에 관한 정보를 내담자와 나누는 기술을 말한다.
      ⇨ 자기노출기술 + 자기관련기술

(2) 내담자의 관심과 관련이 있는 상담자의 사적인 경험, 생각, 느낌, 판단, 가치, 정보, 생활철학 등을 솔직하게 노출시킴으로써 친근감을 전달하고, 내담자의 깊은 이해를 발달시키는 것이다.

> 학생: 친구들이 저만 따돌리고 선생님들께서도 저에게 관심이 없어요.
> 교사: 선생님도 예전에 친구들한테 따돌림을 당했을 때 몹시 힘들었단다.

10. 행동실험
(1) 내담자의 사고나 가정의 타당성을 직접적으로 검증하는 중요한 평가기법
(2) 인지치료이론에서 사용하는 상담기법이다.

> 학생: 친구들이 저만 따돌리고 선생님들께서도 저에게 관심이 없어요.
> 교사: 그럼 내일 다섯 명의 친구들에게 말을 걸어 보고, 친구들이 너를 따돌린다는 네 생각이 맞는지 확인해 보자. 그리고 방과 후에 나랑 만나서 결과를 살펴보고 다음 단계를 의논해 보는 거야. 할 수 있겠니?

11. 행동 시연(行動試演 behavioral rehearsal)
(1) 내담자로 하여금 어떤 역할을 시험적으로 해보도록 함으로써 인간관계의 형성과 유지에 필요한 태도나 행동 특징을 습득할 수 있도록 하는 기법으로, 상담자가 시범을 보이고 내담자가 이를 반복 연습하여 일반화된 반응으로 발전시키는 방법이다.
(2) 모델링은 상담자가 여러 대안을 시범으로 보여주는 것이지만, 행동 시연에서는 이미 바람직한 것으로 결정된 행동을 반복해서 시연한다는 점이 다르며, 역할놀이(role playing)와 같은 의미로 쓰이기도 한다.

제3절 상담이론

1 상담이론의 분류 – 접근방법에 따른 분류

1. 문제 중심적 접근
(1) **인지적 영역**: 지시적 상담이론, 합리적·정의적 상담이론(RET), 인지치료, 개인구념이론
(2) **정의적 영역**: 정신분석적 상담이론, 개인심리 상담이론, 비지시적 상담이론, 상호교류 분석이론, 실존주의 상담이론, 형태주의 상담이론, 현실치료기법
(3) **행동적 영역**: 행동수정이론, 상호제지이론
(4) **기타**: 절충적 상담이론

2. 해결 중심적 접근: 해결 중심적 단기상담

접근방법에 따른 상담이론 종합 09. 대전·서울, 08. 경기

구분	대표적 이론
인지적 영역	• 지시적 상담이론(Williamson & Darley, Parsons): 특성·요인이론, 진로문제에 적용, 상담자 책임, 진단 중시, 비민주적 상담, 상담의 과학화에 기여 • 합리적·정의적 상담이론(RET이론, Ellis): 비현실적·비합리적 신념을 현실적·합리적 신념으로 전환(ABCDE 기법), 종합적 접근 • 인지치료(Beck): 부정적·자동적 사고(인지3제), 역기능적 인지도식, 인지적 오류 ⇨ 우울증 치료 • 개인구념이론(Kelly): 과학자로서의 인간관, 배타적 또는 범주적 구념 ⇨ 대안적 구념, 역할실행 & 고정역할 치료, CPC 절차
정의적 영역	• 정신분석적 상담이론(Freud): 무의식의 의식화 ⇨ 최면, 자유연상, 전이(치료의 핵심), 훈습, 저항의 분석, 꿈의 분석, 실수나 실언 분석, 해석, 정화 • 개인심리 상담이론(Adler): 사회적 관심론, 열등감, 우월성의 추구, 생활양식, 창조적 자아, 출생순위, 허구적 최종 목적론 • 비지시적 상담이론(Rogers): 자아이론, 내담자(고객·학생) 책임, 실현경향성, 무조건적이고 긍정적인 존경, 공감적 이해, 일치 ⇨ 만발기능인 추구 • 상호교류 분석이론(Berne): PAC자아, 자율성 성취 ⇨ 계약, 자아구조(egogram) 분석, 상호교류 분석, 게임 분석, 각본 분석, 재결단 • 실존주의 상담이론(Frankl & May): 불안(실존적 신경증)과 의미, 태도 중시(현상학적 접근), 의미요법, 현존 분석 ⇨ 역설적 의도(지향), 반성제거법, 소크라테스 대화법, 태도수정기법, 호소 • 형태주의 상담이론(Perls): 자이가닉 효과(미해결 욕구), 지금·현재 전체로 지각, 알아차림 ⇨ 빈의자 기법, 꿈작업, 환상게임 • 현실치료기법(Glasser): 선택(통제)이론, 전행동이론, 현재 욕구, 책임적 자아, 정신분석(과거 욕구)과 행동주의(수동적 인간관) 비판, 효율적 자기통제, WDEP(욕구 – 행동 – 평가 – 계획)
행동적 영역	• 행동수정이론(Krumboltz): 스키너 + 반두라 이론, 외적·수의적 행동 변화, 강화나 벌 • 상호제지이론(Wölpe): 파블로프이론, 내적·불수의적 행동(공포, 불안) 변화 ⇨ 체계적 둔감법, 혐오치료, 역치법
기타	• 절충적 상담이론(Jones): 원인분석(비지시적 상담) + 문제해결(지시적 상담) • 단기상담(de Shazer): 문제해결 중심(SFBC), 25회 이내에 종결되는 상담 • 단회상담: 1회로 종결되는 상담

② 인지적 영역의 상담이론 13. 국가직

1. **지시적 상담이론**(directive counseling)

    (1) **개념**(= 임상적 상담, 특성·요인상담, 상담자 중심 상담, 의사결정 상담)
    ① 내담자의 모든 문제에 대하여 지시적인 요소로서 문제해결을 돕는 상담 방법
    ② 상담자가 내담자에게 합리적인 자료(예, 해석, 정보, 조언, 충고)를 제공하여 내담자가 당면한 문제를 해결할 수 있도록 돕는 상담방법
    ③ 진로 및 직업 상담에서 출발하였으며, 지적 훈련과 잠재능력의 개발을 통하여 사회적, 문화적, 정서적 성장을 돕는 것을 목적으로 한다.

    (2) **대표자**: 윌리암슨(Williamson) & 다알리(Darley), 파슨즈(Parsons)

    (3) **인간관**
    ① 인간은 선과 악의 잠재력을 모두 가지고 있다. ⇨ 선악공유설
    ② 선을 실현하는 과정에서 남의 도움을 필요로 하되 선한 생활을 결정하는 것은 자기 자신이다.
    ③ 선의 본질은 자아의 완전한 실현이다.
    ④ 인간은 누구나 자신만의 독특한 세계관을 지닌다.

    (4) **이론적 가정**
    ① 내담자는 자신의 문제를 객관적으로 볼 수 없고 스스로 해결할 능력이 없다. ⇨ 특성·요인이론(trait factor theory)
    ② 상담자가 문제해결에 대한 대부분의 책임을 진다. 즉, 상담자는 탁월한 식견, 경험과 정보를 가지고 있으므로 문제해결에 대한 암시와 충고, 조언을 할 수 있다.
    ③ 개인의 부적응 문제(개인의 특성과 환경의 부적절한 결합)는 지적(知的) 과정을 통해 수정되어야 한다.
    ④ 문제해결의 기초 단계로서 진단(診斷)을 강조한다(∵ 내담자가 지금 어떤 상태인가를 과학적으로 파악하는 것이 중요하기 때문에). ⇨ 의학적 모형(Patterson), 비민주적 상담(Rogers)
    ⑤ 상담목표는 상담 과정보다는 문제해결 장면을 통하여 달성된다. ⇨ 임상적(臨床的) 상담

    (5) **특징**
    ① **특성·요인이론에 기초한다**: 개인의 행동에 있어서 성격요인의 역할을 중시한다.
    ② 문제해결을 위한 논리적·인지적 접근을 중시한다.
    ③ **상담자의 적극적·주도적인 역할을 강조한다**: 지시, 정보 제공, 조언, 충고 ⇨ 상담결과의 책임은 상담자에게 있다.
    ④ 내담자가 가지고 있는 문제행동을 대상으로 문제의 원인을 해명하고 치료하는 것이 목적이다.
    ⑤ 임상적(臨床的) 기법을 활용한다.
    ⑥ 상담의 결과는 내담자의 문제해결이다.
    ⑦ 비민주적인 상담이다.

(6) **상담 과정**: 분석 ⇨ 종합 ⇨ 진단 ⇨ 예진(豫診) ⇨ 상담 ⇨ 추후(추수) 지도
① **분석(analysis)**: 내담자를 객관적으로 이해하는 데 필요한 자료를 수집하고 분석한다.
② **종합(synthesis)**: 분석된 자료를 체계적으로 정리·조직하여 내담자의 특성(예 자질, 경향성, 적응과 부적응 등)이 명백히 드러나도록 종합한다.
③ **진단(diagnosis)**: 내담자가 당면한 문제의 특징과 원인을 분석하고 그에 대한 결론을 내린다.
④ **예진(prognosis)**: 내담자의 문제를 그대로 방치했을 때 어떻게 발전되어 나갈 것인가를 미리 예언한다. ⇨ 미래에 대한 예측 시도
⑤ **상담(counseling)**: 상담자가 내담자로 하여금 자신의 문제를 해결할 수 있도록 조언, 안내, 충고 등을 하는 조력의 과정이다.
⑥ **추수 지도(follow-up service)**: 상담결과를 계속적으로 확인하고 재발에 대한 후속조치를 취한다.

(7) **상담의 기술**
① **타협의 강요**: 상담자는 내담자가 환경(예 부모의 희망, 교칙)에 타협·순응할 것을 강제한다.
② **환경의 변경**: 문제가 되는 환경을 변화(예 전학)시켜 문제를 해결한다.
③ **적당한 환경의 선택**: 내담자의 개성이나 성격, 흥미에 맞는 환경을 선택(예 직업이나 진로의 선택)하도록 돕는다.
④ **태도의 변경**: 환경의 요구에 부응하도록 내담자의 심리적 변화를 일으킨다.
예 친구와의 불화를 친근감으로 바꾸도록 노력하는 경우
⑤ **필요한 기술의 습득**: 문제해결에 필요한 기술이나 기능을 습득하도록 한다.
예 일반 고교 진학을 위해 보충수업을 받게 하는 경우

> 교사: 대학 진학에 대해서 결정을 했니?
> 학생: 네. 가기로 결심을 했습니다만, 어느 대학으로 갈 건지는 아직 결정을 하지 못했습니다.
> 교사: 지난번에 자네가 좋다고 생각하는 대학이 두 개였다고 했는데, 각 대학의 장단점을 써 놓고 비교하여 보면 좋을 것이라고 생각해.
> 학생: 어떤 장단점이 있는지 구체적으로 생각이 안 납니다.
> 교사: 이를테면, 집에서 대학까지의 거리라든가, 대학의 크기, 대학의 교육과정, 학생활동 등에 관한 장단점이 있지 않겠나?

(8) **영향**

공헌점	비판점
• 과학적 접근을 통해 상담의 전문화에 기여 • 객관적 검사자료를 강조하여 심리측정 기술 및 상담 기술의 발달에 기여 • 진단을 중시하여 문제발생의 원인과 그 제거의 중요성을 부각 • 정의적 접근을 중시하는 여타의 상담이론과는 달리 인지적 접근을 강조하여 상담활동에 균형적 시각 부여	• 비민주적 상담(C. Rogers) – 상담자의 역할을 지나치게 강조 • 내담자의 가능성이 상담자의 지나친 지시로 제한될 수 있다. • 객관적인 자료를 과신하고 있다. • 지적인 문제와 과거에 중점을 두고 있다.

2. **합리적·정의적 상담**(Rational·Emotive Therapy, RET이론) 23. 국가직 7급, 22·20·13. 지방직

   (1) **개념**: 1995년 이후 REBT(인지·정서·행동 치료)로 확대

   ① '인간은 동물과는 다르다.'는 인간관에 기초한 이론으로, 인간의 사고(思考)와 신념(인지체계)이 인간의 정서와 행동을 움직이는 가장 큰 원동력이라고 본다.

   예 타인에 대한 적개심은 타인에 대한 비합리적 신념(사고)에 의해 생긴다.

   ② 인간의 정서적·행동적 장애는 비합리적·비현실적·자기파괴적인 인지체계(사고체계)의 결과이며, 치료는 이러한 잘못된 인지 과정을 재구성하는 것이다.

   ㉠ 인간의 인지·정서·행동이 상호작용하는 과정에서 '인지'가 핵심이 되어 '정서'와 '행동'에 영향을 미친다.

   ㉡ 정서장애를 유발하는 것은 생활사건 그 자체가 아니라 사건에 대한 왜곡된 지각과 잘못된 신념 때문이며, 그 뿌리에는 비합리적이고 자기패배적인 관념이 자리한다.

   ③ 내담자의 인지체계(사고형태)를 교정·대치·재교육(비합리적 사고 ⇨ 합리적 사고)시켜, 정신건강의 증진을 도모하는 상담방법이다.

   (2) **대표자**: 엘리스(Albert. Ellis) ⇨ "사람의 행동은 그의 생각으로부터 나온다."

   (3) **이론적 가정**: 헐(Hull)의 S-O-R 이론에 토대

   ① 인간은 합리적 가능성과 비합리적 가능성을 동시에 가지고 있다.

   ② 인간의 비합리적·비현실적·자기 파괴적 욕망은 가정과 사회 문화(**예** 문화적 금지, 당위, 의무)에 의해 더 악화될 수 있다.

   ③ 인간은 인지적, 정의적, 행동적이다. ⇨ 인지가 정서와 행동을 결정

   ④ 인간의 사고(思考)와 정서(情緖)는 밀접하게 연결되어 있다.

   ㉠ 정서는 사고의 한 형식이며 사고의 산물이다.

   ㉡ 사고는 정서로 나타나고 정서는 사고로 변하기도 한다.

   ㉢ 사고와 정서는 내면화된 자기대화(**예** 자기평가, 자기지지)의 형태를 취한다.

⑤ 비합리적 신념의 특징: 당위적·경직된 사고, 지나친 과장, 자기 및 타인 비하
  ㉠ 자기 파괴적이고 패배적인 행동에 이르게 한다.
  ㉡ 자신이나 타인에게 비현실적이고 비생산적인 고통과 괴로움을 지속시킨다.
  ㉢ 인간의 성숙과 발전을 방해하고 불필요한 정체나 퇴보를 초래한다.

> **비합리적 신념의 예(Ellis)**
> 1. 모든 사람에게 항상 인정받고 사랑받아야 한다.
> 2. 매사에 유능하고 완벽해야 한다.
> 3. 어떤 사람은 나쁘고 사악하고 악랄하여 마땅히 비난과 처벌을 받아야 한다.
> 4. 세상일이 내가 원하는 대로 되지 않을 때 절망한다.
> 5. 인간의 불행은 외적 조건에 의해 생기며, 인간은 불행을 극복할 능력이 없다.
> 6. 내가 두려워하는 일이 실제로 일어날 가능성이 있음을 늘 걱정해야 한다.
> 7. 삶의 어려움이나 책임은 직면하는 것보다 피하는 것이 좋다.
> 8. 인간은 타인에게 의지해야 하며, 의지할 만한 그 누군가가 필요하다.
> 9. 인간의 과거는 현재 행동을 결정하며, 그 영향은 삶 속에서 계속된다.
> 10. 인간은 타인의 문제와 혼란으로 인해 늘 괴로워하고 속상해한다.

(4) 상담의 목적
  ① 내담자의 비합리적·비현실적·자기파괴적 신념을 합리적·현실적·관대한 신념으로 변화시켜, 융통성 있고 생산적인 삶을 살아가도록 돕는다.
  ② 모든 문제의 근원인 부정적인 자기대화를 제거하기 위해서 자기대화를 재평가한다.

(5) 상담 과정: ABCDE 모형 12. 서울, 06. 부산
  ① ABCDE 모형의 도해

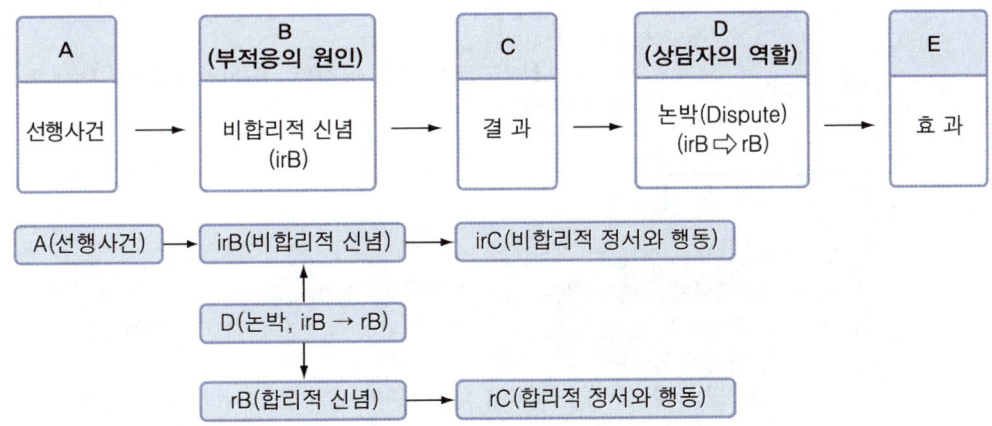

② ABCDE 모형의 개념

A (Activating event, 선행사태)	인간의 정서를 유발하는 어떤 사건이나 현상 예 시험 낙방, 실연, 직장 상사로부터의 질책
B (Belief, 신념)	A 때문에 나타나는 신념 ⇨ 부적응의 원인(인지) ㉠ 환경적인 자극이나 선행사건에 대해 개인이 지니는 신념 ㉡ 합리적인 신념(rB : rational Belief)일 경우에는 문제가 되지 않으나, 비합리적인 신념(irB : irrational Belief)일 경우에 문제를 유발하게 된다.
C (Consequence, 결과)	B 때문에 나타나는 행동결과(부정적 정서나 행동) ㉠ 선행사건과 관련된 신념으로 인해 생기는 결과 ㉡ 비합리적인 신념의 결과는 죄책감, 불안, 분노, 자기연민, 자살충동 등으로 나타난다.
D (Dispute, 논박) 24. 국가직 7급	비합리적 신념(사고)에 대해 도전하고 다시 생각하도록 재교육하기 위해 사용하는 논박(論駁) ⇨ 상담자의 역할(인지의 변화) ㉠ 논리성(logicality)에 근거한 논박 : 내담자 자신이 지닌 생각의 비논리성에 대해 질문하고 지적하는 것으로 '절대적 요구(must, should)'가 포함된 사고(예 반드시 그렇게 되어야 한다.)에서 '절대적인 것이 아닌 소망' 수준의 사고(예 그렇게 되면 좋겠다.)로 변화시키는 것을 말한다. 예 "인생이 당신이 원하는 대로 되어야 한다는 근거가 어디에 있습니까?", "당신이 가지고 있는 신념의 증거가 어디에 있습니까?" ㉡ 현실성(reality)에 근거한 논박 : 내담자가 자신의 생각이 현실적으로 일어날 수 없는 것임을 알게 하는 것으로 내담자가 지닌 절대적인 소망이 현실에서는 대부분 이루어지지 않는다는 점을 내담자가 깨닫도록 하는 데 목적이 있다. 예 "당신이 원하는 방식대로 인생이 풀린다는 것이 현실적으로 가능한 일입니까?" ㉢ 실용성(utility)에 근거한 논박 : 내담자가 그렇게 비합리적인 생각을 하는 것이 실제로 자신에게 어떤 도움이 되는지를 돌아보게 함으로써 내담자의 사고를 변화시키는 방법이다. 예 "당신이 그런 생각을 계속하는 게 실제 당신에게 도움이 됩니까?"
E (Effect, 효과)	논박의 결과로 나타나는 상담의 효과 예 인지적 효과(이성적인 신념체계 형성), 정서적 효과(바람직한 정서 획득), 행동적 효과(바람직한 행동 습득)

ABCDE 모형의 예시

1. A : 나는 입학시험에 떨어졌다.
2. irB : 입학시험에 떨어진 것은 곧 파멸이라 생각했다.
3. C : 부모님께 죄책감이 들고 자신에게 절망감이 들었다. 그래서 방 안에서만 지내면서 아무도 만나지 않았다.
4. D : "떨어진 아이들도 많은데 유독 너만 파멸이라고 생각하면 되겠느냐."라는 어머니의 말씀을 듣고, "나는 왜 시험에 떨어지면 파멸이라고 생각했지?"라고 스스로 반문했다.
5. rB : 시험에 떨어진 것이 자랑은 아니지만, 그것이 곧 파멸은 아니라는 생각이 들었다.
6. E : 시험에 떨어진 것이 불쾌하지만 절망하지 않고, 내 실력에 맞는 다른 학교를 알아보게 되었다.

(6) **상담기법** 12. 경기
　① **인지적 상담기법**: 암시, 자기방어의 최소화, 대안의 제시, 기분전환 시키기, 인지적 과제(must, should 등의 신념체계 제거 목적), 정확한 언어 사용, 유추 기법, 유머의 사용
　② **정서적 상담기법**: 합리적 정서 상상, 수치심 제거 연습, 역할 연기, 감정적 언어 사용
　③ **행동적 상담기법**: 강화기법, 과제부과(homework assignments), 자극통제

(7) **장단점**
　① **장점**
　　㉠ 인지적 측면에 주로 의존하고 있지만 종합적인 접근방법이다.
　　㉡ 인간에게 장애를 유발하는 것은 과거 사건이나 심리적 외상 그 자체가 아니라 이것에 관한 인간의 해석이라는 것을 강조하였다.
　　㉢ 사고와 신념이 정서와 행동에 미치는 영향을 규명하였다.
　　㉣ 상담에 있어 합리적 사고와 논리적 신념에 대한 중요성을 강조하였다.
　② **단점**
　　㉠ 인간의 신념을 바꾸는 것은 올바른 상황판단을 전제로 하기 때문에 심한 성격 장애자에게는 사용할 수 없다.
　　㉡ 내담자의 자율적 성장을 저해할 수 있으며, 정의적인 면을 소홀히 한다.
　　㉢ 내담자의 지적 수준이나 자발성 여부에 따라 내담자가 제한된다.

3. 개인구념이론(PCT: Personal Construct Theory)

(1) **내용**
　① 건설적(구성적) 대안주의, 과학자로서의 인간관 ⇨ 과학자가 가설을 설정하여 실험을 수행해 나가듯 인간은 모든 사실에 대한 구념(construct)을 지니고 있으며, 이 구념을 통해 현실을 이해하고 예언하고 조정한다.
　　㉠ **건설적 대안주의**: 정치, 사회, 종교, 습관 등 모든 것은 변화하는 것이기에 인간이 인간의 문제를 탐색하기 위해서는 언제나 건설적 대안이 필요하다. 인간은 이러한 건설적 대안을 부단히 추구하는 존재이다.
　　㉡ **과학자로서의 인간관**: 모든 인간은 전문적 과학자는 아니나, 경험적 세계에 대하여 나름대로 가설을 설정하고 이를 검증하려고 노력하기에 과학자와 같은 역할을 수행하고 있다고 할 수 있다. 즉, 모든 인간은 경험적 세계에 대하여 부단히 건설적인 의미를 창출하려는 과학적인 노력을 전개한다.
　② **구념(構念)**: 개인이 자기의 경험세계를 이해하고 해석하는 사고의 체계, 개념구성체

(2) **대표자**: 켈리(Kelly) ⇨ 인간 성격에 있어서의 인지적 과정을 중시

(3) **부적응**: 잘못된 구념(배타적 구념, 범주적 구념)을 현실에서 고집할 때 문제 발생
　① **배타적 구념**: 한 경험에 대하여 하나의 해석만이 가능한 구념 　예　철수는 똑똑하다.
　② **범주적 구념**: 동일 성격의 경험을 동일하게 해석하는 구념
　　　예　철수는 머리가 곱슬이고 똑똑하다. ⇨ 머리가 곱슬인 사람은 모두 철수처럼 똑똑하다.

(4) **상담**: 잘못된 개인구념을 재개념화(대안적 구념화, 현실적 구념화)하는 과정
  ① 대안적 구념: 새로운 경험에 개방적이고 새로운 해석을 제공하는 구념, 동일 경험에 대하여 다양한 해석을 제공
    예 철수는 공부할 때는 똑똑하지만 친구와 대화할 땐 바보처럼 순진하다.
  ② 상담 과정: CPC 주기 절차
    C(circumspection, 분별, 여러 측면을 검토) ⇨ P(preemption, 선점, 양분된 주제로 통합) ⇨ C(control, 통제, 하나의 대안을 선택)
  ③ 상담기법: 역할 실행, 고정역할 치료, 자기성격 묘사
    ⊙ 역할 실행(enactment): 여러 사람의 역할을 바꾸어 시연(試演)하는 방법으로, 내담자는 이러한 과정에서 그와 관련된 구념의 변화를 가져올 수 있다. ⇨ 보통 3~4분의 범위로 상담실에서 자연스럽게 실행
    ⓒ 고정역할 치료(fixed role therapy): 집중적이고 장기적인 역할놀이를 통해서 구념체계를 변화시키는 방법 ⇨ 2주 이상의 긴 기간 동안 실제 생활장면에서 인위적으로 실행

4. **인지치료**(인지요법, Cognitive therapy)
  (1) **개요**
    ① 우울증에 관한 인지치료이론에서 출발하여, 점차 불안과 공포증 등을 포함한 정서적 문제 전반, 그리고 사람들의 성격적 문제를 치료하는 이론으로까지 확대된 상담 이론
    ② 합리적 정서치료 + 인지행동적 상담이론: 정보처리모형 + 현상학적 접근
  (2) **주창자**: 벡(A. Beck)
  (3) **부적응 발생의 원인**: 환경적 스트레스와 부정적 생활사건 ⇨ 역기능적 인지도식 ⇨ 인지적 오류 ⇨ 부정적 자동적 사고 ⇨ 심리적 문제
  (4) **특징**: 자동적 사고, 역기능적 인지도식, 인지적 오류
    ① 자동적 사고(automatic thoughts)
      ⊙ 어떤 사건에 당면하여 자동적으로 떠오르는 생각, 스트레스를 유발하는 환경적 자극(예 실연, 낙방)과 심리적 문제 사이에 개입되어 있는 인지적 요소: 긍정적(예 아픈 만큼 성숙하는 거야.)이거나 최소한 중립적 사고(예 그와 나는 인연이 아닌가 봐.)면 문제 발생 ×, 부정적 사고(예 그 없는 내 인생은 의미가 없어.)일 때 심리적 문제 발생
      ⓒ '자동적'의 의미: 자기 자신도 모르게 떠오른다. 자신의 의지와는 상관없이 부지불식간에 떠오른다. ⇨ 대부분 자각 증세가 없는 경우가 많다.
      ⓒ 우울증으로 발전되는 자동적 사고의 예(인지삼제: cognitive triad)
        ⓐ 자기에 대한 비관적 생각 예 나는 무가치한 사람이야.
        ⓑ 앞날에 대한 염세주의적 생각 예 나의 앞날은 희망이 없다.
        ⓒ 세상에 대한 부정적인 생각 예 세상은 살기가 힘든 곳이야.

② **역기능적 인지도식**: 현실 적응에 도움이 되지 않는 내담자의 기본적인 생각의 틀과 그 내용 ⇨ 부정적인 자동적 사고를 활성화시키고 인지적 오류를 발생시키는 원인
  ㉠ 인지도식: 사람들이 세상을 살아가면서 자기 나름대로 형성한 자기와 세상을 이해하는 틀 ⇨ 세상은 어떤 곳인지, 자기는 어떤 사람인지, 인생이 어떤 의미가 있는지, 다른 사람들과 어떤 관계를 유지해야 하는지 등에 관한 지식들이 어린 시절부터 살아오는 과정에 누적되어 체계화된 지식덩어리
    예. 오랜 시간 투자해서 컴퓨터의 작동 원리를 터득했다. ⇨ '컴퓨터에 관한 인지도식'
  ㉡ 사람들에 따라 인지도식은 다르게 형성: 살아온 삶의 과정과 그 속에서 경험한 내용이 다르기 때문
  ㉢ 역기능적 인지도식: 부정적인 성질을 지닌 개인의 인지도식 내용

  > • 사람은 멋지게 생기고 똑똑하고 돈이 많지 않으면 행복해지기 어렵다.
  > • 다른 사람의 사랑 없이 나는 행복해질 수 없다.
  > • 절반의 실패는 전부 실패한 거나 다름없다.
  > • 한 인간으로서의 나의 가치는 나에 대한 다른 사람의 평가에 달려 있다.
  > • 다른 사람에게 도움을 요청하는 것은 나약함의 표시이다.
  > • 인정을 받으려면 항상 일을 잘해야만 한다.
  > • 사람들이 언제 나에게 등을 돌릴지 모르기 때문에 사람을 믿을 수 없다.

③ **인지적 오류(cognitive errors)** 11. 경기
  ㉠ 어떤 경향이나 사건을 해석하고 받아들이는 과정에서 생기는 추론 또는 판단의 오류, 현실을 제대로 지각하지 못하거나 사실이나 그 의미를 왜곡하여 받아들이는 것
    예. • 길을 가다가 쾅 소리가 났다. ⇨ '뭔가 물건이 떨어졌구나'라고 생각 ×, '누군가가 나를 향해 총을 쐈다'라고 생각하는 경우(비현실적인 생각)
    • 길을 가다가 타인과 어깨가 마주쳤다. ⇨ '이 사람이 나를 넘어뜨리려고 작정했구나'라고 생각(사실과 사실에 대한 자신의 주관적 생각을 혼동하는 경우 ⇨ 주관적 판단을 보류하고 사실을 객관적으로 확인하고 검증하는 절차가 필요)
  ㉡ 인지적 오류를 갖게 되는 원인: 과거의 경험들이 누적되어 형성된 부정적인 인지도식 때문 ⇨ 현실의 여러 사건의 의미를 왜곡해서 지각하게 될 가능성이 높음.
    예. × 눈에는 ×밖에 안 보인다.
  ㉢ 인지적 오류의 종류

흑백논리 (절대적 사고, 이분법적 사고)	사건의 의미를 이분법적인 범주의 둘 중 하나로 해석하는 오류 예. 그가 나를 '사랑하느냐, 미워하느냐'만으로 생각, 중립지대를 인정 ×
과잉 일반화	한두 번의 경험으로 일반적인 결론 도출 예. 한두 번 실연 ⇨ 난 '누구에게나', '언제나' 실연당할 거야.
선택적 추상화	상황이나 사건의 주된 내용을 무시하고 특정 부분(부정적인 부분)에만 주의를 기울여 전체의 의미를 (부정적으로) 해석 예. 발표할 때 많은 이가 긍정적 반응을 보였으나 한두 명이 보인 부정적인 반응에 선택적인 주의를 기울여 실패했다고 단정하는 경우

의미 확대 및 의미 축소	지나친 과장이나 축소 해석 예 • 낙제 점수 ⇨ 내 인생은 끝이야(의미 확대). 　• 과 수석 ⇨ 어쩌다가 운이 좋아서 된 거야(의미 축소).
임의적 추론	충분한 근거없이 성급한 결론 도출 예 여자친구가 연락이 없다. ⇨ 내가 싫어진 거야.
사적인 것으로 받아들이기	자신과 관련시킬 근거가 없는 외부 사건을 자신과 관련시키는 성향 ⇨ 실제로는 다른 것 때문에 생긴 일에 대해 자신이 원인이라고 받아들인다.

(5) **상담의 주요 기법**: 부적절한 사고패턴의 변화를 바꾸는 기법 10. 인천

① 특별한 의미 이해하기: 평소 자신의 정서적 반응에 대해 재인식하기
② 절대성에 도전하기: "~은 이렇게 될 거야", "~게 되고 나면 나는 이러한 상황에 처하게 될 거야" 등의 사고체계 수정하기
③ 재귀인하기: 과도하게 자신에게 책임소재를 귀인하는 습관을 재귀인하도록 하여 사건의 책임을 정당하게 할 것
④ 인지왜곡 명명하기: 자동적 사고에 대한 인지왜곡. 즉, 과일반화, 재앙화, 선택적 추상 등에 대해 왜곡 명명하기
⑤ 흑백논리 도전하기: 이분법적 사고의 파국적 결과에 대하여 연속선상이나 과정의 상황 재인지하기
⑥ 파국에서 벗어나기: '만약 ~하면, 어떤 일이 일어날까?(What-if 기법)'로 구조화되어 있는 자동적 사고에 여유 주기
⑦ 장점과 단점 열거하기: 흑백논리에서 벗어나도록 도움
⑧ 인지 예행연습: 상황을 잘 해결하는 성공적인 자신의 모습을 상상하는 것

③ 정의적 영역의 상담이론

1. **비지시적 상담이론**(non-directive counseling) 19·15. 지방직, 13. 국가직 7급, 11. 경북, 10. 충남·경남, 06. 서울, 05. 충북

   (1) **개념**(= 인간 중심적 상담, 자아이론 상담, 내담자 중심 상담, 고객 중심 상담)

   ① 인간은 스스로 성장할 수 있는 잠재능력이 있다는 가정에 기초하여, 내담자가 스스로 자신의 문제를 직접 해결하도록 돕는 상담이다. ⇨ 실존주의 철학에 토대
   ② 자아이론에 근거한 것으로 내담자인 학생이 위주가 되며, 상담자인 교사는 학생이 자신의 문제를 해결하는 데 있어 보조자(촉진자)의 역할만 한다.
   ③ 상담자가 허용적인 분위기(rapport)를 조성하여 학생이 자기성찰과 수용을 통해서 스스로 문제를 해결해 나갈 수 있도록 하는 방법이다.

   (2) **대표자**: 로저스(C. Rogers) ⇨ 『상담과 심리치료(1942)』

   ✎ 로저스 이론의 발전 과정 비지시적(방법) 단계 ⇨ 내담자 중심 단계 ⇨ 경험적 단계 (진정한 자기 경험) ⇨ 인간 중심 단계

▲ C. Rogers

(3) 인간관 11. 국가직 7급

① 각 개인은 인간으로서의 존엄성과 가치를 지닌 존재이다.
② 인간은 근본적으로 합리적·사회적·진보적·현실적인 존재이다.
③ 인간은 자아실현의 의지를 지니고 있다. ⇨ 실현 경향(actualizing tendency)
④ 인간의 본성은 생득적으로 선(善)하다.
⑤ 개인은 개인차를 지닌 존재이다.
⑥ 개인은 적절한 환경이 제공된다면(if-then) 자기확충을 위한 적극적인 성장력을 지니고 있다.
  ⊙ 내담자의 실현 경향성은 자동적으로 실현되는 것이 아니다. 이러한 일이 일어나기 위해서는 바람직한 사회환경이 필요하다.
  ⊙ 상담자가 해주려는 것은 바람직한 사회환경(무조건적이고 긍정적인 존경, 공감적 이해, 순수성)을 제공해 주는 것이다. 22. 지방직
  ⊙ 그런 환경 속에서 인간은 내적인 자기실현 경향과 일치하는 방식으로 자기실현을 하려 하며, 궁극적으로 충분히 기능하는 인간(fully functioning person)에 이를 수 있다.
⑦ 인간은 현상적 장(phenomenal field)에 대하여 체제화된 전체로 반응한다.
  ◇ **현상적 장**(경험적 세계, 주관적 경험) 여기와 지금(here & now)에서 전개되는 유기체의 모든 경험 내용들, 특정 순간에 개인이 지각하고 경험하는 모든 것

(4) 이론적 가정

① 개인의 과거보다는 현재의 장면(here and now)을 중시한다. 17. 국가직
② 인지적인 측면보다 정의적인 측면의 적응문제를 중시한다.
③ 개인은 자신 속에 성장하는 힘을 내재하고 있기 때문에 자기환경에 적응할 수 있다.
④ 치료 자체가 성장의 경험이다.
⑤ 상담의 초점은 문제에 있는 것이 아니라 인간에게 있다.

(5) 부적응: 자아의 정의적 측면의 적응 문제

① 외부적 기준과 내면적 욕구와의 괴리
② 진정한(현실적) 자기와 이상적 자기와의 괴리
③ 자기개념과 경험과의 괴리
④ 유기체적 욕구와 존중받고자 하는 욕구와의 괴리

(6) 상담의 목적

① 상담자가 내담자의 감정을 이해·수용함으로써 내담자가 충분히 기능을 발휘할 수 있는 자아실현인으로 성장하도록 돕는 것이다.
② 성장은 자아개념의 변화를 가리킨다.
③ 자아실현인(fully functioning person, 만발기능인, 충분히 기능하는 인간)은 경험의 개방성(방어기제 사용 ×), 실존적 삶, 유기체적인 신뢰감, 경험적 자유, 창조성 등의 특징을 지닌다.
  ◇ **가면과 가식을 넘어서** 심리학의 기본 목표는 개인들로 하여금 속박, 허상, 가면과 가식들로 절단난 세계에서 '참된 자아'를 찾을 수 있도록 해주는 것이다(Rogers).

(7) **상담의 절차 12단계**(Rogers) : 감정의 방출 ⇨ 자기이해와 통찰 ⇨ 행동 ⇨ 통합
    ① 내담자가 자발적으로 도움을 받으러 온다.
    ② 상담에 대해 구조화한다. - 도움을 주기 위한 장면이 설정된다.
    ③ 상담자는 내담자가 자신의 문제에 관한 감정을 자유로이 표현하도록 한다.
    ④ 상담자는 내담자의 부정적 감정을 수용·인정하고 명백히 해준다.
    ⑤ 내담자의 부정적 감정이 충분히 표현된 후에는 점차 긍정적 감정의 표현이 시작된다.
    ⑥ 상담자는 내담자가 표현한 긍정적 감정도 수용·인정하고 공감한다.
    ⑦ 내담자는 자기이해, 자기수용 등의 통찰이 일어난다.
    ⑧ 내담자는 통찰과 함께 여러 가지 의사결정을 할 수 있게 된다.
    ⑨ 내담자는 긍정적·적극적 행동을 시작한다.
    ⑩ 통찰이 심화·확대되어 내담자는 정확한 자기이해를 할 수 있게 된다.
    ⑪ 내담자는 더욱 통합적으로 긍정적 행동을 하게 된다.
    ⑫ 내담자 자신이 상담을 종료하기를 인식하고 종결한다.

(8) **상담 과정에서의 강조점**
    ① 상담자와 내담자 사이의 인간관계를 형성하는 관계성을 중시한다.
    ② 상담 시 동정은 금물이다.
    ③ 상담자와 내담자 사이의 래포(rapport) 형성을 상담의 조건으로 본다.
    ④ 내담자의 자유로운 감정표현을 중시한다.

(9) **상담의 특징** 11. 광주, 10. 국가직
    ① 내담자 중심의 상담 : 내담자가 자기문제를 대부분 말로써 표현한다.
    ② 성장의 원리에 기초하고 있다. ⇨ 성장은 자아개념의 변화 과정
    ③ 상담 과정에서 진단(診斷)의 단계를 배제한다.

    > **진단(診斷) 단계를 배제하는 이유**(Rogers)
    > 1. 진단은 내담자로 하여금 문제해결에 있어 상담자에게 의존적 경향을 갖게 한다.
    > 2. 진단을 위해 상담자는 객관적인 입장에 서야 하기 때문에 내담자의 문제를 외적인 참조체제 (external frame of reference)에서 보기 쉽다.
    > 3. 진단과 치료를 분리해서 생각할 수 없기 때문에, 잘못된 진단은 잘못된 치료로 나타날 수 있다.

    ④ 상담의 성공과 실패는 내담자(학생)의 책임 : 내담자가 자기의 문제를 스스로 찾아 해결한다.
    ⑤ 상담자의 임무는 허용적 분위기(rapport) 형성에 있다.
    ⑥ 정의적 영역의 상담으로 인성지도에 중점 : 상담의 문제는 내담자 자신의 인생 문제
    ⑦ 상담에서 기대되는 성장의 단계는 '감정의 방출 ⇨ 통찰 ⇨ 행동 ⇨ 통합'이다.
    ⑧ 상담의 결과는 자기이해와 통찰, 즉 자아개념의 변화이다.
    ⑨ 민주적 상담이다.

(10) **상담 방법**: 로저스가 제시한 상담자와 내담자의 관계
　① **진실성(genuineness)**: 진지성(sincerity), 일치성(congruence) ⇨ 상담자는 내담자와의 관계에서 경험하는 것을 충분히 그리고 정확하게 인식하여 솔직하게 표현해야 한다.
　② **무조건적인 긍정적 존경(unconditional positive regard)**: 상담자가 내담자를 평가·판단하지 않고 내담자가 나타내는 감정이나 행동특성들을 있는 그대로 수용하며 내담자를 소중히 여기고 존중하는 태도를 말한다. 08. 국가직 7급
　③ **정확한 공감적 이해(empathetic understanding)**: 상담자가 내담자의 입장에서 마치 자신의 경험처럼 내담자의 경험과 감정을 정확히 이해하는 것을 말한다.

(11) **지시적 상담과 비지시적 상담의 비교** 11. 부산

구분	지시적 상담	비지시적 상담
인간관	인간은 선하나 문화적 갈등이 심하다.	인간은 생득적으로 선하다.
주도자	상담자(교사) 중심	내담자(학생) 중심
대상	인지적인 적응 문제	정서적 적응 문제
바탕 이론	특성·요인이론	자아이론
대표자	윌리암슨(Williamson)	로저스(Rogers)
목표	문제의 원인 해명과 치료	정서적 긴장·불안·공포의 해소 ⇨ 자아실현
방법	지시, 충고, 암시, 설득	수용, 일치, 공감적 이해, 래포(rapport)의 형성
상담 과정	진단(診斷)을 중요시	진단 과정의 생략
결과	문제의 해결	통찰과 자아이해 심화, 치료 자체가 성장의 경험

2. 정신분석적 상담이론(Psychoanalysis) 18·15. 국가직

(1) **개념**
　① 프로이트(S. Freud)의 성격이론(심리성적 이론)에 근거한 상담이론
　② 인간의 부적응행동의 원인을 무의식적 동기와 욕구(억압)에서 비롯된다고 보고, 내담자가 지닌 무의식의 세계를 의식화하여 문제를 치료하려는 상담방법

(2) **이론적 가정**
　① 인간의 정신세계는 무의식의 영역과 의식의 영역으로 구성되어 있으며, 인간행동의 대부분은 무의식에서 기인한다.
　　㉠ 의식: 한 개인이 현재 각성하고 있는 모든 행위와 감정
　　㉡ 전의식: 조금만 노력하면 의식화될 수 있는 사고, 이용 가능한 기억
　　㉢ 무의식: 의식적 사고에 의해 억압된 금지된 생각이나 감정, 자기 힘으로는 의식으로 떠올릴 수 없는 생각이나 감정
　② 개인의 성격의 구조는 원초아(id, 본능), 자아(ego), 초자아(super-ego)로 구성되어 있다.

(3) **부적응**: 유아기 때의 무의식적 동기와 욕구(id)의 억압이 부적응 초래 ⇨ 자아기능(ego)을 강화하여 성격의 조화로운 발달 도모
   ① **신경증적 불안**: id의 충동이 의식화됨으로써 생기는 위협에 대한 정서적 반응
   ② **도덕적 불안**: ego가 super-ego에 의해 벌받을 위험이 있을 때 나타나는 정서적 반응
      예, 수치심, 죄책감
   ③ **현실적 불안**: ego가 느끼는 외부상황에 실제로 존재하는 위협이나 위험에 대한 정서적 반응
      예, 독사, 고양이, 학기말 시험 불안

(4) **상담 목적**
   ① 자아(ego) 기능을 강화하여 본능(id)이나 초자아(super-ego)의 기능을 조절하고 성격의 조화로운 발달을 도모한다.
   ② 내담자가 현실에 적응하는 방어기제에 대해 올바르게 이해하도록 함으로써 자신의 심리적 문제해결을 할 수 있도록 돕는다.
   ③ 무의식에 근거하고 있는 갈등을 의식 수준으로 끌어올려 내담자의 문제행동에 대한 각성과 통찰을 도와 건설적인 성격 형성을 돕는다. 20. 지방직

(5) **상담 과정**: 진단 ⇨ 자유연상(또는 꿈의 분석) ⇨ 해석 ⇨ 전이 및 통찰(훈습) ⇨ 적응력의 획득

(6) **상담기술**: 자유연상, 꿈의 분석, 최면요법, 정화, 저항의 분석, 전이, 해석 23. 국가직
   ① **자유연상(free association)**: 내담자의 무의식 세계에 억압되어 있는 내용을 의식화하는 것으로, 상담자는 내담자가 지닌 과거의 경험을 아무런 제약 없이 떠오르는 대로 자유롭게 말하도록 하는 것이다.
   ② **꿈의 분석(dream work)**: 꿈은 무의식적 동기 이해의 중요한 수단으로, 상담자는 내담자의 꿈의 내용에 잠재된 상징적 의미를 규명하여, 내담자가 지닌 무의식적 동기와 갈등을 이해한다.
   ③ **최면요법(hypnotism theory)**: 고도의 정신집중기법 ⇨ 내담자를 준비된 일련의 암시 계열에 차례차례 반응시킴으로써 암시에 대한 반응의 용이성을 서서히 진작시키면서 아울러 의식성의 변화도 강화하는 기법
   ④ **정화(catharsis)**: 무의식 속에 묻혀 있던 모든 억압된 생각과 경험을 이야기할 때나 억눌린 감정이나 경험을 말로 쏟아낼 때 억압되었던 강력한 정서적 감정이 발산됨으로써 고통과 불안이 감소되는 것
   ⑤ **저항(resistance)의 분석**: 저항은 내담자가 상담 도중 자신의 갈등을 의식화하는 것을 꺼려해서 그 반대되거나 억압된 행동을 하는 것으로, 치료의 진전을 방해하거나 상담자에게 협조하지 않으려는 내담자의 무의식적 행동(예, 상담시간에 늦는 것, 주제와 다른 이야기를 하는 것)을 말한다. 이는 내담자가 자신의 억압된 충동이나 감정을 의식해 냈을 때 느끼게 되는 심리적 불안으로부터 자아를 보호하기 위해서 발생한다. 상담자는 이러한 심리적 저항을 분석하여 내담자에게 알려주는 것 자체가 상담의 치료적 효과이다.
   ⑥ **전이(轉移, transference, 교정적 정서 체험)**: 내담자가 (유아기 때의 부모나 가족들에 대해) 지니고 있는 애착, 증오, 질투, 수치 등의 감정과 상념이 상담자에게 옮겨지는 것 ⇨ 전이가 치료의 핵심

㉠ 내담자가 유아기에 부모나 형제 등 중요한 사람에게 느꼈던 아직도 해결되지 않은 감정을 상담자에게 똑같이 느끼는 것
㉡ 상담자는 내담자의 부모, 형제 등 과거 대상과는 다른 반응을 보임으로써 내담자가 지적 통찰(현재는 과거와 다르다는)을 하고 병적 경험을 교정한다.
㉢ 전이 과정에서 내담자가 상담자에게 애정을 느끼는 문제가 발생할 수 있다.
㉣ 상담자가 내담자를 내담자가 아닌 다른 대상으로 보는 역전이(counter-transference)가 발생하면 다른 상담자에게 위임하는 것이 현명하다.
　　✎ **역전이**(counter-transference) 치료자의 무의식적 감정 반응으로, 환자가 마치 치료자가 겪은 과거의 어떤 중요한 인물로 느끼는 현상을 말한다.
㉤ 자신의 갈등에 대한 단 한번의 전이가 변화를 일으키기에 충분한 것은 아니다. 여러 경우에 걸쳐 다양한 방법으로 전이 분석이 계속되어야 한다. 그래서 아동기의 주요 경험들에 대한 기억이 되살아나고, 되살아난 기억들이 철저히 이해되어야 한다. 바로 이러한 과정이 훈습(薰習)의 단계에서 일어난다. 훈습(薰習, working through)은 과거 경험에 대한 기억을 반복해서 분석하고 정교화하며, 확장해 가는 과정이라 할 수 있다.
⑦ **해석**(interpretation): 자유연상, 꿈, 저항, 전이 등 여러 방법을 통해 찾아낸 무의식 세계에 대한 정보들이 지니고 있는 상징적 의미를 설명해 주는 것 ⇨ 내담자는 이를 통해 부적응행동의 동기 파악
⑧ **실수나 실언의 분석**(parapraxia, slips of the tongue): 실수나 실언은 무의식적 동기의 표현으로 해석된다.
⑨ **유머 분석**: 조크(joke), 익살(witticism), 재담(pun), 빈정거림(satire) 등 유머(humor)는 무의식 속에 억압되어 있던 충동이나 생각들이 위장되어 겉으로 드러나는 것이라고 해석한다.

(7) 특징
① 부적응행동의 원인은 무의식적 억압 때문이다.
② 임상적(臨床的) 관찰로부터 부적응의 원인을 찾아낸다.
③ 부적응행동의 치료는 과거의 생활사에 기초하여 이루어진다.
④ 치료는 근원적인 동기, 즉 무의식적인 것을 통제함으로써 가능하다.
⑤ 자유연상, 꿈의 해석, 전이, 최면술 등이 중요한 치료의 수단이다.
⑥ 전이(轉移)현상이 치료의 핵심이다.
⑦ 내담자의 저항현상도 치료에 포함시킨다.

(8) 영향
① 공헌점
㉠ 무의식적 동기나 욕구가 인간의 사고와 행동을 결정한다고 보았다.
㉡ 성격(personality)에 관한 이론을 최초로 수립하였다.
㉢ 치료방법으로 면접법(interview)을 확립하였다.

② 비판점
  ㉠ 인간의 행동에서 본능을 지나치게 강조하였다.
  ㉡ 과거(유아기)의 경험이 인간행동을 결정한다는 결정론적 견해로, 개인의 능동적 역할을 간과하였다.
  ㉢ 인간의 합리성을 지나치게 경시하였다.

3. 개인심리 상담이론 20. 지방직, 10. 울산

(1) **개념**: 사회적 관심론 ⇨ 개인심리학파에 근거한 상담이론

① 아들러(A. Adler)의 '개인심리학'에 기초한 상담이론으로, 정신분석이론으로부터 발전되었다.
  ✎ **아들러의 사상** 한스 바이힝어(Hans Vaihinger ; 가상적 목표)와 자네트(P. M. P. Janet ; 열등감)를 들 수 있다.

② 프로이트(Freud) 이론 비판
  ㉠ 인간을 의식, 무의식, 원초아, 자아, 초자아로 분리해서 파악 ⇨ 개인을 분리될 수 없는 통합된 전체로 이해, 사람의 개개 행동은 그가 총체적으로 선택한 생활양식(life style)의 관점에서 파악되어야 한다는 것
    ✎ **아들러의 인간관** 전인적·총체론적 존재, 성장 지향적 존재(열등감을 보상하고 잠재력 실현을 위해 노력), 창조적 존재, 사회적 존재(사회적 동기에 의해 행동)
  ㉡ 성욕론이 지닌 환원론과 결정론, 생물학적 지향성 ⇨ 인간의 사고와 행동에 영향을 주는 사회적 영향에 관심

③ 가족관계(아동의 초기경험)를 개인의 발달에 대단히 중요한 요인으로 파악

더 알아보기

아들러(A. Adler)

1. 6형제 중 2번째로 출생하였다.
2. 어린 시절 구루병을 앓아서 형제나 친구들에 비해 신체적으로 왜소했을 뿐만 아니라 4살 때 폐렴으로 거의 죽을 뻔하였다. 또한 길거리에서 손수레에 치여 2번이나 죽을 고비를 넘겼다. 이러한 문제들로 인해 엄마로부터 특별한 보호를 받아왔지만 동생들의 출생으로 그런 보호는 더 이상 받지 못하게 되었다. 그는 학교에서 성적이 낮아 같은 과정을 반복해야 했다. 학교 선생님이 그의 아버지에게 학교를 그만두고 구두제조자로 일하도록 종용할 정도였다. 이러한 일련의 사건들은 그에게 심한 열등감을 경험하도록 하였다.
3. 그는 이러한 열등감을 극복하고자 열심히 공부한 결과 학급에서 성적이 가장 높은 학생이 되었다. 그 후 유명한 심리학자가 되어 아동생활지도 클리닉을 창설하는 등 정신적 문제에 대한 예방에 지대한 공헌을 하였다.

(2) 이론적 가정
① 인간의 행동은 본질적으로 열등감(inferiority complex 예 기관열등감, 심리적 열등감, 사회적 열등감)의 보상이며, 열등감은 하나의 동기가 되어 그 열등감을 극복하는 노력을 통해 진보하고 성장·발달한다.
② 우월성을 추구(권력에의 의지)하는 비정상적인 방법(예 폭력, 과장, 비협조적인 우월감, 물질적인 삶, 비협동적인 삶의 추구)으로 열등감을 해소하려 할 때 부적응이 발생한다.
③ 상담은 내담자로 하여금 (열등감으로 인한) 잘못된 발달을 재구성해 주고 그로 하여금 그의 생활양식(life style)과 사회적 상황을 이해하도록 돕는 일이다.

아들러 이론의 핵심 개념

1. **열등감 보상**: 모든 인간이 추구하는 본질적 경향성 ⇨ 완전 또는 완성을 향한 추진력
2. **우월성의 추구**: 모든 인간이 문제에 직면했을 때 부족한 것은 보충하며, 낮은 것은 높이고, 미완성의 것은 완성하며, 무능한 것은 유능하게 만드는 경향성
3. **생활양식**: 삶에 대한 개인의 기본적 지향이나 성격, 어릴 때부터 자신의 열등감을 극복하고 우월성을 추구하는 과정에서 스스로 창조하는 개인의 인지도식 ⇨ '사회적 관심'과 '활동수준'을 근거로 지배형, 기생형, 도피형, 사회적 유용형으로 구분
4. **사회적 관심**: 개인이 사회의 일부라는 인식과 더불어 사회적 세계를 다루는 개인의 태도
   ⇨ 타인의 눈으로 보고, 귀로 듣고, 가슴으로 느끼는 것(≒ 일체감, 공감)
5. **창조적 자아**: 인간은 누구나 자신의 생활양식이나 생활목표를 창조하며, 이는 사회적 관심이나 지각, 기억, 상상, 꿈 등에도 영향을 미친다.
6. **출생순위**: 출생순위와 가족 내의 위치에 대한 해석은 어른이 되었을 때 세상과 상호작용하는 방식에 큰 영향을 미친다.
   ① 출생 순서에 따라 사람의 성격이 결정될 수 있다는 가설을 제시하였다. 즉, 첫째는 '폐위당한 왕'이면서 책임감이 강하고 둘째는 경쟁심이 강하고 성공적인 삶을 살 가능성이 높으며 셋째는 자기중심적이고 의존적이라는 것이다.
   ② 부모뿐만 아니라 형제나 자매도 개인의 발달에 중요한 역할을 할 수 있다는 것으로 가족 내에서 부모만이 중요하다고 본 프로이트의 이론보다 진일보한 것으로 평가 받는다.
7. **허구적 최종 목적론**(fictional finalism, 가공적 목적론): 인간의 모든 심리현상은 '가공적 목적'(개인의 행동을 이끄는 마음속의 중심목표)이나 이상이 현실보다 효과적으로 움직인다. ⇨ '사람은 가상(fiction) 속에서 생활한다.' 예 목적이 수단을 정당화한다.

(3) 상담 과정
① 자기결정주의 개념에 기초하여 상담이 전개된다: 인간은 자유롭게 결정할 능력이 있고, 또 원하는 행동을 할 수 있다. ⇨ Freud의 결정론 부정
② 상담의 초점은 개인의 삶의 목표, 생활양식, 태도, 동기에 대한 이해에 있다.
③ 내담자의 목표와 생활양식의 이해를 위해 유아기의 기억과 꿈 등을 사용한다.
④ 상담의 목표는 어떤 징후의 제거가 아니라, 내담자 자신이 기본적인 과오를 인정하고 자신의 자아인식을 증진시키도록 하는 것이다. 즉, 내담자의 열등감과 생활양식의 발달과정을 이해하고, 그것이 현재 자신의 생활에 영향을 주고 있는가를 이해하도록 하여, 내담자가 생활목표와 생활양식을 변화·재구성하도록 도와주는 것이다.

⑤ 공동체의식, 대인관계, 협동, 다른 사람들에 대한 감정이입, 공공복지에의 공헌 등 유용한 사회적 관심을 통해 사회적으로 보다 우등하고 협동적이고 민주적인 방향으로 노력하고자 하는 삶의 목표나 생활양식을 지님으로써 열등감을 극복하도록 돕는다.

사회적 관심	활동 수준	생활양식 유형	내용
없음	높음	지배형(ruling type)	독단적·공격적·활동적이지만 사회적 인식이나 관심이 거의 없는 사람 ⇨ 비사회적인 면에서 활동적이고 타인에 대한 배려 ×
	중간	기생형(getting type)	한 타인으로부터 많은 것을 얻어내려는 기생적인 방법으로 자신만의 욕구를 충족하려는 사람
	낮음	도피형(avoiding type)	사회적 관심이 없고 인생에 참여하려는 활동을 하지 않는 사람
있음		사회적 유용형 (socially useful type)	자신과 타인의 욕구를 동시에 충족시키려 노력하고, 인생과업을 위해 기꺼이 타인과 협동하는 사람 ⇨ 심리적으로 건강한 사람

(4) 상담 과정과 방법

① **상담 과정**: 상담 관계의 설정 ⇨ 내담자의 생활양식 조사 ⇨ 통찰을 위한 해석 ⇨ 사회적 관심의 발달을 돕는 재교육

② **상담방법**: 회상, 해석, 재교육 등을 통해 내담자의 열등감을 인식하고 잘못된 생활목표, 생활양식을 스스로 깨닫게 한다.

　㉠ **단추누르기 기법**: 내담자가 유쾌한 경험과 유쾌하지 않은 경험을 번갈아 가면서 생각하도록 하고 그 경험과 관련된 감정에 관심을 가지도록 하는 기법 ⇨ 자신의 정서를 스스로 만들 수 있음을 자각하게 함.
　　예) "상담자는 내담자에게 두 가지 단추, 즉 우울단추와 행복단추를 가지고 집에 가라고 하며, 그에게 앞으로 겪게 될 사건에 어느 단추를 쓰게 될 것인지는 자기가 통제할 수 있다고 말한다."(Adler)

　㉡ **내담자 스프(행동)에 침뱉기(깨끗한 양심에 먹칠하기)**: 잘못된 내담자의 인식을 깨닫게 하기 ⇨ 상담자가 내담자의 어떤 행동의 목적과 대가를 인식하게 되면 상담자는 곧 바로 그 행동이 총체적으로 손해되는 행동이라는 사실을 내담자에게 분명하게 보여줌으로써 내담자가 더 이상 손해되는 게임을 하지 못하도록 한다. 그 행동의 대가를 보여주는 것, 즉 치료자가 내담자의 스프(행동방식)를 못 먹도록 만드는 것이다.

　㉢ **마치 ~인 것처럼 행동하기(as if method)**: 인간은 스스로 설정하는 가상적 목표에 따라 생활한다. ⇨ 미래 목표를 현실화하기
　　예) 최소한 일주일 정도 마치 그 일이 일어난 것처럼, 그의 환상을 역할놀이를 통해 표현해 보도록 격려할 수 있다.

　㉣ **마이더스 기법**: 내담자의 신경증적 요구를 과장하는 것, 상담자는 내담자의 요구 충족을 위해 내담자를 과잉 동정함으로써 내담자의 행동을 웃음거리로 만든다.

　㉤ **타인을 즐겁게 하기**: 상담자는 내담자에게 밖으로 나가 다른 사람을 위해 좋은 일을 하라고 지시함으로써, 내담자를 사회적인 주 흐름 속으로 되돌아오도록 촉진한다.

ⓑ 즉시성, 격려, 역설적 의도, 질문, 직면 등

> "수영을 배우고자 할 때, 당신이 가장 먼저 하는 일은 무엇인가? 그것은 실수다. 그렇지 않은가? 그리고 무슨 일이 일어날까? 실수를 반복하는 것이다. 가라앉지 않고 할 수 있는 모든 실수를 경험하며, 또 그 중 몇몇 실수를 수 없이 반복했을 때, 당신은 무엇을 발견하게 될까? 수영할 수 있다는 것? 그렇다. 삶은 바로 수영 배우기와 같은 것이다! 실수를 두려워하지 마라. 그것 외에 인생을 어떻게 살아갈지 배우는 다른 방법이란 없다." ―「아들러와 프로이트의 대결」

4. **상호교류 분석이론**(TA, Transaction Analysis)

   (1) **개념**(= 심리교류 분석이론, 의사거래 분석이론)

   ① 인간행동의 이면에 숨겨져서 그 행동에 동기를 부여하는 숨겨진 배경들(PAC)과 그 배경이 나타나는 과정을 분석하는 상담방법
   ② 내담자와 치료자(상담자) 사이의 계약을 강조한다.
   ③ 과거가 현재를 지배한다는 정신분석이론의 결정론을 비판하고, 개인은 선택의 능력(자율성)을 지녔다고 본다.
   ④ 상담은 내담자로 하여금 유보되고 포기된 그의 자율성(autonomy)을 증대시키고 그의 현재 행동과 삶의 방향에 대한 새로운 결정을 내리는 것을 돕는 조력 과정이다.

   (2) **대표자**: 에릭 번(E. Berne), 해리스(Harris)

   (3) **이론적 가정**

   ① 반운명적 철학: 인간의 모든 것은 어릴 때 결정되나 변화 가능, 인간행동 이면에 숨겨진 동기와 그 배경 중시 ⇨ "인간은 자율적 존재로 태어났다. 그러나 인생의 초기 단계에서 부모들의 명령에 복종함으로써 자율성을 유보, 포기하는 행동양식을 습득하였다."
   ② 인간 행동의 동기(Berne): 성격은 욕구충족과정에서 타인 등 환경과의 상호작용적 산물
      ㉠ 생리적 욕구: 음식, 잠 등 생명을 유지시켜 주는 것과 관련된 욕구
      ㉡ 심리적 욕구
         ⓐ 자극(stroke)의 욕구: 타인으로부터 다양한 방식(예 언어, 표정, 자세, 관심 등)으로 존재 인정을 받고 싶어 하는 인정자극, 즉 '어루만짐'의 욕구
         ⓑ 구조(structure)의 욕구: 개인이 인정자극을 받을 가능성을 최대화하기 위하여 자신의 생활과 시간을 수단화하고 조직화하려는 욕구 예 차단(withdrawl), 의식(ritual), 소일(pastime), 활동(activity), 게임(game), 친밀관계(intimacy)
         ⓒ 자세(position)의 욕구: 개인이 일생을 통해 확고한 삶의 자세를 가지려는 욕구로 이를 통해 생활자세를 형성하고 이 생활자세를 근간으로 생활각본을 형성하게 됨.

> **더 알아보기**
>
> **심리적 생활자세의 유형(Harris)**
> 1. **긍정적인 생활자세**: 자기긍정 – 타인긍정(I'm OK – You're OK) ⇨ 가장 건강한 생활자세로 자기 자신과 타인을 신뢰한다. 생의 마지막에 형성되는 생활자세로 의식적이다.
> 2. **부정적인 병리적 생활자세**: 자기긍정–타인부정, 자기부정–타인긍정, 자기부정–타인부정
>   ① 자기긍정–타인부정(I'm OK – You're not OK): 나만 옳고 남은 그르다는 생활자세로, 방어 자세이면서 타인에 대해서는 공격성을 보인다. 아이가 부모로부터 엄한 처벌을 받고 거부당하는 일이 많아지면 자신을 도와줄 사람이 아무도 없다고 생각함으로써 나타난다. 이 자세가 심화되면 지배감과 우월감에 차게 되어 양심부재(良心不在)가 되거나 타인에 대한 불신, 비난, 증오, 살인과 같은 특징을 보인다.
>   ② 자기부정–타인긍정(I'm not OK – You're OK): 스스로를 부족하고 무능하다고 생각하지만 타인들은 다 자기보다 낫다고 생각하는 생활자세로, 스스로 낮은 자아개념을 갖고 타인에 대해서는 자신이 갖고 있지 않는 그 무엇을 갖고 있다고 생각하는 자세이다. 이 자세가 오래되면 열등감이나 죄의식이 심하여 우울증에 걸리기 쉽기에 우울증 자세라고도 한다.
>   ③ 자기부정–타인부정(I'm not OK – You're not OK): 생후 1년을 전후한 시기에 나타나는 자세로, 스스로도 열등하지만 타인들도 부족하고 불완전할 뿐 아니라 나쁘기까지 하다고 여기는 생활자세이다. 가장 바람직하지 않은 자세로 이러한 자세를 가진 사람은 정신병원이나 감옥에서 일생을 보낼 확률이 높다.

③ **인간은 자율적 존재**: 개인은 자신의 목표나 행동양식을 선택할 수 있는 능력(자율성)을 소유하고 있다. ⇨ 개인은 자신이 내린 과거 결정을 이해할 수 있고 이에 대하여 다시 결정을 내릴 수 있는 능력을 지니고 있다.

④ **자아상태(PAC)**: 모든 사람은 어버이(Parent ego : P), 어린이(Child ego : C), 어른(Adult ego : A) 등 세 가지 자아상태를 가지고 있고, 이 중 어느 하나가 상황에 따라 한 개인의 행동을 지배한다.

어버이 자아 (P)	양친이나 양육자 등 외부로부터 획득한 태도나 행동으로부터 성립(4~6세에 발달) 1. 양육적 어버이 자아(NP, nurturing parent): 자녀를 사랑하고 돌보는 양육적인 부모의 모습이 내면화된 자아 ⇨ 타인의 고통을 자신의 고통으로 수용. 지나치면 숨막힐 정도로 참견하려는 경향이 있음. 2. 비판적 어버이 자아(CP, critical parent): 부모의 윤리, 도덕, 가치관이 내면화된 자아 ⇨ 자신이 제일이라는 의식이 강하고 타인을 비판, 통제, 처벌하려는 경향(독재적인 경향)이 크다.
어른 자아 (A)	• 합리적으로 생각하고 행동하며, 객관적으로 자료를 수집하고 현실 상황을 조망할 때의 자아 상태 ⇨ 현실적, 객관적, 논리적, 비감정적인 자아 • 2~4세에 형성되어 7~12세에 발달 • 너무 많으면 지루하고 따분한 경향이 있다.

어린이 자아 (C)	• 개인 내부의 충동과 감정, 자연 발생적 행동들에 대한 인생 초기경험이 굳어진 것
	• 어렸을 적에 느꼈던 감정이나 경험을 똑같이 느끼거나 행동하고 있을 때의 자아 상태(1~3세까지 발달) ⇨ 욕구충족이 원만한 경우 FC, 과잉충족이나 결핍의 경우 AC 형성
	  1. 자유로운 어린이 자아(FC, free child): 부모나 어른들의 반응에 구애됨 없이 자유롭게 자신을 나타내는 것으로, 자연적, 감정적, 자기중심적, 본능적, 적극적, 창조적이다. ⇨ 지나치게 많으면 경솔하다는 평을 받을 수 있다.
	  2. 순응하는 어린이 자아(AC, adaptive child): FC의 수정 상태 ⇨ 부모나 권위자에 복종, 의존적·소극적·순종적이며 지나치게 타인을 의식하고, 부정하고 불평하고 반항한다.

⑤ 이 세 가지 자아 중, 한 자아가 선택적으로 인간관계의 상황이나 의사소통 과정에서 행동의 주된 동력으로 작용하게 되며, 어느 상태에서 어느 자아가 개인의 동력으로 작용하느냐에 따라 의사소통 및 인간관계의 양상이 변화하고, 동시에 문제가 발생할 수 있다.

⑥ PAC의 활용이 어느 한 틀에 고정될 때 부적응이 발생한다.

(4) **상담목적**: 자율성(autonomy)의 성취 ⇨ PAC 자아의 조정능력 발휘

① 자율성이란 과거의 경험들이 개인의 성격발달에 미친 영향에 관계없이 내담자가 현재 자신의 행동과 생활양식을 보다 적절한 것으로 다시 선택·결정할 수 있는 행동특성을 말한다.

② 현실적 이해와 정서적 표현능력, 친교(親交)할 수 있는 수용능력의 회복을 통해 자율성은 실현된다.

(5) **상담 과정**: 계약, 자아구조 분석(egogram), 상호교류 분석, 게임 분석, 생활각본 분석, 재결단

① 계약(contract): 상담자의 어른 자아와 내담자의 어른 자아가 상담 관계를 맺는 것 ⇨ 상담 목표에 대한 합의 및 전반적인 상담의 구조화를 형성

② 자아구조 분석
    ㉠ 내담자의 자아상태에 관한 분석: 내담자의 어버이 자아(P), 어린이 자아(C), 어른 자아(A)의 내용이나 기능을 인식하는 방법 ⇨ 자아도(egogram, 자아상태 내의 에너지의 기능과 양을 막대그림 형태로 상징화한 것) 조사
    ㉡ 분석목적: 과거의 경험 때문에 어른 자아가 기능하지 못하는 원인을 분석

③ 상호교류 분석(교류패턴 분석, 대화형태 분석): 내담자가 실제로 타인과 맺고 있는 상호교류 작용 상태를 이해 ⇨ 의사소통이나 인간관계상의 문제점을 분석·확인
    ㉠ 상보교류(complementary transaction): 서로 기대한 응답이 오가는 대화관계, 상호신뢰가 높음. ⇨ 자극과 반응이 동일한 자아에서 이루어지는 의사 거래
        예 아들: 엄마, 날 사랑하죠? (C) ↔ 엄마: 그럼, 얼마나 사랑하는데. (P)
    ㉡ 교차교류(crossed transaction): 상대방이 예상 외의 반응을 보임으로써 언쟁, 갈등, 침묵, 불쾌, 거부감을 유발하고 대화단절로 이어질 수 있는 교류 ⇨ 자극을 주는 자아와 반응을 보이는 자아가 다른 의사 거래
        예 학생: 선생님, 보고서 제출 시간을 연기해 주시면 안 되나요? (A ⇨ A) ↔ 선생님: 안 된다. 정해진 기간 내에 제출해야 해. (P ⇨ C)

ⓒ 이면교류(암시교류, ulterior transaction): 겉으로는 합리적 대화이나 이면에 다른 동기나 진의(숨겨진 동기)를 감추고 있는 교류, 계속되면 정신적으로 문제 발생 ⇨ 의사거래하는 현실적 자아와 실제로 작용하는 자아가 다른 경우
  예 영희: 순희야, 나 1등 했어. ↔순희: 어머, 축하한다. (속으로는 아이고, 배 아파라.)

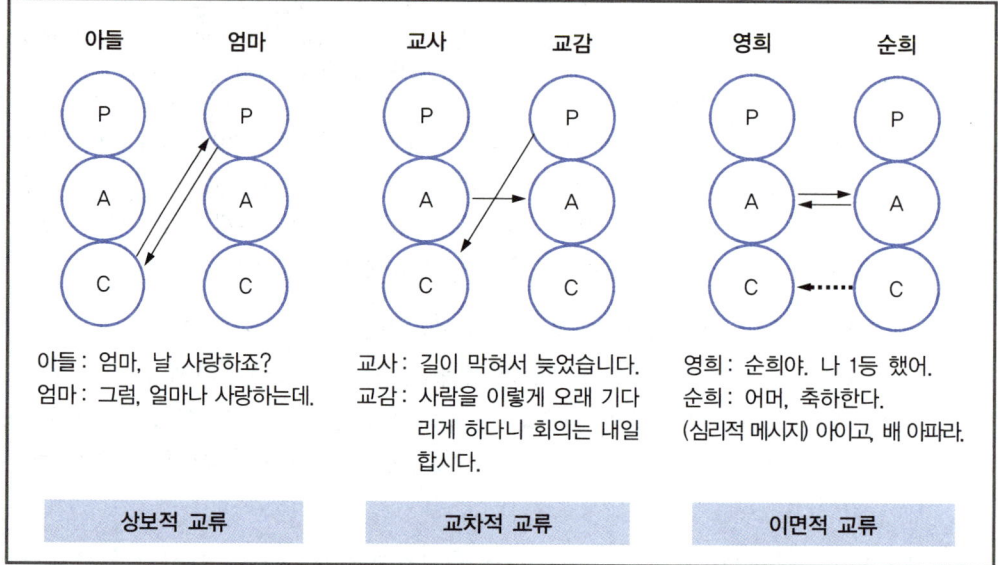

④ 게임 분석(game analysis): 이면교류가 정형화된 것, 순서에 따른 숨겨진 교류가 반복되는 것 ⇨ 어렸을 때부터 습관화된 행동양식으로 의사교류에 관여하는 두 사람 모두 또는 적어도 한 사람에게 불쾌한 감정(라켓감정)을 유발하는 의사교류의 형태
  예 생활게임, 범죄자게임, 인생게임
  ✎ 라켓감정(racket feeling) 라켓은 초기 결정을 확증하기 위해 다른 사람을 조작하는 과정으로 자신도 모르게 벌이는 각본에 따른 행동을 말함. 라켓감정은 내 의사와 다르게 표현되는 위장된 감정
  ㉠ 게임을 시작하는 사람: 성격 면에 약점이 있는 사람
    예 고집이 센 사람, 동정심이 많은 사람, 애정 결핍이 강한 사람
  ㉡ 게임의 결말: 두 사람 관계가 파괴적, 부정적으로 되는 것 ⇨ 친밀감의 저해
    예 잦은 다툼, 트집 잡기, 몰아붙이는 대화, 변명 등
⑤ 생활각본 분석(life-script analysis): 게임(대인관계 패턴의 문제)의 반복, 어린 시절에 결정되며 인간은 거의 무의식 수준에서 이 각본에 따라 삶을 영위 ⇨ 각자의 생활각본을 발견하고 변화시켜 건강한 삶을 설계하는 것이 상호교류 분석의 궁극적 목적
  ㉠ 파괴적 각본: 패자 각본 ⇨ 부적응행동이나 실패를 거듭하는 사람의 인생태도
  ㉡ 성공 각본: 승자 각본 ⇨ 인생의 목표를 스스로 결정하고 완수하는 자기실현의 각본
  ㉢ 평범한 각본: 보통 사람들의 성실한 생활태도나 생활각본

⑥ 재결단: 내담자가 자신의 생활각본을 변화시키는 것
  ㉠ 내담자는 재결단을 통해 새로운 생활각본을 형성하고 자율적인 인간으로 변화
  ㉡ 내담자의 자아상태가 강화되어 정상적인 자아를 회복하고 긍정적인 생활자세(자기긍정－타인긍정)를 형성

5. **실존주의 상담이론**(existential counseling) 04. 경기
  (1) **개념**
    ① 실존주의 철학에 영향을 받은 상담이론: 기본적인 인간 존재의 이해 방법을 찾으려는 노력에서 출발 ⇨ 내담자의 실존 또는 있는 그대로의 경험을 이해하고 연구하기 위해 현상학적 방법을 채택
    ② 인간 존재의 불안(不安)을 가장 중요한 문제로 간주하고, 인간 존재의 참된 의미를 찾아 자아실현을 목표로 하는 상담이론
  (2) **대표자**: 프랭클(V. E. Frankl), 메이(R. May)

  > **더 알아보기**
  >
  > **Victor E. Frankl**(1905~1997): 「삶의 의미를 찾아서(Man's search for meaning, 1946)」
  > 1. 오스트리아 비엔나 태생의 유태인 정신과 의사. 독일 나치의 죽음의 수용소인 아우슈비츠에서의 체험을 바탕으로 만든 심리치료 방법
  > 2. 아우슈비츠 강제 수용소에서 부모, 형, 부인을 모두 잃고 자신과 누이동생만 살아남았다. 그는 그렇게 처절하고 고통스러운 극한 상황에서 자신이 살아남을 수 있었던 것은 실존의 의지와 자유 때문이었으며, 절망적이고 비극적인 삶 속에서도 그 사건이나 환경의 의미를 깨달으면 오히려 행복해질 수 있다고 보았다.
  > 3. 삶의 근본 동기는 쾌락, 권력, 물질의 풍요가 아니라 삶의 의미 탐구이며, 그 의미는 스스로 찾아야 한다고 보았다.

  (3) **이론적 가정** 08. 서울
    ① 인간은 본성적으로 의지의 자유(自由), 의미(意味)를 추구하는 존재이며, 주체적으로 삶을 감당해 나간다. ⇨ 인간의 자기책임, 자기존재의 의미, 삶의 의미 결정은 오직 자기 자신만이 할 수 있다.
    ② 인간 존재의 가장 중요한 문제는 불안(不安) 문제이다.
    ③ 인간 존재의 불안은 시간의 유한성과 죽음, 주체성의 결핍으로부터 비롯되며, 부적응행동은 인간이 타고난 경향성을 실현하지 못한 결과로서, 삶에서 보람을 찾는 능력이 없어 나타나는 실존적 신경증이다.
      ⚠ **실존적 신경증**(existential neurosis)
        1. 억압된 충동 혹은 외상(trauma)으로 인한 불안이 아니라 삶의 의미를 찾을 능력이 없기 때문에 나타나는 정서적 장애이다.
        2. 실존과의 관련 속에서 생기는 제반 불안으로, 예를 들어 죽음, 상실, 비존재(無), 분리에 대한 불안 등을 말한다.

④ 문제해결 방법은 인간의 타고난 가능성(경향성)을 포함한 인간 존재의 가치와 삶의 의미를 찾고 자아실현을 하는 것이다.

⑤ 상담관계는 상담자와 내담자의 '만남'의 관계이며, 만남의 관계에서 내담자는 향상적인 급진적 변화를 통해 치료의 효과를 거둔다.

   ✐ **행운(Kairos)** 사건적 중요시점(critical point)이라는 뜻으로, 치료 과정에 있는 환자의 급진적 변화와 향상이 가능한 기회의 시기를 말한다. 결정적 순간의 개념이다.

(4) 상담의 원리(Anderson)

① **비도구성의 원리**: 상담관계는 기술적 관계(예, 능률, 생산성 등)가 아니며, 상담자는 수단이나 도구가 아니다. ⇨ 존재 자체의 전인적 만남 중시

② **자아 중심성의 원리**: 내담자의 내면적·주관적인 자아(예, '그것', '그들'이 아닌 '나', '나 자신')에 주된 초점을 둔다.

③ **만남의 원리**: 지금 여기에서(now & here) 상담자가 직면하는 내담자의 감정, 판단, 생각을 중시한다.

④ **치료할 수 없는 위기의 원리**: 단순한 치료나 적응, 위기의 극복이 상담의 목적이 아니라 인간성의 회복이 목적이다.

(5) 상담기법

① **의미요법(logotherapy)**: 인간은 '의미에의 의지(will to meaning)'를 지닌 존재
   ㉠ 프랭클(Frankl) ⇨ 「실존분석과 의미치료」, 「의미를 찾아서(Man's Search for Meaning, 1946)」
   ㉡ 의미 없는 삶을 살아가는(일종의 신경증) 사람들을 치료하기 위한 방법 ⇨ 건설적이고 주관적인 창조적 활동이나 경험을 통해 삶의 긍정적 의미를 발견
   ㉢ 기본원리: 어떤 조건에서의 삶도 의미가 있다. 사람에게는 이러한 삶의 의미를 찾으려는 의지가 있으며 이 의지를 달성했을 때 행복해진다. 제한된 상황에서도 우리는 삶의 의미를 찾는 자유가 있다.

② **현존분석(daseinanalysis)**: 개인에 대한 현상학적 이해를 중시
   ㉠ 빈스방거(Binswanger)가 창안, 알프레드 랭글(Alfried Längle)이 상담기법으로 발전
   ㉡ 내담자의 증상이나 심리적 타격에 관심을 두지 않고 증상에 관한 내담자의 태도에 관심을 둠. 예, 불안의 문제는 기대불안(불안에 대한 불안)
   ㉢ 내담자의 내적 생활사(예, 생애사, 감정, 경험, 주관적 지각)를 밝혀 그 세계 내의 존재의 구조를 분석하고, 이를 통해 내담자의 실존적 의미와 삶의 지향성을 탐색하는 방법

(6) 특징

① 내담자의 증상 자체나 과거의 심리적 타격에 관심을 두는 것이 아니라, 증상에 관한 내담자의 태도에 관심을 둔다.

② 불안에 대한 문제를 기대불안으로 본다. 이는 전에 불안을 일으킨 상태가 재발하지 않을까 하는 불안에 대한 불안이다.

③ 기대불안에 대한 치료방법
  ㉠ 역설적 지향의 방법(역설적 의도, Paradoxical Intention, 예. 대화, 만남, 직면, 각성 등): 불안이나 공포를 회피하지 않고 정면으로 대결하여 극복하는 방법
    예. 불면증 환자에게 잠을 자지 말도록 한다.
  ㉡ 반성제거법(Dereflection, 역반영, 방관): 쓸데없는 걱정에 사로잡혀 있는 경우 보완적 방법으로 다른 것을 생각해 보게 하는 것 ⇨ 내담자의 '과잉된 주의(지나친 자기 - 관찰)'를 내담자 자신의 외부로 관심을 돌림으로써 그 개인의 의식을 긍정적이고 생산적인 면으로 전환할 수 있게 하여 치료하는 방법
    예. 불면증이 일어날 때 주말여행 계획을 생각해 보게 한다.
  ㉢ 소크라테스 대화법(Socratic Dialogue): 내담자와 대화 도중 내담자가 놓치고 있는 자신의 내면 세계를 스스로 발견하도록 그의 무의식을 파고드는 것
    예. 비슷한 처지에서 고통을 극복한 타인의 경험을 들려주어 내담자에게 숨겨진 자신감과 희망을 발견하게 한다.
  ㉣ 태도수정기법(modification of attitude): 내담자의 삶에 대한 부정적인 태도, 무의미한 태도를 변화시키기 위해 논증, 긍정적 암시, 단순책략의 기법을 활용하는 것

논증 (argument)	내담자가 타인에게 책임을 전가하지 않고 자신에게 책임이 있음을 인식하도록 논쟁하기
긍정적 암시 (positive suggestion)	내담자가 자신의 문제를 성공적으로 해결할 수 있는 능력을 소유하고 있음을 인식시키기
단순책략 (simple trick)	내담자로 하여금 자신이나 주변 인물에 대한 긍정적 특성을 작성하게 함으로써 긍정적인 태도를 형성시키기

  ㉤ 호소(appeal): 의지가 약한 내담자들을 위한 기법으로 상담자가 제안한 것을 내담자가 받아들여 수행하도록 함으로써 내담자의 약한 의지를 강화해 주는 방법
④ 상담의 최종 목적은 내담자로 하여금 인생의 적극적인 가치를 자기 속에서 발견하여 인생의 목표를 긍정적으로 지향하게 하는 것이다.

(7) **영향**
① 공헌점
  ㉠ 내담자의 개별성과 자아를 존중하였다.
  ㉡ 자유와 책임을 강조하고 보다 능동적인 삶을 살도록 돕는다.
  ㉢ 긍정적 인간관을 제시하였다.
② 제한점
  ㉠ 상담방법이 체계적이기보다는 추상적이다.
  ㉡ 철학적인 측면에 치우쳐 구체적인 기법에 소홀하다.

6. 형태주의 상담이론(Gestalt therapy)

(1) 개념
① Gestalt는 '형태', '외형(外形)', '전체'라는 뜻으로, 전체 장면의 의미를 중시한다. 개인이 갖고 있는 모든 욕구나 감정, 동기가 아니라 주어진 상황에서 절실하고 실현 가능한 동기로 지각한 것이 Gestalt이다.
② 1970년대 실존주의, 현상학, 정신분석학에 영향을 받아 발전하였다.
③ 인간행동을 전체로 보아 인간에 대한 분석적 접근을 반대하고 전체로서의 통합과 기능을 강조한다.
④ 신경증 환자, 완벽주의자, 지나치게 엄격하고 억압된 자에게 효과적인 상담방법이다.
⑤ 상담자가 내담자로 하여금 자신들이 현재를 느끼고 경험하는 것을 무엇이 방해하는지를 알 수 있도록 도움으로써 내담자가 '여기(here)-지금(now)'을 완전히 경험할 수 있도록 돕는 방법이다.

(2) 대표자: 펄스(F. Perls)

> **더 알아보기**
>
> **Fritz Perls(1893~1970)**
> 독일 베를린에서 유태계로 태어나서 7년간 정신분석 수련을 받았으나 논문이 자신이 존경하던 Freud에게 박대를 당한 후 정신분석이론에 도전하였다. Perls는 생전에 미완성이 4가지 있는데 노래, 낙하산 점프, 스킨다이빙을 못해 본 것과 Freud의 실책을 그의 생전에 보여주지 못한 것이라고 할 만큼 정신분석이론에 비판적이었다.

(3) 이론적 가정
① 인간은 전체적이고 현재 중심적이며, 선택의 자유에 의해 잠재력을 각성할 수 있는 존재이다.
② 인간은 자기가 속한 환경을 떠나서 이해될 수 없고 내외적 자극에 대하여 능동적으로 반응한다.
③ 인간생활은 지각과 형태의 형성 및 소멸의 과정이다. 적응이 잘된 사람은 형태의 생성과 소멸이 잘 진행된 사람이고, 그렇지 못한 사람은 외적 세계와 자신의 지각적 접촉이 이루어지지 않았거나, 욕구와 행동을 억압하여 형태의 생성과 소멸 과정이 방해를 받은 사람이다.
④ 상담자는 상담을 통해 내담자의 언어와 행동, 현재의 느낌, 무의식 등에 주의를 기울여 각성(覺醒)함으로써, 형태의 생성과 소멸을 방해하는 요인을 제거해야 한다.
⑤ 지금(now)을 중시하여 현재를 제외하고는 아무것도 존재하지 않는다고 본다.

(4) 주요 개념

① **게스탈트(Gestalt)**: 여러 부분들이 연결되어 형성되어 있는 의미 있는 전체 ⇨ 개인이 지니는 욕구나 감정이 하나의 의미 있는 전체로 조직된 것
  ㉠ 인간은 매 순간 자기에게 가장 필요한 욕구와 감정의 순서대로 Gestalt를 형성하고 조정한다.
    예. 원을 보고 배고픈 사람은 빵으로, 돈이 필요한 사람은 돈으로 지각한다.
  ㉡ 만약 완결된 형태로 Gestalt를 형성하지 못하면 심리적 장애를 겪게 된다.

② **전경(figure)과 배경(ground)**: 개인이 대상을 인식할 때 관심이 있는 부분은 전경(前景), 그 밖의 부분은 배경(背景)이다. ⇨ 정서적 측면에 적용하면 자신의 욕구와 필요의 초점이 되는 부분이 전경, 그 밖의 부분은 배경이다.
  ㉠ 정서적으로 건강한 사람은 매 순간 자신에게 중요한 Gestalt를 전경으로 떠올릴 수 있고 그 욕구를 알아차리고 이를 해소하기 위해 적극적으로 노력한다.
  ㉡ 정서적으로 건강하지 못한 사람은 전경과 배경을 명확하게 구분하지 못하며 매 순간 자신이 가진 욕구나 하고 싶은 일, 또는 그 욕구를 충족하기 위해 필요한 일이 무엇인지를 모른다.

③ **알아차림(자각, awareness)**: 내담자가 자신이 지닌 욕구나 감정을 자각하고 그것을 Gestalt로 형성하여 전경으로 떠올리는 행위

④ **미해결 과제(恨)**: 내담자가 Gestalt를 형성하지 못했거나 형성한 Gestalt가 적절히 해소되지 못해 배경으로 물러나지 못한 상황 ⇨ 자이가닉 효과(Zeigarnik effect, 해결과제보다 미해결과제가 오래 기억되는 현상)
  예. 한 농부가 일하다가 갑자기 아들 등록금 걱정 때문에 일이 손에 잡히지 않았다. 그는 하던 일을 멈추고 담배를 피우면서 멍하니 생각에 잠겼다(농부는 등록금은 자각하였으나 접촉을 통해 해결하지 못해서 전경과 배경의 교체에 실패하였다).

⑤ **접촉(contact)**: 전경으로 떠오른 Gestalt를 해소하기 위해 현재 있는 그대로 경험하고 환경과 상호작용하는 행위 ⇨ 투사(projection), 편향(bias), 반전(retroflection), 내사(introjection), 합류(confluence) 등은 접촉 방해 요소

(5) 상담의 목표

① 증상의 완화나 제거가 아니라 개인의 성장 ⇨ 내담자로 하여금 자신의 욕구와 감정을 분명히 알아차리고 이를 환경과의 접촉을 통해 항상 잘 해소할 수 있도록 도와주는 것

② 내담자의 개인적 각성을 증진시키고, 내담자가 여기-지금(here & now)의 삶을 진실하게 살아가도록 도와줌으로써, 내담자가 잘 통합된 인간이 되도록 하는 것이다.

(6) 상담의 기법: 현재 각성기법

① 알아차림을 증진시키기 위한 방법 ⇨ '왜' 대신 '무엇'이나 '어떻게'를 통한 머물러 있기, 실연(實演)을 통한 각성

② 내면적인 경험을 보다 분명하게 경험하도록 하는 방법 ⇨ 빈의자 기법(상전-하인 기법), 과장하기, 꿈작업, 환상게임(별칭 짓기, 되어 보기 예. 내가 나무라면)

③ 내담자가 두 가지의 상반된 감정과 생각 사이에서 벗어나지 못할 때 통합을 촉진시키기 위한 기법 ⇨ 자기부분과의 대화, 상전－하인 기법

빈의자 기법	의자에 앉은 내담자는 옆의 빈 의자에 문제의 인물이나 자기 생활에서 중요한 인물이 앉아 있다고 가정하고 그에게 하고 싶은 얘기, 그에 대한 감정과 갈등(분노, 좌절 등), 해결해야 할 문제 등을 이야기하게 한다. 그리고 의자를 바꿔 앉아서 내담자 자신이 의자에 있는 가상 인물의 입장이 되어 말을 해보게도 한다. 이렇게 양쪽 입장에서 말을 해보는 역할놀이를 통해 양자의 입장을 통합한 전체로서의 자신을 구성하게 된다. ⇨ 투사(projection)를 활용
꿈작업	표현되지 못한 감정, 충족되지 못한 욕구, 미완성된 상황이 꿈에 나타난다고 본다. 즉 지금－여기에서 미해결 과제가 꿈에 나타난다는 것이다. 꿈속에 숨겨진 메시지를 찾아 생활상의 문제를 발견하고 내담자가 자신에 대한 자각을 발전시킬 수 있다.
환상게임	환상은 고통스럽고 지겨운 현실에서 일시적 해방을 맛보고 즐겁게 하며 환상을 통한 학습은 현실에의 적응을 돕는다. 또 환상을 통해 자신의 미완성된 것, 바라는 것이 드러남으로써 자신을 알게 해주며 창조와 관련되기도 한다.

7. 현실치료적 상담이론(reality therapy) 21·20. 지방직, 05. 국가직·서울

(1) **개요**: 소년원에 있는 청소년에게 적용된 이론

① 인간본성의 결정론적 견해(예 정신분석학, 행동주의)를 거부: 인간은 궁극적으로 자기결정을 하고 자기 삶에 책임이 있다는 견해에 근거한 이론

㉠ 통제이론(선택이론, control theory)에 근거: 인간이 자신의 생리적 욕구(예 생존의 욕구, 소속의 욕구, 힘의 욕구, 즐거움의 욕구, 자유의 욕구)를 최대한 실현할 수 있도록 환경을 통제(선택)해야 한다는 이론

▲ W. Glasser

㉡ 전행동이론(total behavior theory): 인간의 전행동은 활동(acting), 생각(thinking), 느낌(feeling), 신체반응(physiology)의 네 가지로 구성되며, 이 중에서 '활동'과 '생각'은 인간이 통제할 수 있고 행동의 방향을 잡아줄 수 있다.

㉢ 3R 중시: 현실성(reality), 책임성(responsibility), 옳고 그름(right and wrong, 공정성)

현실성	내담자로 하여금 자신의 현실에 직면하도록 한다. ⇨ 현실 상황의 수용이나 현실에 대한 통제를 통해 자신의 욕구충족
책임성	다른 사람의 욕구충족을 방해하지 않는 범위 내에서 자신의 욕구를 충족한다.
옳고 그름	옳고 그름은 현실적으로 주어진 책임을 다하기 위한 전제이다. ⇨ 공정성

② 중심 사상은 개인(내담자)은 자신의 행동에 책임이 있다는 것이고 내담자의 현재 행동을 자신의 욕구를 충족시키기 위한 선택으로 간주한다.

③ 내담자가 현실적인 행동을 배워서 성공적으로 현실을 타개해 나갈 수 있는 방법에 초점을 둔다. ⇨ 성공적 정체감 강조

(2) **대표자**: 글래써(Glasser) ⇨ 「현실치료: 비행 청소년을 위한 실제적인 접근법」(1964), 「실패 없는 학교(Schools Without Failure)」(1969), 「정체감 있는 사회(The Identity Society)」(1975), 「마음의 정류장」(1981), 「당신의 삶을 효율적으로 통제하시오」(1984), 「교실에서 적용되는 통제이론(Control Theory in the Classroom)」(1986)

(3) 인간관
  ① **인간은 통제체제**: 인간은 내재하는 욕구충족을 위해 행동하는 존재이며, 그 욕구가 충족되면 그 행동을 멈추는 일종의 통제체제이다.
  ② **책임적 자아**: 인간은 자신에 대해 책임질 수 있는 자기결정적 존재이다.

(4) **상담**: 비효율적인 삶의 통제자를 보다 효율적인 삶의 통제자가 될 수 있도록 조력하는 과정
  ① **비효율적인 삶의 통제자**: 효율적으로 자신의 욕구를 충족시킬 수 없는 사람
  ② **효율적인 삶의 통제자**: 자신의 행동이 타인의 욕구를 방해하지 않으면서 효율적으로 자신의 욕구를 충족시키는 사람

(5) **상담의 기본전제**
  ① **정신질환의 개념을 부정**: 무책임한 행동이 곧 정신질환이며, 정신건강은 책임 있는 행동으로 간주
  ② 감정과 태도보다는 현재의 행동에 초점
  ③ **과거보다는 현재에 초점**: 과거는 변화 불가능한 것, 현재는 변화 가능한 것
  ④ **가치관을 중시**: 내담자의 생활 실패 원인을 파악하기 위하여 자기 행동의 질을 판단하는 내담자의 역할에 중점을 둔다.
  ⑤ **전통적인 전이(transference) 개념을 중시하지 않는다**: 상담자는 내담자와 전이 인물이 아닌 있는 그대로의 자신으로 냉철하게 직시하도록 하는 것이다.
  ⑥ 무의식적 갈등이나 원인들에 관심을 두지 않고 의식적인 면을 중시
  ⑦ **처벌을 배제**: 처벌은 내담자에게 패배적 정체감을 강화시키고 상담관계를 악화 ⇨ 벌이나 비난하는 대신 약속을 재검토하거나 자연적 귀결(natural consequence)이나 논리적 귀결(logical consequence)을 제시한다.

자연적 귀결	무책임한 행동에 의해 나타난 직접적이고 자연스러운 결과를 자신이 받게 하는 것 예 벽에 한 낙서를 직접 지우게 하기, 식사에 늦으면 밥 주지 않기
논리적 귀결	자연적 귀결을 경험하는 것이 윤리적이나 안전상의 문제를 초래할 때 활용, 규칙을 정하여 잘못된 행동의 결과를 논리적으로 책임지게 하는 것 예 식사에 늦으면 자신이 챙겨 먹고 설거지도 자신이 하도록 하기, 창을 깼을 때 직접 수리하게 하는 것(자연적 귀결)이 무리이거나 위험하면 돈을 벌어 갚게 하기, 벌II(부적 벌)

  ⑧ 책임감의 개념을 강조
  ⑨ **지시적 상담 경향이 강함**: 더 나은 방법으로의 자기 욕구충족을 선택하도록 지시

(6) **상담의 목표**: 내담자가 현실적이고 책임질 수 있는 행동을 하고 성공적인 정체감을 형성하여 궁극적으로 자율성을 갖도록 하는 데 있다.

(7) **상담의 절차**(Wubbolding) : WDEP
① 바람(Wants) : 내담자가 자신의 바람, 욕구(예 생존, 소속, 힘, 즐거움, 자유의 욕구), 지각을 탐색하기
② 지시와 행동(Direction & Doing) : 욕구충족을 위한 내담자의 현재 행동(예 활동&생각)에 초점 맞추기
③ 평가(Evaluation) : 내담자로 하여금 자신의 행동을 3R(현실성, 책임성, 공정성)을 기준으로 평가하도록 하기
④ 계획과 활동(Planning) : 내담자가 자신의 실패행동을 성공적으로 바꾸는 구체적인 계획을 수립하여 활동하기
　◬ **좋은 계획의 특징(SAMIC3)** 단순(Simple), 성취가능(Attainable), 측정가능(Measurable), 즉각 수행가능(Immediate), 통제가능(Controlled), 계속성(Consistent), 확고한 수행의지(Committed)

(8) **상담 기법** 23. 지방직
① 숙련된 질문하기(ask) : 상담의 진행 단계(WDEP)에 맞는 적절한 질문하기
② 적절한 유머(humor) : 내담자의 긴장을 풀어주고 친근한 관계 형성하기 ⇨ 내담자의 상황이 생각보다 심각하지 않음을 깨닫게 하는 효과
③ 토의와 논쟁(discussion & argumentation) : 내담자의 욕구 충족 등 그 대답이 비현실적이거나 합리적이지 못할 때 내담자와 토의 또는 논쟁을 함.
④ 직면(confrontation, 맞닥뜨림) : 질문, 토의 또는 논쟁 중 변명 등 내담자의 모순성이 보일 때 사용 ⇨ 내담자의 책임 있는 행동을 촉구함.
⑤ 역설적 기법(paradox) : 내담자가 전혀 기대하지 않았던 방법으로 내담자를 대하기 ⇨ 자기 자신이나 문제를 새롭게 보도록 하는 충격기법
⑥ 판단 보류하기(Suspend judgement) : 내담자의 어떠한 행동도 자신의 욕구를 충족시키려는 최선의 선택행동이기에, 내담자의 행동에 대해 판단·비난하지 않기 ⇨ 내담자의 지각체계를 통해 이해하기
⑦ 자기 노출하기(Share yourself) : 상담자가 진지하고 개방적인 태도로 내면의 자기를 드러냄으로써 내담자의 신뢰를 얻는 것
⑧ 은유적인 표현에 주의 기울이기(Liston for methaphors) : 내담자의 은유적 표현에 담긴 진심을 탐색함으로써 내담자에 대한 깊은 이해에 도달하고 새로운 통찰을 얻을 수 있음.
⑨ 요약하고 초점 맞추기(Use Summarize & focus) : 내담자가 하는 이야기 내용을 요약하여 내담자가 진심으로 원하는 것에 초점을 맞추기
⑩ 침묵 허용하기(Allow silence) : 내담자가 자신의 생각을 정리하고, 내면의 심리적 사진과 지각을 명료하게 하고, 문제해결을 위한 행동계획을 수립하도록 침묵을 방해하지 않고 허용함.

④ 행동적 영역의 상담이론 18. 국가직, 10. 부산

1. 상호제지이론(reciprocal inhibition theory) 10. 서울

(1) **개념**
① 파블로프(Pavlov)의 고전적 조건화 이론에 근거한 상담이론
② 신경증적 행동은 고전적 조건화에 의해 학습된 것으로 가정하고, 학습된 신경증적 반응을 제지할 수 있는 다른 행동을 통해서 이전의 반응을 약화·소멸시키는 방법

(2) **대표자**: 월페(Wölpe)

(3) **이론적 가정**
① 모든 신경증적 반응(예 불안, 공포 등)은 이와 대립되거나 양립할 수 없는 다른 반응(예 음식섭취, 주장적 행동, 이완반응, 성적 반응 등)에 의해서 제지될 수 있다.
② 상담목적은 신경증적 행동을 이와 양립할 수 없는 적응적 반응을 통해서 제지하는 것
③ 불안(不安)은 '유해한 자극에 대한 유기체의 특징적이고 자동적인 반응'이다.

(4) **상담기법**: 자기주장적 훈련, 체계적 둔감법, 홍수법(대량자극법, 반응방지법), 내파법(내폭법), 혐오치료, 역치법
① 자기주장적 훈련(assertiveness training): 행동수정기법으로 보기도 함.
  ㉠ 대인관계에서 오는 불안을 치료하는 데 효과적인 훈련 방법
  ㉡ 대인관계 불안을 주장행동으로 상호제지하여 불안을 줄이는 방법
② 체계적 둔감법(systematic desensitization) 20. 국가직 7급
  ㉠ 외적인 사물, 사회적 상황, 동물에 의한 불안치료에 널리 사용되는 방법
  ㉡ 불안과 양립할 수 없는 이완반응을 끌어낸 다음, 불안을 유발시키는 경험을 상상하게 하여 불안을 약화·제거하는 방법
  ㉢ 절차: 불안위계 목록의 작성 ⇨ 이완 훈련 ⇨ 상상하면서 이완하기

2. 행동수정이론(응용행동분석, behavior modification theory) 18. 지방직, 10. 경북, 09. 경기

(1) **개념**
① 관찰 가능한 행동을 연구하는 행동주의 심리학의 학습이론에 기초한 이론
② 스키너(Skinner)의 작동적 조건화 이론에서 출발, 크럼볼츠(Krumboltz)에 의해서 발전, 반두라(Bandura)의 사회학습이론도 포함
③ 개인의 부적응(예 지각, 거짓말, 절도, 폭력)은 자극에 의해 학습된 습관이며, 행동수정기법(강화와 벌)과 모델링(modeling)을 사용하여 인간행동을 교정한다. ⇨ 강화를 통해 바람직한 행동은 증가시키고, 벌을 통해 바람직하지 못한 행동은 약화(제거)시킨다.

(2) **대표자**: 크럼볼츠(Krumboltz), 쏘레슨(Thoreson), 호스포드(Hosford), 반두라(Bandura)

(3) **이론적 가정**
① 학생의 인격 전체보다는 외현적(겉으로 드러난) 행동에만 관심을 갖는다.
② 개인의 부적응은 학습된 습관이며, 부적응의 성질에 따라 여러 가지 행동수정기법을 사용한다.
③ 행동수정에 있어서 환경의 역할을 중요시한다. ⇨ 환경결정론
④ 상담의 과정을 학습의 과정으로 본다.
⑤ 상담의 궁극적 목표는 자기통제(self-regulation)에 있다.

(4) **행동수정을 위한 실천원리와 방법**
① 새로운 행동의 학습을 위한 원리: 점진적 접근의 원리, 행동형성(조형), 모방의 원리, 단서 제공(≒프리맥 원리)의 원리, 식별(識別)의 원리
② 새로운 행동의 강화와 유지(행동증가)
  ㉠ 실천원리: 강화의 원리, 간헐강화의 원리
  ㉡ 실천방법: 정적 강화, 부적 강화, 간헐적 강화, 차별강화, 프리맥의 원리, 행동연쇄, 용암법, 토큰강화, 행동계약
③ 부적절한 행동의 약화 및 제거(행동억제)
  ㉠ 실천원리: 포화의 원리, 소멸의 원리(강화의 중단), 반사행동의 원리(적절한 행동을 했을 때만 강화)
  ㉡ 실천방법: 벌, 상반행동의 강화, 소거, 타임아웃, 포화법(심적 포화), 부적 연습(바람직하지 못한 행동을 의식하면서 제거 연습)

5 기타 상담이론

1. 절충이론(eclectic counseling, 절충적 상담)

(1) **개념**
① 지시적 상담과 비지시적 상담의 장점을 절충한 상담기법 ⇨ 내담자의 과거 행동과 동기를 이해하기 위해서는 비지시적인 방법을 쓰고, 부적응행동의 치료를 위해서는 지시적 방법을 적용한다.
② 특정 이론과 기법을 고집하지 않고 상담 문제와 내담자에 따라 적절한 기법을 선별, 사용하거나 통합하여 사용하는 방법(Brammer)

> "모든 문제에 대하여 만병통치의 상담 이론과 기법이 있을 수 없다. 따라서 문제마다 서로 다른 이론과 기법을 적용하는 기법이 필요하다."

(2) **대표자**: 존스(E. S. Jones)

(3) **영향**
① 문제증상의 원인을 광범위하게 고찰할 수 있다.
② 다양한 이론과 방법의 적용으로 상담자의 독단과 과오를 줄일 수 있다.

③ 상담의 다양화, 효율화에 기여하였다.
④ 다양한 문제증상에 가장 적절한 이론의 선택이 어렵다.
⑤ 상담자가 여러 상담이론과 방법을 숙지하는 것이 어렵다.

2. 단기상담(해결 중심 단기상담, Solution Focused Brief Counseling : SFBC)

(1) 개념
① 정신분석상담 등 장기상담과는 달리 25회 이내에 종결하는 상담 cf. 10회 이내에 종결(심우엽)
   ◬ **위기상담** 매우 충격적이고 고통스러운 경험(배우자나 자녀의 죽음, 지진, 강간 등)을 하여 극심한 스트레스로 인한 위기를 겪고 있는 내담자를 돕기 위한 상담
② 내담자가 호소하는 한두 가지 핵심문제를 중심으로 빠른 시간 내에 변화할 수 있도록 돕는 상담
③ 문제의 원인을 규명하기보다는 학생이 가진 자원(강점, 성공경험, 예외상황)을 활용하면서 해결방법에 중점을 두어 단기간 내에 상담목적을 성취하는 상담모델
④ 문제를 정의하고 원인을 파악하여 해결방법을 계획하는 기존 상담이론이 지닌 문제 중심의 패러다임(Medical model)에서 벗어나, 학생과 함께 해결책을 발견하고 학생의 성공경험을 통하여 강점을 발견·확대시키는 해결 중심적 패러다임(Growth model) 상담모델

(2) 상담목표
① 내담자가 도움을 받기 위해 찾아온 그 문제를 해결 : 내담자가 지닌 가장 절실한 불편함을 없애고 합리적이며 적절한 수준에서 기능하도록 돕는 것

> "심리치료자는 심리적 재탄생이나 내담자의 성격을 완전히 재조직하는 것에 해당하는 커다란 변화를 기대해서는 안 된다. 심리치료는 수선 작업이다." (Colby)

② 내담자의 문제 대처기술능력 함양 : 내담자가 이전보다 더 생산적인 방식으로 자신의 문제들을 극복하고, 미래의 어려움을 다룰 수 있도록 돕는 것 ⇨ 파급효과(ripple effect)

(3) 상담기법의 원리(기본가정, Basic Assumptions)
① 성공에 초점을 둘 때 해결방법이 보인다.
② 모든 문제 상황에는 '예외'가 있고 그것이 해결책으로 가는 실마리가 된다.
③ 작은 변화가 큰 변화를 일으킨다.
④ 문제를 가진 모든 사람은 해결책 또한 가지고 있다.
⑤ 긍정적인 것, 미래에 관한 것, 해결적인 것이 부정적인 것, 과거에 관한 것, 문제 중심적인 것보다 도움이 된다.
⑥ 효과가 있으면 계속하고 없으면 다른 것을 시도해라.
⑦ 변화는 항상 일어나고 있다.
⑧ 기타 : 문제를 분석하지 말라. 상담을 길게 끌지 말라. 현재와 미래에 초점을 맞춰라. 생각보다는 행동에 초점을 맞춰라.

(4) 상담 과정

① **목표 세우기(Goal Setting)**
  ㉠ 아동 자신이 중요하게 여기는 것을 목표로 정하기
  ㉡ 긍정적인 표현으로 기술하기 ⇨ 부정적인 진술은 비활동적으로 만든다.
  ㉢ 목표의 완성보다는 시작단계로 간주하기
  ㉣ 작고 현실적인 것을 목표로 삼기
  ㉤ 구체적이고 명확하며 행동적인 것을 목표로 정하기
  ㉥ 목표수행이 힘든 일이라는 것을 인식시키기

② **첫 상담 이전의 변화에 관한 질문(면접 전 질문)**: 상담 약속 후 지금까지 발생한 변화에 대하여 질문하고 변화를 발견하기 위한 접근으로, 상담자(교사)는 어떻게 문제의 시각 정도가 완화되었는지를 내담자(아동)가 파악할 수 있도록 질문을 하며, 의식적·무의식적으로 실시한 방법에 관하여 인정하고 칭찬을 해준다. ⇨ 상담 전 변화가 있는 경우 내담자의 해결능력을 인정하고, 그러한 사실을 강화하고 확대할 수 있도록 격려하는 기법
  예 처음 상담을 약속할 때는 문제에 대해 심각하게 고민하던데, 지금은 어떠니?

③ **대처질문**: 문제 이야기에서 해결 이야기를 하도록 돕는 기법으로 아동이 자신의 문제에 대한 모든 설명을 한 것처럼 보이는 시점에서 사용되며, 문제를 극복할 수 있는 힘을 환기시켜 준다. **예** "이러한 모든 문제가 주어졌을 때(문제를 나열하라), 너는 어떻게 대처할 수 있었을까?"

④ **예외탐색(Exceptions)**: 예외질문, 예외행동질문
  ㉠ 예외란 아동의 생활에서 일어난 과거의 경험으로서 문제가 발생할 것이라고 기대하였으나 문제가 발생하지 않은 상황을 말한다. SFBC에서는 모든 문제상황에는 예외상황이 있다고 가정하며 상담자는 문제상황과 예외상황의 차이가 무엇인지 파악해야 하며 그것이 해결책을 구축하는 실마리가 된다고 본다.
  ㉡ 예외에 대한 탐색: 예외에는, '우연적 예외'(random exception)와 '의도적 예외'(deliberate exception)가 있는데 '의도적 예외'의 경우 어떻게 그 예외가 발생했는가, 그 예외가 일어나도록 하기 위해 누가 무엇을 했는가를 탐색해야 한다.

⑤ **기적질문(Miracle Question)**: 문제와 떨어져 해결책을 상상하게 하는 기법으로, 기적질문을 통해 상담자는 아동이 바꾸고 싶어하는 것을 스스로 설명하게 하여 문제에 대한 집착으로부터 벗어나 해결 중심 영역으로 들어가는 것을 돕는다. ⇨ 아동의 변화가능성에 대해 제한 없이 자유롭게 생각하게 해주며, '문제 중심'에서 '해결 중심'으로 전환하게 만드는 효과가 있다. 이때 주의할 점은 반드시 일어날 가능성이 있는 일을 다루어야 한다는 것이다.
  예 "자, 이번에는 선생님이 조금 이상한 질문을 한 가지 할게. 상상력을 한번 발휘해 보렴. 우리가 이렇게 이야기를 한 후에 집으로 돌아가서 밤이 되면 잠을 자겠지? 만약 네가 밤에 잠든 사이에 기적이 일어났다고 생각해 봐. 그 기적은 네가 여기에 오도록 만든 그 문제가 해결된 거야. 상담하러 온 너의 모든 문제가 해결된 거지. 단지 너는 자고 있기 때문에 그 사실을 모를 뿐이야. 자, 그러면 아침에 깨어난 후에 이런 기적이 일어나서, 문제가 완전히 해결된 것을 무엇을 보고 알 수 있을까?"

⑥ **관계질문(Relationship Questions)**
   > 예 "이 기적이 일어난 후에 (선생님이, 친구가, 부모님이, 누나가, 기타) 뭐라고 말할까?", "네가 그렇게 변한 것을 그 사람들이 발견했을 때 그 사람들이 어떻게 행동할까?", "그리고 그 사람들이 네게 그렇게 다르게 대하는 것을 알았을 때, 너는 그 사람들에게 어떻게 다르게 반응하겠니?"

⑦ **척도질문(Scaling Questions)**: 아동 자신의 관찰, 인상, 그리고 예측에 관한 것들을 1에서 10점까지의 수치로 측정하도록 하는 것으로 문제해결에 대한 태도를 보다 정확하게 알아볼 수 있으며, 이 질문으로 아동의 변화 과정을 격려하고 강화해 주는 구체적인 정보를 얻을 수 있다.
   > 예 "자 여기 1부터 10까지 있는데, '1'은 모든 상황이 제일 나쁜 것이고 '10'은 바로 기적이 일어난 경우라고 해보자. 너는 지금 어디 있니?"

⑧ **악몽질문**: 유일한 문제 중심적·부정적 질문, 상황의 악화를 통해 해결의지를 부각

⑨ **기타**: 간접적인 칭찬, '그 외에 또 무엇이 있습니까?' 질문

3. 집단상담(group counseling)

(1) 개념
① 한 사람의 전문적 상담자가 동시에 4~8명의 내담자를 대상으로 개인의 관심사나 대인관계, 사고 및 행동양식의 변화를 도모하려는 집단적 상호작용 과정
② 내담자로 하여금 자신과 타인의 관계를 통하여 자기 자신과 타인을 이해하고, 자신의 문제를 통찰하여 문제해결능력을 증진하고자 실시한다. 즉, 상담 과정에서의 집단 역동성을 통해 자신에 대한 통찰력, 타인에 대한 이해를 증진시킨다.
③ 상담의 3대 역할(예방, 교정, 발달 촉진) 중 특히 예방적 역할이 강조된다.

(2) 상담목적
① **자기문제(관심사)에의 직면, 해결의 권장**: 개인이 타인과의 관계에서 자신의 문제를 해결하도록 도와준다.
② 자신과 타인을 잘 이해하게 된다.
③ **감정의 바람직한 표현, 발산의 촉진**: 개인이 타인과의 관계에서 바람직한 감정표현능력을 증진한다.
④ 집단생활에서 자아개념의 강화 및 협동심을 함양한다.
⑤ 대인관계 기술의 향상을 가져온다.

(3) 상담의 과정(Mahler)
① **탐색(참여) 단계**: 상담 집단의 분위기를 형성하는 단계, 집단 구성원들이 자신을 소개하는 단계 ⇨ 각 구성원에게 왜 이 집단에 들어오게 되었는가를 분명히 이해시켜 주고 서로 친숙하게 해주며, 수용과 신뢰의 분위기를 형성하는 단계
② **과도기적(변화) 단계**: 참여 단계에서 생산적인 작업단계로 넘어가도록 하는 과도기적 과정 ⇨ 참여 단계와 엄격하게 구분되지 않는다.

㉠ 구성원으로 하여금 집단에 참여하는 과정에서 일어나는 망설임, 저항, 방어 등을 자각하고 정리하도록 도와주는 단계 ⇨ 특정인이 소외, 고립되지 않도록 한다.
㉡ 상담자는 구성원들 간의 느낌이 교환되도록 격려해 주고, 구성원들은 자신의 성장을 위하여 집단을 활용하는 단계

> **더 알아보기**
>
> **집단상담 과정에서 나타나는 집단원의 문제행동**
> 1. **대화 독점**: 끊임없이 다른 집단원과 동일시하는 경향이 있어서 다른 집단원과 관련된 상황을 자신과 연결시켜 자신의 일상생활에 대한 이야기를 장황하게 늘어놓는 것
> 2. **적대적 태도**: 집단원 자신의 내면에 누적된 부정적인 감정을 직간접적인 방식으로 집단상담자나 다른 집단원들에게 표출하는 것
> 3. **습관적 불평**: 거의 매 회기마다 집단에 대해 불평불만을 늘어놓거나 이로 인해 다른 집단원과 자주 논쟁을 벌이는 것
> 4. **의존적 자세**: 집단상담자나 다른 집단원들이 자신을 보살피고 자신에 관한 것을 대신 결정해 줄 것으로 기대하는 경향
> 5. **사실적 이야기 늘어놓기**: 자신의 느낌이나 생각에 대해 말하기보다 옛날이야기, 즉 과거에 있었던 사실 중심의 이야기를 늘어놓는 것
> 6. **일시적 구원**: 다른 집단원의 상처를 달래고 고통을 줄여 사람들을 즐겁게 하고 자신도 안정을 취하려는 욕구의 표현
>   ① 타인의 고통을 지켜보는 것이 어려워 이를 사전에 봉쇄하려는 시도의 일환으로 가식적으로 지지하는 행위로 해석된다.
>   ② Yalom은 'band-aiding' 즉, 반창고 붙이기(상처 싸매기)라 명명하였다. 이는 심하게 곪은 환부가 있을 경우 적절한 시기에 고름을 제거하기보다 일시적인 고통을 피하기 위해 단순히 반창고를 붙이는 것으로 대신하는 것을 일컫는 말이다.
> 7. **우월한 태도**: 다른 집단원보다 우월하다는 태도를 보이며 다른 집단원 위에 군림하는 자세

③ 작업(활동) 단계: 구성원들이 자기의 구체적인 문제를 활발히 논의하며 바람직한 관점과 행동방안을 적극적으로 모색하는 단계 ⇨ 집단상담의 핵심 과정
㉠ 구성원이 높은 사기와 분명한 소속감, 즉 '우리 의식'을 갖는 것이 특징이다.
㉡ 이해와 통찰을 모색하기보다는 행동의 실천이 필요하다.

④ 종결 단계: 상담자와 구성원들이 상담에서 배운 것을 미래의 생활에 어떻게 적용할 것인가를 생각하는 단계

(4) 장점
① 구성원의 공통된 관심사를 상담하여 구성원의 일체감, 공동체 의식을 높일 수 있다.
② 소속감, 동료의식이 강화되며, 시간과 경제성이 높다.
③ 많은 사람에게 자신을 비춰 봄으로써 자기이해에 도움이 될 뿐만 아니라 타인도 이해하고 수용하는 마음을 갖게 된다.
④ 성원들 스스로가 경청, 수용, 지지, 대립, 해석 등 상담자의 역할을 하기 때문에 개인적으로 위로와 지지를 받는 등 발전을 할 수 있다.

(5) 단점
　① 집단경험 자체에 끌려 목적 달성보다 습관적으로 집단상담을 옮겨 다니는 현실 도피를 할 수가 있다.
　② 심각한 정신적 문제의 경우에는 적합하지 않다.
　③ 구성원 개개인에게 모두 만족을 줄 수 없다.
　④ 모든 학생에게 적합한 것은 아니다. ⇨ 심한 정서적 혼란, 동료 간 적대감이 심한 자는 곤란하다.
　⑤ 시간적으로나 문제별로 집단을 구성하는 데 어려움이 있다.
　⑥ 개인에게 집단의 압력이 가해지면 오히려 개인의 개성이 상실될 우려가 있다.
　⑦ 도움이 필요한 특정인에게 개별적 주의가 어렵다.

제4절 생활지도의 실제

1 비행이론

1. 비행(非行)의 개념

(1) 비행이란 법률적·관습적 규범에 위배되는 행동을 말한다.

(2) **사회적 정의**(social definition) : 행위의 본질적인 내용을 가리키는 것이 아니라 그 행위에 대한 타인의 반응과 정의를 의미한다. ⇨ 낙인이론의 접근방법

2. 비행발생이론 - 비행발생 원인에 따른 분류

비행이론의 비교

구분	이론 유형		개념	대표자
개인적 이론	생물학적 이론		• 개인의 생물학적 특성·요인(예 신체적 발달의 결함, 정상인과는 다른 특수체질 등)에 의해 비행이 발생 • Lombroso : 범죄자는 특정한 유전인자 소유 • Sheldon : 인간의 신체형 중 중배엽형에 비행청소년이 많음.	Lombroso, Sheldon
	심리학적 이론	정신분석이론	• 인간 내면의 충동이나 본능이 갈등할 때 비행이 발생 • 프로이트(Freud) 이론에 기초	Freud
		성격이론	• 성격 이상(예 높은 공격성·충동성·정서불안, 낮은 정서적 안정성)으로 비행이 발생한다. • 지능검사, MMPI 등 각종 심리검사를 통해 범죄자의 성격특성을 찾아낸다.	
		정신병질적 이론	정신병질적 소유자(규범준수에 대한 의무감 및 도덕적 규제력 결여, 반사회적 행동에 대한 불감증 소유)가 상습적으로 반사회적 행동을 일삼아 비행이 발생한다.	

사회학적 이론	거시이론	아노미이론	• 사회구조가 특정한 사람에게는 정당한 방법으로 문화목표를 달성할 수 없을 때 비행이 발생한다. 예 커닝을 통해 시험점수를 올리려는 경우 ⇨ 사회구조이론 • 개혁형, 도피형, 반발형이 비행을 유발	Merton

		하위문화 이론	• 문화목표 달성 기회가 박탈된 하위집단이 비행을 유발한다.
			  ⇨ 아노미이론
			• 하위집단 내부에는 비행을 합리화하는 하위문화가 존재한다.
			  ⇨ 차별교제이론
				Cloward & Ohlin & Cohen

		갈등이론	자본주의의 법과 정의는 자본가 계급에만 유리하기 때문에, 자본가 계급과 노동자 계급 간의 갈등으로 비행이 발생한다(K. Marx 이론의 영향).	Meier & Quinney
	미시이론	사회통제 이론	비행 성향을 통제해 줄 수 있는 개인에 대한 사회적 억제력이나 통제가 약화될 때 비행이 발생한다.	Hirschi
		중화이론	사회통제 무력화 이론 ⇨ 비행청소년들은 자신의 비행을 정당화하는 중화기술을 가지고 있어 죄의식 없이 비행을 유발한다.	Sykes & Mayza
		차별접촉 (교제)이론	모든 범죄나 비행은 타인, 특히 친밀한 개인적 집단 내에서의 상호작용을 통해 학습된 것이다. ⇨ 상호작용이론	Sutherland
		낙인(烙印) 이론	• 상징적 상호작용이론에 기초한 이론 • 타인이 자기 자신을 비행자로 낙인찍은 데서 크게 영향을 받아 비행이 발생한다. • 낙인 과정: 모색 단계 ⇨ 명료화 단계 ⇨ 공고화 단계	Lemert & Becker

(1) **개인적 이론**: 생물학적 이론, 심리학적 이론 ⇨ 본능적 충동을 적절히 제어하지 못하는 개인의 특성이나 지적·성격적인 장애나 정신불안에서 비행이 발생한다고 보는 이론으로서, 비행을 개인의 행위로 간주한다.

(2) **사회학적 이론**: 사회구조적 조건과 대인관계, 사회집단과 제도의 기능에서 비행이 발생한다고 보는 이론으로서, 비행을 사회적 소산으로 간주한다.

① 거시적 접근: 비행은 사회구조적 요인에서 발생 ⇨ 사회구조에 의해서 발생된 욕구좌절 때문에 다양한 일탈적 적응방식이 생겨난다.

㉠ 아노미이론(Merton) 23. 국가직, 06. 국가직 7급: 사회구조가 특정인에게 정당한 방법으로 문화목표를 달성할 수 없을 때 사람들은 엄청난 긴장(strain)을 일으키게 되고, 긴장을 해결하기 위해 비행 발생 ⇨ '긴장이론(Strain Theory)'

ⓐ 아노미는 문화목표와 제도화된 수단과의 괴리상태

ⓑ 문화적으로 규정된 목표를 달성하는 방법: 개혁형, 도피형, 반발형은 비행을 특징짓는 행동 유발

문화목표	제도화된 수단	적응유형	특징
수용	수용	동조형 (confirmity, 순종형)	열심히 노력해서 문화목표를 달성하려는 사람들 ⇨ 이상적 적응 방식 **예** 학교교육 의존 입시집착형
거부	수용	의례형 (ritualism, 관습형)	문화목표는 거부하나 사회제도적 수단은 수용하는 사람들 **예** 무기력 학습형
수용	거부	개혁형 (innovation, 혁신형)	문화목표를 수용하지만 그 달성을 위한 제도적 수단을 거부하는 사람들 ⇨ 하류층의 경제범죄 행위 **예** 사교육 의존 입시집착형
거부	거부	도피형 (retreatism, 은거형)	문화목표와 수단을 다 거절하는 사람들 ⇨ 약물중독자, 알콜중독자, 자살, 정신병, 학교 포기 청소년들이 해당 **예** 도피반항적 학습거부형
거부(new)	거부(new)	반발형 (rebellion, 반항형)	문화목표와 수단을 다 거절하나 새로운 이념, 목표, 수단으로 대체하려는 방식 ⇨ 반문화, 급진적 사회운동 **예** 새로운 학습체제 구축형

    ⓒ **하위문화이론(Cloward, Cohen)**: 비행을 어떤 특정집단의 하위문화로 설명
     ⓐ 비행하위문화: 중산층의 기대와 기준에 대항하는 하류층 아동의 대응적 문화(Cohen), 비행이 하류층의 생활에서 오랫동안 확립되어 왔고 지속되어 온 문화적 산물(Miller) ≒ 반학교문화(Willis)
     ⓑ 하류층의 일탈 행위는 하류층 아동들이 자신의 하류층 문화를 수용한 결과(일반문화에 대한 거부나 저항의 결과 ×) ⇨ 아노미이론 + 차별접촉이론
    ⓒ **갈등이론(Meier, Quinney)**: 자본주의의 법과 정의는 자본가 계급에만 유리하기 때문에, 자본가 계급과 노동자 계급 간의 갈등으로 비행이 발생한다.
     ⓐ 행형(行刑)제도는 지배계급의 이익을 반영하는 도구: 행형제도는 기존의 사회·경제적 질서를 유지·존속시키려는 지배계급과 국가의 도구에 불과하다.
     ⓑ 법률적 제도의 강압을 통해서 종속계급을 억압하고 문화적 제도를 통해서 설득과 회유를 하여야만 유지 존속된다는 것이 자본주의 사회의 모순이다.
     ⓒ 지배계급의 범죄(**예** 기업범죄, 조직범죄)는 숨겨지고, 지배계급의 착취에 저항하는 노동자계급의 범죄는 낙인되어 드러나는 부도덕성이 자본주의적 행형제도의 특성이다.
  ② **미시적 접근**: 비행은 사회적 인간관계에서 비롯
    ㉠ **사회통제이론(Hirschi)**: 비행성향을 통제해 줄 수 있는 사회적 억제력이나 유대가 약화될 때 비행 발생, 어떤 사람들은 비행을 왜 안 저지르는가에 관심 ^{23. 지방직}
     ⓐ 모든 사람이 범죄를 유발하는 것은 당연한 현상, 개인이 법을 지키는 것은 사회에서 범죄를 억제하는 '사회적 연대'가 있기 때문이다.
     ⓑ 비행은 사회에 대한 개인의 연대가 약화되었거나 파괴되었을 때 발생한다.

ⓒ 사회적 연대의 요소: 애착, 전념, 참여, 신념

애착(attachment)	부모, 또래, 교사와 같은 의미 있는 타인과 맺는 끈, 개인이 의미 있는 타인과 정서적으로 밀착된 정도
전념 (commitment, 집착)	사회적 보상이 높은 목표를 설정하고 설정한 목표를 달성하기 위해 끈기 있게 집착하는 것 **예** 미래의 직업을 얻기 위해 열심히 공부한다든가, 소명감을 가지고 종교적인 활동을 열심히 한다든가 하는 것
참여 (involvement, 몰두)	관례적 활동에 투입하는 시간의 양 **예** 학생이 학업에 몰두한다, 주부는 가사일에 몰두한다, 직장인은 자기 업무에 몰두한다.
신념(belief)	사회적 규칙과 가치를 자신의 신념처럼 수용하는 것 ⇨ 내면화된 사회 통제

ⓛ 중화(中和)이론(Sykes & Matza): 자기합리화 이론, 사회통제 무력화 이론, 편류(표류)이론
ⓐ 전통적인 비행이론은 대부분의 비행청소년들이 청소년 말기나 성인단계에 이르러 비행을 청산하고(여전히 비행원인 요소가 존재함에도), 나이가 들어감에 따라 비행이 사라지는 현상(표류, drift)을 설명하지 못한다. ⇨ 표류는 사회의 통제가 느슨한 상황으로 전통적 비행이론에 따르면 대부분의 청소년들은 비행자가 되어야 한다(그러나 실제는 비행을 저지르지 않는다). 14. 지방직
ⓑ 비행은 기존 규범에 대항하는 가치관 때문에 일탈하는 것이 아니다.
ⓒ 비행청소년들은 자기의 행위가 도덕적으로 잘못되었지만, 정상참작 사유가 있기 때문에 자신들의 행위가 '죄가 없다.'라고 생각하여 비행을 저지른다.
ⓓ 청소년들은 전통적인 도덕가치를 부정하는 것이 아니라, 여러 상황에서 그것을 중화시키는 방법(techniques of neutralization)을 가지고 있으며 그럼으로써 별 죄의식 없이 비행을 저지른다. ⇨ 청소년들은 인습가치(지배적인 문화)와 일탈가치 사이에서 표류하는 표류자(drifter)이다. 10. 경기

> **더 알아보기**
>
> **청소년들이 사용하는 중화기술**
> 1. **책임의 부정**: 그것은 나의 잘못이 아니다. **예** 비행자가 친구 때문에 또는 부모의 애정결핍 때문이라는 외적 요인을 핑계로 삼아 자신의 책임을 부정한다.
> 2. **가해의 부정**: 그들은 그 정도의 피해는 감당할 만하다. **예** 물건을 훔치고 잠깐 빌린 거라고 생각하거나, 집단 패싸움을 벌이고 양쪽이 합의한 결투로 생각한다.
> 3. **피해자의 부정**: 그들이 사태를 초래한 장본인이다. **예** 절도범이 자신이 훔친 것은 부정축재자의 것이므로 자신의 범행은 분배적 정의의 실천이라고 생각한다.
> 4. **비난자의 비난**: 비난자를 비난함으로써 자기의 일탈성을 중화한다. **예** 시험 중 부정행위로 적발된 학생이 교사를 특정 학생만 편애한다고 비난한다. 신호위반으로 적발된 운전자가 적발한 경찰을 비난한다. 털어서 먼지 안 나는 사람은 없다.
> 5. **충성심이라는 변명**(대의명분에 호소): 범죄를 저지른 학생이 자신의 행동을 또래집단에 대한 충성심이라고 생각한다. **예** 나는 동료들을 위해 그런 짓을 했다.

ⓔ 중화기술은 범죄가 자아에 갖는 의미를 희석시키는 것을 의미 : 범법자들은 타인의 범죄는 인정하면서도, 스스로 범죄자라는 사실은 인정하지 않는다. ⇨ 자신들의 행위를 '좋지는 않지만 장난스러운', '나무랄 만하지만 진짜 범죄는 아닌' 형태로 합리화한다.

예 학교폭력의 가해자들이 그것은 '단순한 장난'이었고, 친구 사이에 그럴 수 있다고 생각한다.

ⓕ 자신을 범죄자라고 생각하지 않는 사람들도 비행을 저지르게 된다.

ⓒ **차별접촉이론(Sutherland)** : 차별교제이론 ⇨ 가장 많이 사용 07. 서울

ⓐ 비행(일탈)은 친밀한 집단 내에서 사회적으로 학습(예 타인의 관찰, 강화, 사회화)한 결과이다. ⇨ 사회적 상호과정이나 모방을 통해 비행은 학습된다.

ⓑ 모든 계층의 청소년들이 일탈집단을 직·간접적으로 자주 접하게 되면 일탈청소년이 될 수 있다. 예 근묵자흑(近墨者黑)

더 알아보기

차별접촉이론의 비행에 관한 기본 명제

1. 비행은 학습된다.
2. 비행은 타인과의 상호작용, 특히 의사소통의 과정에서 학습된다.
3. 비행학습은 주로 1차적 집단과의 친밀한 인간관계를 통해 이루어진다.
4. 비행학습 내용에는 비행의 기술뿐만 아니라 비행과 관련된 동기, 충동, 합리화, 태도 등도 포함된다.
5. 비행의 동기와 태도는 법이나 규범에 대해 호의적인(유리한) 정의를 하느냐, 비호의적인(불리한) 정의를 하느냐에 따라 결정된다.
6. 법 위반에 호의적인 정의가 비호의적인 정의보다 더 클 때 일탈이 일어난다.
7. 차별적 교제는 빈도, 우선성, 강도, 지속기간에 따라 다르다.
   ① 빈도(frequency) : 일탈된 다른 사람들과 많이 접촉할수록 일탈의 가능성은 많아진다.
   ② 우선성(priority) : 일탈의 영향이 얼마나 일찍 발생하는가, 일탈에 일찍 노출될수록 일탈행동 패턴으로 발달할 가능성은 커진다.
   ③ 강도(intensity) : 일탈된 다른 사람과 동일시하는 정도이다.
   ④ 지속기간(duration) : 일탈된 역할 모델과 보낸 시간이 길수록 일탈 학습의 가능성은 크다.
8. 비행은 일반적인 욕구와 가치에 의해서만 설명되는 것은 아니다.

ⓔ **낙인이론(Lemart, Becker)** : 사회반응이론(social reaction theory) ⇨ 상징적 상호작용이론에 기초한 이론 11. 대전

ⓐ 타인이 자기 자신을 우연히 비행자로 낙인(labeling, 2차적 일탈)찍은 데서 크게 영향을 받아 비행이 발생한다. 즉, 타인의 일시적·우연적 낙인 과정에 의해 비행이 낙인되고 의식적·상습적으로 비행을 저지른다.

예 김○○가 장난삼아 던진 돌에 지나가던 아이가 중상을 입게 되었다. 이로 인해 김○○는 경찰서에 신고되고 비행청소년으로 취급되었다. 그 이후로 김○○가 가졌던 자아정체감은 부정적으로 바뀌게 되었고, 결국은 일탈자가 되었다.

ⓑ 낙인 과정(Hargreaves)

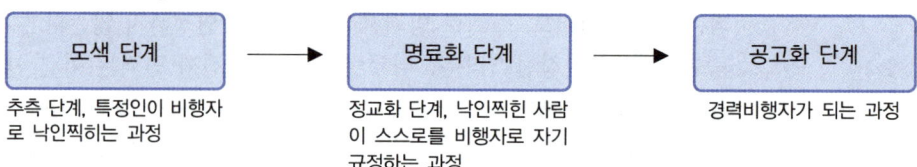

일탈행동으로 보이는 행동을 한 학생은 처음에는 사람들이 자신을 일탈자, 문제아라고 규정짓는 것을 거부하다가, 점차적으로 자신을 스스로 일탈자라고 생각하게 된다. 그리하여 자아개념을 일탈자(deviant self-image, 비행성 자아상)로 재구성하게 된다. 일탈자로서 자아개념을 형성하게 되면, 자신의 자아 이미지에 맞는 역할행동, 즉 일탈자로서의 행동(2차적 일탈)을 하게 된다.

ⓒ **일탈을 촉진하는 교사의 특징**: 특정 학생을 편애하는 경향, 공부를 못하거나 규율을 어기는 학생을 문제아라고 보는 고정관념 소유, 문제아를 가르치는 자신의 처지가 불쌍하다고 인식하는 경향, 가르치는 일이 지겨운 일이라고 생각, 학생과의 개별적인 만남과 접촉을 기피, 보수적인 '도덕주의'에 집착

ⓓ **교육적 시사점**: 학교의 부주의한 징계 조치, 문제학생으로서의 유형화와 차별적 취급 등은 자칫 문제학생을 일반 또래집단으로부터 고립시키고 일탈집단으로 몰아넣는 결과를 초래할 수 있다.

ⓒ **합리적 선택이론**: 경제학의 기대효용(expected utility) 원리에 기초하여 청소년들의 비행은 그 비행으로 인한 보상이 손실보다 클 때 발생한다.

2 진로교육(career education)

1. 개념

(1) 개인이 자신의 진로를 현명하게 선택하고, 선택한 진로에 들어가서는 계속 발전해 나갈 수 있도록 돕는 과정

(2) 평생교육의 차원, 제4차 교육과정 때부터 교육과정에 도입

(3) 2009 개정 교육과정 때부터 중학교 '선택교과'에 「진로와 직업」 교과 도입

2. 진로교육의 과정

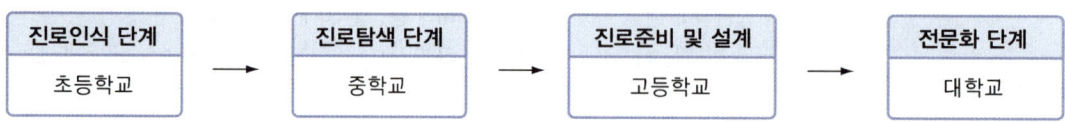

단계별 지도 내용

지도 단계	지도 내용
인식 단계(초등학교)	• 자아에 대한 인식 • 자신의 소질이나 흥미 발견 • 다양한 직업의 인식 • 일과 직업에 대한 자긍심의 발견 • 일과 직업 수행을 위한 지식, 기술습득의 필요성 인식
탐색 단계(중학교)	• 자아개념의 명료화 • 진학 및 직업 준비 교육 • 직업의 분류 및 직업군 탐색 • 자기의 의사결정에 관련된 요소 인식 • 가치 있고 지속적인 사회적 제도로서의 직업(일)의 이해
준비 단계(고등학교)	• 자아개념의 구체화 • 기본기능의 계속적인 숙달, 활용, 응용력의 강조 • 진로 목표에 적합한 계획수립 • 일(직업)에 대한 가치 획득 • 구체적인 진로계획의 수립과 졸업 후의 환경에 대비
전문화 단계(대학교)	• 구체적 직업 관련 지식과 특수기술 개발 • 재교육, 현직교육, 승진을 위한 기술 훈련 과정 제공 • 직업인의 긍지와 보람, 직업윤리와 가치관 정립 • 피고용인으로서 의미 있는 인간관계 형성 • 전문직에 고용될 수 있는 전문가의 능력 배양

3. 진로발달이론

특정 직업을 선택하는 이유를 설명하는 이론체계

구조론적 접근	특성요인이론, Roe의 욕구이론, Holland의 인성이론, 사회학적 이론
발달론적 접근	Ginzberg의 진로발달이론, Super의 진로발달이론
과정론적 접근	의사결정이론

(1) **특성요인이론**(Trait and Factor theory)

① 개념: 개인적 특성, 즉 흥미나 능력이 바로 직업의 특성과 일치되기 때문에 직업을 선택한다는 이론 ⇨ 개인차 심리학과 응용심리학에 근거

② 대표자: 파슨즈(Parsons), 윌리암슨(Williamson), 헐(Hull) 등

③ 특징: 개인의 특성(trait)에 대한 객관적 자료와 직업의 특성에 관한 자료를 중시

(2) **욕구이론**(Need Theory)

① 개념: 직업선택이 개인의 욕구와 관련이 되어 있다고 보는 이론

② 대표자: 로우(Roe), 호포크(Hoppock)

③ 로우(Roe)의 욕구이론
  ㉠ 매슬로우(Maslow)가 제시한 욕구단계론을 기초로, 개인의 욕구가 직업선택에 큰 영향을 미친다고 보았다.
  ㉡ 개인의 욕구의 차이는 초기의 가정환경, 즉 부모의 육아방식에서 기인하며, 자녀의 직업지향성(직업선택)에 영향을 미친다고 보았다.

회피형	• 거부형: 자녀에 대해 냉담하여 자녀가 선호하는 것이나 의견을 무시한다. • 방임형: 자녀와 별로 접촉하려고 하지 않으며 부모의 책임을 회피하려고 한다.
정서집중형	• 과보호형: 자녀를 지나치게 보호함으로써 자녀에게 의존심을 키워준다. • 요구과잉형: 자녀가 남보다 뛰어나고 공부 잘하기를 바라므로 엄격하게 훈련시키고 무리한 요구를 한다.
수용형	• 무관심형: 자녀를 수용적으로 대하지만 욕구나 필요에 대해 그리 민감하지 않으며, 자녀에게 어떤 것을 잘하도록 강요하지 않는다. • 애정형: 온정적이고 관심을 기울이며 자녀의 요구에 응하고 독립심을 길러 준다. 벌을 주기보다는 이성과 애정으로 대한다.

  ㉢ 가정 분위기의 유형과 직업지향성에 대한 가설

부모의 양육방식 (부모 - 자녀의 상호작용 유형)		성격 지향성	직업 지향성
자녀에 대한 애착 (정서집중형)	과보호적 분위기(과보호형)	인간지향적인 성격 형성	인간지향적 직업 선택 ⇨ Ⅰ. 서비스직, Ⅱ. 비즈니스직, Ⅲ. 단체직, Ⅶ. 일반문화직, Ⅷ. 예능직
	과요구적 분위기(요구과잉형)		
자녀 수용 (수용형)	애정적 분위기(애정형)	비인간지향적 성격 형성	비인간지향적 직업 선택 ⇨ Ⅳ. 기술직, Ⅴ. 옥외활동직, Ⅵ. 과학직
	무관심한 분위기(무관심형)		
자녀 회피 (회피형)	무시적 분위기(방임형)		
	거부적 분위기(거부형)		

  ㉣ 새로운 직업분류체계를 개발함으로써 직업선호도검사, 직업흥미검사, 직업명 사전 개발에 영향을 줌.

④ 호포크(Hoppock)의 구성이론
  ㉠ 어떤 직업이 개인의 욕구를 충족시킬 수 있다고 인식될 때 직업선택이 이루어진다.
  ㉡ 직업에 대한 만족도는 그 직업이 얼마나 개인의 욕구를 잘 충족시켜 주는지에 달려 있다.

(3) **성격이론**(인성이론, Personality theory) 13. 지방직, 11. 경기
  ① 개념
    ㉠ 개인의 행동은 인성(人性)과 환경과의 상호작용의 함수이며, 개인의 직업선택 행동은 그의 인성의 표출이라고 보는 이론
    ㉡ 사람들은 자기의 타고난 인성을 바탕으로 그것을 표출할 수 있는 직업환경을 선택한다는 것이다.
  ② 대표자: 홀랜드(Holland)

③ 홀랜드(Holland)의 인성이론(RIASEC 6각형 모델) 20. 국가직, 12. 국가직
  ㉠ 개인의 직업선택 행동은 자신의 성격특성과 환경특성과의 상호작용에 의해 결정된다고 주장하였다. ⇨ Holland는 같은 직업에 종사하는 사람들은 유사한 성격을 지녔을 것으로 가정하고, 직업선택은 개인의 성격이 반영된 것이라고 보았다.
  ㉡ 직업환경(직업에 관련한 사람들의 성격유형)을 현실적, 지적, 사회적, 전통적, 설득적, 심미적 환경으로 구분하고 그에 따른 개인의 직업적응 방식 유형을 현실적, 지적, 사회적, 전통적, 설득적, 심미적 유형으로 구분하였다. 예 홀랜드의 직업흥미검사

직업환경	성격특성과 직업적응 방향
현실적(실재형) (Realistic)	운동신경이 잘 발달되었으며, 손을 사용하거나 체력을 필요로 하는 활동을 선호하며 객관적이고 구체적인 과제를 즐긴다.
지적(탐구형) (Investigate)	과업 지향적이고 신중하며 추상적인 일을 즐긴다. 학구적이고 과학적인 영역에서 탁월한 경향이 있다.
심미적(예술형) (Artistic)	내향적이고 비사교적이며 민감하고 충동적이다. 언어적이고 예술적인 영역에서 탁월하며 창의적이고 독창적인 경향이 있다.
사회적(사교형) (Social)	언어 능력과 대인관계 기술이 뛰어나고 다른 사람들과 함께 일하고 또 다른 사람들을 돕는 것을 즐긴다. 사회 지향적이고, 명랑하며, 보수적인 경향이 있다.
설득적(기업형) (Enterprising)	남성적인 면이 강하고 타인을 지배하거나 설득하는 능력이 뛰어나다. 비교적 외향적이며, 권력이나 지위 등에 관심이 많다.
전통적(관습형) (Conventional)	틀에 박힌 활동을 좋아하고 법률이나 규칙을 잘 지킨다. 보수적이고, 순응적이며, 사회적인 성향이 있으며, 계산적이고 사무적인 직업을 즐긴다.

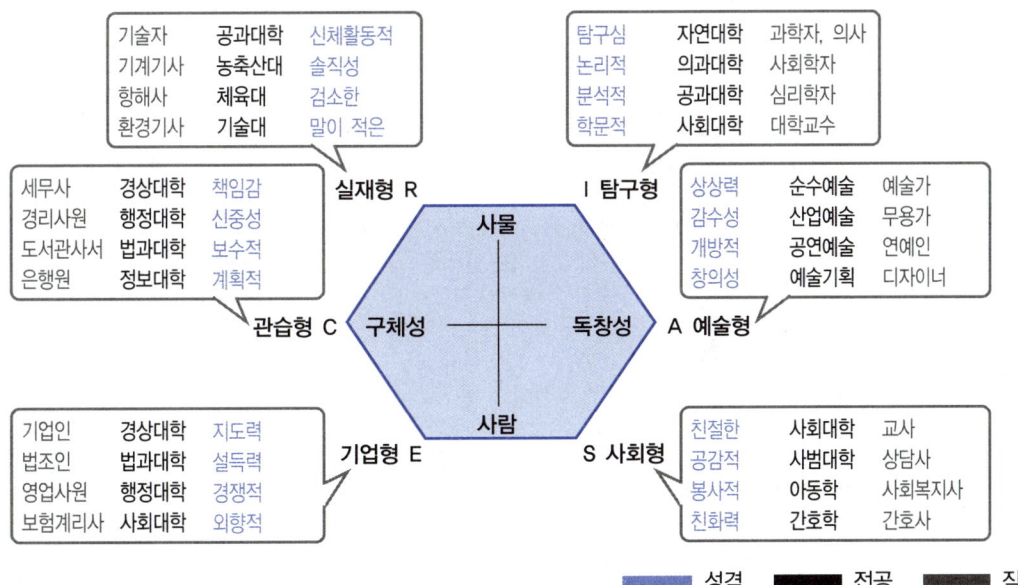

◇ 직업환경 간의 상관 정도 R-I, I-A, A-S, S-E, E-C, C-R은 고상관, I-E, R-S, E-I, C-A는 저상관, R-A, I-C, I-S, A-E, S-C, E-R은 중상관임.

더 알아보기

이론의 4가지 기본 가정과 5가지 부가적 개념

• **4가지 기본 가정**

1. 우리 문화 속에서 대부분의 사람은 RIASEC 6가지 흥미유형(성격유형) 중에서 하나로 분류될 수 있다. 각 성격유형은 부모, 생물학적 유전, 물리적 환경, 사회계층, 신념, 동료 등을 포함한 개인적인 요인과 그 외의 다양한 문화 간의 독특한 상호작용에 의한 결과이다. 사람들은 각기 선호하는 활동이 다르고 그 활동은 보다 강한 흥미로 변하게 되고, 이런 특별한 흥미와 능력을 요구하는 집단에 속할 수 있게 된다.
2. 우리들이 살아가는 생활환경이나 직업환경에도 RIASEC 6가지 환경모형이 있다. 이것은 각 환경모형이 유사한 흥미유형을 가진 사람들에 의해 결정되며, 각 개인은 자신과 비슷한 흥미유형의 사람들과 함께 어울려 생활하는 것을 선호한다. ⇨ "사람들이 모이는 곳에는 가장 공통점이 많은 유형을 반영하는 환경이 생기게 된다."(Holland)
3. 사람들은 자신의 흥미유형에 맞는 직업환경을 추구한다. 즉, 사람들은 자신의 기술과 능력을 발휘하고, 자신의 태도와 가치를 표현하며, 자신에게 맞는 역할을 수행할 수 있는 직업 환경을 찾는다. 각 환경도 사회적 상호작용, 구인(求人), 선발과정 등을 통해 환경에 맞는 사람을 찾는다.
   예. 현실형(R)의 흥미유형을 가진 사람들은 현실형(R)의 환경을 추구하고, 사회형(S)의 흥미유형을 가진 사람들은 사회형(S) 환경을 추구한다.
4. 개인의 행동은 개인의 흥미(성격)와 환경의 상호작용에 의해 결정된다. 개인의 성격유형과 잘 맞는 환경유형이 무엇인지 알면 진로선택, 근속기간, 직무만족, 직업성취, 직업변경 등을 예측할 수 있다.

• **5가지 부가적 개념**

1. **일치성(congruence)**: 개인의 성격과 직업환경 간의 관계(적합성 정도)를 말하는 것으로, 성격유형과 환경유형이 일치할 때 가장 이상적이다. 즉, 사람들은 자신의 성격유형과 비슷한 환경유형에서 일하거나 생활할 때 일치성이 높아진다.
   예. 사회형(S)은 사회형(S)의 환경에서 일하는 것을 좋아하고, 탐구형(I)은 탐구형(I)의 환경을 좋아한다.
2. **변별성(differentiation, 차별성)**: 흥미유형(직업환경)의 뚜렷한 정도를 말하는 것으로, 개인과 환경이 한 가지 또는 여러 가지 유형에 얼마나 뚜렷하게 속해 있는가이다.
   예. 어떤 사람은 RIASEC 6각형 모형 중 지배적인 한 가지 유형에만 속할 수 있는 반면에, 어떤 사람은 큰 차이를 보이지 않고 3가지를 가지고 있거나 6가지 유형에 다 흥미와 능력이 있을 수 있다. ⇨ 모든 유형에 똑같은 유사성을 나타내는 사람은 특징이 없거나 그 특징이 잘 규정되지 않았다고 할 수 있다.
3. **일관성(consistency)**: 육각형 모형 상 두 성격유형 간의 근접성을 말하는 것으로 각 성격유형의 유사성과 비유사성을 말한다. 근접한 유형끼리 일관성이 있다고 해석하며, 각 흥미유형(환경유형)의 어떤 쌍들은 다른 유형의 쌍들과 일치하거나 차이를 보인다.
   예. 사회형(S)과 기업형(E) 또는 예술형(A)은 서로 일치하는 점이 많으나, 사회형(S)과 현실형(R)은 극명한 차이를 보인다. ⇨ 사회형인 사람들은 현실형보다는 기업형이나 예술형과의 관계를 좋아하고 공통점이 많다. 사회형은 다른 사람과 함께 일하는 것을 좋아하나, 현실형은 혼자 하는 일을 좋아한다.
4. **정체성(identity)**: 개인이 지닌 현재와 미래의 목표, 흥미, 재능의 안정성과 명확성에 관련되는 것으로, 일관성이라는 목표가 달성되면 정체성을 형성할 수 있다. 즉, 개인의 인생목표와 흥미, 재능에 대한 안정적이고 명확한 설계(개인 정체성), 조직의 목표와 업무, 보상 등 직업 환경의 안정성(환경 정체성)이 일관성 있게 유지될 때 정체성을 형성하기가 쉽다.
5. **수리적 계산(계측성)**: 육각형 모형에서 흥미유형들 간의 거리는 그들 사이의 이론적 관계에 반비례한다. 가장 이상적인 조합(고상관)은 성격유형과 환경유형이 일치하는 경우 즉, 현실적 유형(R)에 현실적 환경(R)과 같은 경우이다. 다음으로 바람직한 조합(중상관)은 환경유형에 인접한 성격유형이다[**예.** 현실적 유형(R)의 경우 관습형(C)과 탐구형(I)에 해당함]. 개인과 환경의 가장 바람직하지 못한 조합(저상관)은 6각형 모형에서 해당 유형이 서로 반대지점에 있을 때 나타난다[**예.** 현실적 유형(R)의 경우 사회형(S)에 해당함].

(4) **사회학적 이론**(Sociological theory)
  ① 개념
    ㉠ 개인을 둘러싼 사회문화적 환경이 개인의 직업선택에 영향을 미친다고 보는 이론
    ㉡ 개인의 사회계층에 따라 개인은 교육정도, 직업포부수준, 지능수준 등이 다르며 이런 사회경제적 요인들이 진로 발달에 영향을 미친다는 것이다.
  ② 대표자: 블라우(Blau), 홀링쉐드(Hollingshead), 폼(Form) 등
  ③ 직업생애 5단계: 준비 단계 ⇨ 시작 단계 ⇨ 시행 단계 ⇨ 안정 단계 ⇨ 은퇴 단계

(5) **의사결정이론**(Decision-making theory)
  ① 개념
    ㉠ 개인은 자신의 이익을 극대화하고 손실을 극소화하는 방향으로 의사결정한다는 케인즈(Keynes)의 합리적-선택이론에 바탕을 둔 이론이다.
    ㉡ 개인은 여러 가지 선택 가능한 직업 중에서 자신의 투자가 최대로 보장받을 수 있는 직업을 선택한다.
  ② 대표자: 젤라트(Gelatt), 로스(Roth), 힐튼(Hilton) 등

(6) **사회학습이론**(Social learning theory)
  ① 교육적·직업적 선호 및 기술이 어떻게 획득되며, 교육프로그램, 직업, 현장의 일들이 어떻게 선택되었는가를 설명하기 위해 발달된 이론으로, 진로결정은 학습된 기술로 본다.
  ② 사회학습이론을 토대로 개인의 성격과 행동은 그의 독특한 학습경험에 의해서 가장 잘 설명될 수 있다고 가정하면서, 진로의사결정에 영향을 미치는 요인들의 상호작용을 규명하고 있다.
    ㉠ 진로결정요인: 유전적 요인과 특별한 능력, 환경적 조건과 사건, 학습경험, 과제접근기술
    ㉡ 진로결정요인들의 상호작용 결과: 자기관찰 일반화, 세계관 일반화, 과제접근기술, 행위의 산출
  ③ 대표자: 크럼볼츠(J. Krumboltz)

(7) **발달이론**(Developmental theory)
  ① 개념
    ㉠ 특성요인이론이 직업선택을 일회적인 행위로 보는 데 비해, 진로발달을 생애의 전 과정에 걸쳐 발생하는 것으로 보는 이론이다.
    ㉡ 발달이론에서는 진로선택요인에 있어 특성(trait)보다는 자아개념을 더 중시한다.
  ② 대표자: 진즈버그(Ginzberg), 수퍼(Super)
  ③ 진즈버그(Ginzberg)의 진로발달이론
    ㉠ 인간의 신체와 정신이 발달하는 것처럼 직업에 대한 지식, 태도, 기능도 어려서부터 발달하기 시작하여 일련의 단계를 거치면서 발달한다고 보았다.
    ㉡ 직업선택이란 삶의 어느 한 시기에 이루어지는 일회적인 사건이 아니라, 장기간에 걸쳐 발달하는 일련의 의사결정이다.
    ㉢ 발달단계 초기에 이루어지는 선택 과정은 개인의 흥미, 능력, 가치관에 좌우되지만, 나중에는 이 요인들과 외부적인 조건이 함께 타협됨으로써 직업선택이 이루어진다.

ⓔ 진로발달단계

환상기 (6~11세)	• 직업선택의 문제에서 자신의 능력이나 가능성, 현실여건 등을 고려하지 않고 욕구를 중시하는 시기 • 무엇이든 하고 싶고 하면 된다는 식의 환상 속에서 비현실적인 선택
잠정기 (11~17세)	• 개인의 흥미나 취미, 능력과 가치관 등에 따라 직업을 선택하려 하지만 현실 상황을 고려하지 않아 비현실적인 시기 • 흥미 단계 ⇨ 능력 단계 ⇨ 가치 단계 ⇨ 전환 단계의 하위 단계로 진행
현실기 (17세~)	• 직업에서 요구하는 조건과 개인적 욕구와 능력을 결합하여 현실적으로 직업을 선택하는 시기 • 탐색 단계 ⇨ 구체화 단계 ⇨ 특수화(전문화) 단계로 진행

④ 수퍼(Super)의 진로발달이론 11. 부산

㉠ 직업발달 과정에서 본질적인 역할을 하는 것이 자아개념이라고 보았다. 즉 개인이 지닌 속성과 직업에서 요구하는 속성을 고려하여 연결시켜 주는 것이 자아개념이며, 개인의 직업발달의 과정은 자아실현과 생애 발달의 과정으로 보았다. ⇨ 개인은 '나는 이런 사람이다.'라고 느끼고 생각하던 바를 살릴 수 있는 직업을 선택하며, 이런 의미에서 직업의 선택을 자아개념의 실행이라고도 하였다.

㉡ 진로발달단계: 생애진로 무지개(life rainbow)

성장기 (~14세)	• 초기에는 욕구와 환상이 지배적이나 점차 흥미와 능력을 중시 • 환상기 ⇨ 흥미기 ⇨ 능력기로 진행
탐색기 (15~24세)	• 학교활동, 여가활동 등을 통해 자아를 검증하고 역할을 수행하며 직업탐색을 시도 • 잠정기 ⇨ 전환기 ⇨ 시행기로 진행
확립기 (25~44세)	• 자신에게 적합한 분야에 종사하고 삶의 기반을 잡으려고 노력 • 시행기 ⇨ 안정기로 진행
유지기 (45~66세)	안정 속에서 비교적 만족스러운 삶을 영위
쇠퇴기 (66세~)	직업전선에서 은퇴하여 다른 활동을 찾는 시기

㉢ 진즈버그(Ginzberg)와의 비교
ⓐ 진즈버그는 진로발달을 아동기부터 성인초기(20대 초반)까지의 국한된 과정이라고 보았지만, 수퍼는 진로발달을 인간의 전 생애에 걸친 변화과정이라고 보았다.
ⓑ 진즈버그는 진로선택을 타협[바람(wishes)과 가능성(possibility) 간의 타협(compromise)]의 과정으로 보았지만, 수퍼는 진즈버그의 이론을 보완하여 타협과 선택(choice)이 상호작용하는 일련의 적응(adjustment) 과정, 즉 개인과 환경과의 상호작용에 의한 적응과정으로 보았다.
ⓒ 진즈버그는 진로발달을 3단계로 보았지만, 수퍼는 전 생애적인 5단계로 보았다.
ⓓ 진즈버그와 달리 수퍼는 자아개념(self concept)을 진로발달의 핵심요소로 제시하였다.

ⓓ 교육적 의의
  ⓐ 개인의 직업발달의 과정을 자아실현과 생애발달의 과정으로 보고, 자아개념과 진로발달의 관계를 규명하였다.
  ⓑ 진로유형, 진로성숙, 진로발달단계에 초점을 맞추면서 진로발달과정을 체계적으로 형식화하였다.
⑤ 타이드만과 오하라(D. Tiedeman & R. O'Hara)의 진로발달이론(1963)
  ㉠ 에릭슨(E. Erikson)의 영향으로 자아정체감(self-identity)이 발달하면서 진로관련 의사결정이 이루어진다고 보고, 직업세계로의 진로발달을 개인이 일에 직면했을 때 분화와 통합을 통해서 직업정체감(vocational identity)을 형성하는 과정으로 정의하였다. 즉, 직업발달이란 직업 자아정체감을 형성해 나가는 계속적 과정이며, 직업 자아정체감은 의사결정을 되풀이하는 과정에서 성숙된다고 보았다.

분화	다양한 직업을 구체적으로 학습함으로써 자아가 발달되는 복잡한 과정 ⇨ 개인의 인지구조가 발달됨에 따라서 분화가 내적으로 일어나게 되며, 이를 통해 직업세계의 신뢰-불신의 위기를 해결하게 됨.
통합	개인이 사회(직업분야)의 일원으로서 직업세계로 통합되어 가는 과정 ⇨ 개인의 고유성과 직업세계의 고유성이 일치할 때 통합이 이루어진다.

  ㉡ 이 접근은 개인이 일에 대한 자신의 특성을 파악하고 자아를 실현시킬 수 있는 일이 과연 무엇인가를 나름대로 인식하고 생각하여 진로를 결정한다는 뜻에서 '의사결정이론'이라고도 한다. ⇨ 연령과 직업발달단계를 고정시키고 불가역적이라고 본 수퍼(Super)의 주장과는 달리, 직업발달단계를 반복 가능한 순환관계로 설명하며, 연령과 관계없이 문제의 성질에 따른 의사결정 과정을 통해서 직업의식이 발달한다고 보았다.
  ㉢ 개인이 어떤 문제에 직면하거나 욕구를 경험하고 또 결정을 내려야 할 필요성을 인식할 때 의사결정이 시작되며, 이 과정을 크게 예상기와 실천기로 구분하여 설명하였다.

예상기 (anticipation, 전직업기)	• 개인은 과거의 경험을 돌이켜 보고 능력을 알아보며 가능한 목표를 점검해 보고 자기 행동의 결과를 예견해 보며 상상하여 역할을 시도해 보며, 목표와 가치, 가능한 보상을 생각하여 개인은 특정한 방향으로 나아갈 준비를 하고, 그 다음 자기가 하고자 하는 것과 그렇지 않은 것을 분명하게 진술한 뒤에, 이미 내린 의사결정을 신중히 분석·검토해 보고 결론을 내리는 과정이다. • 탐색기 - 구체화기 - 선택기 - 명료화기의 하위단계를 거친다.
실천기 (implementation)	• 새 집단이나 조직의 풍토에 적응하기 위해서 자신의 일면을 수정하거나 버리기도 하고, 수용적 자세가 받아들여진 이후에 주장적인 강경한 태도를 보이기 시작하다가, 결국에는 집단의 요구와 개인의 요구와의 균형이 이루어지는 과정이다. • 순응기 - 개혁(재형성)기 - 통합기의 하위단계를 거친다.

(8) **정신분석이론**
① 개념
  ㉠ 진로발달에 대한 심리학적 접근으로, 프로이트(Freud) 이론에 근거를 두고 있다.
  ㉡ 개인이 선호하는 직업은 생후 6년 동안 만들어지는 욕구에 의해 결정된다고 본다.
② **대표자**: 노히만(Nochmann), 시걸(Segal), 보딘(Bordin), 네프(Neff), 브릴(Brill) 등

(9) **사회인지 진로이론**
　① **개요**
　　㉠ 반두라(Bandura)의 사회인지이론을 진로영역에 적용한 것이다.
　　㉡ **직업흥미, 직업선택, 그리고 직업수행에 대한 모형 제시**: 개인의 직업흥미가 어떻게 발달해 가는지, 직업선택을 어떻게 하는지, 그리고 수행 수준을 어떻게 결정하는지에 대한 설명을 제공한다.
　　㉢ 개인의 자기효능감(self-efficacy)을 증진, 긍정적이고 현실적인 결과기대의 함양, 구체적인 목표를 설정, 강력한 수행기술의 개발 등을 위한 개입 프로그램 개발에 유용하게 적용될 수 있다.

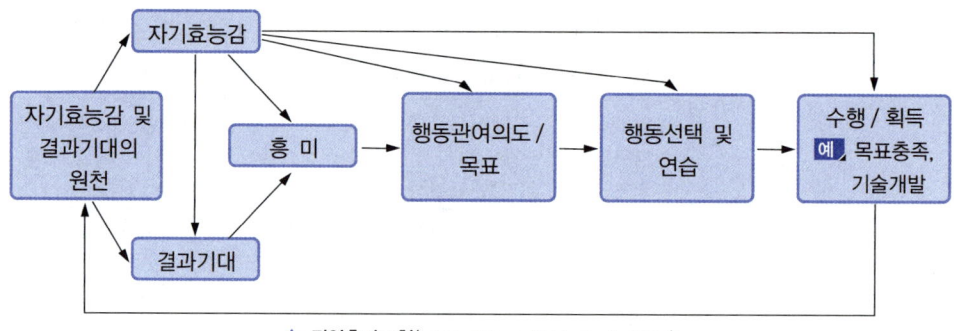

　　▲ **직업흥미모형**(Lent, Brown & Hackett, 1994)

　② **대표자**: 렌트(Lent), 브라운 & 해켓(Brown & Hackett, 1994)

4. 자유학기제: 2016년부터 전국 중학교에 시행 ⇨ 2018년부터 자유학년제로 확대 시행
　(1) **개념, 추진 목적 및 방향**
　　① **개념**: 중학교 과정 중 한 학기 동안 학생들이 시험 부담에서 벗어나 꿈과 끼를 찾을 수 있도록 토론·실습 등 학생 참여형으로 수업을 운영하고, 진로 탐색 활동 등 다양한 체험활동이 가능하도록 교육과정을 자율적으로 운영하는 제도 ⇨ 자유학년제는 두 학기, 즉 1년간 운영함.
　　　✎ 2022 개정 교육과정에서는 자유학년제를 폐지하고, 자유학기제(1학년 1/2학기 중 선택)와 진로연계학기(3학년 2학기)로 운영
　　② **추진 목적**
　　　㉠ **꿈·끼 탐색**: 자신의 적성과 미래에 대해 탐색하고 설계하는 경험을 통해 스스로 꿈과 끼를 찾고, 지속적인 자기성찰 및 발전 계기 제공
　　　㉡ **역량 함양**: 지식과 경쟁 중심 교육을 창의성, 인성, 자기주도 학습능력 등 미래 핵심 역량 함양이 가능한 교육으로 전환
　　　㉢ **행복 교육**: 학교 구성원 간 협력 및 신뢰 형성, 적극적 참여 및 성취 경험을 통해 학생·학부모·교원 모두가 만족하는 행복 교육 실현
　　③ **추진 방향**
　　　㉠ 꿈과 끼를 키우는 교육활동이 원활하게 이루어질 수 있도록 학교 교육과정의 자율성을 확대하고, 학생 중심 교육과정 운영

ⓒ 자유학기를 중심으로 초등학교(진로 인식)-중학교(진로 탐색)-고등학교(진로 준비 및 설계)로 이어지는 진로교육 연계·활성화
ⓒ 진로 탐색 활동, 주제 선택 활동, 예술·체육 활동, 동아리 활동 등 학생이 참여하는 다양한 '자유학기 활동' 활성화 18. 국가직
  ✎ 2022 개정 교육과정에서는 자유학기활동을 주제선택 및 진로탐색활동 2개 영역으로 개편 ⇨ 102시간 운영
ⓔ 특정 기간에 집중된 지필식 총괄평가는 실시하지 않으며, 학생의 성장과 발달에 중점을 둔 과정 중심의 평가 실시
ⓜ 자유학기를 교육과정 운영, 수업 방법 개선 등 학교교육 전반의 변화를 견인하는 계기로 활용

(2) **자유학기제 체계도**

"꿈과 끼를 키우는 행복한 학교교육"

초·중·고등학교 전반의 교육 혁신으로 확산
• 꿈·끼 교육 강화   • 핵심 역량 함양   • 행복한 학교생활

자유학기제 운영

'교과' 수업의 혁신
— 학생 참여형 교수·학습 및 과정 중심의 평가 적용

1 교육과정 편성·운영 자율화	2 교수·학습 방법 다양화	3 과정 중심의 내실 있는 평가
자율성·창의성 신장, 학생 중심 교육과정	토론·실습, 융합수업, 자기주도 학습	형성평가, 수행평가, 성장·발달에 중점

학생 희망과 참여에 기반한 '자유학기 활동' 운영
— 학생 여건, 학생·학부모 수요 등을 반영하여 선택적으로 편성·운영

1 진로 탐색 활동	2 주제 선택 활동	3 예술·체육 활동	4 동아리 활동
체계적인 진로 학습 및 체험	학생 중심, 체계적 전문 프로그램	예술·체육 교육 다양화, 내실화	흥미·관심 기반, 맞춤형 개설

✎ 2022 개정 교육과정에서는 자유학기활동을 주제선택 및 진로탐색활동 2개 영역으로 개편 ⇨ 102시간 운영

(3) **자유학기제 관련 법률 내용**: 「초·중등교육법 시행령」 24. 지방직

> **제44조(학기)** ① 법(「초·중등교육법」) 제24조 제3항의 규정에 의한 학교의 학기는 매학년도를 두 학기로 나누되, 제1학기는 3월 1일부터 학교의 수업일수·휴업일 및 교육과정 운영을 고려하여 학교의 장이 정한 날까지, 제2학기는 제1학기 종료일 다음 날부터 다음 해 2월말일까지로 한다.
> ② 제1항에도 불구하고 제91조의3에 따른 자율형 사립고등학교, 제91조의4에 따른 자율형 공립고등학교 및 제105조에 따른 자율학교(이하 "자율학교등"이라 한다)의 장은 교육부장관이 정하는 바에 따라 제105조의4에 따른 자율학교등 지정·운영위원회의 심의를 거쳐 학기를 달리 정할 수 있다.
> ③ 중학교 및 특수학교(중학교의 과정을 교육하는 특수학교로 한정한다)의 장은 제1항에 따른 학기(특수학교의 경우에는 중학교의 과정을 교육하는 학기로 한정한다) 중 한 학기 또는 두 학기를 자유학기로 지정해야 한다. 이 경우 지정 대상 학기의 범위 등 자유학기의 지정에 관한 세부 사항은 교육부장관이 정한다.
> **제48조의2(자유학기의 수업운영방법 등)** ① 중학교 및 특수학교(중학교의 과정을 교육하는 특수학교로 한정한다)의 장은 자유학기에 학생 참여형 수업을 실시하고 학생의 진로탐색 등 다양한 체험을 위한 체험활동을 운영해야 한다.
> ② 제1항에 따른 학생 참여형 수업 및 체험활동에 관한 세부 사항은 교육부장관이 정한다.

5. 위 프로젝트(Wee Project) 25. 국가직

(1) **개념**
① 교육부가 주도하는 학생 맞춤형 교육복지 지원 사업
② Wee는 We(우리들)+education(교육)+emotion(감성)의 합성어 : '우리들의 행복한 교육'을 지향한다는 의미

(2) **목표**
① 학교생활에 어려움을 겪는 학생들의 학교 적응 및 건강한 성장을 지원하는 다층적·통합적 안전망 구축
② 학생들의 학교생활 문제(예 학업 중단, 학교폭력, 부적응 등) 예방과 해결을 위한 상담, 진단, 치유 등 전문적인 지원 제공

(3) **구성요소 및 체계**
① Wee 클래스(1차 안전망-학교 내): 각급 학교에 설치된 상담실 ⇨ 학교 전문상담교사나 상담사를 통해 학생들의 경미한 문제(예 심리·정서적 문제, 학업 문제, 친구 관계, 진로 등) 해결 지원
② Wee 센터(2차 안전망-지역 교육지원청): 전문 상담·치유 기관 ⇨ 중등도 수준의 문제를 가진 학생들을 대상으로 지역 내 인적·물적 자원 연계망을 활용하여 심리평가-상담-치유를 위한 one-stop 서비스 제공
③ Wee 스쿨, 가정형 위(Wee)센터, 병원형 위(Wee)센터. 학교폭력 피해학생전담지원기관, 학교폭력 가해학생특별교육이수기관, 117신고센터(3차 안전망-시·도 교육청): 장기적·집중적인 치유·교육 지원 기관 ⇨ 고위기 학생, 학교 부적응 학생, 학업 중단 위기 학생 등을 대상으로 특화된 프로그램 지원

(4) 의의
① **맞춤형 지원**: 학생 개개인의 특성과 어려움에 맞춰 단계별, 맞춤형 지원 제공
② **통합적 접근**: 상담, 심리 치료, (대안)교육, 복지 등 다양한 분야의 전문가들이 협력하여 통합적 서비스 제공
③ **예방 및 조기 개입**: 학생들의 문제에 대한 조기 발견·개입 및 예방에 중점
④ **안전망 구축**: 학교, 교육지원청, 교육청 간의 유기적인 연계를 통한 촘촘한 교육복지 안전망 구축

오현준
정통교육학

핵심 체크 노트

1. 교육평가의 기초
① 교육평가의 관점: 측정관(measurement), 평가관(evaluation), 총평관(assessment)
② 교육관과 평가관: 선발적 교육관, 발달적 교육관, 인본적 교육관

3. 교육평가의 모형
① 타일러(Tyler): 목표중심모형
② 스크리븐(Scriven), 스테이크(Stake), 아이즈너(Eisner): 가치판단모형
③ 스터플빔(Stufflebeam), 앨킨(Alkin): 의사결정모형

3. 교육평가의 유형
★ ① 평가기준에 따른 유형: 규준참조평가, 준거참조평가, 자기참조평가(성장참조평가, 능력참조평가)
★ ② 평가기능에 따른 유형: 진단평가, 형성평가, 총괄평가
★ ③ 수행평가(performance assessment)
④ 역동적 평가, 메타평가

4. 평가도구: 타당도, 신뢰도, 객관도, 실용도
★ ① 타당도: 내용타당도, 준거타당도(공인타당도, 예언타당도), 구인타당도
★ ② 신뢰도: 재검사신뢰도, 동형검사신뢰도, 내적일관성신뢰도(반분신뢰도, 문항내적 합치도)
③ 신뢰도에 영향을 주는 변인: 검사, 검사집단, 검사상황 변인
④ 신뢰도와 타당도의 관계

5. 문항분석
① 고전검사이론: 문항난이도, 문항변별도, 문항반응분포
② 문항반응이론: 문항특징곡선(S자형)

CHAPTER 10

교육평가

01 교육평가의 기초
02 교육평가의 모형
03 교육평가의 유형
04 교육평가의 절차
05 평가도구
06 검사문항의 제작
07 문항의 통계적 분석

CHAPTER 10 교육평가

> **학습 포인트**
> 1. **교육평가의 유형**: 절대평가, 상대평가, 수행평가, 진단평가 · 형성평가 · 총괄평가
> 2. **평가도구의 양호도**: 타당도, 신뢰도, 객관도, 실용도
> 3. **문항분석**: 고전검사이론(문항난이도, 문항변별도, 문항반응분포), 문항반응이론(문항특징곡선)

제1절 교육평가의 기초

1 개관

1. 개념

(1) 교육목표 달성도를 검증하는 교육의 반성적 · 자각적인 일련의 과정이다.

(2) 교육활동의 결과를 일정한 평가기준에 따라서 기술하는 과정으로, 하나하나의 교육활동에서 교육목적이 얼마나 달성되었는지 파악하고 미래의 교육과정과 교육계획을 수립하는 데 도움이 되는 자료를 얻는 각종 활동이다.

(3) **여러 학자들의 정의**

① 어떤 교육 프로그램에 대한 결정을 내리기 위하여 정보를 수집하고 사용하는 과정이다 (L. J. Cronbach).

② 교육과정 및 수업 프로그램에 의해 교육목표가 실제로 어느 정도나 달성되었는가를 밝히는 과정이다(R. W. Tyler).

③ 교육평가는 교육목적과 학생의 바람직한 행동의 변화를 다룬다. 교육평가는 행동의 증거를 수집하는 방법으로 행동의 표집을 다룬다. 교육평가는 학생평가뿐만 아니라 교사평가이기도 하며 교육 자체의 평가이기도 하다(정범모).

2. 교육평가의 목적

(1) 학생의 교육목표 달성도를 파악한다.

(2) 교사의 교육활동에 대한 효과를 파악하고, 교육활동에 대한 자기반성적 자료를 제공한다.

(3) 교육의 질 향상을 위한 교육 전반에 걸친 자료를 수집한다.

(4) 학생의 생활지도(진로지도)에 유용한 자료를 수집한다.

(5) 교육과정과 교육계획을 개선한다. ⇨ 궁극적 목적

❷ 교육평가에 관한 3가지 관점 – 측정관·평가관·총평관

- 교육과 관련된 측정·평가·총평은 정보수집 과정으로 검사(testing) 과정이 수반된다.
- 검사(testing)란 학습자에게 어떤 변화가 어느 정도 일어났는지를 결정하기 위한 정보(증거)를 수집하는 과정이다(Bloom).
- 검사(testing), 즉 증거수집을 보는 접근방법에 따라 측정관, 평가관, 총평관이 있다.
- 개념적으로는 검사, 측정, 총평, 평가의 순으로 범위가 넓어진다.

구분	측정관	평가관	총평관
인간행동 특성관	• 안정적이고 불변한다. • 개인의 정적(靜的) 특성	• 불안정하고 가변적이다. • 개인의 동적(動的) 특성	환경과의 역동적인 상호작용을 통해 변화한다.
환경관	• 환경은 불변한다. • 오차변인으로 간주 ⇨ 변인의 통제 및 영향의 극소화 노력	• 환경은 변화한다. • 행동변화의 중요 원천으로 간주 ⇨ 변인의 적극적 이용	• 환경은 변화한다. • 개인 변화의 한 변인으로 간주 ⇨ 환경과 개인의 상호작용을 이용
검사의 강조점	• 규준집단에 기초한 개인의 양적 기술 • 간접적 측정 • 신뢰도와 객관도 중시	• 교육목적에 기초한 양적·질적 기술 • 직접적 평가 • 내용타당도, 목표타당도 중시	• 전인적 기능 또는 전체 적합도에 기초한 질적 기술 • 간접적·직접적 평가 • 구인타당도, 예언타당도 중시
증거수집 방법	• 필답검사(표준화검사) • 객관적(양적) 방법	• 변화증거수집이 가능한 모든 방법 • 주관적·객관적(양·질적)	• 상황에 비춘 변화증거 수집이 가능한 모든 방법 • 주관적·객관적 방법(양질적) 중시
검사결과 활용	• 예언, 분류, 자격부여, 실험 • 진단에는 관심 없음.	• 평점, 자격수여, 배치, 진급 • 교육목표 달성도의 진단	• 예언, 실험, 분류 • 준거상태에 비춘 진단 및 예진
검사결과 해석	집단규준에 비추어 본 해석	교육목적에 비추어 본 해석	준거의 분석에서 추리한 가설·구인모형에 비추어 본 해석

❸ 교육관과 평가관 05. 경기

구분	선발적 교육관	발달적 교육관	인본주의적 교육관
기본가정	특정 능력이 있는 소수 학습자만 교육을 받을 수 있다. ⇨ 개인차는 극복 불가능	적절한 교수 – 학습방법만 제시되면 누구나 교육(인지적 영역)을 받을 수 있다. ⇨ 개인차는 극복 가능	누구나 교육(인지적·정의적·심동적 영역)을 받을 수 있다. ⇨ 교육은 자아실현의 과정
관련된 검사(testing)관	측정관	평가관	총평관
교육에 대한 1차 책임	학습자	교사	학습자 및 교사
강조되는 평가관	학습자의 개별 특성평가	교수 – 학습방법 평가	전인적 특성평가

연관된 평가유형	규준참조평가 (상대평가)	목표(준거)지향평가 (절대평가)	목표지향평가(절대평가), 평가무용론, 수행평가
지향분포	정상 분포	부적(負的) 편포	
강조되는 평가도구	신뢰도	타당도(내용타당도)	구인타당도, 예언타당도

제2절 교육평가의 모형 10. 국가직

교육평가에 대한 다양한 관점에 기초한 교육평가 모형 비교(김재춘, 2006)

관점		대표자	평가에 대한 정의	특징	의의 및 한계
목표 중심적 접근	목표 모형	타일러	미리 설정된 목표가 실현된 정도를 판단하는 것	목표의 실현정도를 파악하는 데 초점	• 의의: 명확한 평가기준 제시/교육목표, 교육과정, 평가 간의 논리적 일관성 확보 • 한계: 행동용어로 진술하기 어려운 목표에 대한 평가의 어려움, 교육의 부수효과에 대한 평가 곤란/과정에 대한 평가 소홀
	EPIC 모형	해몬드	목표 달성여부 및 프로그램의 성패에 영향 요인을 평가	행동(3)×수업(5)×기관(6)의 3차원적 평가 구조 제시	목표를 포괄적으로 확대시킴.
가치 판단적 접근	탈목표 평가	스크리븐	프로그램의 실제 효과에 대한 가치 판단	• 프로그램 개선에 관심을 두는 형성평가 중시 • 교육목표 대신 표적집단의 요구 중시(요구근거평가)	• 의의: 타일러 모형의 단점을 보완, 즉 의도하지 않은 부수효과에 대한 평가 가능 • 한계: 평가자의 전문성이 전제되지 않는 한 평가결과를 신뢰하기 어려움.
	종합 실상 평가	스테이크	프로그램의 기술 및 판단 평가	프로그램의 선행요건, 실행요인, 성과요인 등에 대한 기술과 가치 판단	크론바흐와 스크리븐의 관점을 통합
	비평적 평가	아이즈너	예술적 비평의 과정	평가자의 교육적 감식안(심미안) 강조	개별적인 교육현상의 고유성을 살리는 평가 제안
경영적 접근 (의사 결정적 접근)	CIPP 모형	스터플빔	의사결정자에게 필요한 정보를 제공하여 의사결정을 돕는 과정	투입과 산출을 기준으로 전체평가 과정의 효율성을 가늠하는 데 초점	• 의의: 목표와 결과 간에 논리적 일관성 유지/평가자의 임무를 의사결정자에게 도움을 주는 것으로까지 확대 • 한계: 기업에 비해 투입과 산출이 가시적·즉각적이지 않은 교육현장에 적용하기 어려움.
	CSE 모형	앨킨	의사결정자에게 의사결정에 필요한 정보제공 과정	CIPP 과정평가를 실행평가와 개선평가로 구분	

① 가치중립모형(목표달성모형, geal attainment model) ⇨ 수업의 결과(효과) 중시

1. 개요

(1) **개념**: 평가란 수업 프로그램의 목표가 어느 정도 달성되었는가를 결정하는 것이다.

(2) **의의**: 전통적인 평가모형이다.

(3) **특징**: 목표 달성 여부를 검증하는 총괄평가(총합평가) 중시

2. 유형

(1) **타일러(Tyler)의 목표달성모형**(goal-based evaluation)

① 개념: 평가는 설정된 행동목표와 학생의 실제 성취수준을 비교하는 활동 ⇨ 설정된 교육목표를 행동적 용어로 세분화(이원목표 분류)

② 장단점

장점	단점
• 교육평가를 하나의 독립된 학문영역으로 발전시켰다. • 명확한 평가기준(교육목표)을 제시하였다. • 교육과정과 평가의 논리적 일관성을 유지하였다. • 교육에 있어서 목표를 중시함으로써 교사들이나 교육프로그램 개발자들에게 결과 확인을 통해 책무성을 가지도록 자극하였다. • 평가를 통해 교육목표의 실현 정도를 파악하였다. • 교육과정과 평가를 연계시켰다.	• 행동 용어로 진술하기 어려운 교육목표에 대한 평가가 어렵다. • 의도하지 않은 부수적 교육효과 평가가 불가능하다. • 교육성과에만 관심을 가지므로 본질적인 교육과정의 개선에 한계가 있다. • 기술적 합리성만을 중시함으로써 교육의 정치·사회적 역할이나 윤리·도덕적 역할과 같은 복합적 측면 평가가 불가능하다. • 정의적 영역의 평가가 어렵다.

(2) **해몬드(Hammond)의 평가모형**: EPIC모형 ⇨ EPIC는 해몬드가 수행한 프로젝트 명칭

① 개념: 교육목표의 달성 여부뿐만 아니라 교육 프로그램의 효율성을 확인하고 수정·보완 가능한 평가모형

② 평가 변인: 3차원적 입방체(수업, 기관, 행동) 모형으로 제시 ⇨ 90개의 평가요인

행동(교육목표) 변인(3)	인지적 영역, 정의적 영역, 심리운동적 영역
수업 변인(5)	조직, 내용, 방법, 시설, 비용
기관 변인(6)	학생, 교사, 관리자, 교육전문가, 학부모, 지역사회

③ 평가 절차: 평가변인 선정 ⇨ 평가방법 결정(평가도구 제작) ⇨ 결과 분석(자료수집·분석, 변인별 목표 달성 여부 확인) ⇨ 평가결과 보고

2 가치판단모형(탈목표 평가모형)

1. 개념

(1) 평가란 프로그램(교수-학습방법)의 가치를 판단하는 과정이다.

(2) 평가자는 목표달성도뿐만 아니라 목표의 질도 고려해야 한다. 제공되는 목표를 수동적으로 수용하는 것이 아니라 목표가 가치 없는 것으로 판단되었을 때는 거부해야 한다.

2. 특징

(1) 평가자의 중요 역할은 판단이다.

(2) 교육평가는 판단의 준거로서 외적 준거에 관심을 기울여야 한다. ⇨ 의도된 효과뿐만 아니라 의도되지 않은 부수효과 중시

(3) 평가의 목적은 프로그램의 장점이나 가치를 발견하는 것이다.

(4) 평가자의 역할은 생산자와 소비자를 위해 교육 실제의 장점을 판단한다.

3. 유형

(1) **스크리븐**(Scriven)**의 탈목표모형**(goal-free evaluation): 형성평가

  ① 개념
    ⊙ 평가란 교육 프로그램의 의도적 효과뿐만 아니라 부수적(의도하지 않은) 효과까지 포함하여 실제 효과에 대한 가치판단 ⇨ 목표달성평가의 약점 보완
    ⊙ 탈목표 평가란 사전에 교육 프로그램과 관련된 지식과 정보를 주지 않고 여러 가지 증거만을 수집해서 그 프로그램의 목표가 무엇이며 그것이 제대로 달성되었는지를 평가하는 것이다.

  ② **목표**: 교육 프로그램(교수 - 학습방법)의 개선

  ③ 교육 프로그램의 부수효과 확인을 위해 교육목표 대신 표적집단의 요구를 평가의 준거로 사용한다. ⇨ '요구근거평가(need based evaluation)'

  ④ 평가의 기능은 형성평가와 총괄평가로 구분된다: '최종 결과의 확인'(총괄평가)보다는 '프로그램의 개선에 관심을 두는 평가'(형성평가) 강조

형성평가	진행 중에 있는 수업계열(수업 과정)을 개선하기 위하여 하는 평가
총괄평가(총합평가)	이미 완성된 수업계열의 가치를 종합적으로 판단하는 평가

⑤ 평가방법
  ㉠ 비교평가(프로그램의 가치를 다른 프로그램과 비교)와 비(非)비교평가(프로그램 자체의 속성, 즉 가치, 장단점, 효과 등에 의한 평가)
  ㉡ 목표 중심 평가(의도된 목표 달성 여부 평가)와 탈목표 중심 평가(목표 이외의 부수적 결과 평가)
  ㉢ 내재적 준거(프로그램에 내재하는 기본적 속성 예 목표 진술, 내용선정과 조직)에 의한 평가와 외재적 준거(프로그램이 발휘하는 기능적 속성 예 실제 운영 상황, 프로그램의 효과)에 의한 평가

(2) **스테이크(Stake)의 안면모형**(종합실상모형, countenance of educational evaluation)
  ① 개념: 교육 프로그램의 여러 측면에 대한 기술(description) 및 판단(judgement)을 내리는 과정 ⇨ Scriven과 같이 평가를 가치판단 과정으로 보나 기술적 측면을 동시에 강조
    ㉠ 기술적 행위(descriptive act)는 의도적 측면과 관찰적 측면으로 구분되어 이루어져야 한다.
    ㉡ 판단행위(judgemental act)는 사용된 표준이 무엇이며, 실제적 판단은 무엇인가로 구분되어 이루어져야 하며, 판단 과정은 상대적 비교와 절대적 비교를 사용하여 그 가치와 장점을 분석하는 과정이다.
  ② 평가대상: 교육 프로그램의 여러 측면이란 선행요건, 실행요인, 성과요인을 의미

선행요건 (antecedent)	프로그램(수업) 실시 이전의 학습자 및 교사의 특성, 교육과정, 교육시설, 학교 환경 등 ⇨ 출발점행동, 투입의 개념과 유사
실행요인(상호작용) (transaction)	수업 중 교사와 학생, 학생과 학생 간의 상호작용 과정 예 질의, 설명, 토론, 숙제, 시험
성과요인 (outcome)	수업 프로그램의 효과 예 학습자의 학업성취도, 흥미·동기·태도의 변화, 프로그램 실시가 교사·학교·학부모·지역사회에 미친 영향

  ③ 목표: 교육 프로그램의 기술 및 가치판단
  ④ 평가자의 역할은 기술적이고 판단적인 자료의 수집·처리·해석이다.

(3) **아이즈너(Eisner)의 예술적 비평모형**(connoisseurship and criticism model) 20. 국가직 7급
  ① 개념: 타일러(Tyler)의 공학적 모형(technological model)의 대안으로 제안 ⇨ 공학적 모형의 부작용을 제거하기 위하여 예술작품을 감정할 때 그 분야의 전문가가 사용하는 방법과 절차를 교육평가에 원용(援用)하려는 접근
    ㉠ 예술적 비평에 의해 교육적 대상의 질(質)의 가치를 해명하고 평가하는 것이다.
    ㉡ 측정도구로 '인간(평가자)'의 경험에 의해 내면화된 비평적 표현양식을 활용한다.

② **구성요소**: 감정술(심미안)과 교육비평
　㉠ **감정술**(감식안, 심미안, connoisseurship): 평가하려고 하는 교육현상의 미묘하면서도 중요한 자질을 인식하는 전문가(감정가)의 주관적 능력
　㉡ **교육비평**(educational criticism): 전문가의 세련된 인식을 문서화하여 공개하는 표현(예 은유, 비유, 제안, 암시 등)의 예술 ⇨ 일반인의 이해를 돕는 과정으로 기술(description), 해석(interpretation), 평가(evaluation)로 구성됨.

③ **특징**
　㉠ 교육적 평가도 예술적 비평을 통해 생생하게 진행될 수 있다고 본다.
　㉡ 비평은 본질적으로 질적인 활동이며, 예술적 작품은 표현될 수 없는 질적인 측면을 다른 사람이 더 깊이 감상할 수 있도록 언어로 나타내는 어려운 과업이다.
　㉢ 비평은 어떤 대상에 대한 부정적 평가라기보다는 그 대상의 질에 대해 해명하고 가치를 평가하는 것으로, 교육평가에서 이런 방법이 적용되면 평가가 좀 더 깊은 이해수준, 즉 감상의 수준에까지 승화될 수 있다.

④ **의의와 한계**
　㉠ **의의**: 평가 과정에서 전문가의 자질과 통찰력을 충분히 활용하여 일반인들이 간과할 수 있는 교육현상의 특성과 질을 인식하는 데 도움을 준다.
　㉡ **한계**: 평가활동을 어떻게 수행해야 하는가에 대한 구체적인 지침을 제공하지 못하며, 평가 과정이 전문가의 자질에 전적으로 좌우되므로 엘리트주의에 빠질 수가 있고, 주관성을 배제하기 어려우며, 편견과 부정이 개입될 개연성이 있다.

3 의사결정모형(decision facilitation model)

1. 개념

(1) 평가를 교육과 관련된 의사결정자에게 유용한 정보를 제공함으로써 의사결정을 돕는 과정으로 본다.
(2) **경영적 접근**: 투입과 산출을 기준으로 운영되는 경영체제에서의 효율성을 가늠하는 평가과정에 초점을 두는 입장이다.
(3) 총평관을 강조하는 입장이다.
(4) 평가자는 평가정보를 제공하는 전문가이다.

2. 유형

(1) 스터플빔(Stufflebeam)의 CIPP 평가모형 23. 국가직 7급, 11. 부산

① 개념: 평가란 교육에 관한 의사결정을 촉진하고 도와주는 관리적 기능
② 의사결정 유형과 그에 따른 평가 유형

의사결정 상황	의사결정 유형	평가 유형	특징
전면개혁 상황	계획된 의사결정 (planning decisions)	상황평가(맥락평가, 요구평가, context evaluation)	목표 확인과 선정하기 위한 의사결정 ⇨ 목표 예 체제분석, 조사, 문헌연구, 면접, 진단검사, 델파이 기법 등
현상유지 상황	구조적 의사결정 (structuring decisions)	투입평가(input evaluation) ⇨ 의도된 교육과정 평가 상황	선정된 목표의 달성에 적합한 전략과 절차의 설계 ⇨ 계획
점진적 개혁 상황	수행적 의사결정 (implementing decisions)	과정평가(process evaluation) ⇨ 전개된 교육과정 평가 상황	수립된 설계와 전략을 실행하기 위한 의사결정 ⇨ 실행 예 참여관찰, 토의, 설문조사
혁신적 변화 상황	재순환적 의사결정 (recycling decisions)	산출평가 (product evaluation)	목표 달성 정도의 판단, 프로그램 계속 여부 결정 ⇨ 결과

(2) 앨킨(Alkin)의 CSE(UCLA) 평가모형(Center for the Study of Evaluation)

① 개념: 평가란 의사결정자가 의사결정을 위해 필요로 하는 정보를 선택·수집·분석하여 제공하는 과정
② 특징: CIPP 모형과 유사하나, CIPP 과정평가를 프로그램 실행평가와 프로그램 개선평가로 구분
③ 평가목적: 교육 프로그램 대안을 선택하는 데 있어 의사결정자에게 유용한 자료 제공
④ 평가 과정

상황평가	체제사정평가(요구평가) (system assessment evaluation)	특정 상황에 적합한 교육목표 선정을 위해 교육목표의 폭과 깊이를 결정하는 데 필요한 정보수집 예 관찰, 조사, 면담, 토의
투입평가	프로그램 계획평가 (program planning assessment)	체제사정평가에서 확인·선정된 체제의 교육적 요구를 충족시킬 수 있는 방안들 중에서 가장 효과적인 방안을 선택하는 데 필요한 정보수집 ⇨ 내적 평가(프로그램의 유형, 구성, 실용성, 비용 등 평가)와 외적 평가(프로그램의 실행 효과, 즉 일반화의 범위 등 평가) 실시
과정평가	프로그램 실행평가(program implementation assessment)	프로그램 계획에 따라 실제로 실행되고 있는지에 관한 정보를 제공하는 평가 예 참관관찰, 면담, 토의, 조사
	프로그램 개선평가 (program improvement assessment)	프로그램의 진행 과정에 직접 개입하여 문제점을 파악하고 수정·보완을 통해 프로그램을 개선하는 과정 예 실험법, 현장연구
산출평가	프로그램 승인평가(결과평가) (program certification assessment)	의사결정자에게 프로그램의 질에 대한 종합적인 결과를 제시함으로써 프로그램의 채택 여부를 결정하도록 도움을 주는 과정

제3절 교육평가의 유형 25. 지방직, 23. 국가직, 05. 인천

구분 준거		평가의 유형
평가영역	인지적 평가	기억, 이해, 추론 등의 사고작용을 평가
	정의적 평가	성격, 태도, 행동발달 상황 등 정의적 특성 평가
	심리운동적 평가	실기평가와 같이 동작을 평가
평가준거	규준참조평가(상대평가)	학생의 성취 정도를 다른 학생들과 상대적으로 비교하는 평가
	준거참조평가(절대평가)	학생의 성취 정도를 절대준거(예 수업목표)에 비추어 확인하는 평가
	능력지향평가	학생이 지니고 있는 능력에 비추어 얼마나 최선을 다했느냐에 초점을 두는 평가
	성장지향평가	교육과정을 통하여 얼마나 성장하였느냐에 관심을 두는 평가 예 포트폴리오 평가
평가기능	진단평가	학생들의 출발점행동을 파악하는 평가
	형성평가	수업개선에 필요한 정보를 수집하는 평가
	총괄평가	학생의 성취 정도를 판단하는 평가
평가방법	양적 평가(정량평가)	검사 등을 사용하여 수량화된 자료를 얻는 평가 ⇨ 인지적 영역 평가
	질적 평가(정성평가)	관찰, 면접, 실기평가 등을 통해 수량화되지 않은 다양한 형태의 자료를 얻는 평가 ⇨ 정의적 또는 심동적 영역의 평가, 수행평가
시간제한 여부	속도평가	일정한 시간 제한을 두는 평가 ⇨ 상대평가에서 사용
	역량평가	시간 제한 없이 피험자의 역량을 최대한 발휘하도록 하는 평가 ⇨ 절대평가에서 사용
상호작용 여부	정적 평가	학생과 교사의 표준적 상호작용만이 허용된 평가 ⇨ 피아제(Piaget)의 개인적 구성주의에 토대
	역동적 평가	학생과 교사의 상호작용을 통한 평가 ⇨ 비고츠키(Vygotsky)의 사회적 구성주의의 근접발달영역((Zone of Proximal Development)에 토대
평가내용	능력평가	사람이 무엇을 할 수 있느냐에 관련된 평가 예 적성평가, 학력평가
	인성평가	사람이 무엇을 하려고 하느냐에 관련된 평가 예 성격, 적응, 기질, 흥미, 태도 등의 평가
평가 제작자	표준화 검사	해당 분야의 전문가들이 제작한 검사 예 지능검사, 성격검사, 표준화학력고사
	교사제작 검사	특정 교사가 제작한 검사 예 중간고사, 기말고사, 형성평가
기타	메타평가	평가에 대한 평가 ⇨ 평가방법 개선을 위한 평가
	고부담 평가	평가결과가 개인뿐만 아니라 사회에 미치는 영향력이 큰 평가
	과정중심 평가	학습의 결과가 아닌 수업 중 학생의 배움 과정(문제해결, 수행과정 등)을 다양한 방법으로 평가
	파일럿(pilot)평가	교육목적 달성에 교수(教授)가 효과적으로 기여하는지를 알아보기 위하여 교수 산출물의 현실성을 확증하기에 앞서 중요한 데이터 수집 활동을 하는 평가

1 평가기준에 따른 교육평가 유형

평가기준	학습자 외부 기준	상대평가(규준참조평가) ⇨ 상대적 기준(편차점수)
		절대평가(준거참조평가) ⇨ 절대적 기준(학습목표)
	학습자 내부 기준	성장지향평가(성장참조평가) ⇨ 성장 정도, 변화 과정
		능력지향평가(능력참조평가) ⇨ 수행능력 발휘 정도

"검사결과를 해석하기 위하여 규준참조평가는 개인과 타인을 비교하고 준거참조평가는 특정 영역의 준거와 비교를 하는 데 반하여 능력참조평가와 성장참조평가는 비교의 기준이 각 개인 내에 있다는 특징이 있다. 검사의 교수적, 상담적 기능이 강조되는 환경에서 능력참조평가나 성장참조평가는 개별화 학습을 촉진시킴으로써 평가의 교육적 효과를 증진시키는 방안이 될 수 있다." — 「최신교육학개론」

1. **상대평가**(규준참조평가, 규준지향평가, norm-referenced evaluation) 11. 경북, 10. 충북, 05. 서울, 04. 경기

   (1) **개념**
   ① 평가기준이 어떤 표준척도(규준)에 의하여 조작되는 평가형태
   ② 평가기준을 한 집단의 내부에서 설정하고, 한 학생의 학업성취도를 그가 속해 있는 집단의 성취수준(예 집단의 평균)에 비추어 상대적으로 그 위치를 나타내는 평가의 형태
   ③ 개인점수의 상대적 표시
      ㉠ 평가의 기준점을 집단의 평균치로 본다.
      ㉡ 학생 개인의 점수는 평균치와 표준편차에 비추어 결정되고 해석된다.
      ㉢ 개개인의 성적을 평균치에 비교하여 높은 쪽인가 낮은 쪽인가로 표시한다. 한 집단 속에서 여러 개인이 보여 주는 점수들의 평균치를 기준으로 삼고 이 '평균치로부터의 이탈도(편차점수, $x = X - M$)'로 표시한다.

   (2) **목적**: 집단 내에서의 각 점수의 개인별 비교(개인차 변별)를 하는 데 있다.

   (3) **특징**
   ① 검사점수의 분포는 정상분포곡선을 나타낸다.
   ② 선발상황에 적합하다.
      ⇨ 선발적 교육관에서 중시하는 평가
   ③ 검사의 신뢰도를 중시한다.
   ④ 원점수 자체보다는 순위나 서열 등의 규준점수(예 연령점수, 석차점수, 백분위점수, 표준점수)를 중시한다. 14. 국가직

   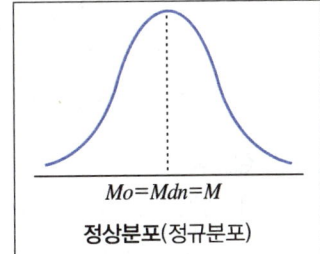
   정상분포(정규분포)

   (4) **장점**
   ① 개인차의 변별이 가능하다.
   ② 각 학생들의 집단 내에서의 상대적 위치를 명확히 파악할 수 있다.
   ③ 객관적 평가가 가능하여 교사의 주관적 편견을 배제할 수 있다.
   ④ 경쟁을 통한 외재적 동기 유발이 가능하다.

(5) 단점
① 기준점이 집단 내부에만 통할 뿐 타 집단과의 비교가 불가능하다.
　⇨ 타 집단과의 비교를 위해서는 표준화검사를 이용하거나 규준점수로 변환해야 한다.
② 개개 학생의 교육목표 도달 여부를 밝혀 주는 기준적 판단이 불가능하다.
③ 경쟁과 분류를 지나치게 조장하여 정서적 부작용과 비인간화를 초래할 수 있다.
④ 인간의 무한한 발전가능성과 교육의 힘에 대한 신념이 약하다.
⑤ 교수-학습의 개선과 보완기능이 약하다.
⑥ 진정한 의미의 학습효과를 비교할 수 없으며, 교육의 질적 저하를 초래할 수 있다: 학습자의 성취도가 집단 내의 상대적 비교로 판정되기 때문에 학습내용을 완전히 이해한 학습자라도 집단 전체가 우수하다면 학업성취도가 낮은 것으로 분석되기 때문이다.
⑦ 교수-학습이론에 맞지 않는다: 무엇을 얼마나 알고 있는지에 관심을 두지 않기 때문에 교육목표, 교육과정, 교수방법, 학습효과 등을 경시한다.
⑧ 암기 위주의 학습을 조장할 가능성이 있다.

2. 절대평가(준거참조평가, 목표지향평가, 절대기준평가, criterion-referenced evaluation)
21·15. 지방직, 10. 국가직·경기, 05. 강원, 04. 대구

(1) 개념
① 평가기준(준거)을 교육과정을 통해 달성하려는 수업목표(도착점행동)에 두는 목표지향적 평가
② 절대기준에 의한 평가
　㉠ 절대기준이란 한 학문영역 또는 교과영역에 대한 체계적인 분석을 통해 학습자 개개인에게 성취시키기 위해 수업목표라는 형태로 설정되는 것이며, 이렇게 설정된 수업목표는 집단사고를 통한 전문가, 비전문가의 합의를 거쳐 하나의 명확한 기준이 된다.
　㉡ 성취율은 %로 표시한다.
　㉢ 적용 영역의 예: 인간생명과 관계되는 자격증 수여를 위한 평가(운전면허시험), 모든 학습의 기초가 되는 초등학교 저학년의 평가, 학습의 위계성이 뚜렷한 과목(수학, 과학)의 평가, 학교교육 사태 자체의 개선 도모를 위한 평가
③ 교수-학습방법의 개선과 학생의 능력구분과 관련된 의사결정에 도움을 주기 위한 평가

(2) 성립배경
① 교육관의 변화: 선발적 교육관(선발·분류)에서 발달적 교육관(성장·발달)으로의 변화
② 교육의 질적 관리에 대한 관념의 변화: 참다운 학력평가가 가능한 평가방법의 선택
③ 교육과정 및 교수설계상의 새로운 동향: 교육활동의 효과 증진을 위한 교육과정 상세화 경향
④ 교육평가관의 변화: 교육목표 달성도를 중시하는 평가관으로의 변화
⑤ 지능에 대한 새로운 정의: "지능에 있어서의 개인차란 일정한 학습과제를 끝마치는 데 소요되는 시간의 개인차이다." ⇨ IQ보다 학습시간을 중시하는 학습자관의 변화

(3) 특징

① 검사의 타당도를 강조 : 수업목표와의 일관성 중시
② 부적편포를 전제한다.
③ 인간의 무한한 가능성과 교육효과에 대한 신념을 기초로 한다.
④ 절대평가의 결과로 얻어진 점수(원점수)는 점수 그 자체로 중요한 의미를 지닌다.
⑤ 학생들 간의 경쟁심을 제거하고 협동적 학습을 가능하게 해 준다.
⑥ 교수기능을 강화하고 수업개선의 촉진을 도모한다.
⑦ 불필요하고 비합리적인 지적 능력의 분류를 배제한다.
⑧ 내재적 동기를 중시 : 학생들에게 보다 많은 성취감과 성공감을 갖게 한다.

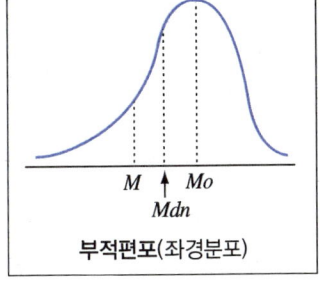

부적편포(좌경분포)

(4) 원리

① 평가해야 할 학습과제의 성격과 내용의 한계를 명료하게 정의
② 성취수준의 명시
③ 수업목표는 행동적 용어로 진술

(5) 장점

① 교육의 질적 향상 도모를 위한 자료를 제공한다.
② 교수 – 학습 개선에 공헌한다.
③ 경쟁보다는 협동학습을 강조한다.
④ 진정한 의미의 학습효과를 측정할 수 있다.
⑤ 현재의 학습결손에 대한 정보를 제공한다.
⑥ 긍정적 자아개념 형성에 도움을 준다.
⑦ 설정된 수업목표에 도달하는 것을 전제하기 때문에 학생이나 교사 모두에게 학습목표 달성에 대한 신념을 갖게 한다.

(6) 단점

① 평가기준(절대기준)을 선정하기가 어렵다.
② 개인차 변별이 어렵다.
③ 정상분포를 부정하므로 평가결과에 대한 통계적 처리가 곤란하여 점수를 활용할 수 없다.
④ 외재적 동기 유발에 부적합하다.
⑤ 학생 모두가 수업목표에 도달하는 것을 전제하므로 결과적으로 도달가능한 목표의 최저수준만 요구하게 된다.
⑥ 세분화된 수업목표를 모두 달성했다고 해서 목표 전체를 달성했다고 보기는 어렵다.
⑦ 수업목표는 수업 전에 미리 제시되므로 목표 이외의 학습활동이나 결과는 무시할 수 있다.
⑧ 신뢰도 산출에 문제가 있다.

3. 상대평가와 절대평가의 비교 13. 국가직, 11. 대전·부산, 10. 경남, 06. 서울·경기

구분	상대평가	절대평가
평가기준	상대적 순위(집단의 평균과 편차)	준거(절대기준, 교육목표)
교육관	선발적 교육관(선발·분류 중시)	발달적 교육관(성장·발달 중시)
평가관	측정관	평가관
평가목적	개인차 변별(상대적 비교, 서열화)	교육목표(도착점행동) 달성도 판단
평가범위	광범위한 범위	보다 규명된 영역
검사의 특징	속도검사(speed test)	역량검사(power test)
원점수에 대한 태도	원점수보다 규준점수 중시	원점수 그 자체를 중시
검사의 기록	석차점수, 백분위점수, 표준점수(Z, T, C점수) 등의 규준점수	원점수와 준거점수
평가의 1차 책임	학습자	교사
강조되는 동기	외재적 동기(경쟁)	내재적 동기(성취감, 지적 호기심)
적용	입학시험, 심리검사	각종 자격시험, 기초학력평가, 학습위계가 뚜렷한 과목의 평가, 형성평가
지향분포	정상분포곡선	부적편포곡선(좌경 분포)
검사양호도	신뢰도 강조	타당도 강조
문항난이도	다양한 수준(쉬운 문항과 어려운 문항)	적절한 수준
평가방법	집단 내 상대적 위치 비교 예. 상위 10% 이내는 '수'	개인의 수행수준 사정 혹은 분류 예. 수업목표 90% 달성이면 '수'
기본가정	개인차 극복 불가능	개인차 극복 가능
측정	일반적이고 포괄적인 수준의 행동	매우 구체화시킨 행동
일반화 가능성	검사결과를 일반화할 수 없음. ⇨ 상대평가에서 점수는 규준집단에 비추어 해석되므로 그 결과를 다른 집단으로 일반화하기가 어렵다.	검사결과를 전집영역으로 일반화함. 예. 절대평가에서는 시험에 대한 정답률이 80%일 경우 문항전집에 대한 정답률도 80%일 것으로 해석된다.

규준지향평가와 준거지향평가의 해석

1. 규준지향평가의 해석
- A는 1등을 했다.
- B는 평균보다 높은 점수를 받았다.
- C는 웅변대회에서 최우수상을 받았다.
- D의 영어점수의 백분위는 80이다.
- E의 언어영역 Z점수는 +1.5이다.
- 1반의 평균은 2반의 평균보다 높다.

2. 준거지향평가의 해석
- A는 덧셈을 할 줄 안다.
- B는 10문제 중 7개를 맞추었다.
- C는 영어시험에서 만점을 받았다.
- D는 줄넘기를 계속적으로 50번을 해서 합격 판정을 받았다.

4. **자기참조평가**: 성장지향평가와 능력지향평가

(1) **성장지향평가**(성장참조평가, growth-referenced evaluation) 23. 지방직, 22. 국가직

① 교육과정을 통하여 얼마나 성장하였느냐에 관심을 두는 평가로, 최종 성취수준보다는 초기 능력 수준에 비추어 얼마만큼 능력의 향상을 보였느냐를 강조하는 평가이다.

② 사전 능력 수준과 관찰 시점에 측정된 능력 수준 간의 차이에 관심을 두므로, 학생들에게 학업증진의 기회 부여와 개인화를 강조한다. ⇨ 사전 측정치와 현재 측정치 간 상관이 낮을수록 타당하다.

③ 문제점
   ㉠ 사람들은 성적을 성취수준과 동일시하고 있기 때문에 진보나 향상 정도를 기준으로 성적을 줄 경우 성적의 의미를 왜곡시킬 소지가 있다.
   ㉡ 학생들이 좋은 성적을 받기 위해 사전검사에서 일부러 틀려 낮은 점수를 받을 소지가 있다.

(2) **능력지향평가**(능력참조평가, ability-referenced evaluation)

① 학생이 지니고 있는 능력에 비추어 얼마나 최선을 다했느냐, 얼마나 능력을 발휘하였느냐에 관심을 두는 평가이다.
   예 우수한 능력을 지녔지만 최선을 다하지 않은 A와 능력은 없지만 최선을 다한 B가 있을 때 B를 더 높이 평가한다.

② 개인을 위주로 개별적 평가를 실시하며, 능력을 얼마나 발휘하였느냐에 관심을 두므로 표준화 적성검사에도 사용할 수 있다.

③ 문제점
   ㉠ 학습과제에 관련된 필수적인 능력이 무엇인지 명확하게 규정할 수 없다.
   ㉡ 능력지향평가를 실시하려면 능력을 정확히 측정해야 하는데, 능력을 정확하게 측정하기는 매우 어렵다.
   ㉢ 능력지향평가는 학생의 능력이 변화되지 않는다고 가정하고 있으나, 이 가정에도 오류가 있다.

규준지향평가, 준거지향평가, 성장지향평가, 능력지향평가의 비교 19. 국가직

구분	규준지향평가	준거지향평가	성장지향평가	능력지향평가
강조점	상대적 서열	특정영역의 성취	능력의 변화	최대 능력 발휘
교육신념	개인차 인정	완전학습	개별학습	개별학습
비교대상	개인과 개인	준거와 수행	개인의 성장 및 변화의 정도	개인의 수행정도와 고유능력
개인차	극대화	극대화하지 않음.	고려하지 않음.	고려하지 않음.
이용도	분류, 선발, 배치	자격 부여	학습 향상	최대 능력의 발휘
강조점	평가의 행정적 기능	평가의 교수적 기능		

② 수행평가(performance assessment) 10. 전북, 05. 국가직

1. 수행평가의 개념

(1) 학생 스스로가 자신의 지식이나 기능을 나타낼 수 있도록 산출물을 만들거나 행동으로 나타내거나 답을 작성(구성)하도록 요구하는 평가방식을 말한다. ⇨ 실기평가에서 비롯
   ① 평가자가 학습자들의 학습과제 수행 과정 및 결과를 직접 관찰하고, 그 관찰 결과를 전문적으로 판단하는 평가방식(교육부, 1999)
   ② 학생이 가지고 있는 지식, 기능, 태도 등의 능력을 직접 수행으로 나타내 보이는 방식의 평가(교육부, 2017)

(2) **참평가, 총체적 평가, 주관적 평가, 대안적 평가, 직접평가, 질적인 평가**(관찰결과를 수량화 ×, 서술), **포트폴리오평가**
   ① 참평가(authentic assessment): 수행과제들이 실생활의 문제와 직접적으로 관련된다는 점에서 사용
   ② 대안적 평가(alternative assessment): 전통적인 선택형 검사에 의한 평가의 형태와 구별된다는 점에서 사용
   ③ 직접평가(direct assessment): 학생들의 능력과 기술에 대한 증거를 관찰이나 면접에 의하여 직접적인 측정치로 확보한다는 점에서 사용
   ④ 포트폴리오평가(portfolio assessment): 장기간에 걸쳐 수집된 학생의 평가자료를 중요한 판단기준으로 사용한다는 점에서 사용

(3) **평가의 이론적 배경**: 포스트모더니즘, 구성주의 ⇨ 상대적 주관적 진리관

2. 수행평가의 특징 13·10. 국가직, 07. 국가직 7급

(1) **정답을 구성하게 하는 평가**: 수행평가는 학생이 문제의 정답을 선택하게 하는 것이 아니라, 자유반응형 과제(open-ended task)를 사용하여 자기 스스로 정답을 작성(구성)하거나 행동으로 나타내도록 하는 평가방식이다.

(2) **실제 상황에서의 수행(달성)능력평가**: 수행평가는 추구하고자 하는 교육목표를 가능한 한 실제 상황하에서 달성했는지 여부를 파악하고자 한다.

(3) **결과와 과정을 모두 중시**: 수행평가는 교수-학습의 결과뿐만 아니라, 교수-학습의 과정도 함께 중시하는 평가방식이다.

(4) **종합적·지속적 평가**: 수행평가는 단편적인 영역에 대해 일회적으로 평가하기보다는 학생 개개인의 변화·발달 과정을 종합적으로 평가하기 위해 전체적이면서도 지속적으로 이루어지는 것을 강조하는 방식이다.

(5) **개인과 집단평가**: 수행평가는 개개인을 단위로 해서 평가하기도 하지만, 집단에 대한 평가를 중시하기도 한다.

(6) **학생의 개별학습 촉진**: 수행평가는 학생의 학습 과정을 진단하고 개별학습을 촉진하려고 실시하는 평가방식이다.

(7) **전인적인 평가**: 수행평가는 학생의 인지적 영역뿐만 아니라 학생 개개인의 행동발달 상황이나 흥미, 태도 등 정의적인 영역, 그리고 체격이나 체력 등 신체적인 영역에 대한 종합적이고 전인적인 평가를 중시하고 있다.

(8) **고등사고능력의 측정**: 수행평가는 기억, 이해와 같은 낮은 사고능력보다는 적용력, 분석력, 종합력, 평가력과 같은 고등사고능력의 측정을 중시하는 평가방식이다.

(9) **수업과 평가의 통합**: 수업과 평가를 통합함으로써 유의미한 학습을 촉진한다.

(10) **학생의 자율성 신장**: 학생은 자기평가를 하고 평가기준을 개발하며, 자신의 진보상황을 기록·관리하고 교사와 적극적으로 상호작용을 하는 등 평가 과정에 적극적으로 참여한다. 또 학생에게 평가과제를 선택할 수 있는 자율성을 부여한다.

(11) **복합적인 채점준거 활용 및 평가기준의 공유**: 행동이나 작품을 평가하기 위한 복합적인 채점준거(예 외국어 말하기 기능은 억양, 구문, 어휘 등을 기준으로 평가)를 활용하며, 이 준거는 사전에 공표하여 학습의 기준으로 활용할 수 있도록 한다.

(12) 평가과제를 수행하는 데 상당한 정도의 시간(예 몇 시간에서 몇 개월)을 허용한다.

(13) 다양한 평가방법(특히, 비표준화된 평가방법)을 융통성 있게 활용한다.

(14) **주관적 평가**: 채점은 주로 관찰과 판단을 통해 이루어진다. 선택형 시험은 객관적으로 평가되지만, 수행평가는 주관적 평가로 이루어진다.

3. 수행평가의 방법

서술형 및 논술형 검사, 구술시험, 찬반토론법, 실기시험, 실험실습법, 면접법, 관찰법, 자기평가보고서, 연구보고서, 포트폴리오 ⇨ 객관식 선택형 평가(지필평가)와 표준화검사는 제외

(1) **서술형 및 논술형 검사(= 주관식 검사)**
① 문제의 답을 선택하는 것이 아니라 학생들이 직접 서술(구성)하는 검사이다.
② 서술형 검사의 하나인 논술형 검사는 개인의 생각이나 주장을 논리적이고 설득력 있게 조직하여 작성해야 함을 강조한다는 점에서 일반 서술형 검사와 구별된다.

(2) **구술(口述)시험**: 학생들로 하여금 특정 교육내용이나 주제에 대해서 자신의 의견이나 생각을 발표하도록 하여 학생의 준비도, 이해력, 표현력, 판단력, 의사결정력 등을 직접 평가하기 위한 방법이다.

(3) **찬반 토론법**: 사회적으로나 개인적으로 서로 다른 의견을 제시할 수 있는 토론주제를 가지고, 개인별로 찬·반 토론을 하도록 하거나, 집단으로 나누어 집단별 찬·반 토론을 하도록 한 다음, 찬성과 반대의견을 토론하기 위해 사전에 준비한 자료의 다양성이나 충실성, 그리고 토론내용의 충실성과 논리성, 반대의견을 존중하는 태도, 토론진행방법 등을 총체적으로 평가하는 방법이다.

(4) **실기(實技)시험** : 예·체능 분야
  ① 종래의 실기시험과 수행평가에서 말하는 실기시험의 차이는 시험을 치르는 상황이 통제되거나 강요된 상황인가 아니면 자연스러운 상황인가의 차이에 기인한다.
  ② 축구의 경우, 수행평가의 실기시험에서는 학급 또는 학교대항 축구시합에서 실제로 하는 것을 여러 번 관찰하여 실제 수행능력을 평가하는 것이다.

(5) **실험실습법** : 자연과학분야에서 많이 활용되는 것으로 어떤 과제에 대해 학생들로 하여금 직접 실험·실습을 하게 한 후 그 결과보고서를 제출하게 하는 방법이다.

(6) **면접법** : 평가자와 학생이 서로 대화를 통해서 얻고자 하는 자료나 정보를 수집하여 평가하는 방법이다.

(7) **관찰법** : 관찰은 학생을 이해하고 평가하기 위한 가장 보편적인 방법 중의 하나로, 개별 학생단위나 집단단위로 학생들을 관찰하고 그 결과를 반영하는 방법이다. 예를 들어, 학생들 간의 사회적 관계구조를 파악하기 위해 한 집단 내에서 개인 간 또는 소집단의 역동적 관계를 집중적으로 관찰할 수 있다.

(8) **자기평가보고서 및 동료평가 보고서**
  ① **자기평가 보고서** : 특정 주제나 교수 - 학습 영역에 대하여 자기 스스로 학습 과정이나 학습 결과에 대한 자세한 평가보고서를 작성·제출하도록 평가하는 방식이다.
  ② **동료평가 보고서** : 동료 학생들이 상대방을 서로 평가하도록 하는 방법으로 학생 스스로 자신의 학습을 위한 준비 정도, 학습동기, 성실성, 만족도, 다른 학습자들과의 관계, 성취 수준 등에 대해 생각하고 반성할 수 있는 기회를 제공한다.

(9) **연구보고서** : 각 교과별 또는 범교과별로 여러 가지 주제 중에서 학생의 능력이나 흥미에 적합한 주제를 선택하여, 그 주제에 대해서 자기 나름대로 자료를 수집하고 분석·종합하여 연구보고서를 작성·제출하도록 하여 평가하는 방식이다.

(10) **PMR(Plus Minus Reconstruction)** : 특정 주제에 대해 긍정적인 측면과 부정적인 측면을 비교·분석한 뒤, 창의적으로 그것을 결합하도록 하는 방법이다. 인터넷의 장점과 단점을 찾아보고 단점을 최소화하기 위한 방안을 찾아보도록 하는 방식이 이에 해당한다. 이 경우 인터넷의 장점 또는 단점 제시의 적절성 및 풍부성, 대안제시능력 등을 평가할 수 있다.

(11) **완성형** : 미완성의 이야기, 만화, 대본, 소설 등을 제시한 다음 완성하도록 하는 방법이다. 이 방법은 학생주도적인 학습활동을 가능하게 한다.

(12) **포트폴리오(portfolio)** 09. 대전, 07. 국가직
  ① **개념**
    ㉠ 자신이 쓰거나 만든 작품을 지속적이면서도 체계적으로 모아 둔 개인별 작품집 혹은 서류철을 이용한 평가방법이다.
    ㉡ 하나 이상의 분야에서 학생의 노력, 진보, 성취 정도를 보여주는 학생과제 수집물, 개인별 작품집이다.

② 특징
  ㉠ 수집물은 학생이 직접 참여한 결과이어야 하며, 내용의 선정이나 선정의 준거, 가치판단의 준거, 학생의 자기반성 등의 준거 등을 포함하고 있어야 한다.
  ㉡ 학생들의 활동과 포트폴리오를 만든 의도가 나타나야 한다.
  ㉢ 수업과 평가를 유기적으로 관련짓는다: 포트폴리오는 평가도구인 동시에 수업도구이기도 하다. 평가가 수업의 일부분이 되어야 한다는 것은 포트폴리오 평가를 지지하는 사람들이 견지하고 있는 중심명제다.
  ㉣ 개별화 수업에 적절하다: 그 이유는 학생마다 별도의 포트폴리오를 구성하기 때문이다. 지필검사는 같은 문항을 학생집단에 동시에 실시하기 때문에 개별화가 불가능하지만, 포트폴리오는 특정 학생의 고유한 학습목표에 부합되고 있으므로 완전히 개별화할 수 있다.
  ㉤ 학생의 약점이 아니라 강점을 확인하는 데 주안점을 둔다: 그렇기 때문에 학생은 가장 우수한 작품을 선정하여 제출한다.
  ㉥ 평가 과정에 학생을 적극적으로 참여시켜 스스로 강점과 약점을 평가하도록 한다: 포트폴리오 평가는 궁극적으로 학생 주도적이므로 학생들이 자율적으로 학습하고 평가하도록 조력한다.
  ㉦ 학생의 성취도를 다른 사람들에게 효과적으로 전달한다: 포트폴리오의 목적은 학생이 무엇을 할 수 있는가를 다른 사람들에게 전달하기 위한 것이다. 그렇기 때문에 교사가 학생의 진보상황을 학부모나 행정가에게 효과적으로 전달하는 수단이 된다.
  ㉧ 포트폴리오를 제작하고 평가하는 데 시간과 노력이 많이 소요된다.

권장하는 수행평가와 지양해야 할 수행평가 유형(전경희, 2016)

권장하는 수행평가 유형	지양해야 할 수행평가 유형
교수·학습의 과정 속에서 시행되고, 정규 수업 시간 내에 진행되는 수행평가	교수·학습의 과정과 무관한 별도의 과제를 부여하여 학생들의 부담을 가중시키는 수행평가
프로젝트학습, 실험, 토론, 논술 등 다양한 학생 참여형 수업 방법과 연계한 수행평가	별도의 시기를 정하여 동일한 문항으로 모든 학생들에게 일률적으로 시행하는 수행평가
학생들의 다양한 잠재력·소질·적성 등을 계발하고 학생의 참여도를 측정할 수 있는 수행평가	과다한 기본 점수·태도 점수를 부여하는 수행평가

4. 수행평가가 갖추어야 할 조건

(1) **실제적이어야 한다**: 한 개인이 가지고 있는 지식과 능력을 실제 상황에서 검증한다.

(2) **판단력과 혁신을 다루어야 한다**: 평범한 규칙이나 절차를 단순히 준수하는 것이 아니라 비구조화된 문제를 풀기 위해 지식과 기술을 현명하게 사용하는 것을 평가해야 한다.

(3) **과제를 실제로 해보는 것이어야 한다**: 이미 알고 있는 것의 단순한 복사나 재진술, 증명이 아니라 탐구와 과제를 실행하는 것이어야 한다.

(4) 현장 지향적이어야 한다.

(5) 지속적으로 기회를 제공하고, 평가결과는 학생들에게 공개되어야 한다.

5. 수행평가의 장점

(1) 지식 위주의 평가에서 벗어나 평가영역이 확대될 수 있다. ⇨ 정의적·행동적 영역 평가 가능

(2) 학생들의 다양성이 평가 과정에서 고려 대상이 될 수 있다.

(3) 평가와 교수-학습이 통합된 형태로 운영될 수 있다.

(4) 교육목표의 실제 상황에서의 달성 여부를 확인할 수 있다. ⇨ 타당도 확보

6. 수행평가의 문제점 05. 인천

(1) **비용이나 시간이 많이 소요된다.** ⇨ 실용도의 문제
   ① 검사의 개발·실시·채점비용과 시간(노력)이 전통적인 지필검사보다 많이 소요된다.
   ② 선택형 지필검사보다 비용은 2~3배, 시간은 23배나 더 많이 필요하다(1995, 남명호).

(2) **대규모 실시가 어려움**: 지필검사는 전체 학급 학생을 대상으로 동시에 실시할 수 있지만, 수행평가는 대개 소규모 집단의 학생들에게 시차적으로 시행된다.

(3) **채점이 어렵고 신뢰성을 확보하기가 쉽지 않다.** ⇨ 신뢰도, 객관도의 문제
   ① 시간적·공간적 제약: 수행평가는 지필검사처럼 나중에 한꺼번에 채점할 수 없다는 단점이 있다. 특히, 결과보다 과정을 평가할 때 그리고 과학실험, 연극, 연주 등 실연을 평가할 때 관찰자는 수행이 전개됨과 동시에 관찰하여 채점하거나 기록해야 한다. 이때 관찰자가 중요한 행동의 일부라도 놓치게 되면 정확한 평정을 할 수 없게 된다.
   ② 평정자 오류 가능성: 수행평가의 채점은 평정자 오류를 가지기 쉽다. 평정자의 편견이나 일관성 없는 기준은 평정자로 하여금 동일 관찰내용을 전혀 다르게 해석하게 할 가능성이 있으므로 명확한 채점기준표를 개발해야 한다.
   ③ 내적 일치도의 부족: 채점자들 간에 적절한 내적 일치도를 획득하더라도 과제 간의 내적 일치도를 어떻게 할 것인가 하는 문제는 여전히 남는다. 과제 간 내적 일치도란 과제 A를 수행한 평정의 결과와 과제 B를 수행한 평정의 결과 간의 일관성 정도를 의미한다.

> **더 알아보기**
>
> ❶ **수행평가의 평가방식: 채점규정[루브릭(rubric)]** 09. 국가직 7급
>
> 1. 개념
>   ① 학생의 수행 수준을 기술적으로 진술해 놓은 평가 방법이다.
>   ② 학습자가 수행과제에서 드러낸 수행 결과물의 수준을 판단하기 위하여 수행평가에서 사용되는 평가척도이다.
>   ③ 평가준거가 표로 만들어졌을 때 표의 왼쪽 칸에 나와 있는 것이 기준이고, 오른쪽에 그 기준에 속한 단계별 설명이 간략하게 또는 상세하게 적혀 있는 서술적 평가기준을 말한다.

2. **예시**: 문단구조에 관한 채점규정

기준 (요소)	성취수준(전체 점수: 9점)		
	1점	2점	3점
주제문	주제문이 없음. 내용이 무엇인지 명확하지 않음.	주제문은 있으나 무엇에 관한 내용인지 불명확함.	논술에 관한 전체적인 개관이 제시되어 있음.
지원하는 문장	두서가 없고 주제문과 관련이 없음.	추가정보가 있지만 모두가 주제문에 초점을 두고 있는 것은 아님.	주제문과 관련된 지지문장들이 자세히 제시되어 있음.
요약문	요약문이 없거나 이전 문장들과 관련이 없음.	주제문과 관련이 있으나 논술의 내용을 요약하고 있지 않음.	논술의 내용을 정확히 요약하고 주제문과 관련이 있음.

3. **개발절차**: 채점준거 결정 ⇨ 수행수준을 구체적으로 명시한 표준기술 ⇨ 채점방식 결정
4. **루브릭의 특징**: Wiggins(1995)
   ① 학생이 보이는 수많은 수행을 판단자가 효과적으로 변별할 수 있어야 하며, 이 변별은 신뢰할 수 있는 것이어야 한다. 즉, 시간이 지난 뒤 다시 판단하거나 또는 한 번에 여러 사람이 판단할 경우에도 결과가 일관적이어야 한다.
   ② 각 차원별로 기술되는 내용은 어떤 수준의 수행을 요구하는지 가능한 한 모두 기술하고 핵심적인 특성을 나타내도록 기술해야 한다.
   ③ 학생의 수행에 대한 질적 정보를 제공하여 학생의 강점과 약점을 파악할 수 있다. 따라서 학생에게 더 필요할 것이 무엇인지와 그 단점을 수정하는 데 도움이 된다.
   ④ 루브릭은 준거참조적 평가다. 따라서 루브릭에서 제시되는 점수는 가장 우수한 경우에서부터 가장 부족한 경우까지 수준별로 제시된다. 그리고 수준별 변화는 연속선상에서 점차적으로 설명되어야 한다. 이와 같이 가장 높은 점수와 낮은 점수의 수준을 결정하는 것은 루브릭에서 가장 중요하다.
   ⑤ 루브릭이 간단하고 구체적일수록 타당성과 신뢰성이 더 높게 나타난다.

더 알아보기

❷ **과정 중심 평가**(process-centered evaluation)

1. **개념**
   ① 학습의 결과가 아닌 수업 중 학생의 배움 과정을 다양한 방법으로 평가하는 방식
   ② 교육과정의 성취기준에 기반한 평가 계획에 따라 교수·학습 과정에서 학생의 변화와 성장에 대한 자료를 다각도로 수집하여 적절한 피드백을 제공하는 평가
   - '과정(process)'의 의미: ㉠ 학습이 이루어지는 과정(문제해결 혹은 수행의 과정) - '무엇을 알고 있는가'가 아닌 '무엇을 할 수 있는가' 하는 실행적 지식, ㉡ 학업적 성장 혹은 향상의 과정, 수업의 과정
   - 성취기준은 각 교과에서 학생들이 성취해야 할 지식, 기능, 태도 등의 특성을 진술한 것 ⇨ 교수·학습 및 평가의 실질적인 근거 21. 지방직

2. **특징**
   ① 성취기준에 기반을 둔 평가: 교과 성취기준에 기반을 둔 평가이다.
   ② 수업 중에 이루어지는 평가: 수업 중에 이루어지는 평가로서 교수·학습과 연계된 평가를 지향한다.
   ③ 수행 과정의 평가: 지식, 기능, 태도가 학습자에게서 어떻게 발달하고 있는지를 파악하기 위해 학습자의 수행 과정을 평가대상으로 한다.
   ④ 지식, 기능, 태도를 아우르는 종합적인 평가: 지식, 기능, 태도의 인지적·정의적 영역까지 포함하여 종합적으로 평가한다.

⑤ 다양한 평가 방법의 활용: 평가의 목적이나 내용을 고려하고 다양한 평가방법을 활용하여 학생에 대한 다양한 측면을 파악한다.
⑥ 학습자의 발달을 위한 평가 결과의 활용: 학습자의 성장과 발달 과정을 관찰함으로써 학습자의 부족한 점을 채워 주고, 우수한 점을 심화·발전시킬 수 있도록 돕는 데 기여한다.

3. 2015 개정 교육과정에 나타난 과정 중심 평가
   ① 목적
      ㉠ 학생의 교육목표 도달도를 확인
      ㉡ 교수·학습의 질을 개선
   ② 기준
      ㉠ 성취기준에 근거하여 학교에서 중요하게 지도한 내용과 기준을 평가
      ㉡ 교수·학습과 평가 활동의 일관성 유지
      ㉢ 배우지 않은 내용과 기능은 평가하지 않도록 함.
   ③ 방식
      ㉠ 학습의 결과뿐만 아니라 학습의 과정을 평가하여 모든 학생이 교육 목표에 성공적으로 도달할 수 있도록 지도
      ㉡ 지필평가, 프로젝트평가, 포트폴리오평가, 관찰 평가, 면담평가, 구술평가, 자기평가, 동료평가 등
   ④ 영역
      ㉠ 학생의 인지적 능력과 정의적 능력을 균형 있게 평가
      ㉡ 학생의 고등정신능력을 평가

4. 평가 패러다임의 변화

구분	종래의 평가방식(결과 중심 평가)	새로운 평가방식(과정 중심 평가)
평가 체제	상대평가, 양적 평가(정량 평가)	절대평가, 질적 평가(정성 평가)
평가 목적	• 선발·분류·배치(행정적 기능) • 총괄적 평가	• 지도·조언·개선(교수적 기능) • 진단적, 형성적 평가
평가 내용	• 학습의 결과 중시 • 학문적 지능의 구성요소(예, 개념, 원리)	• 학습의 결과 및 과정 중시 • 실천적 지능의 구성요소(예, 문제해결, 추론, 의사소통, 정보처리, 태도, 실천 등 핵심역량)
평가 방법	• 선택형 문항을 사용한 지필평가 중심 • 객관성·일관성·공정성 강조	• 다양한 평가방법(예, 지필평가, 프로젝트평가, 포트폴리오평가, 구술평가, 관찰평가, 면담평가, 자기평가, 동료평가) 고려 • 전문성·타당성·적합성 강조
평가 시기	• 학습 활동의 종료 후 ⇨ 수업 후 일회적 평가 • 교수·학습과 평가 분리	• 학습 활동의 모든 과정 ⇨ 수업 중 지속적 평가 • 교수·학습과 평가 통합
평가 주체	교사	교사, 학생(동료, 자기 자신)
교사 역할	지식의 전달자	학습의 안내자, 촉진자
학생 역할	수동적인 학습자, 지식의 재생산자	능동적인 학습자, 지식의 창조자(구성자)
학습과의 관계	학습결과의 평가	학습을 위한 평가(Assessment For Learning), 학습으로서의 평가(Assessment AS Learning)
교수·학습	• 교사 중심 • 인지적 영역 중심 • 암기 위주 • 기본 학습능력 강조	• 학생 중심 • 인지적·정의적 영역 모두 강조 • 탐구 위주 • 창의성 등 고등사고기능 강조

3 평가시기·목적·기능에 따른 교육평가 유형

> **환자의 치료 과정과 평가의 비유**
> 1. **진단평가**: 의사가 처음 환자가 찾아왔을 때 아픈 곳에 대한 증상을 묻고 진찰과 검사를 한다.
> 2. **형성평가**: 병의 상태를 설명하고 약을 처방하고 치료를 실시한다.
> 3. **총괄평가**: 치료가 끝났을 때 완쾌 여부 및 퇴원 여부를 결정한다.

1. 진단평가 · 형성평가 · 총괄평가의 비교 19. 지방직, 13. 국가직, 11. 서울, 08. 서울

구분	평가의 유형		
	진단평가	형성평가	총괄(총합)평가
평가 시기	교수-학습활동이 시작되기 전 또는 학습의 초기 단계에 학생의 수준과 특성을 확인하는 평가	교수-학습활동 진행 중 학생의 학습목표 도달도를 확인하는 평가	교수-학습활동이 끝난 후 학생의 학습성취도(교수목표 달성 여부)를 종합적으로 확인하는 평가
기능	• 선행학습의 결손진단·교정 • 출발점행동의 진단 • 학습 실패의 교육 외적/장기적 원인 파악 • 학생기초자료에 맞는 교수전략 구안 • 교수의 중복 회피	• 학습 진행 속도 조절 • 보상으로 학습동기 유발 • 학습 곤란의 진단 및 교정(학습 실패의 교육 내적/단기적 원인 파악) • 교수-학습 지도방법 개선	• 학생의 성적 판정 및 자격 부여 ⇨ 고부담 평가로 인식되기도 함. • 학생의 장래 학업성적 예언 • 집단 간 학업효과 비교 • 학습지도의 장기적 질 관리에 도움
목적	학생의 특성 파악, 출발점행동 진단, 수업방법 선정	교수-학습 지도방법 개선	학업성취도(성적) 결정
대상	학습준비도(선행학습 및 기초 능력 전반)	수업의 일부	수업의 결과
방법	상대평가 + 절대평가	절대평가	상대평가 + 절대평가
시간		10~15분	40~50분
평가 중점	지적 + 정의적 + 심리운동적 영역	지적 영역	지적 + (정의적 + 심리운동적 영역)
검사 형태	표준화 학력검사, 표준화 진단검사, 교사제작검사도구(관찰법, 체크리스트)	학습목적에 맞게 교사가 고안한 형성평가 검사(쪽지시험, 구두 문답) 등 공식적 형성평가, 비공식적 관찰(예 학생의 표정, 눈맞춤, 신체언어) 등 비공식적 형성평가	학기말, 중간 또는 학년말 검사, 표준화 학력검사

2. 진단평가(diagnostic evaluation) 12. 국가직·서울

(1) 개념
① 수업(교수-학습활동)이 시작되기 전이나 수업이 시작되는 초기 단계에서 실시하는 평가
② 학생의 준비성 및 기초능력 전반을 진단하는 평가
③ 준비성(readiness)은 새로운 학습활동을 시작하는 데 필요한 이미 학습된 성취수준을 의미
  ㉠ 유사 개념: 적성(Carroll), 출발점행동(Glaser), 학습경향성(Bruner)
  ㉡ 진단요소: 선수학습능력, 사전학습능력, 정의적 특성(흥미, 성격, 자아개념, 자신감)
④ 크론바흐(Cronbach)의 적성처치 상호작용모형(ATI)에 응용되어 개별화 수업에 기여

(2) 목적
① 수업이 시작되기 전 예진적 활동 ⇨ 학생 이해와 그에 알맞은 교수전략 수립
② 학생들의 선수학습 정도를 파악하는 출발점행동 진단 ⇨ 가장 핵심
③ 학습결손 유무에 대한 정보의 파악
④ 성취수준의 향상과 극대화
⑤ 학습의 중복 회피
⑥ 학습곤란에 대한 사전 대책 수립
⑦ 학습실패의 교육 외적 원인 파악 예 심리적·신체적·환경적 학습장애 요인

(3) 기능
① 학습 시작 전 학생이 어떤 출발단계에 있는가를 결정
② 교수 진행 중 학생이 나타내는 학습 결함의 원인 및 정보 수집을 통한 적절한 의사결정
③ 교수전략이 극대화될 수 있도록 학생을 정치(定置) ⇨ '정치 평가'라고도 함.

3. 형성평가(formative evaluation) 20. 국가직 7급, 15. 국가직, 11. 국가직 7급, 10. 부산·울산·인천, 05. 경기

(1) 개념
① 교수-학습활동의 진행 중(수업 중)에 실시되는 평가
② 교수-학습활동의 개선(송환, 교정)을 목적으로 실시하는 평가
③ 스크리븐(Scriven)이 「평가의 방법론」에서 처음 제안한 평가방법

(2) 특징
① **정보의 송환(feedback)과 교정**: 학생과 교사 간에 오류가 발생했을 때 적절한 송환과 교정을 통해 학습곤란의 누적현상을 해소하고 효율적 수업을 가능하게 한다.
② 교과내용과 교수-학습방법을 개선하기 위해 실시하는 평가
③ **목표지향적 평가**: 평가문항은 수업목표에 기초하여 수업담당 교사가 제작 ⇨ 학생들이 평소 자주 범하기 쉬운 오류 유형을 확인할 수 있도록 선택형 문항의 오답지를 구성한다. 학생들이 특정 문항을 틀렸을 경우 어떤 형태를 선택했는지를 봄으로써 어떤 종류의 학습습관이나 학습결손을 안고 있는지를 직접 파악할 수 있다.

(3) 기능
① **학습진도의 개별화**: 학생의 학습진행 속도를 조절한다.
② **피드백(feedback) 효과**: 학생의 학습활동에 대한 강화와 보상
③ 학생들이 당면하는 학습곤란의 발견 및 제거
④ 교육과정 및 교수-학습방법의 개선
⑤ **학습동기 촉진**: 학생의 내발적 동기 부여

4. 총괄평가(summative evaluation ≒ 총합평가)

(1) 개념
① 일정한 양의 학습 과제나 특정한 교과학습이 끝난 다음(예 학기말, 학년말)에 실시하는 평가
② 사전에 설정된 교수목표에 대한 학생의 성취도 수준을 총괄적으로 판정하기 위해 실시하는 평가 ⇨ 고부담 평가로 인식되기도 함.

(2) 목적
① 학생의 성적(평점, 서열) 결정과 장래 학습의 성공 여부 예언
② 교수효과 판단
③ 집단 간 학습효과(성적) 비교
④ 학습지도의 장기적 질(質) 관리에 도움 제공

(3) 특징
① 교수효과를 판단하고, 학생의 학습결과에 대한 성적을 매기며, 서열을 결정하는 평가
② 형성평가에 비해 평가의 빈도는 적지만, 단위평가 시간은 길다.
③ 교육목표는 포괄적이고 가시적인 목표를 가진 평가 ⇨ '이원목표 분류표'를 이용
④ 학생성적의 판정, 자격 부여, 학생 분류를 목적으로 한 평가

4 기타 평가 유형

1. **메타평가(Meta evaluation)**: 스크리븐(Scriven)이 처음 사용 11. 울산, 06. 강원

    (1) 평가(방법)에 대한 평가
    (2) 평가방법의 개선을 위한 정보를 얻기 위하여 실시하는 평가

2. **정적 평가와 역동적 평가**

    (1) **정적 평가(static assessment)**
    ① 전통적 평가, 학생의 완료된 발달 정도를 평가 ⇨ 피아제(Piaget) 이론에 기초
    ② 평가자(교사)와 학생 간의 표준적인 상호작용을 제외하고는 거의 상호작용 없이 이루어지는 평가

(2) **역동적 평가**(dynamic assessment)
   ① 평가자(교사)와 학생 간의 역동적 상호작용을 중시하는 평가
   ② 진행 중인 학생의 발달 과정을 이해함으로써 미래에 나타날 발달 가능성을 평가
   ③ 비고츠키(Vygotsky)의 '근접발달영역(ZPD)' 이론에 기초하여 전개된 평가
   ④ 역동적 평가의 예
      ㉠ **표준적 접근**: 학생이 정확한 문제해결에 이르지 못했을 때 가장 일반적인 힌트로부터 매우 구체적인 힌트에 이르기까지 점진적인 연속성을 지닌 힌트를 제시하면서 학생이 문제를 정확히 해결하기까지 어느 정도의 힌트를 필요로 하는지를 평가하는 것
      ㉡ **임상적 접근**: 문제해결의 과정에서 학생의 동기·인지양식·인지기능·인지전략 등을 관찰하고 이를 조정함으로써, 문제해결이 가능하도록 이끌어주면서 학생의 수행을 평가하는 것

3. **고부담(高負擔) 평가**(위험부담평가, high-stakes evaluation or tests)
   (1) 대단위 검사처럼 검사의 결과가 개인뿐만 아니라 사회적으로 영향이 큰 검사
      예 각종 자격시험, 대학입학 수능시험, 표준화검사
   (2) 검사결과가 학교 행정가, 교육정책 결정자, 자격증 발급청, 인사선발 주체 등에 의해서 중요한 결정을 내리는 데 사용되어 피검자에게 강력한 영향력을 행사하는 검사

제4절 교육평가의 절차

1 일반적 절차

교육목표 설정 → 검사장면의 설정 → 검사도구의 제작 → 평가의 실시와 결과의 정리 → 결과의 해석 및 활용

1. **교육목표의 설정**
   (1) 교육평가의 기준이 되는 교육목표를 확인하고 성취해야 할 수준을 결정하는 단계이다.
   (2) 교육목표의 영역은 인지적 영역, 정의적 영역, 심리운동기능적 영역이 있다.
   (3) 교육평가는 내용과 행동의 이원적 요소로 나누는 '교육목표 이원분류표'를 제작·이용하는데, 이원분류표는 교사가 무엇을 평가할 것인가에 대한 명확한 기준이 된다.
      ① **내용차원**: 학습경험, 교육내용
      ② **행동차원**: 내용을 통해 얻게 된 결과 ⇨ 도착점행동(terminal behavior)

2. 검사장면의 설정

(1) 어떤 형식이나 방법으로 교육목표를 측정할 것인가를 결정하는 단계이다.

(2) 검사장면이란 학생들의 특정한 학습결과가 구체적으로 표시되고 행동의 증거로 나타날 수 있는 조건이나 기회를 말한다.

(3) 타당도와 신뢰도가 높은 평가결과를 얻기 위해서는 측정하려는 행동의 학습정도가 잘 드러날 수 있는 검사장면을 설정해야 한다.

(4) 검사장면의 종류에는 지필검사, 관찰법, 면접법, 평정법 등이 있다.

3. 검사도구의 제작

(1) 실제 행동증거를 수집할 수 있는 평가(측정)도구를 제작하는 단계이다.

(2) 이때 중요한 점은 평가도구의 내용이 교육목표를 제대로 측정할 수 있느냐의 합목적성이다.

(3) 타당도, 신뢰도, 객관도, 실용도 등을 고려하여 최적의 평가도구를 제작해야 한다.

(4) **검사도구의 제작 절차** 08. 경기

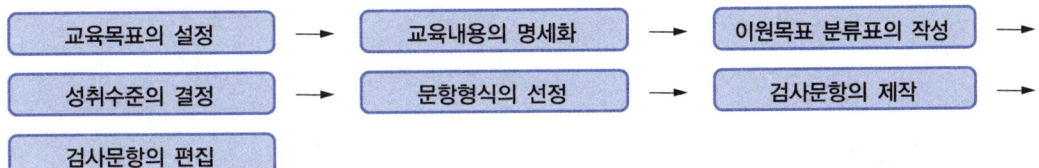

① 교육목표의 설정: 명세적 목표로 진술한다.
② 교육내용의 명세화: 필요한 내용이 표집될 수 있을 만큼 교육내용을 세분화한다.
③ 이원목표 분류표의 작성: 내용과 도착점행동 차원으로 분류·진술한다.
④ 성취수준의 결정: 일반적으로 80%선(완전학습은 90%)으로 결정한다.
⑤ 문항형식의 선정: 주관식 문항 또는 객관식 문항으로 할 것인가를 결정한다.
⑥ 검사문항의 제작: 문항카드를 활용하여 제작한다.
⑦ 검사문항의 편집: 지시사항, 응답요령 등을 작성하고 문항 난이도를 고려하여 쉬운 문항부터 어려운 문항순으로 배열한다.

4. 평가의 실시와 결과의 정리

(1) **평가의 실시**

① 검사의 종류에 따라 검사의 실시 횟수와 시기를 결정한다.
② 평가를 실시할 때 검사장의 물리적 조건(예 통풍, 채광, 소음 등)을 통제해야 한다.

(2) **검사결과의 정리**

① 검사결과를 채점하고 점수를 기록하여 평가의 기초자료를 만들어 내는 단계이다.
② 측정의 오차를 줄이고 검사의 객관성과 신뢰성을 높이기 위한 채점방안이 강구되어야 한다.

(3) 결과의 기록 및 보존
① 검사결과는 장기적 또는 반영구적 활용이 가능한 자료이므로 편리하게 기록·관리한다.
② 행정적 목적의 기록과 지도적 목적의 기록으로 이원화해야 한다.

5. 결과의 해석 및 활용
   (1) 평가결과의 올바른 해석을 위해서 평가자가 지녀야 할 소양
   ① 바람직한 행동에 대한 철학적·가치관적 견해
   ② 행동의 발달과 학습원리에 대한 심리학적 소양
   ③ 통계의 기초 및 측정이론에 대한 전문적 소양
   ④ 교육과정의 내용에 대한 소양

   (2) 교육평가 결과의 활용
   ① 교육적 정치(定置)를 위한 자료
   ② 학습결손의 진단과 교정지도 계획수립의 자료
   ③ 수업과정에서 학습곤란 극복과 학습지도 방법 개선 자료
   ④ 생활지도 자료
   ⑤ 학생 개개인의 성적 평정의 자료

2 정의적 영역의 교육평가

1. 정의적 영역의 평가의 중요성
   (1) 전인교육의 이상을 실현할 수 있는 중요한 교육적 영역이다.
   예 흥미, 태도, 가치, 통제소재(책임감), 동기, 자아개념, 인성, 불안, 행동발달
   (2) 학교학습에 있어 동기부여의 결정적 기능을 한다.
   (3) 교육 프로그램 개선을 위한 의사결정 과정에 있어 중요한 정보를 제공한다.

2. 정의적 영역의 평가방법
   (1) 관찰법
   ① 인간의 외현적 행동이나 생리적 반응으로부터 정의적 특성을 추리하는 것이 가능하다는 전제하에 관찰법을 사용한다.
   ② 우발된 관찰이 아니라 계획된 관찰이어야 한다. ⇨ 관찰행동 단위의 분석, 관찰내용의 분석, 관찰기록 기준의 설정 등 가능한 한 분석적 관찰을 하되, 전체 상황이나 흐름도 파악한다.
   ③ 타당도, 신뢰도, 객관도가 높아야 한다.
   ④ 관찰결과는 반드시 기록되고 분석되어야 한다. ⇨ 사전에 기록방법(예 일화기록법, 평점기록법, 기계적 기록법 등)을 치밀하게 정해 놓는다.
   ⑤ 객관적인 태도로 관찰에 임해야 한다.

(2) **면접법**: 언어상호작용을 매개로 하여 학생으로부터 여러 가지 정보를 얻는 방법
   ① **구조화된 면접**: 면접자에게 융통성을 주지 않고 사전 계획에 따라 면접을 진행시키는 방법
   ② **비구조화된 면접**: 면접계획은 세우되 면접목적만을 명백히 하고 방법은 면접자에게 일임하는 방법
   ③ **반구조화된 면접**: 사전에 면접계획을 치밀하게 세우되, 면접장면에서 면접자가 융통성 있게 진행하는 방법

(3) **사회성 측정법**: 학생이 자기 동료에 의해서 어떻게 수용되고 있는가를 평가하는 방법 ⇨ 모둠원이 서로를 평가하는 동료평가(동료지명법) 18. 지방직

(4) **자기보고방법**: 학생 스스로 평가하는 자기성찰 평가 20. 국가직
   ① 문장화된 질문내용에 자기 자신에 관한 여러 가지 판단을 하고 진술 또는 표기를 하는 방법
   ② 자기보고방법의 구체적인 형태는 질문지법이다.

3. 정의적 영역의 평가 시 고려사항
(1) 행동이 발생하는 환경적 조건과 결부시켜 평가되어야 한다.
(2) 행동특성의 이해는 단일한 환경조건이나 우연적 상황에 의존해서는 안 된다.
(3) 행동의 평가는, 바람직한 행동은 발전시키고 잘못된 행동은 수정함을 전제로 진행한다.
(4) 행동특성에 대해 미리부터 가치개념과 척도를 전제해서는 안 된다.
(5) 평가영역에 따라 적절한 평가방법을 선택하여야 한다.

4. 정의적 평가의 문제점
(1) 정의적 교육목표의 행동적 정의는 개념적 모호성을 지닌다.
(2) 학생이 보여 준 행동이 곧 의도한 교수목표 달성의 한 증거로 받아들이기가 어려울 때가 있다.
(3) 아는 것과 행하는 것은 반드시 1대 1의 관계를 갖는 것은 아니다.

3 평가의 오류 03. 경기

1. 집중경향의 오류
(1) 평가의 결과가 중간부분에 모이는 경향
(2) 평가자가 평가 시에 극단의 평가를 가능한 한 피하고 중간점수를 주는 데서 오는 오류 ⇨ 평가자가 훈련이 부족할 때 주로 발생한다.

2. 인상의 오류(= 후광효과, halo effect, 연쇄 오류) - 손다이크(Thorndike) 10. 국가직

(1) 하나의 특성이 관련이 없는 다른 특성에 영향을 미치는 오류

(2) 선입견에 따른 오차로서 평가요소보다 피평가자의 인상이나 품성에 의해 평가하는 데서 발생한다.

(3) 관대의 오류(Pygmalion effect, 한 가지 긍정적인 면 때문에 다른 면을 좋게 평가하는 경우) + 엄격의 오류(labelling effect, 한 가지 부정적인 면 때문에 다른 면을 나쁘게 평가하는 경우) ⇨ 후광효과(halo effect)

   예. '성적이 좋은 아동, 말썽꾸러기 아동' 등 교사의 자아 관여가 되어 있는 아동을 좋게 또는 나쁘게 평가하는 오류

> **더 알아보기**
>
> **개인적 편향성 오차(personal bias error)**
>
> 1. **개념**: 평가자가 모든 피평가자들에게 비슷한 점수를 주려는 경향성 ⇨ 관용의 오차(관대의 오류), 인색의 오차(엄격의 오류), 집중경향의 오차를 포괄한다.
> 2. **유형**
>   ① 관용의 오차(generosity error): 평가자가 전반적으로 높은 점수를 주는 경향
>   ② 인색의 오차(severity error): 평가자가 전반적으로 낮은 점수를 주는 경향
>   ③ 집중경향의 오차(error of central tendency): 평가자가 전반적으로 중간 점수를 주는 경향

3. 논리적 오류 - 뉴콤(Newcomb)

(1) 논리적으로 전혀 관계가 없는 두 가지 행동특성을 관련이 있는 것으로 판단하여 평가하는 오류

   예. 적용력을 측정해야 하는데 분석력을 측정하고 있는 경우, 지능지수가 높으면 창의력이 높다고 평가하는 경우, 공부를 잘하면 성격도 좋다고 보는 경우

(2) 객관적인 자료 및 관찰을 통하거나 특성의 의미론적 변별을 명확히 함으로써 오류를 줄일 수 있다.

4. 대비의 오류 - 머레이(Murray)

(1) 어떤 평가특성을 평가자 자신의 특성과 비교하여 평가하는 오류

(2) 평가자가 지닌 특성이 평가에 영향을 미치는 데서 발생한다.

(3) 학생의 특성을 사실 그대로 평가하지 않고 과대평가하거나 과소평가하게 된다.

(4) 정신분석학의 반동형성이나 투사와 유사하다.

   예. 평가자에게 없는 특성이 학생에게 있으면 좋게 평가하고, 평가자에게 있는 특성이 학생에게 있으면 나쁘게 평가하는 경우

5. 근접의 오류

(1) 비교적 유사한 항목들이 시간적으로나 공간적으로 가까이 있을 때 비슷하게 평가하는 오류

(2) 시간적으로나 공간적으로 가깝게 평가하는 특성 사이에 상관이 높아지는 오류

(3) 누가적 관찰기록에 의하지 않고 학년 말에 급하게 평가할 때 나타난다.

(4) 비슷한 성질을 띤 측정은 시간적으로나 공간적으로 멀리 떨어지게 함으로써 오류를 줄일 수 있다.

6. 무관심의 오류

(1) 평가자가 피평가자의 행동을 면밀하게 관찰하지 못할 때 발생하는 오류

(2) 다인수 학급에서 교사가 학생의 행동에 무관심한 경우에 발생한다.

7. 의도적 오류

특정 학생에게 특정한 상을 주기 위해 관찰결과와 다르게 과장하여 평가하는 오류

8. 표준의 오류

(1) 평가자가 표준을 어디에 두느냐에 따라 발생하는 오류

(2) 점수를 주는 표준이 평가자마다 다른 데서 기인하는 오류로 어떤 평가자는 표준이 높고, 어떤 평가자는 표준이 낮기 때문에 발생한다.

(3) 평가기준을 구체적으로 명시함으로써 오류를 줄일 수 있다.

제5절 평가도구 24·07. 국가직, 23. 국가직 7급

> **검사도구의 양호도 – 검사도구가 갖추어야 할 조건**
> 타당도, 신뢰도, 객관도, 실용도

① 타당도(validity) 10. 부산·전북·충북, 09. 서울, 05. 국가직·강원

1. 개념

(1) 하나의 평가도구(검사문항)가 본래 측정하려는 내용(예 교육목표, 교육내용)을 얼마나 충실하게 측정하고 있는가의 정도를 말한다.

> 예 검사점수에 근거한 특정한 추론의 적절성·유의미성·유용성(미국 심리학회의 교육 및 심리검사의 기준, 1999)

(2) 무엇(what)을 재고 있느냐, 그 측정하려는 것(검사대상)을 얼마나 충실하게 측정하고 있느냐의 문제이다.

(3) '준거'의 개념이 수반된다(∵ 타당도는 측정하려고 하는 것에 비추어서 판단하므로).

(4) 검사의 진실성, 정직성을 말한다.

(5) 검사가 갖추어야 할 가장 중요한 조건이다(∵ 타당도가 낮다는 것은 검사의 목적과 다른 속성을 재고 있으며, 그 검사점수로부터 추론한 것이 적절하지 않다는 것을 의미하므로).

2. 종류 14. 국가직 7급

> **타당도(증거)의 종류**
> - **준거타당도**(외적 준거타당도): 공인타당도(현재 검사-현재 준거), 예언타당도(현재 검사-미래 준거) ⇨ 통계적 방법(상관계수 또는 회귀분석)을 사용
> - **경험적 타당도**: 공인타당도, 구인타당도, 예언타당도

(1) **내용타당도**(content validity, 논리적 타당도, 교과타당도) 11. 경기, 10. 국가직·인천, 09. 경기

① 개념
  ㉠ 평가도구가 그것이 평가하려고 하는 내용(교육목표)을 얼마나 충실히 측정하고 있는가를 논리적으로 분석, 측정하려는 타당도이다. ⇨ 여기서 내용(교육목표)은 검사에 포함된 교과영역, 즉 지식(예) 사실, 개념, 절차, 원리)과 인지 과정(예) 기억, 이해, 적용, 분석, 종합, 평가)을 포괄한다.
  ㉡ 한 검사를 구성하고 있는 문항들이 그 검사가 측정하고자 하는 내용을 측정하기 위해 만들어질 수 있는 문항 전집을 잘 대표할 수 있도록 문항들이 표집되어 있는 정도이다. ⇨ '표집타당도'라고도 함.
  ㉢ 검사의 문항들이 측정을 위하여 규정된 내용영역이나 혹은 전체를 얼마나 잘 대표하느냐의 정도를 나타낸다. ⇨ 검사내용은 전체 내용의 표본이 된다.
  ㉣ 내용타당도의 판단(검사가 측정하고자 하는 내용을 골고루 측정할 수 있도록 문항을 얼마나 잘 표집했느냐의 판단)은 검사가 측정하고자 하는 분야의 전문가(예) 담당교사)에 의해 이루어진다. ⇨ '주관적 타당도'라고도 함.

  ◇ **안면타당도**(face validity) 검사문항을 전문가가 아닌 일반 사람(피평정자)들이 대략적이고 주관적으로 훑어보고 검사의 타당도를 평가하는 것 ⇨ 문항에 대한 체계적이고 논리적인 판단을 하는 내용타당도와는 다르다.

② 학업성취도 검사와 같이 측정하고자 하는 대상이 비교적 구체적이고 객관적인 경우에 채택할 수 있는 유용한 개념이다.
  ㉠ 교육목표가 준거가 되기 때문에 '이원목표 분류표'를 사용하여 교육목표를 세분화하고 그에 따라 문항이 제작되었는지를 확인함으로써 타당도를 높일 수 있다.
  ㉡ 정의적 행동특성의 목표인 경우에는 전문가마다 다른 견해를 가질 수 있기 때문에 내용타당도에 대한 검증결과가 다를 수 있다.

③ 학력검사를 제작할 때, 절대평가문항을 만들 때 중시해야 할 평가도구이다.
  예 지능검사에서 정의된 지능의 속성을 어느 정도 충실하게 측정하고 있느냐를 따지는 경우
④ 내용타당도를 확인하는 방법
  ㉠ 검사가 재고자 하는 전체적인 내용을 확인한다.
  ㉡ 문항 하나하나가 문항이 재고자 목적한 내용을 적절하게 재는가를 확인한다.
  ㉢ 통계적 절차(예 상관계수)나 실제 학생의 검사점수보다는 내용 전문가가 지닌 전문적 지식 및 경험을 활용하거나 이원목표 분류표에 근거하여 검사내용의 적절성과 대표성에 대해 판단한다.
  ㉣ 문항의 내용이 재고자 하는 전체적 내용을 충분히 대표하는가를 확인한다.

(2) **준거타당도**(criterion-related validity, 외적 준거타당도)
  ① 개념 : 어떤 평가도구에 의해 밝혀진 행동특성과 그러한 행동특성을 포함하는 제3의 평가도구(준거)를 비교함으로써 타당도를 밝히는 것이다.
  ② 종류 : 예언타당도, 공인타당도

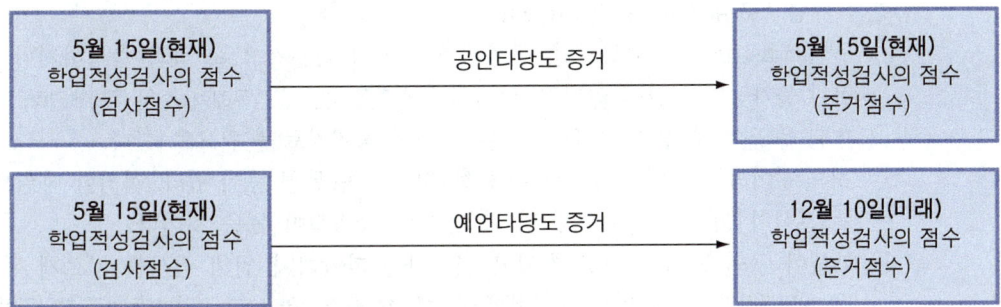

  ③ 통계적 방법인 상관계수 혹은 회귀분석 등이 사용된다.

(3) **공인(共因)타당도**(concurrent validity, 동시타당도) 24. 지방직, 11. 경북, 07. 경남·인천
  ① 동일한 능력 혹은 특성을 재고 있는 두 평가도구(즉, 검사와 준거)가 동일한 시기(예 같은 날)에 치러졌을 때 사용하는 타당도의 증거를 말한다.
  ② 새로이 제작된 검사도구로 기존의 검사도구를 대체하고자 할 때 사용한다.
  ③ 특성 X를 측정하는 검사 X와 다른 검사(준거) Y의 경험적 공인관계를 밝히려는 타당도이다. 즉, 새로운 검사(X)를 제작했을 때 기존의 타당성을 보장받고 있는 검사(Y)와의 공통성을 기준으로 타당도를 밝히는 것이다.
  ④ 준거(Y)의 기준은 현재이고, 동시에 측정되는 검사 X와 준거 Y의 상관계수(r)로 나타낸다.
    예 • 새로 만든 수학학력고사 X와 현재 사용하고 있는 수학학력고사 Y와의 상관관계를 따진다.
      • 흥미검사에서 음악 부문에 흥미가 높은 학생이 실제로 음악 성적이 우수한가를 밝힌다.
  ⑤ 예언타당도가 미래의 준거와 '예언의 적부(適否)'에 관심을 가진다면 공인타당도는 현재의 준거와 '공통된 요인'에 관심을 갖는다.

(4) **예언타당도**(predictive validity, 예측타당도, 시간지향적 타당도) 22. 지방직, 07. 국가직 7급
① 어떤 검사결과가 피험자의 미래 행동이나 특성을 얼마나 정확히 예언하느냐와 관련된 타당도이다.
② 준거는 미래의 행동특성(예. 학업 또는 직업에서의 성공, 사회적 적응력 등)이다.
③ 선행검사성적(X)과 준거(Y: 미래검사성적)의 상관계수(r)로 나타낸다.
예. 교사채용시험 성적이 높은 교사가 채용된 후에도 근무 성적이 높으면 이 시험의 예언타당도는 높다.
④ 많은 경우 상관계수보다는 통계적으로 복잡한 회귀분석을 사용한다.
예. 대학교 신입생 선발 시험에서 대입수능시험 성적, 고등학교 내신 성적, 면접시험 점수를 고려한다면, 위의 세 결과 점수를 독립변인으로 하고 대학교에서의 학업성적을 종속변인으로 하는 회귀분석을 통하여 검사 점수가 어느 정도 예측력을 가지는지를 분석한다.

(5) **구인타당도**(construct validity, 구성타당도, 심리적 타당도, 이론적 타당도) 24・15. 국가직 7급, 20. 국가직, 10. 대전, 06. 전북
① 한 검사가 조작적으로 정의한 구인(construct)을 어느 정도 재고 있는가를 이론적 가설을 세워서 경험적으로 검증하려는 타당도이다. ⇨ '검사의 결과로 산출된 점수의 의미를 심리학적 개념으로 분석하는 것(Cronbach)'
㉠ 구인(construct)은 구성요인, 구성개념을 의미하는 것으로, 직접 측정하거나 관찰하는 것이 불가능한 인간의 인지적, 심리적 특성(예. 지능, 문장독해력, 수학 문제해결력, 도덕성, 불안감 등)을 말하며, 많은 경험적 또는 통계적 증거자료를 필요로 한다.
㉡ '창의력'이라는 개념의 구인은 유창성, 민감성, 융통성 등이 있다. 이러한 하위요소(구인)를 분석하였을 때 우수하게 평가되었다면 창의력이 높을 것이다.
㉢ 학생이 구인을 어느 정도 가지고 있는가를 파악하기 위해 검사를 치르게 된다.
예. 창의력이 어느 정도인가를 보기 위해 창의력 검사를 실시하고, 그 결과를 토대로 창의력이 어느 정도라고 해석을 한다.
② A라는 특성을 가진 학생이 B라는 상황에서 C라는 행동을 보일 것이라는 가정에서 새로운 법칙을 도모하는 과정이다.
예. '교우도 검사(구인: 사회성)에서 점수가 높은 사람은 점수가 낮은 사람보다 친구가 많을 것이다.'라는 가설을 구명(究明)하는 경우
③ 조작적으로 정의되지 않고 과학적인 이론으로 정립되지 않은 새로운 개념이나 구인을 측정하는 조사에 과학적 이론과 타당도를 부여한다.
④ 요인분석적 방법(중다특성기법), 상관계수법, 실험설계법, 공변량 구조 방정식 모형 방법, 수렴-변별타당도 방법 등을 사용하여 추정한다.

수렴타당도 (convergent validity)	검사가 이론적으로 관계를 맺고 있는 변인들과 높은 상관을 보이는 것 ⇨ 검사가 재고자 하는 것을 충분히 재고 있는가 하는 것이 점검되어야 한다.
변별타당도 (discriminant validity)	검사가 이론적으로 관계가 없다고 생각되는 변인과는 유의미한 상관을 보여서는 안 되는 것 ⇨ 재고자 목적하지 않았거나 혹은 부수적인 능력이 검사점수에 영향을 미치는가 하는 것이 점검되어야 한다.

⑤ 가설의 검증을 위해 경험적 자료를 수집하고 증거에 의해 가설의 적합성 여부를 추론한다.
⑥ 타당도 증거 중에서 가장 핵심적인 것으로, 내용타당도와 준거타당도와 분리하여 생각하기보다는 두 타당도 증거를 포함하는 포괄적 개념으로 이해되어야 한다.

(6) **결과타당도**(consequential validity, 영향타당도) : 린과 그론룬드(Linn & Gronlund)가 주장
① 검사결과의 교육효과(예. 학생의 행동변화나 교수-학습방법, 학생들의 동기 유발 등) 달성 정도
② 검사나 평가를 실시하고 난 결과에 대한 가치판단으로 평가결과의 평가목적과의 부합성, 평가결과를 이용할 때의 목적 도달, 평가결과가 사회에 주는 영향, 그리고 평가결과를 이용할 때 사회의 변화들과 관계가 있다.
③ 검사가 원래 의도한 것을 측정했는가, 검사가 학생들의 표현력·탐구정신을 얼마나 잘 측정했는가, 학생들이 평가를 준비하기 위해서 얼마나 노력했는가를 파악할 때 사용한다.

(7) **체제적 타당도**(systemic validity)
① 어떤 평가를 실시함으로써 그 체제(system) 전체에 교육적으로 이점이 있었는지의 여부를 검토하는 것을 말한다.
   예. 어떤 학교에서 수행평가를 확대 실시하고 난 후, 학교 전체에 긍정적인 효과가 있었다(체제적 타당도가 높다). 학교평가를 시행함에 있어서 교사들이 평가에 대비한 준비로 인해 학생들을 가르치고 지도하는 데 소홀하여 교육적으로 부정적인 효과가 많았다(체제적 타당도가 낮다). 선택형 학력검사가 학습방법에 있어서 지나치게 단순 지식이나 정보에 대한 암기만을 강조함으로써 학생들의 고차적인 사고력 신장을 저해하고 있다(학교 교육의 정상화 측면에서 볼 때 선택형 학력검사의 체제적 타당도는 낮다).
② 평가의 시행이나 결과에 의해 발생할 수 있는 교육적·사회적 파급효과를 중시한다는 점에서 결과타당도(consequential validity)라고도 한다.
③ 평가 방법이나 도구의 타당도를 검토함에 있어서 평가방법이나 도구 그 자체에 대한 검토뿐만 아니라 평가의 시행 방법이나 그 파급효과까지 포함하여 종합적으로 검토하는 것이 필요함을 강조한다.

(8) **생태학적 타당도**(ecological validity)
① 평가의 내용이나 절차가 평가를 실시하고자 하는 피험자들의 사회·문화적인 배경이나 주변 상황에 비추어 타당한가를 검토하는 것이다(Wiggins, 1989).
   예. 농촌 학생들에게 도시생활에 대한 내용을 질문하기, 한국 학생들에게 미국의 생활습관에 대한 내용을 질문하기, 국가수준의 학업성취도 평가가에서 각 지역의 특성을 고려하지 않고 획일적인 평가준거를 평가하기
② 평가 과정이나 결과가 문화적 편견이나 성별, 인종별에 따라 불리하게 작용할 소지가 있는지의 여부를 검토하는 것이다.

📖 타당화(타당도)의 주요 고려사항

증거의 유형	상황	의미	절차	주요 적용상황
검사내용에 근거한 증거 (내용타당도)	검사점수에 근거해서 더 큰 영역으로 추론해야 할 상황	검사문항들이 측정영역을 대표하고 있는가? 문항이 수업목표와 부합되는가?	전문가가 검사문항이 이원분류표와 일치하는지, 검사문항이 목표와 일치하는지 판단	성취도 검사 및 선발용 검사
다른 변수와의 관계에 근거한 증거 (준거타당도)	검사점수에서 중요한 변수를 추론해야 할 상황	검사점수가 준거변수를 제대로 추정 혹은 예측하는가?	검사점수와 동시에 수집한 준거의 관계 분석(공인타당도) 혹은 검사점수와 미래에 수집한 준거의 관계 분석(예언타당도)	각종 검사
내적 구조에 근거한 증거 (구인타당도)	검사점수에 근거하여 구인에 대해 추론해야 할 상황	검사가 측정하려고 의도하는 심리적 특성을 측정하고 있는가?	평가과제 제작, 인지 과정 분석, 준거와 관계분석, 처치효과 분석을 통해 검사결과의 의미 검토	성격검사 및 지능검사
검사의 영향에 근거한 증거 (결과타당도)	검사의 효과를 포괄적으로 검토해야 할 상황	평가결과 활용이 의도한 효과를 미치고 있고, 의도하지 않은 효과를 배제하고 있는가?	평가결과 활용이 학생 및 교사에게 미치는 효과(긍정적 및 부정적 효과) 검토	특히, 선발과 승진을 결정하기 위한 검사

✎ 타당화란 타당도에 관한 증거를 수집하는 과정을 의미한다.

② 신뢰도(reliability) 12. 국가직 7급·경기, 05. 울산, 04. 경기

1. 개념

(1) 한 검사에서 얻어진 점수를 얼마나 믿을 수 있느냐 하는 정도를 말한다.

(2) 한 검사가 측정하려는 대상을 얼마나 정확하게 측정하고 있느냐의 정도이다.

(3) '어떻게'(how) 재고 있는가, 즉 검사방법의 문제이다.

(4) 측정의 오차(standard error of measurement)가 얼마나 적은가의 문제이다.

(5) 검사(측정점수)의 정확성, 일관성, 항상성을 말한다.

① 신뢰도가 높다는 것은 검사의 결과가 일관적이라는 것을 의미한다.

㉠ 특정 검사를 어느 집단이 치르든, 어느 상황에서 치르든 검사점수가 동일하다는 것을 말한다.

㉡ 어떤 검사를 치른 학생들이 비슷한 검사 조건에서 비슷한 검사를 치른 경우에 규준참조검사에서는 학생들의 점수 서열의 변동이 거의 없다는 것을 말하며, 준거참조검사에서는 서열보다는 학습목표의 성취 여부 혹은 영역에서의 성취 정도가 변동이 거의 없다는 것을 말한다.

② 신뢰도가 높은 검사점수는 정확한 점수를 의미한다.
  ㉠ 정확한 점수는 오차가 0인 점수를 말한다.
  ㉡ 관찰점수와 진점수가 동일하다면, 오차는 0이 되고 그 관찰점수는 정확하게 진점수가 되며, 모든 학생들의 관찰점수와 진점수가 동일할 때 신뢰도는 1이 된다.

관찰점수(측정값, X)	한 번의 검사도구를 통해 얻어진 점수, $X = T + E$
진점수(참값, T)	동일한 검사를 무한 번 반복하여 얻은 점수를 평균한 값 ⇨ 관찰이 불가능한 진짜 점수
오차점수(E)	관찰점수와 진점수의 차이, 알 수 없는 값 ⇨ 학생들의 관찰점수를 진점수와 달라지게 하는 점수

  ㉢ 오차점수를 만드는 요인: 무선오차와 체계적 오차

무선오차 (random error)	• 검사를 치른 학생들에게 자발적으로 작용하는 오차 　예, 답안지 밀려 쓰기, 부정행위, 읽기 지문에 대한 사전 인지도 • 검사를 치른 학생 중에서 일부 학생이 부정행위를 해서 관찰점수가 진점수보다 2점이 올라가고 다른 학생들은 부정행위를 하지 않았다면 부정행위가 무선오차로서 오차점수를 일으키는 요인이 된다. • 신뢰도에 변화를 가져온다.
체계적 오차 (systematic error)	• 검사를 치른 모든 학생들에게 동일하게 작용하는 오차 　예, 배우지 않은 범위에서 나온 문제의 답을 모두 맞게 해주는 경우 • 모든 학생들에게 동일한 정도로 영향을 주기 때문에 관찰점수의 분산에 변화를 일으키지 않는다. • 신뢰도에 변화를 주지 않는다.

2. 신뢰도 추정방법 19. 지방직

측정의 표준오차에 의한 방법	• 단일한 측정대상을 같은 측정도구를 가지고 여러 번 반복 측정한 결과 개인이 얻은 점수의 안정성, 즉 개인 내 변산의 일관성을 알아보는 방법 • 한 개인의 진점수가 위치할 가능성이 있는 점수들의 범위를 말하며, '신뢰구간', '점수 띠', 또는 '프로파일 띠'라고도 한다. 　예, 측정의 표준오차가 4인 검사에서 A의 원점수가 46일 때 진점수의 범위는 42점과 50점 사이에 위치한다.
두 검사의 상관계수에 의한 방법	• 검사의 측정 결과, 집단 내의 개인이 상대적으로 일관된 위치를 유지하고 있는가를 알아보는 방법, 즉 개인 간 변산의 일관성을 확인하는 방법 • 재검사 신뢰도, 동형검사 신뢰도, 내적 일관성 신뢰도(반분 신뢰도, 문항 내적 합치도)

더 알아보기

측정의 표준오차 계산방법

1. **계산방법**: 정규분포의 원리를 이용하면 개인의 진점수가 '점수±$1S_E$'(S_E는 측정의 표준오차를 의미하며, 측정의 표준오차는 정규분포의 표준편차를 의미한다.)의 범위 내에 존재할 확률은 약 68%, '점수±$1.96S_E$'의 범위 내에 존재할 확률은 약 95%, '점수±$2.58S_E$'의 범위 내에 존재할 확률은 약 99%이다.

2. **예시**: 2학기 중간고사 수학시험 결과 표준편차가 4인 정규분포로 나타났다. 이 시험에서 80점을 받은 철수의 68% 진점수 신뢰구간은 얼마인가?
   [풀이] 주어진 문제의 신뢰구간은 80±(1×4)이므로 진점수의 신뢰구간은 76~84가 된다. 같은 방법으로 95% 신뢰구간은 80±(1.96×4)이므로 72.16~87.84, 99% 신뢰구간은 80±(2.58×4)이므로 69.68~90.32이다.
3. **특징**: 측정의 표준오차가 클수록 진점수 신뢰구간이 커지고, 측정의 표준오차가 작을수록 진점수 신뢰구간이 작아진다. 즉 측정의 표준오차와 진점수 신뢰구간은 비례한다.

(1) **재검사 신뢰도**(retest reliability, 안정성 계수): 전후검사 신뢰도 22. 국가직, 06. 경기
  ① 한 검사를 같은 집단에 시간적 간격(예 2주 내지 4주)을 두고 두 번 실시하여 그 전후(前後) 검사의 결과에서 얻은 점수를 기초로 상관계수를 산출하는 방법이다.
  ② 안정성 계수(coefficient of stability): 전후 검사에서 나온 점수의 안정성에 관심을 갖는다.
  ③ 단점
    ㉠ 전후 검사의 실시간격을 어떻게 정하느냐에 따라 오차가 생긴다: 두 검사 간의 실시간격이 너무 짧으면 기억이나 연습의 효과가, 너무 길면 발달이나 성숙의 효과로 인해 피험자의 행동특성 자체가 변화될 가능성이 높다. 따라서 재고자 하는 특성이 일정기간 동안 쉽사리 변하지 않는 검사(예 지능검사, 태도검사, 성격검사)에 적합하며, 학력검사에는 적합하지 않다.
    ㉡ 전후 검사자의 여러 조건을 똑같이 통제하기 어렵다(선행 검사에서 나온 문제를 암기, 연습하면 후행 검사에 영향을 미친다).
    ㉢ 이월효과(carry-over effect)가 나타난다: 이전 검사에서 피험자가 받은 느낌이나 생각, 수행경험이 다음 검사의 수행에 대한 측정에 미치는 영향 ⇨ 이월효과로 인해 시간간격이 너무 짧으면 재검사에서 첫 번째 검사와 거의 동일한 반응을 하기 때문에 신뢰도가 과대추정될 소지가 있다.
    ㉣ 검사 상황이 달라짐에 따라 발생하는 오차는 잡을 수 있으나 두 번 다 동일한 검사를 치르기 때문에 검사의 내용이 달라짐에 따라 발생하는 오차는 잡을 수가 없다.

(2) **동형검사 신뢰도**(equivalent-form reliability, 동형성 계수) 21. 국가직 7급: 유사검사 신뢰도, 평형검사 신뢰도
  ① 검사문항의 내용은 다르지만 동일한 능력을 측정하는 두 개의 동형검사를 미리 제작하여 같은 집단에 두 번 실시하여 상관계수를 산출하는 방법이다.
  ② 동형성 계수(coefficient of equivalence): 표면적으로 내용은 서로 다르지만 두 검사가 측정이론에서 볼 때 '동질적이라고 추정할 수 있는(예 문항 내용, 문항 난이도, 문항 변별도가 거의 비슷하게 제작된)' 문항들로 구성된 동형검사로 구성되어야 한다.
  ③ 검사의 내용이 달라짐에 따라 발생하는 오차와 검사 상황이 달라짐에 따라 발생하는 오차를 모두 잡을 수 있다.
  ④ 기억, 연습 등의 영향력을 최소화(재검사 신뢰도의 단점 극복)할 수 있으나, 동형의 검사도구를 만들기가 어렵다. ⇨ 현실적으로 거의 사용하지 않는다.

(3) 반분 신뢰도(split-half reliability, 동질성 계수) 18. 지방직

① 한 개의 검사를 어떤 대상에게 실시한 후 이를 적절히 두 부분으로 나누어서 독립된 검사로 취급하여 이들의 상관계수를 산출하는 방법이다. ⇨ 가장 경제적인 신뢰도 추정방법

기우법	짝수번 문항과 홀수번 문항으로 나누는 방법
전후법	전체 검사를 문항 순서에 따라 전과 후로 나누는 방법 ⇨ 속도검사에는 사용하지 않는 것이 좋다(∵ 신뢰도가 과대 추정되기 때문에).
단순무작위법	무작위로(random) 분할하는 방법
문항특성법	문항특성(문항 난이도와 문항 변별도)에 의하여 나누는 방법 ⇨ 가장 바람직한 방법

② 재검사 신뢰도가 부적당하거나 동형검사를 만들기 어려울 때 사용한다.
③ Spearman-Brown 공식 또는 Rulon 공식을 사용하여 반분 신뢰도를 전체검사 신뢰도로 교정한다.

> **Spearman-Brown 공식**
>
> $$R = \frac{2r}{r+1}$$
>
> R: 전체검사 신뢰도 계수
> r: 반분 신뢰도 계수

④ 특징
  ㉠ 두 번 검사를 시행하지 않고 신뢰도를 추정할 수 있다.
  ㉡ 검사를 양분하는 방법에 따라 반분검사 신뢰도 계수가 달리 추정된다.
  ㉢ 기억이나 연습효과를 줄일 수 있다.
  ㉣ 문항이 적을 경우 사용할 수 없다.

(4) 문항 내적 합치도(동질성 계수, 문항 내적 일관성 신뢰도) 18. 국가직

① 검사 속의 문항을 각각 독립된 한 개의 검사 단위로 생각하고 그 합치성·동질성·일치성을 종합하여 상관계수로 나타내는 방법이다.
② Kuder-Richardson 공식과 Hoyt 계수, Cronbach-α를 사용하여 교정한다. 20. 지방직

K-R 20	이분문항(진위형 문항)에 사용
K-R 21	연속점수(예. Likert 척도)인 문항에 사용
Hoyt 계수	변량분석 이용(단, 이분문항에만 사용)
Cronbach-α	변량분석 이용, 이분문항뿐만 아니라 연속점수인 문항 모두 사용

> **더 알아보기**
>
> **내적 일관성 신뢰도(internal consistency reliability)** 13. 지방직
> 1. 하나의 검사를 구성하는 부분검사 또는 개별 문항들이 재고자 하는 특성을 얼마나 일관성 있게 재고 있는가를 보여주는 수치
> 2. 반분 신뢰도와 문항 내적 합치도를 말한다.
> 3. 재검사 신뢰도와 동형검사 신뢰도 적용이 어려운 학력검사의 신뢰도 추정에 많이 사용한다. 즉, 학력검사는 검사를 한번 치르고 그 검사 자체 내의 정보를 이용하여 검사점수의 신뢰도를 추정한다.

신뢰도 추정방식의 비교

추정방식		검사지의 수	검사실시 횟수	주된 오차요인	통계방법
재검사 신뢰도		1	2	시간 간격, 이월효과	적률상관계수(안정성 계수)
동형검사 신뢰도		2	2(각 1)	문항차이(문항의 동형성)	적률상관계수
내적 일관성 신뢰도	반분 신뢰도	1	1	반분검사의 동질성	동질성 계수 ⇨ 스피어만 - 브라운 공식, 루론공식
	문항 내적 합치도	1	1	각 문항의 동질성	동질성 계수 ⇨ KR-20, 21공식, 호이트(Hoyt) 계수, 크론바흐(Cronbach) - α 계수
평정자 간 신뢰도		1	1	평가자의 차이	적률상관계수, 백분율

3. 신뢰도에 영향을 주는 요인

(1) 검사와 관련된 요인

① **검사의 길이(문항 수)**: 검사의 길이가 증가함에 따라 신뢰도가 높다. 문항의 수가 늘어남에 따라 신뢰도가 높아진다(단, 문항의 질이 동등하게 유지되어야 함).

② **문항표집의 적부성**: 학습한 내용 중에서 골고루 출제될 때 신뢰도가 높다.

③ **문항의 동질성**: 검사문항이 동질적일 때 신뢰도가 높다.

④ **검사내용의 범위**: 시험범위가 좁을수록 문항의 동질성이 유지되므로 신뢰도가 높다.

⑤ **문항난이도**: 문항난이도가 적절할수록(30~80%) 신뢰도가 높다(50%일 때 신뢰도는 +1에 가까워짐).

⑥ **문항변별도**: 문항변별도가 높을 때 신뢰도가 높다.

⑦ **가능점수 범위**: 반응점수 범위(상이한 점수가 나올 수 있는 범위)가 클수록 신뢰도가 높다.

(2) 검사집단(혹은 치른 집단)와 관련된 요인

① **집단의 동질성**: 동질집단은 이질집단보다 신뢰도가 낮다.

　⚠ **동질집단이 이질집단보다 신뢰도가 낮은 이유** 동질집단(예) 성적우수아 집단)에서는 이질집단(예) 보통학급)보다 측정 횟수에 따르는 개인의 약간의 점수 변화가 개인의 상대적 지위(예) 석차) 변화에 크게 영향을 미치기 때문이다.

② **검사요령**: 모든 학생들이 일정 수준 이상으로 검사요령을 숙지하고 있을 때 신뢰도에 도움이 된다. 즉 검사요령을 터득하고 있을 때 신뢰도가 높다.

③ **동기 유발**: 모든 학생들이 일정 정도의 성취동기를 가지고 검사를 치를 때 신뢰도에 도움이 된다.

(3) 검사 실시와 관련된 요인

① **시간의 안정성**: 시간의 변화에 따라 검사점수가 달라진다. 검사시간이 충분히 주어져야 한다.

② **부정행위**: 부정행위의 유발은 신뢰도를 떨어뜨린다.

4. 신뢰도와 타당도의 관계 22. 국가직, 10. 경북, 05. 전남

(1) 타당도는 측정하려는 것을 얼마나 정확하게 측정하고 있는가와 관계가 있다.

(2) 신뢰도는 무엇을 측정하든 측정의 정확성과 관계가 있다.

(3) **신뢰도는 타당도의 필요조건이지 충분조건은 아니며, 타당도는 신뢰도의 충분조건이다.**

　① 타당도가 높으면 신뢰도도 높으나, 신뢰도가 높다고 타당도가 높은 것은 아니다.
　② 타당도가 낮아도 신뢰도는 높을 수 있으나, 신뢰도가 낮으면 타당도도 낮다.
　③ 높은 신뢰도는 높은 타당도의 선행조건이다. 20. 지방직

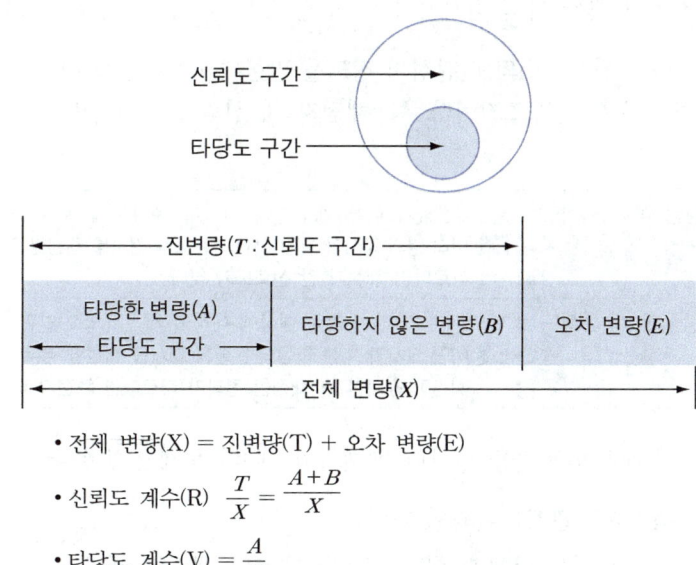

- 전체 변량(X) = 진변량(T) + 오차 변량(E)
- 신뢰도 계수(R) $\dfrac{T}{X} = \dfrac{A+B}{X}$
- 타당도 계수(V) $= \dfrac{A}{X}$

5. 신뢰도를 높이는 방법 08. 국가직

(1) 시험의 문항 수를 많이 출제한다.

(2) 객관식 문제에서 답지 수(선택문항 수)를 많이 한다.

(3) 학습내용 중에서 골고루 출제한다.

(4) 검사문항을 동질적으로 구성한다.

(5) 문항난이도를 적절하게(50% 내외) 유지한다.

(6) **문항의 변별도를 높인다**: 문항이 공부를 잘하는 학생과 못하는 학생을 구분할 수 있어야 한다.

(7) **시험을 실시하는 상황이 적합해야 한다**: 시험문항의 지시문이나 설명이 명확해야 하고, 부정행위 방지 및 시험환경의 부적절성으로 인한 오답 가능성을 배제해야 한다.

(8) 객관적인 채점방법(예 컴퓨터 채점)을 사용한다.

(9) **시험시간이 충분히 주어져야 한다**(∵ 문항반응의 안정성이 보장되어야 하기 때문에): 신뢰도는 속도검사에는 적용되지 못한다.

(10) 시험범위가 좁아야 한다(∵ 문항의 동질성이 커지기 때문에).

(11) 집단의 점수분포의 변산도, 즉 표준편차가 커야 한다(∵ 능력의 범위가 넓으면 전체 점수 변량에 대한 진점수 변량 부분이 상대적으로 커지기 때문에).

③ 객관도(objectivity, 채점자 간의 신뢰도, 검사자 간의 신뢰도) 06. 부산

1. 개념 21. 국가직

(1) 측정의 결과에 대한 여러 검사자가 어느 정도로 일치된 평가를 하느냐의 정도를 말한다.

(2) 채점자에 따른 검사점수의 일관성의 정도를 말한다. ⇨ 채점자 내 신뢰도는 채점자 간 신뢰도를 추정하기 위한 전제조건이다. 즉, 채점자 내 신뢰도가 낮다면 채점자 간 신뢰도는 의미가 없다.

채점자(평정자) 간 신뢰도	한 채점자가 다른 채점자와 얼마나 유사하게 평가하였느냐의 문제 예) 여러 명의 교사가 특정 학생의 논술형 검사를 채점할 경우에 서로의 채점결과가 크게 다르다면 채점자 간 신뢰도가 낮다.
채점자(평정자) 내 신뢰도	한 채점자가 많은 측정 대상에 대하여 계속적으로 일관성 있게 측정하였느냐의 문제 예) 어떤 교사가 특정 학생의 논술형 검사를 채점할 경우 처음 채점한 점수와 어느 정도 시간이 경과한 후 채점한 결과가 다르다면 채점자 내 신뢰도가 낮다.

(3) 평정자의 주관적인 편견을 얼마나 배제하였느냐의 문제를 말한다.

(4) **신뢰도와 객관도의 관계**: 신뢰도⊃객관도 20. 지방직
  ① 같은 교사가 같은 학생에 대해 채점한 내용이 채점할 때마다 다르다. ⇨ 신뢰도의 문제
  ② 여러 교사가 같은 학생에 대해 채점한 내용이 각각 다르다. ⇨ 객관도의 문제
  ③ 신뢰도가 평가도구의 각 문항에 평가 대상자들이 보인 반응과 관련된 개념이라면, 객관도는 평가자가 평가 대상에 보인 반응과 관련된 개념이라는 점에서 구분할 수 있다.

2. 객관도의 향상 방법

(1) 평가도구를 객관화시켜야 한다. ⇨ 주관식 검사의 경우 검사자의 개인적 편견이나 감정이 작용될 가능성이 높다.

(2) 평가자의 소양을 높여야 한다.

(3) 명확한 평가기준이 있어야 한다.

(4) 여러 사람이 공동으로 평가해서 그 결과를 종합하는 것이 효과적이다.

(5) 반응 내용에만 충실한 채점을 한다.

3. 객관도 산출 방법: 코헨의 카파계수(Cohen's Kappa Coefficient)

(1) **개념**: 두 명 이상의 평가자가 얼마나 일관되게 동일한 대상을 평가했는지를 나타내는 통계 지수 ⇨ 비율 일치도(agreement by proportion)라고도 부른다.

(2) **계산방식과 해석**

① 계산방식

$$K = (Pr(a) - Pr(e)) / (1 - Pr(e))$$

Pr(a): 실제값의 동의 비율 (**예** 두 평가자가 모두 '긍정'으로 평가한 비율)
Pr(e): 우연히 일치하는 비율 (**예** 두 평가자가 서로 다른 평가를 하지만, 우연히 동일한 결과가 된 비율)

② 해석: 0에서 1 사이의 값을 가지며, 1에 가까울수록 두 평가자의 일치도가 높다는 것을 의미한다. ⇨ 0은 우연히 일치하는 것과 동일한 수준임을 나타낸다.

(3) **장점과 단점**

장점	단점
• 단순 명료한 해석 • 다양한 평가자 수에 적용 가능 • 명명척도, 서열척도, 동간척도에 모두 적용 가능	• 표본 크기에 민감 • 해석 기준이 다소 주관적 • 카테고리 수가 많을수록 해석하기 어려움.

4 실용도(usability)

1. 개념 20. 지방직

(1) 하나의 평가도구가 문항제작, 평가실시, 채점상의 비용, 시간, 노력 등을 최소화하고 소기의 목적을 달성하는 정도를 말한다.

(2) 검사의 경제성의 정도를 말한다.

(3) 실용도를 지나치게 강조하다 보면 타당도가 낮아질 수 있다.

2. 실용도의 조건

(1) 검사실시와 채점방법이 쉬워야 한다.

(2) 비용·시간·노력 등이 절약되어야 한다.

(3) 해석과 활용이 용이해야 한다.

제6절 검사문항의 제작

1 검사문항 제작의 기초

1. 문항개발의 절차

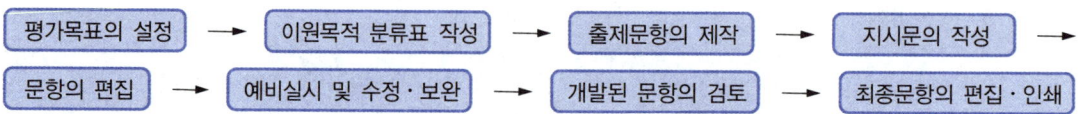

평가목표의 설정 → 이원목적 분류표 작성 → 출제문항의 제작 → 지시문의 작성 → 문항의 편집 → 예비실시 및 수정·보완 → 개발된 문항의 검토 → 최종문항의 편집·인쇄

2. 검사문항의 유형

(1) **채점방식에 따른 분류**: 채점자의 주관성 개입에 따른 분류
   ① 주관식 검사: 논문형
   ② 객관식 검사: 진위형, 배합형, 선다형, 단답형, 완성형

(2) **학생의 반응 양식에 따른 분류**
   ① 선택형(≒객관식): 진위형(○, ×형), 배합형(연결형), 선다형(선택형)
   ② 서답형(≒주관식): 단답형, 완성형(완결형), 논문형

2 객관식 검사와 주관식 검사

1. 객관식 검사

(1) **개념**: 문항의 채점이 객관적으로 이루어지는 검사

(2) **장점**
   ① 채점의 객관도와 신뢰도가 높다.
   ② 채점이 쉽다(채점이 경제적).
   ③ 학습한 내용에서 골고루 출제할 수 있다.
   ④ 검사결과를 의미 있게 통계적으로 처리하고 해석할 수 있다.
   ⑤ 문항분석을 통해 교육개선에 기여할 수 있다.

(3) **단점**
   ① 단순 기억 내지 정보지식의 측정에 치우칠 우려가 있다.
   ② 추측요인을 완전히 제거할 수 없다.
   ③ 자기표현과 창의력 발휘가 어렵다.
   ④ 문항 제작에 많은 시간과 노력, 훈련이 요구된다(문항 제작이 비경제적).

(4) 객관식 검사를 적용하는 것이 바람직한 경우
① 검사대상 인원수가 많을 때
② 동일한 검사를 다시 사용하고자 할 때
③ 보다 신뢰할 수 있는 검사결과가 필요할 때
④ 검사제작에 소요되는 시간이 충분할 때
⑤ 검사결과가 시급히 요구될 때

2. 주관식 검사

(1) 개념: 문항의 채점이 주관적으로 이루어지는 검사

(2) 특징
① 학생들에 의해 답이 구성된다.
② 해답의 정확성과 질이 채점자에 의해 주관적으로 판단된다.
③ 비교적 문제수가 적고 광범위한 반응을 요구한다.

(3) 장점
① 문항 제작이 쉽다(문항 제작이 경제적).
② 반응과 채점이 자유롭다.
③ 고등정신능력(예 적용력, 분석력, 종합력, 평가력) 측정이 가능하다.
④ 학습자의 학습태도 개선에 유리하다.

(4) 단점
① 채점의 객관도와 신뢰도가 낮다.
② 문항의 포괄성을 제약한다.
③ 채점에 많은 시간이 소요된다(채점이 비경제적).
④ 검사결과의 통계 처리가 어렵다.

(5) 주관식 검사를 적용하는 것이 바람직한 경우
① 고등정신능력을 평가하고자 할 때
② 학업성취도보다는 학생의 태도나 의견을 알아보고자 할 때
③ 검사대상 인원이 적을 때
④ 동일한 검사를 다시 사용할 필요가 없을 때
⑤ 검사 제작에 충분한 시간적 여유가 없을 때
⑥ 채점에 자신감이 있을 때

3. 객관식 검사와 주관식 검사의 비교 10. 울산

구분	객관식 검사	주관식 검사
반응의 특징	문항이 요구하는 관련 지식에만 반응	문항이 요구하는 관련 지식, 문장구성력, 표현력, 창의력 등 포함
반응의 강조점	정확한 지식	종합적 이해
반응의 자유도	작다.	크다.
채점의 객관도	상당히 높다.	비교적 낮다.
문항의 타당도	유지할 수 있다.	유지가 어렵다.
추측의 작용	상당히 크다.	거의 없다.
출제 소요시간	많다.	적다.
채점 소요시간	적다.	많다.

③ 객관식 선다형(선택형) 검사문항 10. 서울, 04. 제주

1. 개념
(1) 하나의 문항에 두 개 이상의 답지로 구성된 문항형식
(2) 문장은 의문문이나 불완전 문장으로 구성되어 있다.

2. 종류: 정답형, 최선답형, 다답형, 불완전 문장형, 합답형, 부정형, 대체형

(1) **정답형**(correct-answer variety): 여러 개의 답지 중에서 한 개만이 정답이고 나머지는 전혀 관계없는 것으로 구성되어 있는 문항

> 다음은 심리학자와 그가 실험으로 사용한 동물을 연결한 것이다. 올바른 것은? 답 ①
> ① 스키너(Skinner) – 비둘기   ② 쾰러(Köhler) – 고양이
> ③ 톨만(Tolman) – 침팬지   ④ 손다이크(Thorndike) – 개

(2) **최선답형**(best-answer variety): 여러 개의 답지 중에서 '가장 맞는 것'(정답의 정도가 가장 큰 것) 하나만을 선택하게 하는 문항

> 다음 중 인간 중심 교육과정의 의미를 가장 잘 설명한 것은? 답 ③
> ① 의도적인 경험이다.   ② 학교의 교과학습 계획 문서를 말한다.
> ③ 모든 경험이다.   ④ 잠재적 교육과정이다.

(3) **다답형**(multiple-responses variety) : 한 문항에 여러 개의 정답을 제시하고 이들을 모두 고르게 하는 문항

> 이덕무가 「사소절」에서 초등교육의 교육과정으로 제시한 교재는 무엇인가? (정답이 2개임) 답 ①, ②
> ① 훈몽자회 ② 기년아람 ③ 아학편
> ④ 동몽선습 ⑤ 아희원람

(4) **불완전 문장형**(incomplete-statement variety) : 일부분이 비어 있는 불완전한 문장을 제시하고 그 부분에 들어갈 정답을 제시된 답지에서 고르게 하는 문항

> 다음 (　　) 안에 들어갈 말로 적절한 것은? 답 ②
>
> 복선형 학제는 (　　)을(를) 중심으로 형성된 학교제도로서 복수의 학교계통이 병존해 온 학교제도를 말한다.
>
> ① 단계성 ② 계통성
> ③ 능력   ④ 연령

(5) **합답형**(결합응답형, combined-responses variety) : 제시된 보기의 답지 중에서 둘 이상을 종합하여 정답을 찾게 하는 문항

> 다음은 블룸(Bloom)이 제시한 인지적 영역의 교육목표의 하위 목표들이다. 복잡성의 원칙에 따라 바르게 나열한 것은? 답 ①
>
> ㉮ 이해력   ㉯ 지식   ㉰ 평가력
> ㉱ 분석력   ㉲ 적용력   ㉳ 종합력
>
> ① ㉯ - ㉮ - ㉲ - ㉱ - ㉳ - ㉰   ② ㉯ - ㉮ - ㉲ - ㉱ - ㉰ - ㉳
> ③ ㉯ - ㉱ - ㉮ - ㉳ - ㉲ - ㉰   ④ ㉮ - ㉯ - ㉲ - ㉱ - ㉳ - ㉰

(6) **부정형**(negative variety) : 답지 중에서 정답이 아닌 것을 선택하게 하는 문항

> 다음 중 최근의 교육평가 접근방식에 해당하지 않는 것은? 답 ②
> ① 정의적 특성의 평가 강조
> ② 지필고사의 비중 확대
> ③ 고차적 사고능력의 평가 강조
> ④ 수행평가의 도입

(7) **대체형**(substitution variety): 제시문의 특정 부분에 잘못이 있다면 그것을 찾아내어 바른 내용으로 대체하도록 요구하는 문항

> 다음 제시문을 읽고 밑줄 친 부분을 올바르게 고친 것은? 답 ③
>
> 매슬로우(Maslow)는 <u>2단계</u> 욕구위계를 결핍욕구와 성장욕구로 나누어 제시하였는데, <u>자아실현욕구</u>는 결핍욕구에 해당한다.
>
> ① 3단계, 지적 욕구　　　　　② 5단계, 심미적 욕구
> ③ 5단계, 존경의 욕구　　　　④ 9단계, 애정의 욕구

3. 장점

(1) 채점이 쉽고 객관도와 신뢰도가 높다.

(2) 답지의 반응에 나타나는 학생의 반응형태에 의해 중요한 진단적 자료를 얻는다.

(3) 결과의 통계분석이 용이하다.

(4) 광범위한 내용을 출제할 수 있다.

(5) 문항형식이 갖는 융통성과 우수성이 크다.

(6) 문항의 내용타당도가 유지된다.

(7) 회상능력 과제(recall task)보다 재인능력 과제(recognition task)를 평가하는 데 적합한 문항 유형이다.

4. 단점

(1) 문항 제작에 시간과 노력이 많이 든다.

(2) 고등정신능력을 측정하기가 어렵다.

(3) 추측요인을 제거할 수 없다.

(4) 자기표현과 창의력 발휘가 어렵다.

5. 문항 제작 시 유의점

(1) 정답은 분명하게, 오답은 그럴 듯하게 만든다.

(2) 답지 사이의 중복을 피한다.

(3) 답지의 길이는 비슷해야 한다.

(4) **'모두 정답' 또는 '정답 없음'이 정답이 되는 답지도 사용하되, 제한적으로 한다**: '모두 정답' 또는 '정답 없음'과 같은 답지는 계산이나 철자문제 등 필요한 경우에만 사용해야 하고, 정답형의 문항에서 '정답 없음'과 최선답형에서 '모두 정답'의 답지는 논리적으로 모순이므로 사용할 수 없다.

(5) 문항은 자세하게, 답지는 간결하게 표현한다.

(6) 정답에 대한 단서를 주지 말아야 한다.

(7) 문항은 가급적 긍정문으로 진술한다.

(8) 정답의 위치는 다양성이 있어야 한다.

(9) 문항과 답지는 내용상 관련이 있어야 한다.

(10) 한 문항 내의 답지는 상호 독립적이어야 하고, 다른 문항의 답지와도 상호 독립적이어야 한다.

(11) **전문적인 용어 사용을 피한다**: 전문적인 용어의 사용은 문항의 적절한 난이도 유지를 곤란하게 할 수 있다.

(12) **형용사, 부사의 질적 표현을 많이 사용하지 않는다**: 형용사나 부사의 사용은 그 의미나 해석이 다를 수 있으므로 질문의 내용이 모호해질 수 있다.

4 주관식 서술형(논문형) 검사문항

1. 개념

어떤 질문이나 지시에 따라 학생이 자유롭게 반응하여 자신의 능력을 구사할 수 있게 하는 문항형식 ⇨ '반응의 무제한성'을 특징으로 한다.

2. 장점

(1) 반응의 자유도가 크다.

(2) 고등정신능력을 측정하는 데 효과적이다.

(3) 문항 제작이 쉽다.

(4) 학습자의 학습태도를 개선해 주며 표현력을 학습시키는 데 효과적이다.

(5) 재인능력 과제(recognition task)보다 회상능력 과제(recall task)를 평가하는 데 적합한 문항 유형이다.

3. 단점

(1) 채점이 비객관적이고 비신뢰적이다.

(2) 문항의 표본수가 제한된다. ⇨ 문항의 수가 적어 학습할 교육목표를 골고루 표본할 수 없으며, 문항 표집의 대표성이 낮다.

(3) 채점에 시간과 노력이 많이 든다.

4. 문항 제작 시 유의점

(1) 수험자 집단의 성질을 고려한다.

(2) 고등정신능력을 평가할 수 있는 문항을 출제한다.

(3) 여러 문항 중 선택하게 하는 것은 가급적 피한다.

(4) 구체적 목적을 평가할 수 있도록 구조화시키고 제한성을 갖게 한다.

(5) 문항 수는 적절히 조정하고, 문항배열은 난이도에 따른다.

5. 채점방식: 분석적 채점과 개괄적 채점방식이 있다.

분석적 채점(analytic scoring)	답안을 구성요소로 나눈 다음 구성요소별로 채점한 다음 합산하는 채점방식으로 구성요소별로 배점을 한다.
개괄적 채점(holistic scoring)	답안의 전반적인 질을 전체적으로 판단하여 단일점수를 주는 채점방식이다.

6. 채점 시 유의점

(1) 채점기준을 미리 정한다(예 모범 답안지를 만들어 본다). ⇨ 내용불확정성 효과 방지

(2) 채점 시에 편견이나 착오가 작용하지 않도록 한다. ⇨ 후광효과 방지

(3) 가급적 여러 사람이 공동으로 채점한다. ⇨ 내용불확정성 효과 방지

(4) 충분한 시간을 갖고 채점한다. ⇨ 피로효과 방지

(5) 답안 작성자 단위별로 채점하지 말고 평가문항별로 채점한다. ⇨ 순서효과 방지

▣ 논문형 채점에 영향을 주는 요인과 채점 시 유의사항

내용불확정성 효과 (content indeterminancy effect)	채점자가 논술형 문항이 요구하는 반응을 정확하게 이해하지 못하거나 여러 채점자가 바람직한 반응에 대한 의견이 다를 경우 채점결과에 영향을 주는 현상 ⇨ 채점기준을 명확히 제시함으로써 예방
후광효과(halo effect)	채점자가 학생에 대해 갖고 있는 인상이 채점결과에 영향을 주는 현상 ⇨ 학생의 인적 사항을 모르는 상태에서 채점
순서효과(order effect)	답안지를 채점하는 순서가 채점에 영향을 주는 현상으로, 일반적으로 먼저 채점되는 답안지가 뒤에 채점되는 답안지보다 더 높은 점수를 받는 경향이 있다. ⇨ 학생별로 채점하지 말고 문항별로 채점하여 예방
피로효과(fatigue effect)	채점자의 육체적, 심리적 피로가 채점결과에 영향을 주는 현상 ⇨ 충분한 시간을 갖고 채점하여 예방
답안과장(bluffing)	논술형 문항이 측정하는 지식이나 기능을 갖고 있지 않은 학생이 지식이나 기능을 갖고 있는 것처럼 보이기 위해 허세를 부리거나 의도적으로 답안을 조작하는 현상(예 작문능력, 일반지식, 시험책략 등)으로 부분점수 또는 채점자가 주의하지 않으면 고득점을 받기도 함. ⇨ 가능하면 같은 답안지를 최소 2회 이상 채점하거나 두 사람 이상이 채점한 결과를 평균하여 산출함으로써 예방

5 표준화검사(Standardized test) 08. 국가직

1. 개념

(1) 검사의 제작절차, 내용, 실시조건, 채점 과정과 해석이 표준화되어 있는 검사

(2) 절차, 도구, 채점방법, 해석이 일정하여 같은 검사를 언제 어디에서나 똑같이 실시할 수 있는 검사(Cronbach) 17. 국가직

(3) **인간행동의 표본(sample)을 객관적으로 측정하려는 심리학적 검사**(psychological test): 인간의 지적·정의적 영역의 심리적 특성을 측정하기 위하여 관계전문가에 의해 제작된 검사 ⇨ 측정하고자 하는 심리적 특성을 조작적으로 정의

표준화검사	교사제작검사
• 광범위한 집단(지역단위, 전국단위)	• 특정집단(학급단위, 학교단위)
• 비교의 상대적 규준이 있다.	• 비교의 상대적 규준이 없다.
• 검사도구의 양호도가 높다.	• 검사도구의 양호도가 낮다.
• 절차가 복잡하고 신중을 요한다.	• 절차가 비교적 단순하다.
• 학력검사, 적성검사 등 다양하다.	• 주로 학력검사로 사용한다.
• 진단평가나 총괄평가에도 사용한다.	• 형성평가에 주로 사용한다.
• 고부담평가로 인식된다.	• 형성평가는 고부담평가로 인식되지 않는다.

2. 표준화검사의 유형

(1) 측정내용에 따른 분류

① 지적 영역: 일반지능검사, 적성검사, 학력검사(성취검사), 진단검사

② 정의적 영역: 흥미검사, 성격검사, 태도검사

(2) 대상에 따른 분류

① 개인용 검사: 한국형 웩슬러 지능검사, 고려대학교-비네 지능검사

② 집단용 검사: 간편지능검사, 일반지능검사, 종합지능검사

표준화검사의 예

지능검사	일반지능검사, 지능진단검사, 고대-비네 지능검사, 유아지능검사, 카우프만 아동용 지능검사(K-ABC), K-WAIS
적성검사	종합적성검사, 홀랜드 진로탐색검사, GATB 적성검사, STRONG 진로탐색검사, 진로적성검사
학력검사	표준화학력진단검사, 표준화학력검사, 표준화기본학력검사, 학습기술진단검사, 학습습관검사, 기초학력진단검사
성격검사	일반성격검사, 성격진단검사, 인성검사, 다면적인성검사(MMPI), MBTI, 유아성격검사, 어린이 및 청소년용 성격유형검사(MMTIC), KIPA 인성검사, KPI 성격검사
창의성검사	창의성검사, 유아종합창의성검사, TORRANCE 창의력검사
기타	흥미검사, 직업흥미검사, 자아개념검사, 가정환경진단검사, 그림좌절검사, 욕구진단검사, 학생유형검사(SSI), 자아가치관검사, 상태-특성불안검사

제7절 문항의 통계적 분석

1 문항분석(item analysis)

1. 개념

(1) 어떤 검사를 구성하고 있는 개개 문항의 '양호도'를 검증하는 것을 말한다.

(2) '검사(평가도구)의 양호도'는 '문항들의 양호도'에 따라 결정되기 때문에 '검사의 양호도'를 알아보기 위해 문항분석이 필요하다.

> **검사도구의 양호도와 문항의 양호도**
> 1. **검사도구의 양호도**: 타당도, 신뢰도, 객관도, 실용도
> 2. **문항의 양호도**: 문항곤란도(문항난이도), 문항변별도, 문항반응분포 ⇨ 고전검사이론

(3) 객관식(선택형) 문항에 한하여 실시한다.

(4) 한 검사 속에 포함되어 있는 문항들이 얼마나 적합하며, 제구실을 하고 있는가를 검증·분석하고 이를 통해 문항의 개선을 목적으로 실시한다.

2. 유형 – 고전검사이론과 문항반응이론

(1) **고전검사이론**(classical test theory) 23. 지방직

① 개요
  ㉠ 스피어만(C. Spearman)이 시작한 교육 및 심리 측정의 개념적 모형
  ㉡ 검사도구의 총점에 의하여 분석되는 이론
  ㉢ 관찰점수를 진점수와 오차점수의 합으로 가정하여 전개한 문항검사이론
  ㉣ 개인의 능력은 불변하기 때문에 반복적으로 측정한 검사점수의 평균치가 개인의 진점수라고 가정할 수 있고 따라서 관찰점수는 진점수 분산과 오차점수 분산으로 분리될 수 있다. 이 오차점수 분산의 크기로 한 검사의 신뢰도를 추정할 수 있다.

② 기본가정: 관찰점수(X, 측정값)는 진점수(T, 참값)와 오차점수(E, 오차값)의 합이다.

③ 장점: 이해 및 적용이 쉬워 학교현장에 많이 이용된다.

④ 단점
  ㉠ 같은 문항이라도 피험자의 능력에 따라 문항의 특성이 다르게 추정된다(문항특성의 가변성): 같은 문항이라도 능력이 높은 학생들에게는 쉬운 문항으로, 능력이 낮은 학생들에게는 어려운 문항으로 분석된다.
  ㉡ 문항의 난이도에 따라 피험자의 능력이 과대, 과소평가된다(피험자 능력의 가변성): 문항이 쉬우면 피험자의 능력이 과대 추정되고, 문항이 어려우면 능력이 과소 추정된다.

⑤ 문항분석방법: 문항난이도, 문항변별도, 문항반응분포

(2) 문항반응이론(item response theory)

① 개요(= 잠재적 특성 이론)
  ㉠ 피험자의 검사결과에 영향을 미치는 관찰할 수 없는 잠재적 특성(latent traits)이 있다고 가정하고 피험자의 검사점수로부터 잠재적 특성을 추정하는 절차와 관련된 이론
  ㉡ 피험자의 능력에 따른 문항의 답을 맞힐 확률을 나타내는 문항특성곡선에 기초한 검사이론

② 기본가정: 잠재적 특성 측정을 위한 가정
  ㉠ 단일차원성: 한 검사를 구성하는 모든 문항은 하나의 잠재적 특성(예, 지능, 창의력)만을 측정해야 한다는 것
  ㉡ 지역독립성: 어느 특정한 검사문항에 대한 반응은 다른 문항에 대한 반응에 영향을 미치지 않는다는 것 ⇨ 능력과 문항특성에 의해서만 문항반응이 결정, 한 검사의 문항들에 대한 피험자의 반응은 통계적으로 상호 독립적

③ 장점 09. 국가직 7급
  ㉠ 문항특성 불변성: 문항특성(문항난이도, 문항변별도)은 피험자 집단의 특성에 의해서 변화되지 않는다. 즉, 문항특성은 피험자 집단의 능력에 관계없이 항상 똑같은 수준이다.
  ㉡ 피험자 능력 불변성: 피험자의 능력은 어떤 검사나 문항을 선택함으로써 다르게 추정되는 것이 아니라 고유한 능력 수준을 갖는다. 즉, 피험자가 어려운 문항을 택하든 쉬운 문항을 택하든 피험자의 능력은 변화하지 않는다.

④ 단점: 실제적인 작업에 있어 복잡하고 비용과 시간이 많이 소요된다.

3. 문항분석의 의의

(1) 문항을 개선하기 위해서 실시한다.
(2) 문항분석 결과는 교수-학습 및 평가 과정에 합류시킴으로써 교수-학습 과정을 향상시키는 데 도움을 준다.
(3) 문항분석 절차는 교사의 전문성 향상에 도움을 준다.
(4) 문항분석은 문항은행 구축에 필요한 절차이다. ⇨ 좋은 문항은 문항은행에 보관

❷ 문항난이도(Item Difficulty, 문항곤란도) 13. 지방직, 08. 충남·충북

1. 개념

(1) 한 문항의 쉽고 어려운 정도를 말한다.

(2) 전체 사례수 중에서 정답을 한 학생의 비율(정답자의 비율)로 나타낸다(Davis).

$$P = \frac{R}{N} \times 100$$

P: 문항난이도
N: 전체 학생(사례)수
R: 정답한 학생 수

예 응시자 100명의 학생 중 A문항에는 30명이 정답을 했고, B문항에는 40명이 정답을 했다면 어느 문항이 더 쉬운 문항인가?

A문항: $P = \frac{30}{100} \times 100 = 30\%$, B문항: $P = \frac{40}{100} \times 100 = 40\%$

∴ B문항이 더 쉬운 문항이다.

(3) 한 문항에 정답을 한 학생 수가 많을수록 문항난이도는 크고, 문항난이도가 클수록 그 문항은 쉬운 문항이다.

(4) **문항난이도**(P)
① 변산범위: $0\% \leq P \leq 100\%$ ⇨ 0%: 정답자 없음, 100%: 모두 정답
② 양호한 난이도: $30\%(40\%) \leq P \leq 70\%(80\%)$
③ 이상적인 난이도: 50%

(5) **상대평가와 절대평가에서의 해석상의 차이**
① 상대평가의 경우: $P=100\%$이거나 $P=0\%$일 때 문항이 잘못되어 있음을 뜻한다.
② 절대평가의 경우: $P=100\%$이면 교수-학습이 성공한 증거로 보나, $P=0\%$이면 교수-학습이 실패한 증거로 보아 교수-학습 개선이 요구된다.

2. 문항난이도의 이용

(1) 문항난이도는 문항변별도의 준거가 된다.

(2) **문항난이도의 정도에 따라 문항배열의 순서를 정한다**: 쉬운 문항 ⇨ 어려운 문항

(3) **검사문항의 수준을 조절할 때 사용한다**: 문항난이도가 큰 문항은 능력이 낮은 학생의 동기 유발을 위해, 문항난이도가 작은 문항은 상위능력 학생의 성취감 향상을 위해 필요하다.

③ 문항변별도(Item Discrimination, 문항타당도) 16. 국가직, 13. 지방직, 05. 강원

1. 개념

(1) 문항 하나하나가 피험자의 상하능력을 변별해 주는 정도를 말한다. 즉, 문항난이도를 능력의 함수로 정의한 것으로, 특정 능력 수준의 문항난이도를 말한다.

(2) 어떤 검사의 개개 문항이 상위집단(H)과 하위집단(L)의 학생을 식별 또는 구별해 줄 수 있는 변별력이며, 검사결과로 나온 총점을 성적순으로 배열했을 때 그 중앙치(Mdn)를 중심으로 상위집단과 하위집단으로 나누어 계산한다.

(3) 상위집단에 속하는 피험자가 하위집단에 속하는 피험자보다 각 문항에 대한 정답의 확률이 높아야 그 문항의 변별도가 있다고 할 수 있다.

(4) 문항이 무엇을 측정하고 있느냐, 측정해야 할 것을 측정하고 있느냐, 학생의 능력을 변별하는 힘이 있느냐를 묻는 것으로 문항 내적 합치도(준거: 검사의 총점)나 문항 외적 타당도(준거: 검사의 총점 이외의 것들)와 동의어로 사용한다.

(5) 측정하고자 하는 능력의 상하를 정확히 변별한다는 것은 측정하고자 하는 능력을 충실히 재는 것이므로 문항변별도는 문항타당도의 일종이다.

2. 계산방법(Johnson)

(1) **정답비율 차(정답률 편차)에 의한 문항변별도 계산방법**: 상위집단의 정답률에서 하위집단의 정답률을 빼어 산출한다.

$$DI = \frac{RH - RL}{\frac{N}{2}}$$

RH: 상위집단 정답자 수
RL: 하위집단 정답자 수
N: 전체 사례수

예. A문항에 대한 검사결과가 다음과 같이 나왔다. 문항변별도 지수는?

구분	오답	정답
상위집단	20	80
하위집단	60	40

$$DI = \frac{RH - RL}{\frac{N}{2}} = \frac{80 - 40}{\frac{200}{2}} = +0.4$$

(2) **상관계수에 의한 문항변별도 계산방법**: 문항점수와 검사점수 총점 간의 상관계수에 의한 방법

$$r_{xy} = \frac{n\sum X_i Y_i - \sum X_i \sum Y_i}{\sqrt{n\sum X_i^2 - (\sum X_i)^2} \sqrt{n\sum Y_i^2 - (\sum Y_i)^2}}$$

X_i: 응시자 i의 문항점수
Y_i: 응시자 i의 검사 총점
n: 총 응시자 수

① 정답지의 상관계수는 높으며 정적이고, 오답지의 경우는 상관이 매우 낮거나 부적 상관계수를 나타낸다.
② 이는 각 답지의 선택 여부와 총점과의 상관계수이므로 정답지의 경우 정답지 선택 여부와 총점의 상관계수 추정에서 정답지를 선택한 피험자의 경우 일반적으로 총점이 높으므로 상관계수가 양수이다. 그러나 각 오답지의 선택 여부와 총점의 상관계수는 오답지를 선택한 피험자들의 총점이 낮고 오답지를 선택하지 않은 피험자들의 총점이 높으므로 상관계수는 음수이거나 0에 가깝다.

3. **문항변별도 지수**(DI, discrimination index)

   (1) **변산범위**: $-1.00 \leq DI \leq +1.00$ ⇨ 0일 경우: 변별력이 없다. +1에 가까울수록: 변별력이 크다. '−'일 경우: 역변별(부적 변별) 문항
      ① 상위집단 정답자 수와 하위집단 정답자수가 일치할 때: $DI = 0$
      ② 상위집단 학생이 모두 정답이고, 하위집단 학생이 모두 오답일 때: $DI = +1$
      ③ 상위집단 학생이 모두 오답이고, 하위집단 학생이 모두 정답일 때: $DI = -1$

   (2) **양호한 변별도**: $+0.30 \leq DI \leq +0.70$ ⇨ 양호한 문항(변별도가 있다.)

   (3) '−'일 경우는 하위집단의 정답수가 많을 때를 의미한다. ⇨ 양호하지 못한 문항

   (4) '+' 부호를 가지면서 그 값이 크게 나와야 바람직한 것이다.

   (5) 문항난이도가 50%일 때 변별도는 +1.00에 가깝다.

   (6) 문항변별도는 검사의 총점이라는 내적 준거에 의하여 문항 내적 합치도를 고려한다. ⇨ 총점이 높은 사람이 문항에 정답을 하고, 총점이 낮은 사람이 문항에 오답을 하면 문항변별도가 높다고 할 수 있다.

4. **문항변별도의 이용**

   (1) 상대평가나 절대평가에 모두 유용하게 사용된다.
   (2) 상대평가에서는 총점에서 성적이 좋은 사람과 나쁜 사람을 분명히 가려낼 수 있는 문항으로 구성되어야 한다.
   (3) 절대평가에서는 성공학생과 실패학생을 잘 변별할 수 있는 문항으로 구성되어야 한다.
   (4) 절대평가에서는 어떤 문항이 학습에서의 성공자와 실패자를 잘 구별하느냐를 알아보기 위해 사용한다.

④ 문항반응분포

1. 개념
(1) 각 문항별 학생들의 반응분포를 말한다.

(2) 문항의 각 답지에 학생들이 어떻게 반응하고 있는가를 나타내는 반응상태를 분석하여, 정답과 오답이 제 기능을 하고 있는가를 알아보는 것이다. ⇨ 오답의 매력성 분석

2. 문항반응분포의 분석

<문항 1>		<문항 2>		<문항 3>	
답지	반응자수	답지	반응자수	답지	반응자수
① 정답	50	①	24	①	5
②	16	②	26	②	0
③	18	③ 정답	25	③	20
④	16	④	25	④ 정답	75
N	100	N	100	N	100

(1) <문항 1> 좋은 분포이다. 정답에 많은 수가 분포되어 있고, 나머지 오답은 비슷한 분포를 가지고 있다.

(2) <문항 2> 정답이 제 기능을 하지 못하고 있다. 각각의 오답과 정답의 반응 수가 비슷하기 때문에 이런 문항은 정답이나 오답을 수정해야 한다.

(3) <문항 3> 정답에만 몰려 있고, 답지 ①과 ②는 제 기능을 못하고 있다. 이런 문항은 오답을 수정하거나 대체해야 한다.

3. 바람직한 분포
(1) 정답지에 50%가 반응하고 나머지 오답지에 고르게 분산되어 반응해야 한다.

(2) 정답지에는 상위집단의 반응이 많고, 오답지에는 하위집단의 반응이 많아야 한다.

⑤ 문항특성곡선(Item Characteristic Curve, ICC)

1. 개념
(1) 문항의 고유한 속성을 나타내는 것으로 피험자의 능력에 따라 문항의 답을 알아맞힐 확률을 나타내는 곡선을 말한다.

(2) **학생(피험자)의 능력 수준에 따라 문항을 맞힐 확률을 나타내는 S자형 곡선**: 피험자의 능력이 높을수록 문항의 답을 맞힐 확률이 증가하나 직선적으로 증가하지 않는다.

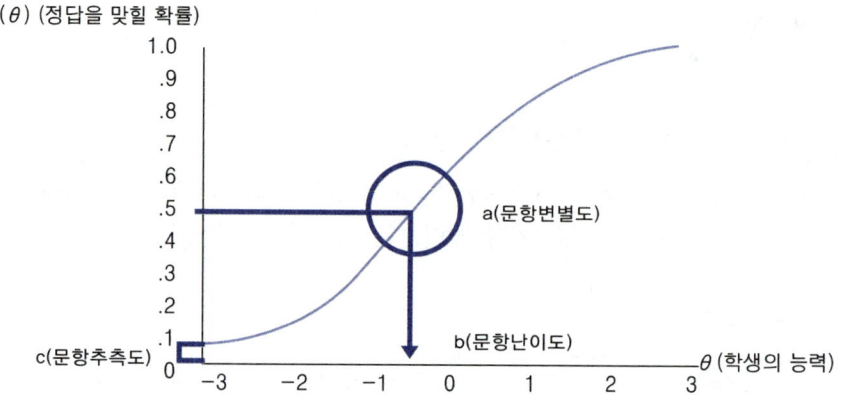

① **기본가정**: 어떤 문항에 반응하는 각 피험자는 얼마만큼의 기초능력을 가지고 있으며, 따라서 각 피험자는 능력척도상에서 어느 위치의 수치를 갖는다.
② **피험자의 능력**: θ(theta)로 표기 ⇨ -3.0에서 +3.0 사이에 위치(∵ 인간의 능력평균을 0, 표준편차를 1로 하기 때문에 인간의 능력이 음수로 표기될 수 있다.)
③ (각 능력 수준에서 그 능력을 가진) 피험자가 각 문항에 정답을 할 확률: $P(\theta)$로 표기
④ +의 능력을 소유한 피험자가 문항의 답을 맞힐 확률은 1.0에 가깝다.

(3) 문항난이도와 문항변별도는 문항특성곡선에 의해 규정된다.

2. 문항특성곡선의 해석

(1) 문항특성곡선은 문항난이도, 문항변별도, 문항추측도에 따라 다양한 곡선이 만들어진다.

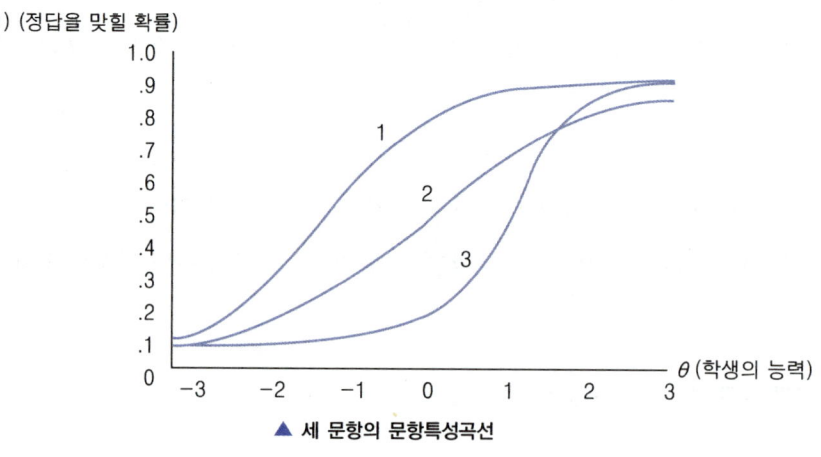

▲ 세 문항의 문항특성곡선

① **1번 문항과 3번 문항의 비교**: 3번 문항은 1번 문항보다 오른쪽에 위치하여 능력이 높은 피험자들에게 기능하고 1번 문항은 능력이 낮은 피험자들에게 기능한다. 3번 문항이 1번 문항보다 더 어렵다. ⇨ 문항난이도
② **2번 문항과 3번 문항의 비교**: 피험자 능력이 증가할 때 3번 문항은 2번 문항보다 피험자가 문항의 답을 맞힐 확률의 변화가 심하므로, 피험자의 능력을 더 잘 변별할 수 있다. ⇨ 문항변별도

(2) **문항난이도**: 문항난이도는 문항의 답을 맞힐 확률이 0.5에 대응하는 능력 수준을 말하며, b 또는 β로 표기한다.
  ① 문항특성곡선이 존재하는 위치가 문항의 어려운 정도를 설명한다.
  ② 문항특성곡선이 오른쪽에 위치할수록 문항이 어려움을 의미한다(∵ 문항특성곡선의 능력수준이 보다 높은 피험자 집단에서 가능하기 때문에).
  ③ 문항난이도는 일반적으로 −2에서 +2 사이에 위치하며 값이 커질수록 어려운 문항으로 평가한다.

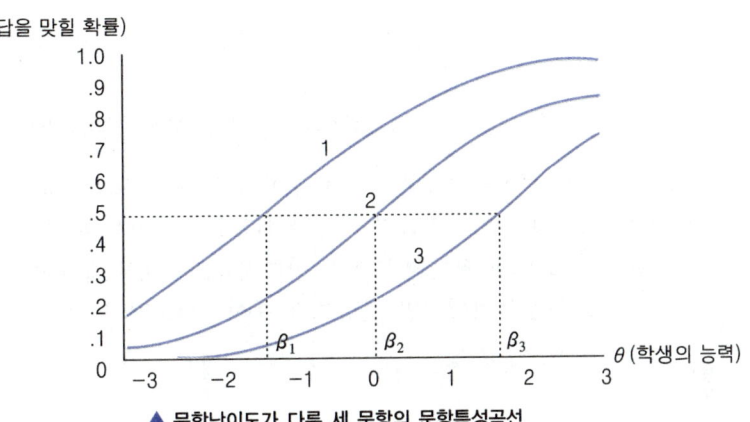

▲ 문항난이도가 다른 세 문항의 문항특성곡선

  ㉠ 정답을 맞힐 확률이 0.5에 해당하는 학생의 능력 수준: 1번 문항(−1.5), 2번 문항(0), 3번 문항(+1.5) ⇨ 3번 문항이 제일 어렵다.
  ㉡ 문항난이도의 범위

문항난이도 지수	언어적 표현
−2.0 미만	매우 쉽다.
−2.0 이상 −0.5 미만	쉽다.
−0.5 이상 +0.5 미만	중간이다.
+0.5 이상 +2.0 미만	어렵다.
+2.0 이상	매우 어렵다.

(3) **문항변별도**: 문항변별도는 문항특성곡선상의 '문항난이도를 표시하는 인접 지점(b ± 0.5인 지점)'에서 문항특성곡선의 기울기를 말하며, a 또는 α로 표기한다.
  ① 문항특성곡선의 기울기가 가파르면 문항변별도가 높아지는 반면에 기울기가 완만하면 낮아지게 된다.
  ② 문항변별도는 일반적으로 0에서 +2의 값을 가지며 높을수록 좋은 문항이다.

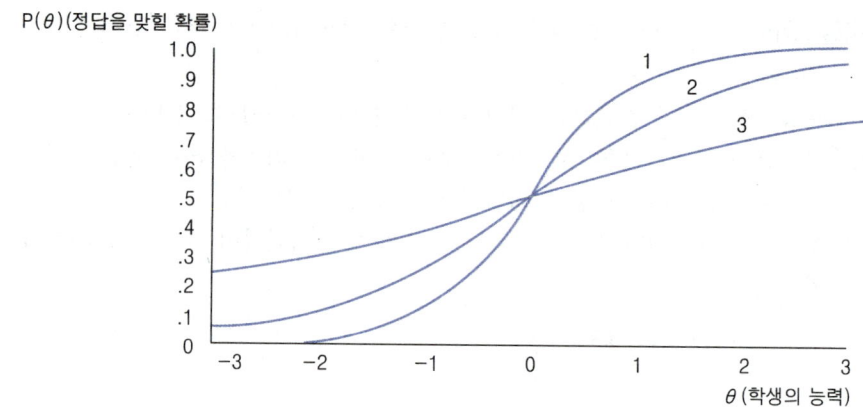

▲ 문항변별도가 다른 세 문항의 문항특성곡선

㉠ 문항의 난이도(b): 1번, 2번, 3번 문항이 모두 같다(b = 0).
㉡ 문항변별도(a): 문항 기울기로 계산한다. 3번 문항은 피험자의 능력 수준이 증가하여도 문항의 답을 맞힐 확률의 변화가 심하지 않은 데 비해, 1번 문항은 심하게 변하고 있다. 그러므로 1번 문항이 3번 문항보다 문항변별도가 높다.

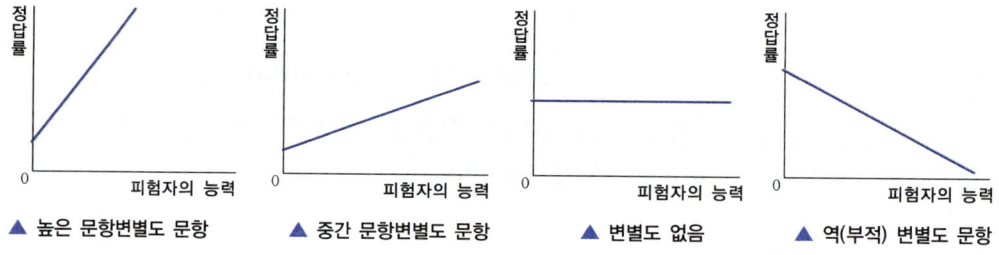

▲ 높은 문항변별도 문항   ▲ 중간 문항변별도 문항   ▲ 변별도 없음   ▲ 역(부적) 변별도 문항

(4) **문항추측도**(item guessing): 문항추측도는 능력이 전혀 없음에도 불구하고 문항의 답을 맞히는 확률을 말한다.
① 문항추측도는 능력이 전혀 없는 피험자가 문항의 답을 맞힐 확률을 의미하므로 이 값이 높을수록 문항이 좋지 않은 문항으로 평가된다.
② 문항추측도는 c로 표기하며 4지선다형 문항에서 일반적으로 문항추측도는 0.2를 넘지 않는다.

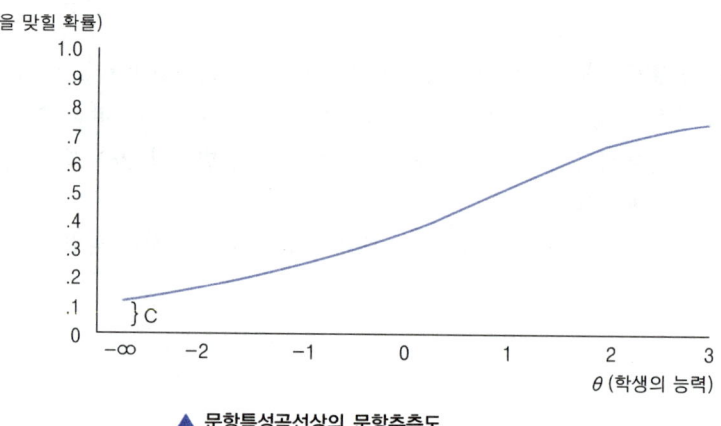

▲ 문항특성곡선상의 문항추측도

(5) 고전검사이론과 문항반응이론의 비교

구분	고전검사이론	문항반응이론
문항난이도	• 총 피험자 중 정답을 맞힌 피험자의 비율 • $0 \leq P \leq 100$ • 값이 커질수록 쉬운 문항	• 문항의 답을 맞힐 확률이 0.5에 대응하는 피험자의 능력수준 ⇨ 문항특성곡선의 위치 • $-2 \leq b \leq +2$ • 값이 커질수록(곡선의 위치가 오른쪽에 있을수록) 어려운 문항
문항변별도	• 문항점수와 피험자의 총점 간 상관계수에 의해 추정 • $-1.00 \leq DI \leq +1.00$ • '+' 부호이며 값이 클수록 좋은 문항	• 문항특성곡선상의 '문항난이도를 표시하는 인접 지점(b±0.5인 지점)'에서 문항특성곡선의 기울기 • $0 \leq a \leq +2$ • 곡선의 기울기가 가파를수록 좋은 문항

오현준 정통교육학

핵심 체크 노트

★ 1. **척도(측정값):** 명명척도, 서열척도, 동간척도, 비율척도
  2. **집중경향치(대푯값):** 최빈치(Mo), 중앙치(Mdn), 평균치(M)
★ 3. **변산도:** 범위(R), 사분편차(Q), 평균편차(AD), 표준편차(SD)
  4. **상관계수**
  5. **원점수와 규준점수**
   ① 원점수
   ② 규준점수: 석차점수, 백분위점수, 표준점수
★ ③ 표준점수: Z점수, T점수, C점수, H점수, DIQ점수

CHAPTER 11

교육통계

01 교육통계의 기초
02 집중경향치
03 변산도
04 상관도
05 원점수와 규준점수

CHAPTER 11 교육통계

> **학습 포인트**
> 1. **척도(측정치)**: 명명척도, 서열척도, 동간척도, 비율척도
> 2. **집중경향치(대푯값)**: 최빈치, 중앙치, 평균치
> 3. **변산도**: 표준편차
> 4. **표준점수**: Z 점수, T 점수, C 점수

제1절 교육통계의 기초

1 교육통계의 이해

1. 교육통계의 개념
(1) 교육 사실과 현상을 통계적 방법을 사용하여 정확하고 간결하게 파악(기술·요약·설명·예언)하는 방법이다.

(2) 궁극적 목적은 교육의 합리화에 있다.

2. 교육통계의 방법
(1) **기술통계**(descriptive statistics)
   ① 한 집단의 여러 가지 특성과 성질을 파악하기 위하여 숫자나 그림·표 등으로 기술·요약하는 방법
   ② 얻어진 자료를 분석하여 그 자료를 구성하는 대상들의 특성을 설명하는 통계

(2) **추리통계**(inferential statistics)
   ① 모집단에서 추출된 표본 분석을 기초로 모집단의 특성을 추정하는 통계
   ② 얻어진 자료를 가지고 그 자료를 추출한 모집단(전체 집단)의 현상이나 사실을 추정, 예견, 일반화하려는 통계적 방법

② 변인(variable)

1. 개념
(1) 연구의 대상이 되는 개체를 서로 구별할 수 있는 어떤 속성

(2) 하위 수준으로 분류할 때는 동질성, 상호배타성, 포괄성의 원칙에 따라서 분류해야 한다.

(3) 개념들을 속성에 따라 분류한 것으로, 추상성이 강한 개념을 가지고는 경험적인 연구를 할 수 없으므로 이를 위해 측정을 통해 개념을 수량화한 것을 변인이라고 한다.

2. 종류
(1) **질적 변인과 양적 변인**
  ① 질적 변인: 단지 몇 개의 유목으로 분류할 수 있을 뿐 서열화하거나 수량적으로 표현할 수 없는 변인 ⇨ 비연속적 변인(예 성별, 종교별, 직업, 거주지역)을 가정
  ② 양적 변인: 수량화할 수 있는 변인 ⇨ 연속적 변인(예 월수입, 지능, 학업성적)을 가정하나, 비연속적 변인(예 가족수, 사고의 발생 횟수)도 가능

(2) **독립변인과 종속변인**
  ① 독립변인: 변인들 간의 관계에서 영향을 주거나 예언을 해주는 변인
    예 '지능'이 '학업성취'에 미치는 영향 ⇨ '지능'
  ② 종속변인: 변인들 간의 관계에서 영향을 받거나 예언되는 변인
    예 '지능'이 '학업성취'에 미치는 영향 ⇨ '학업성취'

③ 측정치(척도, scale)

1. 개념
(1) 어떤 대상의 속성의 크기, 즉 한 측정도구로 측정하여 얻은 수치를 말한다.

(2) 어떤 검사를 실시한 후 채점을 하고, 그 결과를 수치로 표시한 것을 말한다.

   ◎ 변인을 나타내는 방법
   1. **빈도**(frequency): 세어서 얻은 수치
   2. **측정치**(scale): 측정도구로 재어서 얻은 수치

2. 측정치의 성질
(1) 연속적으로 취급한다.
   예 1cm와 2cm는 도수에서처럼 비연속적이 아니라 그 사이에 무한한 수의 점을 정할 수 있다. 즉, 1cm가 조금씩 증가하여 2cm가 되었고, 2cm가 조금씩 감소해서 1cm가 된 것이다.

(2) 언제나 약수(略數)로 표시하기 때문에 척도상의 한 점을 가리키는 것이 아니라 그 점 근처의 일정한 범위의 간격을 가리킨다고 할 수 있다.
   예 2cm는 1.5~2.5cm의 범위를 갖는다.

3. 측정치의 종류 22·11. 국가직 7급, 06. 서울, 04. 경기

(1) 명명척도(명목척도, nominal scale) 24. 지방직

① 단순히 이름만 대신하는 척도 ⇨ 질적 변인일 때 사용
> **예** 성별, 거주지역, 운동선수의 등번호, 극장의 좌석, 전화번호, 주민등록번호, 버스노선번호, 우편번호 등

② 사물 하나에 이름을 부여하는 일대일 대응(one to one transformation)의 특징을 지닌다.
③ 수(數)의 특성을 전혀 갖지 않고 구분·분류(分類)를 위해 붙인 것으로, 가감승제가 불가능하다.
④ 최빈치(Mo), 유관상관계수, 사분상관계수, 파이계수 등의 통계처리가 가능하다.

(2) 서열척도(등위척도, ordinal scale)

① 분류와 서열(序列, 순위)을 나타내는 척도
> **예** 성적의 석차, 키 순서대로 매겨진 번호, 사회·경제적 지위, A·B·C 학점, Likert 척도(매우 만족 – 만족 – 보통 – 불만족 – 매우 불만족), 구트만 척도, 문항난이도 지수 등

② 대소를 나타낼 수는 있으나, 서열 간의 간격이 같지 않아 동간성(同間性)이 없기 때문에 가감승제가 불가능하다.
> **예** 1등과 2등의 점수 차이와 5등과 6등의 점수 차이를 비교할 때 등위의 차이는 각각 1등급으로 같으나 점수의 차이는 같지 않다.

③ 서열이 증가할 때 서열을 나타내는 측정치는 감소하지 않고 계속 증가하거나, 반대로 증가하지 않고 계속 감소한다. ⇨ 전자를 '단조 증가함수(monotonic increase function) 특성', 후자를 '단조 감소함수(monotonic decrease function) 특성'이라고 한다.
④ 최빈치(Mo), 중앙치(Mdn), 사분편차, 백분위점수, 등위차 상관계수(스피어먼의 서열상관계수) 등의 통계처리가 가능하다.

(3) 동간척도(등간척도, interval scale)

① 분류, 서열, 대소, 동간성 정보를 제공하는 척도
> **예** 온도계의 눈금, IQ 점수, 고사의 원점수, 써스톤(Thurstone) 척도, 심리학 척도(표준편차, 산술평균, 적률상관계수), 백분점수, 의미 변별척도

② 임의영점(상대영점)과 가상적 단위를 지니고 있으며 동일한 측정단위 간격에 동일한 수적 차이를 부여하는 척도
③ 임의영점이 있어 가감은 가능하나 절대영점이 없기 때문에 승제는 불가능하다.
④ 산술평균(M), 최빈치(Mo), 중앙치(Mdn), 표준편차(SD), 적률상관계수(Pearson의 상관계수) 등의 통계처리가 가능하다.

더 알아보기

상대영점과 절대영점

1. **상대영점**(임의영점, 가상영점): 측정치 0이 '속성이 있다'라는 성질을 갖고, 단지 비교를 위한 0의 값을 갖는 것 ⇨ 가감만 가능
   > **예** • '온도가 0℃'라는 것은 '온도(속성)가 없다'라는 뜻은 아니다(물의 어는 점을 0℃라고 임의적으로 협약한 것). 그러므로 온도가 10℃라는 것은 5℃의 두 배라고 할 수 없다.
   > • 수학점수 0점이 수학능력이 전혀 없다는 것은 아니다. 그러므로 수학 100점이 수학 50점의 두 배라고 할 수 없다.

2. 절대영점(absolute zero, 자연 영점) : 측정치 0이 '속성이 없다'는 성질을 갖는 것 ⇨ 가감승제 모두 가능

예 '연필의 길이가 0cm'라는 것은 '길이(속성)가 없다'라는 뜻이다. 그러므로 길이가 10cm라는 것은 5cm의 두 배라는 속성을 갖는다.

구분	속성	표현
상대영점(임의영점)	있음(something)	없음(nothing)
절대영점(자연영점)	없음(nothing)	없음(nothing)

(4) 비율척도(ratio scale) 13·07. 국가직

① 분류, 서열, 대소, 동간성, 비율에 관한 정보를 제공하는 척도

예 길이, 무게, 시간, 넓이, 백분율, 표준점수(T점수, Z점수 등)의 단위, 기하평균, 조화평균

② 절대영점과 가상적 단위를 지니고 있으며 동일한 측정단위 간격에 동일한 수적 차이를 부여하는 척도

③ 절대영점을 가지고 있어 가감승제가 가능하다.

④ 산술평균(M), 최빈치(Mo), 중앙치(Mdn), 표준편차(SD), 적률상관계수 등 모든 통계처리가 가능하다.

⑤ 가상적, 즉 임의적으로 설정된 단위를 사용하기 때문에 같은 단위라 하더라도 그 단위를 쓰지 않는 지역에서는 값이 달라지기에 환산이 필요하다.

예 1피트는 30.3cm이다.

4. 측정치 간 비교

구분	의미	예	가능한 통계처리
명명척도	분류(같다, 다르다) 정보 제공	전화번호, 극장 좌석번호, 주민등록번호	최빈치(M_O), 사분상관계수, 파이(Φ)계수, 유관상관계수
서열척도	분류, 대소, 서열(무엇보다 크다, 보다 작다) 정보 제공	학점, 키 순서 번호, 석차점수, 백분위점수, 리커트(Likert) 척도, 구트만(Guttman) 척도	최빈치(M_O), 중앙치(Mdn), 등위차 상관계수(스피어만 서열상관계수), 문항난이도 지수
동간척도	• 분류, 대소, 서열, 동간성(얼마만큼 크다) 정보 제공 • 상대영점 소유 ⇨ 가감(+, −)이 가능 • 임의 단위를 지닌 척도	온도계 눈금, IQ점수, 고사의 원점수, 백점만점 점수, 써스톤(Thurstone) 척도, 의미변별척도	최빈치(MO), 중앙치(Mdn), 평균치(M), 적률상관계수(Pearson 계수)
비율척도	• 분류, 대소, 서열, 동간성, 비율 정보 제공 • 절대영점 소유 ⇨ 가감승제(+, −, ×, ÷) 가능 • 임의 단위를 지닌 척도	길이, 무게, 시간, 넓이, 백분율, 표준점수(Z점수, T점수, H점수, C점수, DIQ점수)	최빈치(MO), 중앙치(Mdn), 평균치(M), 적률상관계수(Pearson 계수)

제2절 집중경향치(대푯값)

1 개관 11. 광주, 10. 경기

1. 집중경향치의 개념 07. 경남
(1) 한 분포에 들어 있는 여러 측정치를 종합적으로 대표하는 수치
(2) 한 집단의 점수분포를 하나의 값으로 요약·기술해 주는 지수(指數)

2. 종류
평균치(M), 최빈치(Mo), 중앙치(Mdn)

척도와 집중경향치와의 관계

대표치 \ 척도	명명척도	서열척도	동간척도	비율척도	개념
최빈치(MO)	○	○	○	○	가장 빈도수가 많은 점수
중앙치(Mdn)		○	○	○	전체 사례수를 상위반과 하위반으로 나누는 값
평균치(M)			○	○	한 집단의 측정치의 합을 집단의 사례수로 나눈 값

2 최빈치(Mode ; Mo)

1. 개념
(1) 한 분포에서 가장 빈도가 많은 점수나 수치(점수의 빈도 ×)
(2) 묶은 자료의 경우에는 가장 많은 빈도가 있는 급간의 중간치

2. 용도
(1) 명명척도, 서열척도, 동간척도, 비율척도의 자료일 때
(2) 집중경향치를 대강 빨리 알고 싶을 때
(3) 가장 흔히 발생하는 전형적인 경우를 알고 싶을 때

3. 특징
(1) 집중경향치 중에서 이해하기 쉽고, 손쉽게 빨리 산출할 수 있으나, 신뢰성은 가장 낮다.
(2) 정확성보다는 긴급성을 요할 때 사용한다. 평균이나 중앙치에 비해 정보를 제대로 반영하지 못하지만, 극단적 값에 의해 영향을 가장 적게 받는다.

(3) 반복되는 값이 있을 때만 사용될 수 있다. 그러므로 반복되는 값이 하나도 없으면, 즉 빈도의 크기가 모두 같으면 최빈치는 없다.

　✎ 최빈치가 '0'이라는 것은 최빈치가 없다는 의미가 아니라, 0이 최빈치라는 의미이다.

(4) 동일한 빈도를 가진 두 개의 최빈치를 가진 경우를 이중빈도분포(bi-modal)라고 하며, 여러 개의 최빈치를 가지는 경우는 다봉분포(multi-modal)라고 한다. ⇨ 이중빈도분포의 경우 두 개의 최빈치로 나타내거나 두 최빈치의 합의 평균으로 나타낸다.

③ 중앙치(Median ; Mdn)

1. 개념
(1) 한 집단의 점수분포에서 전체 사례수(N)를 상위반과 하위반으로 나누는 점
(2) 측정치를 그 크기의 순으로 배열할 때 정확히 절반으로 나누는 값

2. 특징
(1) 백분위점수 50에 해당하는 백분점수
(2) 전체 사례수를 이분(二分)하는 점

3. 계산방법

(1) **전체 사례수(N)가 홀수일 때**: $Mdn = \dfrac{N+1}{2}$ 번째

(2) **전체 사례수(N)가 짝수일 때**: $Mdn = \dfrac{\dfrac{N}{2} + (\dfrac{N}{2}+1)}{2}$ 번째

전체 사례수(N)가 홀수일 때	문 2, 3, 5, 7, 9의 중앙치?	답 5
전체 사례수(N)가 짝수일 때	문 2, 3, 5, 6, 7, 9의 중앙치?	답 5.5(∵ 5와 6의 중간)

4. 용도
(1) 서열척도, 동간척도, 비율척도의 자료일 때
(2) 평균치를 계산할 시간적 여유가 없을 때
(3) 분포가 심하게 편포되어 있어 극단치의 영향을 배제하고 싶을 때
(4) 분포의 순서상의 위치를 알고 싶을 때

④ 평균치(산술평균, arithmetic mean ; M)

1. 개념
한 집단의 모든 점수(측정치)의 합을 집단의 사례수로 나눈 값

2. 계산방법

$$M = \frac{\Sigma X}{N} \qquad M: \text{평균치} \quad X: \text{각 측정치} \quad N: \text{전체 사례수}$$

3. 특징
(1) 평균치로부터 모든 점수의 차(편차)의 합은 0이다.
(2) 점수분포의 균형을 이루는 점이다(평균치는 중력의 중심이 되는 점).
(3) 집중경향치 중 가장 신뢰할 수 있는 대표치이다.
(4) 평균을 중심으로 얻은 편차점수의 제곱의 합은 다른 어떤 값을 기준으로 얻은 편차점수의 제곱의 합보다 항상 적다. ⇨ 평균은 편차점수의 제곱화가 최소가 되는 수치이다.
(5) 원점수에 상수 c를 더하거나 빼면 평균치는 c만큼 커지거나 작아진다.
(6) 원점수에 상수 c를 곱하거나 나누면 평균치는 c배만큼 커지거나 작아진다.

4. 용도
(1) 동간척도, 비율척도의 자료일 때
(2) 분포가 좌우대칭(정상분포)일 때
(3) 가장 신뢰할 수 있는 집중경향치를 구할 때 ⇨ 자료가 편포를 이룰 경우 평균은 적절하지 않다. 즉, 평균은 편포도의 영향을 크게 받기 때문에 점수분포가 극단치가 있을 경우에는 중앙치가 평균보다 더 신뢰롭고 적절하다.
(4) 변산도, 상관도 등의 다른 통계치의 계산이 뒤따를 때
(5) 한 분포의 중심을 알고 싶을 때

5 평균치(M), 중앙치(Mdn), 최빈치(Mo) 간 비교

1. 비교

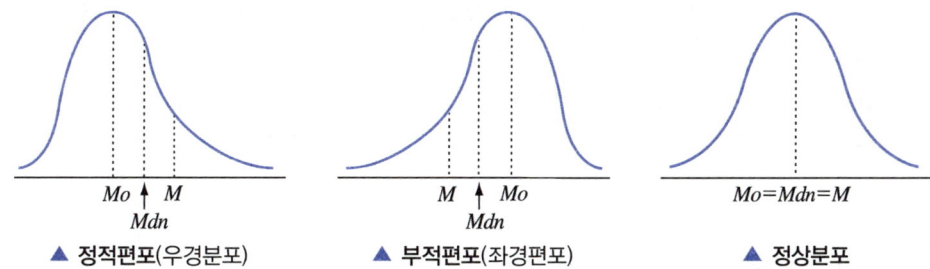

▲ 정적편포(우경분포) ▲ 부적편포(좌경편포) ▲ 정상분포

(1) **M−Mdn > 0 이면 정적편포**: $Mo < Mdn < M$ ⇨ 시험이 어려워 낮은 점수대가 많은 경우(성적 우수아를 선발할 때 적합), 성적 부진아 집단의 분포

(2) **M−Mdn < 0 이면 부적편포**: $Mo > Mdn > M$ ⇨ 시험이 쉬워 높은 점수대가 많은 경우(성적 부진아를 선별할 때 적합), 절대평가 지향 분포, 성적 우수아 집단의 분포

(3) **M−Mdn = 0 이면 정상분포**: $Mo = Mdn = M$ ⇨ 상대평가 지향 분포

2. 특징

(1) **통계적 정밀도 수준**: $M > Mdn > Mo$

(2) **표집의 크기에 따른 안정성**: $M > Mdn > Mo$

(3) **긴급성 수준**(대표치를 빨리 알고 싶을 때): $Mo > Mdn > M$

(4) **표집에 따른 변화의 크기**: $Mo > Mdn > M$

제3절 | 변산도(산포도, 散布度, variability)

1 개관 11. 광주

1. 개념

(1) 집중경향치를 중심으로 하여 사례들이 얼마나 흩어져 있느냐의 정도(집중경향치로부터 점수들이 얼마만큼 떨어져 있느냐의 정도)를 수치로 나타낸 통계치

(2) 한 집단의 점수분포가 얼마나 흩어져 있는가의 정도를 나타내는 통계적 지수

(3) 집단의 동질성 또는 이질성을 설명해 주고, 측정도구의 신뢰도와 일관성을 설명해 준다.
  ① 어떤 분포에서 점수들이 집중경향치로부터 많이 떨어져 있으면 있을수록 변산도가 커지는 반면에 점수들이 가깝게 모여 있으면 변산도는 작아진다.
  ② 변산도 지수가 커질수록 분포 내의 구성원들이 이질적(heterogeneous)이며, 변산도 지수가 작아질수록 동질적(homogeneous)이다.
  ③ 평균은 같지만 변산도가 서로 다른 경우 분포의 모양이 첨형(尖形)에 가까울수록 집단이 동질적이고, 평형(平形)에 가까울수록 집단이 이질적이다.

2. 종류

범위(R), 사분편차(Q), 평균편차(AD), 표준편차(SD)

② 범위(Range ; R)

1. 개념
(1) 한 점수분포에서 최고점수에서 최하점수까지의 거리(간격)
(2) 점수의 범위

2. 계산방법
(1) **R = 최고점수(H) − 최하점수(L) + 1**: 최고 및 최하점수의 정확한계(exact limit)의 의미 부여를 위해 +1(예 측정치 23의 정확한계는 22.5~23.5이다.)
  예 한 점수분포가 2, 4, 6, 9, 15일 때 범위(R)는?
  R = 최고점수의 정확상한계 − 최하점수의 정확하한계 = 15.5 − 1.5 = 14
  R = 최고점수 − 최하점수 + 1 = 15 − 2 + 1 = 14

(2) **묶음빈도에서의 계산**: 최상위급 간의 정확상한계에서 최하위급 간의 정확하한계까지의 거리
  예 최상위급 간이 95~99이고, 최하위급 간이 45~49일 때 범위(R)는?
  R = 99.5 − 44.5 = 99 − 45 + 1 = 55

3. 특징
(1) 대략적인 변산 경향을 즉각적으로 구할 수 있다.
(2) 표집에 따른 변화가 크고 계산이 쉽다. ⇨ 집중경향치 중에서 최빈치(Mo)와 성격이 유사
(3) 표집의 크기가 작을 때보다 클 때 더 큰 값을 가진다.
(4) 극단적인 점수의 영향을 받으므로 안정성이 없고 신뢰성이 부족하다.
(5) 범위 내의 분포 상태를 알 수 없다.

4. 용도

(1) 양극단 사이의 점수를 알고 싶을 때

(2) 빨리 변산도를 알고 싶을 때

③ 사분편차(Quartile deviation ; Q)

1. 개념

(1) 한 분포에서 중앙 50%의 사례수를 포함하는 점수 범위의 1/2을 말한다.

(2) N개의 자료를 크기 순서로 나열하여 $1/4\ N$번째(25%) 변량의 값(의 위치)을 Q_1, $3/4\ N$번째 (75%) 변량의 값을 Q_3이라 할 때, Q_3에서 Q_1을 뺀 것을 반으로 나눈 것이다.

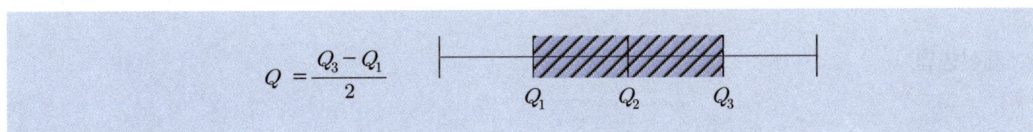

(3) **정적편포** : $Q_3 - Q_2 > Q_2 - Q_1\,(+)$
   부적편포 : $Q_3 - Q_2 < Q_2 - Q_1\,(-)$
   정상분포 : $Q_3 - Q_2 = Q_2 - Q_1\,(0)$

2. 용도

(1) 집중경향치로서 중앙치만이 보고되었을 때

(2) 극단적인 수치가 있거나 분포가 심하게 편포되었을 때

(3) 분포가 양극단에서 절단되었거나 불완전할 때

3. 특징

(1) 범위보다는 표집에 따른 불안정성이 적다(∵ 분포 양쪽 끝 점수들의 영향을 받지 않기 때문에).

(2) 양극단 점수의 영향을 배제하고자 하는 것이 목적이다.

4 평균편차(Average Deviation : AD)

1. 개념

(1) 한 집단의 산술평균으로부터 모든 점수까지의 거리의 평균

(2) **한 분포의 모든 점수의 편차의 절대치를 합하여 전체 사례수로 나눈 것**: 편차(x)란 한 점수(X)가 평균치(M)에서부터 얼마나 떨어져 있는가를 뜻하는 것으로 $x = X - M$으로 계산된다.

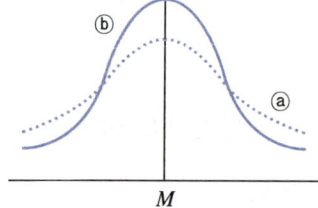

(3) 편차값이 크면 클수록(곡선이 완만할수록) 집단에서 개인과 개인의 차가 크다. ⇨ 변산도(분포)가 크면 이질적이다(곡선 ⓐ).

(4) 편차값이 작으면 작을수록(곡선이 뾰족할수록) 집단에서 개인과 개인의 차가 작다. ⇨ 변산도(분포)가 작으면 동질적이다(곡선 ⓑ).

2. 계산방법

$$AD = \frac{\sum |X-M|}{N} = \frac{\sum |x|}{N} \qquad N: \text{사례수} \quad X: \text{점수} \quad M: \text{평균치}$$

예 한 집단의 점수분포가 6, 8, 9, 13, 14일 때 AD는?

$M = 10, \quad AD = \dfrac{14}{5} = 2.8$

3. 특징

(1) 사분편차보다는 신뢰할 수 있으나 표준편차와 같은 이론적·수리적 해석은 어렵다.

(2) 변산도 지수로는 매력적으로 보이지만, 수리적인 조작에 한계가 있기 때문에 추리통계에서는 사용되지 않는다.

5 표준편차(Standard Deviation ; SD , σ) 11. 서울, 06. 경기, 05. 서울, 04. 부산

1. 개념

(1) 평균으로부터의 편차점수($x = X - M$)를 제곱하여 합하고 이를 사례수로 나누어 그 제곱근을 얻어낸 값 ⇨ 편차들의 평균

(2) 한 집단의 측정치들이 분산 또는 밀집되어 있는 정도를 나타내주는 통계치이다.

2. 계산방법

$$SD = \sqrt{\frac{\sum x^2}{N}} = \sqrt{\frac{\sum (X-M)^2}{N}}$$

N: 사례수 X: 점수
M: 평균치 x: 편차
$\frac{\sum (X-M)^2}{N}$: 변량(분산)

(1) 각 편차값($X-M$)을 구한다.

(2) 각 편차값을 자승하여 모두 합한 다음, 전체 사례수로 나눈다. ⇨ 변량(분산)을 구한다.

(3) 변량의 평방근(제곱근)을 구한다.

3. 용도

(1) 정상분포곡선과 관련된 해석을 원할 때

(2) 가장 신뢰할 수 있는 변산도를 원할 때

(3) 수리적인 다양성을 지니며, 상관도, 표준오차, 회귀방정식 등의 계산이 뒤따를 때

4. 특징

(1) 분포상에 있는 모든 점수의 영향을 받는다.

(2) 표집에 따른 변화(표집오차)가 가장 적다.
  ⇨ 가장 안정성 있는 변산도 지수이다.

(3) 한 집단의 모든 점수에 일정한 점수를 더하거나 빼도 표준편차는 변화하지 않는다.

(4) 한 집단의 모든 점수에 일정한 상수 c를 곱하면 표준편차도 c배만큼 증가한다.

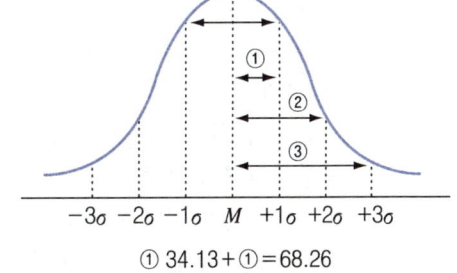

① 34.13 + ① = 68.26
② 47.72
③ 49.87

> **산술평균과 표준편차**
>
> 1. 한 집단의 모든 점수에 일정한 점수 c를 더하거나 빼면
>   - 산술평균은 c 수만큼 올라가거나 감소한다.
>   - 표준편차는 변함이 없다.
> 2. 한 집단의 모든 점수에 일정한 점수 c를 곱하거나 나누면, 표준편차는 c배만큼 증가하거나 감소한다.

(5) 표준편차가 크면(곡선의 모양이 평평할수록) 점수가 넓게 분산되어 있다(변산도가 크다)는 것이므로 집단이 이질적이고, 표준편차가 작으면(곡선의 모양이 뾰족할수록) 점수가 좁게 분산되어 있다(변산도가 작다)는 것이므로 집단이 동질적이다.

5. 표준편차와 정상분포와의 관계

(1) M±1σ: 전체 사례수의 68.26%가 이 점수 사이에 존재한다.

(2) M±2σ: 전체 사례수의 95.44%가 이 점수 사이에 존재한다.

(3) M±3σ: 전체 사례수의 99.74%가 이 점수 사이에 존재한다.

(4) 정상분포상의 위치와 Z점수, 백분율의 관계

분포상의 위치	M−3SD	M−2SD	M−1SD	M−0.5SD	M	M+0.5SD	M+1SD	M+2SD	M+3SD
Z점수	−3	−2	−1	−0.5	0	+0.5	+1	+2	+3
백분율(%)	0.5	2.5	16	30.86	50	69.14	84	97.5	99.5

6. 정상분포곡선 (정규분포곡선, 가우스 곡선)

(1) 개념과 특징

① 각 점수 수준에 대한 상대적인 빈도가 마치 종을 엎어놓은 모양이고 평균치를 축으로 좌우대칭이며, 꼭지가 하나인 분포를 이룬다.

② 18세기 Gauss가 우연오차의 발생에는 어떤 규칙성이 존재하여 보통 평균치를 0으로 하는 정규분포를 이룬다고 생각하여 우연오차의 분포법칙을 정규분포곡선에 결부시킨 데서 기인하여 가우스 곡선이라고도 한다.

③ 원점수 X를 표준점수 Z로 바꾸고 사례수 N을 비율로 나타낸 정상분포를 단위정상분포라고 한다.

④ 곡선상의 최고의 높이는 평균점, 즉 $Z=0$인 경우임을 알 수 있다.

⑤ 곡선상의 최고로 높은 부분은 평균치에 있으므로, 이 값은 최빈치와 일치하며, 좌우대칭 분포이므로 중앙치와 평균치는 일치한다. 그러므로 정상분포에서는 $M = Mdn = Mo$로 모든 집중경향치의 값이 일정하다.

⑥ Z의 값이 증가함에 따라서 곡선의 높이 y의 값은 0에 접근한다. 즉, 평균에서 멀어질수록 곡선의 높이 y는 적어진다. ⇨ $-\infty$에서 $+\infty$ 범위에 걸쳐 있어서 곡선은 X축과 만나지 않는다.

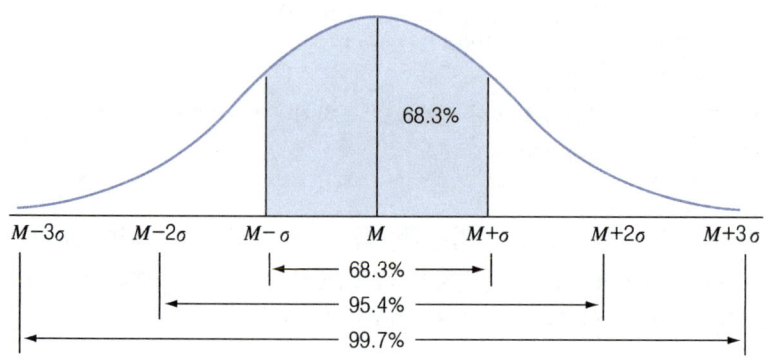

(2) 정상분포를 활용하는 이유

① 인간의 키나 몸무게 등 직접적으로 측정할 수 있는 신체적 특성들이 대체로 정상분포를 이루므로 심리적인 특성도 직접적으로 잴 수만 있다면 신체적 특성과 마찬가지로 정상분포를 이룰 것이라는 유추에 의하여 정상분포를 이룬다는 가정을 하게 된다.
② 정상분포는 개인차 변별에 적합한, 즉 상대평가의 입장을 지지하는 분포이다.

(3) 정상분포곡선의 해석

① 첨형(尖形): 곡선의 모양이 뾰족할수록 변산도(표준편차)가 작고 동질집단이다.
② 평형(平形): 곡선의 모양이 완만할수록(평평할수록) 변산도(표준편차)가 크고 이질집단이다.

6 변산도 간 비교

1. 변산도의 종류

범위(R)	• 한 점수분포에서 최고점수에서 최하점수까지의 거리(간격), 점수의 범위 ⇨ 최빈치와 유사 • R = 최고점수(H) − 최하점수(L) + 1
사분편차(Q)	• 한 분포에서 중앙 50%의 사례수를 포함하는 점수 범위의 1/2 ⇨ 중앙치와 유사 • $Q = \dfrac{Q_3 - Q_1}{2}$
평균편차(AD)	• 한 집단의 산술평균으로부터 모든 점수까지의 거리의 평균 ⇨ 평균치와 유사 • $AD = \dfrac{\sum |X-M|}{N} = \dfrac{\sum |x|}{N}$
표준편차(SD)	• 평균으로부터의 편차점수($x = X-M$)를 제곱하여 합하고 이를 사례수로 나누어 그 제곱근을 얻어낸 값 ⇨ 편차들의 평균, 평균치와 유사 • $SD = \sqrt{\dfrac{\sum x^2}{N}} = \sqrt{\dfrac{\sum (X-M)^2}{N}}$

2. 변산도의 특징 및 용도

구분	특징	용도
범위(R)	• 계산이 가장 간편하다. • 통계적인 신뢰성이 가장 낮다.	• 변산도를 빨리 알고자 할 때 • 양 극단의 점수를 알고자 할 때
사분편차(Q)	중앙치를 기준으로 한 변산도이다.	• 중앙치만 보고되었을 때 • 분포의 양극단이 손상되었을 때 • 극단적인 점수가 있거나 극단적인 편포가 있어 이를 배제하고 싶을 때
평균편차(AD)	비교적 신뢰성이 높다.	극단적인 점수가 있어 SD의 신뢰성에 영향을 미칠 우려가 있을 때

표준편차(SD)	• 통계적 신뢰성이 가장 높다(표집오차가 가장 적고 안정성이 크다). • 계산이 가장 복잡하다. • 측정집단의 개인차의 정도를 알려 준다.	• 아주 높은 신뢰도를 요구할 때 • 정상분포와 관련된 해석이 필요할 때 • 상관계수, 회귀방정식, 통계적인 추리가 필요할 때

제4절 상관도

1 개관

1. 개념
(1) 두 변인 간에 한 변인이 변화함에 따라 다른 변인이 어떻게 변하느냐의 정도를 말한다.
(2) 두 변인 간의 공통요인의 정도를 나타내며, 예언과 밀접한 관계를 지닌다.
(3) 두 변인 간의 상관도가 높을수록 한 변인을 알 때 다른 변인을 보다 정확하게 예언할 수 있다.
(4) 두 변인 간의 상관관계를 하나의 값으로 요약한 수치가 상관계수(r)이고, 그림으로 나타낸 것이 상관관계도(산포도)이다.

2. 특징
(1) 상관계수는 $-1 \leq r \leq +1$의 범위를 갖는다.
(2) 상관계수가 0으로 나타나는 것은 두 변인이 완전히 서로 독립되어 있고, 두 변인 간에 아무런 상관관계가 없다는 것을 뜻한다.
(3) +든, −든 1에 가까울수록 상관계수가 높다.
(4) **+, − 부호는 상관의 방향표시**: +(정적 상관)일 경우는 두 변인이 함께 같은 방향으로 증가하는 관계(예 지능지수와 학업성적의 관계)이고, −(부적 상관, 역상관)일 경우는 서로 반대 방향으로 증감하는 관계(예 결석횟수와 학업성적의 관계)이다.
(5) 상관계수의 크기는 부호가 아니라 절댓값으로 결정된다.
  예 $r=-0.90$이 $r=+0.80$보다 상관이 더 높다.
(6) 상관계수는 변인 X가 변인 Y를 어느 정도 예측할 수 있는가를 나타낸다. 상관계수는 절댓값이 클수록 변인 X가 변인 Y를 더 정확하게 예측한다(절댓값이 클수록 산포도는 직선에 근접한다).
(7) 상관계수는 인과관계를 나타내지 않는다. 변인 X가 변인 Y의 원인으로 작용했을 수도 있고, 반대로 변인 Y가 변인 X의 원인으로 작용했을 수도 있으며, 제3의 변인 Z가 작용했을 가능성도 있다.

(8) 상관계수의 크기와 방향의 변화

상관계수의 크기	명칭	해석
+1.00	완전 정적 상관	
.90~1.00	극고상관	아주 상관이 높다.
.70~.90	고상관	상관이 높다.
.40~.70	중위상관	확실히 상관이 있다.
.20~.40	저상관	상관이 있으나 낮다.
.00~.20	극저상관	거의 상관이 없다.
0.00	상관 없음.	상관이 없다.
−1.00	완전 부적 상관, 역상관	

```
    극저상관    저상관    중위상관    고상관    극고상관
●─────────┼─────────┼─────────┼─────────┼─────────●
0.00      0.20      0.40      0.70      0.90      1.00
(상관없음)                                    (완전 정적 상관)
```

3. 상관계수에 영향을 주는 요인

(1) 점수의 분포 정도(변산도)는 상관계수의 크기에 영향을 준다.

(2) 중간집단이 제외되면 상관계수는 실제보다 커지게 된다.

(3) 평균치가 다른 두 개의 집단을 통합하는 경우 상관계수는 여러 가지로 변화하게 된다.

(4) 극단적인 점수는 상관계수에 영향을 준다.

4. 계산방법

(1) **피어슨(K. Pearson)의 적률상관계수(r)**

① 두 변인 간의 변화 정도를 비율로 나타낸 것이다.

② 두 변인이 모두 연속변인이고, 정규분포를 이루며, 동간척도일 때, 두 변인이 선형(線形) 관계에 있을 때 적용된다. ⇨ 여러 상관계수의 종류 중에서 가장 엄밀하고 정확하여 일반적으로 사용된다.

③ 기본공식

$$r_{xy} = \frac{\Sigma xy}{N \sigma_x \sigma_y} = \frac{\Sigma xy}{\sqrt{\Sigma x^2} \sqrt{\Sigma y^2}}$$

r_{xy} : X와 Y의 적률상관계수 x : X치의 편차($X-M$)
y : Y치의 편차($Y-M$) N : 사례수
σ_x : 변인 X의 표준편차 σ_y : 변인 Y의 표준편차

④ 특징 20. 지방직
   ㉠ 극단한 값(outlier)의 영향을 크게 받을 수 있다.
   ㉡ 두 변인이 곡선적인 관계를 보이면 상관계수는 과소추정될 우려가 있다.
   ㉢ 원점수를 T점수로 변환해도 두 변인 간의 상관계수는 변함이 없다.

(2) **스피어만(Spearman)의 순위차 상관계수(ρ)**
   ① 사례수가 30 이하일 때, 자료가 등위로 표시되어 있을 때, 서열척도일 때, 상관도를 빨리 알고 싶을 때 사용한다.
   ② 점수 간의 간격(범위)을 고려하지 않기 때문에 적률상관계수보다 엄밀하고 정확하지 못하다는 단점이 있다.
   ③ 기본공식

   $$\rho(\text{로오}) = 1 - \frac{\sigma \Sigma d^2}{N(N^{2-1})}$$

   d: 두 짝의 점수순위차($d = R_x - R_y$)
   R_y: Y변인의 등위
   R_x: X변인의 등위
   N: 사례수

▣ 상관계수의 유형

구분		X변수		
		명명척도	서열척도	동간·비율척도
Y변수	명명척도	• 사분상관계수 예) 지능지수 (상위집단, 하위집단)와 학업성적(상위집단, 하위집단) • 파이(ϕ)계수 예) 성별(남, 여)과 문항반응(정답, 오답) • 유관상관계수 예) 학력(초졸, 중졸, 고졸, 대졸)과 사회계층(상, 중, 하)		
	서열척도		등위차 상관계수 [스피어만(Spearman) 계수] 예) 수학시험성적 순위와 영어시험성적 순위	
	동간·비율척도	• 양류상관계수 예) 영어시험 8번 문항에 대한 점수(정답 - 오답)와 총점 • 양분상관계수 예) 대학입시 합격 - 불합격과 고교 졸업성적		피어슨(Pearson) 적률상관계수 예) 수학시험성적과 영어시험성적

② 상관관계도(산포도)

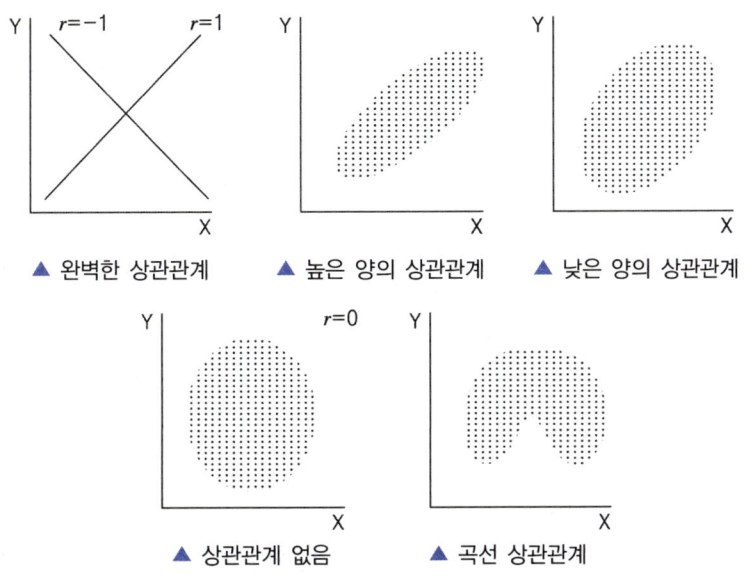

▲ 완벽한 상관관계   ▲ 높은 양의 상관관계   ▲ 낮은 양의 상관관계

▲ 상관관계 없음   ▲ 곡선 상관관계

📖 상관계수의 크기와 예시

변수A	변수B	상관계수	상관관계
교육심리학 이전 시험 성적 평균	교육심리학의 학기말 시험 성적	r = +0.9	정적 상관 ⇨ 극고상관(아주 상관이 높다.)
학기말 영어시험 성적		r = +0.5	정적 상관 ⇨ 중위상관(확실히 상관이 있다.)
몸무게		r = 0	무상관 ⇨ 상관 없음(상관이 없다).
한 주간의 TV 시청시간		r = −0.5	부적 상관 ⇨ 중위상관
교육심리학 강의 결석 일수		r = −0.9	부적 상관 ⇨ 극고상관

(1) **양의 상관관계**(정적 상관): 두 변량(변인을 수량으로 나타낸 값) X, Y 중에서 X의 값이 증가함에 따라 Y의 값이 증가하는 관계

  예 키와 몸무게의 관계, 투수의 방어율과 경기를 진 횟수의 관계

(2) **음의 상관관계**(부적 상관): 두 변량 X, Y 중에서 X의 값이 증가함에 따라 Y의 값이 감소하는 관계

  예 투수의 방어율과 경기를 이긴 횟수의 관계, 프레온 가스의 양과 오존의 양과의 관계

$\hat{Y} = \hat{a} + \hat{\beta}X$

(3) **상관관계 없음**: 두 변량 X, Y 중에서 X의 값이 증가함에 따라 Y의 값이 증가 또는 감소한다고 볼 수 없는 관계

  예 투수의 방어율과 투수가 안타를 허용한 개수의 관계

3 상관관계분석과 회귀분석

1. **상관관계분석**: 자연적 상황에서의 두 변인 간의 관계

    (1) **의미**: 연구하고자 하는 변인들 간의 관련성을 분석하기 위해 사용하는 분석방법 ⇨ 관련성 유무와 관련성의 정도를 분석하는 기법

    (2) **종류**

    ① 단순상관관계: 두 변인 간의 상관관계를 나타내는 것
    ② 다중상관관계: 둘 또는 그 이상의 변인들이 어느 한 변인과 갖는 관계의 정도를 나타내는 것
    ③ 편상관관계: 두 변인의 관계의 정도를 파악하고자 하는데 제3의 변인이 이들 변인에 모두 영향을 주고 있을 때 이를 통제한 다음 분석하는 방법
    ④ 부분상관관계: 제3의 변인이 어느 한 변인에만 영향을 주고 있을 때 이를 통제한 다음 분석하는 방법

2. **회귀분석**: 인위적 상황(실험상황)에서의 두 변인 간의 관계

    (1) 변인들 중 하나를 종속변인으로, 나머지를 독립변인으로 하여 변인들 간의 상호관계의 본질을 규명하는 통계적 기법

    (2) **독립변인들의 개수에 따라 단순회귀분석과 다중회귀분석이 있다.**

    ① 목적: 독립변인과 종속변인의 관계 파악, 종속변인에 영향을 미치는 독립변인 파악, 종속변인의 변화 예측
    ② 회귀: 기울기란 의미
    ③ 산출방법: 기울기와 절편의 값 구하기

    (3) **독립변인(X)과 종속변인(Y) 간 인과관계 성립 조건**(실험연구) 19. 국가직 7급

    ① 시간적 우선성(time order): 독립변인(X)이 종속변인(Y)보다 시간적으로 앞서 일어나야 한다.
    ② 공변성(covariation, 상관관계성): 독립변인(X)이 변화하면 종속변인(Y)도 같이 변화해야 한다.
    ③ 조작가능성(manipulation): 독립변인을 조작할 수 있을 때 이론적 가치가 높다.
    ④ 외생변인의 통제가능성(control): 외생변인(종속변인에 영향을 줄 수 있는 독립변인 이외의 변인)을 통제할 수 있을 때 내적 타당도가 높다. ⇨ 관찰된(측정된) 두 변인의 관계가 허위관계(spurious relation)의 가능성을 배제시킬 수 있어야 한다.

        ✐ 교육현상과 같은 자연적인 상태, 즉 사회상황에서의 실험(social experiment), 예컨대 교육현상과 같은 자연적인 상태에서의 인과관계는 결정론적 관계가 아니라 확률적 관계라는 의미로 해석된다.

3. **상관관계분석과 회귀분석의 차이점**

    (1) 상관관계분석은 변인들 간의 상관관계의 정도만 기술·파악하지만, 회귀분석은 변인들 간의 관계를 통한 예언·예측에 그 목적이 있다.

    (2) 상관관계분석은 단지 두 변인 간의 관계만을 나타내지만, 회귀분석은 독립변인(원인변인, 설명변인, X)과 종속변인(결과변인, 반응변인, Y)으로 나타낸다.

(3) 지능(X)을 알고 있을 때 그에 대한 창의력(Y)을 예언해 보려는 경우는 두 변인 간의 상관관계가 아닌 회귀의 문제가 되는 것이다.

4. **결정계수**(= 예언비율, 설명비율, 공유비율, r^2)
   (1) 전체 변량 중에서 두 변인이 공통적으로 관련되어 있는 변량의 비율
   (2) 상관계수의 값을 자승(제곱)하면 된다. ⇨ 어느 한 변인이 다른 한 변인을 예언, 설명하는 정도를 나타낸다.
   (3) 국어점수와 사회점수 간의 상관계수가 0.70이라면 이때의 결정계수는 0.49(∵ 0.70 × 0.70)이므로, 두 검사가 공통적으로 측정하고 있는 변량은 전체 변량 100% 중 49%를 차지하고 있음을 뜻한다.

제5절 원점수와 규준점수

1 원점수(raw score)

1. 개념
   (1) 고사나 검사를 치를 때, 채점되어 나온 점수
      예 대학수능시험에서 어떤 학생이 320점을 받았다고 할 때 320점이 원점수이다.
   (2) 한 개인이 어떤 검사에서 정확하게 반응한 문항들의 수
      예 10문항 중 8개 문항에 정답을 했을 때 8점, 5개가 정답인 경우 5점을 부여한다.

   > **백점 만점 점수**
   > 1. 인위적으로 0점과 100점을 준거점으로 삼고 성적을 표시하는 방법이다.
   > 2. 동간척도에 사용되며, 준거점을 인위적으로 설정하였다는 것 이외에는 원점수 표시방법과 비슷한 성질을 지니고 있다.

2. 특징
   (1) 기준점이 없어 상호 비교가 불가능하다.
   (2) 아무런 의미나 해석을 제공해 주지 못한다. ⇨ 의미를 가지려면 적절한 기준에 비추어 해석해야 한다.
      ⚬ 규준참조평가는 원점수를 상대적인 기준인 '규준'에 비추어 해석하는 평가를, 준거참조평가는 원점수를 절대적인 기준인 '준거'에 비추어 해석하는 평가를 말한다.
   (3) 비동간척도에서 나온 측정치이다.

② 규준점수

1. 개념
의미 있는 기준점(준거점), 즉 규준(規準)에 비추어 본 점수

2. 종류
등위점수(석차점수), 백분위점수, 표준점수

3. 등위점수(= 석차점수, 등수)

(1) 개념
① 서열이나 순위를 나타내는 점수 ⇨ 서열척도에 해당한다.
② 어떤 고사의 원점수를 최고점에서 1, 2, 3, …… 식으로 석차를 붙이는 방법

(2) 단점
① 학생집단의 성질이나 학생 수가 달라지면 상호 비교가 불가능하다.
> 예 7학년에서 10등을 한 경우와 8학년에서 10등을 한 경우, 또는 50명 중에서 3등을 한 경우와 20명 중에서 3등을 한 경우를 같다고 할 수 없다.

② 학생들의 상대적 위치를 표시해줄 뿐, 학업성취도를 표시하는 것은 아니다.

(3) 동점자가 발생할 경우 계산방법

$$\frac{\Sigma 해당\ 등수}{동점자\ 수} \quad \text{또는} \quad \frac{동점자의\ 최상위\ 등위 + 동점자의\ 최하위\ 등위}{2}$$

> 예 5명이 공동으로 2등을 하였을 때 이들 학생들의 등위점수는?
> $$\frac{\Sigma 해당\ 등수}{동점자\ 수} = \frac{2+3+4+5+6}{5} = \frac{20}{5} = 4등$$

4. 백분위점수 08. 서울, 05. 경북

(1) 개념
① 전체 학생 수를 100으로 보았을 때 상대적으로 등위를 표시한 점수, 해당 점수보다 낮은 점수를 받은 학생 수의 전체 학생 수에 대한 백분율(%), 일정한 누가 백분율에 해당하는 점수분포상의 한 점수
> 예 백분위점수 30은 동일 학년에서 동일 검사를 받은 학생 중 30%가 같거나 그 이하의 점수를 받았으며, 70%가 그보다 더 성적이 우수하다는 것을 의미한다.

② 한 점수가 분포상에서 서열로 따져 몇 %에 위치하고 있는가를 나타내 준다.
> 예 100점 만점 국어시험에서 75점을 받았는데, 300명 가운데 150등을 했다면 백분위점수는 50(%)이다.

③ 서열척도에 속한다.
④ 백분위 신뢰구간(percentile bands)은 어떤 검사에서 백분위점수들의 범위를 말하는 것으로, 한 개인의 검사점수가 실제로 위치할 수 있는 백분위점수의 범위를 의미한다. ⇨ 측정오류의 가능성을 고려한다는 장점을 지닌다.

(2) 장점
① 상대적 위치를 정확하게 알려준다 : 능력의 정도를 그대로 표시하는 것은 아니다.
② 집단의 크기나 평가의 종류가 다르더라도 서로 비교할 수 있다 : 최고점에서 최하점까지 등위를 매겨서 비교해 보려는 점에서 등위점수와 같으나, 백분위점수는 집단의 사례수가 다르면 직접적인 비교가 불가능한 등위점수의 약점을 보완해 준다는 장점이 있다.

(3) 단점
① 동간척도·비율척도가 아니기 때문에 가감승제가 불가능하다.
   예. 80%와 85%의 능력의 차이가 40%와 45%의 능력의 차이와 같지 않다.
② 총점 또는 평균계산이 불가능하다.
③ 원점수 분포를 백분위점수로 전환할 때, 중간점수는 과소평가하고 상하의 극단점수는 과대평가하는 경향이 있다.

5. **표준점수** 24·12. 국가직 7급, 11. 인천, 10. 국가직 7급·서울·경북·대전, 07. 서울, 06. 대구·강원

(1) 개념
① 통계적 절차를 통해서 원점수를 표준편차 단위로 변환한 점수
② 가장 신뢰롭고 유용한 척도이나 절대평가체제에서는 의미가 없는 척도이다.
③ 비율척도로서, 동간성과 절대영점이 있어 가감승제가 가능하다.
④ 표준편차를 단위로 하기 때문에 능력의 상대적 위치를 비교할 수 있다.

(2) 종류 : Z점수, T점수, C점수, H점수, DIQ점수 25·18. 국가직, 14. 지방직
① Z점수 : 표준점수 중에서 가장 대표적이고 기본적인 점수 09. 서울
   ㉠ 원점수가 평균으로부터 떨어져 있는 정도를 표준편차 단위로 나눈 척도
   ㉡ 편차를 표준편차로 나눈 값 : $Z = \dfrac{X - M}{\sigma}$
   ㉢ 원점수가 평균보다 크거나 작은 정도를 표준편차 단위로 표시한 값 : Z점수가 0이라는 것은 원점수가 평균과 같다는 것을, Z점수가 0보다 크면 원점수가 평균보다 더 높다는 것을, Z점수가 0보다 작으면 원점수가 평균보다 더 낮다는 것을 의미한다.
   ㉣ 소수점 이하의 값을 가질 수 있고, 음수(-)의 값을 취할 수 있다는 단점이 있다.
② T점수
   ㉠ Z점수의 단점을 극복하기 위해 Z점수를 선형이동한 값 : Z점수에서 소수점을 없애기 위해 10을 곱하고, 음수의 값을 없애기 위해 50을 더한 값 ⇨ $T = 50 + 10Z$
   ㉡ McGall(1922)이 고안한 척도로, 손다이크(Thorndike)를 존경하는 의미에서 T점수라고 명명했다고 한다.
   ㉢ 이론상으로는 값이 소수점과 음수로 산출가능하나, 음수로 나왔을 경우 T점수는 0, 소수점으로 나왔을 때는 반올림하여 소수점을 없앤 점수로 나타낸다.
      예. T점수가 -10인 경우는 0으로, 57.5인 경우는 58점으로 간주한다.

③ C점수 : 스테나인(Stanine) 점수, 9분 점수
  ㉠ 9개의 범위를 가진 표준점수 : 정규분포를 0.5 표준편차 너비(length)로 9개 부분으로 나눈 다음 각 부분에 순서대로 1부터 9까지 부여한 점수 ⇨ 구간척도에 해당
    예) C점수 5는 정규분포의 평균을 중심으로 ±0.25 표준편차 범위(중간부분 20% 범위)에 해당된다.
  ㉡ 스테나인(Stanine) 점수 : 원점수를 9개 부분으로 나누어 최고점 9, 최하점 1, 중간점을 5로 한 점수
  ㉢ 현재 우리나라 고등학교에서 학생들의 성적을 등급제로 표시하는 '내신등급제'의 경우, 그리고 2008학년도 대학입시에서 성적을 표시할 때 사용하였다. ⇨ 등급점수의 계산은 역(逆)으로 한다. 즉 C점수 1은 9등급, C점수 9는 1등급에 해당한다.
  ㉣ 장점과 단점

장점	① 표준점수 가운데 가장 이해하기 쉽다. ② 수리적인 조작이 용이하다. ③ 소수점이 없는 정수 점수를 제공한다. ④ 점수의 범위를 나타내므로 평균을 계산할 수 있다. ⑤ 미세한 점수 차이의 영향을 적게 받는다. 즉 학생들의 성적을 미세하게 구분하기보다는 범위에 기초하여 점수를 해석한다. 예) 백분위 45와 55에 해당하는 점수를 C점수로 표시하면 모두 5가 된다.
단점	① 9개의 점수만 사용하므로 상대적 위치를 정밀하게 표현하기 어렵다. ② 경계선에 위치하는 사소한 점수 차이를 과장할 수 있다. 예) 백분위 88에 해당하는 C점수는 7이지만, 백분위 89에 해당하는 C점수는 8이다. ③ 원점수를 C점수로 환산하면 정보가 상실된다. 예) IQ를 C점수로 표시하면 IQ가 127보다 더 높은 학생들의 C점수는 모두 9가 된다.

표준점수 종류 비교

구분	개념	산출공식
Z점수	• 편차($x=$X−M)를 그 분포의 표준편차(σ)의 단위로 나눈 척도 ⇨ 과목 간의 성적 비교에 사용 • 평균(M)이 0이고 표준편차(σ)를 1로 한 점수 • 가장 대표적인 표준점수 : 평균(M =0)을 중심으로 상대적 위치를 표시	$Z=\dfrac{X-M}{\sigma}$
T점수	• 평균치를 50, 표준편차를 10으로 통일한 점수 • 가장 신뢰롭고 널리 활용 ⇨ 과목 간의 성적 비교에 사용한다. • 점수분포는 20~80점 범위 내이다. 예) 미국의 SAT나 GRE에서의 표준점수는 평균 500, 표준편차 100의 가상분포를 사용하고 있다.	$T=50+10Z$
C점수 (9분 점수)	• 평균치를 5, 표준편차를 2로 한 점수 • 스테나인(Stanine) 점수 : 원점수를 9개 부분으로 나누어 최고점 9, 최하점 1, 중간점 5로 한 점수 • 구간척도이다. • 해석 시 주의가 요구된다. 예) 9점은 1등급, 1점은 9등급	$C=5+2Z$

H점수	• 평균치를 50, 표준편차를 14로 한 점수 • T점수의 범위가 20~80점 범위밖에 되지 않는 문제점을 보완한 점수	$H = 50 + 14Z$
DIQ점수	평균치를 100, 표준편차를 15로 한 점수	$DIQ = 100 + 15Z$
편차비네점수	평균치를 100, 표준편차를 16으로 한 점수	$DBIQ = 100 + 16Z$

(3) 표준점수 간의 관계 16. 국가직, 13. 국가직 7급

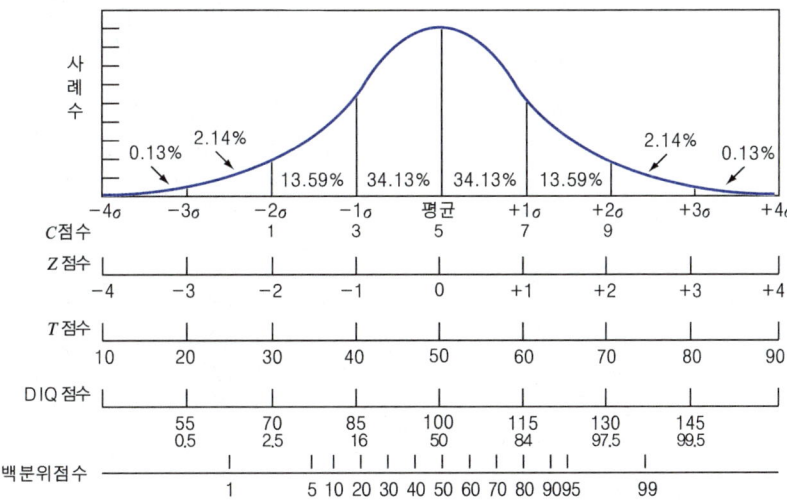

(4) C점수와 Z점수의 관계: 등급 계산

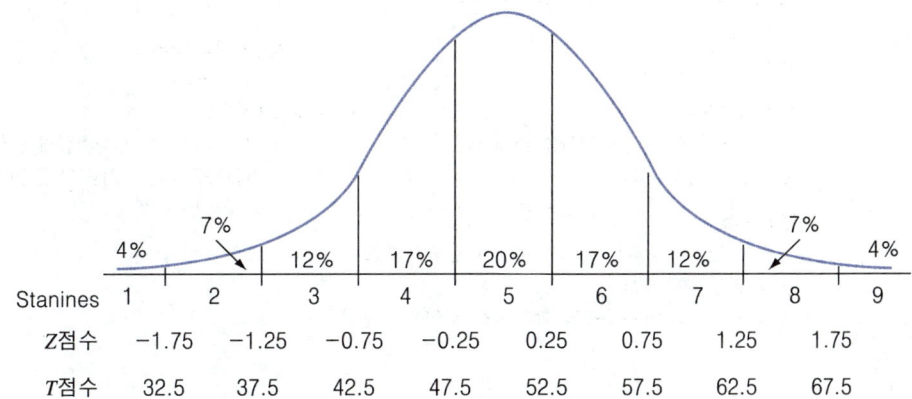

오현준 정통교육학

핵심 체크 노트

1. **교육연구의 종류**
   ★ ① 양적 연구(발달연구)와 질적 연구(사례연구, 현장연구, 문화기술지)
   ② 메타연구

2. **가설의 의미와 유형**
   ① 실험연구(통계적 가설): 영가설, 대립가설
   ② 현장연구: 실행가설

3. **표집의 종류**
   ① 확률적 표집: 단순무선 표집, 체계적 표집, 유층 표집, 군집 표집, 다단 표집
   ② 비확률적 표집: 의도적 표집, 할당 표집, 우연적 표집

★ 4. **자료수집방법**: 관찰법, 질문지법(자기보고법), 면접법, 사회성측정법, 투사법, 의미분석법, 델파이기법

5. **실험연구의 타당도**
   ★ ① 내적 타당도
   ② 외적 타당도
   ③ 실험설계 방법: 진실험설계, 준실험설계
   ④ 가설검증 방법: Z검증(CR검증), T검증, F검증(변량분석, 공변량분석)

CHAPTER 12

교육연구

01 교육연구의 기초
02 표집방법
03 자료수집방법
04 교육연구의 방법
05 가설의 검증

CHAPTER 12 교육연구

학습 포인트
1. 양적 연구와 질적 연구
2. 가설의 개념과 종류
3. **표집의 종류**: 단순무선표집, 유층표집, 의도적 표집
4. **자료조사 방법**: 질문지법, 사회성 측정법, 투사법, 의미분석법
5. **실험연구**: 내적 타당도와 외적 타당도

제1절 교육연구의 기초

1 교육연구의 개관

1. 교육연구의 개념

(1) 과학적인 분석방법을 적용하여 교육문제의 개선과 효과의 증진을 위한 일련의 활동을 말한다.

(2) 과학적 방법의 체계적이고 학구적인 적용이며, 넓은 의미에서 교육문제의 해결 과정이다 (Molly).

> ✎ 자연과학 또는 사회과학적 패러다임에 기초한 연구는 양적 연구, 인문과학(현상학, 해석학)적 패러다임에 기초한 연구는 질적 연구에 해당한다.

2. 교육연구의 목적

(1) 인간행동의 변화를 효과적으로 달성할 수 있도록 교육의 절차와 그 실천 계획 수립에 필요한 법칙, 원리, 이론 등을 만들어낸다.

(2) 교육적 상황에서 인간행동을 예언한다.

3. 교육연구의 제한점

(1) 인간은 연구 과정 자체에 영향을 받는다.

(2) 인간마다 개인차는 크기 때문에 연구결과를 일반화하는 데 문제가 있다.

(3) 인간의 행동은 시간의 경과에 따라 예측하기가 점점 어려워진다.

(4) 연구에 사용되는 개념을 정확하게 정의하기가 어렵다.

(5) 인간의 특성을 수량화(數量化)하는 데 문제점이 있다.

❷ 교육연구의 분류 – 연구자료(문헌)에 따른 분류

1. 통합적 방법
(1) 특정 분야의 기존 연구결과들을 분석·요약·평가하고 이를 통합하여 결론을 내리는 연구방법
(2) '연구에 관한 연구'를 말한다. ⇨ 메타연구(메타분석, Meta research)

> **메타연구(Meta Research) – 연구에 대한 연구**
> 1. 개별적 연구의 결과를 통합할 목적으로 다수의 관련 선행연구를 재분석한다.
> 2. 통계적 방법을 활용하여 선행연구에서 밝힌 독립변인이 종속변인에 미치는 영향의 크기를 분석한다.
> 3. 제1차 분석(primary analysis)은 연구에서 얻은 원자료들을 분석하는 것이고, 제2차 분석(secondary analysis)은 제1차 분석에서 다룬 자료들을, 보다 나은 통계적 방법을 사용하여 분석하는 것을 말한다.

2. 역사적 방법
(1) 어떤 사상을 시간의 흐름에 따라서 종단적으로 연구하는 방법
(2) 현재의 문제를 과거의 사실에 비추어 해석하고자 할 때 사용한다.

3. 철학적 방법
(1) 여러 사상의 배후에 있는 공통된 기본원리를 연구하는 방법
(2) 연구에서 찾아낸 자료를 토대로 합리적 사고를 통하여 일반화시키는 것이다.
(3) 여러 사람의 의견이나 주장을 비판·종합하며, 가치판단이 개입된다.

❸ 양적 연구와 질적 연구 – 연구전통에 따른 분류 09. 경기

1. 양적 연구(量的 硏究, quantitative research)
(1) 관찰 가능한 자료에 입각하여 일반적인 법칙을 찾아내려는 자연과학적이고 실증적인 패러다임에 기초한 연구
(2) 인간현상도 자연현상과 같이 관찰 가능하고 객관적인 법칙의 지배를 받는다고 본다. ⇨ 일원론적 접근(자연과학적 방법을 사회과학에 적용할 수 있다는 가정)
(3) 실험연구, 발달연구, 조사연구, 기술연구, 상관연구 등에서 주로 사용한다.

(4) **유형**
① **기술연구**(descriptive research): 어떤 현상이나 특성을 사실적이고 정확하게 서술하고 요약하려는 연구 ⇨ 연구결과를 수량화할 수 있는 자료로 기술한다는 점에서 언어적으로 서술하는 질적 연구와 다르다.
② **실험연구**(experimental research): 독립변인이 종속변인에 미치는 영향, 즉 인과관계를 규명하기 위한 연구
③ **준실험연구**(quasi-experimental research, 유사실험연구): 연구 대상을 무작위로 표집할 수 없거나 무작위로 배출할 수 없는 상황에서 독립변인을 조작하여 종속변인에 미치는 영향을 분석하기 위한 연구
④ **사후연구**(事後研究, ex post facto research, 소급연구, 인과 - 비교연구): 어떤 현상이 발생한 후 그 원인을 소급해서 규명하기 위한 연구 ⇨ 실험연구와는 인과관계를 규명하기 위한 연구라는 공통점이 있지만 독립변인을 통제하고 조작할 수 있는 실험연구에 비해 사후연구는 독립변인이 이미 발생했거나 조작할 수 없기 때문에 연구자가 통제할 수 없다.
⑤ **상관연구**(correlation research): 두 개 혹은 두 개 이상의 변인 사이에 어느 정도 관계가 있는가를 규명하려는 연구

2. **질적 연구**(質的 研究, qualitative research): 인간의 현상이 나름대로의 독특성을 지니고 있어 객관적이고 보편적인 법칙의 지배를 받지 않는다고 보는 입장에 기초한 연구 02. 울산
  (1) 현상학, 해석학 등에 근거한 연구
  (2) 인간현상은 자연현상과 달리 객관적인 자료에 의하여 수량화될 수 없으며, 이를 지배하는 보편적인 법칙도 없다고 본다. ⇨ 이원론적 접근
  (3) 문화기술연구, 전기적 연구, 현상학적 연구, 사례연구 등에서 주로 사용한다.
  (4) **유형**
  ① **전기적 연구**(biographical study): 특정 개인을 대상으로 하여 그가 경험했던 특별한 사건을 연구하는 방법 ⇨ 연구 대상이 회상하는 특별한 사건이 일어난 상황과 내용을 자세하게 기술
  ② **현상학적 연구**(phenomenological study): 특정 사건을 경험한 사람들을 대상으로 그에 대한 다양한 반응이나 그 사건을 어떻게 지각하는가를 규명하기 위한 연구
  ③ **근거이론**(Grounded theory, 근저이론, 현실기반이론): Glaser와 Strauss에 의해 창안
    ㉠ 인간의 문제나 경험의 다양성을 탐구대상으로, 구체적 개념들을 개발하여 논리적·체계적·설명 가능한 틀로 공식화하는 과정
    ㉡ 자연스런 상황에서 발생된 현상을 탐구하여 체계적으로 수집·분석한 실 자료에 근거한 실체이론(Substantive theory)을 형성하는 과정
      예) 뇌졸중 환자를 돌보는 가족의 경험에 관한 연구
    ㉢ 근거이론의 이론적 배경은 상징적 상호작용이론에 토대하고 있다.

④ 사례연구(case study): 특정 사례를 중심으로 문제나 특성을 집중적으로 조사하고 분석하는 연구

⑤ 문화기술적 연구(ethnographic study): 특정 집단 구성원들의 문화를 포괄적으로 기술하고 분석하기 위한 방법 ⇨ 심층면접과 참여관찰을 통한 자료수집 07. 인천

⑥ 역사적 연구(historical study): 과거 특정 시점에서 발생했던 사건이나 행위를 기술하고 이해하기 위해 자료를 체계적으로 수집하고 평가하는 연구
  예 해방 이후 현대까지 교육기본권의 변화 연구, 과거 30년간의 우리나라 교육개혁의 사례 연구

3. 양적 연구와 질적 연구의 차이

양적 연구	질적 연구
• 객관적 실재(reality, 탈맥락적 실재)를 가정 • 실증주의에 토대 • 기계적 인과론을 중시 • 가치중립적 입장 • 거시적 접근(연구 대상과 원거리 유지) • 신뢰도 중시 • 외현적 행동 연구 • 표본연구 • 연역적 추리 중시 • 체계적, 통계적 측정 강조 • 구성요소의 분석을 중시 • 결과 중시 • 객관적 연구 보고	• 주관적 실재(맥락적 실재)를 가정 • 현상학과 해석학, 상징적 상호작용 이론에 토대 • 인간의 주관적 의도를 중시 • 가치지향적 입장 • 미시적 접근(연구 대상과 근거리 유지) • 타당도 중시 • 내재적 현상 연구 • 단일사례연구 • 귀납적 추리 중시 • 자연적, 비통계적 관찰 강조 • 총체적 분석을 중시 • 과정 중시 • 해석적 연구 보고

4 교육연구의 절차 03. 울산

- **논리적 단계**: 1. 연구문제의 선정(문제의 발견) ⇨ 2. 연구문제의 분석(문헌고찰) ⇨ 3. 가설의 형성
- **방법론적 단계**: 4. 연구계획 수립 ⇨ 5. 연구 실행(도구제작, 실험·실천, 자료수집)
- **결론도출 단계**: 6. 검증 및 평가(자료분석, 결과평가) ⇨ 7. 결과 보고

1. 연구문제의 선정(문제의 발견)

참신하면서도 연구자의 능력으로 실행 가능한 문제를 선정한다.

2. 연구문제의 분석(문헌 고찰)

연구문제와 관련된 이론이나 선행연구를 고찰하여 가설 형성의 근거를 마련한다.

3. 가설(hypothesis)의 형성 07. 서울

(1) **가설(假說)의 개념**: 연구문제에 대한 잠정적인 결론
  ① 둘 이상의 변인(개념) 간의 관계에 대한 추리를 문장화한 것이다(Kerlinger).

> **더 알아보기**
>
> **연구의 논리적 구조의 순서(교육적 연구의 과학적 탐구과정)**
>
> 개념 ⇨ (변인) ⇨ 가설 ⇨ 법칙 ⇨ 이론
> 1. **개념(concept)**: 어떤 일정한 대상이 지닌 특성이나 속성
> 2. **변인(variables)**: 개념들 중에서 속성에 따라 분류한 것. 양적 변인과 질적 변인, 연속적 변인과 비연속적 변인, 독립변인과 종속변인, 자극변인과 반응변인
> 3. **가설(hypothesis)**: 연구자가 내리는 잠정적 결론, 둘 이상의 변인 간의 관계에 대한 추리를 문장화한 것
> 4. **법칙(law)**: 가설을 검증하고 일반화한 것
> 5. **이론(theory)**: 일단의 법칙들을 연역적으로 연결시킨 것 ⇨ 잘 짜여진 법칙들의 체계

  ② 연구를 이끄는 개념이며, 잠정적 설명이나 가능성을 진술한 것으로, 관찰을 시작하고 이끌도록 하는 것이며, 적절한 자료 및 다른 요건을 찾도록 하는 것이며, 어떤 결론이나 결과를 예언하는 것이다(Good).

(2) **가설의 기능**
  ① 변인 간의 관계에 대한 추리작용을 한다.
  ② 연구문제에 대한 잠정적인 결론을 내린다.
  ③ 연구의 초점을 맞춘다.

(3) **가설의 진술**
  ① **변인들과의 관계**: 두 변인 간의 관계로 진술
   예 '가정환경'이 좋으면 '학업성적'도 높을 것이다.
  ② **검증 가능성**: 경험적으로 검증이 가능하도록 진술한다.
  ③ **간단명료성**: 간단명료하게 진술한다.
  ④ **선언적, 가정적 형식의 진술**: 선언적 문장과 가정법 형태의 문장 형식을 취한다.
   ㉠ **선언적 문장**: '~는(은) …한다(이다).', 기술적 연구에서 주로 사용
    예 자아개념과 학업성취는 상관이 있다. 주입식 교육은 아동에게 의타심을 조장한다.
   ㉡ **가정법 문장**: '만약 ~이면(하면) …할 것이다.', 실험연구에서 주로 사용
    예 자아개념이 긍정적이면 학업성취가 높아질 것이다.
  ⑤ **사전 설정**: 연구가 수행되기 전에 설정한다.
  ⑥ **논리적 근거의 명시**: 가설 설정의 논리적 근거를 명시하도록 해야 한다. 가설 설정의 근거로는 기존의 이론이나 선행연구의 탐구, 경험의 분석, 직관 등이 있다.

(4) 가설의 종류

① 실험연구에서 사용하는 가설: 통계적 가설

영가설(H_0)	• 연구에서 일어나는 심각한 오판(誤判, 판단 착오)을 범할 때 진리가 되는 내용, 연구에서 검증받는 잠정적 진리나 사실 • 두 통계치(예 모집단과 표본 또는 서로 다른 두 표본 간 평균) 간에 '아무런 차이가 없다'는 가설로, 기각될 것을 전제로 한다. ⇨ 영가설이 긍정되면 연구자의 의도와 다른 결론이 나온 것이고, 영가설이 기각되면 연구자의 의도에 맞는 결론이 나온 것이다. • H_0: u1 = u2 ⇨ H_O(originality) 또는 H_0(null)으로 표기한다.		

대립가설(H_A)	• 영가설이 부정되었을 때 진리로 남는 잠정적 진술
	• 연구자가 표본조사를 통해 긍정되기를 기대하는 예상이나 내용의 가설로, 영가설에 상대적으로 대립시켜 설정한 가설
	• H1: u1≠u2, H1: u1<u2, H1: u1>u2 ⇨ H_A 또는 H_1로 표기한다.
	  ㉠ u1≠u2: 두 통계치(평균) 간의 차이에 관심을 가지므로 양방검증을 한다.
	  ㉡ u1<u2: 두 통계치(평균) 간의 크기(순서, 방향)의 작은 쪽에 관심을 가지므로 왼쪽 꼬리 검증을 한다.
	  ㉢ u1>u2: 두 통계치(평균) 간의 크기(순서, 방향)의 큰 쪽에 관심을 가지므로 오른쪽 꼬리 검증을 한다.		

	양방적 검정 (two-tailed test)	• 영가설이 등가설(같다 또는 같지 않다 예 '모집단의 평균이 어떤 수와 같다' 또는 '두 모집단의 평균이 같다')에 의한 통계적 검정으로 기각역이 양쪽으로 존재한다. • 8학군에서 추출된 고교 3학년의 표본의 수학성적이 70점인지를 위한 검정: H_o: μ = 70, H_A ≠ 70	
	일방적 검정 (one-tailed test)	• 영가설이 부등가설(작거나 같다 또는 크거나 같다)에 의한 통계적 검정으로 기각역이 한쪽으로 존재한다. • 8학군에서 추출된 고교 3학년의 표본의 수학성적이 70점 이상인지를 위한 검정: H_o: μ ≤ 70, H_A > 70	

② 현장연구에서 사용하는 가설: 실행가설(실천가설)
  ㉠ '이러이러한 방법으로 지도를 하면 이러이러한 결과가 나타날 것이다.'라는 표현방식으로 진술된 가설을 말한다.
  ㉡ 연구방법과 결과의 예견을 포함하여 진술한다.

4. 연구계획 수립(연구설계)

가설의 합리성을 검증하기 위한 연구계획을 수립한다.

5. 연구 실행(도구 제작, 실험, 실천, 자료수집)

(1) 이미 형성된 가설을 실험계획에 따라 실천하는 과정이다.

(2) 타당도·신뢰도·객관도·실용도를 고려하여 최적의 측정도구를 제작한다.

(3) 제작된 측정도구에 의하여 연구집단을 대상으로 실험·실천하고 자료를 수집한다.

6. 검증 및 평가(자료분석, 결과 평가)

(1) 연구목적에 비추어 연구문제에 대한 해답을 얻는 단계이다.

(2) 자료분석을 통해 가설의 검증 여부를 확인하고, 증거자료를 통합하여 해석한다.

7. 결과 보고

연구결과를 솔직하고 간결하게 사실대로 기술한다.

제2절 표집방법

1 표본조사

1. 개념

(1) **전집조사(전수조사)**: 특정한 한 집단 전체를 조사 대상으로 선정하여 연구하는 것
   예 3학년 1반의 수학 평균, 사회성 측정법

(2) **표본조사**: 전체를 모두 조사하지 않고 그중의 일부만을 뽑아서 연구하는 것
   예 휴대폰 배터리의 평균 수명, TV 시청률 조사
   ① 표본(sample): 뽑혀진 소집단
   ② 표집(sampling): 모집단에서 전체의 일부인 표본을 뽑는 과정
   ③ 모집단(전집): 표본으로 뽑는 모체(母體)가 되는 전수(全數)인 집단

2. 표본조사를 실시하는 이유

(1) 연구에 필요한 노력과 경비를 절약한다.

(2) 연구를 신속하게 수행할 수 있다.

(3) 조사의 정밀도를 높일 수 있다(∵ 잘 훈련된 조사·연구원을 통하여 정확하고 심층적인 정보를 수집하기 때문에).

(4) 전수조사가 불가능할 때 실시한다.

❷ 표집방법

1. 확률적 표집(probability sampling) 11. 국가직, 05. 경북, 04. 제주

  (1) **개념**

    ① 특정한 표집을 얻을 확률을 객관적으로 알 수 있도록 설계하여 표집하는 방법이다.
    ② 전집을 구성하고 있는 모든 요소들이 표집될 확률을 갖고 있다고 전제한다.
    ③ 일반적인 통계적 추리는 확률적 표집을 전제로 한다.
    ④ 실험연구와 같은 양적 연구에서 주로 사용한다.

  (2) **표집방법**: 단순무선표집, 체계적 표집, 유층표집, 군집표집, 단계적 표집, 행렬표집

    ① 단순무선표집(simple random sampling): 난선(난수표)표집, 제비뽑기식 표집, 주사위 표집
      ㉠ 특별한 선정 기준을 마련해 놓지 않고 아무렇게나 뽑는 방법

환원표집	표본으로 뽑힌 사례를 다시 모집단으로 되돌려 보낸 후 다시 표집하는 방법 ⇨ 단순무선표집의 원칙에 적합한 경우
비환원표집	한번 뽑힌 표본은 다시 모집단으로 돌려보내지 않는 방법

      ㉡ 모집단 전체에 번호를 부여하고 무작위로 선택한다.
      ㉢ 전집을 구성하고 있는 요소들이 모두 독립적으로 동등하게 뽑힐 확률을 갖는다.
      ㉣ 확률적 표집방법 중에서 가장 널리 사용되며, 다른 확률적 표집방법의 기초가 된다.
      ㉤ 연구자의 편견을 가장 잘 배제할 수 있는 표집, 표집오차는 유층표집에 비해 크다.

    ② 체계적 표집(systematic sampling): 동간격 표집, 계통표집
      ㉠ 전집의 구성이 특별한 순서 없이 배열되어 있다는 것을 전제로 일정한 간격으로 표집하는 방법 ⇨ 간격의 크기는 전집의 수(N)를 표본수(S)로 나눈 값이다.
      ㉡ 모집단 전체에 일련번호를 부여하고 첫 번째 숫자는 단순무선표집과 같은 방법으로 표집한 뒤, 그 다음부터는 간격을 똑같이 하여 표집한다.
        예 전집의 크기(N)가 60이고, 필요한 표본수(S)를 10이라 한다면 표집간격은 60÷10＝6이 된다. 1과 6 사이에서 무선적으로 5를 선택했다면 표집번호는 5, 11, 17, 23, 29, 35, 41, 47, 53, 59 모두 10개가 된다.

    ③ 유층표집(stratified sampling)
      ㉠ 모집단을 동질적인(집단 내의 특질이 같은) 여러 개의 하위집단으로 나누고 각 하위집단으로부터 무선표집하는 방법 ⇨ 표집오차가 가장 작다.
      ㉡ 유층(strata)이란 어떤 기준에 따라 나누어 놓은 전집의 여러 하위집단을 말한다.
      ㉢ 방법: 비례유층표집과 비비례유층표집으로 나뉜다.

비례유층표집	유층으로 나뉜 각 집단 내에서의 표집의 크기를 전집의 구성비율과 같도록 표집하는 방법이다.
비비례유층표집	각 유층의 크기에 비례하여 표집을 하는 것이 아니라, 필요한 수만큼 각 집단에서 뽑는 방법이다. ⇨ 전집의 구성비율이 반영되지 않음.

② 하위집단의 내부는 동질적이나, 하위집단 간은 이질적이다.
⑩ 표본추출단위는 각 개인이다. 즉 각 하위집단에서 필요한 수만큼 무선표집한다.
⑪ 표집오차가 가장 작다(특히 비례유층표집인 경우).

④ **군집표집**(cluster sampling): 덩어리 표집, 집락표집
  ㉠ 모집단을 이질적인(집단 내의 특질이 다른) 여러 개의 하위집단(자연적으로 형성된 집단)으로 나누고 이 하위집단을 단위로 표집하는 방법 ⇨ 각 하위집단은 모집단의 축도(縮圖)가 되며, 최종표집단위는 사례가 아니라 집단이다.
  ㉡ 하위집단의 내부는 이질적이나, 하위집단 간은 동질적이다.
  ㉢ 전집의 규모가 클 때 사용한다. 전집 속에 널리 흩어져 있는 개별 사례들을 하나씩 표집하는 것보다 자연스럽게 형성된 군집을 단위로 표집하는 것이 훨씬 편리하다.

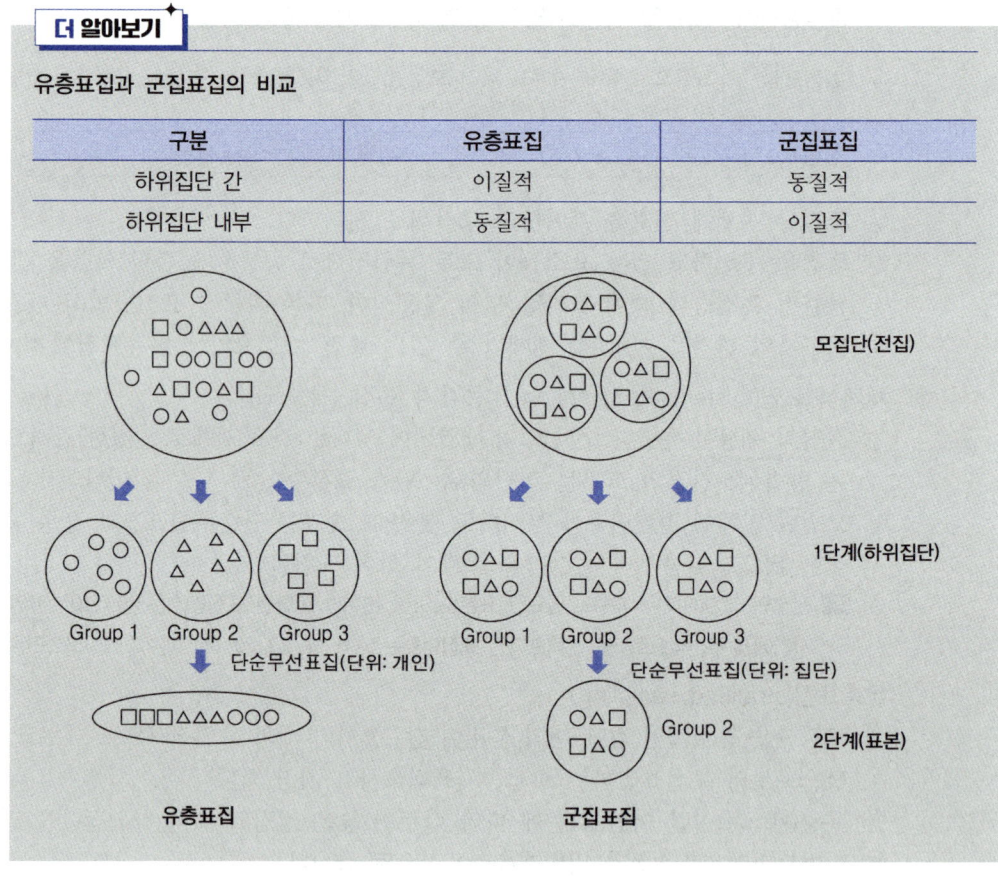

유층표집과 군집표집의 비교

구분	유층표집	군집표집
하위집단 간	이질적	동질적
하위집단 내부	동질적	이질적

확률적 표집의 차이 비교

단순무선표집	처음부터 끝까지 단순무선표집
체계적 표집	처음만 단순무선표집
유층표집	마지막에만 단순무선표집(표집단위: 개인)
군집표집	마지막에만 단순무선표집(표집단위: 군집)

⑤ **단계적 표집**(multi-stage sampling): 다단표집
  ㉠ 최종 단위의 표집을 위하여 몇 개의 하위 단계를 거쳐서 표집하는 방법
  ㉡ 군집표집의 변형으로서, 전집의 크기가 매우 큰 경우에 적용한다.
   예 서울에서 중학교 1학년 학생 중 학력검사 대상 1,000명을 표집하는 경우: 1차 표본표집(10개 학교 단순무선표집) ⇨ 2차 표본표집(각 학교마다 5개 학급 표집) ⇨ 3차 표본표집(각 학급마다 20명씩 표집)

⑥ **행렬표집**(matrix sampling)
  ㉠ 행렬표를 활용하여 정보를 표집하는 방법으로, 대규모 표집에서 가장 경제적으로 표집하고자 할 때 사용한다.
  ㉡ 검사도구와 표집대상을 적당히 구분하여 표집하며, 전체 학생의 반응에 관심이 있고 시간적인 여유가 없을 때 사용한다.
  ㉢ 비교적 짧은 시간에 적은 수의 문항에 반응하게 함으로써 표집된 학생들에게 부담을 주지 않고 전체적으로 학생들의 학업성취도를 측정할 수 있다.
   예 시험문항들을 3등분하여 일부의 학생들을 표집하여(표집 A) 앞부분 $\frac{1}{3}$ 문항들에 응답하게 하고, 다른 일부의 학생들을 표집하여(표집 B) 중간의 $\frac{1}{3}$ 문항들에 응답하게 하고, 또 다른 일부의 학생들을 표집하여 (표집 C) 마지막 $\frac{1}{3}$ 문항들에 응답하게 한다.

검사구분 학생표집	전반 1/3	중간 1/3	후반 1/3
표집 A	시험시행		
표집 B		시험시행	
표집 C			시험시행

2. 비확률적 표집(non-probability sampling)

(1) **개념**: 질적 연구에서 주로 사용한다.
  ① 전집의 요소들이 뽑힐 확률을 고려하지 않고, 연구자의 주관적인 판단에 의해서 임의적으로 표집하는 방법이다.
  ② 표집오차를 계산할 수 없기 때문에 표집의 대표성이 문제된다.

(2) **표집방법**: 의도적 표집, 할당표집, 우연적 표집, 눈덩이 표집
  ① **의도적 표집**(purposive sampling, 주관적 판단 표집): 모집단을 잘 대표하리라고 믿는 사례들을 연구자의 주관적 판단에 의해서 의도적으로 표집하는 방법 ⇨ 문화기술지와 같은 질적 연구에서 주로 사용한다.

② 할당표집(quota sampling)
  ③ 모집단의 여러 특성을 대표할 수 있도록 몇 개의 하위집단을 구성하여 각 집단에 알맞은 표집의 수를 할당하여 그 범위 내에서 '임의로 표집'(단순무선표집 ×)하는 방법
  ⓒ 할당을 나누는 기준으로 연령, 성별, 교육수준, 직업, 지역분포 등을 고려한다.
③ 우연적 표집(accidental sampling): 편의적 표집
  ③ 특별한 표집계획 없이 연구자가 임의로 손쉽게 구할 수 있는 대상들 중에서 표집하는 방법
  ⓒ 시간적 여유가 없을 때 사용한다. 예 길거리에서 인터뷰하기
④ 눈덩이 표집(snow-ball sampling)
  ③ 최초의 조사 대상자로부터 다른 사람을 연속적으로 소개받으면서 표집을 해나가는 방법이다.
  ⓒ 비밀스럽고 비공개적인 현상(예 감염병 전염 실태 조사)을 통해서 정보를 수집하고자 할 때 사용한다.

제3절 자료수집방법(연구의 도구)

자료수집방법의 유형
관찰법, 질문지법, 면접법, 사회성 측정법, 투사법, 델파이조사방법, 의미분석법, 내용분석법, Q방법

1 관찰법(observational method)

1. 개념

(1) 관찰대상자에게 반응을 요구하지 않고 단지 그 행동을 관찰하여 자료를 수집하는 방법 ⇨ 언어적 의사소통 없이 자료를 수집하는 방법

(2) 관찰이란 도구를 사용하지 않는 측정이며, 만약 도구를 사용해도 그것을 측정하는 사람에게 영향을 미치지만, 측정받는 대상에게는 영향을 미치지 않는 측정이다(Bradfield & Moredock).

(3) 연구자가 연구 대상의 형태에 어떤 조작이나 통제도 가하지 않고 있는 그대로 발생하는 상황에서 자료를 수집하는 방법이다.

(4) 인간의 외현적(外現的) 행동으로부터 정의적 특성을 추론할 수 있다는 전제에 기초하고 있다.

(5) 가장 오래된 자료수집방법의 하나이다.

2. 관찰 시 유의할 점

(1) 계획된 관찰일 것

(2) 타당도, 신뢰도, 객관도가 높을 것

(3) 관찰결과가 반드시 기록되고 분석되어야 할 것

3. 유형

(1) **관찰자의 참여 여부에 따른 분류**: 참여관찰, 준참여관찰, 비참여관찰

① **참여관찰(= 참가자 관찰)**: 관찰자가 관찰대상자와 같이 생활하면서 관찰대상자의 행동을 관찰하는 방법 ⇨ 문화기술지(민속방법론)의 방법, 내부자의 관점 중시
  예. Whyte의 이탈리아 빈민굴(부랑아 집단) 연구(1956)

② **준참여관찰**: 관찰자가 관찰대상자의 생활의 일부(예. 점심시간)나 일정 시간 동안에만 참여하여 관찰하는 방법

③ **비참여관찰**
  ㉠ 관찰자가 외부인의 입장에서 관찰대상자를 객관적으로 관찰하는 방법
  ㉡ 가장 널리 쓰이는 방법이다.

(2) **통제 여부에 따른 분류**: 통제관찰(실험적 관찰법, 장면선택법, 시간표집법), 비통제관찰

① **통제관찰**: 관찰대상, 관찰시간, 관찰장면, 관찰행동 등 인위적으로 꾸민 조건하에서 관찰대상자의 행동을 관찰하는 방법
  ㉠ 실험적 관찰법: 관찰장면이나 조건을 인위적으로 조작하고, 독립변인을 투입하여 나타나는 종속변인을 관찰하는 방법
    예. 유리로 된 방에서 유아의 행동을 관찰
  ㉡ 장면선택법(사건표집법): 관찰하고자 하는 행동이 자주 나타나는 장면을 선택하고 그 장면에서의 행동을 관찰하는 방법
    예. 학급회의 장면을 선택하여 학생의 지도성을 관찰하는 방법
  ㉢ 시간표집법(빈도기록법): 관찰장면을 제한하지 않고 시간만을 통제하여 양적으로 측정하는 방법
    예. 지도성을 관찰하기 위하여 매시 처음 20분 동안만 관찰

② **비통제관찰(= 자연적 관찰)**: 어떤 행동이나 현상을 있는 그대로 자연스럽게 관찰하는 방법

4. 관찰결과의 기록

(1) 일화기록법(anecdotal record)

① 일상생활이나 학습장면에서 일어나는 구체적인 행동 사례를 장기간에 걸쳐 누가 기록하는 방법
  ⇨ 이야기식 기록법(narratives)
  ㉠ 발생하는 사건, 행동, 혹은 사상에 대한 언어적 묘사로서 관찰되는 사건을 사실적으로 기술한다.
  ㉡ 질적인 기록의 방법이다(일화 자체에 의미를 부여, 수량화 ×, 비교목적 ×).

> **수업 중의 일화기록의 예시**
> - 학생: 김철수　　• 일시: 2010년 9월 5일　　• 장소: 국어수업시간　　• 관찰자: 오대수
> - 사건: 국어시간에 철수에게 자작시(自作詩)를 낭독하도록 했다. 철수는 얼굴을 붉힌 채 작고 떨리는 목소리로 시를 낭독했다. 그때 뒷줄에 앉아 있던 태수가 "잘 들리지 않으니 큰 소리로 한 번 더 읽어 주세요."라고 요구했다. 그렇지만 철수는 대꾸도 하지 않고 그대로 자리에 앉아 버렸다.
> - 해석: 철수는 시작(詩作)에 상당한 관심과 재능을 갖고 있는 것으로 생각된다. 그렇지만 발표불안이 매우 심한 것 같다. 시를 다시 낭독하지 않은 것은 아마도 발표불안 때문인 것 같다.

② 피험자의 개성, 욕구, 취미, 태도 등의 성격특성, 적응양식 등 정의적 행동의 증거자료 수집에 유효한 방법이다.
　예 A가 발을 덜덜 떠는 행동을 기록한다.
③ 한 개인의 행동에 관하여 제3자의 입장에서 관찰·기록하는 것 ⇨ 한 학생의 특정한 행동을 그 행동이 있을 때마다 상세히 종단적으로 관찰·기록
④ 과거의 기록이나 발달사, 가족관계를 기록하지 않는다는 점에서 사례연구와는 다르다.

(2) **행동기록법**(behavior tally): 개인의 행동을 일시(日時)에 따라 순서대로 기록하는 방법
　예 A의 행동을 일기식으로 기록한다.

(3) **평정기록법**: 관찰자가 관찰하고 싶은 행동특징을 평정척도에 의하여 수치나 문장으로 기록하는 방법　**예** A의 행동을 '옳다', '나쁘다'라고 평가·기록한다.

(4) **도시법**(圖示法): 사전에 약속한 부호나 기호에 의하여 기록하는 방법

(5) **기계적 기록법**: 관찰내용을 기계(**예** 녹음기, 캠코더 등)에 기록하는 방법

5. 장단점

(1) **장점**
① 어느 대상에게나 적용이 가능하다.
② 직접 조사의 방법으로 신뢰성이 높다.
③ 관찰목적 이외에 다른 부수적 자료를 얻을 수 있다.
④ 관찰행동이 나타나는 환경조건도 관찰 가능하여 심화된 자료를 얻을 수 있다.

(2) **단점**
① 내적 행동(**예** 도덕, 정서관련 내용 등)에 대한 관찰이 불가능하다.
② 관찰결과의 해석에 주관성이 개입될 수 있다.
③ 인간능력의 한계, 시·공간의 제약, 평가 자체가 지닌 약점 등으로 전체 장면 관찰이 어렵다.
④ 관찰목적에 알맞은 현상을 포착하기가 어렵다.
⑤ 관찰대상자가 관찰자를 인식하면 행동이 달라진다. ⇨ 평가의 오류
⑥ 관찰에 있어서 편견이나 선입견이 작용할 수 있다.

❷ 질문지법(Questionnaire method) 20. 국가직, 03. 전북

1. 개념

(1) 피험자(조사 대상자)가 연구자가 미리 작성해 놓은 물음들에 대해서 자기의 의견이나 사실에 대한 답을 진술하는 방법 ⇨ 자기보고법

> **자기보고식 방법**(self-report method)
> 1. 응답자가 구체적인 질문에 직접 기술하도록 하는 방법 cf. 면접법은 조사자가 간접 기술
> 2. 타인이 쉽게 관찰하기 어려운 개인의 지각, 신념, 감정, 동기와 같은 정의적 특성을 측정하는 방법

(2) 홀(Hall)이 아동행동연구에 처음 도입한 방법이다.

(3) 조사연구에서 자료수집의 방법으로 가장 흔히 사용되는 방법이다. ⇨ 조사 대상자가 많고 널리 분산되어 있을 때 효과적이다.

(4) 개인의 연구학적 배경이나 생활배경, 의견, 태도, 판단, 감정 등을 조사할 때 사용하며, 대개 익명으로 대답을 요구하기 때문에 개인의 심층 심리상태를 파악하는 데 효과적이다[「학교학습과 교육평가」(황정규, 교육과학사, p728)].

2. 유형

(1) **자유반응형**(개방형): 주어진 질문에 응답자가 자신의 의견이나 사실을 자유롭게 진술한다.

(2) **선택형**: 두 개 이상의 선택지 중 가장 적합하다고 생각하는 선택지를 고른다.

3. 장단점

(1) **장점**

① 경제적(비용 저렴, 제작 간편)이다.
② 응답자에 대한 연구자의 영향력을 최소화할 수 있다.
③ 통계처리가 용이하다.

(2) **단점**

① 응답내용의 진위(眞僞) 확인이 어렵다. 즉, 응답자의 허위 반응을 통제할 수 없다.
② 질문지의 회수율이 낮다(우송질문지를 사용할 경우).
③ 질문을 확실하게 통제할 수 없고 자료를 엄격하게 다룰 수 없다.
④ 문장이해력과 표현능력이 낮은 사람(예 문맹자, 초등학교 저학년 아동)에게는 사용하기가 어렵다.
⑤ 질문지에 포함된 문항내용과 표현이 응답자에 따라 다르게 해석될 소지가 있다.
⑥ 면접과 달리 질문에 대한 응답에 따라 질문의 내용과 순서를 융통성 있게 조정할 수 없다.
⑦ 반응 갖춤새(response set 예 사회적 바람직성, 묵종반응, 특이반응)가 작용할 수 있다. 또 문항에 대해 기계적으로 반응(예 모든 문항에 3번만 표시하는 경우)할 소지가 있다.

③ 면접법(Interview method) 11. 경기

1. 개념

(1) 면대면 상황(face to face)에서 언어적 상호작용을 매개로 하여 피면담자로부터 연구목적에 부합되는 여러 가지 정보를 수집하는 방법
　① 원래는 의사나 심리학자(예 프로이트)들이 임상적 목적으로 사용한 방법이다.
　② 양적 연구나 질적 연구에서 모두 사용된다.

(2) 일반적으로 관찰법이나 질문지법과 병행하여 사용한다.

2. 유형: 면접의 구조화 정도에 따른 구분 ⇨ 면대면 면접의 경우

(1) **구조화된 면접**(structured interview): 면접자의 주관이 개입되는 것을 방지하기 위하여 사전에 치밀한 계획을 세워서 면접을 진행하는 방법 예 질문지법의 내용을 면접을 통해 알아본다.

(2) **구조화되지 않은 면접**(unstructured interview): 면접 목적만을 분명히 하고 나머지는 면접자에게 일임하는 방법

(3) **반구조화된 면접**(semi-structured interview): 사전에 면접에 관한 치밀한 계획을 세우되, 면접 장면에서 면접자가 융통성 있게 진행시키는 방법 ⇨ 구조화된 면접(계획면) + 구조화되지 않은 면접(진행면)

더 알아보기
면접의 유형
1. 면접자와 피면접자가 직접 대면 여부에 따라: 면대면 면접, 전화면접, 컴퓨터 이용 면접(화상면접)
2. 면접자와 피면접자의 수에 따라: 개별면접(1:1면접), 집단면접(면접자 1:피면접자 다수)
3. 면접 과정의 구조화 정도에 따라: 구조화된 면접, 비구조화된 면접, 반구조화된 면접
4. 피면접자가 면접의 목적을 인식하고 있느냐에 따라: 내재적 면접(피면접자가 면접목적을 모르는 상황), 외재적 면접(피면접자가 면접목적을 알고 있는 상황)
5. 면접 과정에서의 면접자 역할에 따라: 지시적 면접(면접자가 주도적인 역할수행 ⇨ 인지적 문제해결 방법), 비지시적 면접(피면접자가 주도적인 역할수행 ⇨ 정의적·개인적 문제해결 방법)

3. 장단점

(1) **장점**
　① 심리검사나 질문지법보다 심도 있는 자료수집이 가능하고 융통성 있게 조사할 수 있다.
　　예 면접 과정에서 피면담자(응답자)의 표정이나 태도에 따라 질문을 변경할 수 있다.
　② 문장이해력이 없는 사람에게도 가능하다.
　③ 반응의 진실성 여부를 확인할 수 있다.
　④ 응답자를 확인할 수 있다.
　⑤ 주목적 이외의 부차적인 자료를 얻을 수 있다.

(2) 단점

① 고도의 면접기술이 필요하다.

② 시간과 경비가 많이 소요된다.

③ 익명(匿名)이 불가능하다.

④ 면접기술이 미숙하면 편견이나 그릇된 판단이 작용하기가 쉽다.

⑤ 표준적인 절차가 결핍되기 쉽다.

④ 사회성 측정법(Sociometry method, 수용성 검사, 교우관계 조사법) 18. 지방직, 07. 국가직 7급, 03. 서울

1. 개념

모레노(Moreno)가 고안 ⇨ 「누가 살아남을 것인가?(Who shall survive?)(1934)」

(1) 제한된 집단성원 간의 반응을 끌어내어 집단의 성질, 구조, 역동성, 상호작용을 분석하는 방법

(2) 집단 내 구성원 간의 호오(好惡)관계, 인간관계 및 집단의 성격을 파악하는 방법이다.

(3) 한 학생이 자기 동료에 의해서 어떻게 인식되고 받아들여지고 있는가를 평가하는 방법이다.

2. 방법이 지닌 교육적 가치

(1) 개인의 사회적 적응력을 향상할 수 있다.

(2) 집단의 사회구조를 개선할 수 있다. ⇨ 학교 또는 학급 내에 존재하는 비형식적인 여러 집단을 파악하여 집단의 사회적 구조 개선에 도움을 준다.

(3) 집단을 새로이 조직하거나 재조직(예 좌석배치, 위원회 조직, 모둠 편성 등)하는 데 도움을 준다.

(4) 특수한 교육문제해결(예 집단 따돌림, 왕따 문제 등)에 이용할 수 있다.

3. 실시상의 유의점

(1) 학급담임이 실시하는 것이 좋다(제3자인 경우에는 학생과의 친숙도가 이루어진 사람이 한다).

(2) 집단의 한계를 분명히 제시해야 한다.
   예 '우리 학급', '우리 학년', '우리 분단'

(3) 한정된 집단의 전원이 조사대상이 되어야 한다.
   예 결석자 포함, 휴학생이나 전출생은 제외 ⇨ 전수(全數)조사 실시

(4) 한 학기에 1회 정도 실시한다.

(5) 질문은 학생이 이해할 수 있는 수준에서 제작해야 한다.

(6) 초등학교 저학년은 개별 면접으로 하는 것이 좋다.

(7) 조사결과는 학생들에게 알리지 않는다. ⇨ 비밀 유지

4. 측정방법의 종류

(1) **추인법**(推人法, guess-who method)
   ① 각 학생에게 여러 개의 특성을 설명해 주는 일련의 진술문을 주고 각 설명에 적합한 학생의 이름을 쓰게 하는 방법이다.
   ② 집단 내에서 소외되고 있는 구성원에 대한 정보를 얻기 어렵다는 단점이 있다.

> 우리 반 학생들 중에서 다음 진술문에 가장 잘 어울리는 학생의 이름을 쓰시오.
> 1. 다른 친구들의 어려움을 기꺼이 도와주는 사람 : _____
> 2. 재미있게 이야기를 하는 사람 : _____
> 3. 친구를 괴롭히는 사람 : _____

(2) **동료지명법**(peer-nomination) : 가장 기본적인 방법
   ① 주어진 기준에 의하여 각 학생이 몇 명의 친구를 선택하게 하는 방법이다.
   ② 동료 간에 그와 같이 일하고 싶은 사람, 공부하고 싶은 사람 등의 이름을 지명하도록 하는 방법이다.

> • 우리 반 아이들 중에서 생일에 꼭 초대하고 싶은 사람은 누구인가?
> • 수련활동을 갈 때 버스에서 옆자리에 같이 앉고 싶은 친구는 누구인가?
> • 그룹활동을 할 때 같은 그룹에 편성되지 않았으면 하는 친구는 누구인가?

5. 측정 결과의 해석

(1) **사회성 측정 행렬표**(sociometric matrix) : 포사이스와 캣츠(Forsyth & Katz)가 고안
   ① 행(선택하는 자)과 열(선택받는 자)이 같은 수로 배열된 사각형의 수표로 나타낸다.
   ② 피선택수가 많을수록 사회적 수용도가 높고, 피배척수가 많을수록 사회적 적응성이 낮다.
   ③ 상호선택이 많을수록 집단의 응집성이 강하고, 선택수가 많을수록 교우관계에 적극적이다.

구분		열(列: 선택받은 자)				
		1	2	…	9	10
행(行: 선택하는 자)	1		○		×	
	2	○			×	
	⋮					
	9	×	○			
	10		○		×	

○ : 좋아하는 사람   × : 싫어하는 사람

(2) **교우도**(Sociogram, 방향도식): 모레노(Moreno)가 고안
   ① 사회성 측정 결과를 그림(기하학적 도형과 여러 가지 종류의 선)으로 나타내어 교우관계를 명확히 파악할 수 있는 방법이다.
   ② 단짝형(pair), 연쇄형(chain type), 삼각형(triangle type), 파당형(clique), 분열형(cleavage), 인기형(star), 고립형(isolate), 경시형(neglect), 배척형(rejectee), 상호선택형(mutual choice)

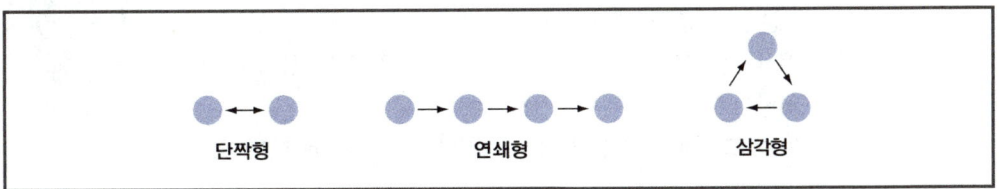

5 투사법(Projection method) 04. 경기

1. 개념
(1) 구조화되지 않은 모호한 도형이나 그림 등 비구조적인 자극을 제시하고, 그에 대한 개인(피험자)의 자유로운 반응을 통해 개인의 심층적 내면 세계를 파악하는 방법
(2) 개인의 지각이나 인지 과정을 측정하여 욕구, 충동, 감정, 가치관, 성격 등의 정의적 특성을 판단하는 방법이다.
(3) 프로이트(Freud)가 처음 투사(投射)란 용어를 사용하였고, 투사법을 처음으로 사용한 사람은 프랭크(Frank)이다.

2. 특징
(1) 형태심리학(Gestalt psychology)의 영향으로, 인성(人性)을 전체로 보고 이해하려 하며, 그 요소들을 서로의 관련 속에서 유기적으로 해석한다.
(2) 개인의 심층 내면 세계(예 욕구, 동기, 충동, 감정, 인성구조 등 무의식)를 밖으로 끌어내기 위하여 비구조적인 자극을 사용한다.
(3) 성취동기, 성격, 상상력 검사 등 임상적 진단에 사용한다.

3. 유형

> **자극유형에 따른 투사법의 유형**
> - **시각적 자극**: TAT(주제통각검사), RIBT(로르샤흐 잉크반점검사), PET(그림좌절검사), 존디검사, 모자이크 검사, HTP검사, DAP검사(인물화검사)
> - **언어적 자극**: WAT(단어연상검사), SCT(문장완성검사)

(1) **주제통각검사**(TAT : Thematic Apperception Test) ⇨ 상상적 접근법 활용
  ① 제작자 : 머레이(Murray)와 모르간(Morgan) ⇨ 프로이트(Freud) 이론에 기초
  ② 상상력, 성취동기, 욕구 측정을 목적으로 한 검사이다. ⇨ 맥클랜드(McClelland)는 성취동기와 인성(人性)과의 관계를 연구하였다.
  ③ 30매의 불분명한 그림(남성용 10매, 여성용 10매, 공용 10매)과 한 장의 백색 카드로 구성 ⇨ TAT 그림의 특징은 '구성성'과 '모호성'을 지닌다.

▲ 주제통각검사(TAT)

   ㉠ 구성성은 그림에서 인물의 수와 성(性), 상황의 배경이 제시되어 있다는 것이다.
   ㉡ 모호성은 그림의 내용이 불확실하여 여러 가지 해석이 가능하다는 것이다.
  ④ 모호한 그림을 피험자에게 제시하고 피험자는 이에 대한 반응으로 이야기를 구성하면, 실험자는 이야기 속의 내용을 분석[예] 주인공, 욕구, 압력, 결과, 주제, 정조(情調), 관심]한다.
   ㉠ 이 장면이 무엇이라고 생각하며 어떻게 그런 장면이 생기게 되었는가?
   ㉡ 지금 무슨 일이 일어나고 있으며 주인공 및 인물들은 무엇을 생각하고 느끼는가?
   ㉢ 앞으로 결과는 어떻게 되겠는가?
  ⑤ 개인의 인성을 욕구(need)와 압력(press)으로 집약하였다.
   ㉠ 기본적 가설은 우리가 외부대상을 인지하는 과정에는 대상의 자극 내용만을 단순히 있는 그대로 지각하는 것이 아니라 그것을 지각하는 사람 나름대로 이해하고 주관적인 해석을 하거나 또는 그것에 대하여 상상을 하면서 수용한다는 것이다. 즉, 자극의 객관적인 내용이나 조건과는 다르게 개인적이고 주관적인 과정이 개입되면서, 지각 ⇨ 이해 ⇨ 추측 ⇨ 상상의 과정을 거쳐 대상에 대한 결론을 내린다.
   ㉡ 우리가 대상을 인지하는 방식은 대상의 자극 특성에 의지하는 공통요인과 순수한 개인의 선행경험에 의존하는 요인 등 양자가 결합, 작용하여 이해, 추측, 상상이라는 심리적 작용이 결합되는데, 이를 통각(apperception)이라고 한다. 이처럼 통각은 순수한 지각 과정이 아니라 개인의 선행경험에 의하여 지각이 왜곡되고 공상적 체험이 혼합되는 복잡한 과정이다.
   ㉢ '주제'라는 용어는 '실생활에서 생긴 일같이'라는 의미가 포함되어 있다. 머레이(Murray)는 '주제', 즉 개인의 공상내용은 '개인의 내적 욕구(need [예] 성취욕구, 공격욕구, 인정욕구 등)와 환경적 압력(pressure, [예] 인적 압력, 환경적 압력, 내적 압력)의 결합'이고 '개인과 그 환경의 통일'이며 '실생활에서 생기는 일에 대한 역동적 구조'라고 보고 있다. 즉, 피험자의 이야기는 욕구와 압력의 관계, 생활체와 환경과의 상호의존적 관계에 의해서 생긴 것이라는 것이다.
   ㉣ TAT는 개인에게 (인물의) 주체적인 욕구와 환경이 갖는 객관적인 압력에 대한 공상적인 주제의 이야기를 만들도록 함으로써, 반응하는 개인의 역동적인 심리구조에 대한 분석이 가능하게 만든 검사이다.

⑥ 아동용 주제통각검사(CAT ; Children's Apperception Test)는 3~10세 아동을 대상으로 벨락(Bellak, 1949)이 제작
  ㉠ **도판을 아동용으로 제작**: 사람(인물화)이 아닌 동물그림(동물화)으로 제작 ⇨ 아동은 사람보다는 동물에 대해서 보다 쉽게 동일시하는 경향이 있음을 반영
  ㉡ 구강기적 문제, 형제간 경쟁, 부모에 대한 태도 및 부모와의 관계 등의 문제 파악
  ㉢ TAT에서는 '주제'가 강조되는 데 비해 CAT에서는 '통각'을 보다 중시하여 일정한 표준지각에서의 개인차를 밝힘으로써 동기와 의미를 분석하는 접근방식을 취한다.

▲ 아동용 주제통각검사(CAT)

(2) **로르샤흐 잉크반점검사**(RIBT ; Rorschach Ink-Bolt Test) ⇨ 지각적 접근법 활용
  ① 제작자: 로르샤흐(Rorschach)
  ② 개인의 인성에 잠재해 있는 지적·정서적 요인의 상호작용을 드러내게 하여 개인의 기본적인 성격 구조를 분석하기 위해 사용한다. 정신건강 진단, 정서상태 인지/사고기능 검사, 대인관계, 자아상, 기본성격 등을 알 수 있다.
  ③ 잉크를 떨어뜨려 만들어진 대칭적 모양의 그림 10매로 구성 (5매 흑백 + 5매 컬러)

▲ 로르샤흐 잉크반점검사(RIBT)

  ④ 지시 과정

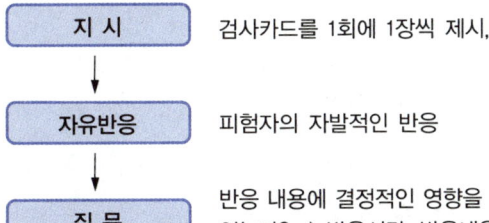

  지시 — 검사카드를 1회에 1장씩 제시, "이것이 무엇처럼 보입니까?"라고 질문
  자유반응 — 피험자의 자발적인 반응
  질문 — 반응 내용에 결정적인 영향을 준 반점은 어느 것인가? 자기반응에 더 첨가할 것이 있는가? ⇨ 반응시간, 반응내용(무엇이 보이는지), 반응영역 또는 위치(어떤 부분이 그렇게 보이는지), 결정원인(어떤 특징에서 보았는지)을 기록한다.

(3) **그림좌절검사**(PFT ; Picture Frustration Test)
  ① 제작자: 로젠츠바이크(Rosenzweig)
  ② 빈 공간이 있는 25매의 그림(어떤 욕구가 좌절된 상태를 그린 그림)을 주고 빈 공간을 채우게 한 다음, 그 결과로 성격검사
  ③ 우리나라에서 처음으로 제작된 투사법의 유형
  ④ 성격검사에 사용 ⇨ 표준화검사로 제작(유아~중학, 김재은, 중앙적성연구소)

▲ 욕구좌절검사

(4) **존디검사**(Szondi Test)

① 제작자: 존디(Szondi)

② 48매의 사진(예, 동성연애, 가학증, 히스테리, 우울증에 걸린 사람의 얼굴)을 6조로 분류하여 피험자에게 1초씩 보여 준 후 가장 마음에 드는 것 2매, 마음에 들지 않는 것 2매를 고르게 한다.

(5) **모자이크 검사**(mosaic method)

① 제작자: 로벤펠트(Lowenfeld)

② 색종이를 뜯어 붙인 그림 모형의 자극을 제시하고 이에 반응하게 한다.

(6) **HTP 검사**(House-Tree-Person Test)

① 제작자: 존 벅(John Buck, 1948)

② 준비물: A4용지 백지 4장, HB연필 2~3자루, 지우개

③ 유형: 투사적 그림검사, 개별검사

④ 방법

  ㉠ 집, 나무, 사람 등 누구에게나 친밀감을 주는 소재를 그림으로 자유롭게 표현하게 한 뒤 여러 가지 질문을 통해 피험자의 성격을 파악한다.

  ㉡ 집-나무-사람1-(사람1과 다른 성별의) 사람2를 차례대로 그리게 한다.

⑤ 해석

  ㉠ 집: 가정생활이나 가족관계에 대한 생각과 감정, 소망(개인 생활의 물리적 환경과 대인관계에 대한 태도) 등을 의미

  ㉡ 나무: 무의식 속의 자기 모습이나 성격(무의식적인 심리적 자아상)을 의미

  ㉢ 사람: 일상생활 속에서 인식하는 자신과 타인의 모습(보다 의식화된 자신이나 양육자의 모습)을 의미

(7) **단어연상검사**(word association test)

① 제작자: 갈톤(Galton) ⇨ 융(Jung)이 발전시킴.

② 실험자가 단어를 제시하면 피험자는 제일 먼저 떠오르는 단어를 말한다.

③ 비정상인(정신병 환자)과 정상인을 변별하기 위해 사용한다.

(8) **문장완성검사**(SCT ; sentence-completion test)

① 제작자: 로터(Rotter), 페인(Payne)

② 실험자가 불완전 문장의 일부분을 제시하면 피험자는 나머지 부분을 완성하도록 하는 검사로, 단어연상검사의 변형으로 발전된 것이다.

더 알아보기

SSCT 검사(Sacks Sentence Completion Test)

1. **제작자**: Joseph M. Sacks
2. **50개 문항으로 구성**: 가족, 성(性), 대인관계, 자기개념 등 4가지 영역과 이를 세분화한 15가지 영역으로 분류하고, 각 영역에 대해서 피험자가 보이는 손상(損傷)의 정도에 따라 각각 0, 1, 2점으로 평가하고 그 수치를 통해 피험자에 대한 최종 평가를 하도록 해석체계를 구인하였다.
3. **문항 예시**
   ① 어머니에 대한 태도(평점 -2점)   ※ " " 안의 내용은 응답의 예이다.
      13. 나의 어머니는 "잔소리하는 여자이다."
      26. 어머니와 나는 "서로 다르다."
      39. 대개 어머니들이란 "자녀들에게 매우 의존적이다."
      49. 나는 어머니를 좋아했지만 "지금은 좋아하지 않는다."
         ⇨ 해석적 요약: 어머니가 과요구적이라고 생각하면서 어머니를 완전히 거부하고 비난하고 있다.
   ② 아버지에 대한 태도(평점 -2점)

문항	평점 -2점의 반응 예시	평점 0점의 반응 예시
2. 내 생각에 가끔 아버지는	일을 하지 않는다.	유머가 부족하다.
19. 대개 아버지들이란	형편없다.	가족을 위해 열심히 일하신다.
29. 내가 바라기에 아버지는	죽는 것이다.	지금의 아버지다.
50. 아버지와 나는	사이가 좋지 않다.	좋은 관계이다.
해석적 요약	아버지가 죽기를 바라는 극단적 적대감과 경멸을 나타내고 있다.	아버지의 성격에 대해 완전한 만족을 표현했다.

6 척도법(尺度法, Scaling Technique) : 평정(척도)법

1. 개관

(1) 태도와 같이 정의적 특성을 측정하기 위한 방법으로 질문지법과 함께 널리 사용된다.

(2) 척도(scale)는 일련의 상호 관련된 진술문이나 형용사쌍으로 구성된다.

(3) 태도를 측정하기 위한 척도로는 리커트(Likert) 척도, 써스톤(Thurstone) 척도, 구트만(Guttman) 척도, 의미변별 척도가 많이 사용되고 있다.

① 리커트 척도와 의미변별 척도는 긍정 – 부정의 연속선에서 양 극단에 해당되는 진술문이나 형용사쌍으로 구성된다.

② 써스톤 척도와 구트만 척도는 연속선의 각 위치에 해당하는 진술문을 모두 포함한다.

③ 리커트 척도와 구트만 척도는 서열척도에, 써스톤 척도와 의미변별 척도는 동간척도에 해당한다.

2. 여러 가지 척도의 비교

리커트(Likert) 척도	긍정-부정의 연속선상의 양극단에 해당하는 진술문으로 구성 ⇨ 종합평정법	선생님은 수업에 열성적이다. [⑤ 항상 그렇다 – ④ 대체로 그렇다 – ③ 보통이다 – ② 대체로 그렇지 않다 – ① 전혀 그렇지 않다]
구트만(Guttman) 척도	연속선의 각 위치에 해당하는 진술문을 모두 포함(인접 진술문들 간의 동간성 ×, 위계관계 ○) ⇨ 누가적(累加的) 척도	1. 우리나라에 화장장(火葬場)제도가 도입되어야 한다. [예, 아니오] 2. 서울에 화장장(火葬場)제도가 도입되어야 한다. [예, 아니오] 3. 우리 동네에 화장장(火葬場)제도가 도입되어야 한다. [예, 아니오]
써스톤(Thurstone) 척도	연속선의 각 위치에 해당하는 진술문을 모두 포함(인접 진술문들 간의 동간성○) ⇨ 유사동간척도, 주관적 추정법	1. 기관이 전문적인 일만 한다. [아니다 – 그저 그렇다 – 그렇다] 2. 기관이 전문적인 도움을 준다. [아니다 – 그저 그렇다 – 그렇다] 3. 전문적인 일과 비전문적 일이 절반씩이다. [아니다 – 그저 그렇다 – 그렇다] 4. 많은 부분이 비전문적 일이다. [아니다 – 그저 그렇다 – 그렇다]
의미변별 척도	연속선상의 양극단에 해당하는 형용사쌍의 진술문으로 구성	1. 좋은 ① ② ③ ④ ⑤ ⑥ ⑦ 나쁜 ⇨ 평가 2. 느린 ① ② ③ ④ ⑤ ⑥ ⑦ 빠른 ⇨ 활동 3. 약한 ① ② ③ ④ ⑤ ⑥ ⑦ 강한 ⇨ 능력

7 의미분석법(Semantic differential method)

1. 개념

(1) 어떤 사물, 인간, 사상(事象)에 관한 개념(concept)의 심리적 의미를 분석하여 의미공간상의 위치로 표현하는 방법이다.

(2) 오스굿(Osgood)이 창안하였다(1957).

(3) 자료집약기법을 이용하여 손쉽게 많은 자료를 수집할 수 있다는 장점이 있다.

(4) 태도 측정 및 스포츠, 건강, 가족 문제, 회사 및 기관 조직체의 관심사 및 경제학적 개념 등 다양한 분야에 적용되고 있다.

　예 장애아동에 대한 일반아동의 인식, 체육활동에 대한 개인의 태도, 여교사에 대한 학생들의 태도 등

2. 방법

> A교수는 '복지 마인드에 관한 연구'에서 시민들의 마음속에 생각하는 사회복지의 모습을 보기 위해 의미분석법을 사용하였다. 그의 연구결과에 따르면 첫째, 평가(evaluation) 범주로서 응답자들은 사회복지를 좋고, 따뜻하며, 소중한 것으로 인식하고 있으며, 이로써 사회복지에 대하여 긍정적인 태도를 지니고 있음이 나타났다. 둘째, 활동(activity) 범주로서 사회복지를 현재 상태로 인식하기보다는 미래에 성취될 것으로, 그것도 대립보다는 화해 속에서 이루어지기를 바라고 있으며, 셋째, 능력(potency) 범주로서 사회복지를 경제성장 및 강한 사회와 관련지어 생각하고 있으며, 충분히 달성 가능한 것으로 인식하고 있음이 나타났다.

(1) 의미변별척도를 사용한다.

　① 의미변별척도는 양극단에 있는, 서로 반대의 의미를 나타내는 형용사를 이용하여 개념에 등급을 매기는 것으로, 피험자는 어떤 개념에 대해 자신의 느낌을 가장 잘 반영하는 사항에 표시하면 된다.

　② 긍정적 형용사들이 왼쪽에서 오른쪽으로 배열되었다면 점수는 1-7점의 순이며, 반대의 경우는 7-1점의 순이다.

(2) 의미공간은 평가요인(X), 능력요인(Y), 활동요인(Z) 등 3차원으로 구성되어 있으며, 각 요인을 5단계 또는 7단계로 구분한다.

　① 평가요인(evaluative factor, X): 가치판단적인 형용사로 구성
　　예 좋은-나쁜, 아름다운-추한, 깨끗한-더러운, 옳은-옳지 못한, 유쾌한-불쾌한

　② 능력요인(potency factor, Y): 능력과 관련된 형용사로 구성
　　예 큰-작은, 강한-약한, 무거운-가벼운

　③ 활동요인(activity factor, Z): 활동성과 관련된 형용사로 구성
　　예 능동적-수동적, 빠른-늦은, 날카로운-둔한

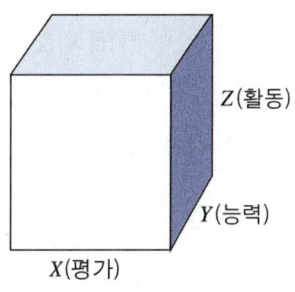

▲ 3차원의 의미공간

(3) 이 세 가지 요인을 3차원의 의미공간에 표시하여, 각 개념의 위치를 상대적으로 비교・분석한다.

(4) **해석**: 2차원 의미공간에서 개념의 의미

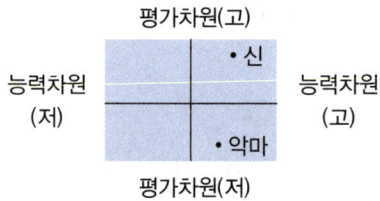

① '신(神)'은 좋은 존재인 동시에 능력이 높은 것으로 지각되고 있다.
② '악마'는 능력은 높으나 나쁜 존재로 지각되고 있다.

8 Q 방법론(Q Technique) 17. 국가직 7급

1. 개관

(1) 인간의 주관성을 연구하는 방법으로, 반응자가 소수일 때나 하나의 사례를 깊이 연구하고자 할 때 사용하는 방법 ⇨ 스테펜슨(Stephenson)에 의해 고안(1988)

(2) 주로 등위법(等位法)을 사용하여, 대상자(사람)들 간의 상관 또는 대상자 간의 요인을 탐색하여 그들 사이의 유사성이나 모형을 찾아내는 방법
  ① 문항, 자극 등과 같은 대상에 서열을 정하고, 통계적 용도에 맞게 그 대상의 하위요소에 숫자를 부여하는 일련의 방법(Kerlinger)
  ② 어떤 사람의 특성을 나타낸 진술문 표집을 정해진 순서대로 배치하는 일련의 과정(Brown)

2. 특징

(1) 인간의 주관성(개인의 의견을 자신의 방법으로 의사소통하는 것)을 과학적으로 연구하는 방법이다.
  > 예 '그것은 나에게 ~인 것 같다', '나의 의견은 ~이다' 등 반응자 자신의 견해와 같은 한 개인의 의미 있는 개인적 경험을 측정

(2) 상황의 중요성이 강조된다. ⇨ 상황은 요인을 해석하는 데 중요한 변인

(3) Q분류(인간의 주관성이라는 질적 기준에 의하여 나온 결과를 통계 분석하여 그 결과를 모형화하는 방법)라고 하는 조작적 단계를 사용한다.

(4) 이론검증 연구나 인간 특성을 유형화하는 연구, 심리치료 및 상담 전후의 자아개념 변화 연구, 심리검사의 타당화 연구 등에 적용되고 있다.

(5) **Q 방법과 R 방법(전통적 검사)의 비교**: 연구자의 가정에서 출발하는 R방법과는 달리 행위자의 정의로부터 시작하며, 가설을 검증하는 방법이 아니라 가설을 발견하는 방법 ⇨ 발견적 추론(abduction)에 근거를 둔 연구

구분	Q 방법	R 방법
모집단	진술문 또는 자극	사람
변인	사람	특성변인
연구과제	개인의 내적 구조(주관성)	개인 간 차이 규명
결과분석	반응자를 군집화	특성변인을 군집화(요인분석)
점수분포	준정상분포를 형성	정상 또는 준정상분포를 형성하지 않는다.

제4절 교육연구의 방법

1 기술적 연구(descriptive research)

1. 개념

(1) '무엇이 존재하고 있느냐(What is?)'를 파악하여 사실대로 기술하고 해석하는 연구

(2) 인위적인 조작이나 통제를 가하지 않고 있는 그대로 기술·해석하는 연구

(3) 어떤 사건이나 현상에 관한 여러 변인들 간의 관계를 파악하고 분류·분석하는 것이다.

2. 유형: 사례연구, 발달연구, 델파이 조사방법, 상관연구, 경향연구, 추수연구 등

(1) **사례연구**(case study)

① 특정한 개인이나 집단 또는 기관을 대상으로 어떤 문제나 특성을 심층적으로 조사·분석하는 연구 ⇨ 질적 연구방법

② 특정 개인의 생활사, 가정환경 등을 종합적·체계적·집중적으로 연구

③ 개인과 집단의 당면 문제 교정을 위한 연구이지 일반적인 법칙을 발견하기 위한 연구가 아니다. 예 가계연구, 소년범죄, 학교 등에 적용

④ 특징: 총합성, 다각성, 개별성, 치료성

   ㉠ **총합성**: 특정 사례의 모든 요인(예 신체적, 심리적, 환경적 요인)을 조사한다.
   ㉡ **다각성**: 문제해결에 도움이 되는 모든 방법(예 면접, 관찰, 실험)을 이용한다.
   ㉢ **개별성**: 연구대상은 개개의 사례이며, 한 개인이 당면하고 있는 문제이다.
   ㉣ **치료성**: 연구대상인 개인이 당면한 곤란이나 부적응을 교육적 또는 심리적으로 치료하는 것을 일차적인 목적으로 한다.

> **사례연구의 특성**(Merriam, 1998)
>
> 1. **개별적**(particularistic): 개별적인 특수한 상황이나 사건, 프로그램 또는 어떤 현상을 중핵적인 연구대상으로 삼고 있기 때문이다.
> 2. **기술적**(descriptive): 연구대상이 되고 있는 현상에 대한 심층적인 기술을 연구업적으로 삼고 있기 때문이다.
> 3. **발견적**(heuristic): 연구하고 있는 현상에 대한 독자의 이해를 밝혀 주는 역할을 하기 때문이다.
> 4. **귀납적**(inductive): 연구결과를 통해서 귀납적인 추리를 하기 때문이다.

⑤ 연구절차: 문제의 규정 ⇨ 자료수집 ⇨ 원인과 진단 ⇨ 지도 및 치료 ⇨ 추수지도
⑥ 장점: 특정 사례에 대한 문제해결에 의의 있는 자료를 제공, 상담의 기초자료를 제공, 개인을 보다 현실적으로 이해하고 파악할 수 있는 자료를 제공
⑦ 단점: 특수한 사례이므로 연구결과를 일반화하기 어려움, 연구의 비경제성과 비능률성의 문제(모든 조사 대상자를 동시에 사례 연구하기가 어려움), 연구대상의 외면적 사실에 치중하여 연구대상의 내면적·본질적 문제(**예** 심리적·정서적 문제)를 간과할 가능성이 높음.

(2) 발달연구(developmental research)

① 시간의 경과에 따른 유기체의 발달 과정에 따른 변화 과정을 연구 ⇨ 개인 내 변화와 개인 간 변화를 탐구
　　예 Piaget의 인지발달연구, Kohlberg의 도덕성 발달연구
② 발달의 경향과 속도, 유형, 한계 및 성장과 발달에 작용하는 여러 요인들 간의 관계 탐구
③ **종단적 연구법**(longitudinal method): 동일한 연구 대상을 오랜 기간 추적하면서 관찰하는 방법 ⇨ 가장 이상적인 연구방법
　㉠ 대표성을 고려한 비교적 소수의 사람을 표집한다.
　㉡ 한 개인의 성장과 발달에 따른 변화를 파악할 수 있다. ⇨ 발달의 개인차 파악
　㉢ 연구가 일단 시작되면 도중에 사용하던 도구를 바꿀 수가 없다. 검사결과를 통해 비교가 어렵기 때문이다.
　㉣ 장단점

장점	• 동일 대상을 연구함으로써 개인이나 집단의 성장 과정 및 변화의 형태를 구체적으로 파악할 수 있다. • 대상의 개인 내 변화와 연구목적 이외의 유의미한 자료를 획득할 수 있다. • 성장 초기와 후기의 인과관계를 밝히는 주제에 용이하다.
단점	• 너무나 긴 시간과 노력, 경비가 많이 든다. • 표집된 연구 대상이 중도 탈락하거나 오랜 시간의 흐름에 따라 비교집단과의 특성이 크게 달라질 수 있다. • 한 대상에게 반복적으로 같은 검사도구를 사용하기 때문에 신뢰도가 약해질 수 있다. ⇨ 측정결과의 부정확성 • 연구 대상의 관리와 선정이 어렵다.

④ 횡단적 연구법(cross-sectional approach) : 일정 시점에서 여러 연령층의 대상들을 선택해서 연구하는 방법
  ㉠ 서로 비슷한 변인을 가진 다수의 사람을 표집한다.
  ㉡ 시간의 흐름에 따른 성장의 특성을 밝혀서 그 일반적 성향을 알 수 있다. ⇨ 발달의 일반적 경향 파악
  ㉢ 개선된 최신의 검사도구를 충분히 활용할 수 있어 비교적 선택이 자유롭다.
  ㉣ 장단점

장점	• 종단적 연구에 비해 경비와 시간, 노력이 절약된다. • 각 연령에 따른 대푯값을 구해서 그 값들을 연결하여 일반적 성장곡선을 그려볼 수 있다. • 상황에 따라 다양한 측정도구들이 선택 가능하다. • 연구 대상의 관리와 선정이 비교적 용이하다.
단점	• 단지 성장의 일반적 경향만을 알 수 있을 뿐 개인적 변화상을 알 수 없다. • 표집된 대상의 대표성을 확인하기가 어렵다. • 행동의 초기와 후기 인과관계에 관한 주제를 다루기가 어렵다. • 특정 시대적 상황이 연구대상에게 영향을 주는 동시대효과(period effect)를 통제할 수가 없다.

⑤ 종단적·횡단적 연구의 결합
  ㉠ 종단-연속적 연구 : 연령이 다른 여러 집단을 동일한 종단적 연구기간 동안 관찰하여 그 결과를 비교하는 방법
    예) 유아의 식사량과 신장발달의 관계를 알아보기 위해 4, 5, 6세 아동을 각각 표집하여 3년간 연구한다.
  ㉡ 횡단-연속적 연구 : 서로 다른 연구 대상을 두 번 이상의 기간에 둘 이상의 연령층의 피험자들에 관한 자료를 얻는 방법
    예) 올해에 4, 5, 6세 아동을 표집해서 관찰을 했다면, 내년에는 5, 6, 7세 된 아동을, 그 다음해에는 6, 7, 8세 아동을 다시 표집하여 조사한다.

(3) **델파이 조사방법**(앙케이트 수렴법, Delphi-Technique) 05. 경기, 03. 경북

1948년 미국 Rand 연구소에서 개발

△ 델파이(Delphi) 그리스 신화에 등장, 아폴로 신이 미래를 통찰하고 신탁을 한 신

① 전문가 집단의 의견과 판단을 추출하고 종합하여 집단적 판단으로 정리하는 방법
② 토론 참여자의 익명(anonymity)의 반응, 반복(reiteration)과 통제된 피드백(controlled feed-back), 통계적 집단 반응(statistical group response), 전문가 합의(expert consensus)의 특징을 지닌다.
③ 면밀하게 계획된 익명의 반복적 질문지 조사를 실시한다. ⇨ 조사 참가자들이 직접 한곳에 모여 논쟁을 하지 않고도 집단 성원의 합의를 유도해 내고자 하는 조사방법이다.
  ㉠ 동일대상자에게 3~4회를 계속하여 익명이 보장되는 질문지를 보내 실시하는데, 각 질문지는 전문가(개별응답자)로부터 나온 정보와 함께 배부된다.
  ㉡ 각각의 연속적인 질문은 전회의 질문결과와 함께 주어지므로, 질문의 횟수가 거듭될수록 예측이 서로 접근하게 되어 결론을 도출하게 된다.

④ 교육과정 계획, 예산의 우선순위 결정, 교육정책 수립 등에 이용된다.
⑤ 소요시간이 길고, 응답자에 대한 통제가 어렵다는 단점이 있다.

❷ 실험연구(experimental research) 10. 대전, 07. 경남, 06·04. 서울

1. 개념
(1) 어떤 변인을 인위적으로 조작하여 이를 작용시킴으로써 나타나는 변화를 관찰하는 연구

(2) 가설을 세우고 조건(변인)을 인위적으로 조작·통제하여 연구하는 방법이다.
  ① 연구대상을 무작위로 표집(random sampling)한다. ⇨ 확률적 표집을 사용
  ② 독립변인을 조작한다.
  ③ 외생변인(가외변인, 매개변인, 오염변인)을 통제한다.

(3) 영가설을 사용한다. ⇨ 기각될 것을 전제한다.

2. 중요 개념
(1) **변인**: 관찰대상에 영향을 주는 모든 조건
  ① **독립변인**: 실험 계획에 도입되는 환경요인이나 조건, 예언할 수 있는 변인, 실험자가 인위적으로 조작할 수 있는 변인 ⇨ 실험처치(treatment)
  ② **종속변인**: 독립변인의 변화에 따라서 나타나는 결과, 실험처치에 대한 유기체의 모든 행동 반응

(2) **실험군**(실험집단, experiment group)**과 통제군**(통제집단, control group)
  ① 실험군: 일정한 실험조건을 작용시켜 그에 따른 반응의 변화를 관찰하고자 하는 연구 대상 집단
  ② 통제군(비교군, 대조군): 실험군과의 비교의 대상이 되는 아무런 조건을 가하지 않은 집단

(3) **조건의 통제**
  ① 실험군과 통제군의 관련 자극 변인을 동일하게 하는 것
  ② 독립변인 이외의 모든 자극변인(가외변인, 매개변인)을 동일하게 하거나 제거해 주는 것

가외변인의 제거	가장 쉬운 방법으로 모든 가외변인을 제거하는 방법이다.
무선화 방법	피험자들을 각 실험집단이나 조건들에 무선적으로 배치하는 방법으로, 모든 실험집단들을 가외변인의 입장에서 동등하게 만듦으로써 가외변인들의 영향을 통제하는 것이다.
가외변인 자체를 독립변인으로서 연구설계에 포함시키는 방법	가외변인을 제3변인으로 연구설계에 추가시켜서 종속변인에 미치는 영향을 파악하는 방법이다.
통계적 검증 및 통제집단의 구성을 통한 방법	전후 통제집단 설계처럼 사전검사 측정치를 통계적인 통제 방법으로 활용하는 방법이다.

3. 실험연구의 타당성(Campbell & Stanley) 10. 충북

(1) 내적 타당도(Internal validity)

① 의미
  ㉠ 어떤 실험결과의 해석에 있어서도 반드시 고려되어야 할 최소한의 요건
  ㉡ 독립변인이 순수하게 종속변인에 영향을 미치는 정도

② 내적 타당도를 저해(위협)하는 요인 22. 국가직 7급 : 가외변인(매개변인, 외생변인, 오염변인)
  ㉠ **역사(history)** : 사전검사와 사후검사 사이에 피험자에게 발생한 실험변인 이외의 특수한 사건
    예 소설 창작력 향상 연구 시 졸업생인 유명 작가가 우연히 방문한 경우
  ㉡ **성숙(maturation)** : 사건과 관계없이 시간의 흐름에 따라 나타나거나 작용하는 피험자의 내적 변화(생물학적, 심리학적 변화)
    예 나이 증가, 피로 누적, 흥미 감소
  ㉢ **검사(testing)** : 사전검사를 받은 경험이 사후검사에 주는 영향 ⇨ 이월효과
    예 피험자들이 사전검사를 받을 때 사후검사를 예상하는 경우
  ㉣ **측정도구(instrumentation)** : 측정도구의 변화, 관찰자 또는 채점자의 변화로 인하여 실험에서 얻은 측정치에 변화가 생기는 것 ⇨ 전후 동형검사를 사용하지 않았을 때 발생
    예 추리력 측정에 있어 사전검사는 추리력 검사를, 사후검사는 암기력 검사를 실시했을 경우
  ㉤ **피험자의 선발(selection)** : 실험집단과 통제집단의 피험자를 선발할 때 두 집단 간에 동질성이 결여되어 편차가 나타나는 현상 ⇨ S형 오차
    예 실험집단은 우수한 학생을, 통제집단은 일반 학급의 학생을 선발했을 경우
  ㉥ **통계적 회귀(statistical regression)** : 피험자 선정에 있어서 극단적인 점수를 기초로 하여 선정할 때 나타나는 통계적 현상 ⇨ 피험자를 선발할 때 극단적인 점수를 가진 사람을 선발하여 실험하면, 실험처치의 효과에 관계없이 그 피험자들의 점수가 다음 검사에서 전집의 평균으로 돌아가려는 현상
  ㉦ **실험적 도태(experimental mortality)** : 실험집단 또는 통제집단의 피험자가 어떤 사정에 의하여 중도 탈락하는 현상
  ㉧ **선발-성숙 상호작용(selection-maturation interaction)** : 피험자의 선발 요인과 성숙 요인의 상호작용에 의해 실험의 결과가 달라지는 것 ⇨ 실험집단과 통제집단의 피험자들이 어떤 기준이 되는 특성이 동질적이라 하더라도 다른 특성(예 성숙)에서는 이질적일 수 있고, 이 차이가 실험결과에 영향을 미치는 것
    예 실험집단은 남학생을, 통제집단은 여학생을 선정하는 경우 사전검사의 측정치가 같아도 사후검사는 성숙의 영향을 받을 수 있다.

(2) 외적 타당도(External validity)

① 의미
  ㉠ 실험결과의 일반화(generalization) 가능성을 따지는 문제
  ㉡ 현재의 실험조건을 떠나서 다른 대상, 다른 상황, 다른 시기 등에 어느 정도 일반화시킬 수 있는가를 검토하는 것

전집타당도 (population validity)	실험결과를 표본이 속한 전집의 다른 피험자에 대한 결과로 일반화할 수 있는 정도
생태학적 타당도 (ecological validity)	• 실험결과를 얻은 환경적 조건으로부터 다른 환경적 조건으로 일반화할 수 있는 정도 ⇨ 검사의 내용이나 절차가 검사를 실시하고자 하는 피험자들의 사회·문화적인 배경이나 주변 상황에 타당한가를 검토하는 것 • 실험처치 효과가 제한된 조건하에서만 얻어질 수 있다거나 연구결과가 현실을 잘 설명하지 못하거나 원래 실험을 행했던 대상자에게서만 얻어질 수 있는 경우 그 연구결과는 생태학적 타당도가 낮다고 볼 수 있다.

② 외적 타당도를 저해하는 요인: 어떤 특수한 실험에서 얻은 실험결과를 그 실험이 진행된 맥락과는 다른 상황, 다른 대상, 다른 시기 등에 일반화시킬 때 제약을 주는 요인

㉠ 검사실시와 실험처치 간의 상호작용 효과(검사의 반발적 영향): 사전검사의 실시로 인해 실험처치에 대한 피험자의 관심이 증가 또는 감소되면 실험결과에 영향을 준다.

㉡ 피험자의 선발(잘못된 선정)과 실험처치 간의 상호작용 효과

ⓐ 실험여건(예 지역사회 환경, 학교의 입지조건, 교풍, 학교의 행정조직)을 고려하지 않고 실험집단을 선발하였을 때 나타나는 실험집단과 실험변인의 상호작용을 말한다.

ⓑ 피험자의 유형에 따라 실험처치의 영향이 다르게 나타나는 현상

예 산골 학교에서 학교 환경의 오염의 영향에 관한 실험을 하는 경우 전국의 모든 학교에 적용하기 어렵다.

㉢ 실험상황에 대한 반발효과: 실험상황과 일상생활 사이의 이질성 때문에 실험결과를 그대로 일반화하기가 어렵다.

㉣ 중다처치에 의한 간섭효과: 한 피험자가 여러 가지 실험처치를 받는 경우, 이전의 처치에 의한 경험이 이후의 처치를 받을 때까지 계속 남아 있음으로써 일어나는 효과를 말한다. ⇨ 이월효과(carry-over effect)

㉤ 변인들의 특이성: 사용된 특정한 실험설계에 대한 고려 없이 연구결과를 일반화하려는 경향으로 독립변인에 대한 조작적 정의가 불분명하거나 성급한 일반화 시에 발생한다.

㉥ 처치방산(처치확산, treatment diffusion): 다른 처치집단들(예 실험집단 간, 실험집단과 통제집단 간)이 함께 의사소통하고 서로를 통해 학습할 때 발생한다.

㉦ 실험자 효과: 실험자 자신이 연구결과의 일반화에 미치는 영향이다. 성별, 나이, 불안수준 등 실험자가 지닌 개인적 특성이 미치는 영향(실험자 개인 특성 효과)과 실험자가 보고 느끼고 행동하는 방식이 연구결과에 미치는 영향, 즉 실험자가 바라는 방향대로 연구를 진행할 때 나타나는 효과(실험자 편견 효과)가 있다.

> **내적 타당도와 외적 타당도의 관계**
>
> 1. 서로 상충하는 면이 있기 때문에 어느 하나가 높아지면 다른 하나는 상대적으로 낮아지는 경향을 보인다.
> 2. 대체로 내적 타당도가 높은 실험은 외적 타당도가 낮고, 반대로 외적 타당도가 높은 실험은 내적 타당도가 낮아진다. 그러나 원칙적으로 내적 타당도가 없는 실험에 대해서는 외적 타당도를 따질 필요가 없다.

4. 실험설계

(1) **개념**: 연구 절차에 대한 계획서

(2) **실험설계 방법**: 준실험설계는 주로 현장연구에서, 진실험설계는 실험연구에서 사용

실험설계에 사용하는 기호체제
R: 무선 표집 또는 무선 배치   X: 실험처치, 독립변인   O: 관찰 또는 측정, 검사

① **준실험설계**: 집단을 임의적으로 선정해서 이질적으로 구성하는 것
  ㉠ **단일집단 사후검사설계(= 일회적 사례연구)**: 어느 한 집단의 피험자에게 실험처치를 가하고, 그 후에 피험자의 행동을 관찰한다.

  $X \quad O$

  ㉡ **단일집단 전후검사설계**: 한 집단을 연구 대상으로 선정해서 실험처치를 가하기 전에 사전검사를 하고, 처치를 가한 후에 사후검사를 실시하여, 두 검사결과의 차이를 살펴봄으로써 실험처치의 효과를 검토하는 방법이다.

  $O_1 \quad X \quad O_2$

  ㉢ **이질집단 사후검사설계**: 실험처치 X의 효과를 확인하기 위하여 X를 경험한 집단과 경험하지 못한 집단을 단순히 비교하는 방법이다.

  ㉣ **시간계열 실험**: 어느 한 개인이나 집단을 대상으로 삼아 종속변인을 주기적으로 측정하고, 이러한 측정의 시간계열 중간에 실험적 처치를 도입하는 것이다.

  $O_1 \quad O_2 \quad O_3 \quad O_4 \quad X \quad O_5 \quad O_6 \quad O_7 \quad O_8$

  ㉤ **이질통제집단 전후검사설계**: 학교나 학급과 같이 기존의 집단을 자연상태 그대로 유지한 채 적당히 실험집단과 통제집단으로 잡아 연구에 이용한다. ⇨ 현장교육연구에서 가장 널리 사용된다.

  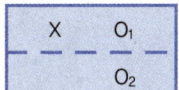

  ㉥ **준실험설계의 보완책**
    ⓐ **통제집단의 이용**: 실험집단과 통제집단에서 나온 결과를 비교하면, 종속변인에 대한 독립변인의 영향을 명확히 알 수 있다.
    ⓑ **무선화의 방법**: 실험집단과 통제집단을 동질화하는 가장 좋은 방법이다. ⇨ 피험자를 전집에서 무선적으로 선정하여 표집하는 무선표집(random sampling)과 선정된 피험자를 실험집단과 통제집단에 무선적으로 배치하는 무선배치(random assignment)가 있다.
    ⓒ **짝짓기 방법**: 지능・연령・성별・사회경제적 배경 중에서 실험에 가장 큰 영향을 미칠 것이라고 생각되는 변인이나 사전검사의 점수를 기준으로 해서 서로 똑같거나 매우 유사하다고 생각되는 두 사람을 짝지어 각각 실험집단과 통제집단에 배치하여 두 집단을 동질화시키는 방법이다.

② **진실험설계**: 구성원을 무선으로 뽑아 실험집단과 통제집단을 동질적으로 구성하는 것
  ㉠ **사전・사후검사 통제집단 설계**
    ⓐ 가능한 한 무선적인 방법으로 피험자를 표집한다.
    ⓑ 피험자들을 실험집단과 통제집단에 무선적으로 배치한다.

ⓒ 실험집단과 통제집단에 각각 사전검사(O_1, O_3)를 실시한다.
ⓓ 실험집단(O_1)은 실험처치(X)를 가하나 통제집단(O_3)은 실험처치를 주지 않는다.
ⓔ 실험집단과 통제집단에 각각 사후검사(O_2, O_4)를 실시한다.

| R (실험집단) O_1 X O_2 | 실험설계에서의 기대 |
| R (통제집단) O_3 O_4 | $O_1 = O_3$, $O_2 > O_1$, $O_2 > O_4$ |

ⓛ 솔로몬 4집단 설계
  ⓐ '사전·사후검사 통제집단 설계'가 지니는 문제점(사전검사를 실시하는 것이 실험결과의 일반화를 제한할 수 있다.)을 보완하기 위해 고안된 것이다.
  ⓑ 복잡하긴 하지만, 실험의 타당성을 확보한다는 점에서 가장 이상적인 실험설계이다.
  ⓒ 피험자의 선발과 실험처치 간의 상호작용에 따른 문제, 실험적 상황에 대한 반발효과의 문제가 발생한다.

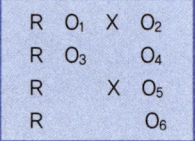

ⓒ 사후검사 통제집단 설계
  ⓐ 실험집단과 통제집단을 무선적으로 표집하되 사전검사를 실시하지 않는 방법이다.
  ⓑ 사전검사가 불필요하거나 실시하기 어려운 경우, 검사실시 비용이 많이 드는 경우, 피험자의 익명성이 요구되는 경우, 사전검사와 실험처치의 상호작용이 예상되는 경우에 유용하게 사용할 수 있다.

3 현장연구(action research, 실천연구, 실행연구, 조작적 연구, 협동적 연구, 현장개선연구, 행위당사자 연구)

1. 개념

(1) 교육적 상황을 포함하여 특정 사회적 상황에서 참여자에 의해 수행되는 자기 반성적 연구
    예 일선 교사들이 교육현장에서 당면하는 문제해결과 교수-학습활동을 개선하고자 하는 연구

(2) 교육현장에 직접 관련된 문제(예 학습동기 증진 방안, 수학수업에서 인터넷을 활용하는 방안, 문제행동 수정 방안)를 해결하거나 교육 실제에 관한 정보를 수집하기 위해 수행되는 일종의 응용연구

(3) 교육이론과 실제의 괴리를 극복하기 위해 교육 분야의 행위당사자(예 교사, 교육행정가, 교육전문가)가 주체가 되어 추진하는 연구 ⇨ 질적 연구방법, 실행가설을 사용한다.

2. 특징

(1) 연구문제를 교육현장에서 찾는다.
(2) 교육실천의 개선을 목적으로 한다.
(3) 현장 교사가 반드시 참여해야 한다.
(4) 주어진 사태에 기초를 두고 추진한다.

(5) 연구결과의 일반화는 상황이 비슷한 학교에만 적용할 수 있다.
(6) 연구 추진 도중에 연구계획의 일부가 변경될 수 있다.
(7) 엄격한 변인 통제를 하지 않는다.
(8) 교사들에게 현직 교육적인 가치를 지닌다.

4 문화기술적 연구(ethnographic research)

1. 개념

(1) **특정한 문화현상을 이해하기 위한 질적 연구의 하나이다**: 어원적으로 보면 ethnos(= nation) + graphien(= writing), 즉 어떤 부족이나 종족, 국가에 대하여 기술한다는 인류학자의 관점을 반영한 연구이다.
   예 A 고등학교에서 학생들에 의해 자발적으로 구성된 독서동아리에 대한 연구

(2) 거시적 혹은 미시적 관점에서 어떤 특정 집단 구성원들의 행동, 삶의 방식, 신념, 가치 등을 현지인의 관점에서 이해하고 자세히 기술하기 위한 연구방법이다.

(3) 문화를 공유하고 있는 집단의 행동, 신념, 언어 면에서 공유된 패턴을 기술·분석·해석하는 것을 연구목적으로 한다.

2. 특징

(1) **문화적 주제를 다룬다.**

(2) **현상학적 입장에서 연구를 수행한다**: 한 집단의 구성원들이 자신의 행동과 경험을 어떻게 해석하는지 그 구성원의 관점(내부자적 관점)에서 이해하려 한다.

(3) **자연적 상황에서 연구를 수행한다**: 학급이나 학교와 같이 어떤 자연집단을 연구 대상으로 하며, 연구 상황을 조작하거나 통제하지 않고 자연 그대로의 상황에서 연구를 수행하는 비실험적 연구이다. ⇨ 타당도 관련 요인

(4) **현장 속에서 연구한다**: 연구자는 집단의 공유된 문화 패턴이 그대로 나타나는 현장에서 많은 시간을 보내며 참여관찰과 심층면접을 통해 연구한다.

(5) **맥락의존적(contextualization)이다**: 연구집단이 보이는 행동, 사고, 상호작용이란 본질적으로 맥락의존적이기 때문에 연구자는 특정한 맥락과 관련하여 현상을 기술한다. 여기서 맥락(context)은 연구하에 있는 문화적 집단을 둘러싼 장면, 상황, 환경을 말한다.

(6) **총체적 관점을 지향한다**: 참여자들의 주관적이며 내부자적인 관점(emic)뿐만 아니라 연구자의 보다 객관적인 외부자적 관점(etic)을 통합시키고자 한다.

(7) **병행적·반복적·순환적 연구절차를 지닌다**: 연구집단에 대한 자료의 수집과 분석이 동시에 진행되며, 자료분석이 진행되는 동안 계속해서 새로운 가설을 형성하거나 수정 혹은 변경하기도 한다.

> **문화기술지와 사례연구의 차이**
>
> 1. 문화기술지는 인간사회와 문화에 관심을 지니며 특정 집단 구성원들의 가치, 태도, 신념을 밝히는 데 초점을 두는 반면, 사례연구는 어떤 프로그램이나 중심적인 인물, 과정, 기관 혹은 사회단체와 같은 하나의 특정 사상(事象)이나 현상에 보다 관심을 둔다.
> 2. 문화기술지는 사례연구보다 더 오랜 시간 현장에서 시간을 보내며 보다 세밀한 관찰증거를 요구한다.
> 3. 문화기술지에서는 참여관찰이 일차적인 자료이나, 사례연구에서는 면접자료가 일차적인 자료이며, 종종 문서자료에도 많이 의존하는 경향이 있다.
> 4. 문화기술지는 연구 대상으로 삼는 사회적 집단의 삶에 연구자 자신을 깊이 몰입시키나, 사례연구는 그렇지 않다.
> 5. 문화기술지는 현상에 대한 기술, 해석을 보다 초점으로 삼으나, 사례연구의 경우 평가의 목적으로 행해지는 경우도 많다.
> 6. 문화기술지 연구자들은 자신이 고려하는 현상을 보다 더 체계적으로 고찰할 목적으로 다른 문화 간의 상호비교를 행하기도 하나, 사례연구자들은 보다 단편적인 문화적 맥락으로 관심사를 한정짓는다.

제5절 가설의 검증

1 개관

1. 가설의 개념

변인들 간의 관계에 대해서 잠정적으로 내린 결론 또는 추측

2. 가설의 종류

(1) **연구가설**: 어느 한 연구분야와 관련된 이론으로부터 논리적으로 변인과 변인 간의 관계를 추리한 진술

 한 개인의 지능과 학업성취도는 정적 상관이 있을 것이다.

(2) **통계적 가설**: 전집의 특성에 관해 추측한 것 08. 서울

① 영가설(원가설, Null Hypothesis : H_O)

㉠ '두 통계치 간에 의미 있는 차이가 없다.'라고 가정하는 것이다.

㉡ 검증의 대상으로서, 기각될 것을 전제로 한다.

㉢ 영가설이 긍정되면 연구자의 의도와 다른 결론이 나온 것이고, 영가설이 기각되면 연구자의 의도에 맞는 결론이 나온 것이다.

② 대립가설(상대적 가설, Alternative Hypothesis : H_A 또는 H_1)

㉠ 영가설에 상대적으로 대립시켜 설정한 가설이다.

㉡ 연구자가 표집조사를 통해 긍정되기를 기대하는 예상이나 내용의 가설이다.

❷ 가설의 검증

가설검증(hypothesis testing)이란 통계적 분석에서 영가설을 기각할 것인지 아니면 기각하지 않을 것인지를 결정하는 과정이다.

1. 가설검증의 오류 13. 국가직 7급

가설검증에 의한 결정	H_O 의 진위	
	진(眞)	위(僞)
H_O의 부정	제1종의 오류(α오류)	올바른 결정($1-\beta$)
H_O의 긍정	올바른 결정($1-\alpha$)	제2종의 오류(β오류)

(1) 제1종의 오류(α오류)
① 영가설(H_O)이 진(眞, 참)인 경우에 이를 부정함으로써 발생하는 오류 ⇨ 실제로는 효과나 차이가 없는데도 불구하고 효과나 차이가 있다고 그릇된 결론을 내릴 확률
② '참'인 영가설을 '거짓'이라고 오판하는 오류 ⇨ 대립가설을 받아들이는 경우이다.
   예 비타민 A가 지능지수를 높이는 효과가 없는데도(이 경우 영가설은 참이다) 비타민 A가 지능지수를 높이는 효과가 있는 결론(즉, 영가설을 기각한다)을 내릴 확률이다.

(2) 제2종의 오류(β오류)
① 영가설(H_O)이 위(僞, 거짓)인 경우에 이를 긍정함으로써 발생하는 오류
② '거짓'인 영가설을 '참'이라고 오판하는 오류 ⇨ 대립가설을 기각하는 경우이다.

2. 가설검증절차

(1) 연구가설(대립가설) 설정 **예** 집단 A의 평균과 집단 B의 평균은 차이가 있을 것이다.

(2) 영가설 설정 **예** 집단 A의 평균과 집단 B의 평균은 차이가 없을 것이다.

(3) α 혹은 유의수준(significance level)을 설정한다. 유의수준은 보통 0.05 혹은 0.01로 설정한다.
   예 α 혹은 유의수준이 0.05라는 것은 영가설이 참인 조건(즉, 차이가 없는 조건)에서 100회 실험을 한다고 할 때 대략 5회 정도는 영가설을 잘못 기각한다는 것을 의미한다.

(4) 표본통계치 계산 **예** 집단 A의 평균과 집단 B의 평균을 계산한 다음 표본통계치를 구한다.

(5) 영가설이 참일 때 표본의 결과(**예** 집단 A의 평균과 집단 B의 평균 차이)를 얻을 확률을 계산한다.

(6) 위에서 구한 확률수준이 α와 같거나 낮으면 영가설을 기각한다. 반대로 확률수준이 α보다 높으면 영가설을 기각하지 않는다.
   ① 통계적 유의성(statistical significance)은 α수준에서 영가설이 기각되었음을 뜻하며, 영가설이 기각되었을 경우 '통계적으로 유의한 차이가 있다.'고 한다. 통계적으로 유의하다는 것은 우연적 요인에 의해 기대되는 것보다 더 큰 차이가 있다는 것을 의미한다.
   예 실험집단과 통제집단의 성적이 $\alpha=0.05$ 수준에서 통계적으로 유의한 차이가 있다는 것은 영가설이 참일 확률이 5%보다 낮기 때문에 영가설이 기각되었다는 것($P < 0.05$)을 의미한다.

② 통계적 유의성은 실제적 유의성(practical significance)과 구분된다. 실제적 유의성이란 연구결과의 영향성을 의미한다. 그런데 연구결과가 통계적으로 유의하다고 해서 실제적인 측면에서도 반드시 중요하다는 것을 의미하지는 않는다. 연구결과가 통계적으로 유의한 경우에도 실제적인 측면에서 아무런 의미를 갖지 못할 수도 있고, 반대로 통계적으로는 유의하지 않는데도 불구하고 실제적인 측면에서는 매우 중요할 수도 있다.

③ 연구결과를 해석할 때는 통계적 유의성은 물론 실제적 유의성에도 관심을 가져야 한다.

3. 가설검증방법

(1) CR 검증(Z 검증)

① CR 치: 영가설의 긍정과 부정을 추정하는 한계점
② 유의도(유의수준, 의의도, P): 어느 수준에서 의의가 있는가를 추정할 때의 수준 ⇨ 가설의 기각 범위 예) 5% 수준(0.05), 1% 수준(0.01)

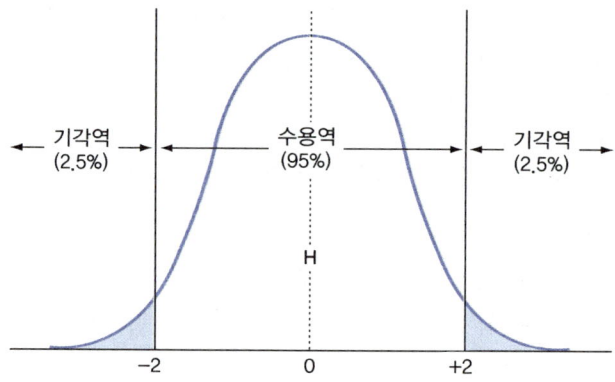

▲ 영가설의 수용역과 기각역(5% 수준의 경우)

> **더 알아보기**
>
> **유의수준(유의도)**
> 1. **개념**: 제1종의 오류를 범할 확률, 유의적인 차이(관계)가 있다라는 주장이 빗나갈 확률, 연구자가 내린 판단이 오판일 확률
> 2. **범위**: $0 \leq P \leq 1$
> 3. 연구자가 오판을 했을 때 그 영향이 심각할 경우 유의수준을 낮추어야 한다.
>   예) 수질검사의 심각한 오판은 오염되었는데도 물을 마셔야 한다고 판단하는 경우이다. 이 경우 유의수준을 낮춰야 한다.

③ 유의도(P)의 해석방법
  ㉠ $P > 0.05$: 5% 유의수준에서 두 통계치 간에 유의한 차가 없다(영가설을 수용하는 입장).
  ㉡ $P < 0.05$: 5% 유의수준에서 두 통계치 간에 유의한 차가 있다(영가설을 기각하는 입장).
  ㉢ $P > 0.01$: 1% 유의수준에서 두 통계치 간에 유의한 차가 없다(영가설을 수용하는 입장).
  ㉣ $P < 0.01$: 1% 유의수준에서 두 통계치 간에 유의한 차가 있다(영가설을 기각하는 입장).

④ CR치(Z 수치)와 의의도(유의도, P)의 수준

CR(Z)	P	대략적인 판단	신뢰도 수준
1.65	0.10 또는 10%	의의 없다.	
1.96	0.05 또는 5%	의의 있다.	95% 신뢰도 수준
2.33	0.02 또는 2%	의의 있다.	
2.58	0.01 또는 1%	매우 의의 있다.	99% 신뢰도 수준
2.81	0.005 또는 0.5%	매우 의의 있다.	
3.29	0.001 또는 0.1%	매우 의의 있다.	

㉠ CR치가 크면 클수록 의의도는 커진다. 따라서 영가설은 기각된다.
㉡ CR치가 2.58보다 크면 1% 수준에서 영가설을 기각시킨다.
㉢ CR치가 1.96~2.58일 때는 5% 수준에서 영가설을 기각시킨다.

(2) **t 검증**: 변량분석의 특수한 상황

① CR검증과 같이 두 집단 간의 차를 검증하는 데 사용한다. ⇨ 종속변인이 정규분포를 이루고, 종속변인이 연속변인이어야 하며, 두 집단의 분산(변량)이 같아야 한다.
② 하나의 독립변인이 두 가지의 다른 상태를 가질 때 종속변인의 두 평균치 간의 차에 대한 검증이다.
  예 두 가지 다른 식사요법이 체중감소에 미치는 영향에 차이가 있는지 여부를 검증
③ 표본집단의 사례수가 30~40보다 적을 때 사용한다.
④ 독립표본 t 검증과 종속표본 t 검증으로 구분된다.
  ㉠ 독립표본 t 검증(independent samples t-test)
    ⓐ 2개의 독립적인 집단 사이에 평균 차이가 있는가를 검증하는 방법이다.
    ⓑ 독립표본은 두 집단 사이에 상관이 없음을 의미한다. 두 모집단에서 무작위로 표본을 선정하거나 피험자들을 실험조건에 무작위로 배치할 수 있으면 표본은 독립적이다.
      예 ICT 활용수업을 받은 집단과 강의식 수업을 받은 집단을 선정, 수업방법이 학업성적에 미친 영향을 구명(究明)하는 경우

      ▶ 수업방법을 독립변인으로 하고 성적을 종속변인으로 한 독립표본 t 검증 결과($P<0.05$)

집단	사례수	평균	표준편차	자유도	t
ICT 활용수업	30	23.30	4.04	58	2.60
강의식 수업	30	20.63	3.94		

  ㉡ 종속표본 t 검증(dependent samples t-test): 대응표본 t검증, 상관표본 t검증
    ⓐ 두 집단 사이에 상관이 있을 경우 두 집단의 평균 차이를 검증하는 방법이다.
    ⓑ 동일 대상을 반복 측정하는 경우(**예** 사전 – 사후검사 설계) 혹은 종속변인과 상관이 있는 변인을 기준으로 실험집단과 통제집단의 피험자를 짝짓는 경우(**예** 지능지수가 비슷하도록 2명씩 짝을 지은 다음 실험집단과 통제집단에 각각 1명씩 배치하는 경우)에 적용할 수 있다.
      예 ICT 활용수업을 받기 전보다 수업을 받은 후, 수업방법이 학업성적에 미친 영향을 구명하는 경우

수업방법을 독립변인으로 하고 성적을 종속변인으로 한 종속표본 t 검증 결과(P<0.05)

집단	사례수	평균	표준편차	자유도	t
사전검사	30	81.10	10.28	29	1.24
사후검사	30	82.03	10.02		

⑤ t 비율은 공식에 의하여 계산한 후 적당한 자유도의 숫자를 기준으로 수표를 찾아 구한다.
⑥ 자유도(df : degree of freedom) : 주어진 조건하에서 통계적 제한을 받지 않고 자유롭게 변화될 수 있는 사례수를 말한다.

(3) **F 검증**(변량분석) : 독립변인이 두 가지 이상의 상태를 가질 때, 종속변인의 평균치 간의 차에 의미 있는 차이가 있는지를 검증하는 방법

① 집단이 셋 이상일 때 사용하며 사례수는 관계치 않는다. ⇨ 종속변인이 동간척도 이상이어야 하며, 정규분포를 이루며, 분산이 동일해야 한다.
② 피셔(Fisher)가 창안한 F 분포를 기초로 한 것으로 변량분석과 공변량분석에 의해서 계산한다.
  ㉠ 변량분석(analysis of variance) : 실험집단이 동질적일 때 실험효과에 대한 차의 검증 방법

일원변량분석	하나의 독립변인이 두 가지 이상의 상태를 가질 때 **예** 한 중학교에서(1개의 독립변인) 학년의 차(3개의 독립변인의 상태)가 학년별 수학성적에 미치는 영향
이원변량분석	두 개의 독립변인이 두 가지 이상의 상태를 가질 때 **예** 두 중학교에서(2개의 독립변인) 학년의 차(3개의 독립변인의 상태)가 학년별 수학성적에 미치는 영향

  ㉡ 공변량분석(analysis of covariance) : 실험집단이 동질적이지 않을 때, 각 집단의 표집조건을 동질화하여 차이를 검증하는 방법

(4) x^2 **검증**(카이자승법) 09. 국가직

① 자료가 빈도(명명척도의 경우)나 비율(백분율)로 주어졌을 때 이용하는 방법
② 관찰된 빈도가 이론적으로 기대되는 빈도와 같은지 다른지 또는 그 차이가 우연인 것인지 의미 있는 것인지를 분석하는 방법
③ 계산결과 얻은 유의도(P)가 0.05보다 작을 때, 관찰빈도가 우연히 얻어진 것이 아닌 실제 차이가 있다고 해석하여 영가설을 부정한다.
④ 독립성 검증과 동질성 검증의 용도로 사용된다.
  ㉠ 독립성 검증(independence test) : 두 변인들이 관련되는가를 검증하는 방법 ⇨ 하나의 모집단에서 표본을 추출한 다음 연구대상을 2개의 변인을 기준으로 분류하고, 두 변인이 관련이 있다면 관련된 정도를 상관계수로 나타낸다.
    예 성별과 흡연이 관계가 있는지를 확인하기 위하여 고등학생 200명을 표집하여 연구한 경우

성별에 따른 흡연 여부(P<0.05)

집단	사례수	흡연(%)	비흡연(%)	x^2
남학생	40	32(80.0)	8(20.0)	5.55
여학생	160	96(60.0)	64(40.0)	

⇨ 연구 결론 : 성별과 흡연 여부는 통계적으로 유의한 상관이 있다.

ⓒ **동질성 검증**(homogeneity test, 비율에 관한 동질성 검증): 여러 집단 간에 빈도 차이가 있는가를 검증하는 방법 ⇨ 집단 간의 차이 검증이 목적이며, 여러 모집단에서 표본을 추출한다.

> **예** 교사의 성별에 따라 교원평가에 찬성하는 비율이 다른가를 확인하기 위해 남교사 집단에서 500명, 여교사 집단에서 600명을 표집하여 연구한 경우

■ 교원평가에 대한 교사의 반응($P<0.05$)

집단	사례수	찬성	반대	x^2
남자 교사	500	230	270	64.98
여자 교사	600	420	180	

⇨ **연구 결론**: 교원평가에 대해 찬성하는 비율은 남교사 집단과 여교사 집단에서 통계적으로 유의한 차이가 있었다. 즉, 남교사 집단보다 여교사 집단이 교원평가에 대해 찬성하는 비율이 높았다.

■ 여러 가지 통계적 검증분석 방법 비교

구분	변인수	내용	
요인분석	1개		
상관관계분석	2개	두 변인 간 관계 ⇨ 공통요인의 정도, 상관계수(r)로 표현	
회귀분석(실험연구)	2개	• 두 변인이 독립변인과 종속변인일 때 ⇨ 인과관계(예언의 정도), 결정계수(r^2)로 표현 • 집단 간 '평균'(동간척도)의 차이를 검증하는 방법	
		T검증	독립변인의 집단수가 2이고, 사례수가 40보다 작을 때 ① 독립표본 t검증(단일표본 t검증): 두 독립집단 간의 평균차이를 검증하는 방법(두 집단 간에 상관이 없음을 의미) ② 종속표본 t검증(대응표본 t검증): 두 집단 사이에 상관이 있을 경우 평균차이를 검증하는 방법
		Z검증	독립변인의 집단수가 2이고 사례수가 40보다 클 때
		F검증	독립변인의 집단수가 3 이상일 때 ① 집단이 동질집단이면 ⇨ 변량분석(일원변량분석) ② 집단이 이질집단이면 ⇨ 공변량분석
경로분석	3개 이상	그림으로 표시	
카이자승(x^2) 검증		질적 변인, 즉 빈도(명명척도)로 주어진 자료 분석	

◇ 독립변인과 종속변인과의 관계를 분석하는 것을 회귀분석이라고 하며, F검증이나 T검증, Z검증 등은 종속변인의 차이를 분석하는 변량분석(T검증이나 Z검증은 F검증의 특수형태)에 해당한다.
◇ T검증의 경우 모집단 분산(표준편차)을 모를 때는 표본 크기(사례 수)에 관계없이 사용 가능하다.

오현준 정통교육학

핵심 체크 노트

★ **1. 교육행정의 개념**
  ① 교육에 관한 행정: 법규행정설, 공권설, 분류체계론
  ② 교육을 위한 행정: 조건정비설, 기능설
  ③ 행정과정론
  ④ 교육의 행정: 행정행위설, 경영설

★ **2. 교육행정의 기본 원리**
  ① 법제면의 원리: 합법성, 기회균등, 자주성, 적도집권
  ② 운영면의 원리: 효과성, 민주성, 효율성, 적응성, 안정성, 균형성

3. 교육행정이론
  ★ ① 고전이론: 과학적 관리론(⇨ 적용(행정과정이론, 관료제이론)), 행동과학이론, 체제이론, 사회과정이론, 대안적 접근
  ★ ② 의사결정(정책)이론
     • 합리모형(이상모형)
     • 현실모형: 만족모형, 점증모형, 혼합모형, 최적모형, 쓰레기통 모형
  ★ ③ 지도성 이론: 특성이론, 행위이론, 상황이론, 변혁적 지도성 이론
     • 상황이론: 피들러(Fiedler)의 우발성 이론, 레딘(Reddin)의 3차원 지도성 유형, 허시(Hersey)와 블랜차드(Blanchard)의 상황적 지도성
     ★ • 변혁적 지도성 이론, 분산적 지도성 이론, 문화적 지도성, 초우량지도성
  ★ ④ 동기이론
     • 내용이론: 매슬로우(Maslow)의 욕구위계론, 허즈버그(Herzberg)의 동기-위생이론, 앨더퍼(Alderfer)의 ERG이론, 맥그리거(McGregor)의 X·Y이론, 아지리스(Argyris)의 미성숙-성숙이론
     • 과정이론: 브룸(Vroom)의 기대이론, 아담스(Adams)의 공정성이론, 로크(Locke)의 목표설정이론

4. 교육행정 조직
  ★ ① 학교조직의 특성: 봉사조직(Blau & Scott / Carlson), 규범적 조직, 이완결합체제, 전문적 관료제, 조직화된 무질서, 학습조직
  ② 조직의 형태: 공식조직, 비공식조직
  ③ 조직과 갈등관리: 토마스와 제미슨(Thomas & Jamieson)의 갈등관리모형

  ★ ④ 교육자치제: 교육감, 학교운영위원회
  ⑤ 학교조직풍토론: 핼핀과 크로프트(Halpin & Croft), 호이와 미스켈(Hoy & Miskel)
  ⑥ 조직문화론: 오우치(Ouchi), 스타인호프와 오웬스(Steinhoff & Owens)

★ **5. 교육기획과 교육정책**
  ① 교육기획의 접근방법: 사회수요 접근법, 인력수요 접근법
  ② 교육정책: 캠벨(Campbell)의 정책결정론, 로위(Lowi)의 정책유형론, 던(Dunn)의 정책 평가기준

★ **6. 장학론**
  ① 조직수준에 따른 구분: 중앙장학, 학무장학, 컨설팅장학, 교내장학, 임상장학, 마이크로티칭
  ★ ② 장학방법에 따른 구분: 자기장학, 동료장학, 전통적 장학, 선택장학(차등장학), 인간자원장학

7. 교육제도: 호퍼(Hopper)의 교육제도 유형론

★ **8. 학교경영과 학급경영**: 목표관리기법(MBO), 과업평가 검토기법(PERT)

9. 교육재정론
  ① 교육재정의 원리: 충족성, 안정성, 효율성, 평등성, 공정성, 자율성
  ② 교육재정의 종류: 직접교육비와 간접교육비, 공교육비와 사교육비, 공부담교육비와 사부담교육비, 교육비차이도, 표준교육비
  ★ ③ 학교회계제도(국립, 공립)
  ★ ④ 지방교육재정교부금: 보통교부금, 특별교부금
  ★ ⑤ 교육예산의 편성기법: 품목별 예산제도(LIBS), 성과주의 예산제도(PBS), 기획 예산제도(PPBS), 영기준 예산제도(ZBBS)

10. 교육인사행정 및 학교실무
  ① 교육직원의 종류: 교원, 교육전문직, 교육공무원
  ② 현직교육, 전직과 전보, 휴직, 징계, 교육법, 교원노조

CHAPTER 13

교육행정

01 교육행정의 기초
02 교육행정의 이론
03 교육행정 조직
04 교육기획
05 교육정책
06 장학론
07 교육제도
08 학교경영 및 학급경영
09 교육재정론
10 교육인사행정론 및 학교실무

CHAPTER 13 교육행정

학습 포인트

1. **교육행정의 개념**: 교육에 관한 행정, 교육을 위한 행정, 교육의 행정
2. **교육행정의 기본원리**: 법제면의 원리, 운영면의 원리
3. **교육행정의 이론**: 과학적 관리론, 행동과학이론, 체제이론, 정책결정이론, 지도성 이론, 동기이론
4. **학교 조직의 특성**: 규범적 조직, 봉사조직, 전문적 관료제, 조직화된 무질서, 이완결합체제, 학습조직
5. **지방교육자치제도(교육감)와 학교운영위원회**
6. **교육기획과 교육정책**
7. **장학의 유형**: 컨설팅장학, 임상장학, 전통장학, 동료장학, 자기장학, 인간자원장학, 차등장학
8. **학교경영**: 목표관리기법(MBO), 과업평가 검토기법(PERT)
9. **교육재정**: 교육비, 학교회계제도, 지방교육재정, 교육예산 편성기법(LIBS, PBS, PPBS, ZBBS)
10. **교육인사행정**: 교원, 교육공무원, 현직교육, 전직과 전보, 휴직, 징계

제1절 교육행정의 기초

1 교육행정의 개념

접근방법	개념	특징
정적 접근	교육에 관한 행정	• 교육 < 행정: 행정의 종합성 중시, 교육과 행정의 일치(일원론), '위에서 밑으로'의 권위적 행정 ⇨ 법규행정설, 공권설, 분류체계론, 교육행정 영역 구분론(독일) • 교육행정은 법이 정하는 바에 따라 교육정책을 실현하는 수단 • 중앙집권적·관료통제적·권력적·강제적 요소를 중시
	교육을 위한 행정	• 교육 > 행정: 교육의 자주성 중시, 교육과 행정의 분리(이원론), '아래에서 위로'의 민주적 행정 ⇨ 조건정비설, 조장설, 기능설(미국) • 교육행정은 교육목적(교수 – 학습의 효율화) 달성을 위한 제 조건을 정비하는 수단, 봉사 • 지방분권적·자율적·민주적 특성을 중시
동적 접근	행정 과정	• 교육행정은 교육행정가가 교육목적 달성을 위해 수행하는 절차 • PIC: 계획 – 실천 – 통제
	행정행위(경영) ⇨ 교육의 행정	• 교육행정은 교육목적(학교경영의 극대화) 달성을 위한 구성원들의 협동적 행위, 교육과 행정의 일치(일원론) ⇨ 교육목적 달성 추구적 정의, 조정설 • 합리적인 조직관리의 기술 ⇨ 조정, 협동적 행위 중시
	정책실현설	교육행정은 공권력을 가진 국가기관이 교육정책을 수립하고 집행하는 과정

1. **교육에 관한 행정**(법규해석적·공권적 입장) 11. 국가직, 08. 국가직, 07. 경남

    전통적 행정 ⇨ 국가공권설, 법규행정설, 분류체계론, 교육행정 영역 구분론

    (1) **행정의 종합성을 강조하는 입장**: 교육행정을 행정의 한 분야로 파악(교육 = 행정) ⇨ 교육보다는 행정을 더 우선시

    (2) **행정은 국가 통치권 작용 중의 하나, 교육행정은 내무행정 중 보육행정에 해당**: '위에서 아래로(from the top down)'의 권위주의적·중앙집권적 행정 중시

    (3) **교육행정**: 법이 정하는 바에 따라 교육정책을 구체적으로 실현하는 공권적 작용 ⇨ 교육을 대상으로 하는 일반행정 작용

    (4) **기원**: 몽테스키외의 삼권분립 사상, 독일의 관방학(재무행정, Cameralism)

2. **교육을 위한 행정**(조건정비적·기능학설적 입장) 07. 인천, 05. 국가직 7급

    민주적 행정 ⇨ 조건정비설, 기능설, 조장설

    ✍ **행정(administration)의 어원적 의미** ad(to) + minister(serve), 즉 봉사 또는 지원활동을 의미 ⇨ 조건정비설의 입장과 일치

    (1) **교육과 행정을 분리하고 교육의 자주성을 중시하는 입장**(교육 ≠ 행정): '아래에서 위로(from the bottom up)'의 민주적 발상에서 교육행정에 접근

    (2) **교육행정**: 교육목적(교수 – 학습활동의 효율화) 달성에 필요한 제 조건을 정비·확립하는 수단적·봉사적 활동 ⇨ 교육활동을 지원, 교육행정의 봉사성·수단성 중시

    (3) **기원**: 1887년, 윌슨(Willson)의 행정관리설, 미국 교육행정학(Moehlman, Campbell)
        ① **몰맨(Moehlman)**: 조직과 행정은 수업목적을 달성하는 데 필요한 수단이다.
        ② **김종철**: 교육행정은 교육활동의 목표를 설정하고 그 목표 달성에 필요한 인적·물적 조건을 정비하고 목표 달성을 위해 지도·감독하는 일련의 봉사활동이다.

3. **행정과정론**(administrational process)

    (1) 교육행정을 행정 과정에 초점을 두어 정의를 내리는 것

    (2) 행정현상을 정태적으로 파악하던 것에서 동태적으로 이해하는 계기를 마련
        ① **시어즈(Sears)**: 기획 ⇨ 조직 ⇨ 지시 ⇨ 조정 ⇨ 통제
        ② **미국 학교경영자협회(AASA)**: 기획 ⇨ 자원 배분 ⇨ 자극 ⇨ 조정 ⇨ 평가
        ③ **그레그(Gregg)**: 의사 결정 ⇨ 기획 ⇨ 조직 ⇨ 교신(의사소통) ⇨ 영향 ⇨ 조정 ⇨ 평가

4. **행동과학적 교육행정**(사회과학적 입장) ⇨ 행정행위설, 경영설(administrative behavior)

    (1) **행정의 관리적 측면 중시**: 조직관리의 기술이라는 관점에서 교육행정을 이해 ⇨ 교육과 행정의 일원론적 접근(교육 = 행정)

(2) **교육행정**: 교육목적을 효과적으로 달성하기 위한 구성원들의 협동적 행위 ⇨ 교육행정의 합리성, 조직의 협동성, 조직 내 인간행위 연구, 구성원의 집단적 행위에 초점

> **예** "교육행정은 고도의 합리성을 지닌 집단적 행위이다."(Waldo)
> ✎ 국가공권설에서는 집행, 조건정비설에는 조장, 행정행위설에는 조정을 강조한다.

(3) **대표자**: 왈도(Waldo), 겟젤스(Getzels)와 구바(Guba) ⇨ 1950년대 교육행정 이론화 운동에 영향

> ✎ 특히 겟젤스(Getzels)와 구바(Guba)의 이론을 '사회과정설'이라고 부른다.

(4) **특징**
① 행정은 반드시 집단이나 조직을 전제로 한다.
② 행정은 반드시 달성하고자 하는 공동목표를 상위목표로 하여 다양한 하위목표를 가진 여러 사람들을 통해서 이루어진다.
③ 행정은 합리적 협동 행위를 이룩하려는 것이다.

5. 정책실현설

(1) 공권력을 가진 국가기관이 교육정책을 수립하고 집행하는 과정을 교육행정으로 보는 입장

(2) 교육목표가 국가권력에 의해 지지된 이념이기 때문에 공권력 사용은 불가피하다는 입장 ⇨ 정치·행정 이원론을 부정, 공권력을 행정 성립의 기본요소로 파악, 교육정책에 초점을 둠.

더 알아보기

교육행정의 개념
1. **법규해석적 정의(교육에 관한 행정)**: 교육에 관한 법규를 해석하고 집행해 나가는 것
2. **조건정비적 정의(교육을 위한 행정)**: 교사와 학생을 도와 교육이 잘 이루어지도록 인적·물적 조건을 정비하는 것 ⇨ 조장설
3. **교육행정 과정론**: 교육행정가가 계획, 조직, 명령, 통제 등 행정의 과정을 수행해 나가는 것
4. **행정행위설(교육의 행정)**: 교육조직의 공동목표를 달성하기 위한 합리적 협동 행위 ⇨ 조정설
5. **정책실현설**: 국가 교육정책을 결정·집행하는 것

② 교육행정의 성격 14. 국가직

1. 일반적 성격

(1) **공공적 성격**: 교육행정은 공공성(公共性)을 띤 공익적 활동으로 전 국민을 대상으로 하는 공공적 사업이다. ⇨ 「헌법」 제31조 제1항

(2) **조장적·봉사적 성격**: 교육목적 달성을 위한 정신적·물질적 봉사에 중점을 두고 지도·조언을 수단으로 행사한다. ⇨ 장학행정이 중심

(3) **수단적·기술적 성격**: 교육목적 달성을 능률적으로 달성하기 위한 합리적인 수단과 기술이다.
⇨ 봉사적 성격과 유사 개념

(4) **정치적 성격**
① 교육행정이 수단적·기술적 성격을 지닌다는 것은 교육행정 활동의 내용이 고정적인 것이 아니고 역동적인 성격을 가졌다는 뜻이며, 이러한 역동적인 성격이란 바로 교육행정이 정치적 성격을 가지고 있음을 의미한다.
② 교육행정가는 교육문제를 예견하고 이에 대한 대책을 강구하며, 교육발전을 위한 장·단기 계획을 수립·실천하기 위하여 탁월한 행정적 수완과 더불어 예민한 정치적 예견과 지성을 필요로 한다.
  ◊ 교육의 정치적 중립성을 논하면서 교육은 정치에서 분리·독립되어야 한다는 주장은 정치는 특정한 정당이나 정치 이데올로기를 말하는 것이다.

(5) **전문적 성격**: 교육행정은 특수행정으로서의 전문성이 요구되며, 훈련을 받은 전문가에 의해 수행되는 전문적인 활동이다.

(6) **민주적·중립적 성격**: 교육의 자주성과 중립성 보장을 전제로 교육 본래의 목적에 기초하여 운영·실시되어야 한다. ⇨ 조직, 인사, 내용, 운영 면에서 확보되어야 할 성격
① 교육행정은 일반행정에서 분리·독립하여 정치적 중립성을 확보해야 한다.
② 교육행정의 민주적 성격 확립을 위해서 교육내용, 교육시설, 교육직의 전문성과 자주성이 보장되어야 한다.

> **개념적 측면에서 본 교육행정의 성격**(Base Camp)
> 1. **감독적 성격**: 법규해석적, 공권설적 입장
> 2. **조장적 성격**: 조건정비적 입장
> 3. **조정적 성격**: 경영설적 입장

2. **특수적 성격**
(1) **교육목표 달성의 장기성**: 교육은 장기적 투자활동이며, 교육효과도 장기적으로 나타난다. ⇨ 교육행정 또한 장기적 활동, 교육재정의 분리·독립이 필요
(2) **교육에 관여하는 제 집단**(예. 교사, 학생, 학부모, 지역사회)**의 독자성과 협력성**: 교육관련 조직이 그 나름대로의 독자성(이질성)을 가지고 상호협력한다.
(3) **교육효과의 직접적인 측정**(평가)**의 곤란성**: 교육효과는 투입과 산출의 문제, 무형적인(질적인) 성과, 효과의 장기성 등으로 인하여 그 측정이 곤란하다.
(4) **고도의 공익성과 여론에의 민감성**

> **더 알아보기**

캠벨(Campbell)의 교육행정의 독자적 성격

1. **교육행정 조직의 특수성**
   (1) 조직이 제공하는 서비스 ⇨ 중요성(cruciality), 공개성(visibility)
   (2) 조직이 서비스를 제공하기 위해 수행하는 활동의 특성 ⇨ 복잡성(complexity), 친밀성(intimacy)
   (3) 조직에서 일하는 사람들의 특성 ⇨ 전문성(professionalization)
   (4) 조직의 활동에 대한 평가 ⇨ 평가의 곤란(difficulty of appraisal)

2. **교육행정의 특수성**
   (1) 중요성: 교육조직은 여타의 조직에 비해 사회에 대해 대단히 중요한 역할을 수행한다. 교육조직은 우리 사회의 어린이(새로운 구성원)를 '사회화'하고 '정치화'하며, '문화적 적응'을 담당하는 가장 핵심적인 기관이기 때문이다.
   (2) 공개성: 교육, 특히 공교육은 공공에 대하여 민감해야 한다. 학교는 공장과 같은 사적 기관이 아니라 공적 기관이기 때문에 공개성이 요청된다.
   (3) 복잡성: 교수-학습을 주된 기능으로 하는 학교는 기능상 매우 복잡한 활동을 수행하고 있다. 예를 들면, 교수-학습의 책임을 지고 있는 교사는 그 과정을 완전히 통제하고 과업을 수행하지 못한다. 왜냐하면 학습자는 제공하는 자극에 대하여 반응할 수도 있고 반응하지 않을 수도 있기 때문이다.
   (4) 친밀성: 조직의 목표를 달성하기 위해 필요한 인간관계의 친밀성이 강하다. 교사와 학생, 학생과 학생, 교사와 교사, 교사와 학부모, 학생과 학부모와의 관계 등 학교조직의 인간관계는 강한 친밀성을 특징으로 한다.
   (5) 전문성: 학교조직은 교사라는 전문가 집단으로 구성되어 있다. 전문직은 자율과 책임을 특징으로 하기 때문에 학교는 전문가인 교원을 중심으로 고도의 지식과 가치를 바탕으로 분권화된 구조 속에서 운영되고 있다.
   (6) 평가의 곤란성: 학교조직의 성과는 쉽게 인지할 수가 없다. 학교의 성과는 학생 행동의 변화이며, 이는 지식·기술 또는 태도의 변화를 포함하기 때문에 명확하게 측정할 수 없고, 일정한 기간이 지나 여러 가지 입증자료가 축적되어야 평가할 수 있다는 것이다.

❸ 교육행정의 기본원리 25. 국가직, 21. 지방직, 20. 국가직 7급, 15. 지방직, 12. 국가직·국가직 7급, 11. 경북, 10. 부산

1. 법제면의 기본원리 10. 부산

(1) **법치행정(합법성)의 원리**: 행정은 법에 의거, 법이 정하는 범위 내에서 이루어져야 한다.

(2) **기회균등의 원리**: 모든 국민은 성별, 종교, 신념, 인종, 사회적 신분, 경제적 지위, 신체적 조건 등을 이유로 차별 없이 누구나 능력에 따라 교육을 받을 수 있다(「헌법」 제31조 제1항, 「교육기본법」 제4조).
  예 의무교육의 확대, 남녀공학 실시, 특수교육의 확대, 방송통신교육의 확대

(3) **적도집권(適度集權)의 원리** 21. 국가직 7급, 10. 경기: 중앙집권주의(행정의 능률성)와 지방분권주의(행정의 민주성)는 적절한 균형을 유지해야 한다.

(4) **자주성 존중의 원리** 16. 국가직, 06. 전북: 교육의 독자성과 자주성을 존중해야 한다. ⇨ 일반행정으로부터 분리·독립, 정치와 종교로부터의 중립(「헌법」 제31조 제4항)
  예 국·공립학교에서 특정 종교교육의 금지, 교육자치제 실시

2. 운영면의 기본원리 15. 지방직, 13. 국가직, 12. 경기, 11. 대전, 10. 경북

(1) **민주성(democracy)의 원리**
  ① 독단과 편견을 배제하고, 교육정책 수립에 있어 광범위한 국민 참여와 공정한 민의(民意)가 반영되어야 한다. 예 각종 위원회, 심의회제도
  ② 결정된 정책의 집행 과정에 있어서 권한의 위임을 통한 협조와 이해를 구해야 한다.

(2) **효과성(effectiveness)의 원리**: 설정된 교육목적 달성에 주력해야 한다.

(3) **능률성(efficiency)의 원리**: 최소의 노력과 경비 투입으로 최대의 산출을 얻어야 한다. 즉, 교육행정의 투입에 대한 산출을 높이는 것이다. 24. 지방직
  ① 경제성의 원리, 효율성의 원리이다. ⇨ 장기적 평가에 의한 능률과 사회적 능률성을 중시해야 한다.
  ② 이 원리가 지나치면 민주성의 원리와 교육의 본질을 훼손할 우려가 있다.
   예 소규모학교의 통폐합

기계적 능률성	투입과 산출의 절대적 비교	인간적 요인 ×	능률지상주의 ○	인간은 경제적 동물	• 과학적 관리론 • X이론
상대적 능률성	투입과 산출의 상대적 비교	인간적 요인 ○	능률지상주의 ×	인간은 자율적 존재	• 인간관계이론 • Y이론 • Dimock이 도입

  ✎ 효율성은 효과성과 능률성이 합쳐진 개념으로 보기도 한다(「최신교육학 개론」).

(4) **타당성(validity, 합목적성)의 원리**: 설정된 목적과 수단 사이에 불일치가 없어야 한다.

(5) **적응성(adaptability)의 원리** 22. 지방직: 변화하는 사회 상황에 신축성 있게 대응하여 조화적 관계와 능률적 성과를 계속 확보해야 한다. ⇨ 진보주의적 필요성

(6) **안정성(stability)의 원리** : 교육행정의 좋은 점을 강화·발전시켜, 교육활동의 일관성과 지속성을 유지하여야 한다. ⇨ 보수주의적 필요성

(7) **균형성(balance)의 원리** : 행정의 능률성과 민주성, 적응성과 안정성 간에 균형을 유지해야 한다.

(8) **지방분권의 원리** 21. 지방직 : 지역의 특수성과 다양성을 반영하여 지역 주민의 적극적 의사와 자발적인 참여 및 공정한 통제에 의거해야 한다.

(9) **전문성(speciality) 보장의 원리**
   ① 교육활동은 전문적 활동이므로 전문적 지식과 기술을 습득한 전문가가 담당해야 한다. ⇨ 전문성은 업무의 독자성(특수성), 지적·기술적 수월성을 의미
   ② 교육행정은 교육활동의 본질을 이해하고 교육의 특수성을 스스로 체험하고, 교육행정에 관한 이론과 기술을 습득한 교육행정 전문가에 의해 실천되어야 한다.

④ 교육행정가의 자질

1. **일반적 자질(Campbell)**
   (1) 자아에 대한 인식(예, 자기 신념, 가치관, 인생관 등)과 가치관의 확립
   (2) 타인에 대한 이해와 협동의 기술
   (3) 교육제도의 목적과 방법에 대한 이해
   (4) 아동에 대한 이해와 교육애
   (5) 교육행정에 대한 이해와 행정기술
   (6) 행정업무 수행상 필요한 신체적·정신적·사회심리적·성격적 특성의 활용능력
   (7) 부단한 자기 노력

2. **전문적 자질(Katz & Kahn)** : 인간관계 기술은 모든 층이 구비해야 한다.
   (1) **실무적 기술(technical skills, 사무적 기술)** : 교육의 방법, 과정, 절차, 기법 등에 관한 이해와 재능
      예, 교사, 작업관리층
   (2) **인간관계 기술(human relational skills)** : 집단 성원들 사이에 인화(人和)를 조성하고 협동적으로 일할 수 있는 기술 예, 교감, 중간관리층
   (3) **전체파악적 기술(conceptual skills, 통합적·구상적 기술)** : 조직 전체의 복합성을 이해하고 자기 활동이 전체로서의 조직 어디에 관련되는가를 파악하는 능력 ⇨ 교육활동 전반을 통합적·대국적·장기적 견지에서 일관하여 선견지명을 가지고 사업을 구상해 나가는 것
      예, 교장, 학교경영층

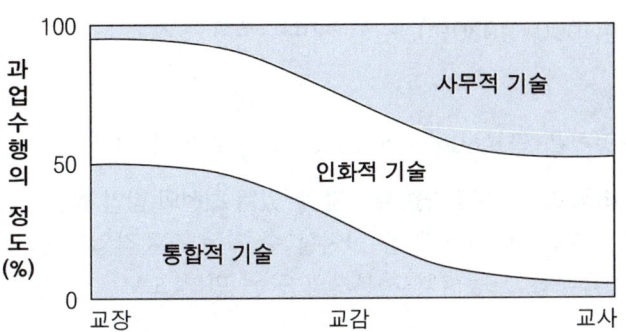

제2절 교육행정의 이론 _{21. 국가직 7급, 13. 지방직, 12. 경기, 08. 국가직 7급·경기}

이론 범주		세부 이론	주도 시기	교육행정 실제 / 패러다임
교육행정 실무시대	고전이론	• 과학적 관리론 • 행정과정론 • 관료제론	1900~1930년대 (과학적 관리론)	학교조사를 통한 실제 개선
	인간관계론	인간관계론	1930~1950년대	• 민주적 행정원리 도입 • 민주적 행정처방
교육행정학 이론시대	행동과학론	• 조직행동론 • 상황적합론 • 체제이론	1950년대~현재	구조기능적 패러다임
	해석론	해석론	1970년대 중반~현재	해석적 패러다임
	새로운 비전통적 관점	• 비판이론 • 신마르크스주의 • 포스트모더니즘 • 페미니즘	1980년대~현재	비판적 패러다임

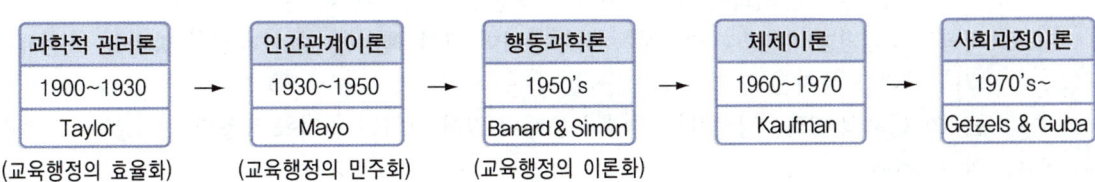

1 과학적 관리론(1900~1930년) 13. 국가직 7급, 11. 인천, 04. 서울

1. 개관

(1) 미국의 경제공황을 극복하기 위한 경영합리화 운동의 일환

(2) **최소 노동과 비용으로 최대효과를 달성할 수 있는 최선의 방법 발견**: 작업 과정 분석을 통해 낭비와 비능률을 제거, 절약과 능률을 실현할 수 있는 표준작업과정 설정(공장관리의 과학화) ⇨ 생산성 향상 극대화, 노동자와 자본가의 공동 번영 도모

(3) **아담 스미스(Adam Smith)의 '분업의 원리'를 적용·발전**
  ① 시간연구(time study)와 동작연구(motion study)를 통해 인간의 생산활동을 정확히 측정·분석하여 체계적으로 관리, 능률과 생산성을 극대화
  ② 생산 과정의 표준화(시간연구와 동작연구) ⇨ 1일의 공정한 표준작업량 설정 ⇨ 작업관리의 과학화 ⇨ 생산성 향상 도모

(4) **대표자**: 공장노동자 출신인 테일러(Taylor)가 체계화 ⇨ 생산 과정 과학화의 기본원리로 작업공정의 과학화, 노동자 선발의 과학화, 노동자 교육과 능력계발의 과학화, 관리자와 노동자의 친밀한 협동을 제시

2. 원리

(1) **기본가정**: '인간은 경제적 동물'이라는 X이론에 기초 ⇨ 경제적 인간관
  ① 작업에서 노동자의 경제적 동기 중시
  ② 인간을 효율적 기계로 프로그램화 ⇨ 낭비와 비능률을 제거하고 최대의 생산효과 산출

(2) **일반원리**(Villers)
  ① 시간연구와 동작연구의 원리: 생산공정에서 개개의 작업을 간단한 요소동작으로 분해 ⇨ 표준시간과 동작연구(요소동작의 순서, 형태, 소요시간 분석) ⇨ 1일 표준작업량(과업) 설정
  ② 성과급의 원리: 임금은 표준시간에 근거한 생산량에 비례하며, 노동자에게는 그가 할 수 있는 최고수준의 작업이 주어져야 한다.
  ③ 계획과 작업수행 분리의 원리: 경영자는 작업을 계획·관리하는 책임이 있다.
  ④ 과학적 작업방법의 원리: 경영자는 작업방법에 관한 책임을 맡아 최선의 방법을 결정하고 그에 따라 노동자를 훈련시켜야 한다.
  ⑤ 관리적 통제의 원리: 경영자는 경영과 통제에 있어 과학적 원리를 적용할 수 있도록 교육받아야 한다.
  ⑥ 기능적 관리의 원리: 생산조직이 나름대로 특수성을 살릴 수 있도록 관리해야 한다.

3. 장단점
   (1) 장점
      ① 작업 과정 분석, 공장관리의 과학화 ⇨ 명확한 1일 작업량 부여
      ② 작업조건과 도구의 표준화
      ③ 과업수행 정도에 따른 성과급 부여

   (2) 단점
      ① 인간의 비경제적 동기 무시: 인간의 사회심리적·감정적 측면을 소홀히 함.
      ② 인간보다 과업과 생산을 중시하여 노동자의 기계 부품화로 인한 인간소외 및 주체성 상실 초래
      ③ 행정의 능률과 민주성의 조화 무시 ⇨ 균형성(balance) 상실
      ④ 노동자를 수동적 존재로 파악 ⇨ 행정에 영향을 주는 상황이나 환경적 요인을 간과

4. **교육행정에의 적용** 23. 국가직 7급
   (1) **보비트**(Bobbitt): 「교육에서의 낭비 제거」(1912) 논문 발표, 「Curriculum」 ⇨ 과학적 관리론을 학교관리 및 장학행정 등 교육행정에 최초로 도입 22. 국가직
      ① 가능한 모든 시간과 학교시설을 최대로 활용
      ② 교직원수를 최소화하되 작업능률을 최대로 유지
      ③ 교육활동 중의 낭비를 최대한 제거
      ④ 교원들은 학생들을 가르치는 일에만 전념하고 행정은 맡기지 않는다.

   (2) **스폴딩**(Spaulding): 「과학적 관리를 통한 학교체제의 개선」(1913)
      ① 교육행정의 비능률성이 교육사업의 취약점이라고 비판하고, 건전한 기업경영의 원칙에 입각한 교육행정 주장 ⇨ 학교행정에 대한 민중통제의 요구, 능률의 원칙 제시
      ② 교육행정에 과학적 관리론을 적용, 학교교육의 효율성 증대를 강조

5. **교육행정 과정이론**(행정관리론, administrational process) 06. 국가직 7급
   (1) **개념**
      ① 교육행정가가 교육행정을 과학적·합리적으로 펼치는 순서(절차) ⇨ 교육행정의 목표를 합리적으로 달성하기 위해서 교육행정이 어떤 절차를 거쳐 수행되느냐의 문제
      ② 과학적 관리론을 배경으로 중요성 부각: Taylor의 '교육과정론', '행동과학 관리론'과 관련
      ③ 일반행정 과정론에서 연구된 결과를 교육행정 과정에 적용: 연구결과의 일반화

   (2) **PIC cycle**: 조직목적 달성을 위한 기본적 요소
      ① Plan: 계획
      ② Implement: 실천
      ③ Controlling: 통제

(3) 일반행정의 과정

① **패욜(Fayol, POCCoCon)의 산업관리론**: 행정과정론의 선구자, 『일반기업 관리론(General and Industrial Management)』(1913)

기획(Planning)	미래를 예측하고 그 실행계획을 수립
조직(Organizing)	조직 내의 인적·물적 자원 확보 및 구조화
명령(Commanding)	조직구성원으로 하여금 부과된 과업의 자율적·능동적인 수행 요구
조정(Co-ordinating)	제반 활동을 조절하고 통합 20. 국가직
통제(Controlling)	제반 활동의 수행 상태를 감독

② **귤릭과 어웍(Gulick & Urwick, POSDCoRB)의 행정관리론**: 패욜의 이론에 기초, 『행정에 관한 논문(Papers on the Science of Administration)』(1937) 06. 대구

기획(Planning)	조직의 목적 달성을 위한 계획과 그 수행에 필요한 방법 작성
조직(Organizing)	과업 담당부서 설정, 구성원의 역할 규정, 부서별 권한과 책임의 한계 구분을 명료화
인사(Staffing, 인사배치)	조직구성원의 채용, 훈련, 유지
지시(Directing, 지휘)	의사결정 및 결정사항을 명령과 지시, 봉사의 형태로 구체화
조정(Co-ordinating)	부서별 활동의 조절 및 유기적으로 상호 관련시키는 일
보고(Reporting)	부과된 과업의 진행사항을 관리자에게 알리고, 관리자는 기록·연구·조사·감독 등을 통해 자신과 조직구성원이 알게 하는 일
예산편성(Budgeting)	재정계획, 회계 등의 형식에 의한 예산편성

(4) 교육행정의 과정

① **시어즈(Sears, PODCoCon)**: 패욜의 영향을 받아 최초로 교육행정 분야에 행정과정 이론을 적용, 『행정과정의 성격(The Nature of the Administrative Process)』(1950)

기획(Planning)	예비조사나 연구의 사전 실시를 토대로 학교교육 계획 작성
조직(Organizing)	인적·물적 자원을 확보·배치하고 규칙과 원리를 구조화
지시(Directing, 지휘)	의사결정을 통해 조직구성원들이 행동할 수 있도록 명령과 지시 ⇨ 여러 과정의 활동들이 목적을 향하여 일관성을 유지하도록 촉구
조정(Co-ordinating)	행정의 제반 측면(예, 조직, 인사, 재정, 시설, 사무 등)이 교육목표 달성에 최적한 상태가 되도록 조화
통제(Controlling)	교직원의 활동을 감독하거나 결과의 분석, 절차나 규정 등의 검토

② 그레그(Gregg): 행정과정에서의 지도성·집단과정·인간관계 등을 강조, 지시나 지휘 대신에 영향과 의사소통의 용어 사용, 「행정과정의 요소(The Administrative Process)」(1957)

의사결정 (Decision-making)	목표 수립, 수단 선택, 결과 판정 등을 결정하는 일 ⇨ 교육행정 과정의 핵심 요소
기획(Planning)	합리적 행동을 예정하고 준비하는 과정, 행동의 목적과 수단 사이에 일관성을 유지하고 서로 상충되는 요소 사이에 조화와 균형을 유지
조직(Organizing)	공동목표 달성을 위한 분업적 협동체제의 구성 ⇨ 과업과 자원을 배분하는 과정
의사소통 (Communicating, 전달)	조직의 문제해결을 위해 부서 간·개인 간의 정보, 의견, 아이디어를 교환하는 일
영향(Influencing)	권력의 행사뿐만 아니라 구성원에 대한 설득과 교육, 협의와 참여를 통해 협동적으로 공동목표를 추구해 나가도록 자각하는 것 ⇨ 지도성(leadership)의 발휘 과정
조정(Co-ordinating)	조직 내의 공동목표 달성을 지향하는 구성원의 노력을 통합·조절하는 일
평가(Evaluating)	조직체나 각 부분의 효과를 측정하는 과정, 목표 달성 여부를 결정하고 감시하는 기능

③ 캠벨(Campbell)
  ㉠ 과정: 의사결정 ⇨ 프로그램 작성 ⇨ 자극 ⇨ 조정 ⇨ 평가
  ㉡ 프로그램 작성: 기획 + 조직

(5) **행정과정이론의 비교** 11. 인천
  ① 공통요소: 기획, 조직, 조정
    ㉠ 기획(Planning) 23. 국가직: 교육목적을 달성할 수 있는 방법과 수단을 효율적으로 준비하는 과정
    ㉡ 조직(Organizing): 인적·물적 자원을 확보하고 배분하는 과정
    ㉢ 조정(Co-ordinating): 조직의 공동목표 달성을 위해 조직체 내에서 구성원들의 노력을 통합하고 조절하는 과정
  ② 차이점

일반행정		교육행정		
Fayol	Gulick & Urwick	Sears	Gregg	Campbell
기획(P)	기획(P)	기획(P)	의사결정(DM) 기획(P)	의사결정(DM)
조직(O)	조직(O) 인사(S)	조직(O)	조직(O)	프로그램 작성(P)
명령(C)	지시(D)	지시(D)	의사소통(Com) 영향(I)	자극(S)
조정(Co)	조정(Co)	조정(Co)	조정(Co)	조정(Co)
통제(Con)	보고(R) 예산편성(B)	통제(Con)	평가(E)	평가(E)

※ ▨는 교사의 자율성이 요구되는 단계이다.

6. 관료제 이론(Bureaucracy theory) 06. 강원

(1) **개념**
① 조직구조에 관심을 갖고 최소의 인적·물적 자원으로 조직의 목적을 달성하고자 한 이론
② 베버(Weber): 관료제는 계층제의 형태를 갖고 합법적 지배가 제도화되어 있는 대규모 조직의 집단관리현상이다.

(2) **관료제의 유형(Weber)**: 「지배권력에 관한 정당성 연구」 ⇨ 권위가 정당화되는 방법을 기준으로 분류
① **전통적 관료제**: 전통적 권위하의 관료제 ⇨ 하위자가 "그것은 전통적으로 그러했다."는 근거에서 정당한 권위로 인정
② **카리스마적 관료제**: 상위자의 초인격적이고 비범한 능력에 근거하여 권위를 인정
③ **합리적·합법적 관료제**: 공식적 법 규정에 근거하여 권위를 인정 ⇨ 관료적 지배의 가장 이상적인 형태

(3) **관료제의 특징** 19. 국가직
① **분업과 전문화(division of labor & specialization)**: 조직의 목적달성에 필요한 정규활동은 공식적인 직무로서 적절하게 배분된다.
② **계층제(권위의 위계, hierarchy of authority)**: 직무의 조직은 계층의 원리를 따른다.
③ **법규(규정과 규칙)에 의한 행정(rules & regulations)**: 조직 내의 구성원의 모든 활동은 법규에 의해 규제된다.
④ **몰인정적(沒人情的) 합리성(impersonal orientation)**: 직무활동은 인간적 고려 없이 합리적 기준에 의해 냉정하고 초연한 자세로 임한다.
⑤ **전문적 자격기준과 보수제(경력지향성, career orientation)**: 구성원은 시험이나 자격 등에 의한 전문적 자격기준에 따라 선발된다(be selected).
⑥ **문서주의**: 문서에 근거해 업무를 처리하며, 공사의 구분이 명확하다.
⑦ **능률성**: 최소한의 인적·물적 자원으로 조직의 목적을 달성한다.
⑧ **행정관리와 지휘계통**: 조직 내에는 지휘계통을 총괄하는 행정계층과 기록을 보관하는 서기계층이 있다.

(4) **관료제의 문제점** 15. 국가직, 10. 울산·경남
① **서면(書面)주의**: 형식주의[red tape, 번문욕례(繁文縟禮), 규칙과 절차가 지나치게 형식적이어서 번거롭고 까다롭다.] ⇨ 서류 및 형식적 요건에만 급급한 행정
② **목표의 전도 및 목표의 수단화**: 규칙이 목표에 우선하는 전도·수단화 현상, 동조과잉 현상
　△ **동조과잉(同調過剩, over-confirmity) 현상** 사회나 집단의 구성원들이 표준적인 행동양식에 지나치게 동조하는 현상, 상관의 지시나 관례에 따라 소극적으로 업무를 처리하는 현상
③ **무사안일주의**: 명령·지시받은 일만 소극적으로 수행
④ **할거(割據)주의**: 자기 부서일에만 관심 ⇨ 타 부서와의 정책 조정·협조 곤란
⑤ **전문화로 인한 무능**: 한정된 분야에만 전문성 발휘 ⇨ 타 분야에 대한 몰이해

⑥ 변화에 대한 저항 : 현상유지만 지향하는 보수적 성향 ⇨ 경로의존성(path dependency)
⑦ 인간성의 상실 : 한정된 업무만 반복적·기계적으로 수행 ⇨ 조직의 부속품으로 전락

(5) **학교관료제의 특징 및 순기능과 역기능**
① 학교관료제의 특징
㉠ 사무관리를 위하여 교무, 연구, 학생업무 등과 같은 업무를 분화해서 처리하고 있다.
㉡ 학교조직의 업무의 분화에 따라 이를 조정하기 위하여 교장-교감-보직교사-교사로 구성원들의 업무를 분화시켜, 상하의 위계에 따라 권한과 직위를 배분하고 있다.
㉢ 업무의 수행 및 운영절차에 있어서 통일성을 확보하기 위해 복무지침, 내규, 업무편람 등을 규정하여 교직원들의 행동을 규제한다.
㉣ 교과의 전문화를 위하여 교사 자격증 제도를 도입하고 있다.
㉤ 교사의 채용은 자격증을 취득한 자들 중에서 전문적인 능력을 기초로 하여 경쟁에 의해 선발된다.
㉥ 승진은 경력과 같은 연공 서열주의가 기본이 된다.

② 학교관료제의 순기능과 역기능(Hoy & Miskel) 18·14. 국가직

학교관료제의 특징	순기능	역기능
분업과 전문화	숙련된 기술과 전문성 향상	피로, 권태감 누적 ⇨ 생산성 저하
몰인정성(공평무사성)	합리성 증대	사기 저하
권위의 계층	원활한 순응과 조정	의사소통의 장애
규칙과 규정의 강조	계속성과 통일성 확보	목표전도(동조과잉) 현상, 조직의 경직성
경력 지향성	동기 유발, 유인가	업적과 연공제 간의 갈등

2 인간관계론(1930~1950년) 21. 국가직, 10. 충북, 05. 전남

1. **개관**

(1) **등장 배경**
① 경제공황 이후 노동조합의 등장 등 민주화 경향
② 과학적 관리론에 대한 비판 : 능률과 획일성(기계적 능률성) 강조, 인간 경시, 근로의욕 저하, 창의성 무시

(2) **개념** 25. 국가직
① 인간의 정서적·비합리적·심리적·사회적인 면을 중시하여 작업능률 향상을 도모하는 관리법
② 조직활동에서의 인간관계를 중시
③ 미국 하버드 대학 연구팀인 메이요(Mayo)와 뢰슬리스버거(Roethlisberger)의 호손실험(Hawthorne Experiments, 1924~1932)에 의해 성립

2. **호손실험**(1924~1932) : 조직 내의 인간관계의 변화에 따른 생산성 관계 연구
   (1) **내용** 07. 인천
   ① 조명실험(1924~1927, illumination test, 1차 실험)
      ㉠ 작업장의 조명도와 노동자의 작업능률 간의 관계실험 : 작업장의 조명을 높이면 작업능률도 올라갈 것이라는 가설의 검증 실험 ⇨ 통제집단과 실험집단으로 나누어 실험
      ㉡ 실험결과 : 생산량은 작업장의 조명도와 관계가 없다. ⇨ 생산량은 조명도와 무관한 다른 요인에 의해 좌우된다. ⇨ 물리적인 것은 일시적 생산 증가 효과만을 산출 ⇨ 과학적 관리론의 효과에 대한 의문 제기
   ② 전화계전기 조립실험(1927~1929, relay-assembly test, 2차 실험) : 작업조건의 변화에 따른 생산량의 변화와 집단 임금제도의 영향
      ㉠ 1차 실험 : 서로 사이가 좋은 여공 2명으로 하여금 좋아하는 동료 4명을 선정하여 6명 1조로 작업팀을 만들어 별실에서 작업하게 하였다.
      ㉡ 2차 실험 : 5명의 여공을 선발하여 집단 임금제도의 영향을 관찰하였다.
      ㉢ 실험결과 : 물리적 조건(예 노동시간, 휴식시간, 급여)보다 사회적·심리적 측면(예 자부심, 만족감, 책임감, 우리의식)이 작업능률에 더 영향을 준다.
   ③ 면접 프로그램(1928~1930, interview program, 3차 실험)
      ㉠ 노동자 2만 명을 대상으로 자식 문제, 가족의 병원비, 자기 직업에 대한 친구들의 인식 등 노동자들이 중요시하는 것이 무엇인가를 물었다.
      ㉡ 실험결과 : 생산능률의 저하 원인은 물리적·작업적 노동조건이나 피로에 있는 것이 아니라 주위의 인간적·사회적 환경에 있다. ⇨ 생산성 향상을 위해 인간적 요인(개인적·사회적인 감정과 태도)의 중시가 필요
   ④ 건반배선조립 관찰실험(1931~1932, bank wiring observation room test, 4차 실험)
      ㉠ 전선공 3명과 납땜공 1명이 1개조로 3개조의 건반배선 조립공을 구성하였다.
      ㉡ 1명의 조사자가 실험에 함께 참여하여 작업행동을 관찰하였다.
      ㉢ 실험결과 : 공식조직 내에 비공식집단(예 향우회, 교사 동호회, 동문회)이 존재하며, 이것이 생산성 증가에 영향을 준다.
         ⓐ 직공들 간에 2개의 비공식집단이 형성되었고, 구성원의 행동을 지배하는 비공식규범이 생겨났다.
         ⓑ 집단 내의 활동은 대부분 공식적으로 규정된 역할에 반하는 것들이었다. ⇨ 높은 생산이 가능한 데에도 비공식적으로 자신들이 낮게 정해 놓은 생산수준을 유지하였다.

   (2) **실험결과 및 의의**
   ① 생산성에 영향을 미치는 것은 개인의 심리적 조건(사회·심리적 욕구)이다 : 개인의 사회·심리적 욕구충족을 통해 안정감과 만족감을 갖게 하는 것이 중요하다.
   ② 생산성의 향상은 능력과 기술보다 조직 내의 인간관계 및 비공식적 집단의 영향을 받는다.
   ③ 노동자들은 경영자의 독단과 자의적 결정으로부터 스스로를 보호하기 위해 비공식적 집단을 이용한다.

④ 비공식적 집단의 성격에 따라 생산능률이 크게 달라진다: 비공식적 집단이 관리자와 일체감을 가지고 있을 때 생산성이 향상된다.
⑤ 조직을 분업화된 전문직 집단으로 만드는 것이 반드시 가장 효과적인 작업집단을 만드는 것은 아니다.
⑥ 개인은 인간적 존재이지 수동적 기계의 톱니바퀴가 아니다: 과학적 관리론의 비인간적 합리론과 기계적 도구관을 부정 ⇨ 사회적 인간관(인간은 도구적 존재)

3. 인간관계론의 내용 24·16. 국가직 7급, 09. 서울

(1) 조직 목표 달성을 위한 인간의 사회적·심리적 측면 중시 ⇨ 동기이론, 집단행위, 집단의 성원에 대한 영향력, 역할구조, 집단과 개인의 권력 다툼, 갈등해소 등이 주요 주제

(2) 자생집단과 비공식적 조직의 중요성

(3) **민주적 행정**(행정의 인간화)과 **사회적 능률관 확립**
   ① 민주적 지도성과 사기, 의사소통, 각종 인사제도의 창안(예 인사상담, 고충처리, 제안제도 등), 참여적 의사결정, 비경제적 보상에 의한 동기부여 등 중시
   ② 진보주의 교육운동, 민주적 교육·행정·장학, 학교의 민주적 운영 등에 영향

4. 인간관계론의 교육행정에의 적용

(1) **쿠프만**(Koopman): 「학교행정의 민주화」(1943)
   ① 인간관계론을 적용, 교육행정을 민주화해야 한다고 주장
   ② 학교행정 민주화의 과제 제시: 교육의 사회적 책임 규정, 민주적 지도성의 개념 규정, 조직 형태의 민주화, 구성원들의 적극적 참여, 교사의 역할 규정 등

(2) **여치**(Yauch): 「학교행정에서의 인간관계 개선」(1949)
   ① 학교행정에서의 인간관계의 중요성을 강조
   ② 행정의 모든 영역(예 장학, 예산 배정, 교육과정 등)에 교사의 적극적 참여 보장 강조

(3) **몰맨**(Moehlman): 「학교행정」(1951)
   ① 봉사활동으로서의 학교행정론을 주장
   ② 교육행정은 교수목표 달성을 위한 수단이며, 교육과정 실현을 위한 봉사활동

5. 단점

(1) 인간의 경제적 동기에 대한 과소평가

(2) 조직의 공식적 측면 경시로 생산성 위축

(3) 정의적 측면의 지나친 강조

③ 행동과학론(1950년대)

1. 개관 07. 경남

(1) 인간의 행동과 조직의 관계를 정립하여 조직의 생산성을 향상시키려는 이론

(2) 조직 내의 인간(교육행정가)행동을 연구하여 행정이나 경영의 효율성을 높이려는 이론

(3) 조직의 발전적 측면에서 과학적 관리론과 인간관계이론의 균형점을 찾아 조직도 발전하고 구성원도 성취감을 느끼는 방법을 모색

(4) **1950년대 인간의 행위를 학제적 접근법에 따라 구명(究明)하고자 등장**: 행동주의 심리학에 바탕 + 사회학, 인류학, 정신분석학, 경제학, 정치학, 법학 ⇨ 인간행위에 대한 통일적 이론 수립

(5) **대표자**: 바나드(Barnard)가 최초로 시도 ⇨ 사이먼(Simon)이 확대 · 발전
   ① Barnard: 조직은 사회적 협동체 ⇨ 공식조직 내의 비공식적 조직의 중요성, 의사결정의 중요성, 조직 중심적 목표 달성(효과성, effectiveness)과 구성원 중심적 만족 · 사기(능률성, efficiency)를 구분하고 양자의 균형 · 조화(효율성)를 강조
   ② Simon: 행정행위에 있어서 탈가치성을 주장 ⇨ 의사결정 과정에서 '경제적 인간형(합리모형)'과 '행정적 인간형(만족모형)'을 구분하고, 제한된 합리성을 지닌 '행정적 인간형'을 가장 이상적인 인간형으로 제시

2. 내용

(1) 유기체의 행동은 과학적 연구의 대상이 될 수 있다. ⇨ 행동주의 심리학의 영향

(2) 교육행정 연구도 행동과학적 접근을 한다.

(3) 조직구성원의 행동양식에 연구의 초점을 둔다.

(4) 인간행동과 관계 있는 집단의 역할을 중시한다.

(5) 행동과학에서 이론의 역할은 중요하며, 이 이론은 가설연역적 접근을 사용한다. 예 실험연구

(6) 가치와 사실을 구별하고 가치를 연구 대상에서 제외한다. ⇨ 가치중립적 접근

(7) 이론의 검증을 강조하고 계량적인 접근이나 기법을 택하였다(양적 연구). ⇨ 자료수집은 설문지를 기초로 한다.

(8) 인간행동을 여러 관련 요인에 기초하여 설명하고자 간학문적(間學問的) 접근을 택하였다.

(9) 행정현상을 의사결정 과정으로 파악하였다(Simon).

(10) 행정을 개인 상호 간 또는 개인과 집단 간의 역동적 과정으로 파악하였다.

3. 영향

행동과학론의 교육행정에 관한 이론화 운동(theory movement) ⇨ '신운동(New Movement)'

(1) 신운동을 주도한 학자들의 공통점
① 교육행정 연구에 있어 이론의 중요성을 인정, 이론에 근거한 가설연역적 연구방법 시도
② 행정 자체를 과학적 연구주제로 채택
③ 교육은 사회체제로 가장 잘 이해될 수 있으므로, 교육행정 연구도 행동과학적 접근방법에 크게 의존하지 않을 수 없다.

(2) 신운동의 공헌점
① 교육행정의 과학적 연구를 크게 발전시켰다.
② 교육행정가 양성 프로그램을 위한 교육과정의 개혁 및 교육행정 담당지도자 양성 문제를 중요시하는 계기가 되었다.
③ 학교의 교육목적 설정을 구체적인 행동목표로 진술하게 하였다. 예 목표관리기법(MBO)

4 체제이론(system theory, 1960~1970년)

1. 개관

(1) 학교사회를 하나의 체제(體制, System)로 보고 학교사회를 구성하고 있는 요소들과 그것의 구조와 기능을 파악하여 학교를 체계적으로 이해하려는 접근방법이다.

(2) **기본가정**
① 모든 유기체나 조직체(예 학교 포함)는 하나의 체제로 파악할 수 있다.
② 체제를 구성하고 있는 모든 요소를 유기적으로 기능하게 하면 생산성이 향상된다.

(3) 파슨스(Parsons), 머튼(Merton) 등 구조기능주의자들의 영향을 받았다.

(4) **체제의 속성**: 상호작용, 역할분담

2. 체제의 개념

(1) **일반적 의미**
① 공동의 목표를 달성하기 위하여 상호작용하는 부분(요소) 간의 통합체
② 여러 부분(요소)들로 이루어진 전체로 상호작용하는 요소들의 복합체(Griffiths)

(2) **사회학적 의미**
① 상호작용하는 사람들을 전체로 되게 하는 하나의 구성단위
② 특정한 행위의 규칙과 가치, 문화를 공유하면서 주어진 역할을 수행하는 사람들이 상호작용하는 하나의 장면

(3) 개념적 구성요소
① 체제는 투입, 과정, 산출, 환경의 요인으로 구성된다.
② 체제는 상호의존적·상호보완적 성격을 지닌 상위체제와 하위체제로 구성되고, 체제 밖의 모든 것은 환경이다.
    예 교육체제는 교육행정체제의 상위체제
③ 하위체제들은 개별성과 상호관련성을 지니며, 목적달성을 위한 총체적인 전체성을 지닌다.
④ 체제는 전체로서의 환경과 상호작용하며 때로는 변하기도 한다.
⑤ 체제는 투입 ⇨ 과정 ⇨ 산출 ⇨ 환류(feedback)의 과정을 거친다.
⑥ 체제는 개방체제(경계 밖 체제나 환경과 자유로운 상호작용)와 폐쇄체제가 있다.

(4) 사회체제로서의 학교
① 교육체제 개념모형도

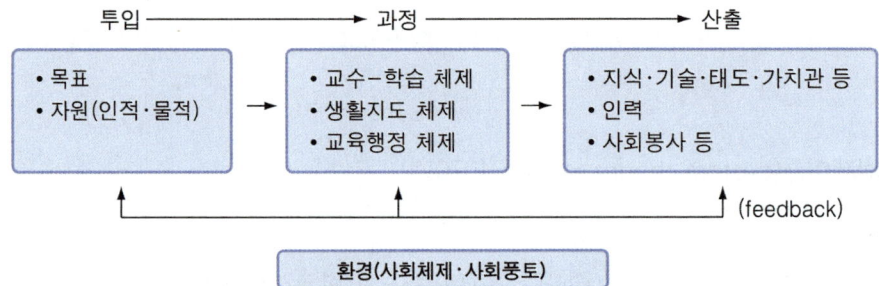

② 사회체제로서의 교육체제도 교육 자체의 체제뿐만 아니라 정치·경제·사회·문화 등 다른 사회체제와 상호 관련되어 있다.
③ 학교는 개방체제(open system)에 속한다.

3. 카우프만(Kaufman)의 체제접근모형

(1) 개념
① 조직을 사회적 역동체제로서의 역동적인 구조로 파악 ⇨ 시스템을 구성하고 있는 모든 요소(변인)들을 유기적으로 연결, 기능화하면 생산성이 향상된다고 전제한다.
    cf. 행동과학이론: 관찰 가능한 인간행동의 변인을 통제하여 변화를 유도 ⇨ 생산성 향상
② 조직의 목표를 효과적·능률적으로 달성하기 위한 과학적 방법론
③ 문제해결을 위해 여러 가지 대안으로부터 최적의 해결방안을 얻어내고 이를 실천·평가하는 일련의 과정

(2) 내용

(3) 모형도

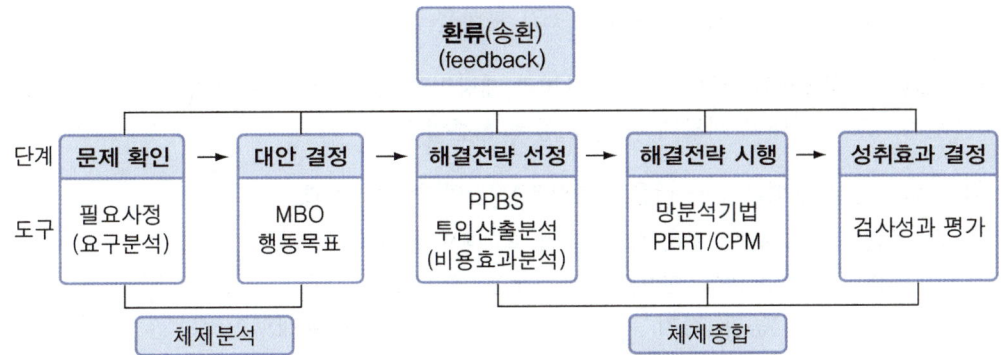

✎ 용어 설명 MBO(목표관리기법), PPBS(기획예산제도), PERT(계획평가검토기법), CPM(비판적 경로분석기법)

4. 브루크오버(Brookover)의 사회체제적 접근모형

(1) 개념

① 학교의 사회적 체제는 학교의 학습풍토에 의해서 조성된다.

② 체제 구성요소: 학교의 사회심리적 규범, 학교의 조직구조 및 운영방식, 학급 내 수업실천 행위

학교의 사회심리적 규범	학교 구성원이 학교교육에 대해 가지는 기대, 평가, 감정, 신념 ⇨ 학교의 역사적 전통에서 파생된 것으로 학교의 문화적 풍토를 형성
학교의 조직구조 및 운영방식	학교의 행정조직, 학급 내 학습집단 구성형태 등
학급 내 수업실천 행위	학급 내 의사소통방식, 보상방식, 수업자료 제공, 수업시간 등 ⇨ 학교의 학구적 규범

③ 투입 – 과정 – 산출 모형

(2) 내용

① 기본가설: 학교에서 학생의 학업성취 차이는 학교사회 체제에서 파생하는 사회적·문화적 특성과 함수관계가 있다.

② 구성요소

투입변인	㉠ 학생집단특성, ㉡ 교직원(교장, 교사, 행정직원) 배경
과정변인	㉠ 학교의 사회적 구조 예, 학교에 대한 교사의 만족도, 학부모 참여도, 교장의 수업지도 관심도 등 ㉡ 학교의 사회적 풍토 예, 학생, 교사, 교장의 학교에 대한 기대지각, 평가
산출변인	학습효과 예, 성적, 자아개념, 자신감 등

③ 결론: 학교의 과정변인이 학습효과의 차이에 크게 영향을 준다. ⇨ 학생의 학습행동이나 결과의 차이는 학교의 사회적 체제에서 연유되며, 이는 학교의 학생구성과 인적 배경의 특성이 영향이 크다.

5. 호이와 미스켈(Hoy & Miskel)의 학교사회체제모형(2008) 21. 국가직 7급

(1) 겟젤스와 구바(Getzels & Guba, 1957) 모형을 정교화함.

(2) **학교는 개방체제에 해당**: 조직이 환경과 개방적인 상호작용 속에서 투입을 산출물로 전환시켜 환경으로 내보내고 피드백 과정을 통해 생존발전함.

(3) **투입 - 전환(변형과정) - 산출로 학교조직 안의 현상을 이해**
① 투입: 예 교직원의 능력, 학생의 능력, 학교예산 및 시설, 외부지원
② 산출: 예 학업성취도, 진학률, 징계학생비율, 학교생활만족도
③ 전환: 구조, 문화, 정치, 개인, 교수-학습 등의 하위체제로 구성

구조체제	조직의 목적달성과 행정과업의 성취를 위해 설계되고 조직된 공식적 기대 예 학교규정
문화체제	조직구성원들이 공유하는 공통의 지향성 예 학교 교사 간에 형성되는 공유가치, 규범, 인식 등
정치체제	조직 내의 권위와 권력의 관계 예 교장과 교사의 관계, 교사와 학생의 관계, 교원과 학부모의 관계
개인체제	조직구성원 각자의 개인적 욕구, 신념, 맡은 바 직무에 대한 인지적 이해를 예 교사 개개인의 욕구, 목적, 신념, 인지
교수·학습	교수·학습 및 평가방법 예 수준별 수업, 자기주도적 학습, 수행평가

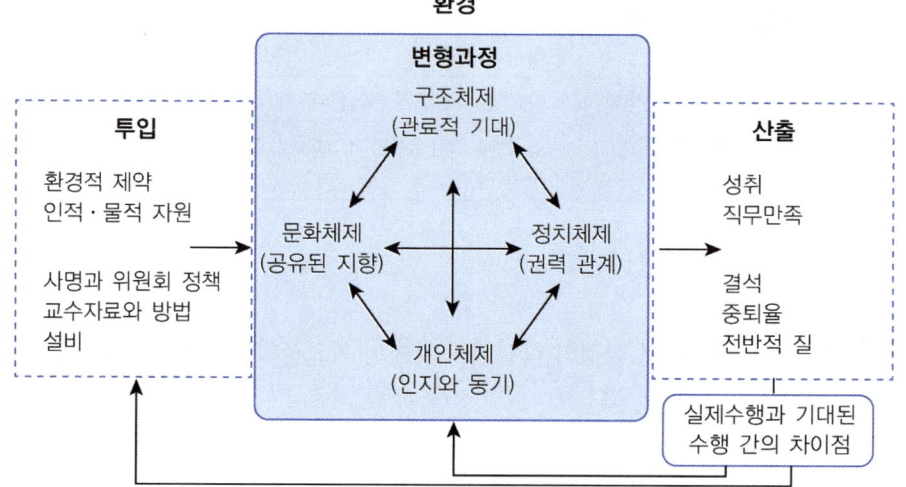

5 사회과정(Social Process)이론 : 사회체제이론

1. 개관

(1) 대표적인 체제이론 중의 하나이다.

(2) 사회체제를 개인들의 집합으로 이루어진 사회적 단위로 보고 사회체제 속에서 인간이 어떠한 행동을 보이는가에 대한 연구이다.
   ① 사회체제 내의 인간의 행동은 역할(R)과 인성(P)의 상호작용이다.
   ② 조직적 차원(역할과 역할기대)과 심리적 차원(인성과 욕구 성향)의 조화를 도모한다.

(3) **대표자**: 겟젤스(Getzels)와 구바(Guba), 호이(Hoy)와 미스켈(Miskel)

(4) **교육행정에의 적용**
   ① 학교조직을 사회체제로, 교육행정을 사회과정으로 보고, 그 사회체제 내에서 이루어지는 사회적 행정에 관한 일반적인 개념모형이다.
   ② 모든 교육조직은 교육과 관련된 특정한 목표를 가지고 있고, 그 목표를 달성하기 위하여 구성원들이 상호작용하는 하나의 제도화된 사회체제이다.

2. 내용 13. 지방직, 09. 서울

역할(role)과 인성(personality)의 상호작용모형

(1) 사회체제 내에서의 인간의 행동은 역할과 인성의 상호작용이다. ⇨ $B = f(R \cdot P)$

(2) **레빈(Lewin)의 집단역동이론에서 착안**: $B = f(P \cdot E)$ *P: Person, E: Environment

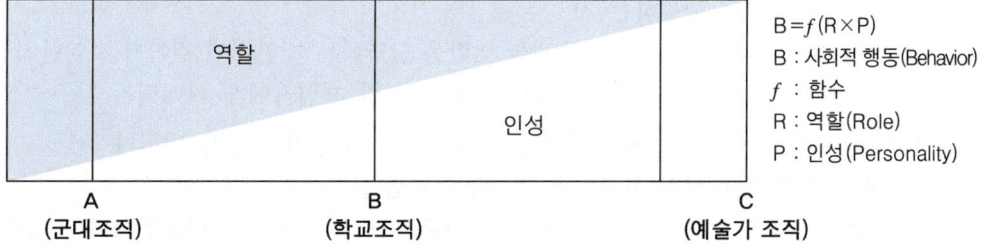

(3) **역할과 인성의 상호작용은 집단의 성격에 따라 다르다.**
   ⇨ 군대조직($R > P$), 예술가조직($R < P$), 학교조직($R ≒ P$)
   ① 학교조직은 학교의 특성이나 풍토에 따라 그 위치점이 조금씩 다르기는 하나 일반적으로 양극단에서 중간쯤에 위치하는 조직에 해당한다.
   ② 학교조직도 위기 시에는 역할을, 안정기에는 인성을 더 강화하는 쪽으로 가까워질 가능성이 높다.

(4) **조직의 지도성 유형**: 규범적 지도성(역할 중시), 인간적 지도성(인성 중시), 절충적 지도성(상황에 따라 역할과 인성을 조화)

3. 겟젤스(Getzels)와 구바(Guba)의 사회과정모형

(1) **기본원리**: 조직 안에서의 인간행동을 분석하는 이론

① **사회체제**: 개인들의 집합으로 이루어진 사회적 단위 ⇨ 체제의 목표를 달성하기 위하여 규정된 역할과 기대 및 그들을 조직화한 제도, 고유의 인성을 가지고 제도에 의해 규정된 역할을 수행하는 구성원(개인)들로 구성

② 사회체제 속에서의 인간의 행동은 사회적 조건들(규범적 차원)과 개인의 심리적 특성(개인적 차원) 간의 사회적 상호작용의 결과로 나타난다.

③ 규범적 차원(조직적 차원)은 조직 내의 역할과 역할기대에, 개인적 차원(심리적 차원)은 개인의 인성과 욕구에 강조점이 있다.

(2) **모형도**

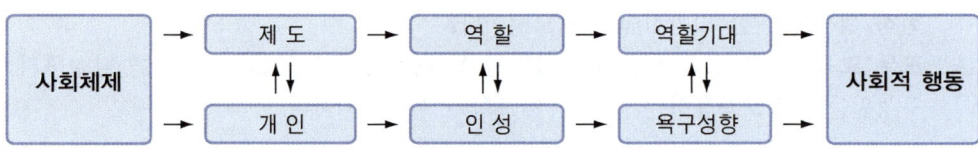

① **규범적 차원**: 제도, 역할, 역할기대 등 사회체제의 조직적 측면을 말한다.
  ㉠ **제도**: 사회체제가 지닌 목적달성을 위해 사람들로 하여금 분화된 과업을 수행하도록 역할을 조직화한 것
  ㉡ **역할**: 제도 속에 규정된 지위에 부여된 행동적 기대 ⇨ 지위나 임무에 따라 권리와 의무의 범위 내에서 행동하는 것
  ㉢ **역할기대**: 사회체제 속에서 특정한 역할을 담당하는 개인에게 주어지는 일반적인 기대 ⇨ 행동에 따른 권리, 의무, 특전, 책무 등 역할 책임자에게 기대되는 것

② **개인적 차원**: 개인, 인성, 욕구성향 등 사회체제의 심리적 측면을 말한다.
  ㉠ **개인**: 독특한 감정과 욕구, 사고를 가진 사람들
  ㉡ **인성**: 성격과 비슷한 말로, 개인에게 비교적 오래 계속되는 행동방식이나 경향
  ㉢ **욕구성향**: 필요한 무엇인가를 충족하려는 경향

③ 사회체제 속에서의 개인의 행동을 이해하기 위해서는 규범적 차원과 개인적 차원을 모두 고려해야 한다.

④ 사회적 행동을 결정짓는 요인은 역할과 인성이다.

⑤ 사회적 행동을 결정하는 조직적 측면은 제도, 역할, 역할기대이며, 개인적 측면은 개인, 인성, 욕구성향이다.

4. 겟젤스(Getzels)와 셀렌(Thelen)의 수정모형

(1) **개요**
① 겟젤스(Getzels)와 구바(Guba) 모형의 단점을 보완한 모형: 인간의 행동은 단순히 조직과 개인의 차원에서만 이루어지는 것이 아니라 전체 사회, 문화, 집단심리 등 보다 복잡한 차원과 관련된 사회적 상호작용에 의해 이루어진다.
② Getzels & Guba 모형에 인류학적·사회심리학적·생물학적 차원을 추가하여 다양한 인간의 사회적 행동을 설명하고 있다.

(2) **모형도**

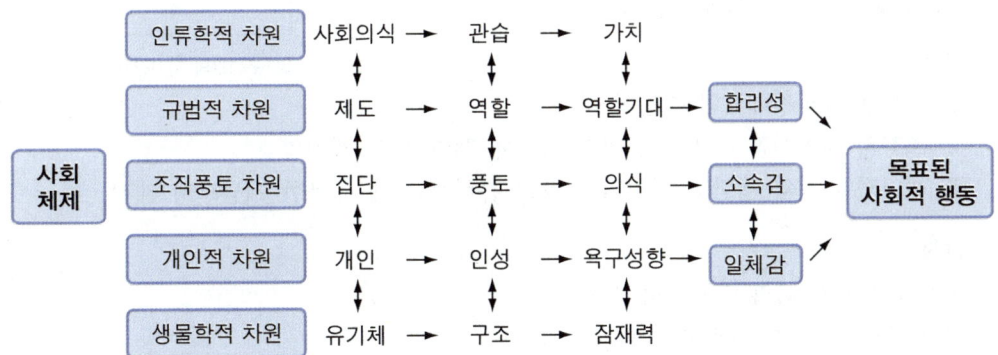

① 인류학적 차원(가치차원): 지역사회의 차원을 포함
   ㉠ 사회가 여러 가지 제도들의 조직으로 구성된 점에 주목한 결과이다.
   ㉡ 한 제도 속에 속한 개인의 행동은 보다 큰 차원의 사회의식에 영향을 받는다.
   ㉢ **사회의식**: 한 개인이 속한 집단과 관련을 맺고 있는 보다 큰 사회체제의 문화
   ㉣ 문화는 관습과 가치체계를 포함
② 조직풍토 차원(사회심리학적 차원)
   ㉠ 역할과 인성의 상호작용이 상황에 의존한다는 점에 주목: 역할과 인성은 상황이 적절할 때 극대화된다.
   ㉡ 어떤 조직이든 특수한 조직풍토나 집단의식이 존재하며, 이들에 따라 개인의 사회적 행동이 다양하게 나타난다.
③ 생물학적 차원
   ㉠ 한 개인은 심리학적 관심의 대상이며 동시에 생물학적 관심의 대상이 될 수 있다는 점에 주목 예 학생의 물리적·정서적 조건과 상태(온도, 조명, 기후, 날씨 등)가 학습에 영향을 준다.
   ㉡ 유기체로서의 인간의 신체구조와 내적 잠재력이 개인의 인성과 욕구성향에 영향을 주고 사회적 행동에까지 영향을 준다.

④ 개인의 행동이 목표된 사회적 행동으로 나타나기 위한 조건: 구성원의 사기진작 요인으로서 합리성, 소속감, 일체감 제시
  ㉠ 합리성(rationality): 역할기대와 제도적 목표가 부합되는 것
  ㉡ 소속감(belongingness): 역할기대와 개인의 욕구성향을 동시에 만족시키는 정도
  ㉢ 일체감(identification): 제도적 목표에 자신의 욕구성향을 통합하는 정도

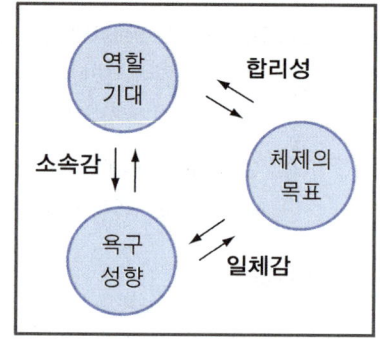

▲ 구성원의 사기진작 요인

5. 사회과정이론의 교육적 의의와 한계

(1) **교육적 의의**
  ① 교육행정 과정에서의 복잡성 강조
  ② 조직의 비공식적 측면과 공식적 측면에 대한 분석 체계화
  ③ 개인적 가치와 집단적 가치의 관계를 분석하는 데 유용한 개념모형 제시

(2) **한계**
  ① 기본적으로 폐쇄적 모형에 입각
  ② 행동주의적이고 실증주의적인 관점

6 체제이론의 대안적 관점

1. 개요

(1) 체제이론을 중심으로 한 실증주의적 관점에 대한 비판을 통해 제기된 다양한 관점을 총칭한다.

(2) 전통적인 사회과학적 방법과 합리성에 대한 의문을 제기하고 주관성, 불확실성, 비합리성 등을 교육행정 현상의 분석을 위한 주요 개념으로 설정한다.

(3) 해석적 관점과 급진적 관점이 있다.

2. 특징

(1) 전통적인 과학의 가정과 방법에 대해 의문을 제기한다.

(2) 전통적인 과학의 객관성, 인과성, 합리성, 물질적인 실재, 사회과학적인 탐구방식의 보편적인 규칙 등을 반대한다.

(3) 주관성, 비결정성, 비합리적·개인적 해석 등을 제안한다.

(4) 중립적인 관찰보다 감정에 대한 신뢰를 중시한다.

(5) 객관주의보다 상대주의를 추구한다.

(6) 통일성보다 단편성을 선호하며 규칙성보다 조직의 독특성을 선호한다.

3. 유형

(1) **해석적 관점**(interpretive paradigm)

① 그린필드(Greenfield)의 「학교조직 이론에 있어 논리실증주의 연구의 비판」(1974)이라는 논문에서 비롯되었다.
  ㉠ 조직은 객관적인 실체가 아니고, 인간에 의해 창조되고 의미가 부여된 사회문화적 가공물이기에 가설연역적 체제나 통계적 방법으로는 이해될 수 없다.
  ㉡ 조직을 인간의 주관적인 의미구성체로 보고 교육행정 현상을 연구하는 새로운 패러다임, 즉 교육행정의 현상학적 접근방식을 주장하였다.

② 조직의 구조와 역동성을 설명하거나 예측하려 하지 않고, 질적 연구방법을 통해 특수한 상황을 해석하고 이해하고자 한다.

③ 과학적 방법을 통해 법칙을 정립하기보다는 합리적인 사고와 간주관적 해석을 통해 해석을 이해하는 것이 근본목적이다.

④ 조직 내 구성원들의 주관적인 의미 파악에 주력하기 때문에 객관성과 일반화의 문제가 항상 수반된다.

(2) **급진적 관점**(radical paradigm)

① 네오마르크시즘(Neo-Marxism)의 영향하에 발전된 이론으로, 조직의 비합리적이고 특수한 측면, 주변적이고 소외된 측면에 초점을 맞추어 조직문제를 탐구한다.

② 해석적 관점과 유사하지만 좀 더 객관적인 탐구를 한다는 점에서 다르다.

③ 포스트모더니즘(postmodernism), 비판이론, 페미니즘(feminism) 등이 이에 해당한다.

포스트모더니즘 (postmodernism)	• 모더니즘 사상의 바탕이 되는 이성과 진리, 합리성과 절대성을 비판하고 기존 것들의 해체(destruction)와 상대성, 다양성, 탈정전성을 표방함으로써, 현대 사회과학적 지식을 해체하고자 한다. • 교육행정 현상을 설명하기 위한 합리적이고 과학적인 기존의 연구 패러다임들에 대해 회의적이고 비판적이다.
비판이론 (critical theory)	• 비판을 통해 신비화된 허위의식을 파헤치고 새로운 변화를 모색하려는 경향이다. • 현대 조직들이 지배계급의 이익을 위해 어떤 기능을 하는지를 드러냄으로써 사회적 실재를 해체하려고 한다. • 포스트모더니즘의 비판과 해체적 관점을 넘어 인간의 소외와 억압, 불평등을 야기하는 사회구조 및 조직을 변혁하고자 한다.
페미니즘(feminism)	• 현대의 조직이 남성문화의 산물(예, 순응, 권위에 대한 복종, 충성, 경쟁, 공격성, 효율성 등 강조)이며, 그에 편향되어 있다는 점을 비판한다. • 기존의 조직사회를 주어진 것으로 보고 그 사회에서 여성의 역할을 부각시키려는 자유주의적 관점과 기존의 관료제적인 구조를 다른 조직체제로 변혁시키려는 급진주의적 관점이 있다.

7 의사결정(decision-making)이론

1. 개관

(1) 의사결정은 행정가가 수행해야 할 가장 중요한 행정 과정 중의 하나

(2) **의사결정**(decision-making): 어떤 문제해결과 관련하여 여러 가지 대안 중 한 가지 대안을 선택하는 과정 또는 미래의 행동방안을 선택·결정하는 행위
  ① 행정상황에 있어서 어떤 문제가 제기되었을 때 그 문제를 행정적으로 공식화하기 앞서서 여러 가지 대안을 가지고 선택하는 일련의 활동
  ② 과학적(합리적) 문제해결 과정이다(Griffiths).

(3) **대표자**: 일반행정 분야 ⇨ 사이먼(Simon), 교육행정 분야 ⇨ 그리피스(Griffiths)

> **더 알아보기**
>
> **의사결정을 보는 네 가지 관점**
> 1. **합리적 관점**: 합리적 판단으로서의 의사결정, 중앙집권적 조직에 적합한 의사결정 ⇨ 합리성에 대한 절대적 믿음하에 모든 선택과 의사결정에는 가장 최적의 존재방식이 존재한다고 가정하여, 수많은 대안 중 최적의 대안을 선택한다.
> 2. **참여적 관점**: 참여로서의 의사결정, 전문적 조직에 적합한 의사결정 ⇨ 공동의 가치에 대한 인식, 전문가의 식견에 대한 신뢰, 관련자 등의 합리성에 대한 신뢰 등의 전제와 토대 위에서 의사결정이 이루어지고, 합리적인 이성적 판단보다는 관련 당사자 간의 논의를 통한 합의의 결과를 중시한다.
> 3. **정치적 관점**: 타협으로서의 의사결정, 항상 갈등이 존재하고 협상과 타협이 기본적 규칙으로 되어 있는 조직에 적합한 의사결정 ⇨ 조직에 대하여 영향력을 행사하는 수많은 이익집단의 존재를 전제하고, 이러한 이해집단 간의 타협의 결과가 의사결정이라고 본다. 이익집단은 이질적인 목표를 지향하고 있고, 폐쇄체제가 아닌 개방체제를 가정하고 있다.
> 4. **우연적 관점**: 우연적 선택으로서의 의사결정, 조직화된 무질서로 비유되는 조직에 적합한 의사결정 ⇨ 의사결정이 필연적 결과와는 무관한 수많은 요소가 우연히 동시에 한곳에 모일 때 결정된다고 본다.
>
> **네 가지 관점의 비교**
>
> | 구분 | 합리적 관점 24. 지방직 | 참여적 관점 23. 지방직 | 정치적 관점 | 우연적 관점 |
> | --- | --- | --- | --- | --- |
> | 중심 개념 | 목표달성을 극대화하는 선택 | 합의에 의한 선택 | 협상에 의한 선택 | 우연에 의한 선택 |
> | 목적 | 조직목표 달성 | 조직목표 달성 | 이해집단의 목표 달성 | 상징적 의미 |
> | 적합한 조직형태 | 관료제, 중앙집권적 조직 | 전문적 조직 | 다수의 이익집단이 존재 & 협상가능 조직 | 조직화된 무질서 조직 |
> | 조직환경 | 폐쇄체제 | 폐쇄체제 | 개방체제 | 개방체제 |
> | 특징 | 규범적 | 규범적 | 기술적 | 기술적 |

2. 의사결정의 유형

(1) 정형적 · 비정형적 의사결정: 의사결정 사안의 예측성 여부에 따른 구분

① 정형적 의사결정(programmed decision): 반복적 · 일상적 문제에 대한 의사결정
  - **예** • 표준화된 업무수행 절차에 관한 결정
  - • 입학식, 체육대회, 졸업식 등 학교 연중계획표에 의한 행사

② 비정형적 의사결정(non-programmed decision): 비구조적 · 불확실한 상황에 대한 의사결정
  ⇨ 의사결정에 작용하는 변수들이 일정하지 않아서 계량화하기 어렵다.
  - **예** 교원의 정년을 단축하는 일, 소규모 학교의 통폐합, 학급에서의 예기치 못한 도난사고 등

(2) 참여적 의사결정

① 학교경영에 있어서 의사결정 과정에 교사들의 참여의 폭을 높이려는 노력
② 의사결정의 민주성을 확보하는 결정적 요인

(3) 단독결정과 집단결정

① 단독결정: 관리자 개인 또는 극히 소수에 의한 의사결정 ⇨ 신속한 결정을 요할 때, 결정에 따른 이의나 논쟁이 없을 때, 결정에 비밀을 요할 때 실시
② 집단결정: 결정의 내용과 관련된 사람들이나 전문가들을 참여시켜 의사결정 ⇨ 위원회의 성격 활용 결정, 신속하진 않지만 충분한 논의를 통해 집단의 수용성이 높은 결정 유도, 집단의 응집력 강화, 집단의 획일성(집단사고 증후군) 유발 가능성

3. 의사결정모형(정책결정모형): 산출지향적 이론모형 11. 광주, 05. 국가직 · 경북, 04. 경기

> **의사결정모형의 비교**
> - **규범적 · 이상적 접근모형**: 합리적 모형
> - **현실적 · 실증적 접근모형**: 만족화 모형, 점증적 모형, 혼합모형, 최적화 모형, 쓰레기통 모형

(1) 합리적 모형(Rational Model)

① 목표 달성을 위해 모든 대안을 탐색 후 최선의 대안을 찾는 모형
② 의의: 규범적 · 이상적 · 연역적 모형 ⇨ 정형적 의사결정모형
③ 기준: 완전한 경제적 합리성(정책 결정자: 전지전능, 모든 자원 구비) ⇨ 매몰비용 무시, 비용−편익 분석을 통해 완전한 합리성 추구
④ 과정: 문제 확인 ⇨ 목적과 세부목표 선정 ⇨ 모든 가능한 대안 작성 ⇨ 각 대안에 대한 결과 검토(계량적 기법 **예** MIS) ⇨ 모든 대안을 목적과 목표에 의해서 평가 ⇨ 최선의 대안 선택 ⇨ 결정한 사항을 시행하고 평가
⑤ 비판
  ⊙ 목표가 유동적이고, 인간능력의 한계 때문에 현실적으로 실현 불가능
  ⓒ 현실적인 측면보다 논리적인 당위성만을 강조함(인간의 심리적 요인보다 객관성만을 중시함)으로써 구성원들이 수용하기 어려운 대안을 선택할 수도 있다.

(2) **만족화 모형**(Satisfying Model) 22. 국가직, 11. 인천
① 개념 : Simon, March 등이 제시한 현실적·실증적·귀납적 모형
② 최적의 대안보다는 현실적으로 만족할 만한 해결책을 찾는 모형 ⇨ 인간은 능력의 한계 때문에 최적의 대안을 선택할 수 없으며, 현실적으로 만족스러운 대안에 머무를 수밖에 없다.
③ 기준 : 제한된 합리성, 주관적 합리성, 행정적 합리성 ⇨ 만족수준에서 결정
④ 의사결정자의 사회·심리학적 측면 중시
⑤ 비판점
  ㉠ 만족기준이 불일치한다. ⇨ 주관적·보수주의적 모형
  ㉡ 쇄신적·창의적 대안탐색활동을 기대하기 힘들다.

(3) **점증적 모형**(Incremental Model) 14. 지방직, 10. 경북, 09. 국가직 7급
① 개념 : Lindblom과 Wildavsky가 제시, 미국 다원주의 사회의 정책결정 과정 분석 모형 ⇨ 현실적·실증적 접근
② 기준 : 제한된 합리화, 정치적 합리성 ⇨ 제한적·계속적 비교 접근(기존정책 기준으로 한정된 대안 검토, 선택), 매몰비용 고려
③ 특징
  ㉠ 합리적 모형의 비현실성을 비판하며 등장
  ㉡ 기존상황과 유사한 소수의 대안을 각각의 결정과 비교하는 의사결정방식이다. ⇨ 문제가 불확실하고 구성원 간의 갈등이 커 대안의 개발이 어렵고 결과 예측이 어려운 경우
  ㉢ 기존정책보다 약간 개선된 대안을 선택한다. ⇨ 경제적 합리성뿐만 아니라 정치적 합리성도 고려하여 결정한다.
  ㉣ 적극적 선(善)의 추구보다는 소극적 악(惡)의 제거에 관심을 갖는다.
④ 비판점
  ㉠ 보수적 성격을 띠어 혁신이 요구되는 사회에는 부적절하다.
  ㉡ 결정에 있어 장기적인 것은 등한시하게 된다.
  ㉢ 기존정책이 부재한 개도국에는 적용이 불가능하다.

(4) **혼합모형**
① 개념 : Etzioni가 제시, 복잡하고 불확실한 상황에 접근해 가는 의사결정방식 ⇨ 제3의 모형
② 대안 구분이 어렵고 결과 예측이 어려운 경우, 조직의 정책과 일관된 만족스러운 대안 선정
③ 합리적 모형(정형적 문제, 장기전략) + 점증적 모형(비정형적 문제, 단기전략)
④ 기준 : 기본적 결정은 합리적 모형, 부분적 결정은 점증모형 ⇨ 기본적 결정 내 점증적 결정, 상황이 급변하면 새로운 기본적 결정으로 전환
⑤ 특징
  ㉠ 사회지도체제에 대한 조직원칙으로까지 발전된다.
  ㉡ 장기적·단기적 변화를 동시에 이룰 수 있다.
  ㉢ 이론적 독자성이 없다 : 새로운 모형이 아니라 절충·혼합 모형에 불과하다.

(5) **최적화 모형**(Optimal Model) 23. 국가직 7급

① 개념: Dror가 제시, 만족화 모형과 점증적 모형의 타성적 특성에 대한 반발로 등장 ⇨ 규범적 최적화 모형
  ㉠ **최적(最適)**: 주어진 목표에 도움이 되는 가장 알맞은 모형
  ㉡ **기준**: 합리성(경제성을 감안한 합리성), 초합리성(직관, 판단력, 창의력) ⇨ 계속적 검토, 평가, 환류를 통해 최적수준 향상
② 만족화 모형과 점증적 모형의 한계 극복 방안으로 제시 ⇨ 합리모형 + 점증모형 추구
③ 직관, 비판, 창의성과 같은 초합리성을 중요시
④ 비정형적 의사결정모형, 질적 모형, 환류(feedback) 중시 ⇨ 체제적 접근 모형
⑤ 의사결정 과정: 초정책결정 단계 ⇨ 정책결정 단계 ⇨ 후정책결정 단계 ⇨ 의사전달과 환류 단계

투입	정책결정 전 단계(초결정 단계) (meta-policy-making stage)	• 정책결정에 관한 정책결정을 하는 단계 • 가치처리 ⇨ 사실처리 ⇨ 문제처리 ⇨ 자원의 조사·처리 및 개발 ⇨ 정책결정체제의 정립 ⇨ 문제, 가치 및 자원의 배분 ⇨ 정책결정의 전략 확정
변환	정책결정 단계 (policy-making stage)	목적설정 ⇨ 자원목록의 작성 ⇨ 대안작성 ⇨ 각 대안의 효과 및 비용예측 ⇨ 각 대안의 가능성 추정 ⇨ 가능한 대안의 비교 ⇨ 최적안의 평가 및 선정
산출	정책결정 이후 단계(후결정 단계) (post-policy-making stage)	정책시행의 추진 ⇨ 정책시행 ⇨ 정책시행의 평가
환류	의사전달과 환류 단계(feedback)	모든 과정을 상호연결하고 조정하는 과정

⑥ 비판: 이상적 모형, 엘리트 집단에 의한 비민주적 결정

(6) **쓰레기통 모형**(비합리적 의사결정, Garbage Can Model) 24. 국가직 7급, 20·14. 국가직

① 개념: Cohen, March, Olsen 등이 제시, 불확실성이 매우 높은 조직에서 발생하는 의사결정 모형, 예측 불가능 속에서의 집단적 결정 ⇨ 불분명한 선호(목표)에 의한 행동, 방법의 불명확성, 일시적 참여
② '조직화된 혼란상태(무질서)'를 전제로 한 모형
③ 문제의 우연한 해결 ⇨ 문제, 해결책, 선택기회, 참여자 등 네 요소의 흐름이 서로 다른 시간에 통(can) 안으로 들어와 우연히 동시에 한곳에서 모여질 때 결정이 이루어진다.
  예 진빼기 결정(choice by flight), 날치기 통과(choice by oversight)

> **더 알아보기**
>
> **데이터 기반 의사결정**(DDDM; Data-Driven Decision Making)
> 1. **개념**: 의사결정 과정에서 경험적 데이터와 분석을 활용, 최선의 결정을 내리는 접근 방법
>   ⚡ **데이터기반행정** 공공기관이 생성하거나 다른 공공기관 및 법인·단체 등으로부터 취득하여 관리하고 있는 데이터를 수집·저장·가공·분석·표현하는 등(이하 "분석 등"이라 한다)의 방법으로 정책 수립 및 의사결정에 활용함으로써 객관적이고 과학적으로 수행하는 행정(「데이터기반 행정법」제2조)
> 2. **특징**: ① 객관성(주관적·직관적 판단 최소화), ② 효율성(빠르고 정확한 의사결정), ③ 투명성(명확하고 추적 가능한 의사결정), ④ 지속적 개선(데이터 분석을 통한 지속적 피드백과 개선), ⑤ 성과 측정 및 평가

3. **적용 사례**: ① 교육정책 수립, ② 효율적인 학교운영(예, 출석률, 학업성취도 활용), ③ 교수학습방법 개선(예, 학생들의 학습패턴 분석, 맞춤형 교육 제공), ④ 자원(예, 예산, 인력 등)의 효율적 배분

4. **대표적 학자**
   ① 번하트(V. L. Bernhardt): 데이터 분석을 통해 학교 운영 전반의 지속적 개선 강조
   ② 앤더슨(C. Anderson): 조직 전체의 데이터 문화 구축 및 데이터 기반의 의사결정 구조 강조
   ③ 맨디나치(E. B. Mandinach): 관리자와 교사들의 데이터 활용 능력 배양 강조

의사결정모형의 비교 22. 국가직

의사결정모형	주창자	내용	특징
합리적 (이상적) 모형	리츠(Reitz)	• 모든 대안 중 '최선의 대안' 모색 ⇨ 고전적 모형(classical model) • 정책 결정자의 전능성(全能性), 최적 대안의 합리적 선택, 목표의 극대화, 합리적 경제인 전제	• 객관적 합리성 추구 • 정형적 문제해결에만 적용 • 비정형적 문제해결에는 현실적으로 실현 불가능(비현실적) • 경제적 합리성 • 전체주의 체제에 적합
만족화 모형	• 사이먼(Simon) • 마치(March)	현실적으로 만족할 만한 해결책 선택	• 주관적 합리성 추구 • 제한된 합리성(bounded rationality), 행정적 합리성 • 보수적 모형
점증적 모형	• 린드블롬(Lindblom) • 윌다브스키(Wildavsky)	• 다원적이고 합의지향적 민주사회의 의사결정모형 • 기존정책보다 약간 개선된(점증된) 대안 선택	• 소극적 악의 제거 추구 • 정치적 합리성 • 보수적 모형 • 민주주의 체제에 적합
혼합(관조)모형 (제3의 모형)	에치오니(Etzioni)	합리적 모형(정형적 문제 / 장기전략 / 기본방향 설정) + 점증적 모형(비정형적 문제 / 단기전략 / 세부적인 결정)	• 이론적 독자성이 없다. • 합리성 + 실용성 • 자율 사회체제에 적합
최적화 모형	드로어(Dror)	• 만족화 모형과 점증적 모형의 한계 보완 • 합리적 모형 + 점증적 모형: 합리적 모형에 근접 • 주어진 목표에 가장 알맞은 모형 선택 ⇨ 규범적 최적화 지향	• 초합리성 중시(엘리트의 영감, 비전 중시) ⇨ 혁신적 정책결정의 이론적 근거 마련 • 체제적 접근 모형 • 유토피아적 모형 • 혁신적 사회체제에 적합
쓰레기통 모형	• 코헨(Cohen) • 마치(March) • 올센(Olsen)	• 문제의 우연한 해결 • 문제, 해결책, 선택기회, 참여자의 흐름의 우연한 조합으로 해결	• 비합리적 의사결정모형 • 조직화된 무질서를 전제

4. 의사결정의 참여모형

(1) **개념**

① 의사결정 과정에서 논란이 되는 것은 참여의 문제이다.

② 의사결정의 참여모형이란, 의사결정 과정에서 누구를 어떤 목적을 가지고 어떤 방식으로 참여시켜야 바람직한가를 밝히는 것을 말한다.

(2) 브리지스(Bridges)의 참여적 의사결정 16. 국가직 7급

① 의사결정에 구성원을 참여시키는 기준을 제시

② 참여의 문제는 어떤 문제에 대한 행정가의 의사결정이 조직구성원들에 의해 기꺼이 받아들여지는 수용영역(zone of acceptance) 안에 있느냐 아니면 수용영역 밖에 있느냐와 밀접한 관련이 있다.
  ㉠ 수용영역 안에 있는 사항인 경우: 구성원들을 의사결정에 참여시키지 않는 것이 효과적이다.
  ㉡ 수용영역 밖에 있는 사항인 경우: 구성원들을 의사결정에 참여시키는 것이 효과적이다.

③ 의사결정 수용영역의 연속선

		수용영역		
수용 안 됨.	회색영역	약간 관심	의문 없이 받아들일 수 있음.	높게 수용될 수 있음.

  ㉠ 수용영역: 상급자의 의사결정에 대해 조직구성원들이 기꺼이 받아들이는 영역
  ㉡ 회색영역(한계영역): 의사결정이 수용될 수도 있고 수용되지 않을 수도 있는 영역

④ 수용영역 밖에 있을 경우 참여허용의 기준
  ㉠ 적절성(test of relevance, 개인적 이해관계): 의사결정 결과에 대해 구성원이 개인적 이해관계를 가지고 있느냐에 대한 검증
  ㉡ 전문성(test of expertise, 기여 가능성): 의사결정 과정에서 구성원이 유익한 공헌을 할 수 있는 전문성을 지녔는가에 대한 검증

⑤ 상황에 따른 참여적 의사결정의 유형

구분	상황	참여적 의사결정의 유형
수용영역 밖(외부)	적절성 ○, 전문성 ○	구성원을 자주 참여시킨다. ⇨ 의회주의형 의사결정
수용영역의 한계영역(marginal conditions)	적절성 ○, 전문성 ×	구성원을 제한적으로 참여시킨다(참여시키는 목적은 이해를 구하고, 설득·합의를 도출하여 저항을 최소화하기 위함이다). ⇨ 민주적 접근형 의사결정
	적절성 ×, 전문성 ○	구성원을 제한적으로 참여시킨다(참여시키는 목적은 질 높은 아이디어나 정보를 얻기 위함이다). ⇨ 민주적 접근형 의사결정
수용영역 안(내부)	적절성 ×, 전문성 ×	구성원을 참여시킬 필요가 없다.

  ㉠ 의회주의형 의사결정: 소수 의견까지도 존중하는 의사결정 유형
  ㉡ 민주적 접근형 의사결정: 문제해결·조정·통합·합의 도출 및 저항을 최소화하기 위한 의사결정 유형 ⇨ 다수결에 의한 결정

(3) 호이와 타터(W. K. Hoy & C. J. Tarter)의 참여적 의사결정의 규범모형

① 개요
  ㉠ 학교장은 특정 사안에 대한 교사의 관련성(이해관계)과 전문성을 확인하여 해당 교사가 속한 수용영역(zone of acceptance)을 판단한다: 수용영역 밖(완전 참여), 수용영역 안(완전 배제), 한계영역(전문성 한계영역, 관련성 한계영역 ⇨ 부분 참여)
  ㉡ 완전 참여(수용영역 밖)의 경우에는 교사의 신뢰수준(test of trust)을 고려하여 의사결정에 대한 교사의 참여 정도를 다르게 결정한다.

② 학교장의 역할, 기능 및 목표

역할	기능	목표
통합자(integrator)	각기 다른 다양한 입장을 통합	일치된 의견을 얻는다.
의원(parliamentarian, 협의자)	공개토론(개방적 논의)을 조성	반성적 집단 숙고를 지지한다.
교육자(educator)	쟁점을 설명하고 논의	결정의 수용을 추구한다.
간청자(solicitor, 권유자)	충고를 구함(자문 요청).	결정의 질을 개선한다.
지도자(director, 지시자)	단독적(일방적) 결정을 행함.	효율성을 성취한다.

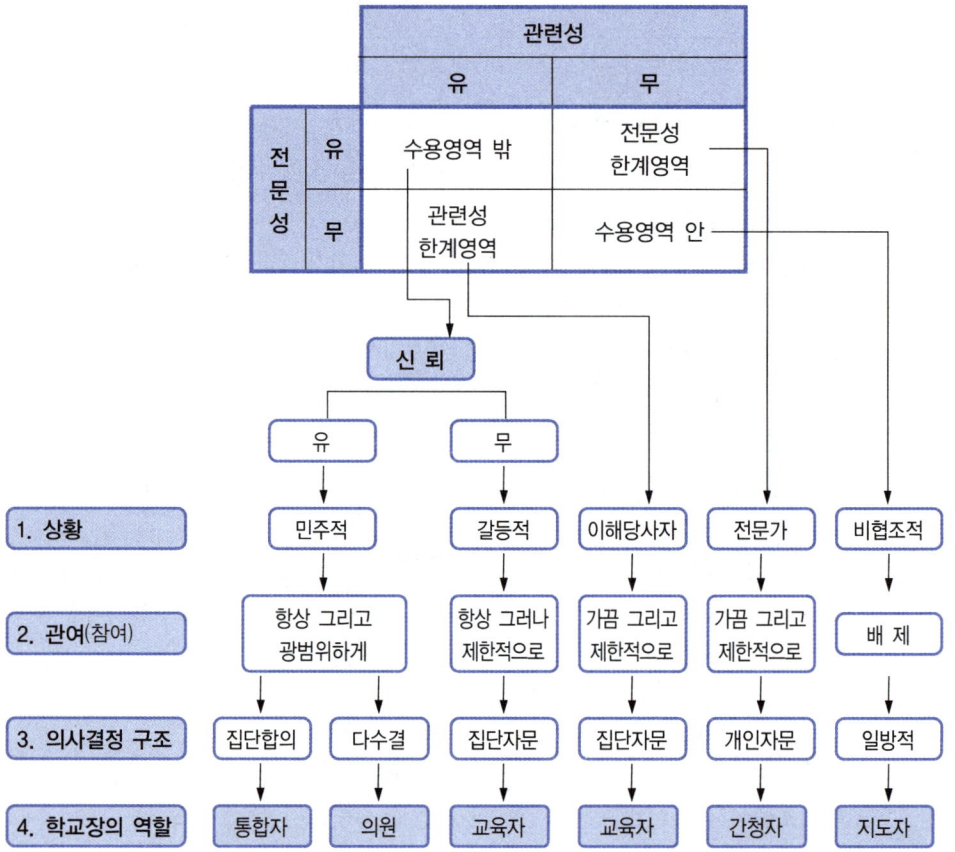

8 지도성(leadership) 이론 12. 국가직, 06. 경기, 05. 경기·경북·강원

1. 지도성의 개념

(1) 조직의 목적달성에 적극적으로 참여하도록 구성원에게 영향을 주는 행위

(2) 조직의 목적을 효율적으로 달성하기 위하여 조직구성원의 협동적 노력을 유도·촉진하는 기술 또는 영향력

2. 지도성 이론

> **지도성 이론의 발달 과정**
> - **특성이론**(특질이론): 1930년대 ⇨ 심리학적 접근
> - **행동이론**: 1950년대 ⇨ 행동과학적 접근
> - **상황이론**(상황적 특성론, 우발성이론): 1970년대 ⇨ 사회학적 접근

(1) **특성이론**(trait theory, 특질이론, 위인이론): 심리학적 접근
   ① 초기 지도성 연구의 경향
   ② 지도자는 비지도자와 구별되는 우월한 특성(예. 신체적·심리적·사회적 특성)을 선천적으로 지니고 태어난다는 이론 ⇨ 지도자가 갖추어야 할 특성과 자질에 초점을 둔다.
   ③ **대표자**
      ㉠ 스톡딜(Stogdill), 깁(Gibb): 인성적 특성 중시
      ㉡ 카츠(katz), 칸(Kahn): 업무적 특성 중시 예. 실무적 기술, 인간관계적 기술, 전체 파악적 기술
   ④ **지도자의 특성**(Stogdill): 과업수행에 대한 책임감, 목표 달성에 대한 집요성, 문제해결을 위한 창의성, 특정 상황에서의 선도적 역할, 자신감과 일체감, 의사결정과 실험의 결과에 대한 수용성, 갈등해소 노력, 좌절과 지연에 대한 관용성, 영향력, 사회적 상호작용, 체제 구성력
   ⑤ **비판**
      ㉠ 특성 연구가에 의해 제시된 여러 특성들 간에 공통성이 결여되어 있다.
      ㉡ 특성 간의 우선순위를 결정하기 어렵다.

(2) **행동이론**(지도자 행위론): 행동과학적 접근
   ① 지도자가 어떤 행동을 하느냐를 분석 ⇨ 집단이나 조직의 지도자가 나타내는 행동을 기술
   ② 집단의 상황 내에서 지도자의 구체적인 행위를 관찰·분석하여 지도자들의 행동양식을 유형화
   ③ **대표자**: 레빈(Lewin), 리피트(Lippitt) & 화이트(White) / 핼핀(Halpin) & 위너(Winer) / 타넨바움(Tannenbaum) & 슈미트(Schmidt) / 블레이크(Blake) & 모튼(Mouton)
   ④ **Lewin, Lippitt, White의 지도성 유형 연구**: 지도자 행위 유형(전제형, 민주형, 자유방임형)이 집단의 태도와 생산성에 미치는 영향을 분석 ⇨ 아이오와(Iowa) 대학의 연구

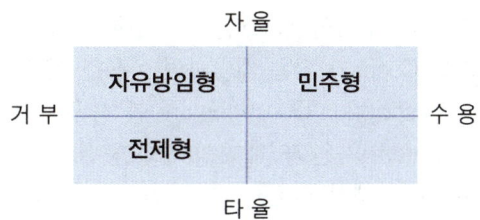

⑤ 타넨바움(Tannenbaum)과 슈미트(Schmidt)의 지도성 유형 연속선
  ㉠ 지도자 특성론과 행위론에 기초하여 지도성 유형 연속선을 제시
  ㉡ 한쪽 끝은 지배자 중심 지도성(전제형), 다른 한쪽 끝은 구성원 중심 지도성(민주형) 그 사이 연속선상에 설명형(지시형, telling) - 판매형(설득형, selling) - 검사형(의사타진형, testing) - 상담형(협의형, consulting) - 참여형(협력형, jointing) 등 5가지 지도성 행위를 구분

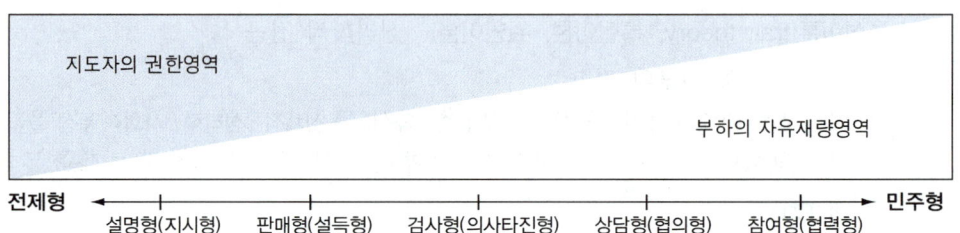

⑥ 리커트(Likert)의 지도성 연구: 직무(생산성) 중심과 종업원(구성원) 중심 유형 ⇨ 미시간(Michigan) 대학 연구
  ㉠ 지도자 유형
    ⓐ 직무 중심 지도자(job-centered leadership): 구성원들의 업무 분담 및 감독, 생산 독려를 위한 유인체제 강구 ⇨ 구성원을 목표 달성의 도구로 이해, 과업 성취를 강조
    ⓑ 종업원 중심 지도자(employee-centered leadership): 구성원의 당면 문제를 인간적 측면에서 해결 시도, 구성원들의 개성이나 개인적 욕구 존중, 인간관계 중시
  ㉡ 연구결과
    ⓐ 고생산부서 지도자 ⇨ 종업원 중심, 저생산부서 지도자 ⇨ 직무 중심
    ⓑ 종업원 중심 지도자가 직무 중심 지도자보다 생산성 향상에 기여한다.

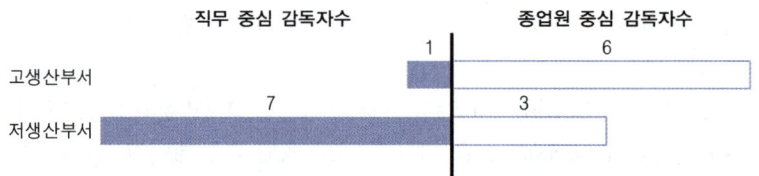

⑦ 핼핀(Halpin)과 위너(Winer)의 지도성 연구: 구조성(과업 중심)과 배려성(인간관계 중심, 인화 중심) 차원 ⇨ 오하이오(Ohio) 주립대학 연구
  ㉠ 연구절차: 집단과 조직의 목표 달성에 영향을 주는 효과적인 지도자의 행위연구
    ⓐ Hemphill & Coons가 처음 개발하여 이용한 지도자 행동기술 질문지(LBDQ: Leader Behavior Description Questionnaire)를 사용 ⇨ 지도자의 행동을 '구조성(과업 중심, Task-Oriented) 차원'과 '배려성(인화 중심, 인간관계 중심, Relationship-Oriented) 차원'으로 구분 제시 11. 경북

> **LBDQ의 내용**: B29 비행기 승무원들 대상으로 한 설문
> "당신이 탑승하는 비행기의 전투승무원을 고른다면 누구를 선정하겠느냐?"

    ⓑ 이 두 차원의 결합에 따라 지도성 유형을 4가지로 분류 ⇨ 인화형, 효율형, 비효율형, 과업형

ⓒ 지도성 유형

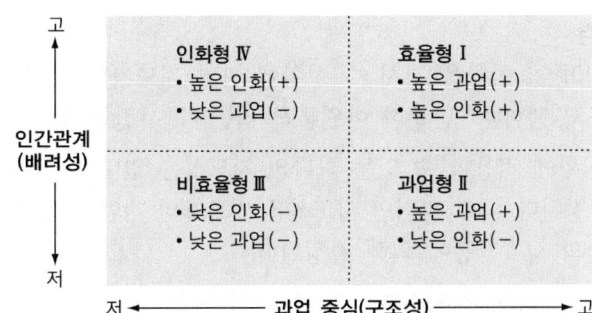

ⓒ 연구결과
ⓐ 가장 효과적인 지도자 유형: 효율형(Ⅰ형, 높은 과업, 높은 인화)
ⓑ 상사는 과업 중심면에, 부하는 인화 중심면에 더 많은 관심을 보이는 경향이 나타난다.

⑧ 블레이크(Blake)와 모튼(Mouton)의 관리망(Managerial Grid) 이론
㉠ 연구절차: 지도자의 성향에 기초하여 관리망 이론 제시
ⓐ Halpin의 과업 중심과 인화 중심 개념 도입 ⇨ 지도자의 성향을 '생산에 대한 관심'과 '인간관계에 대한 관심'으로 구분
ⓑ 생산에 대한 관심은 가로축, 인간관계에 대한 관심은 세로축에 설정: 관심도가 높을수록 큰 수치로 표시 ⇨ 관리망 작성

㉡ 관리망과 지도성 유형: 9-9 > 9-1 > 5-5 > 1-9 > 1-1순으로 바람직
ⓐ 9-9형(팀경영형, 최대형, 통합형) ⇨ 가장 이상적인 지도성 유형
ⓑ 9-1형(과업형, 생산우선형, 권위-복종형)
ⓒ 5-5형(조직인간형, 중간형, 균형형) ⇨ 가장 전형적인 지도성 유형
ⓓ 1-9형(컨트리클럽형, 관계지향형, 사교형)
ⓔ 1-1형(무기력형, 최소형)

(3) **상황이론**(situation theory, 상황적 특성론, 우발성 이론): 사회학적 접근 10. 경남
① 등장배경
㉠ 특성이론: 상황을 경시 ⇨ 상황에 따라 지도자의 특성이 바뀔 수 있다.
㉡ 지도자 행위론: 단순한 이원론적 접근 ⇨ 복잡한 현대 사회에 불충분
② '모든 상황에 적용할 수 있는 하나의 지도성은 없다.'는 전제 ⇨ 지도성은 '상황적 조건'에 의해 결정된다. ⇨ 효과적인 지도성은 지도자의 개인적 특성, 지도자의 행위, 지도성 상황요인들 간의 상호작용에 의해 결정된다.
③ 피들러(Fiedler)의 상황이론 21. 국가직, 11. 국가직
㉠ 지도성의 효과는 지도성 유형과 '상황의 호의성(상황변수, situation's favorableness)'의 결합에 따라 결정된다.
ⓐ 지도자의 동기구조와 지도자의 상황에 대한 통제와 영향력에 따라 결정된다.
ⓑ 상황의 호의성: 상황이 지도자로 하여금 집단에 대하여 통제와 영향력을 행사할 수 있는 정도
㉡ 상황의 3차원: 지도자와 구성원의 관계, 과업구조, 지도자의 지위권력
ⓐ **지도자와 구성원의 관계**(leader-member relation): 지도자가 구성원들에게 기꺼이 수용되고 존경받는 정도
ⓑ **과업구조**(task structure): 상부로부터 지시된 과업의 내용이 계획되어 있는 정도
　예. 목표의 명료도, 목표 달성의 복잡성, 수행에 대한 평가의 용이도, 해결책의 다양성
ⓒ **지도자의 지위권력**(power): 지위 그 자체가 구성원들로 하여금 지도자의 지시에 따를 수 있게 할 수 있는 정도

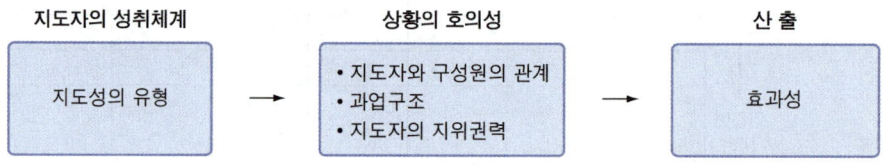

㉢ 지도자가 가장 싫어하는 동료척도(LPC: Least Preferred Co-worker Scale) 개발
ⓐ **LPC 점수가 높은 지도자**: 관계지향형(relationship-motivated) ⇨ 인간관계를 중시하는 지도자
ⓑ **LPC 점수가 낮은 지도자**: 과업지향형(task-motivated) ⇨ 과업을 중시하는 지시적·통제적 지도자
㉣ 최상의 상황통제의 예
ⓐ 집단의 구성원들이 모두 지도자를 좋아한다(양호한 지도자-구성원 관계).
ⓑ 명확하게 정의된 직무를 제시할 수 있다(높은 과업구조).
ⓒ 지도자가 강력한 직위를 점하고 있다(강력한 지위권력).
㉤ 연구결과
ⓐ **상황이 호의적일 때**: 과업지향적 지도자가 관계지향적 지도자보다 더 효과적이다.
ⓑ **상황이 중간 정도일 때**: 관계지향적 지도자가 과업지향적 지도자보다 더 효과적이다.
ⓒ **상황이 비호의적일 때**: 과업지향적 지도자가 관계지향적 지도자보다 더 효과적이다.

④ 레딘(Reddin)의 3차원 지도성 유형(3-Dimensional leadership style theory)
  ㉠ 오하이오 주립대학 연구(Halpin & Winer)의 구조성(과업 중심)과 배려성(인간관계 중심, 인화 중심) 차원에다 '상황에 따른 효과성' 차원을 첨가시켜 3차원 지도성 유형을 개발
    ⇨ 리더십 유형에 영향을 주는 상황적 요소로서 과업수행 방법과 관련된 기술(technology), 조직행동에 영향을 주는 조직철학(organization philosophy), 상급자(superior), 동료(co-workers), 구성원(subordinates)의 다섯 가지를 들고 있다.
  ㉡ 지도성의 유형이 상황에 적합한 경우는 효과적이고, 부적합한 경우에는 비효과적이라고 보았다.

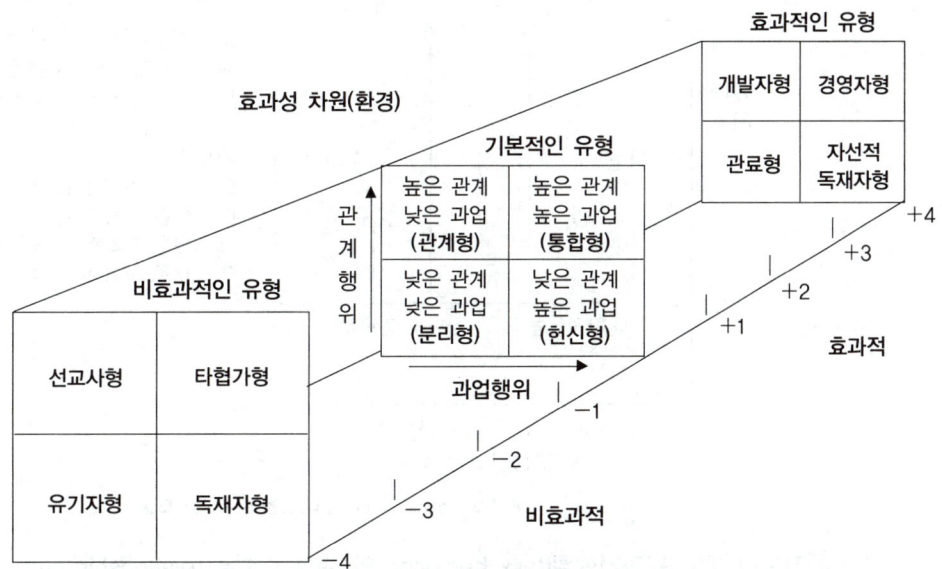

비효과적 유형(-)	기본적 지도성 유형		효과적 유형(+)
	Reddin	Halpin	
유기자(遺棄者, 책임포기자), 도망자(Deserter)	분리형(과업-, 관계-)	비효율형	(행정)관료(Bureaucrat)
선교사, 선동자(Missionary)	관계형(과업-, 관계+)	인화형	개발자(Developer)
독재자(Autocrat)	헌신형(과업+, 관계-)	과업형	자선적(慈善的) 독재자, 선한 군주(Benevolent Autocrat)
타협가(Compromiser)	통합형(과업+, 관계+)	효율형	경영자(Executive)

  ㉢ 시사점
    ⓐ 지도성 유형의 효과는 '지도자가 어떠한 상황에 처해 있느냐'에 따라 좌우된다.
    ⓑ 효과적인 지도자는 상황에 따라 지도성 유형을 바꾸어야 한다. 그러기 위해서는 상황을 조작할 수 있는 능력을 가져야 한다.
⑤ 블랜차드(Blanchard)와 허시(Hersey)의 상황적 지도성 유형
  19. 국가직, 17. 국가직 7급, 10. 국가직 7급·대전, 08. 국가직, 06. 국가직 7급
  ㉠ 지도성 유형 연속선, 관리망 유형, 3차원 지도성 유형을 확장하여 상황적 지도성 유형을 제시 ⇨ 생애주기 지도성 이론(Life cycle theory of leadership; 구성원의 성숙도가 시간이 지남에 따라 발달하고, 그 성숙도에 맞게 지도성 유형을 변화해야 한다고 주장)

$$L = f(L \cdot F \cdot S) \qquad L: \text{Leader} \quad F: \text{Follower} \quad S: \text{Situation}$$

  ⓒ 효과적인 지도자는 지도자 행위의 양식(L)을 상황(S)과 추종자의 요구(F)에 맞도록 변경시켜야 한다.

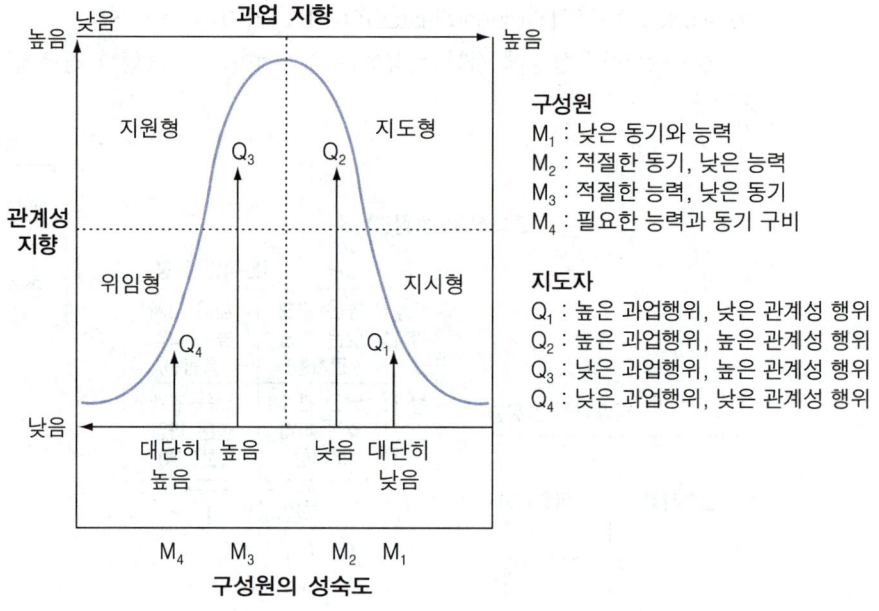

▲ Blanchard와 Hersey의 상황적 지도성 모델

  ⓒ 지도성 행위를 '과업행위(task behavior)'와 '관계성 행위(relationship behavior)'로 구분하고, '구성원의 성숙도(발달단계, 준비도)'를 주요한 상황적 변인으로 간주하였다.
    ⓐ 직무성숙도(job maturity): 교육과 경험에 의하여 영향을 받게 되는 개인적 직무수행 능력
    ⓑ 심리적 성숙도(psychological maturity): 성취욕구와 책임을 수용하려는 의지를 반영한 개인적 동기수준
  ⓔ 지도성 행위와 성숙도를 조합하여 4가지 기본적 지도성 유형을 제시

지도성 유형	효과적인 상황변인
지시형(관계-, 과업+) (directing)	(M_1) 구성원의 동기와 능력이 모두 낮을 때 효과적 ⇨ 성숙도가 낮을 때
지도형(관계+, 과업+) (coaching)	(M_2) 구성원의 동기는 적절하나 능력이 낮을 때 효과적
지원형(관계+, 과업-) (supporting)	(M_3) 구성원의 능력은 적절하나 동기가 낮을 때 효과적
위임형(관계-, 과업-) (delegating)	(M_4) 구성원의 동기와 능력이 모두 높을 때 효과적 ⇨ 성숙도가 높을 때

구성원의 성숙도	높다(M4)	중간이다		낮다(M1)
		M₃(중간 이상)	M₂(중간 이하)	
직무성숙도(능력 or 전문성)	고	고(적절)	저	저
심리적 성숙도(동기)	고	저	고(적절)	저
효과적 지도성 유형	위임형	지원형(참여형)	지도형(설득형)	지시형(설명형)
관계	저	고	고	저
과업	저	저	고	고
특징	구성원의 성숙도 수준이 낮을수록 과업지향성을 높이고, 성숙도 수준이 높을수록 과업지향성을 낮추는 방향으로 지도성을 발휘한다.			

ⓒ **시사점**: 조직 속에서 지도자가 '구성원의 성숙도'에 따라 지도성 유형을 적절히 변화시킴으로써 지도성 효과를 극대화시킬 수 있다.

⑥ **에반스(Evans)와 하우스(House)의 행로-목표이론(Path-Goal Theory)**
  ㉠ 동기이론·기대이론에 기초, 구성원의 목표에 대한 지도자의 영향과 목표 달성을 위한 행로를 강조 ⇨ 지도자가 상황적 요인을 고려하여 목표 달성을 위한 적절한 행로를 제시할 때, 그것을 구성원들이 어떻게 지각하느냐에 따라 효과성이 달라진다.
  ㉡ 지도성의 행위가 상황요인에 의해 조정된 구성원의 동기, 노력, 수행 등에 미치는 영향을 설명
  ㉢ **구성 변인**: 지도자의 행위, 상황적 요인, 구성원의 지각, 효과성
  ㉣ **지도성 유형**: 지시적 지도성, 지원적 지도성, 참여적 지도성, 성취지향적 지도성, 가치 중심적 지도성

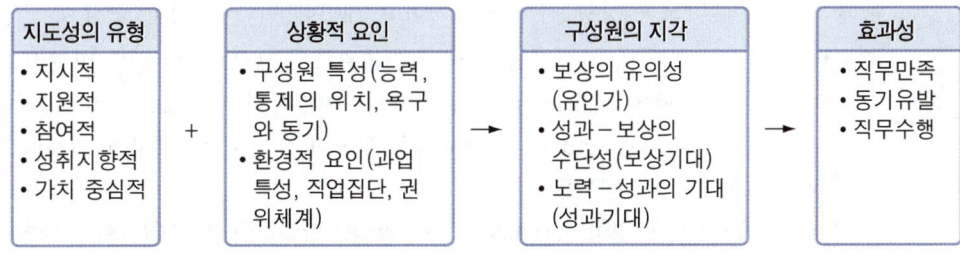

  ㉤ 연구 결론
    ⓐ 지도자의 유형은 어떤 상황에서는 효과적이나 다른 상황에서는 비효과적이다.
    ⓑ 지도성의 효과에 작용하는 상황요인은, 지도자의 행위와 구성원의 산출 관계를 조정하는 구성원의 특성과 환경적 요인이다.
    ⓒ 지도성의 효과를 결정하는 것은 보상, 성과-보상의 수단성, 노력-성과의 기대 등에 대한 구성원의 지각이다.

> **더 알아보기**
>
> **지도성 대체(대용) 상황모형**(Substitutes for leadership model)
> 1. **주창자**: 제미어와 커(Jermier & Kerr, 1978)
> 2. **이론의 개요**
>   ① 지도자의 과업수행은 지도자가 가지고 있는 그 어떤 것에 의존하지 않고 구성원의 특성, 과업의 특성, 조직 특성 등에 달려 있다.
>   ② 어떤 상황에서는 지도자 행동의 영향력을 대용(substitute)하거나 무력화(neutralization)하는 것들이 있고, 다른 상황에서는 지도자 행동의 영향력을 대용하거나 무력화하는 것이 존재하지 않는다.
>   ㉠ 대체(대용) 상황: 지도성이 작용하지 않는(불필요한 또는 지도성을 대신하는) 상황 예, 교사들이 경험, 식견, 능력이 우수한 경우
>   ㉡ 억제(제약) 상황: 지도성을 제한(예, 지도자의 권력이 약하거나 보상을 제공하지 못함)하거나 무력화시키는(예, 교사들의 무관심) 상황
>   ③ 이 이론은 지도자의 행동이 어떤 상황에서는 중요한 영향을 주는 데 반해, 다른 상황에서는 왜 아무런 영향을 주지 못하는지를 이해하는 데 많은 도움을 주고 있다.

3. **변혁적 지도성 이론** 25. 지방직, 23. 국가직 7급, 10. 인천, 09. 국가직 7급, 05. 경기

   (1) **개요**(transformation leadership theory): 번즈(Burns)와 배스(Bass)가 주장

   ① 지도자 행동의 비합리적인 측면(영감적·비전적·상징적 측면)을 중시하는 접근

   ② 조직의 변화 및 혁신을 중시하며, 초합리성 지향: 거래적 지도성 또는 교환적 지도성(조직의 안정과 유지, 지도성의 합리적 측면 중시)과 대응되는 개념 ⇨ 지도자가 자신의 특성과 행동 스타일에 맞도록 상황 자체를 변혁하고 개선해 나가는 것을 중시

   ③ 거래적 지도성이 보상, 자유방임, 예외적 관리를 특징으로 하는 반면, 변혁적 지도성은 이상적인 완전한 영향력(idealized influence, 카리스마), 감화력(inspirational motivation, 감화적 행위), 지적 자극(intellectual stimulation), 개별적 배려(individualized consideration) 등을 특징으로 함. 22. 국가직, 20. 지방직

   ㉠ 이상적인 완전한 영향력(idealized influence, 카리스마 또는 이념화된 영향력): 구성원들에게 비전과 사명감을 제공하고, 자부심을 주입하여, 존경과 신뢰를 얻음.

   ㉡ 감화력(inspirational motivation, 감화적 행위, 영감적인 동기유발): 구성원들에게 높은 기대를 전달하고, 노력에 초점을 두는 상징을 활용하며, 단순한 방법으로 중요한 목적을 표현함.

   ㉢ 지적 자극(intellectual stimulation): 지식, 합리성 및 문제해결능력을 증진함.

   ㉣ 개별적 배려(individualized consideration, 개별적 관심): 구성원 개인에 관심을 갖고, 각자를 개인적으로 상대하고 지도·충고함.

   ✎ **변혁적 지도성의 4I**(Bass) 이상적인 완전한 영향력(idealized influence), 감화력(inspirational motivation), 지적인 자극(intellectual stimulation), 개별적인 배려(individualized consideration)

거래적 지도자(교환적 지도자)	변혁적 지도자
조직의 유지, 지도자의 합리성 중시	조직의 변화 및 혁신, 지도자의 초합리성 중시
• 보상: 노력에 대한 보상의 교환을 계약함. 업적이 높으면 많은 보상을 약속함. 업적 수행에 대한 인정 • 예외관리: 규정과 표준에 맞지 않을 때만 개입 • 자유방임: 책임을 이양함. 의사결정을 회피함.	• 카리스마: 비전과 사명감을 제공. 자부심을 주입. 존경과 신뢰를 얻음. • 감화적 행위: 높은 기대를 전달함. 노력에 초점을 두는 상징을 활용. 단순한 방법으로 중요한 목적을 표현 • 지적 자극: 지식, 합리성 및 문제해결능력을 증진함. • 개별적 관심: 개인에 관심, 각자를 개인적으로 상대하고 지도·충고함.

④ 구성원들의 욕구와 능력을 인정하고 그들의 잠재력을 일깨워 "사람들로 하여금 보다 더 훌륭한 사람으로 향상시키는 지도성"이자 기대 이상으로 직무를 수행하게 하는 영향력 행사의 과정

(2) 변혁적 지도성의 특징 07. 인천

① 지도자에 대한 구성원 개인의 가치와 신념을 기초로 한다.
② 지도자들은 개인에 관심을 두며, 구성원들의 목표와 신념을 변화시키고 구성원들을 결속시킨다.
③ 지도자 개인의 능력(카리스마)에 따라서 구성원들에게 더 많은 영향을 줄 수 있다.
④ 지도자들은 그들의 직무를 새로운 관점으로 생각하도록 다른 사람을 자극하고 조직의 비전이나 임무를 인식시키며, 구성원들의 능력과 잠재력을 증진시키고, 조직의 이익을 가져올 수 있도록 구성원들의 관심을 높이도록 동기를 유발한다.
⑤ 이념화된 영향력, 영감적인 동기 유발, 지적 자극, 개별화된 배려의 요인을 강조한다.

(3) 변혁적 지도자의 임무

① 변화의 필요성을 정의한다.
② 새로운 비전(vision)을 창출하고 헌신하게 한다.
③ 장기적인 목표에 집중한다.
④ 구성원들이 높은 수준의 목표를 위해 자신의 관심사항을 넘어설 수 있도록 고취시킨다.
⑤ 현재의 조직 내부 직무보다는 지도자들의 비전을 수용하기 위하여 조직을 변화시킨다.
⑥ 경험 있는 구성원들이 그들 자신과 동료의 발전을 위해 보다 많은 책임을 지게 하고 나아가 구성원들도 지도자가 되게 하여 궁극적으로 조직을 변화시킨다.

> **더 알아보기**
>
> **카리스마적 지도성**: 하우스(House), 콩거와 카눈고(Conger & Kanungo) 21. 국가직 7급
>
> 1. **하우스(House, 1977)의 카리스마적 지도성 이론**: 지도자가 지닌 인성 특성과 특별한 '매력'을 중시
>   ① 높은 수준의 자신감: 고도의 자기 확신
>   ② 다른 사람을 지배하려는 경향과 영향력을 발휘하려는 욕구
>   ③ 자기 신념에 대한 강한 확신

2. **콩거와 카눈고(Conger & Kanungo, 1987)의 카리스마적 지도성의 행동적 이론**: 카리스마적 지도성의 인성 특성(신비성)을 배제, 카리스마는 지도자의 행동에 대한 추종자들의 지각(예) 정서적 표현력, 열정, 추진력, 설득력, 비전, 자신감, 경청 등)에 의해 형성되는 귀인적 현상으로 개념화
   ① 제1단계: 환경에 대한 민감성과 평가
   ② 제2단계: 비전의 설정과 정교화
   ③ 제3단계: 비전의 성취
   🖉 카리스마(charisma)는 '은혜', '무상의 선물'이라는 어원적 의미를 지녔으나, 베버(Weber)는 이를 사회과학적으로 해석하여 보통의 인간과는 다른 초자연적·초인간적 재능이나 힘이라고 개념화했다.

3. **카리스마적 지도성의 특징**
   ① 자기 확신: 고도의 자신감, 자기신념에 대한 높은 확신, 남들에게 영향력을 행사하려는 강한 욕구를 지님.
   ② 이미지 관리: 자기가 유능하고 성공적이라는 인상을 심어 주기 위해 부단히 노력함.
   ③ 이데올로기와 비전: 구성원들에게 이데올로기적 목표를 제시하고, 희망과 감성에 호소함.
   ④ 솔선수범: 스스로 자신의 행동을 구성원들에게 보여 줌.
   ⑤ 감정적 호소: 구성원들과 감정적 대화를 갖거나 연설로 호소함으로써 설득하고 추종하게 만듦.

4. **분산적 지도성(Distributed leadership)** 23. 국가직 : 조직 지도성 이론

   (1) **개요**
   ① 교장과 같은 개인을 학교 효과성에 주요 인물로 강조하는 경향을 반대하고 팀이나 집단 그리고 조직적 성격을 중심으로 리더십 개념을 파악하는 지도성 이론이다.
   ② 한 개인이 갖고 있는 능력이나 특성을 중시하고 한 개인이 조직 변화에 책임을 지는 기존 지도성 이론(영웅적 지도성)의 가정에 대해 반대하고, 지도자, 구성원, 이들이 처한 상황 간의 상호작용에서 지도성 실행이 어떻게 형성되는지를 탐구한다.
   ③ James P. Spillane과 그의 동료들이 주장한 것으로, 분산적 지도성은 지도성이 어떻게 실행되는지에 대한 새로운 통찰력을 갖게 해 주며, 학교나 기타 조직에서 일하는 사람들로 하여금 자신의 업무를 새로운 방식으로 생각하고 접근하는 안목을 열어 준다는 데 그 의의가 있다.
      ㉠ James P. Spillane과 그의 동료들의 연구는 학교에서 핵심기술에 해당하는 읽기, 수학, 과학과목의 교수-학습을 개선하는 데 초점을 두고 있다.
      ㉡ 학교 지도성이란 "교수-학습이 가능한 조건을 확립하기 위해 필요한 사회적, 물리적, 문화적 자원을 확인하고, 습득하며, 분배하고, 조정하여 활용하는 것"이라고 정의한다.
      ㉢ 교장과 교육감만의 지도성으로는 학교조직을 성공적으로 운영할 수 없다는 논리는, 곧 공식적 지도자와 비공식적 지도자가 그들의 부하와 함께 학교를 변혁하거나 중요한 요소를 변화시키는 데 필요한 과제를 이행하도록 동원되어야 함을 의미한다.
      ㉣ 이런 관점에서, 과제 수행 중에 이루어지는 리더십의 행사는 지도자와 부하 그리고 상황 간의 상호작용 속에서 나오기 때문에 상황을 명시 요인(defining element)으로 볼 수 있다. 예를 들어, 지도성의 분산과 정도는 과목에 따라 다를 수 있으며, 수학과목을 가르칠 때에는 언어과목보다 적은 지도자가 필요하다.

㉤ 분산적 지도성은 개별 지도자가 아는 것보다 더 많이 알고 있으며, 특정 지도성 과제가 수행될 때 다양한 지도자와 부하, 상황과의 역동적인 상호작용 속에서 분산적 지도성이 형성된다고 볼 수 있다.
④ 다원화되고 복잡다단한 개방체제로서의 학교조직은 단위학교 책임 경영제(SBM)의 실천과 함께 학업성취도 평가를 통한 책무성 요구에 부응해야 하는 환경 속에서 분산적 지도성은 책무성과 자율성 기반 학교 개선을 위한 새로운 지도성 유형으로 각광받고 있다(Harris, 2009). 그 이유는 조직의 성과와 책임이 교장 한 사람에게 집중된 지도성(focused leadership), 즉 한 지도자가 모든 것을 담당하고 책임을 지는 권위적·영웅적 지도성의 한계를 극복하기 위한 대안으로 인식되고 있기 때문이다.
⑤ 분산적 지도성은 학교 구성원의 능동적 참여와 공조 행위를 통한 다수의 지도자들의 집단 지도성을 강조하는 이론이다. 즉, 분산적 지도성은 다양한 전문적 지식과 기술을 지닌 구성원 간의 공유, 상호의존, 신뢰를 바탕으로 지도성이 공동 구성 및 실행되며 이 과정에서 창출된 조직학습을 통해 확대된 지도자들이 학교개선과 책무성을 도모한다는 점을 강조한다.
⑥ 분산적 지도성은 최근 대두되고 있는 이론이지만 실제로는 학교현장에서 이미 실행되어 왔다. 예를 들면, 수업 및 교육과정에 대해 다수의 선임교사 또는 멘토들이 후임교사들을 코칭하는 경우, 학교운영에 관한 계획을 학교운영위원회를 통해서 공동으로 수립 이행하는 경우, 학년 및 부서 계획을 해당 부장이 중심이 되어 수립 이행하는 경우, 교내 체육대회, 경진대회 등 이벤트 행사가 담당 교과팀이나 특별팀을 통해 수행되는 경우, 시범학교나 연구학교 운영에 있어서 해당 분야 전문성을 지닌 교사가 주된 역할을 수행하는 경우 등을 들 수 있다.
⑦ 분산적 지도성은 조직 효과성, 개인의 전문성과 역량의 극대화를 위해 조직 내 다수의 공식적·비공식적 지도자들이 네트워크를 형성하여 조직의 상황과 맥락에서 목표 또는 특정 문제 및 이슈에 대한 의사결정을 공유하고, 상호 협력과 전문성 공유를 통해 공동 실행을 촉진하는 '지도성 실행'과 '지도성 분산'에 초점을 지도성이다(주영효·김규태, 2009).

(2) **이론의 강조점**
① 분산적 지도성은 학교조직이 가지고 있는 고유한 특성을 반영하면서 학교 책무성과 교수-학습 개선, 학생의 학업성취도 향상에 대한 조직 내의 환경 변화에 대처하기 위한 지도성 실행에 초점을 맞춘 대안적인 접근이다.
② 기존의 지도성 연구접근, 즉 행동과학적 접근, 상황이론, 변혁적 지도성, 참여적 지도성, 도덕적 지도성 등의 입장은 지도자의 역할, 지위, 권위에 초점을 맞춘 '집중된 지도성(focused leadership)'이었다면, 분산적 지도성(Distributed leadership)은 지도자와 구성원들이 조직의 상황과 맥락에서 조직이 직면한 문제 및 이슈에 대한 의사결정의 공유를 통해 조직 역량과 개인의 전문성을 극대화하기 위한 지도성 이론임을 강조한다.
③ 분산적 지도성에는 공유적, 협동적, 민주적, 참여적 지도성의 개념이 투영되어 있으며, 이런 점에서 분산적 지도성은 '혼재성(mixed)'과 '혼합적 지도성(hybrid leadership)'의 속성을 지니고 있다.

④ 분산적 지도성은 상호작용하는 개인들의 그룹 또는 네트워크의 출현된 속성으로서 사람들이 함께 일을 할 때 발생하는 공조행위이며, 이것은 지도성의 실행이 조직의 일원과 공유되어지고 의사결정이 '지도자들'로서의 구성원 간의 상호작용에 의해 이루어진다. 이러한 점에서 분산적 지도성은 지도자와 구성원의 경계가 허물어져 지도성의 망이 확대되고 개방된다는 지도자 확대(leader-plus), 조직의 일부, 다수 또는 전부에 지도자가 흩어져 있다는 결집된 지도성, 공조행위를 통해 지도성이 실현된다는 점을 강조한다.

⑤ 분산적 지도성은 지도성 실행이 상황 속에서 구성된다고 본다. 상황(situations)은 정례화된 활동(routine), 도구(예 학생 시험성적 자료, 교사평가도구), 구조(예 학년 담임회의, 교사회의, 위원회 등 공식적 또는 임의적 형태), 제도(예 학교 교칙, 학교운영계획서) 등을 포함하는 요소이다. 지도자는 구성원들과 상호작용할 뿐만 아니라 상황과도 상호작용하게 된다. 이러한 상황은 지도성 실행을 정의하게 되며, 동시에 지도성 실행을 가능하게 하거나 제한하게 된다.

⑥ 조직문화는 지도성이 분산되는 데 영향을 미치는 조직 외부의 사회적·문화적 맥락과 조직 내부의 문화 및 역사 등을 의미하는 것으로, 분산적 지도성의 실행에 영향을 준다.

⑦ 분산적 지도성은 조직 구성원들 간의 상호작용을 통해 형성된 지도성 실행을 강조하기 때문에 팀학습 또는 집단적 학습을 강조한다. 팀워크와 집단적 협동학습은 구성원들이 의도적, 체계적, 지속적인 상호작용을 통해 교과, 학교운영 등에 대한 지식 및 경험 공유와 다양한 의사교환의 기회를 확대하여 공동체의 형성에 기여한다.

(3) 분산적 지도성의 실행 유형(MavBeath, 2005)

분산적 지도성의 실행을 공식적·실용적·전략적·점증적·편의주의적·문화적 분산 등 6가지 측면으로 분류하였다.

① **공식적 분산**: 사전 설정된 역할과 직무 기술서에 의해 공식적으로 지도성의 책임과 권한을 이양하고 분산함으로써 조직의 안정성과 효율적인 경영을 추구하고 조직의 기대와 목표를 달성할 것을 강조한다.

② **실용적 분산**: 임시적련 분(-hoc) 상황에서 조직의 즉각적인 요구에 부응하도록 업무를 임시적으로 공유, 이양함으로써 위험부담을 감소시키는 것을 강조한다.

③ **전략적 분산**: 학교조직에서 지도성 개발에 적극적으로 기여하는 개인을 계획적으로 임명하는 것에 기초한 지도성 분산을 강조한다.

④ **점증적 분산**: 구성원들이 리드하는 역량을 보여줌으로서 점증적으로 더 큰 책임을 이양하는 측면을 강조한다.

⑤ **편의주의적 분산**: 유능한 교사들이 지도성을 발휘하려는 경향을 지니고 있다는 것을 감안하여 학교수준의 지도성에 그들의 참여와 역량을 부여함으로써 지도성을 확대하는 측면을 강조한다.

⑥ **문화적 분산**: 학교의 문화나 풍토와 전통의 반영으로서 학교 내에 존재하는 공유, 존경, 충성, 배려 등에 의해 분산되는 측면을 강조한다.

(4) **분산적 지도성의 특징**: 비전, 지도자 확대, 실행상황, 공조행위, 학습조직문화
   ① 비전(vision): 현 상태에 비해 보다 나은 미래에 대한 모습, 학교가 추구해야 할 일반적인 방향 ⇨ 모든 조직 구성원들이 공유함으로써 조직 화합의 응집력 발휘 및 사명감 고취
   ② 지도자 확대: 개인 중심의 영웅적(집중된) 지도성에서 다수의 지도자로 확대됨.
   ③ 실행상황: 학교운영 절차, 학업성취도 등 지도성 구성과 실행에 영향을 미치는 활동 중시
   ④ 학습조직문화: 공유, 상호신뢰, 지원 등을 촉진하고 유지하는 학교 문화 중시

(5) **분산적 지도성 이론의 한계**
   ① 분산적 지도성은 상향적 참여와 공유 방식보다는 하향식 접근에 의해 이행됨으로써 하부 조직에 잘못된 지도성 이양과 분산을 강요할 가능성도 배제할 수 없다.
   ② 교장의 구조적 기능과 역할이 정치적 성향을 띠게 되면 특정 개인이나 집단에 지도성을 집중 분산함으로써 조직 내 권력 갈등을 야기하거나, 그것이 일방적인 개혁적 성향을 띠게 될 경우 불이행과 불복종을 야기할 수도 있다.
   ③ 전문성 공유와 전문가 협력을 강조하는 분산적 지도성은 오히려 조직 내 전문적 지식을 가진 지도자가 보수적 성향과 편협한 신념을 띠게 될 경우 구성원들에 대해 새로운 정보에 대한 접근과 수용을 제한할 가능성이 있으며 오히려 특정 개인과 집단을 배제하고 집단적·민주적 공조 행위를 저해할 가능성도 있다.
   ④ 분산적 지도성은 공식적 지도자들의 역할을 설정하는 법과 학교장의 책무 이행에 대한 윤리적, 전문적, 조직적 문제와 지도성 실행과 관련된 관계에 대해서는 관심을 기울이지 않는다.
   ⑤ 각 구성원 간의 공식적 권한과 권력이 어떻게 재분산되고 그 권한 범위 내에서 지도성의 분산 정도는 어떠해야 하는가에 대한 논의도 간과하고 있다.

5. 교육적 지도성 이론

(1) **문화적 지도성 이론**(cultural leadership theory) 10. 경북
   ① 전제
      ㉠ 서지오바니(Sergiovanni): 학교는 구조적 의미에서는 이완결합이나, 문화적 의미에서는 확고하게 결합되어 있는 조직 ⇨ "교사와 학생들은 관료제적 규칙, 관리지침, 상황의존적 교환, 합리적 실체의 이미지보다는 규범, 집단의 관습, 신념의 유형, 가치, 사회화 과정, 사회적으로 구조화된 실체의 이미지에 의해 더 잘 움직여진다."
      ㉡ 커닝햄과 그레소(Cunningham & Gresso): 학교의 개혁은 구조적 접근이 아닌 문화적 접근을 통해 가능하다.
   ② 개념
      ㉠ 구성원의 의미추구 욕구를 만족시킴으로써 그 구성원을 학교의 주인으로 만들고 조직의 제도적 통합을 가능하게 하는 지도성 접근법
      ㉡ 인간정신의 실체를 수용하고 의미와 의의의 중요성을 강조하며, 도덕적 질서를 만드는 가치와 규범에 관계된 전문직업적 자유의 개념을 인정함으로써 지도성의 핵심에 접근하고 있다.

③ 서지오바니(Sergiovanni)의 학교지도성 유형 : 문화적 지도성을 가장 중시
  ㉠ **기술적 지도성**(technical leadership) : 견고한 경영관리기술 능력(계획, 조직, 조정, 시간 관리 강조)을 구비 ⇨ 전문경영자(management engineer)
  ㉡ **인간적 지도성**(human leadership) : 유용한 사회적·인간적 자원을 활용하는 능력(인간 관계, 사교능력, 동기화 능력, 지원, 참여적 의사결정) 구비 ⇨ 인간공학 전문가(human engineer)
  ㉢ **교육적 지도성**(educational leadership) : 교육에 대한 전문적 지식과 능력(효과적인 교수-학습, 교육 프로그램 개발, 임상장학, 평가) 구비 ⇨ 현장교육 전문가(clinical engineer)
  ㉣ **상징적 지도성**(symbolic leadership) : 학교의 중대사에 대해 다른 사람들에게 주의를 환기시키는 능력(학교 견학, 교실 방문, 행사나 의식 관장, 학생과의 간담회) 구비, 상징적 행사와 언사를 통해 학교의 비전과 목표에 대한 주의환기 촉구 ⇨ 대장(chief)의 역할
  ㉤ **문화적 지도성**(cultural leadership) : 독특한 학교문화를 창출, 독특한 학교 정체성 확립 및 전통 수립에 기여 ⇨ 성직자(priest)의 역할 21. 국가직 7급

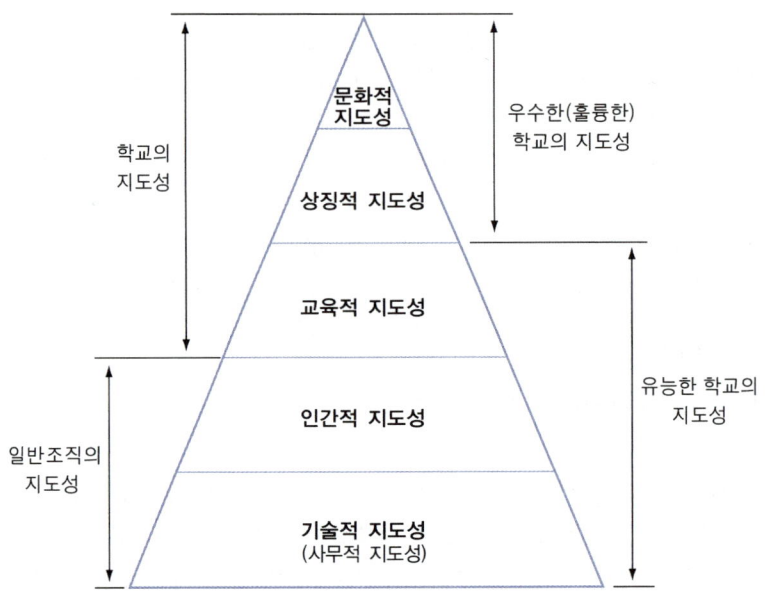

(2) **초우량 지도성 이론**(슈퍼리더십 이론, super-leadership theory)
① 개요
  ㉠ 만즈(Mans)와 심스(Sims)가 제안
  ㉡ 공식화된 권력, 권위, 직원통제를 강조하는 전통적 지도성은 비효과적이라고 비판 ⇨ 현대의 조직은 자율적 지도성(self-leadership)을 개발·이용하는 초우량 지도성을 필요로 한다.
  ㉢ **초우량 지도성** : 조직 구성원들이 스스로를 통제하고 자신의 삶에 진정한 주인이 되어 자율적으로 이끌어 갈 수 있도록 능력을 계발하는 지도성 기법 ⇨ 자율적 지도성을 지향

② 기본전제
  ㉠ 추종자들은 자기지시적(self-directed)이다. 그들은 스스로를 통제할 수 있다.
  ㉡ 관리 및 조직에 대한 통제는 추종자들에 의해 지각되고, 평가되고, 수용되는 방식에 따라 효과가 달라진다.
  ㉢ 추종자들이 그들을 이끄는 방식에 영향을 줄 수 있는 사람이 효과적인 지도자이다.

(3) **도덕적 지도성 이론**(moral leadership theory)
  ① 개념: 학교 구성원들(추종자들)이 '자기 지도자(self-leader)'가 되도록 자극하고, 지도자 자신은 '구성원의 지도자'가 아닌 '지도자들의 지도자(leader of leaders)'가 되어 궁극적으로 '효과적이 도덕적인 조직'이 될 수 있도록 하는 지도성 기제를 말한다.
    ㉠ 서지오바니(Sergiovanni)가 문화적 리더십에 대한 논의를 확대하는 과정에서 개념화되었으며, 오웬스(Owens)가 확대하였다.
    ㉡ 도덕적 지도성은 변혁적 지도성의 궁극적 방향(가장 높은 수준의 변혁적 지도성)이며, 초우량 지도성이 지향하는 바와 상당한 유사성을 지닌다.
    ㉢ 오웬스(Owens)는 도덕성 지도성에는 다음과 같은 세 가지 아이디어가 담겨있다고 보았다.
      ⓐ 지도자와 추종자는 단순한 권력 관계가 아니라 순수하게 상호간의 욕구, 열망, 그리고 가치를 공유하는 관계이다. ⇨ 공유의 순수성
      ⓑ 추종자들은 재량권을 갖고 지도자들의 주도권에 반응한다.
      ⓒ 지도자들이 약속을 하고 대변하는 것에 책임을 진다는 것은 추종자들로 하여금 지도자와 추종자들 사이의 계약 협상에 참여하도록 만드는 것을 의미한다.
    ㉣ 명제창(1998)은 도덕적 지도성을 "지도성의 과정에서 지도자의 도덕성과 추종자들의 자율성 확보를 통하여, 지도자가 자신의 도덕적 품성과 능력을 바탕으로 추종자의 존경과 신뢰를 획득하고 나아가 추종자의 능력을 계발하고, 추종자의 자율적 직무수행을 조장하여 추종자들을 '자기 지도자(self-leader)'가 되도록 자극하고, 지도자 자신은 '지도자들의 지도자(leader of leaders)'가 되어 궁극적으로 '효과적이고 도덕적인 조직이 될 수 있도록 하는 지도성 기제'라고 정의하였다.
  ② 공자(孔子)가 강조한 지도자의 도덕과 맹자(孟子)가 강조한 추종자들의 자율성 조장을 핵심으로 한 지도성
    ㉠ 공자: 도덕성을 지도자의 자질로 강조
    ㉡ 맹자: 추종자들의 자발성과 자율성을 이끌어 내는 지도자의 역량을 강조
  ③ 서지오바니(Sergiovanni)의 학교 유형 분류 24. 지방직

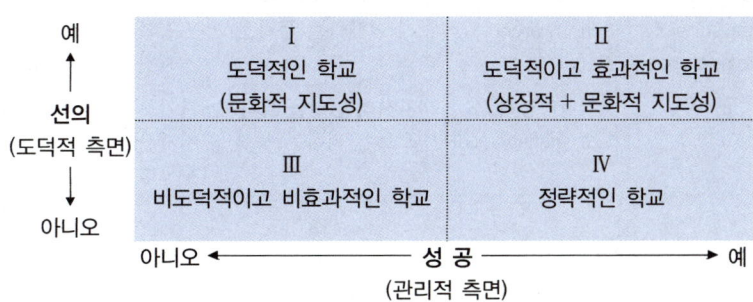

⊙ 도덕적 측면에서의 선의(善意, good-will)와 관리적 측면에서의 성공(success)이란 두 차원을 조합하여 학교 유형을 네 가지 유형으로 분류
ⓒ 학교장이 지향해야 할 도덕적 지도성: 성공보다는 선의를 중시하는 Ⅰ유형과 Ⅱ유형의 학교를 만드는 지도성(∵ 학교는 바람직한 가치를 전수하는 곳이고 행정은 도덕적 기술이기 때문에)

(4) **감성 지도성 이론**(emotional leadership theory / primal leadership theory)
① 등장배경
⊙ 조직 내에서 이루어지는 구성원 간 상호작용은 이성적 요인보다는 감성적인 요인에 의해 영향을 많이 받으며, 감성은 조직의 성과에 영향을 미치는 중요 요인이라는 인식의 확산
ⓒ 위대한 리더는 자신과 다른 사람들의 감성 주파수를 맞출 수 있는 사람들이라는 인식이 대두: 조직에서 리더의 주요 역할은 감정관리자(emotional manager)
ⓒ 이론적 배경: 샐로비와 마이어(Salovey & Mayer)의 감성지능과 골맨(Goleman)의 감성 역량
ⓐ **감성지능**(emotional intelligence): 자신과 타인의 감정을 인지하고, 자신을 동기화하며, 자신과 타인의 관계에 있어서 감성을 잘 관리할 수 있는 능력
ⓑ **감성역량**(emotional competence): 감성지능에 기초하여 업무에 훌륭한 작업성과를 만들어 내는 학습된 능력
② 감성과 조직의 효과성의 관계(Cooper & Sawaf, 1997): 감성은 개인의 경력개발과 조직의 효과성, 즉 의사결정, 리더십, 전략 및 기술적 혁신, 개방된 정직한 의사소통, 신뢰관계 및 팀워크, 고객에 대한 충성심, 창의성과 혁신과 같은 영역 등에 영향을 준다.
③ 감성 지도성의 개념(Goleman, Boyatizs & McKee, 2002)
⊙ 리더가 가지고 있는 감성적이고 사회적인 기술을 개발하고 응용하여 다른 사람에게 건설적인 노력을 발휘하도록 영향력을 행사하는 것
ⓒ 리더 스스로 자신의 내면을 이해하고, 구성원의 감성 및 필요를 배려함과 동시에 조직의 구성원들과의 관계를 자연스럽게 형성하여 조직의 감성역량을 높이는 능력
ⓒ 리더가 자기를 잘 인식하고 자기의 감정을 조절하며 다른 사람의 마음을 헤아리는 감정이입을 통하여 다른 사람과의 긍정적인 관계를 형성하는 지도성
④ 감성 지도성의 구성요인(Goleman)

구성요인	세부요인	정의	하위요인
개인역량 (personal competence)	자기인식능력 (self-awareness)	자신의 감성을 명확하게 이해하는 능력	• 감성이해력(emotional self-awareness) • 정확한 자기평가(accurate self-awareness) • 자신감(self-confidence)
	자기관리능력 (self-management)	자신의 감성을 효과적으로 관리하는 능력	자기통제력(emotional self-control), 신뢰성, 자기관리 및 책임의식, 적응력, 성과달성 지향, 주도성

사회적 역량 (social competence)	사회적 인식능력 (social awareness)	타인의 감성을 명확하게 이해하는 능력	감정이입, 조직 파악력, 고객 서비스 정신
	관계관리능력 (relationship management)	타인의 감성을 효과적으로 관리하는 능력	영감을 불러일으키는 능력, 영향력, 타인지원성, 연대감 형성, 커뮤니케이션, 변화촉진력, 갈등관리능력

(5) 서번트 리더십(servant leadership)

① 개념
  ㉠ 리더가 구성원들이 기대하는 바를 이해하고, 해결해주며, 구성원들을 상하 관계가 아닌 보살피고 섬기는 것으로 봄.
  ㉡ 구성원을 지휘하고 통솔하는 전통적 관점을 비판하고, 구성원을 중심으로 리더와 원만한 관계가 형성될 때, 리더십이 발휘될 것이라고 봄. 즉, 리더가 구성원을 존중하고 기회를 제공하여, 구성원들의 능력과 창의성을 성장시킬 수 있다는 이론임.

② 대표자 : Greenleaf(1977)가 처음 논의, Spear(1995), Sims(1997), Boyer(2003), Patterson(2003)

③ 서번트 리더가 갖추어야 할 구성요인

Sims (1997)	① 솔직한 대화, 상대의 입장을 이해, ② 공유 비전의 촉진, ③ 타인의 필요를 위한 노력, ④ 구성원의 성장, ⑤ 공동체 형성과 협력 장려
Boyer (2003)	① 질문하며 이해하려고 노력하는 사람, ② 격려하고 보살피며 편안한 분위기를 만들려고 노력하는 사람, ③ 권한을 위임하고 학습을 장려하는 사람, ④ 도덕성을 갖추고 신뢰할 만한 사람, ⑤ 구성원을 존중하는 사람, ⑥ 관계와 공동체를 형성하는 사람, ⑦ 구성원의 가능성을 신뢰하는 사람
Patterson (2003)	① 절대적인 사랑, ② 겸손한 행동, ③ 이타주의, ④ 구성원을 위한 비전 제시, ⑤ 신뢰, ⑥ 봉사, ⑦ 구성원에 대한 권한위임(empowerment)
Spear (1995)	① 경청, ② 공감대 형성, ③ 치유(정서적 측면 이해 및 조력), ④ 설득, ⑤ 인지(조직 전체 상황과 맥락 파악), ⑥ 통찰(경험과 직관을 바탕으로 현재, 미래 예측), ⑦ 비전의 제시, ⑧ 청지기 의식(stewardship, 의사결정이나 행동 결과가 구성원에게 미치는 영향을 우선 고려), ⑨ 구성원의 성장을 위한 노력, ⑩ 공동체 형성

(6) 진성 리더십(authenticity leadership)

① 개념
  ㉠ 진정성(authenticity)의 개념을 바탕으로 정의되는 리더십
  ㉡ 진정(authenticity)은 한 개인이 자기 스스로를 알고, 자신 내면의 생각과 감정, 가치관 등에 일치되도록 행동하는 것을 의미하며, 자기인식(self-awareness)과 자기규제(self-regulation) 등 두 가지 요소로 이루어짐(윤정구, 2012 ; Shamir & Eilam, 2005).

자기인식	현재 자신의 진정한 자아를 인식하는 것으로 자신의 재능, 강점, 목표, 핵심 가치관, 믿음, 욕망 등을 지속적으로 이해하는 과정
자기규제	개인이 구성원들의 가치관과 목표를 자신의 행위와 일치시키는 과정

  ㉢ 진성 리더는 적절한 리더십의 구현을 통해 조직 구성원의 심리적 자본과 긍정적 정서를 발전시킬 수 있음(Walumbwa, Avolio, Gardner, & Perterson, 2008).

② 구성요인 : 자기인식, 투명성, 도덕성, 균형된 프로세스

자기인식 (self-awareness)	리더 자신이 가지고 있는 가치, 신념, 강점, 지식, 역량, 재능, 경험 등에 대해 계속 이해하고자 하는 과정임. ⇨ 가장 핵심적 요인
투명성 (transparency)	리더로서 구성원들에게 본인 본연의 모습을 보이고, 정보를 공유하며, 솔직한 생각과 감정 표현을 하여 신뢰감을 가지도록 노력하는 것을 의미함.
도덕성 (ethical/moral)	리더가 외부적 압력(예. 상사, 동료, 조직 및 사회 등)에 따라 행동하는 것이 아닌, 리더 스스로 가지고 있는 도덕적 기준에 따라 행동하는 것을 의미함. ⇨ 조직 내외에서 진실된 도덕적 행동을 지속적으로 하기 위해, 윤리적 역량 등을 개발, 활용하는 과정임.
균형된 프로세스 (balanced processing)	리더가 의사결정에 앞서 객관적인 판단을 위해 올바르게 분석하는 것을 의미함. ⇨ 자신의 견해와 반대 입장의 의견을 수렴하고, 관련된 자료를 취합하고, 검토, 분석하는 과정임.

9 동기(動機, Motivation)이론 10. 국가직 7급, 09. 대전, 06. 대구, 05. 경기

1. 동기의 개념

(1) 인간으로 하여금 목표 지향적인 활동을 하도록 활성화시키는 심리·정신적 에너지

(2) 개체의 행동을 목표로 이끌어 가는 내적인 상태, 개체의 행동방향을 결정짓는 경향이나 태세
    ⇨ 행동을 활성화시키고 방향을 짓는 그 무엇

(3) 동기는 인간행동의 활성화, 방향 제시, 유지 등 세 가지 기본적 요소를 포함하고 있다.

2. 동기이론의 분류

(1) **내용이론** : 동기를 부여하는 요인에 관심

　　예. Maslow의 욕구위계론, Herzberg의 동기-위생이론, Alderfer의 생존-관계-성장이론(ERG이론), Argyris의 미성숙-성숙이론, McGregor의 X·Y이론

(2) **과정이론** : 동기를 유발하기 위해 동기 요인들이 상호작용하는 과정에 관심 ⇨ 구성원의 인지과정(cognitive proceess 예. 지각, 기대 등)을 중시

　　예. Vroom의 기대이론, Porter와 Lawler의 기대이론, Adams의 공정성 이론, Locke의 목표설정이론

3. 동기이론 비교

Taylor & Mayo	Herzberg	Alderfer	Maslow		McGregor	Argyris
Mayo 인간관계론	동기부여 요인	성장욕구(G) (Growth)	5. • 자아실현의 욕구 • 심미적 욕구 • 지적 욕구	성장 욕구	Y이론(善)	성숙 이론
			4. 자기 존경의 욕구(자존)	결핍 욕구		미성숙 이론
		관계욕구(R) (Relativiness)	타인 존경의 욕구			
	위생요인		3. 애정·소속·사회적 욕구			
Taylor 과학적 관리론			2. 안전·보호의 욕구 (대인관계에서의 안전)		X이론(惡)	
		생존욕구(E) (Existence)	(물리적 안전)			
			1. 생리적 욕구			

4. 내용이론

(1) **매슬로우(Maslow)의 욕구위계이론**(Need Hierarchy Theory) 07. 국가직 7급

① 개요

㉠ 인간은 항상 무엇인가를 원하는(욕구하는) 존재(wanting being)이다 : 욕구 ⇨ 동기 유발 요인

㉡ 인간에게 중요한 순서(위계)에 따라 인간의 욕구를 5단계로 구분하여 제시 : 저수준 욕구 ⇨ 고수준 욕구

　✎ 후에 성장욕구에 (인)지적 욕구와 심미적 욕구를 추가하여 7단계로 보는 주장도 있음.

㉢ 저수준의 욕구로부터 고수준의 욕구로 충족(만족 – 진행 접근법)

　ⓐ 먼저 요구되는 욕구는 다음 단계에서 달성하려는 욕구보다 훨씬 강하다.

　ⓑ 하나의 욕구가 충족되면 위계상 다음 단계의(다른) 욕구가 나타나서 충족을 요구한다.

　ⓒ 일단 충족된 욕구는 약해져서 동기 유발의 요인으로서의 의미를 상실한다.

　ⓓ 완전한 욕구충족은 불가능하므로 욕구충족은 대개 상대적이다.

② 5단계 욕구위계이론

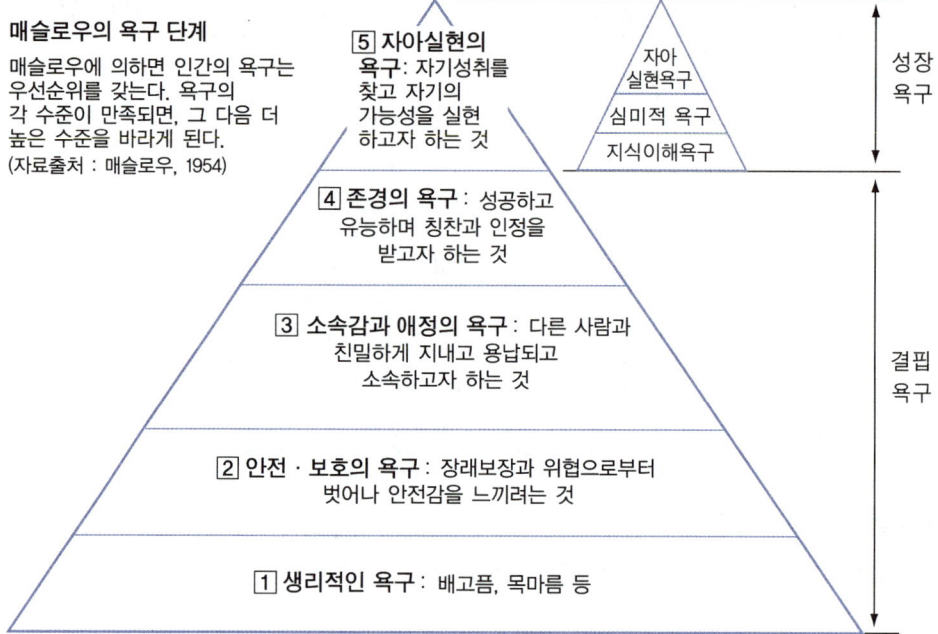

매슬로우의 욕구 단계
매슬로우에 의하면 인간의 욕구는 우선순위를 갖는다. 욕구의 각 수준이 만족되면, 그 다음 더 높은 수준을 바라게 된다.
(자료출처: 매슬로우, 1954)

⑤ 자아실현의 욕구: 자기성취를 찾고 자기의 가능성을 실현하고자 하는 것
④ 존경의 욕구: 성공하고 유능하며 칭찬과 인정을 받고자 하는 것
③ 소속감과 애정의 욕구: 다른 사람과 친밀하게 지내고 용납되고 소속하고자 하는 것
② 안전·보호의 욕구: 장래보장과 위협으로부터 벗어나 안전감을 느끼려는 것
① 생리적인 욕구: 배고픔, 목마름 등

성장욕구: 자아실현욕구, 심미적 욕구, 지식이해욕구
결핍욕구

㉠ 생리적 욕구(1단계): 가장 기본적인 욕구, 생체항상성(homeostasis, 동적 평형, 동질 정체) 욕구 **예** 의·식·주·성욕 등 ⇨ 작업환경, 기본급여, 근무조건 등
㉡ 안전·보호욕구(2단계): 신체적 위협이나 위험으로부터 보호받으려는 욕구, 확실성·예측성·질서·안전을 보장받고 싶어 하는 욕구 **예** 불안·무질서로부터의 자유, 구조·법·질서·안정에 대한 욕구 ⇨ 직업안정, 안전한 근무조건, 보험, 종교 등
㉢ 애정·소속·사회적 욕구(3단계): 대인관계 욕구, 욕구 결핍 시 현대 사회 병리현상 발생 **예** 집단에의 소속감, 우정, 애정 등
㉣ 존경의 욕구(4단계): 타인에 의한 인정 및 존중 욕구(평판 욕구 **예** 지위 인정, 존엄성 이해), 자기존중(self-respect) 욕구(**예** 성취감, 자신감)
㉤ 자아실현의 욕구(5단계): 자신의 잠재력을 최대한 실현하려는 욕구, 지적 욕구(지식욕구+이해욕구)와 심미적 욕구를 포함, 절정경험(peak experience)이 중요, 개인차가 가장 크게 나타나는 욕구, '균형'과 '항상성'을 포함하지 않는 욕구
예 최대의 자기발견, 창의성, 자기표현의 욕구 ⇨ 도전적인 일, 일의 성취

③ 결핍욕구와 성장욕구
㉠ 결핍욕구(D욕구, Deficiency needs): 우선적으로 만족되어야만 하는 욕구
예 1~4단계 욕구 ⇨ 긴장 해소와 평형복구 지향, 강한 사람은 타인 지향적·의존적 존재
㉡ 성장욕구(G욕구, Growth needs): 잠재력을 발휘하려는 욕구 ⇨ 존재욕구(B욕구, being needs), 메타욕구(meta needs) 21. 국가직 7급
예 5단계 욕구 (지적 욕구, 심미적 욕구, 자아실현 욕구) ⇨ 결코 완전히 만족되지 않는 욕구, 긴장의 즐거움이 계속되는 욕구, 강한 사람은 자율적·자기지시적 존재

④ 비판
　㉠ 욕구의 종류와 계층화에 관한 일률적 논리를 전개하여 개인별 및 상황별 차이를 소홀히 하였다.
　㉡ 개념들이 너무 막연하고 일반적이며, 욕구수준의 분류방식도 작위적이다.
　㉢ 욕구의 순차적 계층성이 항상 고정적인 것은 아니다.
　㉣ 인간의 행동은 단일의 배타적 욕구로부터 기인한 것이 아니라 상호복합적으로 작용·결정된다.
　㉤ 인간의 욕구와 동기를 너무 정태적으로 파악했다.
　㉥ 인간은 반드시 위계에 따라 행동하지 않는다.

⑤ 교육적 시사점
　㉠ 인간 중심 경영의 중요성과 그 논리적 토대를 제공하였다.
　㉡ 교사들의 동기 유발을 위한 단계적·복합적 접근이 필요하다.
　㉢ 학습에의 시사
　　ⓐ 기본적 욕구충족은 다른 종류의 학습의 기초가 된다.
　　ⓑ 교육은 학습자의 현재의 욕구를 충족시켜 줌과 동시에 새로운 욕구를 개발시켜 주어야 한다.

⑥ 포터(Porter)의 욕구위계 수정이론: Maslow 욕구위계이론을 수정하여 제시
　㉠ 욕구만족질문지(NSQ: Need Satisfaction Questionnaire)를 개발, 북미 조직사회를 대상으로 Maslow의 욕구위계이론 측정 ⇨ 생리적 욕구가 널리 충족되었음을 확인
　㉡ Maslow의 이론을 수정 제시
　　ⓐ 생리적 욕구 삭제 ⇨ 자율욕구를 추가(존경욕구와 자아실현욕구 사이)
　　ⓑ **자율욕구(autonomy needs)**: 자신의 환경이나 운명을 통제하고자 하는 욕구 ⇨ 조직의 의사결정에 참여, 작업환경을 통제·영향력 발휘, 권위 확보
　㉢ 욕구명칭 수정: 안전욕구 ⇨ 소속욕구 ⇨ 자아존경욕구 ⇨ 자율욕구 ⇨ 자아실현욕구

(2) **허즈버그(Herzberg)의 동기-위생이론**(Motivation-Hygiene Theory): 2요인설, 2중 요인이론, 양요인설 23·21. 국가직, 23. 지방직, 07. 서울

① 개요
　㉠ Maslow의 욕구위계이론을 기초: '인간의 욕구는 이원적(二元的) 구조이다.' ⇨ 이원적 욕구를 모두 충족시킬 때 조직의 생산성이 향상된다.
　㉡ **연구방법**: 회계사와 기술자 203명을 대상으로 '직무에 대하여 즐겁게 느꼈을 때를 생각하고, 그러한 감정을 유발한 조건은 무엇이며, 그것이 과업성과에 어떤 영향을 미쳤는가'를 조사
　㉢ 연구결과
　　ⓐ 직무만족에 기여하는 요인(동기요인)과 직무불만족에 기여하는 요인(위생요인)은 별개로 존재한다. ⇨ 만족요인은 접근욕구(approach needs)와 관련이 있으며, 불만족요인은 회피욕구(avoidance needs)와 관련이 있다.

ⓑ 동기요인과 위생요인은 서로 반대개념은 아니며, 독립된 전혀 별개의 차원이다: 불만족(dissatisfaction)의 반대개념은 불만족이 없는 것(no dissatisfaction)이며, 만족(satisfaction)의 반대개념은 만족이 없는 것(no satisfaction)이다.
ⓒ 동기요인의 충족을 위해서는 위생요인의 충족이 전제: 동기요인은 위생요인이 제거된 다음에야 작용한다. 위생요인의 제거나 개선은 불만족을 감소시키지만, 이것이 자동적으로 만족이나 동기를 강화하는 것은 아니다.
   ✐ 위생요인이 충족되면 구성원이 지닌 역량의 80%가 발휘되고 충족되지 않으면 60%만 발휘되나, 동기요인이 충족되면 자신이 가지고 있는 역량을 110% 발휘할 수 있다.
ⓓ 직무만족과 동기부여의 원천에 따라 구성원을 동기추구자(Motivation Seekers)와 환경추구자(Hygiene Seekers)로 구분하였다.
   ✐ 서지오바니(Sergiovanni) 자아개념을 기준으로 구성원을 상위수준의 욕구를 추구하는 동기추구자(Motivators)와 하위수준의 욕구를 추구하는 실패추구자(Failure-Avoiders)로 구분하였다.

② 내용

동기요인(만족요인, 개인 내적 요인, 접근욕구)	위생요인(불만족요인, 개인 외적 요인, 회피욕구)
1. 만족요인 • 동기요인 충족 ○ ⇨ 만족감 증대 • 동기요인 충족 × ⇨ 만족감 감소 2. 일(직무) 자체를 의미: 성장(발전 가능성), 책임감, 인정, 성취감, 자아실현, 승진, 지위상승욕구 3. 직무확장(풍부화)을 통해 동기부여	1. 불만족요인 • 위생요인 충족 ⇨ 불만족 감소 ○, 만족감 증대 × • 위생요인 충족 × ⇨ 불만족 증대 2. 일을 둘러싼 환경을 의미: 봉급(보수), 작업조건, 안전, 감독, 회사정책, 직무안정성 3. 1차적(우선적) 제거요인

㉠ 동기요인(만족요인, 접근요인): 종업원의 직무수행에 적극적 동기를 부여하는 만족요인
   ⇨ 자아실현욕구, 자율욕구, 자기존경욕구
   예 작업(일) 자체, 성취감, 인정, 책임감, 발전(성장 가능성) 등
㉡ 위생요인(불만족요인, 회피요인): 종업원의 직무수행에 불만족을 일으키는 환경적 요인
   예 임금(보수), 인간관계, 작업조건, 행정, 감독, 회사정책, 직무안정성 등

③ 비판
㉠ 직무 만족을 가져오는 요인과 직무 불만족을 가져오는 요인의 구분이 명확하지 않으며, 일치된 연구결과를 보여 주지 못하고 있다.
㉡ 개인차를 무시하고 있다. 직무환경에 대한 개인의 반응이 기본적으로 유사할 것이라는 가정과 직무내용과 관련된 요인에 의해서만 동기부여될 수 있다고 단정하는 것은 현실적인 경영에 있어서 위험을 초래할 가능성이 있다.
㉢ 방법적인 면에서 문제점을 가지고 있다. 즉, 공개적인 면담을 통해 질문에 대한 응답을 얻었기 때문에 응답자들이 면담자가 듣기를 원한다고 생각하는 응답을 하였을 가능성이 높다.
㉣ 만족 차원과 불만족 차원의 상호 배타성에 대한 오류다. 후속 연구에서는 두 요인이 동시에 나타나기도 한다.

④ 학교조직에의 시사점
  ㉠ 교사들로 하여금 직무를 통해 만족과 성과를 제고하도록 할 수 있는 철학적 토대를 제공하고 있다. ⇨ 교사의 동기화 전략으로 일 그 자체와 관련된 직무재설계의 중요성을 강조한다. 이를 위해 직무 풍요화(job enrichment), 직무특성 모형(job characteristic model) 등이 요구된다.
  ㉡ 교육조직에서 교사들이 직무 자체를 통해 만족을 얻을 수 있도록 인사체계를 개선할 필요가 있다. ⇨ 교사 경력단계화 프로그램이 도입될 필요성이 있다. 예 수석교사제도
  ㉢ 교사의 권한 부여(teacher empowerment)의 시사점을 제공한다. 즉, 교사들에게 의사결정의 권한과 자율성을 확대함으로써 조직의 생산성이 높아질 수 있다.

> **더 알아보기**
>
> **교사의 동기 유발을 위한 직무재설계(job redesign) 방안**
>
> 1. **개요**
>   ① 조직구성원의 동기 유발을 위한 내재적 보상방안 중의 하나
>   ② 직무재설계: 조직구성원들의 작업의 질과 그들의 성과를 높이기 위해 직무를 수정하는 것
>   ③ 직무재설계 방안: 직무확장이론, 교사의 경력단계화 프로그램, 직무특성이론
> 2. **직무확장이론**(Herzberg)
>   ① 직무재설계를 통해 조직구성원의 동기를 유발하여 업무성과를 향상시키는 방법 ⇨ 구성원들이 좋은 대우를 받을 때 성과가 향상된다는 기본가정에서 출발
>   ② 직무확장: 직무를 수직적으로 확장하여 조직구성원들의 심리적인 성숙 기회를 제공하는 것 ⇨ 구성원의 심리적인 성장이 중요
>   cf. 직무확대: 새로운 활동 추가를 통한 업무량의 수평적 확대(예 A + B + C)
>   ③ 직무확장 방안
>   • 구성원들을 효과적으로 활용하고 성장을 촉진시키기 위해 동기요인(예 성장 가능성, 승진 등)을 강조한다.
>   • 구성원들에게 좋은 위생요인 프로그램을 제공하여 동기요인을 보완한다.
>   ④ 확장된 직무의 특성: 고객 중심 서비스, 결과에 대한 피드백 제공, 새로운 학습기회 제공, 재량권 지원, 직접적인 의사전달, 결과에 대한 개인적 책임 조장
> 3. **직무특성이론**: 해크만과 올드함(Hackman & Oldham) 21. 국가직 7급
>   ① Maslow의 욕구위계이론, Herzberg의 직무확장이론, Vroom의 기대이론을 기초로 설계
>   ② 직무가 세 가지의 심리적인 만족상태(예 직무에 대해 느끼는 의미성, 직무에 대한 책임감, 직무수행결과에 대한 지식)를 가져올 때 구성원들의 심리적인 동기를 유발한다.
>   ③ 학교에서 교사의 직무특성[기술다양성(skill variety), 과업 정체성(task identity), 과업 중요성(task significance), 자율성(autonomy), 피드백(feedback)]과 이러한 요소들이 교사의 동기 유발, 태도, 성과에 미치는 영향을 점검하는 유용한 틀이다.
> 4. **교사의 경력단계화 프로그램**: 교직의 직무재설계 방안의 하나
>   ① 1980년대 초 미국 공교육의 질 향상 방안의 하나로 교직의 전문직화 운동 전개
>   ② 교직의 전문화를 위한 방안: 교사의 직무재설계 및 단계가 없는 경력구조와 경력·교육수준에 기초를 둔 보상체제의 변화 추진

③ 교사의 경력단계화의 필요성(Hoy & Miskel)
  - 많은 우수한 교사들이 교직에 잠깐 머물고 교직을 떠난다.
  - 초·중등학교의 교직은 납작한 구조를 가지고 있어 교사들이 상위직으로 승진할 경력기회가 별로 없다.
  - 교직은 창의성과 재능을 요구하는 힘든 일이지만 어느 정도 반복되는 직무의 특성을 지닌다.

④ 교사의 경력단계화
  - 개념: 직무확장을 통해 교사들에게 승진 기회 부여, 지위상의 서열 공식화, 교사의 능력과 업무의 일치, 학교와 교사의 개선을 위한 책임을 교직원에게 배분
  - 목적: 교사의 전문성을 계발할 기회와 보상 제공, 새로운 기술의 개발, 직무의 다양성과 책임감 증대, 새로운 도전의 수용, 동료 간의 협력 증진
  - 경력단계 프로그램: 수습교사 단계 ⇨ 정규교사 단계(교과지도와 학생지도에 대한 책임) ⇨ 선임정규교사 단계(교사연구, 수업연구, 교재개발에 대한 책임) ⇨ 수석교사 단계(동료교사 지원)

(3) **앨더퍼**(Alderfer)**의 ERG이론**: 생존 - 관계 - 성장욕구이론
  ① Maslow의 5단계 욕구위계이론을 3단계로 재분류: 생존욕구(E) - 관계욕구(R) - 성장욕구(G)
  ② 욕구의 종류
    ㉠ 생존욕구(Existence): 인간의 생존을 위해 필요로 하는 욕구 ⇨ Maslow의 생리적 욕구(1단계), 물리적 안전·보호욕구(봉급, 작업환경 등 2단계)
    ㉡ 관계욕구(Relativeness): 사회적 존재인 인간이 타인과 관계를 맺으려 하는 욕구 ⇨ Maslow의 대인관계에서의 안전의 욕구(2단계), 애정·소속·사회적 욕구(3단계), 타인으로부터 존경받고 싶은 욕구(4단계)
    ㉢ 성장욕구(Growth): 인간이 성장·발전하며 자기 잠재력을 발휘하고자 하는 욕구 ⇨ Maslow의 자존의 욕구(4단계), 자아실현의 욕구(5단계)

매슬로우(Maslow)의 욕구계층이론	앨더퍼(Aldefer)의 ERG이론
⑤ 자아실현 ④ 존경(자기 자신)의 욕구	성장욕구(G)
④ 존경(대인관계)의 욕구 - 평판욕구 ③ 애정·소속·사회적 욕구 ② 안전(대인관계)의 욕구	관계욕구(R)
② 안전·보호(물리적) 욕구 ① 생리적 욕구	존재욕구(E)

③ Maslow 이론과의 비교

공통점	하위수준의 욕구가 충족되면 상위수준의 욕구가 동기 유발의 힘을 얻게 된다.
차이점	• 좌절 및 퇴행요소가 있다. 상위수준의 욕구가 좌절될 때 그보다 낮은 하위수준의 욕구의 중요성이 커진다(불만족 − 퇴행접근법). 　예 학교에서 어떤 교사들은 관리직으로 승진을 하거나 전문직으로 진출할 목적으로 대학원에 진학하지만, 교감이나 교장이 될 수 없다거나 전문직으로 진출할 수 없다고 판단한 교사는 사람들과 사귀고 어울리는 활동에 더 관심을 기울이는 현상을 볼 수 있다. • 2~3가지 욕구가 한 번에 충족될 수 있다. • 자기존경욕구(Maslow−결핍욕구)를 '성장욕구'에 포함시켰다. • 반드시 하위욕구가 충족되어야 상위욕구가 충족되는 것은 아니다. 하위욕구가 충족되지 않아도 상위욕구가 발생할 수 있다.
비판점	보편성의 문제 ⇨ 이론을 검증한 실증적 연구가 별로 없다.

(4) **맥그리거(McGregor)의 X·Y이론** 23. 국가직, 10. 경기, 09. 국가직, 08. 서울, 07. 서울, 06. 대구

① 인간의 본성을 X, Y로 나누어 동기를 부여하려는 전략: 「기업의 인간적 측면(The Human Side of Enterprise)」

② 인간의 본성에 대한 두 가지 기본가정 설정: 과학적 관리론에 바탕을 둔 X이론, 인간관계이론에 바탕을 둔 Y이론 ⇨ 경영자가 구성원의 동기부여전략을 선택하는 데 중요한 영향

③ X이론과 Y이론의 인간관과 그에 따른 경영전략 비교

구분	X이론	Y이론
인간 관점	• **성악설(性惡說)**: 인간은 본성적으로 악하다. • 일을 싫어한다. • 본능적으로 행동한다. • 개인적·이기적·경쟁적 존재이다. ⇨ 개인 중시 • 타율적 통제가 필요하다. ⇨ 강제적·외적 동기 • 염세적·비관적 인생관	• **성선설(性善說)**: 인간은 본성적으로 선하다. • 일을 좋아한다. • 인본주의에 따라 행동한다. • 집단적·협동적 존재이다. ⇨ 집단공동체 중시 • 자율적 통제가 가능하다. ⇨ 자율적·내적 동기 • 낙천적·낙관적 인생관
경영 전략	• 과학적 관리론적 접근 • 권위주의적 리더십 발휘 • 강제, 명령, 통제, 금전에 의한 유인, 위협, 벌칙 등을 사용	• 인간관계론적 접근 • 민주적 리더십 발휘 • 자발적 근무의욕 및 동기 유발 고취 • 사회심리적 욕구충족 중시

(5) **아지리스(Argyris)의 미성숙 − 성숙 이론** 14. 지방직

① 조직의 풍토(climate of organization) 개선에 관심

② 개인의 성숙이 곧 조직의 성장을 촉진시킨다. ⇨ 개인(자아실현)과 조직(목적달성)이 서로 상생하는 방법 추구

　㉠ 개인의 미성숙과 성숙을 하나의 연속적인 발전 과정으로 이해: 인간은 어린이의 타인의존적·수동적 상태에서 어른의 독립적·능동적 상태로 발전한다.

　㉡ 조직 내의 구성원에게 책임의 폭을 넓혀 주고 믿음으로 대해 주며, 직장에서 성숙할 수 있는 기회를 부여하면 구성원의 자아실현욕구와 함께 조직의 욕구도 충족되며, 조직의 목표도 달성된다. 예 라디오 조립 작업 실험

③ 기본명제
  ㉠ 성숙한 인간의 욕구와 공식조직의 욕구 사이에는 불일치가 존재한다. ⇨ 공식조직에서는 본질적으로 인간을 미성숙한 존재로 파악한다.
  ㉡ 이러한 부조화는 조직구성원들의 좌절감, 실패감, 편견, 갈등을 야기한다.
  ㉢ 인간 상호 간의 대인관계 증진, 직무 확인, 지시적 지도성을 참여적·구성원 중심으로 변화 등을 통해 부조화를 해결해야 한다.

5. 과정이론 21. 지방직, 05. 국가직

(1) **브룸(Vroom)의 기대이론**(expectancy theory, VIE이론) 22. 국가직 7급

$$동기부여 = \sum 유인가 \times 기대$$

① 인간은 사고와 이성을 지닌 존재로, 현재와 미래의 행위에 대한 의식적인 선택을 한다고 가정하고 동기화 과정에서 개인의 지각의 중요성을 강조한 이론 ⇨ 유인가−보상기대−성과이론(VIE: Valence−Instrumentality−Expectancy theory), 가치이론(value theory)

② 만족감과 직무수행에 직접적인 인과관계를 찾기 어렵다고 보고 욕구충족과 동기 유발 사이에 인간만이 지니는 주관적인 평가 과정이 개재되어 있다.

③ 기본가정
  ㉠ 사람에 따라 욕구, 희망 및 목표의 유형이 다르다.
  ㉡ 인간은 자신의 욕구, 동기, 과거의 경험에 대한 기대를 가지고 조직에 들어온다. 이러한 것들은 조직에 대한 개인의 반응에 영향을 미친다.
  ㉢ 개인의 행동은 의식적인 선택의 결과이다.
  ㉣ 인간은 조직에 대하여 각기 다른 것을 원한다. ⇨ 인간은 자신을 위한 산출을 극대화할 수 있도록 선택적인 대안들 가운데서 선택한다.
  ㉤ 동기란 여러 자발적인 행위들 가운데서 개인의 선택을 지배하는 과정이다.

④ 동기의 구성요소
  ㉠ 유인가(valence, 목표의 매력성): 보상
    ⓐ 특별한 산출이나 보상을 바라는 욕구의 강도 ⇨ 특정한 목표, 결과, 보상에 대한 열망의 정도
    ⓑ 2차적 산출(보상)에 대한 열망의 강도 ⇨ 동일한 보상에 대해서도 개인마다 유인가가 다르다.
  ㉡ 수단(instrumentality): 보상기대
    ⓐ 1차적 산출이 2차적 산출을 가져오게 되리라는 주관적인 확률치
    ⓑ 제1수준의 성과(과업의 수행)는 그 자체로서 의미가 있는 것이 아니라, 제2수준의 성과(보상)를 얻기 위한 수단이다.

ⓒ 기대(expectancy)
  ⓐ 특정 행위에 특정 결과가 나오리라는 가능성 또는 주관적 확률과 관련된 믿음
  ⓑ 과업수행을 위한 노력은 실제로 어느 정도의 성과가 나타날 것인가 하는 기대에 의해 좌우된다.
  ⓒ 성과기대치(노력과 성과의 관계): 과업에 관련된 노력이 어떤 수준의 성과를 가져올 것이라는 신념의 강도 ⇨ '기대'라고 하며, 가능성이 없으면 0, 확신이 있으면 1이다.
  ⓓ 보상기대치(성과와 보상의 관계): 과업수행의 1차적 산출의 결과로 오게 될 특별보상에 대한 열망의 강도 ⇨ '수단'이라고 하며, 매우 높으면 +1, 매우 낮으면 -1, 관계가 없으면 0이다.
ⓔ 산출: 어떤 작업행동의 최종 결과
  ⓐ 1차적 산출(제1수준의 성과): 일 자체와 관련된 직접적인 결과
  ⓑ 2차적 산출(제2수준의 성과): 1차 수준의 성과가 가져올 결과
    예 보상, 보수, 금전, 승진, 감독자의 지시, 집단 수용
ⓕ 유의성(자극, 태도, 기대효용): 어느 개인이 특정 결과에 대해 갖는 선호의 강도
ⓖ 능력: 어떤 과업을 성취할 수 있는 잠재력

⑤ 기본모델

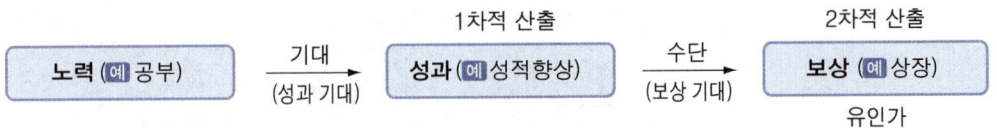

⑥ 교육적 시사점 19. 지방직
  ㉠ 학교경영자는 교사들이 노력만 하면 성과를 얻을 수 있다는 믿음을 심어 주어야 한다.
  ㉡ 보상기대(성과와 보상의 관계)를 분명히 하고 구체화하여야 한다. ⇨ 학교조직에서 지위배분 결정에 교사들이 참여하고 결정 과정이 투명해야 한다.
  ㉢ 교사들이 생각하는 보상에 대한 유의성(매력의 정도)을 증진시켜야 한다.

(2) **아담스(Adams)의 공정성 이론**(equity theory) 23. 국가직 7급, 13. 국가직, 10. 울산
  ① 균형이론(balance theory), 교환이론(exchange theory) ⇨ 사회적 비교이론의 한 종류
    ⌑ 사회적 비교이론(social comparison theory)은 한 개인이 다른 사람에 비해 어느 정도 공정하게 대우를 받고 있는가에 관한 지각의 중요성을 강조한다.
  ② 한 개인이 다른 사람에 비해 얼마나 공정하게(균형 있게) 대우받느냐에 초점을 둔 이론 ⇨ 사람들의 행위가 다른 사람들과의 관계에서 공정성을 유지하는 쪽으로 동기 유발된다는 것이 핵심

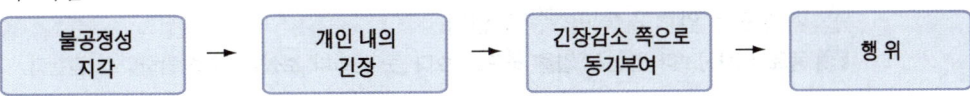

③ 기본전제
　㉠ 동기란 개인이 자기의 작업상황에서 지각한 공정성의 정도에 의해서 영향을 받는다.
　㉡ 공정성의 정도는 자기와 타인의 투입과 노력에 대한 성과를 비교하여 동일한 경우는 공정하지만, 불균등하면 불공정성을 느끼고(예 과대보상이면 부담감을, 과소보상이면 불만족을 지각함), 공정성을 회복하도록 노력하는 것이 작업동기이다. ⇨ 분배의 공정성 중시
　㉢ 투입요인(inputs): 특정인이 자신의 보답을 기대하면서 상대방에 기여하는 모든 것
　　예 나이, 성, 학력, 사회적 지위, 조직에서의 지위, 자격, 노력, 신체적 조건, 위험부담
　㉣ 성과요인(outputs): 투입에 대한 보답 또는 과업수행의 결과로서 특정인이 받게 되는 수익이나 비용
　　예 급료, 일에 대한 내적 보상, 만족스런 감독, 연공(年功)의 혜택, 지위, 승진

④ 공정성 도식: 분배적 공정성 중시
　㉠ 공정한 경우

$$\text{공정성} = \frac{\text{자신의 성과}}{\text{자신의 투입}} = \frac{\text{타인의 성과}}{\text{타인의 투입}}$$

　㉡ 불공정한 경우

$$\text{저급여 불공정성} = \frac{\text{자신의 성과}}{\text{자신의 투입}} < \frac{\text{타인의 성과}}{\text{타인의 투입}}$$

$$\text{과급여 불공정성} = \frac{\text{자신의 성과}}{\text{자신의 투입}} > \frac{\text{타인의 성과}}{\text{타인의 투입}}$$

⑤ 공정성 회복(불공정성 감소)을 위한 행동유형
　㉠ 투입 조정(투입의 변경): 개인들은 불공정성이 유리한 것이냐 불리한 것이냐에 따라 투입을 증가시키거나 감소시킨다.
　　예 과소보상(underpayment)의 경우 개인은 노력을 감소시킬 것이고, 과대보상(overpayment)의 경우는 노력을 증가시킬 것이다.
　㉡ 자기 자신의 투입이나 성과의 (인지적) 왜곡: 실제로 투입이나 성과를 변경시키지 않고 인지적으로 왜곡시킴으로써 같은 결과를 얻을 수 있다.
　　예 대학을 나온 사람이 고등학교를 나온 사람보다 월급이 적을 때 "그는 업무능력이 나보다 나으니까."라고 생각한다.
　㉢ 타인(비교대상)의 투입이나 성과의 왜곡: 비교대상인 동료에 대한 인지적 왜곡을 통해 불공정을 줄일 수 있다. 또는 비교대상에게 투입을 감소시키도록 압력을 가하거나 조직을 떠나도록 압력을 넣을 수도 있다.
　　예 동료가 자신보다 열심히 일을 하므로 보다 큰 성과나 보상을 받을 만하다고 믿는다.

② 성과 조정(성과의 변경) : 노력이나 투입의 증가 없이 노조의 압력 등으로 임금인상이나 근무조건을 개선할 것을 요구한다. 특히 다른 산업이나 조직과의 불공정성을 없앨 때 나타난다.
⑩ 비교대상 변경 : 비교대상을 변경함으로써 불공정성을 줄일 수 있다.
   예 자기의 전문지식 수준을 어느 석학이나 동료 전문가들의 지식 수준과 비교한다.
ⓑ 조직 이탈(직장 이동 또는 퇴직) : 전보를 요청하여 부서를 옮기거나 조직을 완전히 떠날 수 있다. 이는 극단적인 예로 불공정성이 극히 클 때, 또는 개인이 이를 감당할 수가 없을 때 나타난다.

⑥ **교육적 시사점**
   ⊙ 교사들은 사회적 비교 과정을 통해 만족, 불만족을 경험한다. ⇨ 학교경영자(정책집행자)는 교사들을 공정하게 대우하도록 노력한다.
   ⓒ 학교경영자는 교사의 동기부여에 있어서 지각이 갖는 중요성을 갖고 건설적인 조직풍토나 문화를 구축해야 한다.
   ⓒ 학교조직에서 교사들은 자신들이 받는 보상을 교직 내의 다른 사람뿐만 아니라 교직 이외의 직종에 종사하는 사람들과도 비교한다는 사실이다. ⇨ 호봉이 올라갈수록 타직종에 비해 상대적으로 급여수준이 떨어지는 교사들의 보수체계의 현실을 고려하여 국가적인 차원에서 정책적인 배려가 필요하다.

(3) **포터(L. W. Porter)와 로울러(E. E. Lawler)의 성과 – 만족 모형**(1968) 21. 지방직
① **개요**
   ⊙ 브룸(Vroom)의 기대이론을 기초로 아담스(Adams)의 공정성이론을 결합, 직무수행 및 직무만족을 포함하는 포괄적인 모형을 제시하였다.
      ⇨ 기대이론, 공정성이론, 내재적 보상, 성과와 만족의 관계 등을 포괄하고, 능력과 역할인식의 문제까지를 모두 포함한 종합모형 : 동기의 강도와 성과, 보상, 만족 간에 존재하는 복잡한 관계를 설명하고, 노력과 성과 간에 능력과 역할이라는 매개변수를 도입하여 성과측정의 정확성을 제고하였다.
   ⓒ 반응과 산출(노력과 성과) 간의 관계를 강조한 점, 동기의 강도가 성과 및 만족과 일치하지 않는다고 전제한 점은 기대이론이나 공정성 모형과 다른 점이다.
   ⓒ 개인의 동기는 노력과 성과, 보상과 만족감이라는 복합적인 함수로 나타나고 있으며, 이 복합관계에서 성과와 보상에 대한 기대감과 보상에 대한 공정성 개념, 그리고 개인의 능력 등도 중요한 요소로 작용함을 강조하였다.

② 모형도

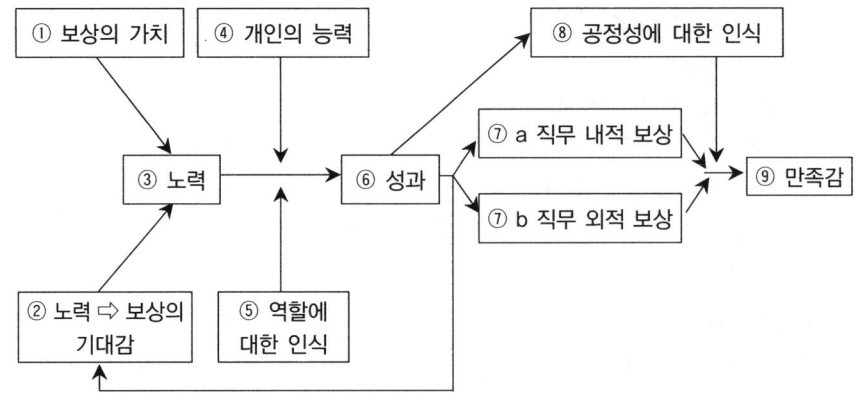

✎ ①, ②, ③, ⑥, ⑦은 브룸(Vroom), ⑧은 아담스(Adams), ④, ⑤, ⑨는 포터와 로울러(Porter & Lawler)가 중시한 요소임.

① 보상의 가치	특정한 성과에 대하여 지니는 매력도 혹은 선호도 ⇨ 브룸(Vroom)의 유의성에 해당
② 노력 → 보상의 기대감	노력수준에 따라서 이에 알맞게 보상이 선별적으로 주어지는지에 대한 기대를 뜻함. ⇨ (노력 → 성과의 기대) 그리고 (성과 → 보상 간의 기대)를 나타내는 수단성이라는 두 가지 측면으로 구성
③ 노력	직무를 수행하는 데 투입한 에너지와 힘
④ 능력(ability)	개인이 장기적으로 지닌 업무수행관련 지식과 기술 및 특징
⑤ 역할인식 (role perception)	직무를 효과적으로 수행하는 데 필요하다고 생각하는 직무내용, 책임, 권한, 의무에 대한 인식
⑥ 성과	직무를 구성하고 있는 과제들에서의 목표달성 정도
⑦ 보상	조직으로부터 받게 되는 과업수행에 대한 대가 ⇨ 내재적 보상(예 성취감, 자율성)과 외재적 보상(예 보수, 칭찬)
⑧ 공정성에 대한 인식	자신의 보상/투입률이 준거인과 비교해서 공정하다고 느끼는 심리적 상태
⑨ 만족(satisfaction)	공정성에 대한 인식 결과 가지는 욕구충족 정도에 대한 정서적 유쾌감

③ 이론의 특징

㉠ 만일 구성원이 직무수행에 필요한 능력을 지니지 못하거나 자신의 역할에 대한 정확한 이해가 부족하다면 노력과 성과의 관계성이 약해진다. ⇨ 브룸(Vroom)의 모형에서는 직무성과를 동기의 강도(MF)와 능력(Ability) 간의 상호작용의 함수로 보았지만, 포터(Porter)와 로울러(Lawler)의 모형에서는 직무성과를 노력(Effort)과 능력(Ability), 역할인식(Role Perception)이라는 세 가지 측면의 상호작용의 함수로 파악함. 즉 브룸(Vroom)은 $P = f(MF \times A)$로, 포터와 로울러(Porter & Lawler)는 $P = f(A \times E \times R)$로 이해

㉡ 성과에 따른 보상과 이에 대한 공정성 인식이 만족을 결정한다는 것이다. ⇨ 성과에 대해서는 내재적·외재적 보상이 따르게 되는데, 만일 보상에 대해 공정성을 인식하지 못한다면 만족을 느끼지 못한다는 것이다.

ⓒ 동기의 강도, 성과, 만족은 각각 분리된 변수로써 전통적인 동기이론의 '만족 → 성과'의 가정과는 다른 '성과 → (보상) → 만족'의 방식으로 전개된다고 보았다.
  ⓐ 기존 동기이론의 한계를 보완: 허즈버그(Herzberg)의 2요인이론은 직무만족과 업무성과 간의 관계를 명확히 밝히지 못하고 있고, 브룸(Vroom)의 기대이론은 유의성의 개념과 직무만족 간의 관계에 대한 직접적인 언급은 없다.
  ⓑ 기존 동기이론과의 차이점: 기존 이론들이 "직무만족이 성과를 선행하는 것"이라고 주장한 것에 반해, 포터(Porter)와 로울러(Lawler)는 오히려 "성과가 만족을 선행한다"는 인과관계를 가지고 설명 ⇨ 성과에 대한 내재적·외재적 보상들이 만족으로 이어지는 중요요인으로 파악함으로써 보상의 중요성을 강조함. 즉, 성과가 높을 때 그것이 제대로 보상되면 구성원은 만족을 느끼게 된다고 파악하였다.

④ 의의
  ㉠ 기대이론과 공정성이론의 한계 보완: 브룸(Vroom)의 모형보다는 더 구체적이고 실무에 가깝게 설계되었고, 아담스(Adams) 이론에서 범한 투입과 성과의 동일시 오류를 수정하였다.
  ㉡ 구성원들의 행위통제에 영향을 미치는 다양한 변수를 체계적으로 결합시킴으로써 현실성을 높였다.

⑤ 한계: 개인의 행동이 항상 합리적인 선택으로 이루어지는 것은 아니고, 환경의 영향으로 인해 행동 선택에 제약이 따른다는 점을 간과하였다.

(4) **로크(Locke)의 목표설정이론**(goal setting theory, 1968) 11. 경기
  ① 인간의 행위(동기)는 가치와 의도(목표)에 의해서 결정된다고 보는 이론: 목표가 실제 행위나 성과를 결정하는 요인으로 작용한다.
  ② 인간은 자신이 설정한 목표를 성취하려는 의도를 지니며 이것이 제일 중요한 동기이다.
  ③ **목표가 지녀야 할 속성**: 목표의 구체성, 목표의 곤란성(다소 어렵고 도전적인 목표), 목표설정에의 참여, 노력에 대한 피드백, 목표 달성을 위한 동료 간의 경쟁, 목표의 수용성(구성원의 자발적인 수용)
  ④ 교육적 시사점
    ㉠ 구체적이고 도전적이며, 자발적으로 수용된, 달성에 대한 피드백이 있는 목표가 성과를 유지한다.
    ㉡ 목표 중심 경영 전략에 활용: 경영정보관리(MIS: Management Information System, 경영정보 시스템, 정보관리체제), 목표관리기법(MBO), 조직개발기법(OD, organizational development), 기획예산제도(PPBS, Planning Programming Budgeting System)

10 의사소통이론(communication theory)

1. 의사소통의 개요

(1) **의사소통의 개념**: 조직체 내에서 개인 또는 집단 사이에 어떤 사실이나 생각, 태도 등을 상호 전달하고 받는 과정 ⇨ 개인적·사회적 요인(배경)의 결합에 의해 의사소통이 이루어짐.

(2) **의사소통의 기능**: 조정 및 통제를 위한 수단, 합리적 의사결정의 수단, 조직통솔과 리더십의 발휘, 사기 앙양 및 동기 유발

(3) **의사소통의 원칙**(C. E. Redfield)
  ① **명료성**: 의사전달 내용이 명확해야 한다. ⇨ 피전달자가 분명하고 정확하게 이해할 수 있도록 간결한 문장과 쉬운 용어를 사용한다.
  ② **일관성(일치성)**: 의사소통 내용의 전후 일치, 즉 무모순성을 의미하며, 조직의 목표와도 부합되어야 한다.
  ③ **적시성**: 필요한 정보는 필요한 시기에 적절히 투입되어야 한다. 의사전달이 가장 효율적으로 이루어질 수 있는 적정한 시기를 놓쳐서는 안 된다.
  ④ **분포성(배포성)**: 모든 정보가 의사소통의 모든 대상에게 골고루 전달되어야 한다. 의사소통의 내용이 모든 사람들이 알 수 있도록 공개되어야 한다.
  ⑤ **적응성(융통성)**: 의사소통의 내용이 상황에 맞게 융통적으로 적응할 수 있어야 한다. 즉, 구체적인 상황에 적응할 수 있는 현실 적합성을 말한다.
  ⑥ **통일성**: 조직 전체의 입장에서 동일하게 수용된 표현이어야 한다.
  ⑦ **적량성(적정성)**: 과다하지도 과소하지도 않은 적당량의 정보를 전달해야 한다.
  ⑧ **관심과 수용**: 전달자가 피전달자의 주의와 관심을 끌 수 있어야 하고, 피전달자는 정보를 수용할 수 있어야 한다.

2. 의사소통의 유형

> 의사소통의 유형은 보는 관점에 따라 여러 가지로 분류할 수 있다.
> - **의사소통의 방향에 따라**: 수직적 의사소통, 수평적 의사소통, 대각선적 의사소통, 포도넝쿨모형 의사소통
> - **발신자와 수신자 사이의 메시지의 흐름에 따라**: 일방적 의사소통과 쌍방적 의사소통
> - **조직의 성격에 따라**: 공식적 의사소통과 비공식적 의사소통
> - **의사소통의 수단에 따라**: 언어적 의사소통과 비언어적 의사소통

(1) **수직적 의사소통, 수평적 의사소통, 대각선적 의사소통, 포도넝쿨모형 의사소통** ⇨ 의사소통의 방향에 따른 구분
  ① **수직적 의사소통**(vertical communication)
    ㉠ **하향적 의사소통**(downward communication): 상의하달(上意下達) 의사소통, 지시적 의사소통
      ⓐ 명령계통에 따라 상관이 부하에게 의사와 정보를 전달하는 형태
      ⓑ 방법: 구두 또는 문서에 의한 명령, 일반적 정보
        예 조직운영지침서, 편람, 게시, 기관지, 구내방송, 인터폰, 강연 등

ⓒ 상사에 대한 거부감이 있을 때는 의사소통이 왜곡, 오해, 무시될 가능성 내재
ⓒ **상향적 의사소통**(upward communication): 하의상달(下意上達) 의사소통
ⓐ 명령계통에 따라 하부에서 상부로 의사와 정보를 전달하는 형태
ⓑ **방법**: 보고, 내부결재, 개별면접, 인사상담, 제안제도, 여론조사 등
ⓒ 쌍방향 의사소통이 가능, 선택적 여과현상(상사의 질책을 회피하기 위해 의견을 여과)의 문제점
② **수평적 의사소통**(horizontal communication): 상호작용적·횡적·측면적 의사소통
㉠ 동일한 지위의 개인(또는 단체) 간에 일어나는 의사소통
㉡ **방법**: 위원회 제도, 부서 간 사전 협조제도 또는 심의, 사후 통지제도, 부서별 협의, 회람, 레크리에이션 등
③ **대각선적(사선적) 의사소통**: 조직구조상 집단을 달리하는 사람들 간의 의사소통, 계선조직의 한 부분과 참모조직 사이에 일어나는 의사소통 ⇨ 참모의 조언 청취
④ **포도넝쿨모형 의사소통**: 비공식적 의사소통, 친화관계·학연·지연 등 조직 내 인간적 관계에 의해 자생적으로 형성되는 의사소통
㉠ **장점**: 빠른 전달속도, 하급자들의 스트레스 해소, 공식적 의사소통이 전달하지 못하는 유익한 정보제공, 하급자에 관한 가치 있는 정보제공
㉡ **단점**: 무책임한 정보유통 시 통제가 어렵고 명예훼손이나 조직 와해 초래, 정보 왜곡의 가능성 높음.

(2) **일방적 의사소통과 쌍방적 의사소통** ⇨ 메시지의 흐름에 따른 구분
① **일방적 의사소통**(one-way communication): 의사소통이 한쪽 방향으로만 이루어지며, 말하는 사람에 의해 시작되어 듣는 사람에게서 끝나는 의사소통
예. 주제에 관한 교실에서의 강의, 학교업무에 관한 교장의 지시 등
② **쌍방적 의사소통**(two-way communication): 호혜적 상호작용에 의한 의사소통으로, 일방적 의사소통에는 없는 피드백(feedback)의 요소가 포함된다.
㉠ **원칙**: 참여의 원칙(대화가 자발적일 것), 실행의 원칙(대화가 힘들어도 지속적이고 광범위하게 진행될 것), 호혜성의 원칙을 들 수 있다.
㉡ **종류**: 대화(dialogue), 탐구(inquiry), 토론(debate), 대화에서의 가르침(instruction, **예** 소크라테스의 문답법)

(3) **공식적 의사소통**(formal communication)**과 비공식적 의사소통**(informal communication) ⇨ 조직의 성격에 따른 구분

구분	공식적 의사소통	비공식적 의사소통
개념	공식조직 내에서 공식적인 계층제적 경로와 과정을 거쳐 공식적으로 행하는 의사소통방식 ⇨ 고전적 조직론에서 강조	계층제나 공식적인 직책을 떠나 조직 구성원 간의 친분·상호 신뢰와 현실적인 인간관계 등을 통하여 이루어지는 의사소통방식 ⇨ 자생집단(비공식적 조직) 내에서 강조

수단	공문서를 수단으로 함(명령, 지시와 보고, 품의).	개별적인 인간적인 만남, 각종 친목회에서의 의견 교환, 조직 내 소문
장점	① 상관의 권위가 유지 ② 의사전달이 확실하고 편리 ③ 전달자와 피전달자가 분명하고 책임소재가 명확 ④ 정보의 사전 입수로 의사결정이 용이 ⑤ 의사결정에서의 활용 가능성이 큼. ⑥ 정보나 근거의 보존이 용이	① 전달이 신속 ② 외적으로 나타나지 않는 배후 사정을 소상히 전달 ③ 긴장과 소외감을 극복하고 개인적 욕구를 충족할 수 있음. ④ 행동의 통일성을 확보할 수 있음. ⑤ 관리자에 대한 조언의 역할이 가능 ⑥ 의견 교환의 융통성이 높음. ⑦ 공식적 전달을 보완할 수 있음.
단점	① 의사전달이 융통성이 없고 형식화되기 쉬움. ② 배후 사정을 소상히 전달하기 어려움. ③ 변동하는 사태에 신속히 적응하기가 어려움. ④ 기밀 유지가 곤란함.	① 책임 소재가 불분명함. ② 개인 목적에 역이용될 수 있음. ③ 공식적 의사소통 기능을 마비시킬 수 있음. ④ 수직적 계층 하에서 상관의 권위가 손상 ⑤ 조정·통제가 곤란함.

(4) **언어적 의사소통과 비언어적 의사소통** ⇨ 의사소통의 수단에 따른 구분

① **언어적 의사소통(verbal communication)**: 언어를 매개로 하여 정보가 전달되는 것으로, 문서에 의한 의사소통(예 편지, 메모, 보고서 등)과 구두에 의한 의사소통(예 말로 전달하기)이 있다.

② **비언어적 의사소통(nonverbal communication)**: 언어를 사용하지 않으면서 정보를 전달하는 것으로, 물리적 언어를 통한 형태(예 교통신호, 도로표지판, 안내판 등), 상징적 언어를 통한 형태(예 사무실 크기, 사무실 내의 좌석배치, 의자의 크기, 자동차의 크기 등), 신체적 언어를 통한 형태(예 자세, 얼굴표정, 몸짓, 목소리, 눈동자 등)가 있다.

3. **의사소통의 기법**: 조하리의 창(Johari's window) 24. 국가직, 11. 경북

(1) **조셉 루프트(Josep Luft)와 해리 잉햄(Harry Ingham)에 의해 개발**: 원래 대인관계의 유형을 설명하려는 것이었으나, 대인관계 능력의 개선방향이나 대인 간 갈등을 분석하는 데 널리 사용

(2) **조하리의 창**

① 개방적 부분(open area): 민주형 의사소통 유형
  ㉠ 자신에 관한 정보가 자신이나 타인에게 잘 알려져 있는 부분
  ㉡ 서로 잘 알고 상호작용하기 때문에 효과적인 의사소통이 가능
  ㉢ 효과적인 의사소통을 위해서는 이 부분의 영역을 넓혀 가야 하는데, 자기노출을 하고 피드백을 많이 받을 때 가능하다.
② 맹목적 부분(blind area): 독단형 의사소통 유형
  ㉠ 자신에 대한 정보가 타인에게는 알려져 있지만, 자신에게는 알려져 있지 않은 부분
    예 자신이 가지고 있는 (본인은 알지 못하는) 좋지 않은 버릇, 습관, 행동특성
  ㉡ 타인으로부터 피드백을 받지 못할 때 이 부분이 넓어져 효과적인 의사소통이 이루어지기 힘들다.
  ㉢ 자기 이야기는 많이 하면서 상대방의 이야기는 귀기울이지 않거나, 자기주장은 강하면서 상대방의 의견에 대해서는 불신하고 비판적이며 수용하지 않으려 한다.
③ 잠재적 부분(hidden area): 비밀형(과묵형) 의사소통 유형
  ㉠ 자신에 대해 타인에게는 알려져 있지 않지만, 자신에게는 잘 알려져 있는 부분
    예 남에게 노출시키기를 꺼려하는 정보, 감정, 실수, 약점, 과거 경험 등
  ㉡ 타인이 어떻게 반응할지 몰라 마음의 문을 닫고 자신의 감정과 태도를 타인에게 잘 알리려 하지 않는 방어적인 태도를 취하게 될 때 나타난다.
  ㉢ 의사소통에서 자신의 의견이나 감정을 표출하지 않고 타인으로부터 정보를 얻으려는 경향이 크다.
④ 미지적(未知的) 부분(unknown area): 폐쇄형 의사소통 유형
  ㉠ 자신에 대한 정보가 자신과 타인에게 모두 알려져 있지 않은 부분
  ㉡ 자신에 대한 견해를 표출하지도 않고 타인으로부터 피드백을 받지도 않는 경우이다.
  ㉢ 계속될 때 일상적인 의사소통이 어려워지며 자기폐쇄적으로 가기 쉽다.

제3절 교육행정 조직

1 조직의 기초

1. 개념

둘 이상의 사람들이 일정한 목표를 추구하기 위하여 의식적으로 구성한 사회체제

2. 행정조직의 원리 24. 국가직, 17. 국가직 7급, 11. 울산

(1) **계층화의 원리**(principle of hierarchy = 계층제): 권한과 책임이 여러 층으로 나눠져야 한다.
  예 사장, 부장, 과장 등
  ① 조직의 공동목표 달성을 위한 업무수행에 관한 권한과 책임의 대소경중에 따라 직위의 수직적 서열 또는 등급화가 이루어져야 한다.

② 명령통일의 원리와 통솔범위의 원리를 전제조건으로 한다.
③ 순기능: 명령·의사소통의 통로, 권한·책임 위임의 통로, 조직 내부통제의 통로, 조직 내 갈등·분쟁의 해결·조정의 통로 역할
④ 역기능: 조직의 경직화 초래, 의사소통의 왜곡 야기, 동태적 인간관계의 형성 저해

(2) **명령통일의 원리**(principle of unity of command): 조직의 구성원은 1명의 상관에게서만 명령과 지시를 받고 보고할 때 조직운영이 활성화된다.

cf. 한 집에 시어머니가 둘이면 며느리가 괴롭다.

① 계층화(계층제)의 원리를 전제조건으로 한다.
② 명령통일의 효과(Gulick): 조직적·능률적으로 책임 있게 업무수행, 지위의 안정감 유지, 보고와 명령의 책임소재가 분명, 전체적 조정이 용이
③ 막료조직의 발달로 그 중요성이 약화되었다.

(3) **통솔범위의 원리**(principle of span of control): 1명의 상관이 적정수(適定數)의 부하를 거느려야 한다.

① 한 통솔자가 직접 감독할 수 있는 부하직원의 수 또는 조직단위의 수가 통솔자가 효과적으로 지도·감독할 수 있는 수를 초과해서는 안 된다는 원리이다.
② Simon의 magic number: 상급자의 능력에 따라 부하의 수가 결정된다.
③ 통솔범위 규정의 작용요인: 직무의 성질, 공간적 요인, 시간적 요인, 감독자의 능력, 피감독자의 질, 관리기술의 수준과 상태 ⇨ 기계적·획일적 규정은 있을 수 없고 상황에 따라 달라진다.

(4) **적도집권(適度集權)의 원리**(principle of optimum centralization): 중앙집권제(능률성)와 지방분권제(민주성) 사이에 적절한 균형을 유지해야 한다. ⇨ 단체자치와 관련

구분	중앙집권제	지방분권제
장점	효율적인 기획, 강력한 집행, 획일적 통제 ⇨ 행정의 능률화·효율화	지방의 특수성 확보, 자주성·창의성 함양 ⇨ 행정의 민주화
단점	획일주의, 전체주의	기획의 합리화 및 능률적 행정집행의 어려움.

(5) **분업화의 원리**(principle of division of work, = 기능, 전문화의 원리): 업무를 성질별로 나누어 한 구성원에게 한 가지의 주된 업무를 분담시키는 원리이다. ⇨ 표준화, 전문화, 단순화 등 3S 촉진

① 집단적 협동체제의 조직에 있어서 필수적이다.
② 조직의 규모가 확대되고 업무처리의 전문성이 증가할수록 그 중요성이 커진다.
③ 장점: 작업능률의 향상, 도구·기계의 발달 초래, 인간의 능력을 기계적으로 활용

(6) **조정의 원리**(principle of co-ordination): 조직 내 각 부서의 노력을 공동 목적달성을 위하여 조화 있게 정리·배열하는 집단적 노력을 말한다. ⇨ 업무 간, 상하 간, 기능 간의 상호관계를 조화 있게 유도해 나가는 원리 cf. 사공이 많으면 배가 산으로 올라간다.

① 조직체의 제1원리(Mooney): 조직의 행동통일 보장, 조직목표 달성을 위한 가장 기본적 기능

② **조정을 저해하는 요인**: 지나친 분업 및 기구의 전문화, 조직의 확대, 지도자의 조정능력 부족, 구성원의 정치적 역학관계, 조직의 목표와 개인의 이해관계의 차이, 불완전한 계층제, 할거주의
③ **조정의 방법**: 목표와 책임한계의 구체화, 계층제의 권한 확립, 위원회에 의한 조정, 조정기구의 설치, 계획에 의한 조정

3. 조직의 유형 22. 지방직, 16. 국가직 7급, 09. 경기, 03. 국가직

(1) **파슨스(Parsons)의 분류**: 조직의 목적 및 사회에 대한 기능을 기준으로 한 분류
   ① **생산조직**: 사회에 의해 소비되는 물품을 제조하는 조직 예 기업
   ② **정치목적조직**: 가치 있는 목적을 획득하고, 사회 내의 권력을 창출·배분하는 조직 예 정부
   ③ **통합조직**: 갈등을 해결하고 제도화된 기대를 충족하도록 동기화하며, 사회의 각 분야가 일할 수 있도록 하는 조직 예 법원, 정당
   ④ **체제(유형)유지조직**: 교육·문화 및 표현활동을 통하여 사회의 계속성을 유지하려는 조직 예 학교

(2) **카츠(Katz)와 칸(Kahn)의 분류**: 조직의 본원적 기능을 기준으로 한 분류 ⇨ 파슨스(Parsons)의 AGIL이론에 토대
   ① **생산적(경제적) 조직**: 인간의 기본적 의식주 욕구를 충족하는 물자와 서비스 제공 ⇨ 사회 전체의 통합적 수단을 마련 예 회사, 기업체
   ② **유형(형상, pattern)유지조직**: 사회의 안정성을 유지하고 개인의 사회화 기능을 수행 예 학교, 가정, 종교단체, 병원, 문화기관, 매스컴
   ③ **적응적 조직**: 새로운 지식 산출과 이론 정립을 통해 사회 변화에 적응하는 수단을 제공 예 대학, 각종 연구소, 각종 조사기관
   ④ **관리적(정치적) 조직**: 인적·물적 자원의 배분과 여러 하위체제의 조정·통제를 통하여 사회의 통합 및 관리 예 정부, 정당, 노동조합, 압력단체

(3) **블라우(Blau)와 스콧(Scott)의 분류**: 조직의 1차 수혜자는 누구인가를 기준으로 한 분류
   ① **공익조직(mutual-benefit associations, 호혜조직)**: 조직의 모든 구성원이 수혜를 보는 조직 예 정당, 노동조합, 종교단체
   ② **사업조직(business concerns)**: 조직의 소유자나 경영자가 이익을 보는 조직 예 회사, 기업
   ③ **봉사조직(service organizations)**: 조직을 이용하는 고객이 가장 큰 혜택을 보는 조직 예 병원, 학교, 상담소, 복지기관
   ④ **공공조직(commonwealth organizations, 공공복리조직)**: 일반대중 전체가 이익을 보는 조직 ⇨ 공익을 위해 존재하는 조직 예 군대, 경찰, 행정조직

(4) **칼슨(Carlson)의 분류**: 고객선발 방법을 기준으로 봉사조직의 유형 분류
22. 국가직 7급, 20. 지방직, 10. 국가직

구분		고객(C)의 참여결정권: 고객이 참여를 통제한다.			
		Yes		No	
조직(O)의 참여결정권: 조직이 참여를 통제한다.	Yes	유형Ⅰ 예-C 예-O	야생조직: 사립대학교, 사립의료시설, 일반복지후생기관, 자율형 사립고교	유형Ⅲ 예-O 아니오-C	강압조직: 이론적으로는 가능하나 실제로는 없다.
	No	유형Ⅱ 예-C 아니오-O	적응조직: 미국주립대학, 지역사회대학(자유등록제 학교)	유형Ⅳ 아니오-C 아니오-O	온상조직(사육조직): 공립초·중학교, 교도소, 국립정신병원 (법에 의한 조직 관리)

① 제Ⅰ형 조직(야생조직, wild organization): 조직 O, 고객 O ⇨ 시장원리가 지배하고 조직 간 생존경쟁이 치열함.
   예 자율형 사립고교, 사립대학, 특목고
② 제Ⅱ형 조직(적응조직): 조직 ×, 고객 O ⇨ 조직은 고객을 무조건적으로 수용해야 함.
   예 미국의 주립대학, 자유등록제의 학교
③ 제Ⅲ형 조직(강압조직): 조직 O, 고객 × ⇨ 현실적 존재 불가 **예** 군대
④ 제Ⅳ형 조직(순치조직, 사육조직, 온상조직, domesticated organization): 조직 ×, 고객 ×
   ⇨ 법적으로 존립을 보장받는 조직, 고객은 의무적으로 참여해야 함. 14. 국가직 7급
   예 의무교육기관(공립 초·중학교), 고교평준화 지역의 일반계 고교, 정신병원, 형무소
   ◇ **온상조직** 외부의 환경 변화와 관계없이 조직의 생존이 보장되어 있는 조직

(5) **에치오니(Etzioni)의 분류** 17. 국가직 7급: 지배·복종관계(통제수단)를 기준으로 분류 ⇨ 구성원에게 작용하는 권력(power)의 종류와 그 결과로 조직에 관여(involvement)하는 방식과의 관계 (공식적 조직의 일원이 되는 이유)

① **강제적 조직**: 강제적인 통제수단을 사용하여 구성원을 명령에 따르도록 하며, 구성원들은 소외의식을 지니고 있는 조직 **예** 교도소, 정신병원
② **공리적 조직**: 보수(임금)를 통해서 구성원들을 통제, 개인은 보수에 따라 타산적으로 행동하는 조직 **예** 회사, 기업
③ **규범적 조직**: 상징적·도덕적 가치(위신, 존경, 애정, 신념, 사명감 등)를 통해 구성원들을 통제, 구성원들에게 높은 귀속감을 지니게 하는 조직 **예** 학교, 종교단체, 일반병원

권력＼관여	소외적	타산적	도덕적(헌신적)
강제적 권력	강제적 조직(교도소, 정신병원)		
보수적 권력		공리적 조직(회사, 기업)	
규범적 권력			규범적 조직(학교, 종교단체)

(6) **민츠버그(Mintzberg)의 분류**: 조직의 구성부분, 조정기제, 상황적 요인을 기준으로 조직유형을 단순구조조직(simple structure organization), 기계적 관료제조직(machine bureaucracy organization), 전문관료제조직(professional bureaucracy organization), 대형지부조직(divisionalized form organization), 그리고 애드호크라시(adhocracy)로 분류했다.

① 기본구조

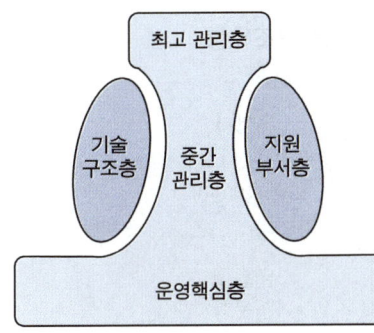

㉠ 운영핵심층: 교사 ⇨ 고객들에게 서비스 제공
㉡ 중간관리층: 교장·교감 ⇨ 운영핵심층을 감독·통제, 자원을 제공·관리
㉢ 최고관리층: 교육감·교육의원 ⇨ 조직목표 설정, 조직의 전략 제시
㉣ 기술구조층: 교육과정 개발 담당자·수업장학 담당자 ⇨ 조직의 업무계획·분석, 훈련 담당
㉤ 지원부서층: 행정실·보건실 ⇨ 운영핵심층의 업무를 간접적으로 지원

② 학교조직의 형태: 집권화(C, Centralization), 형식화(F, Formalization), 전문화(S, Specialization, 표준화)의 정도에 따라 6가지 유형으로 구분하였다.

㉠ 단순한 구조 (+C, −F, −S)	고도로 집권화되어 있는 조직으로, 학교장이 규칙이나 규정에 얽매이지 않고 강력한 지도성을 발휘할 수 있다.
㉡ 기계적 관료제 (+C, +F, +S)	세밀한 조정과 표준화에 따라 통합되어 잘 조절된 기계처럼 움직인다. 기술구조층에 의해 교사들의 업무내용이 표준화된다.
㉢ 전문적 관료제 (−C, −F, +S)	분권화와 표준화가 동시에 허용되는 구조로, 운영핵심층이 중요한 조직부분이다. 학교운영이 분권화되어 교사들 간의 민주적인 관계가 형성된다.
㉣ 단순 관료제 (+C, +F, −S)	㉠과 ㉡이 지니는 기본적 특징을 지닌다. 대단히 중앙집권적이고 관료적인 조직으로, 많은 초등학교들이 이에 해당한다.
㉤ 단순 전문적 관료제 (+C, −F, +S)	㉠과 ㉢의 결합이다. 중앙집권성은 높지만 전문성도 높으며, 많은 중등학교들이 이에 해당한다.
㉥ 준전문적 관료제 (0C, 0F, +S)	㉡과 ㉢의 혼합형이다. 교육과정과 교수내용의 여러 측면이 표준화되어 있지만, 전문교사들은 상응한 자율성을 지니고 있다.

(7) **호이(Hoy)와 미스켈(Miskel)의 교육조직의 분류**: 전문적 관료제 22. 지방직

① 학교조직은 관료적 성격과 전문적 성격을 공유하고 있다. ⇨ 학교는 구성원인 교사가 고도의 교육을 받은 전문가이며, 교사들은 독립적인 한정된 교실에서 각기 다른 배경의 학생들을 가르치면서 상당한 자유재량권을 행사하고, 교사들은 감독이나 직무수행의 통일된 표준을 갖기 어렵고, 다른 조직과는 달리 엄격한 감독을 받지 않는다는 점에서 일반적인 관료제와는 다르다.

② 조직 형태에 따른 조직의 특징

조직 형태	조직의 특징	
관료적(bureaucratic) 조직	• 권위의 계층 • 절차의 명세화	• 재직자를 위한 규칙 • 비정의적(impersonal)
전문적(professional) 조직	• 전문적 기술	• 전문화

③ 각 조직구조의 형태가 높고 낮음에 따른 4가지의 학교조직구조유형

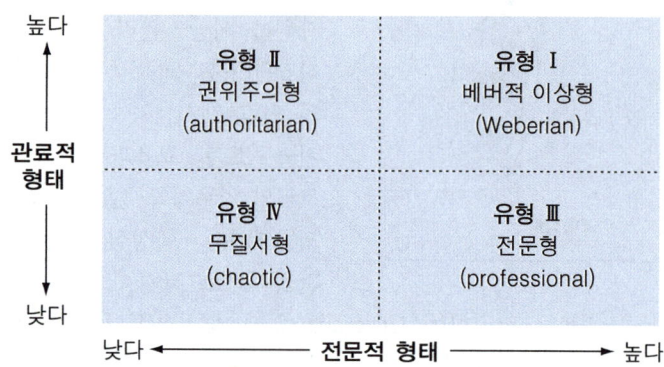

㉠ 베버(Weber)적 이상조직
ⓐ 관료적 성격도 높고 전문적 성격도 높다.
ⓑ 조직목표가 합리적이며 효율적으로 달성될 수 있는, 베버(Weber)의 이상형과 유사한 조직이다.

㉡ 권위적 조직
ⓐ 관료적 성격은 높으나, 전문적 성격은 낮다.
ⓑ 계층 내의 지위를 기본으로 한 권위를 강조하여, 지배-복종이 운영의 기본원리가 되고, 권력은 집중되어 있으며, 권위는 위에서 아래로 일방적이다.
ⓒ 규칙과 절차가 객관적으로 적용되며, 상급자가 항상 최종 결정을 내린다. 더구나, 일반적으로 조직과 상급자들에게 충성을 해 온 사람들이 행정직으로 승진을 한다.

㉢ 전문적 조직
ⓐ 관료적 성격은 낮으나, 전문적 성격은 높다.
ⓑ 행정가와 전문가가 함께 의사결정에 참여하며, 의사결정에 대한 전문가의 영향력을 중시한다. 이런 유형의 학교에서는 교사는 의사결정에 많은 권한을 가진다.

㉣ 무질서(자유방임적) 조직
ⓐ 관료적 성격과 전문적 성격이 모두 낮다.
ⓑ 갈등과 혼란을 겪으며, 불일치·모순·비효과성 등이 현저하게 나타나는 조직 유형이다.

(8) **조직화된 무질서(Organized Anarchy, 조직화된 무정부)** : Cohen, March, Olsen
   23·09. 국가직 7급, 21·11. 국가직

① 목표의 모호성(불문명한 목표, problematic preference) : 교육조직(학교)의 목적은 구체적이지 못하고 분명하지 않다. 교육조직의 목표는 수시로 변하고 대립적인 목표가 상존하며, 구성원마다 다르게 규정한다. 그래서 구체적인 프로그램을 만들 수 없다.

② 불분명한 과학적 기법(불확실한 기술, unclear technology) : 교육조직의 기술이 불명확하고 구성원들에게 잘 알려져 있지 않다. 교육조직에서는 아주 많은 기술(교수－학습기술)이 활용되지만, 그들이 학습자에게 어떠한 영향을 미칠지에 대해서는 분명하게 말할 수 없다. 특히, 어떤 방법과 자료를 활용해야 학습자들로 하여금 요구된 목표에 도달하게 할 수 있는지에 대해 교사와 행정가, 장학담당자의 합의된 전제가 없다.

③ 구성원의 유동적 참여(part-time participants) : 교육조직에서의 참여는 유동적이다. 학생들은 입학한 후 일정기간이 지나면 졸업한다. 교사와 행정가도 때때로 이동하며, 학부모와 지역사회 관계자도 필요시에만 참여한다.

④ 문제해결을 위한 의사결정이 우연적 관점에 입각하여 비합리적으로 이루어지는 쓰레기통 모형임 : 의사결정에 필요한 네 가지 요소, 즉 해결해야 할 문제, 문제의 해결책, 참여자 그리고 의사결정의 기회(선택기회) 등이 우연히 발생하는 극적인 사건이나 정치적 사건을 통해 합쳐짐으로써 의사결정이 이루어진다. 이 경우 의사결정방식은 진빼기 결정(choice by flight), 날치기 통과(choice by oversight)라는 두 가지 전형적 유형으로 나타난다.
   ✎ '조직화된 무질서'나 '이완결합체제'는 포스트모더니즘적 조직에 해당한다.

(9) **이완결합체제(loosely coupled system)** : 웨이크(Weick) 15. 국가직, 12. 서울, 11. 국가직 7급, 08. 국가직

① 조직의 하위체제와 활동들이 구조적으로 느슨하게 결합되어 있고, 하위체제 간의 활동이 관련성은 있지만 독립성을 유지하고 있는 상태
   ⇨ 느슨한 결합과 이완적(弛緩的) 구조

② "서로 연결은 되어 있으나 각자가 독자성을 유지하면서 어느 정도 분리되어 있는 모습" : 결합된 체제들이 상호 반응하지만 각 체제는 그 자신의 주체성과 그것이 물리적 또는 논리적으로 분리되어 조직의 하위체제와 활동들이 느슨하게 결합되어 있는 상태를 의미

③ 학교는 구조적 느슨함을 특징으로 하는 조직 : 학교는 자율성과 자유재량권을 가지고 있고, 교사도 학급 내에서는 형식적인 교장의 지시와 통제를 받을 뿐이다.
   예 교장이 이번 학력고사에서 학교 전체 성적을 상위수준에 목표를 둔다고 해서 교사가 즉각적인 반응을 보일 내용은 거의 없다. 강의와 실험, 실습 등은 행정조직의 통제에서 벗어난 강의실 등에서 독립적으로 이루어지고 있다.

④ 학교조직의 통제기제는 신뢰의 논리(logic of confidence) : 학교조직이 갖는 이완결합성은 모든 참여 주체들 간에 상호 신뢰가 이루어져야 한다는 것을 전제로 한다(Rowan).

⑤ 이완조직의 특성(Campbell, Corbally & Nystrand)
   ㉠ 환경변화에 적응하기 위해 조직에서 이질적인 요소가 공존하는 것을 허용한다.
   ㉡ 광범한 환경변화에 대해 민감하여야 한다.

ⓒ 국지적인 적응을 허용한다.
ⓔ 기발한 해결책의 개발을 장려한다.
ⓜ 다른 부분에 영향을 주지 않는 한 체제의 일부분이 분리되는 것을 용납한다.
ⓗ 체제 내의 참여자에게 보다 많은 자유재량권과 자기결정권을 제공한다.
ⓢ 부분 간의 조정을 위하여 비교적 소액의 경비가 요구된다.

(10) **이중조직**(이원적 구조) : 느슨한 결합 요인 + 관료적 요인 ⇨ 메이어(J. W. Meyer)와 로완(B. R. Rowan)의 주장

① 학교는 수업 등과 관련한 특정한 측면에서 볼 때는 느슨한 결합구조를 가진 조직으로 이해할 수 있으나, 행정관리라는 보편적인 조직관리의 측면에서는 엄격한 결합구조를 가지고 있다.
② 학교의 중심적인 활동인 수업의 경우를 보면 교장과 교사가 매우 느슨하게 결합되었다는 생각을 하게 되나, 수업을 제외한 많은 학교경영 활동, 예컨대 인사관리, 학생관리, 시설관리, 사무관리, 재무관리 등에서는 교장과 교사가 보다 엄격한 결합을 맺고 있다.
  ㉠ 관료적 요인 : 분업화, 몰인정 지향성, 권위의 계층, 규칙과 규정, 경력 지향성
  ㉡ 전문적 요인 : 독특한 사회봉사기능 수행, 고도의 지적 기술, 장기간의 준비기간, 광범한 자율권 행사, 판단과 행위의 책임, 자치조직 결성, 윤리강령 준수

(11) **학습조직**(learning organization)
① 개념
  ㉠ 개인이 학습하여 획득한 새로운 지식을 조직차원에서 공유함으로써 조직의 문제해결력을 끊임없이 향상시켜 나가는 조직을 의미한다.
  ㉡ 일상적으로 학습을 계속 진행해 나가며 스스로 발전하여, 환경변화에 빠르게 적응할 수 있는 조직
  ㉢ 규범이 개인적 자치에 의해 결정되고, 업무에 대한 의미 부여와 판단은 관리자가 아닌 전문가인 동료들과의 관계 속에서 이루어지며 초점은 문제의 발견과 해결, 그리고 개선을 위한 지식의 습득에 두는 조직으로, 이를 구축하기 위해서는 전문적 소양(personal mastery), 세계관(mental model), 비전 공유(building shared vision), 팀학습(team learning), 시스템적 사고(systems thinking) 등의 기반 조성이 요구된다(P. Senge).
  ㉣ 지식을 창출하고 획득하고 전달하는 데 능숙하며, 새로운 지식과 통찰력을 경영에 반영하기 위하여 기존의 행동방식을 바꾸는 데 능숙한 조직으로, 이를 위해서는 새로운 방식으로 사고하고 새로운 지식에 근거하여 행동할 수 있는 능력을 모두 갖추어야만 한다 (Garvin).
  ㉤ 개인학습과 집단학습 그리고 조직학습이 동시에 일어나고 있는 조직(박광량)
② 학습조직의 구축원리(P. Senge)
  ㉠ 전문적 소양(personal mastery) : 개인이 자신의 전문적 역량을 지속적으로 넓혀가고 심화시켜가는 행위 ⇨ 한 개인이 자신의 꿈과 비전을 현재의 상태와 비교하고, 이 차이를 줄이기 위해 학습활동을 전개하는 행위
    예. 자기장학과 현직연수를 통해 교사업무와 학교경영 전반에 대한 전문성을 신장해야 함, 수석교사가 구성원 전문성 신장을 위한 매개 역할 수행 가능

ⓒ 세계관(mental model) : 주변에서 발생하는 현상들을 이해하는 인식체계 ⇨ 새로운 정신모형의 전환이 어려움 - 추론의 사다리

ⓒ 비전 공유(building shared vision)
　ⓐ 조직이 추구하는 방향이 무엇이며, 그것이 왜 중요한지에 대해 모든 구성원들이 공감대를 형성하는 것
　　예. 학교 전체가 함께 만든 목표를 중심으로 교장, 교사가 함께 비전을 실현해 나가고자 하는 노력 필요, MBO(목표 중심 경영) 등을 활용하여 학교 경영을 하게 되면 보다 쉽게 달성할 수 있음.
　ⓑ 조직 구성원들의 공동적인 열망을 한 방향으로 정렬
　ⓒ 공유비전은 지속적인 학습활동을 전개할 수 있는 에너지를 제공

ⓒ 팀학습(team learning)
　ⓐ 구성원들이 팀을 이루어 학습하는 것으로 개인수준의 학습을 증진시키고 조직학습을 유도
　ⓑ 개인학습과 함께 팀 학습을 통한 시너지 효과
　ⓒ 개인이 해결할 수 없는 복잡한 문제나 핵심적인 문제를 해결할 수 있고, 서로의 학습을 촉진하는 효과

ⓒ 시스템적 사고(systems thinking)
　ⓐ 현상을 이해하고, 이를 바탕으로 문제를 해결하는 수단
　ⓑ 여러 가지 사건들을 부분적으로 이해하고 해결하기 보다는 전체적인 순환적 인과관계 또는 역동적인 관계로 이해하고 사고하는 접근 방식 **예** 왜 안 될까? 무엇이 문제일까?
　ⓒ 조직 내에서 역동적 변환 과정을 이해하는데 초점이 되고, 입체적인 사고논리를 갖게 하는 틀

4. 조직의 형태 03. 서울

(1) **공식적 조직과 비공식적 조직** : 공식성 여부에 따른 분류

① 공식적 조직(formal organization)
　㉠ 개념 : 전통적 행정조직
　　ⓐ 과학적 합리성의 근거 위에 인위적으로 제도화된 조직
　　ⓑ 행정기능을 분화하고 수직적·수평적으로 전문화된 조직기구표에 나타난 조직
　㉡ 특징 : 명확한 책임분담, 표준화된 업무수행, 권위의 계층화, 비정의적 인간관계

② 비공식적 조직(informal organization)
　㉠ 개념 : 현실의 인간관계를 중심으로 비합리적·감정적·대면적 측면에서 이루어진 자연발생적 조직 **예** 공식적 조직 내의 개인조직, 클럽과 파벌 등의 소집단, 1차적 집단
　㉡ 순기능과 역기능

순기능	• 구성원들의 심리적 불만 해소 ⇨ 귀속감·안정감 부여 • 공식적 조직의 불충분한 의사전달을 원활화 ⇨ 조직의 허용적 분위기 조성 • 공식적 조직의 책임자에게 자문과 협조적 역할 • 공식적 조직에 융통성 부여, 개방적 풍토 조성 • 구성원 간 협조와 지식·경험의 공유 ⇨ 직무의 능률적 수행에 기여 • 구성원의 행동기준 확립에 기여

역기능	• 적대 감정의 유발로 인한 공식적 조직의 기능 방해 • 파벌 조성 등의 정실인사(情實人事)의 계기 • 왜곡된 정보·소문·자료 등에 의한 구성원들의 사기 저하

ⓒ 공식적 조직과 비공식적 조직의 특징 비교

공식적 조직	비공식적 조직
• 인위적으로 형성된 제도적 조직 ⇨ 조직목표 달성 • 외면적·외향적 ⇨ 가시적 • 문서화된 조직 • 능률의 원리가 적용 ⇨ 비인간적 조직 • 전체적 질서 중시 • 지도자의 권위는 상부에 의해 하향적으로 주어진다.	• 혈연·지연·학연 등에 토대를 둔 자연발생적 조직 • 내면적·내향적 ⇨ 비가시적 • 비문서화된 조직 • 감정의 논리가 적용 ⇨ 심리적 조직 • 부분 질서 중시 • 지도자의 권위는 부하들의 동의에 의해 상향적으로 주어진다(Barnard).

공식적 조직	명문화된 조직 ○	수직적 구조	대규모	법률, 규칙, 직제 중시
비공식적 조직	명문화된 조직 ×	수평적 구조	소규모	감정의 논리 중시

✎ 학교는 공식적 조직과 비공식적 조직을 모두 가지고 있는 복합적 조직에 해당한다.

(2) **계선(직계)조직과 막료(참모)조직**: 계층성 여부에 따른 분류 24. 국가직

구분	계선조직(직계조직)	막료조직(참모조직)
특징	• 조직이 설정한 목표 달성을 위해 수직 명령 계통을 갖는 계층적 구조조직 ⇨ 수직적 조직 • 조직의 목적수행에 직접적으로 기여하는 일차적 조직 • 결정, 명령, 집행기능 ⇨ 현실적, 보수적 • 역할을 직접 수행한다.	• 계선조직이 기능을 원활히 수행할 수 있도록 각종 자료·정보 제공, 지원, 조정, 조언하는 부차적 조직 ⇨ 횡적 지원의 수평적 조직 • 명령·지휘계통에서 벗어난 측면조직 • 지식, 경험, 기술제공 기능 ⇨ 이상적, 개혁적 • 역할을 직접 수행하지 않는다.
장점	• 구성원 상호 간의 권한과 책임 한계가 명확 • 신속한 의사결정, 강력한 통솔력 발휘 • 조직의 안정성 추구 • 업무가 미분화된 소규모 조직에 유리 • 경비의 절약	• 기관장의 통솔범위 확대 • 전문적 지식과 경험 활용 • 합리적인 지시와 명령 하달, 의사결정 • 조직의 경직성 완화, 신축성 부여 • 업무의 상호조정과 협조 추구 • 집단적 사고를 활용
단점	• 관리자의 업무량 과중 • 관리자의 독선과 독단 • 전문가의 지식과 경험활용 불가능 • 불충분하고 융통성이 없는 의사전달 • 조직의 경직성 초래 • 통솔범위 한정, 부처 간 정책조정 곤란	• 계선조직과의 불화 초래 • 책임소재 불분명 ⇨ 막료 간의 책임 전가 • 조직규모 확대로 인한 경비 증대 • 의사전달, 명령계통의 혼선 초래 • 중앙집권화 가능성

① 계선조직(line organization)
  ㉠ 업무를 직접 수행하는 명령·지휘 계통 조직 예 교장 – 교감 – 부장 – 교사
  ㉡ 직선적 조직 예 군대
  ㉢ 계층제의 원리, 명령통일의 원리, 통솔범위의 원리에 의해 조직

② 막료(참모)조직(staff organization)
  ㉠ 전문적인 지식과 경험, 기술 활용 ⇨ 상급자의 의사결정의 범위를 확대하면서 조직을 보조
  ㉡ 비서실 등 부속실 조직 ⇨ 학교에는 없다.
  ㉢ **직접적인 보조활동 담당**: 주로 상급계층의 조직에서 활동 ⇨ 역할을 직접적으로 수행하지는 않는다.
    예 교육부 기획관리실, 장학편수실, 교육정책실, 감사공보담당관
  ㉣ Brown: 계획하고 봉사하는 조직

③ 보조조직(Auxiliary Organization)
  ㉠ 계선조직의 기능을 부분적으로 심화·보조하는 조직 ⇨ 간접적 보조활동
  ㉡ 조직의 내외에서 업무를 보조하는 조직
  ㉢ 특징: 계선조직의 주요 시책에 관여하지 않는다.
    예 연구소, 학교의 행정실, 국정교과서 주식회사, 국정교과서 인쇄 공장

참모조직과 보조조직

참모조직	계선조직을 보좌	계선조직 내에서 보좌활동
보조조직	계선조직을 보좌	계선조직 외곽에서 보좌활동

④ 계선조직과 막료조직 간의 갈등해소방안
  ㉠ 상호 간의 책임 한계를 분명히 하여 충돌을 방지한다.
  ㉡ 각종 모임을 통하여 서로 간의 친밀한 관계를 증진시켜 이해를 북돋운다.
  ㉢ 권한과 책임을 일치시킨다.

(3) **중앙집권적 조직과 지방분권적 조직**

구분	중앙집권적 (교육)조직	지방분권적 (교육)조직
정의	• 교육에 관한 지휘·감독·행정적 결정권이 중앙기관에 집중되어 있는 조직형태 • 중앙정부의 교육행정조직	• 교육에 관한 지휘·감독·행정적 결정권이 지방기관에 상당히 위임된 조직형태 • 지방민의 민의에 의해 자치적 결정, 민주주의 이상 실현 방법 ⇨ 교육자치조직
장점	• 행정의 능률성·통일성 추구 • 교육의 기회균등 추구 • 신속하고 강력한 교육행정 수행 • 행정의 중복 방지, 인적·물적 자원 절약	• 지역사회의 특수성에 따른 교육 실시 • 지역사회 주민의 참여 증대 • 신축성·창의성 있는 교육행정 운영 • 정치적 중립성 실현에 적합
단점	• 교육 통제 강화로 자율성 저해 • 지역의 특수성을 무시한 획일적 행정 실시 • 비민주적 교육행정 실시 • 지방민의 참여 기회 박탈 우려	• 전국적인 행정의 통일성 결여 • 교육의 질의 균등화 추구 불가 • 일관된 교육정책과 교육행정 집행 불가 • 지방민의 이견으로 타당한 계획수립 곤란

5. 조직과 갈등관리

(1) **개념**: 관련 개인이나 집단이 함께 일하는 데 어려움을 겪는 상태로 정상적인 활동이 방해되거나 파괴되는 상태이다.

> **더 알아보기**
>
> **학교 차원에서의 조직 갈등 유형**
> 1. **계층갈등**: 교장과 교감, 교장과 교사 간, 학생과 학생, 상급학생과 하급학생 간의 갈등
> 2. **기능갈등**: 업무분장상의 부서 간(예. 교무부와 연구부), 교과담임 간(예. 영어교사와 수학교사), 학급담임 간의 갈등
> 3. **계선 – 참모(보조조직) 간 갈등**: 각종 운영위원회와 교장 간, 행정실의 일반직과 교무실의 교원 간 갈등
> 4. **공식조직과 비공식조직 간 갈등**

(2) **갈등의 원인**(March & Simon)
① 공동적인 의사결정의 필요성에 대한 인지(認知)의 차이
② 목표의 차이
③ 현실에 대한 인지의 차이

(3) **조직 내 갈등의 기능**

순기능	• 조직 내 문제에 대한 정보제공 • 새로운 화합의 계기 • 조직의 혁신과 변화 유도 • 갈등관리 및 방지방법 습득
역기능	• 개인의 이익으로 인한 전체 조직의 희생 • 정서적·신체적인 고통 • 목표 달성에 필요한 시간과 자원의 낭비 • 경제적 비용손실 및 갈등 당사자들 간의 감정적 고통

(4) **갈등과 조직의 효과성**(Robbins): 갈등이 적절한 정도일 때 조직의 효과성에 긍정적인 영향을 미친다.

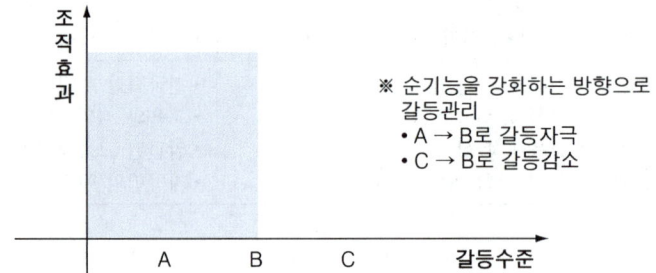

※ 순기능을 강화하는 방향으로 갈등관리
• A → B로 갈등자극
• C → B로 갈등감소

상황	갈등수준	갈등의 유형	조직의 내부적 특성	조직의 효과성
A	낮거나 전혀 없음.	역기능적	냉담·침체적, 변화에 무반응, 새로운 아이디어의 결여	낮음.
B	적절	순기능적	생동적, 혁신적, 자체 비판적	높음.
C	높음.	역기능적	파괴적, 혼돈, 비협조적	낮음.

(5) **토마스(Thomas)와 제미슨(Jamieson)의 갈등관리모형** 12. 경기: 조직 상황에 따른 갈등관리방식
  ① 조직의 목표 달성과 조직구성원의 필요를 충족시키는 갈등을 다루는 갈등관리방식을 다섯 가지로 분류하여 제시하였다.
  ② 갈등관리 유형도

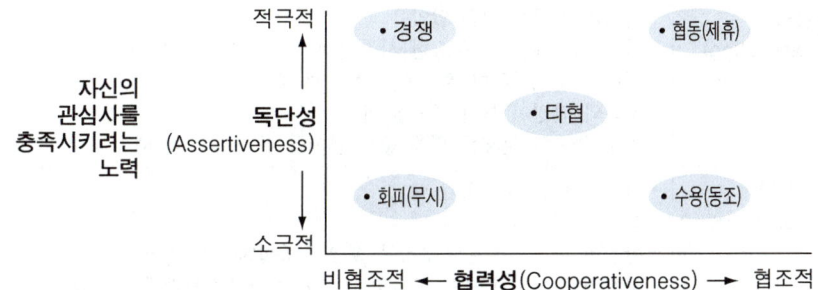

  ③ 갈등관리 유형 15. 지방직
    ㉠ 경쟁: 행정가는 조직의 목표 달성을 강조하며 구성원들의 개인적 필요에 대해서 협력하지 않는 방식 ⇨ 승패(勝敗, win-lose)를 통한 문제해결전략, 상대방을 희생시키고 자신의 갈등을 해소하는 유형
    ㉡ 회피(무시): 조직의 목표를 강조하지도 않고 구성원들의 필요에 대해서 협력하지도 않는다. ⇨ 가능한 한 갈등을 무시하고 의도적으로 피하는 유형
    ㉢ 수용(동조): 주장하지 않는 대신에 협력하는 방법 ⇨ 행정가는 구성원의 필요에 양보하고 자기를 희생한다. 자신의 욕구충족을 포기하고 상대방의 주장에 따름으로써 갈등을 해소하는 유형
    ㉣ 협력(제휴): 주장하면서 협력하는 방법 ⇨ 갈등 당사자들 모두 목적을 달성할 수 있는 행동을 통한 승승(勝勝, win-win) 전략
    ㉤ 타협: 조직의 목표와 개인의 필요 간에 균형을 찾아 수용 가능한 해결책을 찾는 방법 ⇨ 조금씩 상호 양보함으로써 절충안을 얻으려는 방법. 양쪽이 다 손해를 보기 때문에 앙금이 남아 다른 갈등의 원인이 될 수 있음. ⇨ 가장 현실적으로 많이 활용

📖 갈등관리 유형별 유용한 상황의 예시

갈등관리 유형	전략이 적절한 상황
경쟁 (Competing)	• 신속한 결정이 요구되는 긴급상황일 때 • 조직의 성장에 매우 중요한 문제일 때 • 중요한 사항이지만 인기 없는 조치를 실행할 때 • 타인을 부당하게 이용하는 사람에게 대항할 때
회피 (Avoiding)	• 쟁점이 사소한 것일 때 • 해결책의 비용이 효과보다 훨씬 클 때 • 더 많은 정보를 얻는 것이 꼭 필요할 때 • 사태를 진정시키고자 할 때 • 다른 사람들이 문제해결을 더 효과적으로 해결할 수 있을 때 • 해당 문제가 다른 문제의 해결로부터 자연스럽게 해결될 수 있는 하위갈등일 때
수용(동조) (Accomodating)	• 자기가 잘못한 것을 알았을 때 • 다른 사람에게 더 중요한 사항일 때 • 패배가 불가피하여 손실을 최소화할 때 • 조화와 안정이 특히 중요할 때 • 보다 중요한 문제를 위해 좋은 관계를 유지해야 할 때
협력(제휴) (Collaborating)	• 목표가 학습하는 것일 때 • 합의와 헌신이 중요할 때 • 관점이 다른 사람들로부터 통찰력을 통합하기 위하여 • 양자의 관심사가 매우 중요하여 통합적인 해결책만이 수용될 때 • 관계증진에 장애가 되는 감정을 다루고자 할 때
타협 (Compromising)	• 목표가 중요하지만 잠재적인 문제가 클 때 • 협력이나 경쟁의 방법이 실패할 때 • 당사자들의 주장이 서로 대치되어 있을 때 • 시간부족으로 신속한 행동이 요구될 때 • 복잡한 문제에 대한 일시적인 해결책을 얻고자 할 때

❷ 학교의 재구조화(restructuring) 12. 서울

1. 개념

(1) **재구조화**: 조직구조의 변화 ⇨ 조직의 효과성 증대

(2) 학생·교사 중심적인 학교경영(참여적 의사결정체제 구축), 조직적 차원 및 교육과정 변화, 중앙집권화된 관료제 탈피, 관행적인 수업체계 개선(학생의 학습촉진을 위한 체제로 전환) ⇨ 학교조직의 개선을 통한 학교교육 개혁

(3) **학교 재구조화의 방향**

① 교육표준에 기초를 둔 체계적 교육개혁: 학생의 학업성취 표준을 제정, 달성을 위한 정책 개발
② 지역사회의 참여: 지역사회와 학부모의 의견이 반영되는 학교로 변화 ⇨ 학교운영위원회 설치, 학부모의 학교선택권 허용, 학군제 폐지, 정원 개방 등을 통한 분권화·주민자치 실현
③ 학교단위경영제: 단위학교의 자율적 경영체제 구축(예 학교운영위원회) ⇨ 학교 효율성 증대

④ **교사권한 부여**: 학교운영에 교사 참여와 권한 증대, 교사의 전문성과 자율성 존중, 교사의 근무조건 개선 ⇨ 교사의 능력신장과 책무성 강화
⑤ **교수-학습 중심 재구조화**: 교수-학습조직의 개발, 교사·학생의 상호작용을 중시하는 교실개혁, 교수-학습방법 개선, 교사의 자질 향상 ⇨ 교육개혁의 본질적·핵심적 과제

2. 총체적 질관리(TQM : Total Quality Management)

(1) 학생들의 학업성취도 향상과 학생의 중도 탈락이나 폭력 방지 등을 위하여 기업경영 방식을 학교교육 경영에 적용 ⇨ 학교조직 개선방안, 조직의 결과에 대한 효과성보다 체제 전체의 질로 관심 전환

(2) **'총체적'의 의미**: 총체적 참여(total involvement) ⇨ 팀워크(team work)를 통한 조직 운영과 업무수행 강조 ⇨ 집단의 집합적 능력 활용, 노동의 분화 극복, 공동학습을 통한 상호 동기 부여

(3) **고객 중심 교육, 수요자 중심 교육을 강조**: 고객의 요구를 만족시키기 위한 학교조직의 유연성 강화, 교사들에게 수업과 관련 권한 위임, 학교 공동체 구성원의 균등한 참여 보장
  ① 내부고객(학교행정가, 교사, 교직원, 학생)과 외부고객(기업, 지역사회)의 요구 중시
  ② 학부모, 학생(고객), 교사(종업원)
  ③ 제2차 세계대전 후 일본산업의 부흥을 도왔던 Deming의 철학에 기초를 둔 관리방식

(4) 신자유주의, 지방분권주의 특징을 중시한다.

(5) **특징**
  ① 교육과정 결정 시 종업원의 의사결정 참여가 증대된다.
  ② 의사결정시 하부에서 상부로 반영되는 형태이다.
  ③ 학생 성취의 보상체제가 실시된다.
  ④ 학생들의 협동학습이 고취된다.
  ⑤ 교원의 행정업무 축소로 교사 본연의 임무(교수-학습)에 충실하도록 한다.

3. 학교단위 책임경영제(SBM : School-Based Management)

(1) 학교경영의 분권화를 통한 단위학교의 자율적 경영체제 구축 ⇨ 학교 효율성 증대

(2) 학교에 대한 위계적인 관료적 통제 폐지, 단위학교에 경영의 자율권(재량권) 부여 ⇨ 학교 스스로 의사결정 및 실천(단위학교 교장의 재량권 확대, 의사결정에 교사 참여 확대), 교사·학부모·학생의 참여 존중을 바탕으로 한 학교경영, 학교운영의 결과에 대해 스스로 책임(교사의 책무성 증대)

(3) **구체적 실천방안**: 학교회계제도, 도급경비, 학교운영위원회, 공모교장제, 교사초빙제, 정보공시제

3 교육자치제 06. 국가직 7급, 04. 국가직·부산

1. 개념

(1) 교육행정을 일반행정으로부터 분리·독립시켜 교육행정의 조직과 운영면에서 교육의 자주성을 보장하는 제도

(2) 지방분권의 원칙, 교육위원회(의결기관), 교육감제(집행기관), 민주적 통제와 전문적 지도의 조화와 균형

2. 기본원리 : 지방분권, 민중통제(주민자치), 교육행정의 분리·독립, 전문적 관리의 원리

14. 지방직, 11. 국가직 7급

(1) **지방분권의 원리** : 지방분권은 단체자치를 구현하기 위한 전제 조건임.
  ① 중앙의 획일적 통제를 지양하고 각 지역사회의 실정에 맞고 다양한 요구에 부합하는 교육행정을 실시하려는 것 ⇨ 교육·학예(學藝)에 관한 권한 및 책임이 지방자치에 있다.
  ② 중앙집권화 방지 ⇨ 교육의 특수성 제고, 자율·자치 함양, 교육에 대한 개성화 추구
  ③ 교육의 자주성을 인정받기 위한 선행적 조건

(2) **민중통제(주민자치)의 원리**
  ① 민중(주민)에 의해 스스로 운영되어야 한다. ⇨ 지역 민중이 그들의 대표를 통하여 교육정책을 심의·의결하는 것을 의미한다.
  ② 대의민주정치 이념과 상통하는 원리 ⇨ 민주성의 원리
  ③ 교육행정의 민주화를 위한 필수적인 조건 **예** 교육위원회 제도

(3) **일반행정으로부터의 분리·독립의 원리**
  ① 교육행정을 일반행정으로부터 분리·독립하여 운영한다. ⇨ 교육의 자주성·전문성·중립성 보장
  ② 교육행정 기구, 인사, 재정, 장학 등을 일반행정과 분리하여 자주적으로 운영

(4) **전문적 관리의 원리**(= 전문성의 원리) : 전문적 지도 역량을 가진 사람들에 의해 교육행정을 운영하여야 한다. **예** 교육감 제도

3. 구성도

일반자치(기관분립형/기초자치)			교육자치(기관분립형/광역자치)	
심의·의결	집행기관		심사·의결	집행기관
시·도 의회	특별시장 광역시장 도지사 특별자치도지사	**17개 광역자치** (특별시·광역시· 도·특별자치도)	시·도 교육위원회 ⇨ 시·도 의회 내 심사·상임위원회 (위임형 의결기구)	시·도 교육감 (독임제 집행기관)
시·군·구 의회	시장 군수 구청장	**기초자치** (시·군·구) ↓ **자치구** : 특별시· 광역시만 有		시·군·구 교육장

4. 현행 지방 교육자치제 21. 지방직, 15·13. 국가직, 10. 국가직 7급·경남

✎ 역사: [시작] 1952년 「교육법」 개정·시행(시·군 기초단위) → [중단] 1961년 5·16 → [재개] 1991년 「지방교육자치에 관한 법률」 제정·시행(시·도 광역단위, 교육위원·교육감 간선제) → [개정] 2007년 법률 개정(2010년 교육감 직선제 시행 및 교육위원 간선제 폐지)

(1) **교육위원회** 11. 경기, 08·06. 국가직 7급, 04. 제주: 「지방교육자치에 관한 법률(교육자치법)」
① 특별시·광역시·도(이하 '시·도') 단위의 교육·과학·기술·체육·기타 학예(이하 '교육·학예') 사무를 관장한다.
② 시·도의회에 교육·학예에 관한 의안과 청원 등을 심사·의결하기 위하여 상임위원회(교육위원회)를 둔다. ⇨ 위임형 심사·의결기구
③ 시·도의회 의원의 임기: 4년

(2) **교육감** 23. 국가직 7급, 22·19. 지방직, 17. 국가직, 11. 경기, 09. 국가직·대전, 05. 국가직·인천
① 지위(제18조)
   ㉠ 시·도의 교육·학예에 관한 사무의 집행기관 ⇨ 독임제 집행기관
   ㉡ 교육·학예에 관한 소관 사무로 인한 소송이나 재산의 등기 등에 대하여 해당 시·도를 대표 ⇨ 대표권
② 국가행정사무의 위임(제19조): 국가행정사무 중 시·도에 위임하여 시행하는 사무로서 교육·학예에 관한 사무는 교육감에게 위임하여 행한다.
③ 관장사무(제20조) 24. 국가직 7급

> 1. 조례안의 작성 및 제출에 관한 사항
> 2. 예산안의 편성 및 제출에 관한 사항
> 3. 결산서의 작성 및 제출에 관한 사항
> 4. 교육규칙의 제정(공포한 날로부터 20일 이후에 효력 발생)에 관한 사항
> 5. 학교, 그 밖의 교육기관의 설치·이전 및 폐지에 관한 사항
> 6. 교육과정의 운영에 관한 사항
> 7. 과학·기술교육의 진흥에 관한 사항
> 8. 평생교육, 그 밖의 교육·학예진흥에 관한 사항
> 9. 학교체육·보건 및 학교 환경정화에 관한 사항
> 10. 학생 통학구역에 관한 사항
> 11. 교육·학예의 시설·설비 및 교구(教具)에 관한 사항
> 12. 재산의 취득·처분에 관한 사항
> 13. 특별부과금·사용료·수수료·분담금 및 가입금에 관한 사항
> 14. 기채(起債)·차입금 또는 예산 외의 의무부담에 관한 사항
> 15. 기금의 설치·운용에 관한 사항
> 16. 소속 국가공무원 및 지방공무원의 인사관리에 관한 사항
> 17. 그 밖에 해당 시·도의 교육·학예에 관한 사항과 위임된 사항

> **더 알아보기**
>
> **교육감의 권한**
> 1. **사무집행권**: 교육 및 학예에 관한 모든 사무를 관장·집행한다.
> 2. **교육규칙 제정권**: 법령 또는 조례의 범위 안에서 그 권한에 속하는 사무에 관하여 교육규칙을 제정·공포할 수 있다.
> 3. **대표권**: 교육·학예에 관하여 당해 지방자치단체를 대표한다.
> 4. **지휘·감독권**: 소속 공무원을 지휘·감독하고 법령과 조례·교육규칙이 정하는 바에 의하여 그 임용·교육훈련·복무·징계 등에 관한 사항을 처리한다.
> 5. **재의요구권(再議要求權)**: 시·도의회의 의결사항에 대해 재의를 요구할 수 있다.
> 6. **제소권**: 시·도의회가 재의결한 사항에 대하여 대법원에 제소할 수 있다.
> 7. **선결처분권**: 시·도의회가 소집될 시간적 여유가 없거나 의결이 지체되어 의결되지 아니한 때에는 교육감 소관사무 중 의결을 요구하는 사항에 대하여 선결처분을 요구할 수 있다.

④ **교육감의 임기(제21조)**: 교육감의 임기는 4년으로 하며, 교육감의 계속 재임은 3기에 한정한다.

⑤ **교육감의 선거(제22조 / 제6장)**
  ㉠ 선출(제43조): 교육감은 주민의 보통·평등·직접·비밀선거에 따라 선출한다.
  ㉡ 선거구 선거관리(제44조): 교육감선거에 관한 사무 중 선거구선거사무를 수행할 선거관리위원회는 「선거관리위원회법」에 따른 시·도선거관리위원회로 한다.
  ㉢ 선거구(제45조): 교육감은 시·도를 단위로 하여 선출한다.
  ㉣ 정당의 선거관여행위 금지 등(제46조)
    ⓐ 정당은 교육감선거에 후보자를 추천할 수 없다.
    ⓑ 정당의 대표자·간부 및 유급사무직원은 특정 후보자를 지지·반대하는 등 선거에 영향을 미치게 하기 위하여 선거에 관여하는 행위를 할 수 없으며, 그 밖의 당원은 소속 정당의 명칭을 밝히거나 추정할 수 있는 방법으로 선거관여행위를 할 수 없다.
    ⓒ 후보자는 특정 정당을 지지·반대하거나 특정 정당으로부터 지지·추천받고 있음을 표방(당원경력의 표시를 포함한다.)하여서는 아니 된다.
  ㉤ 공무원 등의 입후보(제47조): 「공직선거법」 제53조 제1항 각 호의 어느 하나에 해당하는 사람 중 후보자가 되려는 사람은 선거일 전 90일(제49조 제1항에서 준용되는 「공직선거법」 제35조 제4항의 보궐선거 등의 경우에는 후보자등록신청 전을 말한다.)까지 그 직을 그만두어야 한다.

⑥ **겸직의 제한(제23조)**
  ㉠ 교육감은 국회의원·지방의회의원, 국가공무원과 지방공무원, 사립학교의 교원, 사립학교 경영자 또는 사립학교를 설치·경영하는 법인의 임·직원을 겸할 수가 없다.
  ㉡ 교육감이 당선 전부터 겸직이 금지된 직을 가진 경우에는 임기개시일 전일에 그 직에서 당연 퇴직된다.

⑦ **교육감 후보자의 자격(제24조)** 22. 지방직, 14. 국가직 7급
  ㉠ 교육감 후보자가 되고자 하는 자는 해당 시·도지사의 피선거권이 있는 사람으로서 후보자 등록신청 개시일로부터 과거 1년 동안 정당의 당원이 아닌 사람이어야 한다.

ⓒ 교육감 후보자가 되려는 사람은 후보자 등록신청 개시일을 기준으로 교육경력 또는 교육행정 경력이 3년 이상 있거나 양 경력을 합한 경력이 3년 이상 있는 사람이어야 한다.

⑧ **교육감의 소환**(제24조의2)
  ㉠ 주민은 교육감을 소환할 권리를 가진다.
  ㉡ 교육감에 대한 주민소환투표사무는 제44조에 따른 선거관리위원회가 관리한다.
  ㉢ 교육감의 주민소환에 관하여는 이 법에서 규정한 사항을 제외하고는 그 성질에 반하지 아니하는 범위에서 「주민소환에 관한 법률」의 시·도지사에 관한 규정을 준용한다.

⑨ **교육감의 퇴직**(제24조의3) : 교육감이 다음 각 호의 어느 하나에 해당된 때에는 그 직에서 퇴직된다.
  ㉠ 교육감이 제23조 제1항의 겸임할 수 없는 직에 취임한 때
  ㉡ 피선거권이 없게 된 때(지방자치단체의 구역이 변경되거나, 지방자치단체가 없어지거나 합쳐진 경우 외의 다른 사유로 교육감이 그 지방자치단체의 구역 밖으로 주민등록을 이전함으로써 피선거권이 없게 된 때를 포함한다.)
  ㉢ 정당의 당원이 된 때
  ㉣ 제3조에서 준용하는 「지방자치법」 제110조에 따라 교육감의 직을 상실할 때

⑩ **교육감의 선결처분**(제29조)
  ㉠ 교육감은 소관사무 중 시·도의회의 의결이 필요한 사항에 대하여 다음 각 호의 어느 하나에 해당하는 경우에는 선결처분을 할 수 있다.
    ⓐ 시·도의회가 성립되지 아니한 때(시·도의회 의원의 구속 등의 사유로 「지방자치법」 제73조의 규정에 따른 의결정족수에 미달하게 된 때를 말한다.)
    ⓑ 학생의 안전과 교육기관 등의 재산보호를 위하여 긴급하게 필요한 사항으로서 시·도의회가 소집될 시간적 여유가 없거나 시·도의회에서 의결이 지체되어 의결되지 아니한 때
  ㉡ 선결처분은 지체 없이 시·도의회에 보고하여 승인을 얻어야 한다.
  ㉢ 시·도의회에서 승인을 얻지 못한 때에는 그 선결처분은 그때부터 효력을 상실한다.
  ㉣ 교육감은 ㉡ 및 ㉢에 관한 사항을 지체 없이 공고하여야 한다.

> **더 알아보기**
>
> **부교육감과 교육장** 20. 국가직 7급
>
> **1. 부교육감**(제30조)
>   ① 교육감 소속하에 국가공무원으로 보하는 부교육감 1인(인구 800만 명 이상이고 학생 150만 명 이상인 시·도는 2인)을 두되, 대통령령으로 정하는 바에 따라 「국가공무원법」 제2조2의 규정에 따른 고위공무원단에 속하는 일반직 공무원 또는 장학관으로 보한다.
>   ✎ 고위공무원단은 행정기관 국장급 이상 공무원으로 1급(관리관)·2급(이사관)에 해당하는 공무원으로 구성되며, 부분적으로 3급(부이사관) 이상의 공무원도 포함된다.
>   ② 부교육감은 해당 시·도 교육감이 추천한 사람을 교육부 장관의 제청으로 국무총리를 거쳐 대통령이 임명한다.
>   ③ 부교육감은 교육감을 보좌하여 사무를 처리한다.

2. **하급교육행정기관의 설치(제34조)** 25. 지방직, 14. 국가직 7급
   ① 시·도의 교육·학예에 관한 사무를 분장하기 위하여 1개 또는 2개 이상의 시·군 및 자치구를 관할구역으로 하는 하급교육행정기관으로서 교육지원청을 둔다.
   ② 교육지원청의 관할구역과 명칭은 대통령령으로 정한다.
      ✐ 현재(2025. 1.) 기준 17개 시·도교육청에 175개 교육지원청(예 서울 11, 경기 25, 인천 5 등)이 있다.
   ③ 교육지원청에 교육장을 두되 장학관으로 보하고, 그 임용에 관하여 필요한 사항은 대통령령으로 정한다.
   ④ 교육지원청의 조직과 운영 등에 관하여 필요한 사항은 대통령령으로 정한다.

3. **교육장의 분장 사무(제35조)**: 교육장은 시·도의 교육·학예에 관한 사무 중 다음 각 호의 사무를 위임받아 분장한다.
   ① 공·사립의 유치원·초등학교·중학교·공민학교·고등공민학교 및 이에 준하는 각종 학교의 운영·관리에 관한 지도·감독
   ② 그 밖에 조례로 정하는 사무

4. **교육재정**
   (1) 교육·학예에 관한 경비(제36조): 교육·학예에 관한 경비는 다음 각 호의 재원(財源)으로 충당한다.
      1. 교육에 관한 특별부과금·수수료 및 사용료
      2. 지방교육재정교부금
      3. 해당 지방자치단체의 일반회계로부터의 전입금
      4. 유아교육지원특별회계에 따른 전입금
      5. 제1호부터 제4호까지 외의 수입으로서 교육·학예에 속하는 수입
   (2) 의무교육경비 등(제37조) 22. 국가직 7급
      ① 의무교육에 종사하는 교원의 보수와 그 밖의 의무교육에 관련되는 경비는 「지방교육재정교부금법」에서 정하는 바에 따라 국가 및 지방자치단체가 부담한다. 24. 국가직 7급
      ② 의무교육 외의 교육에 관련되는 경비는 「지방교육재정교부금법」에서 정하는 바에 따라 국가·지방자치단체 및 학부모 등이 부담한다.
   (3) 교육비특별회계(제38조): 시·도의 교육·학예에 관한 경비를 따로 경리하기 위하여 해당 지방자치단체에 교육비특별회계를 둔다. 24. 국가직 7급
   (4) 교육비의 보조(제39조)
      ① 국가는 예산의 범위 안에서 시·도의 교육비를 보조한다.
      ② 국가의 교육비보조에 관한 사무는 교육부장관이 관장한다.
   (5) 특별부과금의 부과·징수(제40조)
      ① 제36조의 규정에 따른 특별부과금은 특별한 재정수요가 있는 때에 조례로 정하는 바에 따라 부과·징수한다.
      ② 제1항의 규정에 따른 특별부과금은 특별부과가 필요한 경비의 총액을 초과하여 부과할 수 없다.

5. **지방교육에 관한 협의**
   (1) 지방교육행정협의회의 설치(제41조)
      ① 지방자치단체의 교육·학예에 관한 사무를 효율적으로 처리하기 위하여 지방교육행정협의회를 둔다.
      ② 제1항의 규정에 따른 지방교육행정협의회의 구성·운영에 관하여 필요한 사항은 교육감과 시·도지사가 협의하여 조례로 정한다.
   (2) 교육감 협의체(제42조)
      ① 교육감은 상호 간의 교류와 협력을 증진하고, 공동의 문제를 협의하기 위하여 전국적인 협의체를 설립할 수 있다.
      ② 제1항의 규정에 따른 협의체를 설립한 때에는 해당협의체의 대표자는 이를 지체 없이 교육부장관에게 신고하여야 한다.

(3) 학교운영위원회 21. 국가직 7급, 18·15. 국가직, 12. 국가직 7급·경기, 10. 국가직·대전·경기, 07. 국가직 7급·인천·경남, 06. 서울·경기

① **설치 의의**: 학교의 중요한 의사결정에 구성원이 참여함으로써 학교정책 결정의 민주성, 합리성, 효율성을 확보하고, 교육목표 달성에 기여하기 위한 의사결정 기구이다. ⇨ 1995년 5·31 교육개혁 방안 중의 하나로 발표, 1996년 국·공립 및 특수학교, 2000년 사립학교 설치 의무화

> **제31조【학교운영위원회의 설치】** ① 학교운영의 자율성을 높이고 지역의 실정과 특성에 맞는 다양하고도 창의적인 교육을 할 수 있도록 초등학교·중학교·고등학교·특수학교 및 각종학교에 학교운영위원회를 구성·운영하여야 한다.
> ② 국립·공립 학교에 두는 학교운영위원회는 그 학교의 교원 대표, 학부모 대표 및 지역사회 인사로 구성한다.
> ③ 학교운영위원회의 위원 수는 5명 이상 15명 이하의 범위에서 학교의 규모 등을 고려하여 대통령령으로 정한다.

② **성격**: 법정위원회[법률「초·중등교육법」과「초·중등교육법 시행령」및 조례에 근거하여 설치·운영] ⇨ 심의기구 25. 국가직
   ㉠ **국·공·사립학교**: 학교장은 심의와 다르게 시행하고자 하는 경우 학교운영위원회와 관할청에 서면으로 보고할 의무를 진다.
   ㉡ **사립학교**: '공모교장 및 초빙교사의 추천에 관한 사항'은 심의사항에서 제외되며, '학교헌장과 학칙의 제정 또는 개정에 관한 사항'은 자문사항에 해당된다.
   ✎ 자율학교(「초·중등교육법」제61조)는 학교운영위원회를 한시적으로 설치하지 않아도 된다.

③ **기본방향**
   ㉠ 학교운영의 자율성 및 책임성 증대로 단위학교 책임경영제 확립
   ㉡ 교직원·학부모·지역사회 인사의 자발적 참여를 통한 자율적인 학교공동체 구축

④ **구성**: 5명 이상 15명 이하(매 학년도 3월 1일 기준 학생 수 고려) ⇨ 위원의 정수는 다음의 범위 안에서 학교의 규모 등을 고려하여 대통령령(「초·중등교육법 시행령」제58조 – "당해 학교의 학교운영위원회 규정")으로 정한다.

학교규모	학생 수 < 200명	200명 ≤ 학생 수 < 1,000명	1,000명 ≤ 학생 수
위원정수	5인 이상 8인 이내	9인 이상 12인 이내	13인 이상 15인 이내
위원구성비 (일반학교)	① 학부모 위원(40/100~50/100), ② 교원위원(30/100~40/100), ③ 지역위원(10/100~30/100)		
위원구성비 (국·공립 산업수요 맞춤형 고교 및 특성화 고교)	① 지역위원(30/100~50/100, 단 위원 중 1/2은 사업자로 선출), ② 학부모 위원(30/100~40/100), ③ 교원위원(20/100~30/100)		

⑤ 운영위원의 자격 및 선출 등 : 「초·중등교육법 시행령」(제59조)
  ㉠ 학부모 위원 : 당해 학교 학부모를 대표하는 자, 민주적 대의절차에 따라 학부모 전체회의에서 직접 선출(예 직접투표, 가정통신문에 대한 회신 또는 우편투표, 전자적 방법(예 정보처리시스템 이용, 정보통신기술 이용)에 의한 투표 등 위원회 규정으로 정하는 방법 및 절차에 따라 투표), 직접 선출이 곤란한 경우에는 학급별 대표로 구성된 학부모 대표회의에서 선출 가능
  ㉡ 교원위원 : 당해 학교 교원을 대표하는 자, 교장은 당연직 위원이며 나머지 위원은 교직원 전체회의에서 무기명투표로 선출(단, 사립학교는 교직원 전체회의에서 추천한 사람 중 학교장이 위촉) ⇨ 위원장 및 부위원장으로 선출될 수 없다.
  ㉢ 지역위원 : 당해 학교가 소재하는 지역을 생활근거지로 하는 자로서 예산·회계·감사·법률 등에 관한 전문가 또는 교육행정에 관한 업무를 수행하는 공무원, 당해 학교가 소재하는 지역을 사업활동의 근거지로 하는 사업자, 당해 학교를 졸업한 자 기타 학교운영에 이바지하고자 하는 자 ⇨ 학부모 위원 또는 교원위원의 추천을 받아 학부모 위원 및 교원위원이 무기명투표로 선출
  ㉣ 자격 상실 : 국·공립학교에 두는 운영위원회 위원이 그 지위를 남용하여 해당 학교와의 거래 등을 통하여 재산상의 권리·이익을 취득하거나 다른 사람을 위하여 그 취득을 알선한 경우에는 운영위원회의 의결로 그 자격을 상실하게 할 수 있다.
  ㉤ 회의 소집(제59조의2)
    ⓐ 국·공립학교에 두는 운영위원회의 회의는 위원장이 소집한다.
    ⓑ 제1항에 따라 위원장이 회의를 소집하려면 회의 일시, 장소 및 안건을 정하여 회의 개최 7일 전까지 각 위원에게 알리고, 회의 개최 전까지 학교 홈페이지에 공개하여야 한다. 다만, 긴급한 사유가 있는 경우에는 그러하지 아니하다.
    ⓒ 국·공립학교에 두는 운영위원회의 위원장은 회의 일시를 정할 때에는 일과 후, 주말 등 위원들이 참석하기 편리한 시간으로 정하여야 한다.
  ㉥ 회의록 작성 및 공개(제59조의3)
    ⓐ 국·공립학교에 두는 운영위원회의 회의를 개최하였을 때에는 회의 일시, 장소, 참석자, 안건, 발언요지, 결정사항 등이 포함된 회의록을 작성하여야 한다.
    ⓑ 제1항에 따라 작성한 회의록은 학교 홈페이지 등을 통해 공개하여야 한다. 다만, 다음 각 호의 어느 하나에 해당하는 사항은 운영위원회의 의결로 공개하지 아니할 수 있다.
      • 회의록에 포함되어 있는 이름, 주민등록번호 등 개인에 관한 사항으로서 공개될 경우 개인의 사생활의 비밀 또는 자유를 침해할 우려가 있다고 인정하는 사항
      • 공개될 경우 운영위원회 심의의 공정성을 크게 저해할 우려가 있다고 인정하는 사항
      • 학생교육 또는 교권보호를 위하여 공개하기에 적당하지 아니하다고 인정하는 사항
  ㉦ 의견 수렴 등(제59조의4)
    ⓐ 국·공립학교에 두는 운영위원회는 다음에 해당하는 사항을 심의하려는 때에는 국립학교의 경우에는 학칙으로, 공립학교의 경우에는 시·도의 조례로 정하는 바에 따라 미리 학부모의 의견을 수렴하여야 한다.

- 학교헌장과 학칙의 제정 또는 개정
- 교복·체육복·졸업앨범 등 학부모 경비 부담 사항
- 정규학습시간 종료 후 또는 방학기간 중의 교육활동 및 수련활동
- 학교운영지원비의 조성·운용 및 사용
- 그 밖에 국립학교의 경우에는 학칙으로, 공립학교의 경우에는 시·도의 조례로 미리 학부모의 의견을 수렴하도록 정한 사항

ⓑ 국·공립학교에 두는 운영위원회는 다음에 해당하는 사항을 심의하기 위하여 필요하다고 인정하는 때에는 학생 대표 등을 회의에 참석하게 하여 의견을 들을 수 있다.
- 학교헌장과 학칙의 제정 또는 개정
- 정규 학습시간 종료 후 또는 방학기간 중의 교육활동 및 수련활동
- 학교급식
- 그 밖에 학생의 학교생활에 밀접하게 관련된 사항

ⓒ 국·공립학교에 두는 운영위원회는 국립학교의 경우에는 학칙으로, 공립학교의 경우에는 시·도의 조례로 정하는 바에 따라 학생 대표가 학생의 학교생활에 관련된 사항에 관하여 학생들의 의견을 수렴하여 운영위원회에 제안하게 할 수 있다.

⑥ **운영위원의 임기(서울의 경우)**: 위원(임기 2년, 1차 연임 가능), 위원장 및 부위원장(임기 1년, 연임 가능) ⇨ 단, 보궐위원은 전임자의 잔임기간

⑦ **운영위원의 권한**: 학교운영 참여권, 중요사항 심의·자문권, 보고요구권(학교장이 운영위원회의 심의·의결 결과와 다르게 시행하거나 운영위원회의 심의·자문사항임에도 불구하고 심의·자문을 거치지 않고 운영하는 경우)

⑧ **운영위원의 의무**: 회의 참여, 지위 남용 금지(당해 학교와 영리를 목적으로 하는 거래를 하거나 재산상의 권리, 이익의 취득 또는 알선 금지) ⇨ 무보수 봉사직, 운영위원은 다른 학교의 위원을 겸직할 수가 없다.

⑨ **학교운영위원회의 기능** 13. 국가직 7급, 06. 국가직 7급, 05. 전남

㉠ 심의사항 - 「초·중등교육법」(제32조) 23. 국가직
ⓐ 학교헌장과 학칙의 제정 또는 개정(단, 사립학교는 자문)
ⓑ 학교의 예산안과 결산
ⓒ 학교교육과정의 운영방법
ⓓ 교과용 도서와 교육 자료의 선정
ⓔ 교복·체육복·졸업앨범 등 학부모 경비 부담 사항
ⓕ 정규학습시간 종료 후 또는 방학기간 중의 교육활동 및 수련활동
ⓖ 「교육공무원법」 제29조의3 제8항에 따른 공모 교장의 공모 방법, 임용, 평가 등(단, 사립학교는 제외)
ⓗ 「교육공무원법」 제31조 제2항에 따른 초빙교사의 추천(단, 사립학교는 제외)
ⓘ 학교운영지원비의 조성·운용 및 사용
ⓙ 학교급식
ⓚ 대학입학 특별전형 중 학교장 추천

ⓛ 학교운동부의 구성·운영
　　　ⓜ 학교운영에 대한 제안 및 건의 사항
　　　ⓝ 그 밖에 대통령령이나 시·도의 조례로 정하는 사항
　ⓒ 심의·의결사항(국·공·사립 공통)

> 학교발전 기금의 조성·운용 및 사용에 관한 사항(「초·중등교육법」 제33조, 「초·중등교육법 시행령」 제64조) 14. 국가직 7급, 11. 경기·울산, 08. 서울
> - 조성방법: 기부자가 기부한 금품의 접수, 학부모 등으로 구성된 학교 내·외의 조직·단체 등이 그 구성원으로부터 자발적으로 갹출하거나 구성원 외의 자로부터 모금한 금품의 접수
> - 조성목적: 학교 교육시설의 보수 및 확충, 교육용 기자재 및 도서의 구입, 학교체육활동 기타 학예활동의 지원, 학생복지 및 학생 자치활동의 지원
> - 운영위원회는 교육부령이 정하는 바에 따라 발전기금을 운영위원회 위원장의 명의로 조성·운용하여야 한다.
> - 운영위원회는 발전기금의 관리 및 집행과 그 부수된 업무의 일부를 당해 학교의 장에게 위탁할 수 있다.
> - 업무를 위탁받은 학교의 장은 발전기금을 별도회계를 통하여 관리하고, 매 분기마다 발전기금의 집행계획 및 집행내역을 운영위원회에 서면으로 보고하여야 한다.
> - 운영위원회는 위항의 보고를 받은 경우에는 이를 검토하여 그 결과를 학부모에게 통지하여야 한다.
> - 운영위원회는 발전기금에 관한 업무를 당해 학교의 장에게 위탁한 경우에는 발전기금의 집행상황 등에 관하여 감사할 수 있다.
> - 운영위원회는 학교 회계연도 종료 후 3개월 이내에 다음 각 호의 업무를 완료하여야 한다.
>   1. 발전기금에 대한 결산
>   2. 제1호에 따른 결산 결과의 관할청 보고 및 학부모 통지
> - 발전기금의 조성·운용 및 회계관리 등에 관하여 기타 필요한 사항은 교육부령으로 정한다.

⑩ 학교운영위원회의 구성·운영
　ⓐ 국·공립학교에 두는 운영위원회의 구성 및 운영에 관하여 규정하지 아니한 사항은 국립학교의 경우에는 학칙으로, 공립학교의 경우에는 시·도의 조례로 정한다(「초·중등교육법 시행령」 제62조).
　ⓑ 사립학교 운영위원회의 구성에 관하여 이 영에서 규정하지 아니한 사항은 정관으로 정한다(「초·중등교육법 시행령」 제63조 제5항).
⑪ 학교운영위원회의 교육적 의의

강무섭 (1996)	• 학교자율·자치의 실현 • 의사결정 과정의 민주화 • 교육소비자의 요구를 중시하는 학교건설 • 열린 학교의 실천 • 학교경영의 전문화·과학화 • 학교교육에 대한 책무성
김성열 (1997)	• 정치적으로 단위학교 의사결정의 민주화 • 학교교육 성과의 효율성 제고에 기여 • 사회적으로 단위학교 구성 주체들의 책무성 강화

4 학교조직풍토론 05. 경북, 04. 대구·경기

1. 조직풍토(Organizational Climate)의 개념

(1) 조직구성원이 경험하는 조직 내의 총체적 환경의 질 ⇨ 구성원 상호 간의 공식적·비공식적 인간관계에 의해 조성

(2) 공식조직, 관리자의 비공식적 행동, 그리고 다른 환경적 요인이 조직구성원의 태도, 신념, 가치, 동기에 미치는 지각된 주관적 영향 ⇨ 학교의 인성(人性)에 해당

∅ 조직풍토는 심리학적 개념이고, 조직문화는 사회학과 인류학적 개념이다.

2. 핼핀(Halpin)과 크로프트(Croft)의 조직풍토론

(1) 교사집단의 특징과 교장의 행동 특성을 '교사들의 지각(知覺)'을 통해서 기술 ⇨ 학교조직풍토를 분류·연구

(2) **학교조직풍토의 형성요인**: 교사집단의 특징 + 교장의 행동특성 ⇨ 학교조직풍토 유형(6가지)

(3) **연구방법** 08. 서울

① 교사 대상으로 학교조직풍토 조사: 조직풍토 기술질문지(OCDQ : Organizational Climate Description Questionnaire)

② 교사의 행동특성
  ㉠ 장애(hindrance): 교장이 불필요한 일로 교사들을 괴롭히고 있다고 느낌.
  ㉡ 사기(esprit): 교사들은 자기가 하는 일에 만족하고 성취감을 느낌.
  ㉢ 친밀성(intimacy): 교사들 상호 간에 친밀하고 우호적인 인간관계를 유지
  ㉣ 자유방임(일탈, disengagement): 교사들은 주어진 직무에 충실하지 않으며 마지못해 일하는 시늉만을 보임.

③ 교장의 행동특성
  ㉠ 초월성(초연성, 냉담, 원리원칙, aloofness): 원리원칙에 의해서 행동하고, 정해진 규칙 준수를 강조 ⇨ 교사와의 거리를 유지하려 함.
  ㉡ 생산성(과업, 실적 중시, production): 과업달성만 강조하며 교사들을 철저히 지시·감독
  ㉢ 추진성(솔선수범, 신뢰, trust): 솔선수범을 보임으로써 교사들을 동기화시켜 학교를 운영
  ㉣ 사려성(배려성, 인화, consideration): 교사들을 인간적으로 대우하고 도와줌.

④ **학교조직풍토의 유형**: 개방 – 폐쇄의 연계성의 정도에 따른 구분

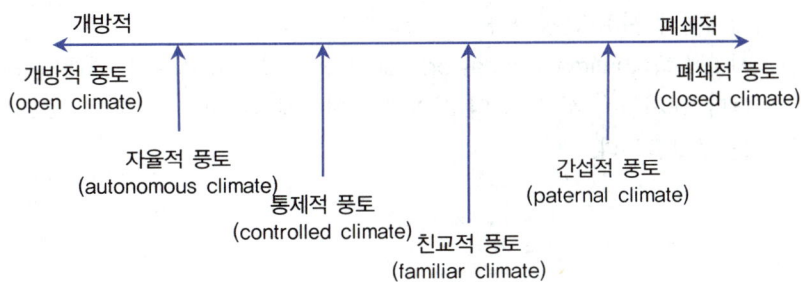

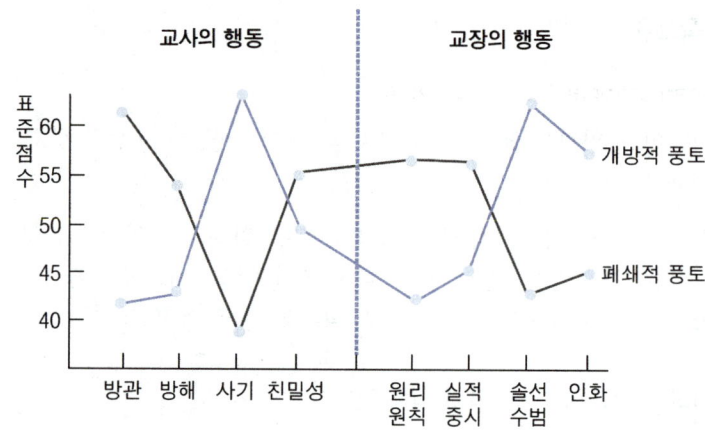

- ㉠ **개방적 풍토**: 교장은 추진성이 높고 교사들은 사기가 높다. ⇨ 가장 바람직한 풍토
- ㉡ **자율적 풍토**: 지도성 행동이 주로 집단으로부터 나오는 풍토 ⇨ 교사들에게 스스로 상호 활동구조를 마련하도록 분위기 조성, 교사들이 자율적으로 사회적 욕구 모색
- ㉢ **통제적 풍토**: 교장은 억압적이며 지배적, 교사들의 사회적 욕구충족은 경시 ⇨ 몰인간적이며 고도의 과업 지향적 특징
- ㉣ **친교적 풍토**: 우호적 태도 육성, 교사는 개인적이나 목적달성을 위한 집단활동 관리에는 소홀
- ㉤ **간섭적(친권적) 풍토**: 교장 자신이 독단적으로 운영 ⇨ 공정성 부족, 교사들에게 과업만 강요
- ㉥ **폐쇄적 풍토**: 상호 무관심 요인이 가장 높고, 사기도 가장 낮다. ⇨ 가장 바람직하지 못한 풍토

3. 호이(Hoy)와 클로버(Clover), 미스켈(Miskel)의 학교조직풍토론

(1) 개요

① 핼핀(Halpin)과 크로프트(Croft)가 주장한 조직풍토론의 문제점 보완: OCDQ-RE를 제작, 교사와 교장의 행동특성을 구분

② 교사의 행동특성
  - ㉠ **협동적 행동(collegial behavior)**: 교사들 상호 간에 개방적이며 전문적인 상호작용이 이루어진다. 교사들은 소속학교에 대하여 자부심을 가지며, 동료들과 같이 일하는 것을 즐거워한다. 그들은 매사에 열성적이며, 수용적일 뿐만 아니라 동료들의 전문적인 능력에 대해서도 서로 존중한다.
  - ㉡ **친밀적 행동(intimate behavior)**: 교사들 상호 간에 사회적 연대의식이 강하고 응집력이 높다. 교사들은 서로 잘 알고 가까운 친구지간이며, 정기적으로 모임도 갖고, 서로 도움을 주고받는다.

ⓒ 방관적 행동(disengaged behavior) : 전문적 활동에 대하여 열의와 관심이 부족하다. 교사들은 다만 시간을 보내고 있을 뿐이며 집단노력에 있어 비생산적이다. 그들은 공동의 목표의식을 공유하고 있지 않으며, 동료교사나 소속학교에 대해서도 부정적이며 비판적이다.

③ 교장의 행동특성
ⓐ 지원적 행동(supportive behavior) : 교사에게 높은 관심을 보인다. 교장은 교사들의 제안에 대하여 귀를 기울이고 또 이에 대하여 수용적이다. 교사들에게 칭찬을 자주하고, 비판을 건설적인 입장에서 다룬다. 지원적인 교장은 교사들의 전문적 능력을 존중하고 각각의 교사에 대하여 인간적·전문적 관심을 나타낸다.
ⓑ 지시적 행동(directive behavior) : 빈틈없고 철저하게 감독한다. 교장은 모든 교사와 학교활동에 대하여 매우 사소한 일까지도 빠뜨리지 않고 지속적으로 통제를 행사한다.
ⓒ 제한적 행동(restrictive behavior) : 교사들의 행동을 조장, 촉진하기보다는 오히려 방해한다. 교장은 교사들의 수업을 방해하는 서류 작성, 회의 참석, 일상적인 업무 등을 수행하도록 요구한다.

(2) **학교조직풍토의 유형** 22. 국가직
① 교사와 교장의 행동특성에 따른 풍토 : 개방풍토, 참여풍토, 무관심풍토, 폐쇄풍토

구분		교장 행동	
		개방(지원적 행동)	폐쇄(지시적·제한적 행동)
교사 행동	개방(협동적·친밀적 행동)	개방풍토	참여풍토
	폐쇄(방관적 행동)	무관심풍토	폐쇄풍토

② 학교조직풍토 유형과 교사, 교장의 행동특성과의 관계
ⓐ 개방풍토 : 교사의 행동이 협동적이고 친밀적이며 교장의 행동도 지원성이 높아서 학교조직 발전이 바람직한 방향으로 이루어지는 형태
ⓑ 폐쇄풍토 : 교사의 행동특성에서 협동적, 친밀성이 낮고 교장의 행동도 지원적 행동이 낮아서 학교조직풍토가 학교조직 발전에 역기능적인 성향을 드러내는 형태

행동특성			풍토 유형			
			개방풍토	참여풍토	무관심풍토	폐쇄풍토
교사 행동	개방	협동적	고	고	저	저
		친밀적	고	고	저	저
	폐쇄	방관적	저	저	고	고
교장 행동	개방	지원적	고	저	고	저
	폐쇄	지시적	저	고	저	고
		제한적	저	고	저	고

③ 학교조직풍토 유형
　㉠ 개방풍토(open climate) : 개방풍토는 교사와 교장이 모두 개방적인 풍토를 형성함으로써, 조직구성원들이 극도로 높은 사기를 나타내는 상황을 나타낸다. 교장의 행정 방침은 교사들의 성취의욕을 촉진시키며, 교사들은 동료들과 친밀한 관계를 유지하고, 욕구좌절을 극복하여 직무만족을 느낀다. 또한 조직의 발전에 헌신하려 하고, 자기가 속한 학교에 대하여 자부심을 갖는다.
　㉡ 참여풍토(engaged climate) : 참여풍토는 교사는 개방적이나 교장은 폐쇄성을 나타내는 풍토이다. 교장은 엄격하고 독재적이어서 교사들의 전문적 능력을 인정하지 않으며, 개인적인 지원도 하지 않고 오히려 교사들의 업무나 행동을 방해하고 있는 유형이다. 교사들은 높은 전문적인 실행을 나타내며, 교장의 행동과 행위를 무시한다. 또한 교사들은 교사들 간에 높은 협동을 하며, 그들의 업무에 높은 참여를 나타낸다. 그러므로 참여풍토에서 근무하는 교사들은 교장의 약한 지도력에도 불구하고 생산적인 전문가들이며, 결집력이 있고, 지원적인 풍토를 유지하는 형태를 취한다.
　㉢ 무관심풍토(disengaged climate) : 무관심풍토는 교사는 폐쇄적이나 교장은 개방성을 나타내는 풍토이다. 교장은 교사들에게 높은 지원과 낮은 지시, 낮은 제한을 하여 개방적이고, 교사들에게 관심을 기울이며 지원적인 행동을 취하려 하고 있다. 그러나 교사들은 교장의 지도행동을 무시하고 협조하지 않을 뿐 아니라, 교사들 간에도 낮은 친밀성, 낮은 협동적 관계, 과업으로의 일탈적인 행동을 나타낸다. 그러므로 무관심풍토는 교장이 지원적이고 교사를 통제하려 하지 않는 반면, 교사들은 분열되고 남을 인정하지 않으며 결합하지 않는 풍토를 나타낸다.
　㉣ 폐쇄풍토(closed climate) : 폐쇄풍토는 개방풍토와 정반대되는 풍토로, 교사와 교장 모두가 폐쇄성을 나타낸다. 교장은 높은 지시와 낮은 지원으로 사소한 일과 불필요한 업무까지 간섭하고 통제하려 하며 압박을 가하는 행동을 나타낸다. 반면 교사들은 낮은 친밀성과 동료적인 관계를 유지하며, 교장의 행정행위에 무관심하고 비협조적인 행동을 나타낸다. 그러므로 폐쇄풍토에서는 완고하고 방해가 되며 통제하는 교장과, 분열되고 방관적이며 결합되지 않은 교사들이 공존하는 형태를 취한다.

4. 리커트(Likert)의 관리체제이론

(1) 개요
① 상급자와 하급자 간의 관계가 어떠하느냐에 따라 조직특성을 체제 1(system 1)에서 체제 4(system 4)에 이르기까지 하나의 연속선으로 표시하였다.
② 관리체제를 사회적 관계를 강조하는 조직풍토와 같은 개념으로 파악한다는 점에서 핼핀(Halpin)과 크로프트(Croft)의 조직풍토 개념과 유사하다.
③ 행동과학적 연구를 통해 조직변화 계획을 실행하였는데, X이론에서 Y이론으로, 미성숙한 행동의 조장에서 성숙한 행동의 격려로, 위생요인의 강조에서 동기부여요인의 만족으로 조직이 나아가도록 의도하고 있다.

④ 체제1은 과업 지향적이며 고도로 구조화된 권위적 관리유형(X이론)인 데 비하여, 체제4는 팀워크·상호 신뢰·상호작용 등에 기반을 둔 관계성 지향적 관리유형(Y이론)이다. 체제2, 3은 두 개의 양극단의 중간관계에 해당한다.

(2) **관리체제의 유형**

아지리스(Argyris)	맥그리거(McGregor)	리커트(Likert)	허즈버그(Herzberg)	동기
성숙	Y이론	체제4	동기요인	내재적 동기
↕	↕	체제3	↕	↕
		체제2		
미성숙	X이론	체제1	위생요인	외재적 동기

① **체제1**: 처벌적 권위주의 체제(수탈적 관리체제 & 이기적 권위주의적 풍토) ⇨ 관리자는 부하들을 신뢰하지 않는다.
② **체제2**: 가부장적 권위주의 체제(자비적 관리체제 & 자선적 권위주의적 풍토) ⇨ 관리자는 구성원들에게 자비를 베푸는 식의 신뢰감을 가지고 있다.
③ **체제3**: 상담적 체제(자문적 관리체제 & 협의적 풍토) ⇨ 관리자는 부하들을 상당히 중요한 존재로 인식하나 완전히 신뢰하지는 않는다.
④ **체제4**: 참가적 체제(참여적 관리체제 & 참여적 풍토) ⇨ 관리자는 부하들을 전적으로 신뢰한다.

5 조직문화론(organizational culture theory) 10. 국가직 7급

1. 조직문화의 의미

(1) **일반적 의미**: 조직구성원들이 공유하고 있는 생활양식의 총체(예 철학, 신념, 이데올로기, 감정, 가정, 기대, 태도, 기준, 가치관 등)

(2) **조직문화와 조직풍토와의 관계**: 현상적으로 볼 때 일치하는 개념이나, 조직문화는 인류학이나 사회학적 개념이며, 조직풍토는 심리학적 개념에 해당한다. 그래서 조직문화에서는 암묵적 가정, 공유된 가치관, 공유된 규범 등을 강조하지만, 조직풍토에서는 공유된 지각을 강조한다. ⇨ 조직의 변혁과 관련하여 최근에는 조직풍토보다 조직문화를 중시

(3) **학자들의 정의**
① **오우치(Ouchi)**: 조직구성원들에게 조직의 기본 가치와 신념을 전달하는 상징, 의식, 신화
② **서지오바니(Sergiovanni)**: 가치체계, 상징 그리고 이러한 가치의 형상화를 내포하는 집단적 의미공유, 사물과 의식화된 관행에 내재된 상징과 의미

2. 조직문화의 수준(Hoy & Miskel, 1996)

조직문화 유형	문화수준	특징
묵시적 가정으로서의 문화	심층수준 (추상수준)	조직구성원들 사이에 공공연하게 이야기하거나 거론하지 않아도 당연한 것으로 받아들임. 예 인간·진리·인간관계·환경 등에 대한 본질
공유된 가치로서의 문화	중간수준	조직구성원들이 공유하는 가치 예 개방성, 진리, 협력, 친밀감 ⇨ 오우치(Ouchi)가 중시한 문화
규범으로서의 문화	표면수준 (구체수준)	조직구성원들이 조직목적 실현을 위해 마땅히 따라야 하는 원리나 법칙으로 성문화되지 않은 비공식적 기대 속에서 구성원들의 행동을 규제 예 동료를 지원하라. 동료들과 인화하라.

3. 조직문화론

(1) 맥그리거(McGregor)의 X이론과 Y이론

(2) **오우치(Ouchi의 Z이론)**: 공유된 가치로서의 문화를 중시
  예 조직에 대한 헌신, 경력 지향, 협동과 팀워크, 신뢰와 집단충성, 평등주의

(3) 아지리스(Agyris)의 미성숙 – 성숙이론

(4) **세티아와 글리노(Sethia & Glinow)의 문화유형론**: 보호문화, 냉담문화, 실적문화, 통합문화
  ① 분류기준: 조직의 관심이 인간에게 있느냐 성과에 있느냐에 따라 조직문화의 유형을 4가지로 분류함.
    ㉠ 인간에 대한 관심(concern for people)은 구성원의 만족과 복지를 위해 노력하는 것을 말한다.
    ㉡ 성과에 대한 관심(concern for performance)은 구성원이 최선을 다해 직무를 수행하도록 하려는 조직의 기대를 나타낸다.
  ② 조직문화 유형: 인간에 대한 관심과 성과에 대한 관심 두 가지 차원의 조합에 따라 조직문화 유형을 보호문화, 냉담문화, 실적문화, 통합문화 등 4가지로 분류함.

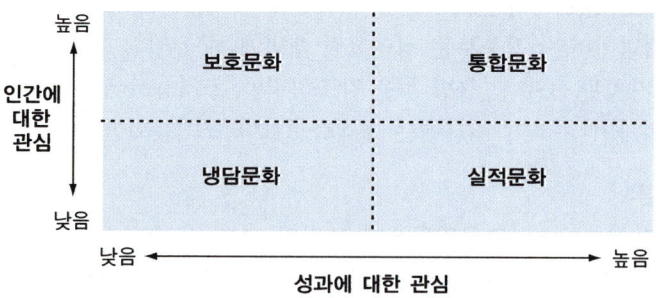

보호문화	• 구성원의 복리를 강조하지만 그들에게는 높은 성과를 강요하지는 않는다. • 대체로 조직의 설립자나 관리자의 온정주의적 철학에 의한 것인 경우가 많다. • 구성원이 조직의 지도자에게 순응할 준비가 되어 있기 때문에 조직이 원만하게 운영되며, 구성원의 충성심과 애정 때문에 생존하고 번창한다. • 팀워크와 협동, 동조와 상사에 대한 복종 등이 중요한 가치이다.
냉담문화	• 인간과 성과 모두에 대하여 무관심한 조직문화이다. • 특별한 상황과 환경에 의하여 보호를 받지 못하면 생존할 수 없는 조직이다. • 사기 저하와 냉소주의가 퍼져 있고, 이는 관리자의 방임적인 리더십에 의해 확산된다. • 음모, 파당, 분열이 만연하고, 불신, 불확실, 혼란이 조직문화를 조장한다. • 효과성과 능률성에 대한 관심보다는 기득권과 이해관계에 의하여 운영된다.
실적문화	• 구성원의 복지에 대해서는 소홀하지만 그들에게 높은 성과를 요구한다. • 성공 추구문화가 대표적인 경우에 해당한다. • 인간은 소모품으로 간주되며, 개인의 성과가 높을 때만 보상을 준다. • 성공, 경쟁, 모험, 혁신, 적극성 등이 기본적인 가치이다.
통합문화	• 성과와 인간에 대한 높은 관심을 나타내는 조직문화이다. • 인간에 대한 관심은 온정적인 것이 아니라 인간의 존엄성을 바탕으로 한 진지한 관심이다. ⇨ 인간은 조직 발전에 대한 큰 공헌을 할 수 있고, 또 그렇게 하기를 기대한다. • '사람들이 할 수 있는 모든 것을 할 수 있도록 자유를 허용하라'는 것이 조직운영의 기본원칙이다. • 창의성, 협동, 모험, 자율 등이 기본적인 가치이다.

(5) **스타인호프와 오웬스(Steinhoff & Owens)의 학교문화 유형론**: '비유(metapho)'를 사용하여 설명
  ① **가족문화**: '가족'이나 '팀(team)' 같은 학교 ⇨ 교사는 '부모' 또는 '코치', 애정적·우정적·협동적·보호적인 학교
  ② **기계문화**: '기계'에 비유된 학교 ⇨ 교장은 '기계공', 학교는 목표 달성을 위해 교사들을 이용하는 '기계'
    예. '학교장'은 학생들을 일류대학에 많이 진학하는 것을 목표로 제시하고 '교사들'을 독려하며, 성적이 향상된 학급의 담임교사에게 포상을 주어 격려한다.
  ③ **공연문화**: 학교는 서커스, 쇼 등을 시연하는 '공연장', 교장은 '단장', 공연과 함께 '청중'(학생)의 반응도 중시 ⇨ 훌륭한 교장의 지도 아래 멋진 가르침을 전수하는 공연장으로서의 학교
  ④ **공포문화**: '형무소', '밀폐된 공간'으로서의 학교, 교장은 자신의 위치를 유지하기 위해 수단과 방법을 가리지 않는다.

제4절 교육기획

1 개관

1. **교육기획(敎育企劃)의 개념**

   (1) **기획**(planning)

   ① 조직의 목적 달성을 위해 최선의 대안을 선정하는 일련의 의사결정 과정

   ② 현재의 상황분석과 미래에 대한 예측을 바탕으로 하여 타당성 있는 목표설정과 이를 달성하기 위한 실천전략 및 활동계획을 수립하는 일련의 지적 과정

   (2) 교육목표의 효율적 달성을 위해 가능한 수단과 방법을 선택하는 사전 준비의 과정

   (3) 교육적 문제해결에 필요한 최선의 방안을 선택하는 일련의 의사결정 과정

   (4) **미래의 교육활동에 대한 사전의 지적·합리적 준비 과정**: 미래의 교육활동에 대비하여 교육목표 달성을 위한 효과적인 수단과 방법을 제시함으로써 교육정책 결정의 효율성과 안정성을 보장해 주는 지적이고 합리적인 과정이다.

2. **개념적 속성**

   (1) **목적 지향적 활동**: 목표 달성을 위한 최선의 수단과 방법을 발견하는 과정이다.

   (2) 의사결정 과정

   (3) **미래 지향적 준비 과정**: 상황의 변화에 따라 언제든지 수정·보완할 수 있다.

   (4) 행동을 위한 제 결정의 시간계열화

   (5) **합리적인 활동**: 합리적인 정보수집과 판단, 문제해결능력을 필요로 한다.

   (6) 능동적이고 계속적인 과정

   (7) 능률성을 추구하는 과정

   (8) **지적인 활동**: 고도의 전문성을 요구한다.

3. **대두배경**: 자유를 위한 계획(Mannheim)

   자유방임의 원리에 따른 자본주의의 모순과 폐단이 발생 ⇨ 무제한의 경쟁을 지양하고 민주주의적 절차에 의한 계획의 필요성 대두

4. 교육기획의 목적

교육체제 내부에 있어서의 성과(internal output) 및 외부사회에 대한 성과(external output)를 향상시키는 것

(1) **교육의 내적 효율성 향상**: 교육기회의 균등화 촉진, 교육내용의 현대화, 교육방법의 효율화, 교수-학습의 효율성 제고, 교직의 전문성 확보, 교육행정의 효율성 제고, 교육연구개발 촉진

(2) **교육의 외적 생산성 향상**: 교육에 대한 사회수요 및 인력수요 충족

5. 교육기획의 기능 06. 국가직 7급

(1) 교육정책의 중점과 우선순위를 결정한다.

(2) 교육활동의 방향과 지침을 제공한다.

(3) 조직구성원의 노력과 주의를 집중시키고, 인력·재정을 효율적으로 이용한다.

(4) 사전조정과 사후평가 및 통제의 기준이 되어 교육정책의 안정화를 도모한다.

(5) 지휘의 수단과 교육개혁 촉진의 계기가 된다.

6. 교육기획의 원리

구분	원리	내용
내용	민주성(참여)	국민과 이해집단 등 광범위한 참여를 통해 작성
	타당성(합목적성)	명확하고 구체적인 목적 제시, 설정된 목적달성의 수단이 적절
	경제성(효율성)	이용 가능한 인적·물적 자원을 최대한 활용 ⇨ 효과의 극대화
	과학성	과학적 조사방법으로 자료의 수집·분석 및 평가
	중립성	정치적·종교적·사회적 압력의 배제
방법	종합성(통합성)	교육기획의 각 부문 간 및 국가의 다른 부문 기획과 통합(조화)
	구체성	목적의 계량화 및 조작적 정의로 표시
	안정성	정책의 안정성·일관성을 위해 지나친 수정은 삼가
	신축성(적응성, 탄력성)	사태 변화에 신축성·탄력성 있는 적응을 할 수 있게 작성
	계속성	계속적인 연구와 평가의 뒷받침 구실

2 교육기획의 접근방법 09. 국가직 7급

1. 사회수요적 접근법 13. 국가직 7급

(1) 교육을 받고자 하는 사람들에게 교육기회를 보장해 준다는 원칙 아래 교육에 대한 개인적·사회적 수요를 기초로 교육계획을 수립하는 방법 ⇨ 가장 일반적으로 많이 사용하는 방법

(2) **사회적인 총수요**: 국민 전체의 교육에 대한 총수요
   ① 개개인이 바라는 교육적 수요의 총합: 교육받기를 원하는 사람들의 숫자와 교육의 유형, 즉 사회구성원이 요구하는 교육의 양과 질
   ② 대표적 지표: 취학률
   ③ 사회적 수요(social demand)는 개개인의 욕구충족에 주안점을 두기 때문에 사회적 필요(social needs)와 반드시 일치하는 것은 아니다.

(3) 지원교육에 있어서 그 규모를 사회성원의 욕구를 충족시키는 방향으로 규정하려는 것이다.

(4) **한계점**
   ① 투자의 우선순위 결정에 대한 자료제공을 하지 못한다.
   ② 산업체의 인력수요를 고려하지 못한다. ⇨ 인력의 과잉공급이나 과부족현상을 초래한다.
   ③ 교육활동으로 인한 수익성을 고려하는 데 어려움이 있다.

2. 인력수요 접근법

(1) 경제성장에 필요한 인력의 수요를 예측하여 교육(인력)의 공급을 조절하는 방법

(2) 미래의 일정시점에서 산업체가 필요로 하는 인력을 추정하여 그와 같은 종류와 양의 인력을 교육하도록 교육계획을 수립하는 방법

(3) 산업사회의 필요와 요구를 반영하고, 교육투자 간의 우선순위를 제시하는 교육기획방법

(4) **특징**
   ① 개발도상국가에서 가장 많이 활용한다.
   ② 계획된 경제규모, 기술인력의 수준에 따라 필요한 양의 기술인력을 양성

(5) **기획 절차**: 기준연도와 추정연도의 산업부문별, 직종별 인력 변화 추정 ⇨ 인력수요 자료의 교육수요 자료로의 전환 ⇨ 교육자격별 노동력의 부족분 계산 ⇨ 학교 수준 및 학교종류(학과)별 적정 양성규모 추정

(6) **한계점**
   ① 교육부문 간의 투자 우선순위는 결정할 수 있으나, 교육부문과 다른 정부투자사업 간의 우선순위를 결정하기가 어렵다.
   ② 인력 간의 대체 가능성(substitutability)을 고려하지 못한다.

③ 산업인력 공급기관을 학교로 한정한다. ⇨ 학교 외의 산업체 인력양성 가능성을 고려하지 못했다.
④ 사회수요와의 불일치를 해소하기 어렵다.

3. 수익률(비용·효과분석)에 의한 접근법

(1) 교육의 경제적 효과를 기준으로 교육계획을 수립하는 방법

(2) **비용·효과분석을 통한 교육기획**: 교육에 소요되는 비용과 이로 인한 경제적 효과를 측정하여 비교함으로써 모든 형태의 교육투자에 대한 생산성을 균등하게 하려는 것이다.

(3) **고등교육 수익률**
① 고등교육 수혜자의 평생소득: 고등교육 이수자의 평생소득 / 고등교육 소요경비
② 고등교육 소요경비 = 직접교육비 + 기회비용

(4) **한계점**
① 개인 간의 소득차이를 교육의 차이로 단정한다. ⇨ 개인 간 소득차이는 교육 이외에도 선천적인 능력, 욕망 등 여러 요인에 의해서 좌우된다.
② 소득을 한계생산에, 수익률을 한계수익률과 동일시하며, 계량화가 힘든 소득과 소비는 계상(計上)되지 않는다.

4. 국제적 비교에 의한 접근법

(1) 여러 나라의 발전단계를 고려하여 교육기획의 방법을 채택

(2) 자기 나라보다 약간 앞선 나라의 교육정책을 비교하여 교육기획

5. 비교

구분	사회수요 접근방법	인력수요 접근방법	수익률 접근방법
교육목적	교육 내적 효율성 강조	사회에 대한 성과 강조	보충적 도구
정의	교육에 대한 개인적 또는 사회적 수요를 기초로 교육기획을 세우려는 방법	경제성장 목표 달성에 필요한 교육투자 수준을 결정하기 위한 접근법	교육에 투입된 경비, 산출된 효과를 비용으로 계산하여 교육투자의 순위결정
장점	• 균등한 교육기회 보장 • 심리적 욕구충족	• 사회·경제적 목적 충족 • 경제인력의 안정적 공급	경제적 측면에서 정교하고 현실적임.
단점	• 교육투자에 대한 정책 결정이 어렵다. • 인력공급 조절실패 가능성이 높다. • 교육수요 판단이 어렵다. • 수익성 판단이 어렵다.	• 사회수요와 인력수요의 차이로 인한 불만 야기 • 학교교육과 경제현장과의 괴리 가능성	교육기획에서 필요한 자료는 미래의 수익률이기 때문에 수익률이 가변적인 경우 계획의 신뢰성이 떨어질 수 있다.

제5절 교육정책

1 개관 11. 울산, 04. 국가직

1. 교육정책의 개념

(1) **국가의 교육활동에 관한 기본방침·기본지침**: 교육목적의 달성을 위해 정부가 공익(公益)과 국민의 동의를 바탕으로 강제하는 체계적인 활동들로 구성된 교육지침

(2) 교육활동의 목적·수단·방법 등에 관한 최적의 대안을 의도적·합리적으로 선택한 것

2. 개념적 속성

(1) 목적 지향적 활동

(2) 정부에 의해 이루어지는 체계적 활동

(3) 실제로 이루어지는 활동

(4) 공공성을 지닌 권위를 바탕으로 한 활동

✎ **모니터링(Monitoring)** 07. 국가직 교육정책의 집행 과정이나 집행 후 정책내용의 진도 성과에 대해 정책의 영향을 받는 수혜자나 정책에 관심을 가지는 주민들로부터 직접 정보를 수집하는 방법

3. 교육정책의 성격 11. 광주

(1) **규범 지향성**: 교육정책은 목적 지향적 활동이다.

(2) **미래 지향성**: 미래상의 구현(具現)을 목적으로 하는 현실적인 활동이다.

(3) **변동의 요인**: 가변성

(4) **인본주의적 성격**: 인간이 누리는 '삶의 질'의 변화를 유발한다.

(5) **관계성**: 전체 사회와 관계를 맺는 활동이다.

(6) **행동 지향성**: 당위적인 가치를 현실적인 행동으로 전환시킨다.

(7) **정치성**: 정치적 과정을 거쳐 형성·결정된다.

(8) **광의의 합리성**

(9) **비용 유발성**: 아무리 바람직한 정책이라도 바람직하지 못한 결과를 가져올 수 있다.

(10) **불완전성**

(11) **역동성**

② 교육정책 결정의 원칙과 결정 과정 12. 국가직 7급

1. 교육정책 결정의 원칙 22. 국가직 7급

(1) **민주성(= 민중참여)의 원리**: 국민의 참여와 민주적 절차에 의하여 수립되어야 한다.

(2) **효율성의 원리**: 교육정책의 형성 과정·집행·결과에 있어서 능률적이고 효과적이어야 한다.

(3) **합리성의 원리**: 가치 지향적인 정책에 객관성과 과학성을 부여하고 현실에 입각한 합리적 원리에 기초해야 한다.

(4) **중립성의 원리** 05. 인천: 정치적·종교적·사회적 압력에 좌우되지 않고, 교육정책 자체의 타당성과 효율성에 기초하여 수립되어야 한다.

2. 교육정책 형성과정 20. 국가직 7급: 사회적 이슈화 → 정책의제 결정 → 정책결정 → 정책집행 → 정책평가의 단계

3. 교육정책 결정론: 캠벨(Campbell)

(1) **1단계**: 기본적 힘의 작용단계(basic forces)
   ① 전국적·전세계적 범위에서 발생하는 중요한 정치적·경제적·사회적·기술공학적 힘(영향력)이 교육정책 결정에 작용
   ② 국민의 교육에 대한 열망 정도, 국민의 경제력 수준, 국제적 긴장상태, 인구동태, 기술공학의 발전, 새로운 지식의 발전 등 제 요인에 의해서 교육정책이 영향을 받게 된다.
   > **예** 미국에서 Sputnik 발사의 영향으로 수학·과학교육 강화

(2) **2단계**: 선행운동단계(antecedent movement)
   ① 기본적 힘에 대해 반응하는 단계로, 교육에 대하여 상당한 주의를 끄는 각종의 운동이 선행적으로 전개되어야 한다는 것이다.
   ② 사회적으로 저명한 개인이나 또는 전문기관이 작성하는 교육개혁에 관한 건의서, 연구보고서 등은 교육정책 형성의 분위기를 조성한다.
   > **예** 교육에 관한 백악관 회의(White House Conference on Education)와 교육에 관한 대통령 자문위원회(President's Committee on Education), 한국교육개발원이 작성한 보고서

(3) **3단계**: 정치적 활동단계(political action)
   ① 정책결정에 선행되는 공공의제에 관한 토의나 논쟁
   ② 개인 전문가나 전문연구기관에 의해서 교육개혁을 위한 상당한 주의를 끄는 연구보고서가 일단 작성되면 이는 교육부를 비롯하여 각의(閣議)나 국회에 반영된다.
   ③ 매스컴을 통하여 일반시민의 여론을 조직화하고 정당의 정책으로 되어 정책결정기관을 자극하여 교육정책 형성의 분위기를 조성하고 공식적인 입법의 준거로서 작용하기도 한다.

(4) **4단계**: 공식적인 입법단계(formal enactment)
   ① 행정부나 입법부에 의한 정책형성의 최종단계
   ② 지금까지의 기본적인 사회적 조건의 변화나 전국적인 선행운동의 조직 및 정부 내외의 정치적 활동과 같은 단계들은 입법단계에 이르러 비로소 정점을 이루게 된다.

4. **로위(Theodore J. Lowi)의 정책유형론**(1964, 1972)
   (1) **개요**: 권력의 장(arenas of power, 권력 영역) 모형
   ① 정책유형의 차이에 따라서 정책과정과 함께 독특한 정치적 관계가 달라진다: 정책의 독립변인성을 가정하고, 권력의 개념이 정책유형 연구에 매우 중요함을 강조, "정책이 정치를 결정한다(policy determines politics)" → 정책유형에 따라 이익집단의 정책에 대한 영향력이 다르게 발휘되며, 이해의 상충(conflict of interests) 정도에 따라 참여자들(예, 개별기업, 이익집단, 정당 등) 간의 갈등 정도가 다르게 되고 제도적 우월성도 차이가 발생
   ② 정책 현상은 권력의 거시적인 표현인 강제(coercive power)와 밀접한 관련성이 있고, 이는 정책 분류의 가장 중요한 요소임.
   ③ 정책 분류 요소를 '강제의 가능성'과 '강제의 적용 형태'로 선정하여 분배(distributive), 규제(regulative), 재분배(redistributive), 구성(constituent) 정책 등 4가지로 유형화
   ④ **모형도**: 로위(Lowi)의 강제의 유형, 정책유형 및 정치의 유형

		강제의 적용영역		
		개인의 행위	행위의 환경	
강제의 수단	직접적	규제 정책 (regulatory policy)	재분배 정책 (redistributive policy)	집단/(이해관계조직) 협상
	간접적	분배 정책 (distributive policy)	구성 정책 (constituent policy)	정당/(선거조직) 결탁(log-rolling)

- 분산적
- 구성요소 수준
- 지방적(지역)
- 이해관계
- 정체성(identity)
- (개인)

- 집권적
- '체제(system)' 수준
- 세계적(대도시)
- 이데올로기
- 지위(status)
- (개인의 집합)

(2) **정책 유형별 특징**
   ① **분배정책**(distributive policy)
      ㉠ 정부가 관련분야의 민간활동을 활성화시키기 위해 국민들에게 권리나 이익, 또는 재화나 서비스를 직접 배분(제공)하는 내용을 포함하는 정책
         예, 두뇌한국(BK) 21 사업, 사회간접자본, 박물관 건립
      ㉡ 정부에 의한 강제력의 행사가 간접적이며, 적용영역은 개인적인 행위임.

ⓒ 특징: 정치는 분산적인 특성을 지니고, 정책결정 또한 지방적 수준에서 이루어지며, 이데올로기보다는 이해관계 속에서 나타나고 수혜자 개인의 정체성이 잘 드러나게 된다. 이러한 분배정책은 정책형성 과정에서 행위자들 간의 '결탁(log-rolling)'의 양상이 주로 나타나며, 정책집행 과정에는 분배의 결정권이 있는 정부를 상대로 경합을 벌이게 되고 정부는 한정된 자원을 많은 대상자에게 골고루 배분하려 함으로써 '갈라먹기식 다툼(pork barrel politics)'으로 나타나게 된다.

② 규제정책(regulatory policy)
　　㉠ 정부로 하여금 개인과 집단의 활동 및 사유재산에 대하여 통제를 가하는 정책
　　㉡ 정부에 의한 강제력의 행사가 직접적이며, 적용영역은 개인적 행위임.
　　　예 사립학교 설립 인가, 과대광고 규제
　　ⓒ 특징: 정책형성과정과 집행과정에 있어서 규제로 인하여 혜택을 보는 자와 피해를 보는 자 간 이해관계의 대립으로, 집단 간 갈등이나 정치적 투쟁이 높을 수 있다. 그 결과 서로 '결탁'하여 '갈라먹기식 다툼'의 정책결정은 어려우며 이해집단 간의 협상을 통하여 정책이 결정된다.

③ 재분배정책(redistributive policy)
　　㉠ 협의의 개념: 사회 내의 계층 및 구성원 간에 소유되고 있는 부(재산)와 권리 등의 가치 분포상태를 재구성하는 의도를 가진 정책으로, 가장 직접적인 소득분배 방법임.
　　　예 취약 지역에 기숙형 공립고등학교 집중 설립
　　㉡ 광의의 개념: 과세정책, 즉 사회보장을 위한 지출뿐 아니라 소득의 실질적 분배를 위한 목적으로 실시되는 정책　**예** 누진소득세, 사회보장제도
　　ⓒ 정부에 의한 강제력의 행사가 직접적이며, 적용영역은 행위의 환경임.
　　㉣ 특징: 정치는 집권적이고, 체제수준에서 정책결정이 이루어지며, 정책의 문제가 다른 국가에서도 논의되는 세계적인 문제로 되고, 이해 관계적 측면보다는 이데올로기적 측면이 작용하게 된다. 뿐만 아니라 정책 수혜자 개인의 정체성보다는 집단관계에 있어서 개인의 지위가 보다 중요시된다. 정책의 내용에 따라서 노동자와 자본가를 포함한 '얻는 자'와 '잃는 자'가 존재하며, 이들 두 집단 간의 '계급 갈등'이 크게 나타난다. 따라서 '갈라먹기식 다툼'보다는 협상에 의한 정책결정이 이루어질 가능성이 높고, 재산권 행사보다는 재산 자체, 평등한 대우의 문제보다는 평등한 소유가 그 중심이 된다는 특징을 갖는다.

④ 구성정책(constituent policy)
　　㉠ 다원주의자와 엘리트주의자 간의 논쟁을 통합할 의도에서 제시한 정책 유형 ⇨ 분배정책, 규제정책, 재분배정책 어디에도 포함되지 않은 상황임.
　　㉡ 정부에 의한 강제력의 행사가 간접적이며, 적용영역은 행위의 환경임.　**예** 선거구 조정 및 선거제도의 변화, 정부 조직이나 기구 설립 및 개편, 교육공무원 보수 및 연금 관련 법령 정비
　　ⓒ 신제도론자의 주요 관심 분야인 '제도'와 관련된 것으로 관심이 부상하고 있는 영역

5. 교육정책의 평가기준 15. 국가직 7급

(1) 던(Dunn)

① **적절성(appropriateness, 적합성)**: 정책이 그 상황적 맥락에서 어느 정도로 가치가 있고 어울리는가를 판단하는 것으로, 정책목표가 과연 바람직한 것이며 가치 있는 것이냐 하는 것이다. 정책목표의 가치와 관련되며, 어떤 목표가 사회를 위해 과연 적절한 것인가를 고려한다. 사회 전체의 입장에서 보아 가장 바람직하다고 판단되는 것을 정책목표로 결정하게 되면 그 목표는 적합하다고 할 수 있다. 적절성 기준은 두 개 이상의 기준이 동시에 관련되며, 논리적으로 효과성, 형평성, 능률성, 대응성 등의 기준보다 선행하는 상위기준이 적용된다.

② **효과성(effectiveness)**: 집행되었던 정책이 의도했던 목표를 달성했느냐와 나아가서는 그 목표의 달성이 집행된 정책의 결과에 의해서 어느 정도나 이루어졌는가 측정하는 것을 말한다. 이것은 정책의 성공 여부를 판단하는 가장 중요한 기준이 된다. 정책평가에 있어서 정책의 효과성이 중시되는 이유는 정책이 바로 어떤 특정의 목표를 달성하기 위한 하나의 수단으로 제공된 것이기 때문이다. 이러한 효과성은 정책의 집행으로부터 일정시간이 경과한 후, 즉 정책이 종료된 후나 그것이 실시된 후 그 정책의 효과를 측정해도 좋을 만큼 기간이 경과했다고 판단될 때 행하여야 하는데, 어떤 사업의 경우에는 단기적으로는 효과를 기대할 수 없고 오랜 시간이 경과한 후에야 효과가 발생하기 때문이다. 그러나 정책에 있어서의 효과란 질적인 것이 많고 목표 자체가 질적인 것이 많기 때문에 이의 정확한 판단에는 어려움이 많다.

③ **능률성(efficiency)**: 정책목표를 달성하는 데 또는 의도한 정책 효과를 산출하는 데 투입된 것과 산출된 비를 산출하는 것으로, 의도했던 성과를 달성하기 위하여 어느 정도의 노력이 필요했는가를 산출하는 것이다. 이러한 능률성의 기준은 비용과 효과가 화폐적으로 측정되지 않으면 능률성 자체가 의미가 없게 되는 경우가 많다. 특히 공공정책의 경우에는 많은 정책비용이나 효과를 화폐적으로 측정하기 어렵기 때문에 능률성은 정책과정의 평가기준으로서 한계를 지니고 있다고 할 수 있다.

④ **대응성(responsiveness)**: 정책수혜자들의 요구와 환경의 변화에 신축성 있게 대처해 가는 능력을 의미한다. 정책대상 국민이 현재 요구하는 것을 정책기관이 얼마나 만족시켜 주느냐의 문제와 직결된다. 이러한 대응성은 정책성과가 특정정책 대상집단들의 욕구와 선호, 가치를 만족시키고 있는가에 관한 기준으로 이것은 대상집단들에 대한 조사결과와 일치되어야 하는 것이다. 대응성 기준이 중요한 이유는 정책이 효과성, 능률성, 형평성 등을 모두 충족시키면서도 정책수혜자 집단의 실질적인 욕구를 충족시키지 못하는 경우가 있기 때문이다.

⑤ **형평성(Equity)**: 한 정책의 집행에 따르는 비용(cost)과 편익(benefit)이 여러 집단에 평등하게 배분되어 있는 정도를 말한다. 형평성을 측정하기 위한 지표로는 롤즈(J. Rawls)의 기준, 지니(Gini) 계수 등이 있다.

⑥ **적정성(adequacy, 필요성, 충족성)**: 가치 있는 성과, 즉 정책목표의 달성이 문제해결에 얼마나 공헌했는가를 측정하는 것을 말한다. ⇨ 정책목표 달성(또는 문제해결)에의 기여정도

(2) 슈만(Suchman)
  ① 노력(effort): 결과를 고려하지 않고 사업활동에 투자한 질적·양적 투입이나 에너지를 의미한다. 따라서 정책집행에 있어서 무엇을 얼마나 잘했으며 얼마나 열의(熱意)와 적극성을 가졌느냐를 평가하는 것이라고 할 수 있다.
  ② 성과(performance, 효과성)
  ③ 적정성(adequacy)
  ④ 능률성(efficiency)
  ⑤ 과정(process)

(3) 스몰우드(Smallwood)
  ① 정책목표의 도달
  ② 능률성
  ③ 유권자의 만족
  ④ 수혜자에 대한 대응성
  ⑤ 체제유지

제6절 장학론 04 서울

1 개관

1. 장학(獎學, supervision)의 개념

(1) 어원적 정의
  ① Supervision = Superior(위에서) + Vision(보는 것) = Oversight(감시, 감독)
  ② '우수한 사람이 높은 곳에서 바라본다.'(감시, 통제) ⇨ 전통적 장학(학교를 감독하는 것)
  ③ Service(봉사)로 변화: 전문적인 지식과 기술을 가지고 service하는 활동 ⇨ 현대적 장학 (교사의 교수행위의 향상을 도모하기 위해 이루어지는 모든 활동)
  ✎ 조선시대 지방수령의 업무 중 '수명학교'는 오늘날의 장학에 해당한다.

(2) 해리스(Harris)의 정의
  ① 학생들의 학습을 촉진하기 위해 수업 과정에 직접적으로 영향력을 행사하는 방법
  ② 학교 수업목표 성취에 직접적 영향을 주어 학교운영을 유지·변화시킬 목적으로 교원과 교육과정에 관계하는 행위
  ③ 학교경영의 5개 기능영역 제시: '학생'과 '수업'과의 관련성 정도에 따른 분류

교수기능(영역 A)	전체 학교경영의 핵심적 기능 ⇨ 교사가 학생과 함께 수업목표 달성을 위해 노력하는 과정. 수업과 학생 모두에게 직접적으로 관련된다. 예 교사
장학기능(영역 B)	수업과는 직접적으로 관련되지만, 학생과는 교사를 통해 간접적으로 관련된다. 예 교감, 교장
관리기능(영역 C)	수업과 학생 모두에게 간접적으로 관련된다. 예 교장, 행정직원
학생을 위한 특별봉사 기능(영역 D)	학생과는 직접적으로 관련되지만 수업과는 간접적으로 관련된다. 예 보건교사, 버스기사, 상담교사
행정기능	수업과 학생과는 직접 또는 간접적이 아닌 중앙에 위치하는 기능 ⇨ 학교 전체 운영에 통일성을 주는 중추적·포괄적 기능 예 교장

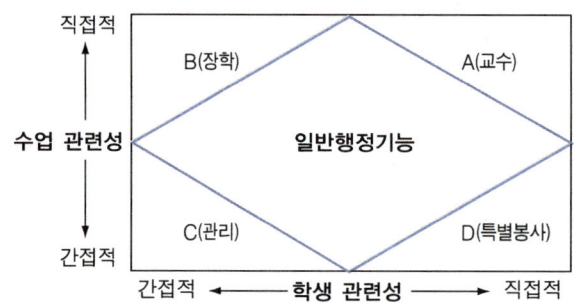

2. 장학의 발달

(1) **관리장학 시대**(~1930)

① 18~19세기의 장학
  ㉠ 공교육제도의 정착과 함께 별도의 시학관(視學官)을 임명, 학교의 인원과 시설·재정 등을 점검·검열 ⇨ 시학(視學)으로서의 장학
  ㉡ 시학관: 교육감의 위임을 받아 학교 감찰기능 수행 ⇨ 계선상의 위계적 권위를 바탕으로 권위주의적이고 강제적인 시학활동 수행

② 20세기 초반: 과학적 관리론의 영향 ⇨ 능률과 생산성을 강화하는 방향에서 과학적 장학이 강조
  ㉠ 과학적 장학: 교사를 관리의 부속물 또는 관리의 대상으로서의 고용인으로 파악 ⇨ 상하관계 속에서 일의 능률만을 추구, 통제와 책임·능률이 장학활동의 핵심적 덕목
  ㉡ 과학적 장학은 행정적 차원에서 정교화되어 관료적 장학으로 정착
  ㉢ 관료제적 특성을 활성화 ⇨ 장학활동의 능률 제고(提高) 도모, 분업과 기술적 전문화, 조직규율을 강조

(2) **협동장학 시대**(1930~1955)

① 과학적 관리론이 퇴조하고 인간관계이론이 부상 ⇨ 강제적·통제적인 장학으로부터 인간적·민주적인 장학으로의 개념 변화
② 장학활동의 핵심이 장학담당자로부터 교사에게로 전환 ⇨ '최소한의 장학'이 '최선의 장학'으로 이해

③ 민주적 장학, 참여적·협동적 장학(예 동료장학)의 활성화 ⇨ 개인의 존중과 편안한 인간관계가 장학의 핵심적 덕목으로 간주

(3) **수업장학 시대**(1955~1970) 21. 지방직

① 학문 중심 교육과정의 영향 ⇨ 교육행정 활동의 중심이 새로운 교육계획과 프로그램 설계로 집중, 장학도 교육과정의 개발과 수업효과 증진에 중점을 둠.
② 장학담당자들은 각 교과의 전문가로 이해 ⇨ 교육내용을 선정·조직하고 교사들과 함께 교육 프로그램을 제작·보급하는 것이 주된 임무, 교수-학습 과정에 대한 분석과 임상적 활동에 관심, 시청각 기자재를 활용한 수업개선, 새로운 교수법의 개발 등에 노력 집중
③ 교실에서 교수활동에 초점을 맞추어 장학담당자와 교사가 협력하여 교사의 전문적 신장을 도모하는 임상장학과 마이크로티칭(micro-teaching) 기법이 활성화

(4) **발달장학 시대**(1970~)

① 수업장학과는 별도로 인간관계이론 시기의 협동장학에 대한 새로운 대안을 모색한 것
  ㉠ 과학적 관리론의 조직생산성 강조와 인간관계이론의 직무만족이라는 장점을 절충하려는 노력
  ㉡ 새로운 행동과학의 이론에 기초하여, 관리장학 또는 발전된 협동장학의 형태로 나타남.
② 수정주의 장학(경영으로서의 장학) 등장: 인간관계론 시기의 협동장학에 대한 반발로 과학적 관리의 통제와 효율 등을 보다 강조하는 장학 ⇨ 장학의 중점도 교사의 능력개발, 직무수행분석, 비용·효과의 분석 등을 강조, 교사 개인에 대한 관심보다 학교경영에 보다 큰 관심 유지
③ 인본주의적 관리론에 바탕을 둔 인간자원장학 등장: 교사들의 참여를 통해 학교효과성을 증대하고 그 결과로서 교사들의 직무만족도 향상을 목표로 하는 장학
④ 기본전제: 인간의 가능성을 신뢰, 인간은 안락(安樂)만을 추구하는 존재가 아니라 일을 통한 자아실현을 추구하는 존재 ⇨ 학교과업의 성취를 통한 직무만족에 초점을 두는 인본주의적 특징

(5) **각 시기별 장학의 발달단계 변화** 20. 국가직

시기	관련된 교육행정이론	장학 단계 시대구분	장학방법
1750~1910	과학적 관리론	관리장학 시대	시학(視學)으로서의 장학, 강제적 장학
1910~1920			과학적 장학
1920~1930			관료적 장학
1930~1955	인간관계이론	협동장학 시대	협동적 장학, 민주적 장학, 참여적 장학
1955~1965	행동과학이론, 체제이론	수업장학 시대	교육과정 개발 장학
1965~1970			임상장학, 마이크로티칭
1970~1980	상황이론, 인간자원론	발달장학 시대	경영으로서의 장학, 인간자원장학
1980~			지도성으로서의 장학

3. 장학지도의 원리(Melchoir)

(1)과 (3)은 인성적 변인, (2)와 (4)는 인지적 변인, (5)는 업무수행 변인에 해당한다.

(1) 태도의 원리
① 장학지도자가 장학지도에 관한 올바르고 건설적이며 진취적인 태도를 가져야 한다는 것
② 모든 장학지도 원리의 기본

(2) 창조의 원리
① 새로운 것을 창조하고 기존의 것을 개선하여 보다 새로운 것에 도전하는 원리
② 장학지도자는 장학지도 계획을 변천하는 사회에 맞도록 창안

(3) 협력의 원리
① 장학지도자는 민주사회에서 행해지는 교육의 기능을 이해하고 집단 과정을 존중해야 한다는 것
② 장학담당자, 교장, 교감, 교사 등이 협력하여 실시할 때 장학의 효과가 크다.

(4) 과학성의 원리
① 장학지도자는 장학지도에 있어 과학적인 사고방법을 취해야 한다는 것
② 과학적인 사고방법: 문제파악 ⇨ 필요한 자료의 수집·분석 ⇨ 해결방안의 모색

(5) 효과의 원리
① 위의 원리들(태도, 창조, 협력, 과학성)을 토대로 장학지도가 수행될 때 효과가 나타난다는 것
② 효과는 평가를 전제로 기대했던 정도로 나타나며, 교육의 발전에 기여한다.

2 장학의 유형 분류 18·12. 국가직, 10. 전북

1. 조직수준(장학 단계)에 의한 분류

(1) 교육장학(중앙장학, 교육부 장학)
① 중앙교육행정조직인 교육부 내에서 이루어지는 모든 장학행정
② 전국의 각급 학교와 지방교육행정기관이 교육부가 시달한 장학방침과 교육시책의 구현계획을 어떻게, 얼마나 실천하고 있는가에 중점을 둔 교육행정의 한 분야
③ 담당부서: 장학편수실을 중심으로 장학활동 수행, 인접부서(장학관, 교육연구관, 장학사, 교육연구사)에서도 그 고유업무와 관련된 장학활동 수행 ⇨ 교육부 내의 참모조직으로 전문적 조언

(2) **학무장학**(지방장학)
  ① 지방교육행정기관인 시·도 교육청과 그 하급 교육행정기관(하급교육청)에서 이루어지는 장학행정
  ② 교육활동을 위한 장학지도, 교원의 인사관리, 학생생활지도, 교육기관의 감독을 통해 지방의 교육행정업무를 관할하는 행정활동
  ③ **담당부서**: 시·도 교육청의 초등교육국과 중등교육국, 하급교육청의 학무국 또는 학무과를 중심으로 수행, 인접부서에서도 그 고유업무와 관련되어 장학활동 수행
  ④ 장학 유형

담임장학 09. 국가직	• 교육청/교육지원청의 학교 담당장학사가 중심이 되어 실시한다. • 교육과정의 운영, 생활지도, 도의교육, 과학·실업교육, 보건·체육교육 등 학교교육 전반에 걸쳐 전문적이고 지속적인 지원을 제공한다. • '학교 현황 및 장학록'을 작성하여 누가적으로 기록함으로써 학교교육 평가에 활용하기도 한다.
종합장학	• 국가시책, 교육청시책을 비롯하여 중점업무 추진상황, 교수-학습지도, 생활지도 등 학교운영 전반에 관해 종합적으로 지도·조언한다. • 장학지도반이 교육청의 시책에 대한 학교별 추진사항을 파악하고 평가하며, 통상적으로 2년에 1회 정도 실시한다.
확인장학	• 각 학교 담당장학사가 이전 장학지도 시의 지시사항에 대한 이행 여부를 확인한다. • 종합장학의 결과 시정할 점과 계획상으로 시간이 소요되는 사항의 이행 여부를 확인·점검하는 절차며, 기타 학교운영의 애로를 발견하여 지도·조언하는 활동이다.
요청장학	• 개별 학교의 요청에 의하여 해당 분야의 전문 장학담당자를 파견하여 지도·조언하는 장학활동이다. • 장학내용: 학교별 현안과제 해결 지원, 교수-학습, 평가방법 개선
특별장학	• 특별한 문제가 발생하거나 발생이 우려될 때 해당 문제해결이나 예방을 위해 필요한 지도·조언을 한다. • 학교담당 장학사를 포함한 현안문제에 전문적 식견을 갖춘 장학요원으로 장학협의팀을 구성하여 현안문제가 해결될 때까지 그 학교에서 장학활동을 수행한다.
표집장학	교육청이 주제별로 학교를 무선표집하여 주제활동을 점검한다.
개별장학	각급 학교에 따라 학교현장의 현안문제를 중심으로 확인하고 지도·조언하는 활동이다.
지구자율 장학	• 지구별 장학협의회 간사학교가 중심이 되어 학교 간 상호방문을 통해 교육연구, 생활지도 및 특색사업을 공개적으로 협의하는 장학이다. • 지구 내 학교 간, 교원 간의 협의를 통해 독창성 있는 사업을 자율적으로 선정·운영함으로써 교원의 자질과 교육의 질적 향상을 도모하고 학교 간, 교원 간 유대를 강화하며 수업공개를 통한 학교특색의 일반화와 교수-학습방법을 개선하고자 하는 장학활동이다. • 장학내용: 학교 간 방문장학, 교육연구활동, 생활지도활동(학생선도)

(3) 학교 컨설팅(school consulting): 맞춤장학 09. 서울·경기

① 개념
   ㉠ 학교교육을 개선하기 위해서 일정한 전문성을 갖춘 사람들이 학교와 학교구성원의 요청에 따라 제공하는 독립적인 자문활동으로서, 경영과 교육의 문제를 진단하고, 대안을 마련하며, 문제해결 과정을 지원하고, 교육훈련을 실시하며, 문제해결에 필요한 인적·물적 자원을 발굴하여 조직화하는 일이다.
   ㉡ 학교를 지원하는 다양한 형태의 활동으로, 동등한 관계에 기초하여 학교구성원에게 제공된 모든 형태의 지원활동
   ㉢ 학교경영을 포함하여 학교교육과 관련된 제 영역에 대해서 전문적·기술적 조언과 의견을 제공하는 활동

② 기본원리

자발성의 원리	학교장이나 교사가 자발적으로 나서서 컨설턴트의 도움을 요청해야 한다는 것이다.
전문성의 원리	학교경영과 교육에 대한 전문적 지식과 기술체계를 갖춘 사람에 의해 이루어지는 지도와 조언활동이 되어야 한다는 것이다.
독립성의 원리	컨설턴트가 의뢰인과 상급자-하급자의 관계에 있어서는 안 되며, 독립된 개체로서 서로 인정하고, 도와주는 역할수행이 이루어져야 한다는 것이다.
자문성의 원리 24. 지방직	컨설팅은 본질적으로 자문활동이어야 한다는 것이다. 즉, 컨설턴트가 의뢰인을 대신해서 교육을 담당하거나 학교를 경영하는 것이 아니며, 그 컨설팅을 선택함으로써 발생하는 모든 책임은 원칙적으로 의뢰인에게 있다는 것이다.
일시성의 원리	의뢰인과 컨설턴트와의 관계는 특정 과제해결을 위한 일시적인 관계여야 한다는 것이다.
교육성의 원리	학교 컨설팅을 통해 컨설턴트는 의뢰인에게 컨설팅에 관한 교육적 영향력을 행사해야 한다는 것이다.

> **더 알아보기**
>
> **수업컨설팅(consulting) 장학** 12. 국가직 7급, 11. 대전, 09. 경기
>
> 1. **개념**: 전문성을 갖춘 장학요원들이 교사의 의뢰에 따라 그들이 직무수행상 필요로 하는 문제와 능력에 관해 진단하고, 그것의 해결과 계발을 위한 대안을 마련하며, 대안을 실행하는 과정을 지원 또는 조언하는 활동, 학교 컨설팅 영역 중 주로 교육활동(예 학급운영, 교과교육활동, 교과외 교육활동)과 관련된 영역만을 지원하는 활동
> 2. **수업컨설팅 장학**: 교과교육활동만을 영역으로 지원하는 맞춤형 장학활동, 착수 ⇨ 수업지원 ⇨ 실행 ⇨ 평가단계로 진행 ⇨ 교실수업 개선이 주된 목적
>   ① 착수단계: 의뢰인(교사)의 자발적 요청, 예비진단, 장학요원 위촉
>   ② 수업지원단계: 의뢰인과 장학요원 간 친화관계 형성, 문제 진단, 대안 개발 및 제안
>   ③ 실행단계: 대안의 실행, 모니터링, 결과 분석 및 제공
>   ④ 평가단계: 문제해결에 대한 평가와 보고서 작성 및 평가결과에 대한 환류(feedback)

요청장학과 컨설팅장학(맞춤장학)의 비교

요청장학	학교장 의뢰	현안 해결	담당 장학사 중심	1회성	응급처방형
컨설팅장학	학교구성원 의뢰	현안 포함 다양	해당 분야 컨설턴트팀	일정 기간	맞춤형 종합지원

(4) **교내장학**(Campus Supervision, 학교장학, 교내 자율장학, 수업장학)
  ① 학교에서 교장을 중심으로 교육과정 운영과 교수 - 학습 과정 및 교육환경을 개선하기 위하여 교사를 지도·조언하는 장학 ⇨ 학교단위의 장학
  ② 목적(핵심): 수업개선 ⇨ 수업장학(Instructional Supervision)의 개념과 유사. 그러나 교내장학은 수업장학보다는 보다 광범위한 개념
  ③ 유형: 임상장학, 동료장학, 자기장학, 약식장학, 행정적 감독 등 ⇨ 이 유형 중 장학담당자는 학교상황과 장학 대상에 따라서 필요한 장학유형을 선택적으로 사용 ⇨ '선택적 장학지도'
  ④ 담당: 교장이 중심이나 그 외에 교감·부장교사 및 동료교사들도 담당 가능, 인근 다른 학교교장이나 교감 또는 부장교사들과 장학협력기구를 구성하여 상호 방문을 통한 수업장학도 가능

  임상장학과 교내장학

임상장학	학급단위	장학사, 교장, 교감이 담당	수업개선 목적
교내장학	학교단위	교장(교감)이나 자체 양성	다양한 접근

(5) **수업장학**(Instructional Supervision)
  ① 수업과 교육과정의 개선을 돕는 장학활동: 교내장학과 유사한 개념 ⇨ Wiles가 제안
  ② 학생들의 학습을 용이(容易)하게 하고 개선하기 위한 것 ⇨ 교사의 수업행동에 직접적으로 영향을 미쳐 교사의 수업행동을 개선하는 활동

(6) **임상장학**(Clinical Supervision, 동료적 장학, 교사 중심 장학) 11. 부산, 10. 대전·인천, 07. 국가직 7급, 05. 전남
  ① 개요 23. 국가직 7급
    ㉠ 코간(Cogan)이 개발, 애치슨(Acheson)에 의해 발전 ⇨ 학급단위의 장학(classroom supervision), 수업장학의 한 방법
      ✎ 교실 밖에서의 장학(out-of-classroom supervision)을 일반장학, 종합장학(general supervision)으로 구분하기도 한다.
    ㉡ 지시적·권위적인 장학사 중심의 전통적 장학에 반발하여 나타난 장학유형
      ⓐ 교사의 전문적 성장과 교실수업 기술향상을 목적으로 한 교사와 학생의 상호작용에 초점을 둔 상호작용적·민주적·교사 중심적 장학
      ⓑ 교사의 필요에 의하여, 교사의 요청에 의하여, 교사를 중심으로, 교사가 주체가 되어 이루어지는 장학이기 때문에 '교사 중심 장학'이라고 한다. ⇨ 로저스(Rogers)의 내담자 중심 상담이론의 정신과 목적, 원리와 같다.
      ⓒ 건전한 교사, 발전 지향적 교사라는 기본가정에서 출발한다.
    ㉢ 임상(臨床): 교사와 장학담당자(예, 장학사, 교장, 교감) 간의 대면적(對面的, face to face) 관계성과 교사와 교실 내의 실제 행위에 초점을 둔다는 의미이다. ⇨ 병리(病理)적 의미가 아니라 교사(환자)와 장학사(의사) 간의 직접적·대면적 인간관계를 강조한 표현이다.
    ㉣ 실제수업 개선에 관심을 두고 장학담당자와 교사가 수업현장에서 계획협의회, 수업관찰, 피드백(feedback)협의회의 과정을 밟는 1:1의 장학

② 임상장학의 목표
  ㉠ 궁극적 목표: 교사의 전문적 성장과 교실수업의 개선
  ㉡ 일반적 목표
    ⓐ 수업의 문제점을 진단하고 해결한다.
    ⓑ 교사들이 효과적인 수업전략을 개발할 수 있도록 도와준다.
    ⓒ 교사에게 수업의 현상에 대한 객관적인 피드백을 제공한다.
    ⓓ 계속적인 전문적 성장에 대한 긍정적인 태도를 지닐 수 있도록 교사를 도와준다.
    ⓔ 승진, 임기보장 또는 다른 어떤 결정을 위한 객관적인 교사평가 자료를 얻는다.
③ 특징
  ㉠ 교사와 장학사 간의 관계는 쌍방적·동료적 관계이다. ⇨ '동료적 장학'이라고도 한다.
  ㉡ 장학사와 교사 간의 친밀한 인간관계(rapport)를 강조한다.
  ㉢ 교사의 자발적인 노력을 강조한다.
  ㉣ 주로 수업분석에 중점을 둔 언어적 상호작용 과정이다.
④ 임상장학의 절차(단계)
  ㉠ 제1단계: 계획협의회(= 관찰 전 협의회)
    ⓐ 교사와 장학사가 사전에 원만한 인간관계를 형성하고 임상장학을 위한 구체적인 계획을 공동으로 수립하는 단계이다. ⇨ 수업에 대한 교사의 관심을 확인하고, 교사의 관심을 관찰 가능한 행동으로 바꾸고, 관찰도구와 관찰행동을 결정하는 단계
    ⓑ 주요 활동: 수업자(교사)와 장학사 간의 인간관계 수립을 위한 대화, 수업자에게 임상장학의 필요성·특성·장학의 이점에 관해 이해시키기, 임상장학의 효율적 수행을 위한 역할분담, 수업계획의 검토와 확정, 임상장학을 위한 약정(約定) 체결
  ㉡ 제2단계: 수업관찰
    ⓐ 제1단계에서 체결한 구체적인 내용에 대하여 장학담당자가 학급을 방문하여 실제수업을 관찰하는 단계이다.
      예 플랜더스(Flanders)의 수업형태 분석법
    ⓑ 정확하고 객관적인 자료를 수집하는 일과 관찰행위가 교사와 학생의 수업활동을 방해하지 않도록 하는 것이 중요하다.
    ⓒ 주요 활동: 임상장학협의회를 위해 필요한 정보와 자료수집, 수업의 관찰과 관찰내용의 기록
  ㉢ 제3단계: 관찰결과의 분석과 장학협의회 계획
    ⓐ 수업의 관찰이 끝난 후에 장학담당자는 관찰 결과를 분석하고, 장학협의회 전략을 수립한다.
    ⓑ 수업장학을 위한 본격적인 협의가 이루어지는 단계이다.
    ⓒ 주요 활동: 수업의 형태·내용·활동의 분석, 장학협의회 진행방법 계획
  ㉣ 제4단계: 장학협의회(피드백협의회)
    ⓐ 수업자와 장학담당자가 관찰·분석된 수업의 결과를 기초로 처음에 밝혀 보려 했던 수업자의 수업기술이나 수업행위가 어떠했는지를 평가·협의하는 단계이다.

ⓑ 주요 활동 : 수업자의 수업결과에 의하여 분석된 자료의 제시, 문제점이나 우수한 점을 토의, 수업자에게 보상을 통한 강화 제공, 장학사의 장학방법에 관한 반성, 자기의 임상장학을 위한 협의

ⓒ 피드백협의회의 형태

자료제시(display)	관찰자는 관찰 중에 기록된 자료를 평가적 논평 없이 보여 준다.
분석(analyze)	교사는 자료를 증거로 하여 수업 중에 일어난 것을 분석한다.
해석(interpret)	장학담당자의 도움으로 교사는 관찰자료에 의하여 나타난 대로 교사와 학생의 행동을 해석한다.
대안결정(decide)	장학담당자의 도움을 받으며 교사는 관찰한 교수에 불만족한 점을 주의하고, 보다 만족한 측면을 강조하기 위하여 미래에 대한 예언적 접근을 한다.
교사의 대안과 전략 강화(reinforce)	만일 교사의 변화에 대한 의도에 대하여 장학담당자와 교사 사이에 의견의 불일치가 있다면 교사로 하여금 그 의도를 수정할 수 있도록 도와주고, 그 의도에 장학담당자가 의견을 같이한다면 변화에 대한 교사의 의도를 장학담당자는 강화한다.

■ 임상장학의 절차 비교

Cogan	Reavis & Goldhammer	Acheson & Gall
1. 교사, 장학담당자의 관계 확립	1. 관찰 전 협의회	1. 계획협의회
2. 교사와 함께 공동으로 수업계획		
3. 수업관찰 계획		
4. 교실수업 관찰	2. 수업관찰	2. 수업관찰
5. 관찰자료 분석	3. 분석과 전략	
6. 협의회 계획		
7. 협의회	4. 장학협의회	3. 피드백협의회
8. 새로운(후속) 계획	5. 협의회 후 분석	

⑤ 임상장학의 유의점
㉠ 교사에 대한 평가를 지양하고, 교사와 상호신뢰하며 동료적인 인간관계가 형성되었을 때 그 효과를 높일 수 있다.
㉡ 교사는 자신의 전문성 향상을 위해 임상장학이 꼭 필요한 것이라는 점을 이해한다.
㉢ 임상장학에서는 수업을 관찰하여 그 자료를 정확하고 객관적으로 제공하는 일이 중요하다.
㉣ 행정 중심에서 교육과정이나 수업 중심으로, 공문에 의한 지시 중심에서 현장 중심으로, 상하관계에서 대등한 관계로, 가르치고 배우는 자 중심으로 상호대등한 방향으로 나아가야 할 것이다.

⑥ 임상장학의 적용 가능성: 부정적 측면
  ㉠ 교사의 측면
    ⓐ 교사들이 스스로 전문적으로 성장하기 위해 장학을 청할 수 있는 수준에 있느냐 하는 점
    ⓑ 장학에 대한 거부반응, 부정적 태도의 문제
    ⓒ 교사들이 수업의 공개를 꺼려한다는 점
  ㉡ 장학담당자의 측면: 장학담당자의 수적 부족, 시간적 부족, 질(質)의 문제
  ㉢ 학생환경 측면: 수업보다 행정에 치우치는 학교풍토, 동료관계 형성의 어려움 예상

더 알아보기

마이크로티칭(micro-teaching, 소규모수업): 임상장학의 축소형태
1. 교생지도(敎生指導)를 위하여 개발된 방법
   예, 운동선수와 코치가 협동하여 녹화 테이프를 보며 동작을 하나하나 수정해 나간다.
2. 교사양성기관에서 교수기술 향상훈련을 위해 개발된 축소된 수업: 계획 ⇨ 교수 ⇨ 관찰 ⇨ 비평 ⇨ 재계획 ⇨ 재교수 ⇨ 재관찰 ⇨ 재비평의 과정을 반복·훈련
3. 4분에서 20분 정도의 수업시간에 3~10명 규모의 소집단 학생을 대상으로 간단한 내용을 가지고 한두 가지 수업기술 향상에 초점을 둔 축소된 수업 연습

2. 방법에 따른 장학 유형: 교내장학의 유형

(1) **동료장학**(Peer Supervision, 협동장학, 동료코치) 20. 지방직
  ① 소집단(3~4명)의 교사들이 자신들의 성장과 교육활동의 개선을 위해 서로 협동하고 노력하는 동료적 과정(Collegial Process) ⇨ 협동적 동료장학
  ② 상호 간에 수업을 관찰·분석·피드백하고, 공통의 관심사에 대하여 토의하는 방법
  ③ 둘 이상의 교사가 서로 수업을 관찰하고, 관찰사항에 관해 상호 조언하며, 서로 전문적 관심사에 대하여 토의함으로써 자신들의 전문적 성장을 위해 함께 연구하는 비교적 공식화된 과정(Glatthorn)
  ④ 필요성: 교육행정의 분권화, 참여의 자율화, 전문직적인 특성, 개방과 협동의 요구 등
  ⑤ 특징
    ㉠ 교사들의 자율성과 협동성을 기초로 한다.
    ㉡ 동료적 관계 속에서 교사들 간에 서로 가르치고 배우는 활동이다.
    ㉢ 학교의 형편이나 교사들의 필요와 요구에 기초하여 다양하고 융통성 있게 운영된다.
    ㉣ 교사들의 전문적 발달뿐만 아니라 개인적 발달, 학교의 조직적 발달까지 도모할 수 있다.
  ⑥ 형태: 수업연구(공개) 중심 동료장학, 협의 중심 동료장학, 연수 중심 동료장학, 커플장학(초임교사-경력교사), 동호인활동 중심 동료장학

  ✐ **커플(couple) 장학** 경력 2년 미만의 초임교사(Mentee)와 경력교사(Mentor)가 짝이 되어 초임교사가 교직 초기 단계에서 자기정체성을 효율적으로 확립하고 교사로서의 전문성을 계발할 수 있도록 지원하고 조력하는 협력적 장학 형태

⑦ 장점
　㉠ 엄격한 장학훈련이나 철저한 협의회의 절차를 거치지 않아도 되기 때문에 임상장학보다 교사들이 이용하기 편리하다.
　㉡ 다른 장학에 비해 계층적 거리감이 적고 동료의식이 강하게 지배하기 때문에 자유로운 의사교환과 피드백이 가능하다.
　㉢ 수업개선의 효과를 가져온다.
　㉣ 동료교사들 간의 협동적 전문성 개발이 가능하다.
　㉤ 동료교사들에 대한 존경심이 나타난다.
　㉥ 교사들의 일에 대한 자신감 및 동기 유발 등을 증가시키는 데 기여할 수 있다.

(2) **자기장학**(Self-directed Supervision, 자율장학) 16. 국가직
① 외부의 지도에 의해서보다는 교사 자신이 전문적 성장을 위해 스스로 계획을 세우고 실천해 나가는 자율장학 ⇨ 가장 이상적인 장학 형태
② 특징
　㉠ 장학사나 교장은 자원인사로 봉사해 주고 교사 자신이 자기 경험에 의해 개발·실천한다.
　　⇨ 자기실현의 욕구가 강한 경험 있고 능력 있는 교사들로 하여금 선택하게 하면 효과적이다.
　㉡ 교사 자신의 자율성과 자기발전의 의지 및 능력을 기초로 한다.
　㉢ 제반 전문적인 영역에서의 교사 자신의 성장과 발달을 도모한다.
　㉣ 교사 자신이 스스로 계획을 세워 실천하며, 그 결과에 대하여 자기반성을 하는 활동이다.
③ 방법
　㉠ **자기평가방법, 자기분석방법**: 자신의 수업을 녹음하거나 녹화하여 분석·평가
　㉡ **학생을 통한 수업 또는 학급경영 반성**: 자신의 수업이나 학급경영 등에 대해 학생들을 대상으로 한 의견조사 실시
　㉢ 교직·교양·전공과목과 관련된 문헌연구(예 1인 1과제연구, 개인연구)와 다양한 정보자료 활용(예 전문서적·자료탐독)
　㉣ 대학원 과정 수강을 통하여 전공교과 영역이나 교육학 영역의 전문성 신장
　㉤ 전문기관, 전문가 방문·상담
　㉥ 교과연구회, 학술회, 강연회 등 참석
　㉦ 현장방문·견학
　㉧ 각종 자기연찬 활동

(3) **전통적 장학**(약식장학, 일상장학, 행정적 장학, 확인장학) 25·18. 지방직, 07. 국가직
① 학교장이나 교감이 잠깐(5~10분) 비공식적으로 교실에 들러서 수업을 관찰하는 방법
　예 학급순시, 수업참관
② 공개적이어야 하며, 계획적으로 정해진 일정에 의해 이루어져야 하고 학습 중심적이어야 한다. 즉, 감독방문의 목적은 학습에 초점을 두어야 한다.

③ 교사와 행정가의 상호작용이 잘 이루어질 때 효과적이다. 즉, 행정가는 교사에게 피드백을 제공해 주고, 교수 프로그램과 학교풍토의 현상에 대한 평가의 부분으로 관찰자료를 활용해야 한다.

④ 교장은 정기적으로 교내를 순회하고, 몇 분 동안 교실방문을 위해서 머무르고, 중요하고 의미 있는 노트를 하고, 교사에게 적절한 피드백(예 간단한 충고나 느낌을 메모하여 제시)을 제공해 준다.

⑤ 다른 장학 형태에 대하여 보완적이고 대안적인 성격을 갖는다.

장학 유형의 비교

장학 유형	구체적 형태	장학 담당자
임상장학	초임교사 혹은 갱신기 교사 대상 수업관련 지도·조언 활동	외부 장학 요원, 전문가, 교장, 교감
동료장학	수업연구(공개) 중심 동료장학, 협의 중심 동료장학, 연수 중심 동료장학, 커플장학(초임교사－경력교사), 동호인활동 중심 동료장학	동료 교사
약식장학	학급순시, 수업참관	교장, 교감
자기장학	자기수업 분석 연구, 전문서적 자료 탐독, 대학원 수강, 교과 연구회·학술회·강연회 참석, 각종 자기연찬 활동	교사 개인

(4) 인간자원장학

① 서지오바니(Sergiovanni)와 스타래트(Starratt)가 주장
  ㉠ 장학의 발전 과정: 전통적·과학적 관리론적 장학(경제적 인간관) ⇨ 인간관계론적 장학(사회적 인간관) ⇨ 신과학적·관리론적 장학 ⇨ 인간자원장학(자아실현적 인간관)
  ㉡ 인간관계론적 장학과 인간자원론적 장학의 비교
    ⓐ 인간관계론적 장학(사회적 인간관/도구적 인간관): 의사결정 과정에 교사들이 참여 ⇨ 교사들의 직무만족도 향상 ⇨ 학교교육의 효과성 증대
    ⓑ 인간자원론적 장학(자아실현적 인간관/목적적 인간관): 의사결정 과정에 교사들이 참여 ⇨ 학교교육의 효과성 증대 ⇨ 교사들의 직무만족도 향상

② 교사들을 학교의 의사결정 과정에 참여시켜 학교운영과 조직의 효과성을 확보하고 나아가 교사의 직무만족을 높이려는 장학

③ 특징
  ㉠ **교사는 학교효과성을 증대시킬 잠재 가능성을 가진 존재**: Y이론에 근거
  ㉡ 교사는 잠재 가능성을 개발하려고 노력한다.
  ㉢ 교사 개인의 욕구와 학교목적 및 과업을 결합하는 데 중점을 둔다. ⇨ 기대이론과 유사
  ㉣ 교사의 직무만족을 교사가 일하게 되는 바람직한 목적으로 보는 것이다. 직무만족은 중요하고 의미 있는 일을 성공적으로 성취함으로써 생기며, 이러한 성취는 학교효과성의 중요 구성요소이다.

④ 절차: 장학 ⇨ 교사의 능력향상 ⇨ 학생의 능력향상 ⇨ 인간자본 형성

(5) **선택장학**(차등장학, 절충적 장학)
① 교사의 필요와 요구 등의 개인차를 고려하여 교사 각자에게 적합한 장학지도를 하는 방법
② 행정가와 장학사에 의한 표준적 장학은 교사에게 부적합하고 비효과적이며, 모든 교사에게 임상장학의 적용은 불가능하다. 또한 교사들은 각기 다른 성장욕구와 학습방식을 가지고 있으므로 교사의 희망에 따라 행해지는 장학이다.
③ 교사의 경험이나 능력을 포함하는 개인적 요인을 고려하여 교사들이 장학방법을 선택·사용할 때 장학의 효과를 높일 수 있다(Glatthorn).
④ 교사의 희망에 따르지만 적절한 대상의 선정기준은 다음과 같다(Katz).
　㉠ 임상장학(10%) : 초임교사[처음 3년 계속, 그 후 3년마다(생존기)], 경력교사[3년마다(갱신기)]
　㉡ 동료장학(20%) : 높은 동료의식을 가지고 있는 경험 있고 유능한 교사(정착기)
　㉢ 자기장학(10%) : 혼자 일하기를 좋아하는 경험 있고 유능한 교사(성숙기)
　㉣ 전통적 장학(60%) : 모든 단계의 교사 또는 ㉠, ㉡, ㉢을 선택하지 않는 교사
⑤ 글래트혼(Glatthorn)이 제시한 선택장학의 방법
　㉠ 임상장학 : 초임교사, 경험이 있는 교사들 중 특별한 문제를 안고 있는 교사에게 유익
　㉡ 동료장학 : 모든 교사들에게 활용
　㉢ 자기장학 : 경험 있고 능숙하며, 자기분석 및 지도능력을 지닌 개인적 성향의 교사에게 적용
　㉣ 약식장학 : 모든 교사들 또는 다른 장학방법을 원하지 않는 교사들에게 사용

제7절 | 교육제도

1 개관 06. 서울, 05. 강원

1. **교육제도의 개념**
　(1) 국민교육을 위한 행정조직
　(2) **국민교육을 효율적으로 실시하기 위해 제정된 교육실시상의 법적 기제 일체** : 교육제도의 법정주의(「헌법」 제31조 제6항)
　(3) 국가교육정책을 실현하기 위한 기구
　(4) **국가교육제도의 기본을 명시한 교육관련 법규** : 헌법, 교육기본법, 초·중등교육법, 고등교육법, 유아교육법, 평생교육법
　(5) 국가의 교육이념 및 교육목적을 달성하기 위한 국가적 차원의 인위적 장치로서 교육활동(교육목적, 교육내용, 교육방법, 교육평가), 학생·교원·교육기관·교과용 도서 그리고 조직 및 기구 등에 관한 표준은 물론 기준을 총칭한다(한국교육행정학회).

2. 특징

(1) 교육제도는 교육정책이 법규에 의해서 구체화된 (2) 교육제도의 기반 위에서 행정활동이 이루어지며, 동시에 교육행정은 교육제도 성립 과정에 영향을 미친다.

(3) 교육제도는 교육행정제도, 학교교육제도, 평생교육제도를 포함한다.

(4) 학교제도는 법규에 의해서 공인된 학교에 관한 교육제도를 말한다.

2 교육이념과 교육제도

1. 교육이념의 유형

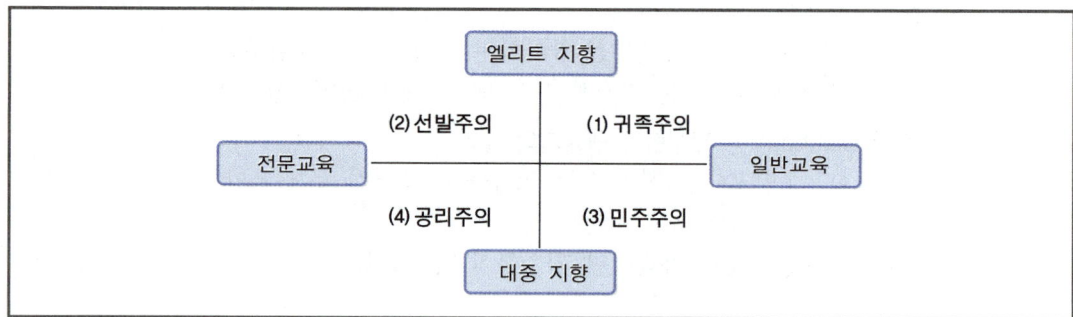

(1) **귀족주의**: 엘리트 지향 + 일반교육 지향 ⇨ 사회지도층 역할 준비, 귀족계급을 대상으로 귀족계급의 일원으로 양성

(2) **선발주의**: 엘리트 지향 + 전문교육 지향 ⇨ 교육은 전문적 사회 지위획득의 수단, 교육의 주 기능은 전문적 능력을 지닌 개인 선발

(3) **민주주의**: 대중 지향 + 일반교육 지향 ⇨ 교육은 개인의 잠재능력의 실현 과정, 모든 인간의 기본권, 교육의 기회균등 보장

(4) **공리주의**: 대중 지향 + 전문교육 지향 ⇨ 귀족주의와 대립, 일반대중의 자녀들을 대상으로 사회의 여러 직업에 필요한 일꾼 양성

2. 터너(Turner)의 교육제도 유형론

(1) 교육제도는 사회계층의 이동 형식과 밀접한 관계가 있다.

(2) **사회계층의 이동유형**

경쟁적 이동	후원적 이동
• 엘리트의 자리가 공개경쟁을 통해서 쟁취된다. • 개인은 모든 수단과 방법을 동원하여 엘리트 지위를 획득 **예** 미국의 단선형 학제	• 경쟁방식을 탈피하고 통제된 선발 과정을 통해서 엘리트의 지위가 획득된다. • 기성 엘리트가 능력 소지자를 조기에 선발교육 **예** 영국의 복선형 학제

3. 호퍼(Hopper)의 교육제도 유형론: 확대유형론 10. 국가직

(1) 개념
① 산업사회의 제도들은 선발 과정의 구조로 이해될 수 있다.
② 교육체제는 능력에 따라 학생을 선발하고 선발된 학생을 여러 종류의 범주로 나누어 적절한 형태의 교육을 제공하며, 교육을 마친 학생들을 직업세계로 내보내는 역할을 담당한다. 결국 산업화된 사회에서 교육체제는 선발기능·교수기능·분배기능을 담당한다.
③ 교육선발이 교육제도의 특징을 가장 잘 드러내므로 교육선발의 유형분석을 통하여 교육제도를 연구하는 것이 효과적이다.

(2) 교육선발의 유형분석을 위한 기준
① **선발방법(선발형식)**: 교육에서의 선발은 어떻게 이루어지는가? ⇨ 중앙집권화와 표준화 vs. 지방분권화와 비표준화
② **선발시기**: 학생이 처음으로 선발되는 시기는 언제인가? ⇨ 조기선발(초등학교 과정) vs. 만기선발(대학)
③ **선발대상**: 누가 선발되어야 하는가? ⇨ 특수주의(특별한 자질을 구비한 사람) vs. 보편주의(교육받은 자이면 누구나)
④ **선발기준**: 왜 그들은 선발되어야 하는가? ⇨ 집단주의(사회의 이익 우선) vs. 개인주의(개인의 자아실현 존중)

✎ **호퍼(Hopper)의 교육이념 분류** ③과 ④의 결합형태에 따라 교육이념을 귀족주의(특수주의 + 개인주의), 온정주의(특수주의 + 집단주의), 능력주의(보편주의 + 개인주의), 공산주의(보편주의 + 집단주의) 등 4가지로 분류하였다.

교육선발		구분	예
선발방법		• 중앙집권적 표준화 선발 • 지방분권적 비표준화 선발	• 프랑스, 스웨덴: 중앙집권적 표준화 정도 높음. • 오스트레일리아, 영국: 중간 정도 • 미국, 캐나다: 낮음.
선발시기	조기선발	초등학교 졸업단계에서 선발	프랑스, 영국
	만기선발	대학단계에서 선발	미국, 캐나다, 스웨덴
	중간수준		러시아, 오스트레일리아
선발대상	특수주의 (정예주의)	특별한 자질을 구비한 사람만을 선발	프랑스, 영국
	보편주의 (대중평등주의)	누구나 교육받을 가치를 지니고 있다.	캐나다, 미국, 오스트레일리아, 스웨덴
선발기준	집단주의	사회의 이익을 강조	러시아, 스웨덴, 영국, 프랑스
	개인주의	개인의 자아실현을 강조	미국, 오스트레일리아, 캐나다

(3) 우리나라 교육선발(대학입학 수능시험)의 특징: 중앙집권적 표준화, 만기선발, 보편주의, 개인주의

3 교육제도의 원리

1. 공교육의 원리
(1) 국가, 지방공공단체(학교법인 등도 포함) 등이 국민교육제도를 운영한다.

(2) 의무성, 무상성(無償性), 중립성을 전제로 한다.

2. 기회균등의 원리(「헌법」 제31조 제1항)
(1) **능력에 따른 기회균등**: 모든 국민은 그 능력에 따라서 균등하게 교육을 받는다.

(2) 교육평등의 개념이 투입(기회)뿐만 아니라, 과정(내용) 및 산출(결과)의 평등으로까지 확장

(3) 장학제도, 사회보장제도

3. 의무교육의 원리(「헌법」 제31조 제2항과 제3항)
(1) 국민교육제도 성립의 기본요건, 무상 의무교육

(2) **기본요건**: 취학의 의무(취학아동의 보호자), 학교설치의 의무(국가·지방공공단체), 교육보장의 의무로 구성

> 「초·중등교육법」 제2장 - 의무교육 관련조항 22. 국가직 7급, 17. 국가직
>
> **제12조【의무교육】** ① 국가는 「교육기본법」 제8조 제1항에 따른 의무교육을 실시하여야 하며, 이를 위한 시설을 확보하는 등 필요한 조치를 강구하여야 한다.
> ② 지방자치단체는 그 관할 구역의 의무교육 대상자를 모두 취학시키는 데에 필요한 초등학교, 중학교 및 초등학교·중학교의 과정을 교육하는 특수학교를 설립·경영하여야 한다.
> ③ 지방자치단체는 지방자치단체가 설립한 초등학교·중학교 및 특수학교에 그 관할구역의 의무교육 대상자를 모두 취학시키기 곤란하면 인접한 지방자치단체와 협의하여 합동으로 초등학교·중학교 또는 특수학교를 설립·경영하거나, 인접한 지방자치단체가 설립한 초등학교·중학교 또는 특수학교나 국립 또는 사립의 초등학교·중학교 또는 특수학교에 일부 의무교육대상자에 대한 교육을 위탁할 수 있다.
> ④ 국립·공립 학교의 설립자·경영자와 제3항에 따라 의무교육대상자의 교육을 위탁받은 사립학교의 설립자·경영자는 의무교육을 받는 사람으로부터 입학금, 수업료, 학교운영지원비, 교과용 도서 구입비를 받을 수 없다.
>
> **제13조【취학 의무】** ① 모든 국민은 보호하는 자녀 또는 아동이 6세가 된 날이 속하는 해의 다음 해 3월 1일에 그 자녀 또는 아동을 초등학교에 입학시켜야 하고, 초등학교를 졸업할 때까지 다니게 하여야 한다.
> ② 모든 국민은 제1항에도 불구하고 그가 보호하는 자녀 또는 아동이 5세가 된 날이 속하는 해의 다음 해 또는 7세가 된 날이 속하는 해의 다음 해에 그 자녀 또는 아동을 초등학교에 입학시킬 수 있다. 이 경우에도 그 자녀 또는 아동이 초등학교에 입학한 해의 3월 1일부터 졸업할 때까지 초등학교에 다니게 하여야 한다.
> ③ 모든 국민은 보호하는 자녀 또는 아동이 초등학교를 졸업한 학년의 다음 학년 초에 그 자녀 또는 아동을 중학교에 입학시켜야 하고, 중학교를 졸업할 때까지 다니게 하여야 한다.
> ④ 제1항부터 제3항까지의 규정에 따른 취학 의무의 이행과 이행 독려 등에 필요한 사항은 대통령령으로 정한다.
>
> **제14조【취학 의무의 면제 등】** ① 질병·발육 상태 등 부득이한 사유로 취학이 불가능한 의무교육 대상자에 대하여는 대통령령으로 정하는 바에 따라 제13조에 따른 취학 의무를 면제하거나 유예할 수 있다.
> ② 제1항에 따라 취학 의무를 면제받거나 유예받은 사람이 다시 취학하려면 대통령령으로 정하는 바에 따라 학습능력을 평가한 후 학년을 정하여 취학하게 할 수 있다.

> **제15조【고용자의 의무】** 의무교육 대상자를 고용하는 자는 그 대상자가 의무교육을 받는 것을 방해하여서는 아니 된다.
>
> **제16조【친권자 등에 대한 보조】** 국가와 지방자치단체는 의무교육 대상자의 친권자나 후견인이 경제적 사유로 의무교육 대상자를 취학시키기 곤란할 때에는 교육비를 보조할 수 있다.

제8절 학교경영 및 학급경영

1 학교경영

1. 학교경영의 개념

(1) 단위학교 행정활동에 대한 동태적·포괄적 개념 ⇨ 학교장을 중심으로 단위학교를 운영·관리하는 활동

(2) 학교의 교육목적 달성을 위한 물적·인적 자원과 조건을 정비하는 활동 ⇨ 자율적·창의적 관점에서 교육활동 운영

2. 학교경영의 성격

(1) **교육적 측면**: 교육의 질 향상 목적에 봉사하는 수단적 성격

(2) **경영적 측면**: 학교조직의 효과성과 효율성 향상

3. 학교경영의 영역 범위: 단위학교 운영의 모든 요소

(1) **교육계획**: 교육방침 수립, 전반적인 교육계획 설정

(2) **교직원 인사**: 교직원의 신분, 복무, 현직연수, 후생복지 등 인사에 관한 일 24. 국가직 7급

(3) **학교시설과 환경**: 학교의 교지, 교사, 교구, 교실 등 시설관리, 교육환경 조성

(4) **학교사무**: 학교관련 각종 문서작성·발송·접수, 보관, 공람(供覽) 등 사무처리

(5) **학생인사**: 학생의 입학, 진급, 퇴학, 제적, 졸업 등 취학관리

(6) **보건위생**: 학생과 교직원의 보건·위생, 학교 내 건전한 인간관계 형성

(7) **교육과정 운영**: 연간, 학기간, 월간, 주간 교육과정 운영

(8) **학부모·지역사회 관계**: 학부모 단체, 동창회, 기타 지역사회 관련 일

(9) **학교평가**: 학교 교육활동 전반에 관한 성과를 평가·분석

4. 학교경영의 기법

(1) **목표관리**(MBO : Management By Objectives) 15. 지방직, 11. 부산, 10. 대전

① 개념 : 1954년 드러커(Drucker)가 개발한 능력주의적·민주적 관리기법
　㉠ 조직구성원인 상사와 부하직원이 공동의 목표를 향하여 활동하고, 이 활동의 결과를 조직의 목표에 비추어 평가·환류시키는 방법 ⇨ 목표를 조직의 계획과 관련시키는 방법
　㉡ 구성원들을 참여시켜 조직과 구성원 각자의 활동목표를 명료화하여 체계적으로 설정하고, 그 목표를 달성하기 위한 세부적인 전략과 절차를 공유함으로써 보다 효과적이고 효율적으로 목표를 달성하고자 하는 관리체제
　㉢ 참여의 과정을 통해 활동의 목표를 명료화하고 체계화함으로써 관리의 효율화를 기하려는 관리기법 ⇨ 학교경영의 민주화를 위한 참여의 과정 중시

② 목표관리의 절차 : 목표설정 → 목표 달성을 위한 과정관리 → 성과의 측정과 평가

> **더 알아보기**
>
> **목표관리의 절차**
>
> 1. 학교경영목표와 경영방침의 설정 → 2. 조직의 정비, 과업과 책임 분담 → 3. 교직원의 구체적인 자기목표 설정 → 4. 세부목표의 점검 및 목표 달성을 위한 자기통제 → 5. 교육 성과의 정리 및 평가 → 6. (성과 및 문제에 대한) 자기반성 및 보고 → 7. 종합적인 정리 및 평가·환류(전체적인 성과를 판단) → 8. 보상(목표 달성도에 따른 시상과 격려)

③ 학교경영과 목표관리
　㉠ **구성원의 공동 참여를 통한 명확한 목표 설정** : 교장, 교감, 부장교사, 교사 등 전교직원이 공동 참여하여 학교경영 목표를 명확히 설정한다.
　㉡ **목표달성을 위한 노력과 책임한계 설정** : 목표 달성을 위한 각 부서 및 개개인의 책임영역을 설정한다.
　㉢ **성과에 따른 평가와 보상 및 교직원 각자의 자기통제를 통한 목표 달성** : 책임영역에 따라 이를 실천하고 자기통제에 의해 목표 달성을 확인하고 평가한다.

④ 교육적 효과
　㉠ 모든 학교교육 활동을 학교교육 목표에 집중시킴으로써 교육의 효율성을 제고할 수 있다.
　㉡ 교장, 교감, 학년 및 교과부장, 교사들이 함께 활동계획을 수립하고 이를 활용함으로써 교직원들의 참여의식을 높이고 인력자원 활용의 효율성을 도모할 수 있다.
　㉢ 참여를 통한 의사결정을 통해 교직원 간의 의사소통을 활성화하고, 상하 간의 인화(人和)를 도모할 수 있다.
　㉣ 목표와 책임에 대한 명료한 설정으로 교직원의 역할 갈등을 해소하고 학교관리의 문제나 장애를 조기에 발견·치유할 수 있다.
　㉤ 학교운영의 분권화와 참여관리를 통해 학교의 관료화를 방지하고 교직의 전문성을 제고할 수 있다.

⑤ 한계(단점)
　㉠ 목표에 대한 지나친 중시와 단기적이고 구체적인 목표에 대한 강조 때문에, 과정을 중시하고 장기적이고 전인적인 목표를 내세우는 학교교육 활동에는 부적합할 수 있다.
　㉡ 목표 설정과 성과 보고 등은 많은 노력과 시간을 필요로 하기 때문에 교직원들의 잡무 부담 가중과 불만의 원인이 되기 쉽다.
　㉢ 측정 가능하고 계량적인 교육목표의 설정과 평가 때문에 학교교육을 오도(誤導)할 가능성이 있다.
　㉣ 학교는 기본적으로 다른 여러 세력과의 영향력이 큰 개방체제이기 때문에 다른 관리기능을 통합하는 방식으로 추진되기가 어렵다. 따라서 그 효율성과 성과를 기대하기가 어려운 측면이 있다.

(2) **과업평가 검토기법**(PERT : Program Evaluation and Review Technique) 10. 경북
① 개념: 과제 · 관리 · 평가기법, 계획평가 및 검토기법
　㉠ 정해진 기간 안에 과업을 완수해 나가는 데 있어 다양한 과업을 구성하는 활동들을 조정, 통제하기 위해 지연, 중단, 장애 등을 제거 또는 감소시키는 기법이다.
　㉡ 하나의 과업을 달성하는 데 필요한 다수의 세부사업을 단계적 결과와 활동으로 세분하여 관련된 계획공정을 관계도식(flow chart)으로 형성하고 이를 최종목표로 연결시키는 종합계획 관리기법이다.
② 과정(절차)
　㉠ 활동(activity)과 단계(event)의 구분 : '활동'은 과업을 수행하는 데 필요한 구체적인 작업을, '단계'는 특정한 활동과 다른 활동을 구분해 주는 시점
　㉡ 플로차트(flow chart) 작성 : 하나의 과업을 완수하기 위해 수행해야 할 활동과 단계를 선후-인과관계의 선망(線網)으로 나타낸 도표임.
　㉢ 각 작업활동의 시간과 전체 과제수행시간 산출
③ PERT 기법과 학교경영
　㉠ PERT 기법은 학교사업 수행에 소요되는 시간, 학교의 인사 · 시설 · 재원을 포함한 자원들의 배분, 사업과정의 명세화 등을 통해 합리적인 학교계획으로 조정 · 추진한다.
　㉡ 시간의 효율적 사용을 중요시한다.
④ 장점
　㉠ 사업의 추진상황을 일목요연하게 파악할 수 있다.
　㉡ 특정한 과업을 추진하기 위한 세부 작업 활동의 순서와 상호관계를 유기적으로 파악할 수 있다.
　㉢ 작업과정의 전모를 파악할 수 있기 때문에 작업추진에 앞서 예상되는 어려움을 파악하여 대처한다.
　㉣ 과업을 추진공정에 따라 순차적으로 수행할 수 있도록 자원과 예산배분을 체계화해 준다 : 인적 · 물적 자원을 효과적으로 활용할 수 있다.
　㉤ 각 작업 간의 유기적인 관계, 상호 관련성을 제시함으로써 경영 위계 간이나 구성원 간의 의사소통의 수단이 된다.

(3) **경영정보관리**(MIS : Management Information System, 경영정보 시스템, 정보관리체제)
   ① 개념
      ㉠ 경영자에게 정보를 제공하고, 조직 내의 운용과 경영, 의사결정 등을 지원하기 위해 의사결정을 도와주는 컴퓨터 기반 시스템 예 소프트웨어, 데이터베이스와 같은 자료자원, 시스템의 하드웨어 자원, 결정 지원시스템, 인사 및 프로젝트 관리 어플리케이션 등
      ㉡ 조직의 계획, 운영 및 통제를 위한 정보를 수집-저장-검색-처리하여 적절한 시기에 적절한 형태로 적절한 구성원에게 제공해 줌으로써 조직의 목표를 보다 효율적 및 효과적으로 달성할 수 있도록 조직화된 통합적 인간-기계시스템(man-machine system)
      ㉢ 의사결정자가 합리적인 의사결정을 내릴 수 있도록 경영활동에 필요한 정보를 신속하고 정확하게 제공해 주는 체제
   ② 설계 절차 : 목적과 목표의 분석 → 의사결정 목록의 개발 → 필요한 정보의 분석 → 자료수집 체제의 구안 → 소프트웨어의 개발 → 하드웨어의 요구조건 설계
   ③ 적용 사례 : 대학에서 수강신청, 등록금관리, 성적관리, 급여관리, 입시사정, 기타 강의나 연구자료 처리 등에 컴퓨터를 활용하고 있으며, 초·중등학교에서 수업계획, 재정회계관리, 시설 및 물자관리, 학생의 성적과 기록관리 등을 전산화함으로써 자원활용을 극대화하고 의사결정을 효율화하고 있다.

(4) **조직개발기법**(OD, organizational development) : 스타인호프와 오웬스(Steinhoff & Owens)
   ① 개념 : 행동과학적인 지식과 기술을 활용하여 조직의 목적과 개인의 욕구를 결부시켜서 조직 전체의 변화와 발전을 도모하려는 노력
   ② 특징 : 집단 간의 역동적인 상호작용 중시, 행동과학적 지식과 기술의 활용, 학교조직의 구조·가치·신념을 변화시키기 위한 교육전략 활용, 학교의 목적과 개인의 욕구를 결부시켜 학교 전체의 변화 도모
   ③ 방법 : 감수성 훈련, 그리드 훈련, 팀 구축법, 과정자문법, 조사연구 - 피드백 기법, 대면 회합

❷ 학급경영 10. 전북

1. 학급경영의 개념
(1) 학급의 교육목적을 달성하기 위한 활동 중 교수-학습을 제외한 학급 내의 모든 활동
(2) 학급의 목적을 추구하는 활동 ⇨ 집단적 협동체 활동

2. 학급경영의 측면 - 학급경영에 대한 학자들의 다양한 관점들(Johnson & Brooks)
(1) **질서유지로서의 학급경영** : 학급활동의 질서를 유지하기 위해 교사가 학급에서 행하는 모든 활동 ⇨ 훈육, 생활지도, 학급행동지도의 관점
(2) **조건정비로서의 학급경영** : 학습환경을 조성하는 일, 수업을 위한 조건정비와 유지활동
(3) **교육경영으로서의 학급경영** : 학급이라는 교육조직을 경영하는 일 ⇨ 경영학적 관점

3. 학급경영의 영역 24. 국가직 7급

(1) **교과지도영역**: 교과지도, 특수아 지도, 가정학습지도

(2) **창의적 체험활동(특별활동) 지도영역**: 자율·자치활동, 봉사활동, 진로활동

(3) **생활지도영역**: 학업문제, 교우관계, 진학·진로지도, 건강지도

(4) **환경시설 관리영역**: 시설·비품관리, 게시물 관리, 청소관리, 물리적 환경정비

(5) **사무관리영역**: 각종 장부관리, 학생기록물 관리, 각종 잡무처리

(6) **가정 및 지역사회 관리영역**: 학부모와의 관계 유지, 지역사회의 유대관계 유지, 봉사활동

제9절 교육재정론

1 개관

1. 교육재정(educational finance)의 개념

(1) 교육에 필요한 재원을 공권력에 의해 조달하고 그것을 합목적적으로 관리·사용하는 경제행위

(2) **공경제활동**(Finance): 공공의 경제활동 ↔ 사경제활동(기업, 가계의 경제활동)

(3) **교육재정의 주체**: 국가(정부), 공공단체(지방자치단체, 학교)
   ① 협의의 교육재정: 정부의 교육예산
      ㉠ 수입계획: 조세수입, 각종 세외 부담금 수입, 국·공립학교의 수업료 수입 등
      ㉡ 지출계획: 국·공립학교 운영비, 사립학교에 대한 지원경비, 각종 사회교육비(도서관, 문화활동지원, 교육관련단체 지원 등), 교육관련 사업비, 교육행정비
   ② 광의의 교육재정: 공교육비 ⇨ 교육활동을 원활하게 지원하기 위해 공공적으로 수행하는 재정행위 예 공립학교 및 사립학교 학교재정

2. 교육재정의 성격

(1) **높은 공공성**: 국민 전체의 공공복지를 도모하는 공경제활동이다.

(2) **강제성**: 정부가 공권력을 동원하여 강제적 수단으로 수입을 도모한다.

(3) **수단성**: 교육활동의 지원을 목적으로 하는 수단이다.

(4) **양출제입(量出制入)의 원칙**: 필요한 경비(지출)를 먼저 산출한 후 수입을 확보한다.
   ✎ 학교회계는 양입제출(量入制出)의 원리이다.

(5) 비긴급성(장기적인 안목으로 볼 때)과 장기효과성(단기적인 안목으로 볼 때)

(6) **효과의 비실측성**: 교육재정의 투자에 대한 효과를 측정하기가 어렵다.

(7) **팽창성**: 교육경비는 계속적으로 팽창한다.

3. 교육재정의 운영 원리

확보 단계	충족성(적절성)	교육활동을 지원할 수 있는 충분한 재원이 확보되어야 한다. ⇨ 가장 먼저 달성해야 할 원리로 '적정 교육재정 확보의 원리'라고도 불림.
	안정성	교육활동의 장기적인 일관성·영속성을 유지하기 위하여 안정적인 재원이 확보되어야 한다.
	자구성	필요한 재원을 스스로 확보할 수 있도록 재원확보 방안을 모색·활용하도록 제도적 장치가 마련되어야 한다.
배분 단계	효율성(경제성)	최소한의 재정적 수입으로 최대한의 교육적 효과와 능률을 이루어야 한다. 예 투자의 우선순위, 학교교육비의 기능별 배분의 적정성, 규모의 경제
	균형성(평등성)	경비의 배분에 있어서 개인 간·지역 간 균형을 이루어야 한다.
	공정성(공평성)	어떠한 기준에 의해 교육재정 배분에 있어 차이가 나는 것은 정당하다.
		수평적 공평성 동등한 것은 동등하게 처리 ⇨ 모든 학생은 균등하기 때문에 균등한 교육투입, 과정, 결과를 얻어야 한다.
		수직적 공평성 차등한 것은 차등하게 처리 ⇨ 학생들이 지니고 있는 능력, 재능, 그리고 신체적 차이에 따라 차등 지원을 해야 한다.
		재정적 중립성 세대간 공평성 ⇨ 교육청이나 부모의 재정 능력에 따라 학생들에게 제공되는 교육서비스의 차이가 나서는 안 된다는 것
지출 단계	자율성(자유)	교육재정 운영에 있어 단위기관(예 시·도 교육청, 지역지원청, 단위학교)의 자율성이 보장되어야 한다.
	투명성	재정운영 과정이 일반대중에게 공개되고 개방되어야 한다. ⇨ 명확한 정부의 역할과 책임, 국민의 정보이용 가능성, 예산과정(준비, 집행, 보고)의 공개, 정보의 완전성(정보의 질과 신뢰성) 보장이 관점이 중시된다.
	적정성	의도한 교육결과를 산출하는데 적절한 지원을 제공해야 한다.
평가 단계	책무성	사용한 경비에 관하여 납득할 만한 명분을 제시할 수 있고 책임질 수 있어야 한다.
	효과성	설정된 교육목표 도달여부 및 목표 달성 정도를 측정하여야 한다.

4. 사경제와의 차이점 19·13. 국가직

구분	교육재정(공경제)	사경제
수입조달방법	강제원칙(강제획득경제)	합의원칙(등가교환원칙)
기본원리	예산원리	시장경제원리
목적	공공성(일반이익)	이윤극대화
회계목적	양출제입(量出制入) ⇨ 지출을 미리 계산 후 수입조달	양입제출(量入制出)

존속기간	계속성	단기성
생산물	무형(無形)	유형(有形)
수지관계	균형(흑자 ×, 적자 ×)	불균형(잉여 획득)
보상	일반보상(포괄적 보상)	특수보상(개별적 지불)

2 교육비 14. 국가직 7급·국가직, 10. 국가직·경북, 05. 국가직

1. 개념
국가나 지방자치단체가 교육활동을 위해 지출하는 비용

2. 교육비의 종류 22. 국가직 7급, 20. 국가직, 10. 대전

구분	교육목적 관련	운영 형태	교육재원	예
총교육비	직접교육비	공교육비	공부담 교육비	국가(교부금, 보조금, 전입금 등), 지방자치단체, 학교법인 부담 경비
			사부담 교육비	입학금, 수업료, 학교운영 지원비
		사교육비	사부담 교육비	교재대, 부교재대, 학용품비, 과외비, 피복비, 단체활동비, 교통비, 숙박비 등
	간접교육비	교육기회경비, 유실소득	공부담 교육비	건물과 장비의 감가상각비, 이자 ⇨ 비영리 교육기관이 향유하는 면세의 가치
			사부담 교육비	학생이 취업할 수 없는 데서 오는 손실

(1) **공교육비와 사교육비**: 운영 형태, 즉 회계절차에 의한 분류
  ① 공교육비: 국가나 공공단체가 합리적인 예산회계 절차에 의해 지급하는 경비 25. 국가직, 19. 지방직
    예. 교육부, 지방교육행정기관, 학교법인 등의 예산에 계상(計上)되는 모든 경비(교육행정비, 학교교육비 등)
  ② 사교육비: 교육활동에 투입은 되지만 예산회계 절차를 거치지 않는 경비
    예. 학부모가 부담하는 교재대, 하숙비, 교통비, 과외비 등

(2) **직접교육비와 간접교육비**: 교육목적과의 관련성 정도(또는 지출형태)에 따른 분류
  ① 직접교육비: 교육목적을 달성하기 위한 교육활동에 지출되는 모든 공·사 교육비 ⇨ 일반적으로 '교육비'라 할 때는 '직접교육비'만을 의미한다.
  ② 간접교육비 24·23. 지방직, 14. 국가직 7급, 10. 경기
    ㉠ 교육기간 중에 취업할 수 없기 때문에 유실된 또는 포기된 수입이나 소득(foregone earnings) ⇨ '기회비용'이라고도 하며, 교육투자 수익률 측정 시 포함된다.
    ㉡ 교육을 받음으로써 포기해야만 했던 취업과 그에 따른 소득발생의 기회상실비용
    ㉢ 유실소득(사부담 교육기회경비) + 비영리 교육기관이 향유하는 면세의 가치(공부담 교육기회경비) 예. 학생에 의해 포기된 경비, 면세의 비용, 학교건물과 시설에 대한 감가상각비와 포기된 이자

(3) **공부담 교육비와 사부담 교육비**: 교육재원(敎育財源)에 따른 분류
① 공부담 교육비: 국가, 지방자치단체, 학교법인 등 공공단체가 부담하는 교육비
② 사부담 교육비: 학부모가 부담하는 경비, 공교육비(입학금, 수업료 등) + 사교육비
　　예 등록금, 교재대, 학용품비

(4) **총량 교육비와 단위 교육비**: 교육비의 비교단위에 따른 구분
① 총량 교육비: 모든 교육활동에 쓰여지고 있는 교육비의 총량 예 학교급별 교육비
② 단위 교육비(교육원가): 학생을 기준으로 한 학생 1인당 교육비, 교육의 최종 생산단위가 학생임을 전제로 하고 학생 1인에게 소요되는 평균경비

(5) **이전적(移轉的) 경비와 비이전적 경비**
① 이전적 경비: 경제단위 상호 간에 소득의 이전만을 가져오는 경비 예 보조금
② 비이전적 경비: 소모적 경비 예 시설비, 봉급

(6) **인건비, 운영비, 시설비**: 교육비 지출시, 사용목적에 따른 분류
① 인건비: 교육활동을 수행하거나 지원하는 데 필요한 용역을 구입하기 위한 경비 ⇨ 정부예산 교육비 중에서 약 50%를 차지 14. 국가직
② 운영비: 교육활동을 수행하거나 지원하는 데 필요한 경비 예 교통비, 실험·실습비
③ 시설비: 교육활동을 위해 장기간 사용이 가능한 자본형성을 위한 경비

3. 교육비 관리기법

(1) **교육비 차이도**(CD: Cost Differentials) **산출** 07. 경기
① 초등학교 학생의 교육비를 기준(1.00)으로 하였을 때의 중등 또는 고등교육 학생 1인당 교육비의 비율 ⇨ 중앙정부의 교육재정 배분방식 중 경상재정 수요액 산정기준에 관한 것으로, 경상재정 수요액은 학교급별 교육비를 기준으로 산정한다.
② 예산의 합리적 배분의 기준, 특수교육비 산출의 기준이 된다. ⇨ 수직적 공정성(형평성)

학교급별 교육비 차이도 계수					
유치원	초등학교	중학교	고등학교		특수학교
			일반계	특성화고	
1.42	1.00	1.42	1.87	2.55	5.29

(2) **표준교육비**(=최저소요 교육비, 적정단위 교육비) 24. 국가직, 10. 인천
① 공교육활동을 영위하기 위하여 필요한 최소한의 경비 예 의무교육비
㉠ 일정규모의 단위학교가 그에 상응하는 인적·물적 조건, 즉 표준교육조건을 확보한 상태에서 소기의 교육목적 달성을 위한 정상적인 교육활동을 수행하는 데 필요한 최저 소요 교육비

ⓒ 인건비와 시설비를 제외한 정상적인 교육활동 운영에 필요한 교구·시설·설비 등을 갖추고 이를 운영하는 데 소요되는 경비만을 포함한다.
  ✐ 넓은 의미의 표준교육비는 인건비와 시설비를 포함하기도 한다.

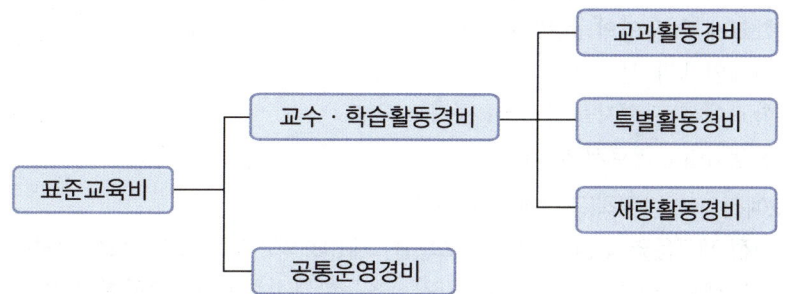

② 목적: 교육활동 계획 수립의 과학적·합리적인 기초자료로서 제공, 정확한 교육예산 편성과 지출의 공공성을 보장 ⇨ 교육의 기회균등 보장
③ 산출원칙
  ㉠ 기회균등의 원칙: 누구나 어떤 지역·조건하에서도 필요한 최저교육을 받을 수 있어야 한다.
  ㉡ 공비지변의 원칙: 의무교육에 소요되는 최저교육비와 경상비 일체를 공비(公費)로 충당한다.
④ 산출 시 고려요소: 지역차, 물가지수, 학교규모, 인문·실업계 구분, 학교의 특수성, 국민소득, 최저소요량의 적절한 기준 등

(3) **학교회계제도**: 단위학교를 중심으로 한 분권화된 예산제도 ⇨ 2001년부터 국립 및 공립 초·중등학교(특수학교 포함)에 적용, 사립학교는 제외 22. 국가직 7급, 17. 국가직, 14. 국가직 7급, 11. 국가직 7급·대전·서울, 09. 서울·경기·대전, 07. 서울·국가직 7급
✐ 사립 초·중등학교는 법인회계, 시·도교육청은 특별회계, 국가·지자체(시·도)는 일반회계에 해당한다.

① 개념: 학교에서의 수입과 지출의 관리와 운용에 관한 계산제도
② 특징
  ㉠ 학교회계연도: 회계연도는 3월 1일부터 다음 해 2월 말일까지로 한다. ⇨ 학년도와 일치
    24. 국가직 7급
  ㉡ 예산배부방식: 일상경비와 도급경비 구분 없이 표준교육비를 기준으로 총액배부한다.
  ㉢ 예산배부시기: 학교회계연도 개시 50일 전에 일괄적으로 예산교부 계획을 각 학교에 통보한다.
  ㉣ 세출예산 편성: 재원에 따른 사용목적 구분 없이 학교실정에 따라 자율적으로 세출예산을 편성한다.
  ㉤ 사용료·수수료 수입처리: 학교시설 사용료나 수수료 수입 등을 학교 자체수입으로 처리한다.
  ㉥ 회계장부관리: 학교예산에 편성되는 여러 자금(예 교육비 특별회계, 학교운영 자원회계)을 '학교회계'로 통합하고 장부도 단일화한다. ⇨ 장부기입 방식은 '복식부기' 사용
  ㉦ 자금의 이월: 집행 후 잔액이 발생하면 다음 회계연도로 잔액을 이월할 수 있다.

③ 도입 효과
  ㉠ 학교의 자율적인 예산 운영
  ㉡ 학교재정 운영의 투명성(학부모 및 교직원에게 공개)
  ㉢ 학교재정 운영의 효율성
  ㉣ 회계업무의 간소화
  ㉤ 학교예산 관련자들의 참여 증대
  ㉥ 평생학습센터로서의 학교
④ 학교예산의 일반원칙(공립학교의 경우)
  ㉠ 건전 재정운영의 원칙: 「유아교육법」 제19조의7 제1항 또는 「초·중등교육법」 제30조의2 제1항의 규정에 따라 국립유치원·초등학교·중학교·고등학교 및 특수학교(이하 "학교"라 한다)에 설치하는 회계(이하 "학교회계"라 한다)는 학교의 설립목적과 교육과정에 따라 건전하게 관리·운영되어야 한다(「국립유치원 및 초·중등학교 회계규칙」 제2조).
  ㉡ 회계연도 독립의 원칙(한정성)
    ⓐ 학교회계의 각 회계연도의 경비는 해당 회계연도의 세입으로 충당하여야 한다.
    ⓑ 학교회계의 수입 및 지출은 그 원인이 되는 사실이 발생한 날을 기준으로 회계연도를 구분한다. 다만, 그 사실이 발생한 날을 정할 수 없는 경우에는 그 사실을 확인한 날을 기준으로 소속 회계연도를 구분한다(「국립유치원 및 초·중등학교 회계규칙」 제3조).
  ㉢ 수입의 직접 사용금지의 원칙: 학교의 장은 학교회계의 모든 수입을 지정된 금융회사 또는 체신관서에 예치하여야 하며, 이 규칙 또는 다른 법령에 달리 정하고 있는 경우를 제외하고는 이를 직접 사용하지 못한다(「국립유치원 및 초·중등학교 회계규칙」 제6조).
  ㉣ 예산총계주의 원칙: 학교회계의 세입과 세출은 모두 학교회계세입세출예산(이하 "예산"이라 한다)에 편입하여야 한다(「국립유치원 및 초·중등학교 회계규칙」 제9조).
  ㉤ 예산의 목적 외 사용 금지 원칙: 학교의 장은 세출예산에서 정한 목적 외의 경비를 사용하거나 세출예산에서 정한 각 정책사업 사이에 상호 이용할 수 없다. 다만, 예산집행상의 필요에 의하여 미리 학교운영위원회의 심의를 거쳐 예산으로 정한 경우에는 그렇지 않다(「국립유치원 및 초·중등학교 회계규칙」 제17조).
  ㉥ 예산·결산의 공개 및 자료의 제출(「국립유치원 및 초·중등학교 회계규칙」 제58조)
    ⓐ 학교의 장은 학교운영위원회의 심의를 거쳐 확정된 세입·세출예산서 및 결산서를 학부모 및 교직원에게 공개하여야 한다.
    ⓑ 교육부 장관은 지도·감독을 위하여 필요하다고 인정하는 경우에 학교의 장에 대하여 예산과 결산에 관한 자료의 제출을 요구할 수 있다.
⑤ 예산내용 및 구조: 예산총칙(총괄적 규정), 세입·세출예산, 계속비, 이월비(명시이월비, 사고이월비 ⇨ 회계연도 독립의 원칙에 위배)
  ㉠ 세입: '학교발전기금회계'는 '학교회계'와 별도로 설치한다. 24. 국가직 7급, 21. 지방직, 19. 국가직
    ⓐ 국가의 일반회계나 지방자치단체(시·도 교육청)의 교육비 특별회계로부터 받은 전입금: 학교교육비(교육청에서 목적 구분 없이 총액 배부), 목적사업비(단위학교의 특정 사업 수행을 위해 지원되는 경비) ⇨ 분기별로 학교회계에 전출

ⓑ **학교운영위원회 심의를 거쳐 학부모가 부담하는 경비**: 학교운영지원비, 수익자 부담경비
　　예 현장학습비(수학여행, 야영 등), 급식비, 앨범비, 특기적성교육비
ⓒ **학교발전기금으로부터 받은 전입금**: 학교발전기금 전액 ×
ⓓ **국가나 지방자치단체의 보조금 및 지원금**: 보조금(국가, 지방자치단체의 보조금), 지원금(다른 기관으로부터의 지원금)
ⓔ **자체 수입**: 사용료(매점, 체육관 등 학교시설 사용료), 수수료(제증명 수수료), 기타수입(예금이자, 실습물 매각대금)
ⓕ **이월금**
ⓖ **물품 매각대금**
　　🖉 사립학교는 학생등록금, 학교법인으로부터의 전입금, 국가 또는 각종 공공단체로부터의 원조 또는 보조금으로 구성된다.

ⓒ **세출**
ⓐ **인건비**: 교직원 인건비(교원연구비, 제 수당), 기타직 인건비(학교회계직원 인건비, 일용직 인건비, 퇴직적립금)
ⓑ **학교운영비**: 학생복리비(**예** 학교안전공제회비, 학생 자치활동 지원경비), 교수-학습활동비(학습준비물 구입, 실험실습 기자재 구입, 교육행사 등 교육과정 운영 관련 경비)
ⓒ **일반운영비**: 공통운영비(학교기본운영 경비 **예** 전기료, 수도요금), 시설비(학교시설의 유지・보수) ➪ 통상 학교운영비에 포함시킴.
ⓓ **수익자 부담경비**: 현장학습비, 급식비, 앨범비, 기타 ➪ 지정 금융기관이 없는 경우 수납일로부터 5일 이내에 납입, 정산은 당해 사업의 종료 후 10일 이내에 한다.
ⓔ **예비비**: 예측할 수 없는 지출 또는 예산 초과지출에 충당하기 위한 경비

ⓒ **이월비**
ⓐ **명시이월비**: 학교예산 운영에 있어서 세출예산 중 경비의 성질상 또는 예산 성립 이후의 사유로 인하여 해당 회계연도 안에 지출을 끝내지 못할 것이 예상되는 것에 대하여 미리 세출예산에 그 경비를 다음 연도에 이월하여 사용할 수 있음을 명시하여 학교운영위원회의 심의를 거친 후 다음 연도에 가서 경비지출을 할 수 있도록 하는 제도이다(「국립유치원 및 초・중등학교 회계규칙」 제20조 제1항).
ⓑ **사고이월비**: 해당 연도의 예산집행 과정에서 지출원인행위를 하였으나 그 이후 불가피한 사유로 인하여 해당 회계연도 내에 지출하지 못한 경비(지출원인행위를 하지 아니한 부대경비를 포함)를 다음 회계연도에 이월하여 지출할 수 있도록 하기 위한 제도이다(「국립유치원 및 초・중등학교 회계규칙」 제20조 제2항). ➪ 전년도 예산편성 시 전혀 예견치 못한 돌발적인 사유 때문에 부득이 이월하는 것이므로 학교운영위원회의 사전심의는 필요없다.

구분	명시이월비	사고이월비
내용상 요건	해당 연도에 그 지출을 끝내지 못할 것이 예상되는 경비로서 세출예산에 명시(예산 성립 시점)	지출원인행위를 하였으나 그 이후 불가피한 사유로 인하여 해당 연도 내에 지출하지 못한 경비(회계연도 말 시점)
절차상 요건	학교운영위원회 사전심의 필요	학교운영위원회 사전심의 불필요

| 재이월 | 이월연도 지출원인행위액에 대하여 사고 이월 가능 | 재 사고이월 불가 |

⑥ 예산편성과 심의절차
  ㉠ 편성절차

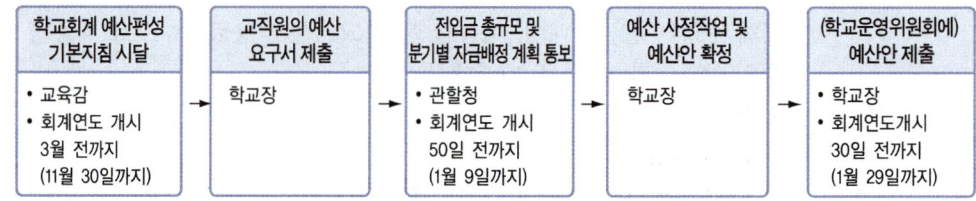

  ㉡ 심의절차

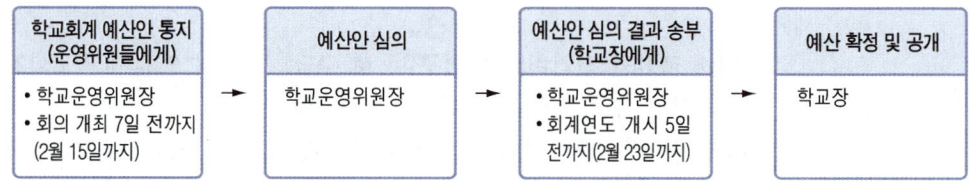

> **예산 불성립 시 예산집행**
> 1. **준예산제도**: 전년도 예산에 준하여 집행
> 2. **적용범위**: 교직원 등의 인건비, 학교교육에 직접 사용되는 교육비, 학교시설의 유지관리비, 법령상 지급의무가 있는 경비, 이미 예산으로 확정된 경비(명시이월비, 계속비)

⑦ 예산의 집행 07. 서울
  ㉠ 개념: 학교운영위원회의 심의를 거쳐 확정된 예산에 따라 회계연도 개시와 더불어 수입을 조달하고 공공경비를 지출하는 재정활동
  ㉡ 예산의 목적 외 사용 금지
  ㉢ 예산집행의 신축성 부여: 예산의 이·전용, 예산의 이월, 계속비, 예비비 제도
    ⓐ 예산의 이용: 세출예산의 관·항 간의 경비의 상호사용 ⇨ 학교운영위원회의 심의를 거친 경우에 한함.
    ⓑ 예산의 전용: 재정여건 변화, 사업의 효율적 집행 등을 위하여 필요한 경우 동일한 항 내의 범위에서 각 목 사이의 상호 사용 ⇨ 인건비, 시설비 예산은 전용금지, 업무추진비로의 전용금지
    ⓒ 계속비: 공사나 제조 등 그 완성에 수년을 요하는 경우 수년에 걸쳐 지출되는 경비
    ⓓ 예산의 이월: 예산을 다음 연도에 넘겨서 다음 회계연도의 예산으로 사용하는 것 ⇨ 명시이월(미리 이월 예상한 경비), 사고이월(미리 예상치 못하고 불가피한 사유로 이월)
    ⓔ 예비비: 예측할 수 없는 지출 또는 예산 초과지출에 충당하기 위해 구체적 사용목적을 지정하지 않고 편성한 경비

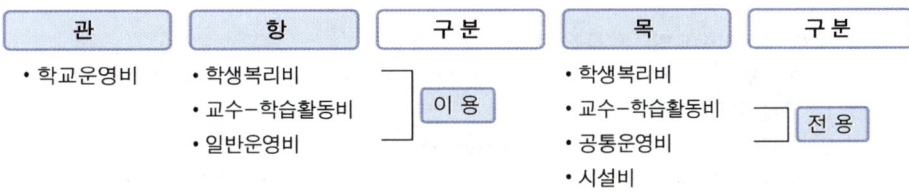

⑧ 지출 11. 울산

　㉠ **지급방법**: 금융기관의 예금계좌나 체신관서의 우편대체계좌에 입금하는 방법. 전산망을 통한 자금이체방법 실시
　㉡ 지급액이 10만원 미만인 경우나 개산급(여비, 업무추진비, 수학여행 출장비 등)의 경우는 입금이나 자금이체를 하지 않아도 된다.
　㉢ 영수증서의 도장 날인은 지출액이 30만원 이하인 경우에는 서명으로 대신할 수 있다.
　㉣ 회계장부와 관련 증빙서류의 보존기간은 5년이다.
　㉤ 학교직인은 관할청에 등록하지 아니하면 사용하지 못한다.

⑨ **결산**: 회계연도 종료(매년 2월 말일 기준) ⇨ 출납폐쇄 정리(회계연도 종료 후 20일까지) ⇨ 결산서 작성 ⇨ 결산서 학교운영위원회 제출(회계연도 종료 후 2월 이내) ⇨ 결산심의 ⇨ 결산심의 결과 통보(회계연도 종료 후 4월 이내)

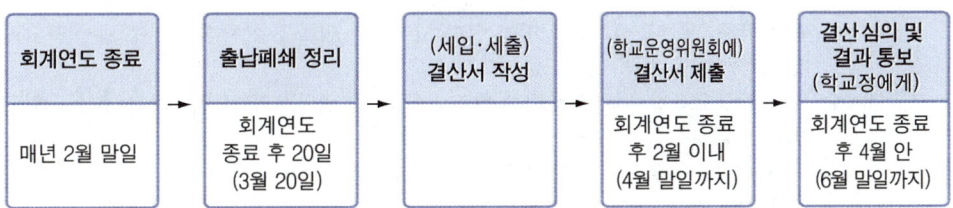

⑩ 회계책임과 교직원

　㉠ **학교장**: 학교운영 전반에 관한 책임적 지위에 있으며 회계적으로는 분임징수관(세입)과 분임경리관(세출)이 된다.
　㉡ **교감**: 실질적인 회계관계 책임과 의무가 없다. 학교장 결재 이전에 교감과 협의하도록 되어 있으나 이는 강제규정이 아닌 권장규정이다.
　㉢ **교사**: 교과운영이나 교무운영 등에 소요되는 예산은 관계 교직원과 사전협의를 거쳐 집행·품의하도록 되어 있기 때문에, 교사는 물품구입시 구입요구 물품에 대해 검사공무원으로 지정받을 수 있고, 그 지정받은 물품에 대해 검사할 수 있다. ⇨ 회계에 대한 권한은 거의 없다.

더 알아보기

학교 법인회계

1. **개념**: 「사립학교법」에 따른 사립학교에서의 회계제도
　① **사립학교**: 학교법인, 공공단체 외의 법인 또는 그 밖의 사인(私人)이 설치하는 「유아교육법」 제2조 제2호, 「초·중등교육법」 제2조 및 「고등교육법」 제2조에 따른 학교
　② **학교법인**: 사립학교만을 설치·경영할 목적으로 이 법에 따라 설립되는 법인

2. **종류**:「사립학교법」제29조(회계의 구분 등)
   ① 학교법인의 회계는 그가 설치·경영하는 학교에 속하는 회계와 법인의 업무에 속하는 회계로 구분한다.
   ② 학교에 속하는 회계는 교비회계(校費會計)와 부속병원회계(부속병원이 있는 경우로 한정한다)로 구분할 수 있고, 교비회계는 등록금회계와 비등록금회계로 구분한다.
   ③ 사립학교 예산에는 학생 등록금, 학교법인으로부터의 전입금, 국고 또는 각종 공공단체로부터의 원조 또는 보조금으로 구성된다.

3. **관련 법률**

   제29조(회계의 구분 등) ① 학교법인의 회계는 그가 설치·경영하는 학교에 속하는 회계와 법인의 업무에 속하는 회계로 구분한다.
   ② 제1항에 따른 학교에 속하는 회계는 교비회계(校費會計)와 부속병원회계(부속병원이 있는 경우로 한정한다)로 구분할 수 있고, 교비회계는 등록금회계와 비등록금회계로 구분하며, 각 회계의 세입·세출에 관한 사항은 대통령령으로 정하되 학교가 받은 기부금 및 수업료와 그 밖의 납부금은 교비회계의 수입으로 하여 별도 계좌로 관리하여야 한다.
   ③ 제1항에 따른 법인의 업무에 속하는 회계는 일반업무회계와 제6조에 따른 수익사업회계로 구분할 수 있다.
   ④ 제2항에 따른 학교에 속하는 회계의 예산은 해당 학교의 장이 편성하고, 다음 각 호의 구분에 따른 절차에 따라 확정·집행한다.
   1. 대학교육기관: 대학평의원회에 자문 및 「고등교육법」제11조 제3항에 따른 등록금심의위원회(이하 "등록금심의위원회"라 한다)의 심사·의결을 거친 후 이사회의 심사·의결로 확정하고 학교의 장이 집행한다.
   2. 「초·중등교육법」제2조에 따른 학교: 학교운영위원회의 심의를 거친 후 이사회의 심사·의결로 확정하고 학교의 장이 집행한다.
   3. 유치원: 「유아교육법」제19조의3에 따른 유치원운영위원회에 자문을 거친 후 학교의 장이 집행한다. 다만, 유치원운영위원회를 두지 아니한 경우에는 학교의 장이 집행한다.
   ⑤ 삭제 <2005.12.29.>
   ⑥ 제2항에 따른 교비회계에 속하는 수입이나 재산은 다른 회계로 전출(轉出)·대여하거나 목적 외로 부정하게 사용할 수 없다. 다만, 다음 각 호의 어느 하나에 해당하는 경우에는 그러하지 아니하다.
   1. 차입금의 원리금을 상환하는 경우
   2. 공공 또는 교육·연구의 목적으로 교육용 기본재산을 국가, 지방자치단체 또는 연구기관에 무상으로 귀속하는 경우. 다만, 대통령령으로 정하는 기준을 충족하는 경우로 한정한다.

4. **교육경비 부담의 원칙**

   (1) **공비부담의 원칙**: 교육은 공공성을 띤 공적 서비스이므로, 교육경비의 부담은 국가 또는 지방자치단체에 의하여 행해져야 한다는 원리

   (2) **수익자 부담의 원칙**(사비부담의 원칙): 교육이 개인의 성장발전 및 취업에 직결되는 활동인 만큼 교육활동의 직접적인 수혜자인 학생 또는 학부모가 교육비를 부담해야 한다는 원칙이다.

   (3) **수익자 부담원칙의 확대에 관한 논의**: 교육에서 양성한 인력을 활용하는 기업도 교육활동에 대한 일종의 수익자이므로 일정한 부담을 해야 한다.

③ 교육수입: 초·중등교육을 위한 지방교육 재원(財源) 21. 국가직

1. 개관

(1) **개념**: 국가나 지방 공공단체가 교육경비를 조달하기 위하여 그 재원으로 삼는 제 수입을 말한다.

(2) **경상수입과 임시수입**
  ① 경상수입: 안정되고 계속적인 수입 예 수업료, 지방교육재정 교부금 등
  ② 임시수입: 일시적인 수입 예 기부금, 공채, 각종 수수료 등

(3) **목적수입과 일반수입**: 목적수입은 교육세, 일반수입은 일반조세에서 부담하는 교육수입

2. 지방교육재원의 분류: (시·도) 교육비 특별회계 11. 경기, 05. 인천

지방교육재정(교육비 특별회계)	국가지원	지방교육재정교부금(가장 규모가 큼.)	보통교부금	• 재원 1. 해당 연도의 내국세[목적세 및 종합부동산세, 담배에 부과하는 개별소비세 총액의 100분의 45 및 다른 법률에 따라 특별회계의 재원으로 사용되는 세목(稅目)의 해당 금액은 제외] 총액의 1만 분의 2,079(20.79%)의 97/100 2. 해당 연도의 「교육세법」에 따른 교육세 세입액 중 「유아교육지원특별회계법」 제5조 제1항과 「고등·평생교육지원특별회계법」 제6조 제1항에서 정하는 금액을 제외한 금액 • 교부기준: 기준재정수입액이 기준재정수요액에 미달하는 경우에 그 미달액을 기준으로 총액 교부 • 종전의 봉급교부금(의무교육기관 교원) 및 증액교부금(저소득층학생 지원금, 특성화고교 실습지원금 등)을 흡수·통합한 금액
			특별교부금	• 재원: 해당 연도의 내국세[목적세 및 종합부동산세, 담배에 부과하는 개별소비세 총액의 100분의 45 및 다른 법률에 따라 특별회계의 재원으로 사용되는 세목(稅目)의 해당 금액은 제외] 총액의 1만 분의 2,079(20.79%)의 3/100 • 교부기준 1. 재원의 60/100: 전국적인 교육관련 국가시책사업지원 수요가 발생했을 때 또는 지방교육행정 및 지방교육재정의 운용실적이 우수한 지방자치단체에 대한 재정지원이 필요할 때(시책사업 수요 또는 우수지방자치단체 교부) 2. 재원의 30/100: 기준재정수요액의 산정방법으로 파악할 수 없는 특별한 지역교육현안에 대한 재정수요가 있을 때(지역교육 현안 수요) 3. 재원의 10/100: 보통교부금의 산정기일 후에 발생한 재해로 인하여 특별한 재정수요가 생기거나 재정수입이 감소하였을 때 또는 재해를 예방하기 위한 특별한 재정수요가 있는 때(재해발생 수요, 재해예방 수요 또는 재정수입 감소)
		국가지원금		국고사업 보조금

지방부담	지방자치단체 일반회계 전입금	지방교육세 전입금	등록세액·재산세액의 20%, 자동차세액 30%, 주민세 균등할의 10~25%, 담배소비세액의 43.39%, 레저세액의 40%
		담배소비세 전입금	특별시·광역시 담배소비세 수입액의 45%
		시·도세 전입금	특별시세 총액의 10%, 광역시세·경기도세 총액의 5%, 나머지 도세 총액의 3.6%
		기타 전입금	도서관 운영비, 학교용지 부담금, 보조금 등
자체수입			입학금 및 수업료(고등학교에 한함), 재산수입, 수수료, 사용료

3. **지방교육재정 교부금** 22. 지방직, 15. 국가직

   (1) **목적**

   ① 교육의 균형 있는 발전(「지방교육재정교부금법」 제1조): 지방자치단체가 교육기관 및 교육행정기관(그 소속기관을 포함)을 설치·경영하는 데 필요한 재원의 전부 또는 일부를 국가가 교부하여 교육의 균형 있는 발전을 도모한다.
   ② 지방교육재정의 안정적 확보
   ③ 교육의 전문성과 특수성의 인정: 교육의 전문성과 독립성을 보다 높인다.
   ④ 예산편성에 있어서의 부정적 경향 방지

   (2) **성격**

   ① 국고재원이지만 지방자치단체가 독단적으로 그 사용방법을 결정하는 일반재원의 성격을 지닌다. ⇨ 지방교육재원 중 가장 규모가 크다. 21. 국가직
   ② 국고보조금은 특별재원이다. ⇨ 국가가 특정 사업이나 정책 목적 달성을 위해 용도를 명확히 지정하여 교부하는 재원임.
   ③ 교부금 중 보통교부금은 지방교육행정기관의 경상적 경비지출에 활용된다. ⇨ 일반재원에 해당

   (3) **재정배분의 기준**: 평등성과 자율성

   ① **평등성**: 지방교육재정 교부금은 지방자치단체 간 교육비의 불균형을 시정하기 위해 제공되는 것이다.
   ② **자율성**: 정부는 지방교육재정 교부금을 교부할 때 세세한 항목을 정하지 않고 총액 배부한다. 이는 당해 지방자치단체가 그 지역의 실정에 맞게 자율적으로 교육을 운영하도록 하기 위함이다.

   (4) **종류**: 보통교부금과 특별교부금

   ① **보통교부금**(법정금액)
      ㉠ 기준재정 수입액이 기준재정 수요액에 미치지 못하는 지방자치단체에 대해서는 그 부족한 금액을 기준으로 하여 총액으로 교부한다.
      ㉡ 재원은 해당 연도의 내국세(목적세 및 종합부동산세, 담배에 부과하는 개별소비세 총액의 100분의 45 및 다른 법률에 따라 특별회계의 재원으로 사용되는 세목의 해당 금액은

제외) 총액의 2,079/10,000의 97/100과 해당 연도의 「교육세법」에 따른 교육세 세입액 중 「유아교육지원특별회계법」 제5조 제1항에서 정하는 금액 및 「고등·평생교육지원특별회계법」 제6조 제1항에서 정하는 금액을 제외한 금액으로 한다.
- ㉢ 종전의 봉급교부금(예 의무교육기관의 봉급)과 증액교부금(예 저소득층학생 지원금, 중식지원금, 특성화고교 학생들의 실습지원금)을 흡수·통합한 금액이다.

② **특별교부금**: 해당 연도의 내국세(목적세 및 종합부동산세, 담배에 부과하는 개별소비세 총액의 100분의 45 및 다른 법률에 따라 특별회계의 재원으로 사용되는 세목의 해당 금액은 제외) 총액의 2,079/10,000의 3/100을 교부한다.

- ㉠ **교부기준**: 국가시책사업수요(또는 우수한 지방자치단체 재정지원), 지역교육현안수요, 재해대책수요·재해예방수요
  - ⓐ 전국적인 교육관련 국가시책사업지원 수요가 발생했을 때 또는 지방교육행정 및 지방교육재정의 운용실적이 우수한 지방자치단체에 대한 재정지원이 필요할 때: 특별교부금 재원의 60/100에 해당하는 금액 ⇨ 우수 지방자치단체에 재정을 지원하는 것은 '효율성의 원칙'에 해당함.
  - ⓑ 기준재정수요액의 산정방법으로 파악할 수 없는 특별한 지역교육현안에 대한 재정수요가 있을 때: 특별교부금 재원의 30/100에 해당하는 금액
  - ⓒ 보통교부금의 산정기일 후에 발생한 재해로 인하여 특별한 재정수요가 생기거나 재정수입이 감소하였을 때 또는 재해를 예방하기 위한 특별한 재정수요가 있는 때: 특별교부금 재원의 10/100에 해당하는 금액

- ㉡ **교부의 제한**
  - ⓐ 교육부장관은 지역교육현안수요(㉠의 ⓑ) 또는 재해대책·예방수요(㉠의 ⓒ)에 해당하는 사유가 발생하여 시·도의 교육감이 특별교부금을 신청하면 그 내용을 심사한 후 교부한다. 다만, 국가시책사업지원수요 또는 우수지방자치단체지원수요(㉠의 ⓐ)가 발생한 경우 또는 교육부장관이 필요하다고 인정하는 경우에는 신청이 없어도 일정한 기준을 정하여 특별교부금을 교부할 수 있다.
  - ⓑ 특별교부금은 그 사용에 대해서는 조건을 붙이거나 용도를 제한할 수 있다.
  - ⓒ 시·도의 교육감은 조건이나 용도를 변경하여 특별교부금을 사용하려면 미리 교육부 장관의 승인을 받아야 한다.
  - ⓓ 교육부 장관은 시·도의 교육행정기관의 장이 조건이나 용도를 위반하여 특별교부금을 사용하거나 2년 이상 사용하지 아니하는 경우 그 반환을 명하거나 다음에 교부할 특별교부금에서 이를 감액할 수 있다.

    1. **기준재정 수요액**: 지방교육 및 그 행정운영에 관한 재정수요를 산정한 금액 ⇨ 각 측정항목별로 측정단위의 수치를 그 단위비용에 곱하여 얻은 금액을 합산한 금액
    2. **기준재정 수입액**: 교육·학예에 관한 모든 재정수입을 산정한 금액 ⇨ 지방자치단체의 일반회계 전입금 등 교육·학예에 관한 지방자치단체 교육비특별회계의 수입예상액
    3. **단위비용**: 기준재정수요액을 산정하기 위한 각 측정단위(지방교육행정을 부문별로 설정하여 그 부문별 양을 측정하기 위한 단위)의 단위당 금액 18. 국가직
    4. **교부율의 보정**: 국가는 의무교육기관 교원 수의 증감 등 불가피한 사유로 지방교육재정상 필요한 인건비가 크게 달라질 때에는 내국세 증가에 따른 교부금 증가 등을 고려하여 교부율을 보정하여야 한다(「지방교육재정교부금법」 제4조).

③ 국가는 지방교육재정상 부득이한 수요가 있는 경우에는 국가예산으로 정하는 바에 따라 제1항 및 제2항에 따른 교부금 외에 따로 증액교부할 수 있다(「지방교육재정교부금법 제3조 제4항」).

✍ 「지방교육재정교부금법」 개정(시행 2024.1.1. ~ 2026.12.31.)

> **제5조의3 【교부금의 재원 배분 및 특별교부금의 교부에 관한 특례】** ① (보통교부금 재원) 해당 연도 내국세 총액의 20.79%의 962/1,000
> ② (특별교부금 재원) 해당 연도 내국세 총액의 20.79%의 38/1,000
> ③ 특별교부금 교부기준
>   1. 재원의 90/380 : 국가시책사업 수요 또는 우수지방자치단체 교부
>   2. 재원의 50/380 : 지역교육 현안 수요
>   3. 재원의 30/380 : 재해발생 수요, 재해예방 수요 또는 재정수입 감소
>   4. 재원의 80/380
>   ㉠ 「초·중등교육법」 제21조에 따른 교원에 대한 인공지능 기반 교수학습 역량 강화 사업 등 디지털 기반 교육혁신을 위한 특별한 재정수요가 있는 때
>   ㉡ 초등학교·중학교·고등학교 방과후학교 사업 등 방과후 교육의 활성화를 위한 특별한 재정수요가 있는 때
>   ㉢ ㉠ 또는 ㉡과 관련하여 디지털 기반 교육혁신 또는 방과후 교육 활성화 성과가 우수한 지방자치단체에 대한 재정지원이 필요한 때

㉠ 국가는 「초·중등교육법」 제10조의2에 따른 고등학교 등의 무상교육에 필요한 비용 중 1,000분의 475에 해당하는 금액을 따로 증액교부하여야 한다. 25. 국가직

㉡ 시·도 및 시·군·구는 「초·중등교육법」 제10조의2에 따른 고등학교 등의 무상교육에 필요한 비용 중 1,000분의 50에 해당하는 금액을 대통령령으로 정하는 바에 따라 교육비특별회계로 전출하여야 한다.

④ 예산 계상(「지방교육재정교부금법」 제9조)

㉠ 국가는 회계연도마다 이 법에 따른 교부금을 국가예산에 계상(計上)하여야 한다.

㉡ 추가경정예산에 따라 내국세나 교육세의 증감이 있는 경우에는 교부금도 함께 증감하여야 한다. 다만, 내국세나 교육세가 줄어드는 경우에는 지방교육재정 여건 등을 고려하여 다음다음 회계연도까지 교부금을 조절할 수 있다.

㉢ 내국세 및 교육세의 예산액과 결산액의 차액으로 인한 교부금의 차액은 늦어도 다음다음 회계연도의 국가예산에 계상하여 정산하여야 한다.

4. 국고보조금

(1) 개념

① 국가가 예산의 범위 안에서 시·도의 교육비를 보조하는 경비 ⇨ 특별재원에 해당
② 교육부가 특정사업 수행을 조건으로 하여 일반회계에서 지방자치단체 교육비 특별회계에 보조금을 지급하는 것

(2) **문제점**: 국가예산의 범위 안에서 교육부 예산운영권자의 재량에 따라 교부되는 경향이 있어 안정성이 결여되어 있고 예측할 수가 없다.

5. **지방자치단체의 일반회계로부터의 전입금**

    (1) **개념**
        ① 지방자치단체의 일반회계에서 시·도의 교육자치단체인 시·도 교육청 교육비 특별회계로 지원해 주는 경비를 말한다.
        ② 일반 지방자치단체가 그 지방의 교육을 위해 전입해 주는 경비이다.

    (2) **종류**: 지방교육세, 담배소비세 전입금, 시·도 전입금 등이 있다.
        ① **지방교육세**: 지방세분 교육세 전액을 지방자치단체의 일반회계예산에 교육비 특별회계 전출금으로 계상(計上)한다.
        ② **담배소비세 전입금**: 서울특별시 및 6대 광역시는 담배소비세의 45%에 해당하는 금액
        ③ **시·도 전입금**: 서울시는 특별시세 총액의 10%, 광역시 및 경기도는 광역시세 또는 도세 총액의 5%, 그 밖의 도는 도세 총액의 3.6%에 해당하는 금액
        ④ **기타 전입금**: 공공도서관 운영비, 학교용지 부담금, 새마을 유아원 운영비, 자영농고 기숙사비 등을 일부 지원하고 있다.

6. **교육비 특별회계 자체수입**

    (1) **재산수입, 수수료, 사용료**
        ① **재산수입**: 공유재산의 임대, 매각 등 처분에 의해 생기는 수입
        ② **수수료**: 개인을 위한 사무에 대한 대가 **예** 제증명 수수료
        ③ **사용료**: 공공시설의 사용에 대한 대가 **예** 학교시설, 체육시설 사용료 등

    (2) **기타 교육·학예에 속하는 수입**: 실습수업, 잡수입 **예** 과년도 수입, 이월금

    (3) **수업료, 입학금**: 수익자 부담에 의하여 갹출되는 금액 ⇨ 2021학년도 이후 고등학교(자율형 사립고교 제외)도 무상교육 시행함.

    시·도 교육비 특별회계 세입원

구분		내역
국가지원금	지방교육재정 교부금	교직원 인건비, 학교·교육과정 운영비, 교육행정비, 학교시설비, 유아교육비, 방과 후 학교 사업비, 재정결함 보존
	국고보조금	국고사업 보조금
지방자치단체 일반회계 전입금	담배소비세 전입금	특별시·광역시 담배소비세 수입액의 45%
	시·도세 전입금	특별시세 총액의 10%, 광역시세·경기도세 총액의 5%, 나머지 도세 총액의 3.6%
	지방교육세 전입금	등록세액·재산세액의 20%, 자동차세액 30%, 주민세균등할의 10~25%, 담배소비세액의 43.39%, 레저세액의 40%
	기타 전입금(지원금·보조금 포함)	도서관 운영비, 학교용지부담금, 보조금 등
자체수입		사용료 및 수수료 수입, 재산수입

4 교육예산

1. 교육예산의 개념

(1) 일정기간(통상 1년) 동안 정부가 교육활동을 수행하는 데 필요한 재정수지(수입과 지출)를 체계적으로 분류한 화폐액으로 표시된 계획(서)

(2) 회계연도를 단위로 하며, 정부가 교육활동을 위해서 사전에 예산되는 세입과 세출을 화폐단위로 표시하여 수지균형을 고려한 견적서

(3) **교육예산의 3요소**: 교육(활동)계획, 수입계획, 지출계획

2. 교육예산의 원칙

(1) **공개성의 원칙**: 예산의 편성과 심의·집행은 그 전 과정이 국민에게 공개되어야 한다.

(2) **명료성의 원칙**: 예산은 국민이 쉽게 이해할 수 있도록 내용이 명료하게 계상(計上)되어야 하며, 음성적인 내용(예 음성수입, 은닉재산 등)을 포함해서는 안 된다.

(3) **한정성의 원칙**
  ① 예산의 사용목적, 금액, 기간 등에 제한을 두어야 한다.
  ② 비목 간 전용이나 예산 초과지출 또는 예산 외 지출을 금지하며 한정된 회계연도 내에서 사용되어야 한다.

(4) **사전승인의 원칙**: 회계연도 개시 30일 전에 국회의 의결을 거쳐야 한다.

(5) **수지 간 담보금지의 원칙**(국고통일의 원칙): 특정 수입으로 특정 경비에 충당하는 것을 억제한다. ⇨ 모든 수입을 일괄해서 총수입으로 하고 일체의 경비를 지출한다.

(6) **단일성(통일성)의 원칙**: 예산은 그 형식이 단일해야 하며, 특별회계예산, 추가경정예산 등은 억제되어야 한다.

(7) **완전성의 원칙**(예산총계주의 원칙): 세입·세출은 빠짐없이 계상(計上)되어야 한다.

(8) **엄밀성의 원칙**: 예산·결산이 일치되도록 정확하게 편성·집행되어야 한다.

5 교육예산제도 - 예산의 편성과 관리기법 10. 국가직 7급, 08. 경기, 05. 서울·경기·충북, 04. 경기·부산·대구

1. 품목별 예산제도(LIBS: Line-Item-Budgeting System, 항목별 예산제도)

(1) 개념
  ① 지출대상을 인건비, 시설비, 운영비 등과 같이 품목별로 세분화하여 지출대상과 그 한계를 명확히 규정하는 제도
  ② 예산집행에 있어 유용이나 부정을 방지하고자 하는 통제 지향의 예산제도

(2) **장점**
① 지출의 대상을 명확하게 세분하여 예산의 유용이나 남용을 방지할 수 있다.
② 행정권을 제한함으로써 예산에 대한 사전 및 사후통제가 가능하다.
③ 지출항목과 금액을 명백히 할 수 있기 때문에 회계책임이 분명하다.
④ 점증주의적인 방식으로 전년도를 기준으로 예산을 편성하기 때문에 금액 산정이 간편하다.
⑤ 세밀하게 작성된 예산내역을 통해 각종 정보와 자료를 얻을 수 있다.

2. **성과주의 예산제도**(PBS : Performance Budgeting System, 실적 예산제도) 22. 국가직
   (1) **개념**: 정부가 지출하는 목적에 중점을 두어 정부가 시행하고자 하는 사업의 비용을 명백히 해주는 예산제도
   ① 예산과목을 기능별(목표별·활동별)로 나누고, 각 기능별로 다시 사업계획 및 세부사업으로 분류한 다음 각 세부사업에 대한 사업량을 수량(예산액)으로 표시하고, 단위사업을 수행하는 데 소요되는 원가계산을 통해 예산을 편성하는 기법
   예, 1913~1915년 리치몬드(Richmond)에서 시도된 원가예산제도, 1934년 테네시 강 유역 개발공사(TVA)의 프로그램 예산
   ② 교육부를 기준으로 보면, 교육을 고등교육, 중등교육, 초등교육, 사회교육으로 분류하고, 이를 다시 소관 실국 또는 교육청으로 분류한 후, 사업별로 분류하고, 이를 다시 활동별로 분류한다. 활동별 단위원가를 계산하고, 단위원가에 업무량을 곱하여 예산액을 산출한다.
   ③ 올해의 성과(실적)로 내년 예산을 편성: 매년 책정된 예산은 그해까지 집행된 내역으로 내년 예산을 분배
   예, 올해 A사업이 10억이 책정되어 8억을 썼다면 내년에는 8억만 책정 ⇨ 예산낭비 방지를 위해 '참여예산제'(예산편성에 지자체와 시민단체 참여 허용) 실시

   (2) **등장배경 및 역사**
   ① 1940년대 후반부터 재정관리의 한 방법으로 사용
   ② 우리나라의 경우 1961년부터 부분적으로 채택하였다가 1964년도에 폐지

   (3) **특징**: 관리기능 중심의 예산편성기법 ⇨ 예산기능을 통제 중심에서 관리 중심으로 전환
   ① 예산편성 및 집행의 효율성과 성과 제고: 성과에 자신이 없는 분야의 예산감축 요구
   ② 품목별 예산제도의 단점 보완: 품목별 예산 전용 가능
   ③ 자율성 및 책임성 강화: 집행부서가 예산편성 이후에도 목표 달성을 위한 관리 노력, 성과 제고를 위한 부서의 자율성 제고

   (4) **장점**: 행정의 투명성 및 신뢰성 확보, 재정 지출의 효율성 제고, 행정 서비스의 개선 및 책임행정 구현, 정부 기능의 핵심역량 강화

3. 기획예산제도(PPBS : Planning Programing Budgeting System) 09. 경기

(1) 개념
① 사업계획의 재정적인 측면(예산편성)과 실제적인 측면(목표)을 결합시켜 한정된 재원을 가장 적절하게 배분하는 예산기법 ⇨ 경제적 합리성의 원리
② 예산의 편성과 목표하는 바를 결합시켜 재원을 적절히 배분하는 예산기법
③ 장기적 기획(planning)과 단기적 예산(budgeting)을 세부계획(programming)을 통해 유기적으로 연관시켜, 예산배분에 관한 의사결정을 합리적·계량적으로 일관성 있게 행하려는 제도이다.
④ 절약과 능률, 효과성, 경제적 합리성, 합목적성, 과학적 객관성 등을 이념으로 한다.
⑤ 1년을 단위로 운영되고 있는 전통적인 예산제도를 탈피하여 다년도 예산을 기본으로 하겠다는 5년짜리 연동예산(rolling budget)이다.

(2) 특징: 계획기능 중심의 예산제도 ⇨ 계획(중·장기적 계획수립)과 예산(단기적 예산편성)을 통합, 제한된 예산을 목적과 계획달성을 위해 사용
① 품목별 예산제도의 단점과 성과주의 예산제도의 단점 보완
② 사업목표, 사업내용, 예산배정 및 평가 등을 중시

(3) 학교경영과 PPBS를 적용한 예산편성절차
① 학교경영계획을 수립한다(중·장기 목표).
② 세부계획을 수립하고 소요예산을 산출한다(단기 구체적 목표).
③ 사업예산을 조정, 배분, 확정한다.
④ 예산을 집행한다.
⑤ 예산의 효용을 분석한다.

(4) 장점
① 계획 지향적인 예산관리 가능
② **예산의 절약과 지출의 효율화**: 학교목표의 우선순위에 따라 예산 배분
③ 중앙집권적인 처리를 통해 예산과정에 있어 의사결정 절차의 일원화 가능
④ 한정된 자원을 최적으로 활용 가능
⑤ 중장기에 걸친 연도별 학교목표와 이를 달성하기 위한 교육프로그램의 소요자원을 확인하여 연간기준으로 목표를 재검토할 수 있다.

(5) 단점
① 목표설정 시 의견 조율이 쉽지 않다.
② 정보가 최고의사결정자에게 집중되어 계획기능을 강화함으로써 예산제도에 있어 중앙집권화 성향을 초래할 수 있다.
③ 교육문제란 양적으로 계산할 수 없는 경우가 많다.

4. 영(零)기준 예산제도(ZBBS : Zero-Base Budgeting System) 16. 국가직, 15. 지방직, 12. 경기, 11. 대전·경북, 08. 국가직, 05. 전남

(1) **개념**: 미국의 Pyhrr가 창안
① 매 회계연도마다 모든 사업을 처음 시작한다고 생각하고, 설정하고자 하는 사업을 평가·조정하여 예산을 편성하는 기법
② 전년도 예산은 근거가 없는 것으로 간주하고 신규사업은 물론 계속사업까지도 계획의 목표를 재평가하여 예산을 재편성하는 제도
③ 전년도 사업을 전혀 고려하지 않고 모든 사업을 제로에서 다시 시작하는 것으로 간주하여 예산을 편성하는 제도

(2) **특징**: 감축기능 중심의 예산제도 ⇨ 예산절감이 기본목표, 제한된 예산을 고려하여 사업의 우선순위를 결정하여 집행, 예산절약과 관리에의 구성원의 참여 보장
① 전년도 예산내역을 기준으로 가감하는 점증주의 방식 탈피
② 예산편성의 신축성 확대
③ 예산의 관리기능과 계획기능의 조화 강조

(3) **과정**
① 1단계: 의사결정 단위(decision unit), 즉 단위사업의 설정 및 확인이다.
② 2단계: 의사결정 패키지 작성 ⇨ 의사결정 패키지(decision package)란 요약된 단위사업계획서로 한 개인의 사업개요, 즉 사업명, 사업의 목적, 실천방법(1안, 2안, 3안)과 그에 따른 기대되는 성과, 소요예산, 필요인력, 사업수행 책임자 등을 간략히 기술한 것이다.
③ 3단계: 의사결정 패키지 우선순위 부여(ranking of decision package)
 ㉠ 의사결정 패키지의 중요도에 따라 사업의 우선순위를 결정한다.
 ㉡ 순위가 결정되면 제한된 예산액을 고려하여 수행 가능한 선을 결정한다.
④ 4단계: 실행예산의 편성

(4) **장점**
① 학교경영에 전 교직원을 참여하도록 유도할 수 있다. ⇨ Y 이론
② 창의적이고 자발적인 사업구상과 실행을 유인할 수 있다.
③ 학교경영 계획과 예산이 일치함으로써 교장의 합리적이고 과학적인 경영을 지원할 수 있다.
④ 한정된 예산을 효율적으로 사용할 수 있으며, 불필요한 항목을 폐기할 수 있다. ⇨ 일몰예산(sunset budgeting) 운용 가능
⑤ 금액 중심이었던 예산편성방식을 목표활동 중심으로 전환할 수 있다.
⑥ 전년도 기준이 아닌 패키지화된 사업을 기준으로 예산을 편성함으로써 예산의 낭비 요인을 제거할 수 있다.

(5) 단점
① 교원들에게 새로운 과업을 부과하게 되고, 제도에 숙달되기 전의 많은 시행착오를 감수해야 한다.
② 사업이 기각되거나 평가절하되면 비협조적 풍토가 야기될 수 있다.
③ 의사결정에 전문성이 부족하면 비용 및 인원 절감에 실패할 수 있다.

제10절 교육인사행정론 및 학교실무

1 개관

교육조직의 목적을 효과적으로 달성하기 위해 인적 자원을 동원하고 관리하는 과정

1. 기본이념

(1) 교육인사행정은 수단이 아니라 목적이다. ⇨ 인간은 그 자체가 목적이다.

(2) 집단에 기본을 두고 이루어져야 한다. ⇨ 집단의 판단과 집단적 의사결정, 즉 집단적 사고에 기반을 두고 행해져야 한다.

(3) 동료적인 입장 ⇨ 인사행정가는 권력을 행사하기에 앞서 협동적인 노력이 필요하다.

(4) 구성원 각자의 능력에 따라 적재적소에 배치되어야 한다. ⇨ 엽관주의(spoils system, 임용권자의 혈연·지연·학연을 중시) 배제

(5) 구성원의 능력과 경력에 따라 인사문제를 결정해야 한다. ⇨ 실적주의

2. 교육인사행정의 기본원칙

(1) **전문성 확립의 원칙**: 교직은 고도의 지성을 필요로 하는 고등정신활동이다.

(2) **실적주의와 연공서열주의의 적정배합의 원칙**
① 실적주의(merit system): 구성원의 직무수행능력과 업적 등을 중시
② 연공서열주의(seniority system): 구성원의 근무연수, 연령, 경력, 학력(學歷) 등을 중시

(3) **공정성 유지의 원칙**: 누구에게나 능력에 따라 동등한 기회 보장

(4) **적재적소(適材適所)의 배치 원칙**: 합리성의 원칙

(5) **적정수급의 원칙**: 교원의 수요와 공급을 적정하고도 원활하게 조절해야 한다.

2 채용

임용의 종류
신규임용(채용), 승진, 승급, 전직, 전보, 겸임, 파견, 강임, 휴직, 직위해제, 정직, 복직, 해임, 파면

1. **교육직원의 분류** 19. 국가직, 05. 강원, 04. 경기

   (1) **교육직원**
   ① 국·공·사립학교, 교육행정기관 및 교육연구기관에 근무하는 사무직원을 포함한 모든 종사자
   ② 교원과 교육공무원을 포함하는 개념

   (2) **교직원**: 학교에 근무하는 교원 및 기타 직원 예 대학 조교

   > **더 알아보기**
   >
   > **교직원의 구분(「초·중등교육법」)**
   >
   > **제19조(교직원의 구분)** ① 학교에는 다음 각 호의 교원을 둔다.
   > 1. 초등학교·중학교·고등학교·고등공민학교·고등기술학교 및 특수학교에는 교장·교감·수석교사 및 교사를 둔다. 다만, 학생 수가 100명 이하인 학교나 학급 수가 5학급 이하인 학교 중 대통령령으로 정하는 규모 이하의 학교에는 교감을 두지 아니할 수 있다.
   > 2. 각종학교에는 제1호에 준하여 필요한 교원을 둔다.
   >
   > ② 학교에는 교원 외에 학교 운영에 필요한 행정직원 등 직원을 둔다.
   > ③ 학교에는 원활한 학교 운영을 위하여 교사 중 교무(校務)를 분담하는 보직교사를 둘 수 있다.
   > ④ 학교에 두는 교원과 직원(이하 "교직원"이라 한다)의 정원에 필요한 사항은 대통령령으로 정하고, 학교급별 구체적인 배치기준은 제6조에 따른 지도·감독기관(이하 "관할청"이라 한다)이 정하며, 교육부장관은 교원의 정원에 관한 사항을 매년 국회에 보고하여야 한다.
   >
   > **제19조의2(전문상담교사의 배치 등)** ① 학교에 전문상담교사를 두거나 시·도 교육행정기관에 「교육공무원법」 제22조의2에 따라 전문상담순회교사를 둔다.
   > ② 제1항의 전문상담순회교사의 정원·배치 기준 등에 필요한 사항은 대통령령으로 정한다.

   (3) **교원** 18. 지방직, 10. 울산, 06. 전북
   ① 각급 학교에서 원아 및 학생을 직접 지도하는 자로서 국·공·사립학교에 근무하는 자
   ② 사설강습소는 각급 학교에서 제외되며, 각급 학교의 일반 사무직원 및 노무 종사자도 제외된다.
   ③ 유치원의 원장·원감, 초·중등학교의 교장·교감, 대학의 총장·부총장·학장, 교수, 부교수, 조교수, 각급 학교의 시간강사도 교원에 포함된다.
   ④ 교사의 자격은 대통령령으로 정하는 바에 따라 교육부 장관이 검정·수여하는 자격증을 받은 사람이어야 한다(「초·중등교육법」 제21조, 「유아교육법」 제22조). 25. 국가직
   ㉠ 교사의 자격은 정교사(1급·2급), 준교사, 전문상담교사(1급·2급), 사서교사(1급·2급), 실기교사, 보건교사(1급·2급) 및 영양교사(1급·2급)로 나눈다.

ⓒ 수석교사는 위의 자격증을 소지한 사람으로서 15년 이상의 교육경력(교육전문직원으로 근무한 경력을 포함한다)을 가지고 교수·연구에 우수한 자질과 능력을 가진 사람 중에서 대통령령으로 정하는 바에 따라 교육부 장관이 정하는 연수 이수 결과를 바탕으로 검정·수여하는 자격증을 받은 사람이어야 한다.

> 「교육공무원법」(제29조의4): 수석교사의 임용 14. 국가직 7급
> 1. 수석교사는 교육부 장관이 임용한다.
> 2. 수석교사는 최초로 임용된 때부터 4년마다 대통령령으로 정하는 업적평가 및 연수실적 등을 반영한 재심사를 받아야 하며, 심사기준을 충족하지 못한 경우 대통령령으로 정하는 바에 따라 수석교사로서의 직무 및 수당 등을 제한할 수 있다.
> 3. 수석교사는 대통령령으로 정하는 바에 따라 수업부담 경감, 수당 지급 등에 대하여 우대할 수 있다.
> 4. 수석교사는 임기 중에 교장·원장 또는 교감·원감 자격을 취득할 수 없다.
> 5. 수석교사의 운영 등 그 밖에 필요한 사항은 대통령령으로 정한다.

　　ⓒ 유치원교사는 2년제와 4년제, 보건교사는 3년제와 4년제로 양성된다.
　　ⓔ 학교는 교육과정 운영상 필요한 경우 산학 겸임 교사, 명예교사 또는 강사를 둘 수 있다(자격증 ×, 「초·중등교육법」 제22조).

⑤ 임용, 채용의 제한 및 결격 사유
　ⓒ 임용의 원칙(「교육공무원법」 제10조)
　　ⓐ 교육공무원의 임용은 그 자격, 재교육성적, 근무성적, 그 밖에 실제 증명되는 능력에 의하여 한다.
　　ⓑ 교육공무원의 임용은 교원으로서의 자격을 갖추고 임용을 원하는 모든 사람에게 능력에 따른 균등한 임용의 기회가 보장되어야 한다.
　ⓒ 채용의 제한(「교육공무원법」 제10조의3)
　　ⓐ 「교육공무원법」에 따른 교원(기간제 교원을 포함), 「사립학교법」에 따른 사립학교 교원(기간제 교원을 포함), 「유아교육법」 제23조에 따른 강사 등 또는 「초·중등교육법」 제22조에 따른 산학겸임교사 등으로 재직하는 동안 다음 각 호의 어느 하나의 행위로 인하여 파면·해임되거나 금고 이상의 형을 선고받은 사람(집행유예의 형을 선고받은 후 그 집행유예기간이 지난 사람을 포함)은 고등학교 이하 각급 학교의 교원으로 신규채용 또는 특별채용할 수 없다. 다만, 제50조 제1항에 따른 교육공무원 징계위원회에서 해당 교원의 반성 정도 등을 고려하여 교원으로서 직무를 수행할 수 있다고 의결한 경우에는 그러하지 아니하다.
　　　1. 금품수수 행위
　　　2. 시험문제 유출 및 성적 조작 등 학생성적 관련 비위 행위
　　　3. 학생에 대한 신체적 폭력 행위
　　ⓑ 제1항 단서에 따른 교육공무원 징계위원회의 의결은 재적위원 3분의 2 이상의 출석과 출석위원 과반수의 찬성으로 한다.

ⓒ 결격 사유(「교육공무원법」 제10조의4): 다음 각 호의 어느 하나에 해당하는 사람은 교육공무원으로 임용될 수 없다.
  ⓐ 「국가공무원법」 제33조 각 호의 어느 하나에 해당하는 사람
  ⓑ 미성년자에 대한 「성폭력범죄의 처벌 등에 관한 특례법」 제2조에 따른 성폭력범죄 행위 또는 「아동·청소년의 성보호에 관한 법률」 제2조 제2호에 따른 아동·청소년 대상 성범죄 행위로 파면·해임되거나 형 또는 치료감호를 선고받아 그 형 또는 치료감호가 확정된 사람(집행유예를 선고받은 후 그 집행유예기간이 지난 사람을 포함)
  ⓒ 성인에 대한 「성폭력범죄의 처벌 등에 관한 특례법」 제2조에 따른 성폭력범죄 행위로 파면·해임되거나 100만 원 이상의 벌금형이나 그 이상의 형 또는 치료감호를 선고받아 그 형 또는 치료감호가 확정된 사람(집행유예를 선고받은 후 그 집행유예기간이 지난 사람을 포함)

> **더 알아보기**
>
> **「초·중등교육법」(제21조의2)상의 교사자격 취득의 결격 사유**
> 다음 각 호의 어느 하나에 해당하는 사람은 제21조 제2항에 따른 교사의 자격을 취득할 수 없다.
> 1. 마약·대마·향정신성의약품 중독자
> 2. 미성년자에 대한 다음 각 목의 어느 하나에 해당하는 행위로 형 또는 치료감호를 선고받아 그 형 또는 치료감호가 확정된 사람(집행유예를 선고받은 후 그 집행유예기간이 경과한 사람을 포함한다)
>   가. 「성폭력범죄의 처벌 등에 관한 특례법」 제2조에 따른 성폭력범죄
>   나. 「아동·청소년의 성보호에 관한 법률」 제2조 제2호에 따른 아동·청소년대상 성범죄
> 3. 성인에 대한 「성폭력범죄의 처벌 등에 관한 특례법」 제2조에 따른 성폭력범죄 행위로 100만 원 이상의 벌금형이나 그 이상의 형 또는 치료감호를 선고받아 그 형 또는 치료감호가 확정된 사람(집행유예를 선고받은 후 그 집행유예기간이 경과한 사람을 포함한다)

⑥ 교원 관련 법률 규정: 「교육기본법」 제14조(교원), 제15조(교원단체)

> **제14조(교원)** ① 학교교육에서 교원(教員)의 전문성은 존중되며, 교원의 경제적·사회적 지위는 우대되고 그 신분은 보장된다.
> ② 학교교육에서 교원의 교육활동과 학생생활지도 권한은 법령으로 정하는 바에 따라 보장된다.
> ③ 교원은 교육자로서 갖추어야 할 품성과 자질을 향상시키기 위하여 노력하여야 한다.
> ④ 교원은 교육자로서 지녀야 할 윤리의식을 확립하고, 이를 바탕으로 학생에게 학습윤리를 지도하고 지식을 습득하게 하며, 학생 개개인의 적성을 계발할 수 있도록 노력하여야 한다.
> ⑤ 교원은 특정한 정당이나 정파를 지지하거나 반대하기 위하여 학생을 지도하거나 선동하여서는 아니 된다.
> ⑥ 교원은 법률로 정하는 바에 따라 다른 공직에 취임할 수 있다.
> ⑦ 교원의 임용·복무·보수 및 연금 등에 관하여 필요한 사항은 따로 법률로 정한다.
>
> **제15조(교원단체)** ① 교원은 상호 협동하여 교육의 진흥과 문화의 창달에 노력하며, 교원의 경제적·사회적 지위를 향상시키기 위하여 각 지방자치단체와 중앙에 교원단체를 조직할 수 있다.
> ② 제1항에 따른 교원단체의 조직에 필요한 사항은 대통령령으로 정한다.

(4) **교육공무원**
① 국·공립 교육기관에 근무하는 교원 및 조교(단, 시간강사, 기간제 교원, 사립학교 교원, 병설 유치원의 전임강사는 제외)
② 교육전문직
  ㉠ 교육행정기관에 근무하는 교육장, 장학관, 장학사
  ㉡ 교육기관·교육연구기관·교육행정기관에 근무하는 교육연구관, 교육연구사
③ 국가공무원법의 규정에 의하여 경력직 공무원 중 특정직 공무원에 해당된다.

교원	교육공무원
국·공·사립학교에 근무(기간제교원, 산학겸임교사, 명예교사, 강사 포함)	국·공립학교(사립학교 제외)에 근무(기간제교원, 산학겸임교사, 명예교사, 강사 제외)
시간강사 포함	조교수까지(시간강사, 사립대학 조교 제외)
각급 학교 교원(교육감, 교육장, 장학관, 장학사, 교육연구관, 교육연구사 제외)	국·공립 각급 학교 교원 및 교육전문직(교육장, 장학관, 장학사, 교육연구관, 교육연구사) 포함

(5) **교육전문직**: 교육기관·교육행정기관·교육연구기관에 근무하는 교육장(장학관에 해당), 장학관, 장학사, 교육연구관, 교육연구사

✎ 교원의 종류와 자격기준은 「유아교육법」 제22조, 「초·중등교육법」 제21조 및 「고등교육법」 제16조에, 교육전문직의 종류와 자격기준은 「교육공무원법」 제9조에 명시되어 있다.

더 알아보기

공무원의 분류 - 「국가공무원법」

1. **경력직 공무원**: 선발, 직업공무원(정년 보장)
   ① 개념: 실적과 자격에 따라 임용되고 그 신분이 보장되며 평생 동안(근무기간을 정하여 임용하는 공무원의 경우에는 그 기간 동안을 말한다.) 공무원으로 근무할 것이 예정되는 공무원
   ② 종류

일반직 공무원	기술·연구 또는 행정 일반에 대한 업무를 담당하는 공무원 예 교육행정직 공무원
특정직 공무원	법관, 검사, 외무공무원, 경찰공무원, 소방공무원, 교육공무원, 군인, 군무원, 헌법재판소 헌법연구관, 국가정보원의 직원과 특수 분야의 업무를 담당하는 공무원으로서 다른 법률에서 특정직 공무원으로 지정하는 공무원

2. **특수경력직 공무원**: 선출·특채·임명·공모, 비직업공무원(임기 보장)
   ① 개념: 경력직 공무원 외의 공무원
   ② 종류

정무직 공무원	• 선거로 취임하거나 임명할 때 국회의 동의가 필요한 공무원 예 교육감 • 고도의 정책결정 업무를 담당하거나 이러한 업무를 보조하는 공무원으로서 법률이나 대통령령에서 정무직으로 지정하는 공무원
별정직 공무원	비서관·비서 등 보좌업무 등을 수행하거나 특정한 업무 수행을 위하여 법령에서 별정직으로 지정하는 공무원

(6) **교사**
  ① 교원의 한 종류로 교장·교감 등의 관리직 및 대학의 교수직렬에 대응되는 법률상의 용어
  ② "법령이 정하는 바에 따라 학생을 교육한다."(「초·중등교육법」 제20조 제4항)
    ⇨ 교장의 명령에 따라 ×

(7) **기간제 교원**: 「교육공무원법」 제32조, 「교육공무원 임용령」 제13조 14·09. 국가직 7급
  ① 의미: 교원의 자격증을 가진 자 중에서 기간을 정하여 각급 학교에 임용된 사람
  ② 충원 사유 19. 지방직
    ㉠ 교원이 휴직하게 되어 후임자의 보충이 불가피한 경우
    ㉡ 교원이 '파견·연수·정직·직위해제(1개월 이상)' 등 대통령령으로 정하는 사유로 직무를 이탈하게 되어 후임자의 보충이 불가피한 경우
    ㉢ 특정 교과를 한시적으로 담당하도록 할 필요가 있는 경우
    ㉣ 교육공무원이었던 사람의 지식이나 경험을 활용할 필요가 있는 경우
    ㉤ 유치원 방과 후 과정을 담당하도록 할 필요가 있는 경우
  ③ 충원 기간: 1년 이내, 3년 연장 가능 23. 지방직
  ④ 임용권자: 고등학교 이하 각급 학교 교원의 임용권자(학교장)
  ⑤ 기간제 교원은 정규 교원 임용에서 어떠한 우선권도 인정되지 아니하며, ②의 ㉣에 따라 임용된 사람을 제외하고는 책임이 무거운 감독 업무의 직위에 임용될 수 없다.
  ⑥ 기간제 교원에 대하여는 제43조부터 제45조(교원의 존중과 신분보장, 휴직)까지·제49조부터 제51조(고충처리, 징계의결의 요구)까지와 「국가공무원법」 제16조(행정소송과의 관계)·제70조(직권면직)·제73조의2부터 제73조의4(휴직, 직위해제, 강임)까지·제75조·제76조·제78조의2·제79조·제80조·제82조, 제83조 및 제83조의2(징계)의 규정을 적용하지 아니하며, 임용기간이 끝나면 당연히 퇴직한다.

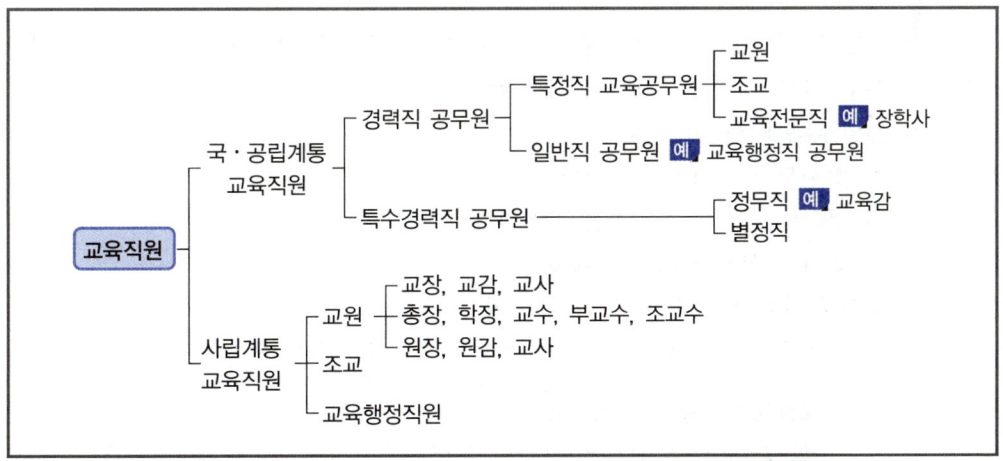

2. 임용 03. 전남

(1) **임용의 의미**: 선발된 후보자에게 직위를 보(補)하는 것으로, 공무원 관계의 발생, 변동, 소멸에 이르는 일련의 과정을 총칭함. ⇨ 신규임용(채용), 승진, 승급, 전직, 전보, 겸임, 파견, 강임, 휴직, 직위해제, 정직, 복직, 면직, 해임, 파면

(2) **임용의 유형** 25. 국가직

유형	의미	사회이동 유형	특징
승진	• 동일직렬 내에서의 직위 상승 ⇨ 승진 + 승급 • 경쟁시험 전형(공개시험이나 근무평정) • 교사 ⇨ 교감, 장학사 ⇨ 장학관, 연구사 ⇨ 연구관 • 연공서열주의(경력)와 능력주의(능력) 절충	수직적 이동 (상승이동)	• 권한과 책임 증대 • 위신 상승, 보수 증가
승급	• 동일직급 내에서의 호봉 상승 • 일정기간(매 1년) 경과 후 자동 상승	수직적 이동 (상승이동)	매월 1일 ⇨ 정기승급일
강임	동일직렬 내에서 바로 하위직위에 임용	수직적 이동 (하강이동)	직위폐직, 본인동의 경우
전직	• 종별과 자격 또는 직렬을 달리하는 이동 • 교사↔장학사, 초등교사↔중등교사	수평적 이동	교원인사 적체 해소
전보	• 동일직위 내에서 근무지 이동 • 보직 변경(직렬의 변화 ×) • A학교 교사↔B학교 교사 • 초등학교 영양교사↔중학교 영양교사	수평적 이동	• 순환근무제 • 보직교사는 전보시 보직 겸임을 면(免)함.

3. 교원의 채용 11. 국가직 7급

(1) **교원의 자격**

① 교원을 비롯한 교육직원의 자격은 법으로 규정 ⇨ 「유아교육법」 제22조, 「초·중등교육법」 제21조, 「고등교육법」 제16조

② 교원 자격증 제도: 교원에 필요한 자질을 행정적으로 인정하는 행위 ⇨ 인사행정의 기본원리인 실적주의를 교직에 적용한 형태

③ 교원 자격증 제도의 목적
   ㉠ 학생들의 이익을 보호한다.
   ㉡ 국가와 사회의 안정성을 보장한다.
   ㉢ 교사 자신의 지위를 보장한다.

④ 교원 자격의 종류 18. 지방직, 13. 국가직 7급
   ㉠ 교사뿐만 아니라 교장·교감, 원장·원감 등에게도 적용된다.

> **교장 등의 임용 - 「교육공무원법」**
> **제29조의2【교장 등의 임용】** ① 교장·원장은 교육부 장관의 제청으로 대통령이 임용한다.
> ② 교장·원장의 임기는 4년으로 한다.
> ③ 교장·원장은 한 번만 중임할 수 있다. 다만, 제29조의3(공모 교장)에 따라 교장·원장으로 재직하는 횟수는 이에 포함하지 아니한다.

④ 임용권자 또는 임용제청권자는 교장·원장으로 1차 임기를 마친 사람에 대해서는 제47조에 따른 정년까지 남은 기간이 4년 미만인 경우에도 특별한 결격사유가 없으면 제3항에 따라 교장·원장으로 다시 임용하거나 임용제청할 수 있다.
⑤ 교장·원장의 임기가 학기 중에 끝나는 경우 임기가 끝나는 날이 3월에서 8월 사이에 있으면 8월 31일을, 9월에서 다음 해 2월 사이에 있으면 다음 해 2월 말일을 임기 만료일로 한다.
⑥ 제47조에 따른 정년 전에 임기가 끝나는 교장·원장으로서 교사로 근무할 것을 희망하는 사람(교사자격증을 가진 사람만 해당한다)은 수업 담당 능력과 건강 등을 고려하여 교사로 임용할 수 있다.
⑦ 제6항에 따라 임용된 교사는 대통령령으로 정하는 바에 따라 원로교사로 우대하여야 한다.
⑧ 제29조의3에 따라 임용된 공모 교장·원장을 제외한 교장·원장은 임기 중에 전보될 수 있으며, 교장·원장의 전보는 교육부 장관이 한다.
⑨ 제4항에 따른 교장·원장의 재임용과 제6항에 따른 교사의 임용에 필요한 세부 사항은 교육부 장관이 정한다.

제29조의3【공모에 따른 교장 임용 등】 ① 고등학교 이하 각급 학교의 장은 학교운영위원회 또는 유치원운영위원회의 심의를 거쳐 다음 각 호의 구분에 따른 사람 중에서 공모를 통하여 선발된 사람을 교장 또는 원장으로 임용하여 줄 것을 임용제청권자에게 요청할 수 있다.
1. 교장의 경우: 「초·중등교육법」 제21조 제1항에 따른 교장자격증을 받은 사람
2. 원장의 경우: 「유아교육법」 제22조 제1항에 따른 원장자격증을 받은 사람
② 제1항에도 불구하고 「초·중등교육법」 제61조에 따른 학교의 장은 학교운영위원회의 심의를 거쳐 해당 학교 교육과정에 관련된 교육기관, 국가기관 등에서 3년 이상 종사한 경력이 있는 사람 또는 「초·중등교육법」 제2조의 학교에서 교원으로서 전임으로 근무한 경력(제2조 제1항 제2호 및 제3호에 따른 교육전문직원으로 근무한 경력을 포함)이 15년 이상인 교육공무원이나 사립학교 교원 중에서 공모를 통하여 선발된 사람을 교장으로 임용하여 줄 것을 임용제청권자에게 요청할 수 있다. 이 경우 학교유형별 공모 교장의 자격기준 및 적용 범위 등에 관한 사항은 대통령령으로 정한다.
③ 제1항 및 제2항에도 불구하고 임용제청권자가 교육제도의 개선 등을 위하여 필요하다고 지정하는 고등학교 이하 각급 학교의 장은 공모를 통하여 선발된 사람을 교장·원장으로 임용하여 줄 것을 임용제청권자에게 요청하여야 한다.
④ 제1항부터 제3항까지의 규정에 따라 요청을 받은 임용제청권자는 임용요청된 사람을 해당 학교의 교장 및 유치원의 원장으로 임용하여 줄 것을 임용권자에게 제청한다. 다만, 교장·원장 임용 관계 법령 위반 등 특별한 사유가 있는 경우에는 그러하지 아니하다.
🖉 공모 교장 임용은 초빙형, 내부형, 개방형으로 운영할 수 있다.
⑤ 제1항부터 제3항까지의 규정에 따라 공모로 임용되는 교장·원장(이하 "공모 교장·원장"이라 한다.)의 임기는 4년으로 하되 공모 교장·원장으로 재직하는 횟수를 제한하지 아니한다.
⑥ 공모 교장·원장의 임기가 끝나는 경우 공모 교장·원장으로 임용될 당시 교육공무원이었던 사람은 공모 교장·원장으로 임용되기 직전의 직위로 복귀한다. 다만, 임용되기 직전의 직위가 교장·원장인 사람으로서 중임한 사람은 교장·원장으로 복귀하지 아니한다.
⑦ 임용제청권자는 공모 교장·원장에 대하여 직무 수행, 실적 등을 평가하고 그 결과를 연수 등 인사에 관한 자료로 활용할 수 있다.
⑧ 제1항부터 제7항까지에서 정한 사항 외에 공모 교장·원장의 공모 방법, 임용, 평가 등 필요한 사항은 대통령령으로 정한다.

    ⓒ 교사의 자격은 정교사(1급·2급), 준교사, 전문상담교사, 사서교사, 실기교사, 보건교사, 영양교사로 나눈다.
    ⓒ 수석교사는 위의 자격증을 소지한 사람으로서 15년 이상의 교육경력(교육전문직원으로 근무한 경력을 포함한다)을 가지고 교수·연구에 우수한 자질과 능력을 가진 사람 중에서 대통령령으로 정하는 바에 따라 교육부 장관이 정하는 연수 이수 결과를 바탕으로 검정·수여하는 자격증을 받은 사람이어야 한다.
    ⓔ 유치원교사는 2년제와 4년제, 보건교사는 3년제와 4년제로 양성된다.
    ⓜ 다음의 자격기준에 해당하는 사람으로서 대통령령으로 정하는 바에 따라 교육부 장관이 검정·수여하는 자격증을 받은 사람이어야 한다.

교원의 자격기준 예시

자격 구분	내용
교장·교감(원장·원감)	일정한 자격연수를 받은 사람 • **교장**: 초·중등학교의 교감 자격증을 가지고 3년 이상의 교육경력과 일정한 재교육을 받은 사람 • **교감**: ① 초·중등학교의 1급 정교사 자격증을 가지고 3년 이상의 교육경력과 일정한 재교육을 받은 사람, ② 초·중등학교의 2급 정교사 자격증을 가지고 6년 이상의 교육경력과 일정한 재교육을 받은 사람, ③ 특수학교의 교감 자격증을 가진 사람, ④ (중등학교의 경우) 교육대학의 교수·부교수로서 6년 이상의 교육경력이 있는 사람
정교사(1·2급)	• **2급**: ① 유치원(유아교육과 졸업한 사람), 초등학교(교육대학 졸업한 사람), 중등학교(사범대학 졸업한 사람), 특수학교(교대 및 사대의 특수교육과 졸업한 사람) 등 ② 교육대학원 또는 교육부장관이 지정하는 대학원 교육과에서 (초등교육과정을 전공하고) 석사학위를 받은 사람, ③ (초)중등학교 준교사 자격증을 가진 사람으로서 2년 이상의 교육경력을 가지고 일정한 재교육을 받은 사람 등 • **1급**: ① (초)중등학교의 정교사(2급) 자격증을 가진 사람으로서 3년 이상의 교육경력을 가지고 일정한 재교육을 받은 사람, ② (초)중등학교의 정교사(2급) 자격증을 가지고 교육대학원 또는 교육부장관이 지정하는 대학원 교육과에서 (초등교육과정을 전공하여) 석사학위를 받은 사람으로서 1년 이상의 교육경력이 있는 사람
준교사	유치원, 초등학교, 중등학교, 특수학교 준교사 자격검정에 합격한 사람 ⇨ 2급 정교사가 되기 위해서는 2년 이상의 교육경력을 가지고 일정한 재교육을 받아야 한다.
전문상담교사(1·2급)	상담·심리 관련 학과 졸업한 사람으로서 재학 중 일정한 교직학점을 취득한 사람 등
사서교사(1·2급)	문헌정보학 또는 도서관학을 전공하고 일정한 교직과정을 마친 사람 등
실기교사	① 전문대학 졸업한 사람으로서 재학 중 대통령령으로 정하는 실과계의 기능을 마친 사람, ② 실업계 고교 졸업한 사람으로서 실기교사의 자격검정에 합격한 사람 등
보건교사(1·2급)	간호학과 졸업한 사람으로서 재학 중 일정한 교직학점을 취득하고 간호사 면허증을 가진 사람 등
영양교사(1·2급)	식품학 또는 영양학 관련 학과 졸업한 사람으로서 재학 중 일정한 교직학점을 취득하고 영양사 면허증을 가진 사람 등

(2) **임용권자**: 「교육공무원법」과 「교육공무원 임용령」 제3조(임용권의 위임)
  ① 교장(임기 4년, 1차 중임 가능), 국·공립 대학의 장: 대통령
  ② 대학의 장(사립), 교수·부교수, 교과부 소속 장학관 및 교육연구관: 교육부 장관
  ③ 원장·교감·원감 및 교사, 교육감 소속 장학사·교육연구사 및 장학관·교육연구관: 교육감

(3) **임용방법**: 국·공립 교원(공개경쟁시험에 의한 공개전형), 사립 교원(무시험전형)

3 교원의 능력계발

1. 개념
교원에게 필요한 자격 및 기술적 능력을 향상시키고 발전적 가치관 및 태도를 확립하는 것이다.

2. 현직교육

(1) **개념**: 현직 교원이 교직을 능률적·효과적으로 수행하기 위해 필요한 지식과 기술을 습득하고, 가치관과 태도를 발전적 교직관에 맞도록 지향시키기 위하여 실시하는 제반 연수

(2) **중요성**
  ① 직전교육의 미비점 내지 결함 보완

  > **직전교육**
  > - **초등**: 국립교육대학과 사범대학의 초등교육과에서 양성
  > - **중등**: 사범대학과 일반대학 교직과정이 병립
  > - **교사양성교육**: 일반교양교육, 교직전문교육, 교과전문교육

  ② 새로운 지식과 기능, 태도 습득
  ③ 교직의 전문성 제고

(3) **목표**: 건전한 신념 고취, 교육기술 함양, 일반교양 및 전문지식 함양, 지도력 개발·육성, 인간관계 기술 증진, 장학에 대한 전문적 소양과 기술 습득

(4) **현직교육의 종류**

  > 「교원 등의 연수에 관한 규정」 제6조(연수의 종류와 과정) ① 연수는 다음 각 호의 직무연수와 자격연수로 구분한다.
  > 1. 다음 각 목의 직무연수
  >   가. 제18조에 따른 교원능력개발평가 결과 직무수행능력 향상이 필요하다고 인정되는 교원을 대상으로 실시하는 직무연수
  >   나. 「교육공무원법」 제45조 제3항에 따라 복직하려는 교원을 대상으로 실시하는 직무연수
  >   다. 그 밖에 교육의 이론·방법 연구 및 직무수행에 필요한 능력 배양을 위한 직무연수

> 2. 자격연수: 「유아교육법」제22조 제1항부터 제3항까지, 같은 법 별표 1 및 별표 2, 「초·중등교육법」제21조 제1항부터 제3항까지, 같은 법 별표 1 및 별표 2에 따른 교원의 자격을 취득하기 위한 자격연수
> ② 직무연수의 연수과정과 내용은 연수원장(위탁연수를 실시하는 경우에는 위탁받은 기관의 장을 말한다. 이하 같다)이 정한다.
> ③ 자격연수의 연수과정은 정교사(1급)과정, 정교사(2급)과정, 준교사과정(특수학교 실기교사를 대상으로 하는 과정을 말한다), 전문상담교사(1급)과정, 사서교사(1급)과정, 보건교사(1급)과정, 영양교사(1급)과정, 수석교사과정, 원감과정, 원장과정, 교감과정 및 교장과정으로 구분하고, 연수할 사람의 선발에 관한 사항 및 연수의 내용은 교육부령으로 정한다.

① **자격연수**: 15일 90시간 이상 19. 국가직
  ㉠ 상위자격 취득연수: 1·2급 정교사, 교감, 교장 등
  ㉡ 특수자격 취득연수: 전문상담교사, 사서교사 등
② **직무연수**: 직무수행능력의 향상을 위한 연수 ⇨ 일반연수가 직무연수로 통합되어 운용, 10일 60시간 이상
③ **특별연수** 18. 지방직

> 「교육공무원법」제40조
> ① 국가나 지방자치단체는 특별연수계획을 수립하여 교육공무원을 국내외의 교육기관 또는 연구기관에서 일정 기간 연수를 받게 할 수 있다.
> ② 국가나 지방자치단체는 예산의 범위에서 제1항에 따른 특별연수 경비를 지급할 수 있다.
> ③ 교육부 장관은 제1항에 따라 특별연수를 받고 있는 교육공무원이 연수 목적을 성실하게 수행할 수 있도록 지도·감독하여야 하며, 이를 위하여 필요한 사항은 대통령령으로 정한다.
> ④ 제1항에 따라 특별연수를 받은 교육공무원에게는 6년의 범위에서 대통령령으로 정하는 바에 따라 일정 기간 복무 의무를 부과할 수 있다.

④ **자기연수**: 교원 스스로 전문적 지식을 도모하기 위한 연수

3. 근무평정: 「교육공무원 승진규정」 24. 국가직 7급, 07. 인천

(1) **근무성적평정**(「교육공무원 승진규정」제3장)
  ① **개념**: 교원의 근무실적, 직무수행능력, 근무수행태도를 일정한 기준에 의해서 객관적으로 평가하는 제도
  ② **목적**: 교원의 능력계발과 향상, 승진·전보·상벌 등 인사관리의 합리적이고 공정한 근거 마련, 개인의 가치 인정과 근무능률의 향상, 감독자와 부하직원 간의 이해 증진
  ③ **평정방법**: 상대평가
    ㉠ 매 학년도(3월 1일부터 다음 연도 2월 말일까지) 종료일을 기준으로 실시하며 100점 만점으로 한다.
    ㉡ 자기실적평가서를 참작하여 평가하되, 남녀를 통합하여 평정한다.
    ㉢ 해당 교사의 근무실적·근무수행능력 및 근무수행태도에 관하여 근무성적평정과 다면평가를 정기적으로 실시하고, 각각의 결과를 합산한다.

ⓔ 크게 근무수행 태도에 대한 평정과 근무실적 및 근무수행능력으로 구분되며, 교육자로서의 품성, 공직자로서의 자세, 학습지도, 생활지도, 교육연구 및 담당업무 등 5가지 요소로 평정한다.
ⓜ 근무성적의 평정자 및 확인자는 승진후보자 명부작성권자가 정하고, 다면평가자는 근무성적의 확인자가 선정한다. ⇨ 근무성적의 확인자는 평가대상자의 동료 교사로서 제4항 제1호(다면평가자의 선정기준 마련)에 따른 선정기준을 충족하는 사람 중 다음 각 호의 구분에 따른 인원 이상을 다면평가자로 선정하여야 한다.

평가대상자 수	15명 이하	16명 이상 20명 이하	21명 이상 25명 이하	26명 이상 30명 이하	31명 이상 35명 이하	36명 이상
다면평가자 수	3명	4명	5명	6명	7명	8명

ⓗ 근무성적의 확인자는 다면평가를 실시하기 위하여 근무성적의 평정자를 위원장으로 하는 다면평가관리위원회를 구성·운영한다. 위원회는 평가대상자의 근무실적·근무수행능력 및 근무수행태도를 잘 아는 동료교사 중 3명 이상 7명 이하의 다면평가자로 구성한다. 이 경우 위원회의 구성에 관한 기준 및 절차 등에 관하여 필요한 사항은 승진후보자명부 작성권자가 정한다.
ⓢ 근무성적 평정과 다면평가 결과의 합산은 근무성적의 평정자와 확인자가 행한다.

> **평정 및 채점**(「교육공무원 승진규정」 제28조의7)
> 1. 근무성적의 평정점은 평정자가 100점 만점으로 평정한 점수를 20퍼센트로, 확인자가 100점 만점으로 평정한 점수를 40퍼센트로 환산한 후 그 환산된 점수를 합산하여 60점 만점으로 산출한다.
> 2. 다면평가점은 다면평가자가 수업교재 연구의 충실성 등 정성 평가의 방법에 따라 100점 만점으로 평정한 점수를 32퍼센트로, 주당 수업시간 등 정량 평가의 방법에 따라 100점 만점으로 평가한 점수를 8퍼센트로 각각 환산한 후 그 환산된 점수를 합산하여 40점 만점으로 산출한다.
> 3. 합산점은 근무성적 평정점과 다면평가점을 합산하여 100점 만점으로 산출한다.

◎ 평정 결과의 공개 : 평정대상자의 요구가 있는 때에는 특별한 사정이 없는 한 본인의 최종 근무성적 평정점을 알려주어야 한다.

구분	평정점의 분포비율			
평정점수	수	우	미	양
평점구간	95점 이상	90점 이상 95점 미만	85점 이상 90점 미만	85점 미만
분포비율	30%	40%	20%	10%(미의 20%에 포함 가능)

평정사항	근무수행 태도	근무실적 및 근무수행능력			
평정요소	교육공무원으로서의 태도	학습지도	생활지도	전문성 개발	담당업무
평정점수	10	40	30	5	15

④ 근무성적 평정자 및 확인자

학교 구분	평정대상자	평정자	확인자	평정대상자	평정자	확인자
초·중학교	교사	교감(1차) 동료교사 3~7인(2차)	교장	교감	교장	교육장(초) / 부교육감(중)
고등학교	교사		교장	교감	교장	부교육감
전문직	시교육청 전문직	소속과장	부교육감	하급교육청 전문직	소속과장 (실장)	소속기관장

(2) **경력평정**(「교육공무원 승진규정」 제2장)
① **평정의 기준과 기초**: 당해 교육공무원의 경력이 직위별로 담당직무수행과 관계되는 정도를 기준으로 하고, 당해 교육공무원의 '인사기록 카드'에 의하여 평정한다.
② **평정의 시기**: 매 학년도 종료일을 기준으로 하여 정기적으로 실시한다.
③ **경력의 종류 및 평정기간, 등급별 평정점**

종류	평정기간	등급	평정만점	근무기간 1월에 대한 평정점	근무기간 1일에 대한 평정점
기본 경력	평정시기로부터 15년간	가. 경력 나. 경력 다. 경력	64.00 60.00 56.00	0.3555 0.3333 0.3111	0.0118 0.0111 0.0103
초과 경력	기본경력 전 5년간	가. 경력 나. 경력 다. 경력	6.00 5.00 4.00	0.1000 0.0833 0.0666	0.0033 0.0027 0.0022

④ **평정의 채점**
  ㉠ 기본경력 평정점수 + 초과경력 평정점수 = 경력평정점
  ㉡ 기본경력 15년, 초과경력 5년인 경우 만점으로 평정 ⇨ 만점은 70점
⑤ **경력의 기간 계산**: 평정기간 중의 휴직·직위해제·정직기간은 평정에서 제외. 다만 다음은 재직기간으로 보아 평정
  ㉠ 공무상 질병·부상으로 인한 휴직, 군복무 휴직, 기타 의무수행을 위한 휴직, 상근고용 휴직기간은 10할
  ㉡ 유학·외국연수·연구휴직, 비상근고용·국내연수 휴직기간은 5할
  ㉢ 「교육공무원법」 제44조 제1항 제7호의 사유로 인한 휴직의 경우에는 그 휴직기간 중 최초 1년 이내의 기간
  ㉣ 징계의결 요구 중 직위해제처분을 받은 자가 교원징계재심위원회의 또는 소청심사위원회의 결정 또는 법원의 판결에 의하여 징계사유가 무효 또는 취소로 확정되었거나, 관할 징계위원회가 징계하지 않기로 의결한 경우 그 직위해제기간
  ㉤ 형사사건으로 기소되어 직위해제처분을 받은 자가 법원의 판결에 의하여 무죄로 확정된 경우 그 직위해제기간
  ㉥ 경력평정에 있어서 평정경력기간은 월수를 단위로 하여 계산하되, 1개월 미만은 일 단위로 계산한다.

⑥ 경력의 평정자와 확인자는 승진후보자 명부작성권자가 정한다.
⑦ 평정결과 공개: 평정대상자의 요구가 있을 시 공개한다.

근무성적 (교사의 경우)	100점 만점	공개(본인 요구 시)	교감 및 동료교사 평가 ⇨ 교감 작성 ⇨ 교장 확인	매 학년도 종료일 기준
경력평정	70점 만점	공개(본인 요구 시)	승진후보자 명부작성권자 작성 ⇨ 교장 확인	매 학년도 종료일 기준

(3) **연수성적의 평정**(「교육공무원 승진규정」 제4장)

평정	구분	대상		상한점
교육 성적 평정	직무연수	교원연수에 관한 규정에 의한 교육연수기관 또는 교육부 장관이 지정한 연수기관에서 10년 이내에 이수한 60시간 이상의 직무연수의 성적	18점	27점
	자격연수	• 교감(원감)으로서 교장(원장) 자격증을 받은 자: 교장(원장) 자격연수 성적 • 교사로서 교감(원감) 자격증을 받은 자: 교감(원감) 자격연수 성적 • 장학사·교육연구사: 당해 또는 교원의 직위에서 받은 자격연수 중 최근에 이수한 자격연수 성적 ※ 위의 제1호 및 제2호의 경우 승진대상 직위와 가장 관련이 깊은 자격연수 하나만 평정 ※ 자격연수 성적은 당해 직위 또는 가경력으로 평정되는 직위에서 방송통신대 초등교육과 졸업성적 또는 교육대학원이나 대학원교육과에서 석사학위를 취득한 경우 그 성적 포함	9점	
연구 실적 평정	연구대회 입상실적	당해 직위에서 다음 각 호의 1에 해당하는 실적 • 국가, 공공기관, 공공단체가 개최하는 교육에 관한 연구대회로서 교육부 장관이 인정하는 전국규모의 연구대회에 입상한 연구실적 • 특별시·광역시·도의 교육청, 지방공공기관 및 공공단체 등이 개최하는 교육에 관한 연구대회로서 시·도 교육감이 인정하는 시·도 규모 연구대회에서 입상한 연구실적 ※ 교육공무원에 전직된 경우 전직 직전의 직위 중의 입상 실적(교육전문직 경력이 있는 교감의 입상 실적은 교감자격 취득 후의 연구실적에 한함.) 포함	3점	3점 (둘을 합산. 단, 3점을 초과 하지 않음)
	학위 취득 실적	• 당해 직위에서 석사 또는 박사학위 취득의 경우 그 취득학위 중 하나를 평정대상으로 함(교육공무원이 전직된 경우 전직되기 직전의 직위 중의 학위 취득 실적을 포함하여 평정). • 자격연수 성적으로 평정된 석사학위 취득 실적은 평정대상에서 제외함.	3점	
계				30점

4. 승진

(1) 개념

승진	• 동일직렬 내에서의 직위 상승을 말한다. ⇨ 승진 + 승급 • 공개시험이나 경력, 근무성적, 연수성적 등을 통해 하위직급에서 보다 높은 직급으로 이동하는 것이다. 예 교사 ⇨ 교감, 교감 ⇨ 교장, 장학사 ⇨ 장학관, 교육연구사 ⇨ 교육연구관 • 경쟁시험에 의하여 이루어지며, 권한과 책임의 증대, 위신의 상승, 보수의 증가를 수반한다.
승급	동일직급 내에서 호봉이 올라가는 것으로, 일정한 기간이 경과되면 자동적으로 이루어지고, 상위직의 결원 여부에 관계없이 이루어지며, 직무의 내용이나 책임에 변동이 없다.

(2) 의의
① 구성원의 사기앙양 및 근무의욕 향상
② 능력발전의 계기
③ 유능한 인재의 확보
④ 인적 자원의 효율적 활용

(3) 승진의 기준
① 개인의 승진점수: 경력평정 70점 + 근무성적평정 100점 + 연수성적평정 30점 + 가산점 14점
② 승진후보자 명부작성
   ㉠ 매년 3월 31일 기준, 평정점을 합산한 점수가 높은 점수 순위로 작성 ⇨ 승진예정인원의 3배수까지 작성 가능(「교육공무원법」 제14조)
   ㉡ 동점자의 순위는 근무성적 우수자 ⇨ 현직위 장기근무자 ⇨ 교육공무원으로서 계속 장기근무자의 순으로 결정한다.
   ㉢ 승진점수 계산: 승진후보자 명부작성 기준일로부터 5년 이내에 해당 직위에서 평정한 합산점 중에서 평정대상자에게 유리한 3년을 선택하여 다음 계산 방식에 따라 산정한다.

   > 합산점
   > = (명부의 작성기준일부터 가장 가까운 연도의 합산점 × 34/100) + (명부의 작성기준일부터 두 번째 가까운 연도의 합산점 × 33/100) + (명부의 작성기준일부터 세 번째 가까운 연도의 합산점 × 33/100)

③ 승진기준 및 평정배점

평정내용		평정점
① 경력평정		70점(32.71%) ⇨ 평정기간 20년[기본경력(15년)+초과경력(기본경력 전 5년)]
② 근무성적 평정(교사)	근무성적 평정	60점 ⇨ ㉠ 평정요소: 근무수행태도 10+근무실적 및 근무수행능력 90(학습지도 40, 생활지도 30, 담당업무 15, 전문성 개발 5) ㉡ 상대평가(4단계) ⇨ 수 30%, 우 40%, 미 20%, 양 10%('미'에 가산가능) ㉢ 평정: 평정자(교감) 20점+확인자(교장) 40점=60점
	다면평가	40점(동료교사 3명~8명) ⇨ 정성평가 32점+정량평가 8점
	합계	100점(46.72%)

③ 연수성적 평정	교육성적 평정	27점(12.61%) ⇨ 직무연수 18점＋자격연수 9점
	연구실적	3점(1.40%) ⇨ 연구대회 입상 실적 3점＋학위취득 실적 3점(단, 합산점수가 3점을 초과하지 못함)
	합계	30점(14.01%)
④ 가산점	공통가산점 (교육부장관)	3.5점 ⇨ ㉠ 연구·시범·실험학교 1, ㉡ 재외국민교육기관 파견 근무 0.5, ㉢ 직무연수이수실적 학점 1, ㉣ 학교폭력 유공 실적 1점
	선택가산점 (교육감)	10점 ⇨ ㉠ 도서벽지 교육기관(교육행정기관) 근무 경력, ㉡ 농어촌 학교 근무 경력, ㉢ 그 밖의 교육 발전 또는 교육공무원 전문성 신장을 위한 경력(실적)
	합계	13.5점(6.32%)
총평정점(①~④)		213.5점(100%)

5. 전직과 전보

(1) **전직(轉職)**: 종별과 자격 또는 직렬을 달리하는 수평적 이동 20. 국가직

(2) **전보(轉補)** 15. 국가직

① 동일한 직급 내에서의 수평적 이동: 직렬·직급의 변화 없이 현 직위를 유지하면서 근무지 이동이나 보직을 변경하는 임용행위 ⇨ 전근, 전출, 전입 또는 이동이라고 부른다.

전직	전보
종별과 자격 또는 직렬의 변경	근무지 이동 또는 보직 변경
• 초등학교 교원 ⇆ 중학교 (국어)교원 • 유치원 교원 ⇆ 초등학교 또는 중학교 교원 • 교사 ⇆ 장학사, 교육연구사 • 교감, 교장 ⇆ 장학관, 교육연구관, 교육장 • 교육연구사(관) ⇆ 장학사(관)	• A 중학교 교원 ⇆ B 중학교 교원 • A 초등학교 영양교사(보건교사, 사서교사, 전문상담교사) ⇆ B 중학교 영양교사(보건교사, 사서교사, 전문상담교사) • A 중학교 교원 ⇆ B 고등학교 교원

② 전보의 요건: 순환근무제 원칙(단, 대학교원은 제외)
  ㉠ 본인의 희망
  ㉡ 소속기관장의 내신 또는 의견
  ㉢ 생활근거지
  ㉣ 부부교사의 경우 주거지
  ㉤ 근무 또는 연구실적
  ㉥ 근무지 또는 근무학교의 위치와 사회적 명성
  ㉦ 근무연한

③ 전직과 전보의 의의
  ㉠ 직무순환은 관리자의 능력을 계발시키는 현직 교육훈련 방법의 하나이다.
  ㉡ 조직원의 욕구좌절을 방지하고 동기부여의 기법으로 유용하다.
  ㉢ 적재적소의 인사관리를 가능하게 한다.
  ㉣ 궁극적으로 조직의 효율성을 증대시킬 수 있다.

ⓓ 장기 보직으로 인한 부정과 비리 등을 예방할 수 있다.
ⓔ 조직의 변화・변동에 따른 부서 간의 과부족인원의 조정이나 조직원의 개인적 사정에 따른 구제가 가능하다.
ⓕ 인사침체를 방지하고, 권태로움에서 탈피, 업무를 쇄신하는 계기를 마련해 준다.

4 교원의 근무조건과 사기

1. 근무조건

(1) **개념**: 임금을 제외한 노동조건 ⇨ 근로자가 자기의 책임을 효율적으로 수행할 수 있도록 하는 환경

(2) **중요성**: 사기와 관련, 노동력 보존, 생산능률의 저하 방지

(3) **교원의 근무부담**
① 수업부담: 법정 수업시간 수를 초과하는 과중한 부담을 갖는 교원이 많다.
② 학생부담: 과밀학급 현상과 교원 1인당 학생의 비율이 높다.
③ 사무부담: 과중한 사무로 인하여 교수-학습활동에 지장을 초래한다.

(4) **교원의 근무부담으로 고려해야 할 요인**
① 주당 수업시간 수
② 담당학생 수
③ 담당교과목 수
④ 담당교과의 특성
⑤ 학생의 질
⑥ 교수 이외의 사무량

2. 복무(服務) 18. 지방직, 08. 경기

(1) **교육공무원의 임무(「초・중등교육법」 제20조)**
① 교장: 교무총괄, 민원처리 책임, 소속교직원 지도・감독, 학생교육
② 교감: 교장보좌, 교무관리, 학생교육, 교장직무대행
③ 수석교사: 교사의 교수・연구활동을 지원, 학생교육
④ 교사: (법령이 정하는 바에 따라서) 학생교육
⑤ 교직원: 법령에서 정하는 바에 따라 학교의 행정사무와 기타의 사무를 담당한다.

> **교직원의 임무(「초・중등교육법」 제20조)** 25. 국가직・지방직, 25. 지방직, 22. 국가직 7급
> 1. 교장은 교무를 총괄하고, 민원처리를 책임지며, 소속 교직원을 지도・감독하고, 학생을 교육한다.
> 2. 교감은 교장을 보좌하여 교무를 관리하고 학생을 교육하며, 교장이 부득이한 사유로 직무를 수행할 수 없는 때에는 그 직무를 대행한다. 다만, 교감이 없는 학교에서는 교장이 미리 지명한 교사(수석교사를 포함한다)가 교장의 직무를 대행한다.
> 3. 수석교사는 교사의 교수・연구활동을 지원하며, 학생을 교육한다.
> 4. 교사는 법령이 정하는 바에 따라 학생을 교육한다.
> 5. 행정직원 등 직원은 법령에서 정하는 바에 따라 학교의 행정사무와 그 밖의 사무를 담당한다.

(2) **교원의 권리와 의무** 06. 경기·강원, 05. 서울
  ① 권리
    ㉠ 적극적 권리(조성적 권리) : 자율성 신장, 근무조건 개선, 복지후생제도의 확충, 생활보장
    ㉡ 소극적 권리(법규적 권리) : 신분보장(「국가공무원법」,「교육공무원법」에 근거), 쟁송제기권(재심청구권), 불체포특권, 교직단체활동권
  ② 의무 15. 지방직
    ㉠ 교육법상의 의무 : 국민교육에 전심전력을 다해야 하는 의무
      ⓐ 사표(師表)가 될 품성 : 솔선수범, 양식 있는 교사, 아동과 동일시의 개념을 고취하는 교사
      ⓑ 자질 향상 : 교사로서 갖추어야 될 인성적 품성 ⇨ 전문화된 자격, 교육애, 기본적 태도(소명의식, 학생에 대한 수용적 자세)
      ⓒ 학문의 연찬(研鑽)과 교육원리 및 방법을 탐구·연마 : 현직 교육을 통해 교사로서의 자질과 역할을 배양

> **교육법상 교원 관련 조항(「교육기본법」제14조)** 17. 국가직
> ① 학교교육에서 교원(敎員)의 전문성은 존중되며, 교원의 경제적·사회적 지위는 우대되고 그 신분은 보장된다.
> ② 교원은 교육자로서 갖추어야 할 품성과 자질을 향상시키기 위하여 노력하여야 한다.
> ③ 교원은 교육자로서 지녀야 할 윤리의식을 확립하고, 이를 바탕으로 학생에게 학습윤리를 지도하고 지식을 습득하게 하며, 학생 개개인의 적성을 계발할 수 있도록 노력하여야 한다.
> ④ 교원은 특정한 정당이나 정파를 지지하거나 반대하기 위하여 학생을 지도하거나 선동하여서는 아니 된다.
> ⑤ 교원은 법률로 정하는 바에 따라 다른 공직에 취임할 수 있다.
> ⑥ 교원의 임용·복무·보수 및 연금 등에 관하여 필요한 사항은 따로 법률로 정한다.

    ㉡ 교육법상의 금지조항 : 정치적·파당적 선전 금지, 종교교육 금지(사립은 가능), 정당지지 및 선동 금지
    ㉢ 교육공무원의 의무 : 적극적 의무 ⇨ 「국가공무원법」
      ⓐ 선서의 의무(제55조) : 공무원은 취임할 때에 소속 기관장 앞에서 선서하여야 한다. 다만, 불가피한 사유가 있으면 취임 후에 선서하게 할 수 있다.
      ⓑ 직무상 의무(적극적 의무) : 성실의 의무(제56조), 복종의 의무(제57조), 친절·공정의 의무(제59조), 종교중립의 의무(제59조의2), 비밀엄수의 의무(제60조), 청렴의 의무(제61조), 품위유지의 의무(제63조)

제56조【성실의 의무】	모든 공무원은 법령을 준수하며 성실히 직무를 수행하여야 한다.
제57조【복종의 의무】	공무원은 직무를 수행할 때 소속 상관의 직무상 명령에 복종하여야 한다.
제59조【친절·공정의 의무】	공무원은 국민 전체의 봉사자로서 친절하고 공정하게 직무를 수행하여야 한다.

제59조의2 【종교중립의 의무】	① 공무원은 종교에 따른 차별 없이 직무를 수행하여야 한다. ② 공무원은 소속 상관이 제1항에 위배되는 직무상 명령을 한 경우에는 이에 따르지 아니할 수 있다.
제60조 【비밀엄수의 의무】	공무원은 재직 중은 물론 퇴직 후에도 직무상 알게 된 비밀을 엄수하여야 한다.
제61조 【청렴의 의무】	① 공무원은 직무와 관련하여 직접적이든 간접적이든 사례·증여 또는 향응을 주거나 받을 수 없다. ② 공무원은 직무상의 관계가 있든 없든 그 소속 상관에게 증여하거나 소속 공무원으로부터 증여를 받아서는 아니 된다.
제63조 【품위유지의 의무】	공무원은 직무의 내외를 불문하고 그 품위가 손상되는 행위를 하여서는 아니 된다.

ⓔ 교육공무원의 금지조항(소극적 의무): 「국가공무원법」

직장이탈 금지, 대통령의 허가 없이 외국 정부로부터 영예를 받는 것을 금지, 영리업무 및 겸직의 금지, 정치운동의 금지, 집단행위의 금지 ⇨ 직무전념의 의무

제58조 【직장이탈 금지】	1. 공무원은 소속 상관의 허가 또는 정당한 이유 없이 직장을 이탈하지 못한다. 2. 수사기관이 공무원을 구속하려면 그 소속 기관의 장에게 미리 통보하여야 한다. 다만, 현행범인은 그러하지 아니하다.
제62조 【외국 정부의 영예 등을 받을 경우】	공무원이 외국정부로부터 영예나 증여를 받을 경우에는 대통령의 허가를 얻어야 한다.
제64조 【영리업무 및 겸직 금지】	1. 공무원은 공무 외에 영리를 목적으로 하는 업무에 종사하지 못하며 소속 기관의 장의 허가 없이 다른 직무를 겸할 수 없다. 2. 제1항에 따른 영리를 목적으로 하는 업무의 한계는 국회규칙·대법원규칙·헌법재판소규칙·중앙선거관리위원회규칙 또는 대통령령으로 정한다.
제65조 【정치운동의 금지】	1. 공무원은 정당이나 그 밖의 정치단체의 결성에 관여하거나 이에 가입할 수 없다. 2. 공무원은 선거에 있어서 특정 정당 또는 특정인을 지지 또는 반대하기 위한 다음의 행위를 하여서는 아니 된다. • 투표를 하거나 하지 아니하도록 권유운동을 하는 것 • 서명운동을 기도(企圖)·주재(主宰)하거나 권유하는 것 • 문서나 도서를 공공시설 등에 게시하거나 게시하게 하는 것 • 기부금을 모집 또는 모집하게 하거나, 공공자금을 이용 또는 이용하게 하는 것 • 타인에게 정당이나 그 밖의 정치단체에 가입하게 하거나 또는 가입하지 아니 하도록 권유운동을 하는 것 3. 공무원은 다른 공무원에게 제1항과 제2항에 위배되는 행위를 하도록 요구하거나, 정치적 행위의 보상 또는 보복으로서 이익 또는 불이익을 약속하여서는 아니 된다.
제66조 【집단행위의 금지】	1. 공무원은 노동운동이나 그 밖의 공무 이외의 일을 위한 집단 행위를 하여서는 아니 된다. 다만, 사실상 노무에 종사하는 공무원은 예외로 한다. 2. 제1항 단서에 규정된 공무원으로서 노동조합에 가입된 자가 조합업무에 전임하려면 소속 장관의 허가를 얻어야 한다. 3. 2.의 규정에 의한 허가에는 필요한 조건을 붙일 수 있다.

(3) **공무원의 책임**
① 국민 전체의 봉사자로서 창의와 성실로써 책임완수
② **행정상의 책임**: 징계책임, 변상책임 ⇨ 국가재산상 손해를 끼쳤을 때
③ **형사상의 책임**: 특별권력 관계에 있는 공무원으로서의 책임 외에 일반법익을 침해하는 경우
  ⇨ 징계 이외에 형벌 병과 가능

(4) 수업시종의 시간은 학교장이 정한다.

(5) 사무처리상 긴급을 요한다고 인정할 때는 근무시간 외의 근무와 공휴일을 명할 수 있다.

3. 보수

(1) **개요**: 교원의 근무에 대한 대가, 최저생활을 보장하기 위한 자금
① 개념(「공무원 보수규정」 제4조)
  ㉠ 보수란 봉급과 그 밖의 각종 수당을 합산한 금액을 말한다. 다만, 연봉제 적용대상 공무원은 연봉과 그 밖의 각종 수당을 합산한 금액을 말한다.
    ⓐ 봉급이란 직무의 곤란성과 책임의 정도에 따라 직책별로 지급되는 기본급여 또는 직무의 곤란성과 책임의 정도 및 재직기간 등에 따라 계급(직무등급이나 직위를 포함한다. 이하 같다.)별, 호봉별로 지급되는 기본급여를 말한다.
    ⓑ 수당이란 직무여건 및 생활여건 등에 따라 지급되는 부가급여를 말한다. 「공무원 수당규정」에 의하면 공무원에게 지급되는 수당에는 상여수당, 가계보존수당, 특수지근무수당, 특수근무수당, 초과근무수당의 5가지로 구분되며, 이 외에 실비변상(정액급 식비, 교통보조비, 명절휴가비, 가계지원비, 연가보상비, 직급보조비) 등이 있다.

구분	수당의 종류				
공무원	상여수당	가계보존수당	특수지근무수당	특수근무수당	초과근무수당
교육공무원	정근수당, 성과상여금	가족수당, 자녀학비보조수당, 육아휴직수당	도서벽지수당	특수업무수당 (연구업무수당, 교원 등에 대한 보전수당, 교직수당)	시간외 근무수당, 휴일근무수당, 야근근무수당, 관리업무수당

  ㉢ 봉급은 국고에서 지급되는 것으로 연공급(年功給)에 기초를 두고 있다.
  ㉣ 봉급은 학력과 경력에 따른 단일호봉제를 실시하고 있다. 단일호봉제란 학교급에 관계없이 동일한 학력과 경력이면 같은 호봉의 보수를 지급받는 것을 말한다. 따라서 교사가 교감이나 교장으로 승진하여도 적용되는 보수표는 변함이 없다.
㉡ 보수의 형태로는 고정급과 성과급이 있다.
  ⓐ 고정급은 근무시간이나 단위로 보수를 지급하는 것으로서 정액급이라고도 한다.
  ⓑ 성과급은 생산량 등의 성과에 따라 보수를 달리 지급하는 것이다.
㉢ 교원의 보수체계에서는 경력과 학력을 동일시하고 있다. 고등학교 졸업자가 4년간 근무하면 대학졸업 신규교사와 동일한 호봉을 부여받는다.

② 관련 규정
  ㉠ 교원의 경제적·사회적 지위는 적정하게 유지되어야 하며, 그 신분은 반드시 보장되어야 한다(「교육기본법」 제14조).
  ㉡ 교육공무원의 보수는 우대되어야 한다(「교육공무원법」 제34조).

(2) 교원보수는 「공무원 보수규정」과 「공무원 수당규정」을 준용(사립교원도 준용)하고 있다. ⇨ 교육공무원 보수규정 ×

(3) 우리나라의 경우 퇴직금은 공동적립제도를 채택하고 있다.

(4) **명예퇴직**: 「교육공무원법」 제36조
  ① 교육공무원으로 20년 이상 근속한 사람이 정년 전에 스스로 퇴직하는 경우에는 예산의 범위에서 명예퇴직수당을 지급할 수 있다.
  ② 제1항에 따른 교육공무원 중 교장·원장이 임기가 끝나기 전에 스스로 퇴직하는 경우 그 정년은 제47조에 따른 연령으로 본다.
  ③ 제1항의 명예퇴직수당의 지급대상 범위, 지급액 및 지급절차와 그 밖에 필요한 사항은 대통령령으로 정한다.

4. 신분보장

(1) **개념**: 법률에 의하지 않고서는 신분상의 불이익을 받지 아니하는 것 ⇨ 교직의 안정성 확보, 능률 향상, 사기 진작

(2) **관련 규정** 13. 국가직
  ① 「헌법」 제7조 제2항: 공무원의 신분과 정치적 중립성은 법률이 정하는 바에 의하여 보장된다.
  ② 「국가공무원법」 제68조: 공무원은 형(刑)의 선고·징계처분 또는 이 법에 정하는 사유에 따르지 아니하고는 본인의 의사에 반하여 휴직·강임 또는 면직을 당하지 아니한다(다만, 1급 공무원과 제23조에 따라 배정된 직무등급이 가장 높은 등급의 직위에 임용된 고위공무원단에 속하는 공무원은 제외).
  ③ 「교육공무원법」 제43조(교권의 존중과 신분보장)
    ㉠ 교권존중: 교권은 존중되어야 하며, 교원은 그 전문적 지위나 신분에 영향을 미치는 부당한 간섭을 받지 아니한다.
    ㉡ 신분보장: 교육공무원은 형의 선고·징계처분 또는 이 법에서 정하는 사유에 의하지 아니하고는 본인의 의사에 반하여 휴직·강임, 또는 면직을 당하지 아니한다. ⇨ 의사에 반한 휴직·강임·면직 금지
    ㉢ 권고사직 금지: 교육공무원은 권고에 의하여 사직을 당하지 아니한다.
  ④ 「교육공무원법」 제47조(정년): 교원 정년은 62세(「고등교육법」상 교원은 65세)
  ⑤ 「교육공무원법」 제48조, 「교원지위향상 및 교육활동 보호를 위한 특별법」 제4조(불체포특권): 교원은 현행범인인 경우를 제외하고는 소속 학교장의 동의 없이 학원 안에서 체포되지 아니한다.

(3) **휴직**: 「국가공무원법」 제71조~제73조, 「교육공무원법」 제44조·제45조 12. 경기, 04. 제주
  ① 개념: 교육공무원으로서 신분을 보유하면서 그 담당업무 수행을 일시적으로 해제하는 행위
  ② 휴직사유 및 기간
    ㉠ 직권휴직: 임용권자(예 교육감)가 직권으로 휴직을 명하는 경우
    ㉡ 청원휴직: 본인의 원(願)에 의하여 허가를 얻어 실시하는 경우 ⇨ 육아, 입양 및 불임·난임치료의 경우에는 본인이 원하면 휴직을 명하여야 한다.

휴직 종류	휴직사유	휴직요건	휴직기간	경력인정 여부 보수	경력인정 여부 승진	봉급	구비서류 (휴직원은 필수)
직권 휴직	병휴직 • (요양) • (공상)	• 신체·정신상의 장애로 장기요양(불임·난임으로 인하여 장기간의 치료가 필요한 때를 포함) • 공상으로 장기요양	1년 이내 (1년의 범위에서 연장 가능) 3년 이내	불인정 인정	불인정 인정	7할(결핵성: 8할) 전액지급	진단서 (공상증명서)
	병역의무 (병역)	병역복무를 마치기 위한 징집 또는 소집	복무기간 만료시까지	인정	인정	불지급	입영증명서
	생사소재 불명(행불)	천재지변, 전시, 사변, 그밖의 사유로 생사소재 불명	3월 이내	불인정	불인정	불지급	증빙서류
	교원노조 전임자	교원노조 전임 종사(단, 임용권자의 동의 받아야 함)	전임기간	인정	인정	불지급	
	기타 의무 수행(의무)	그밖에 법률의 규정에 의한 의무수행을 위하여 직무이탈	복무기간	인정	인정	불지급	증빙서류
청원 휴직	해외유학 (연구·연수)	학위취득 목적 해외유학, 1년 이상 외국에서 연구 또는 연수	3년 이내 (3년 연장 가능)	인정	인정 (5할)	5할	• 입학허가서 • 유학계획서
	외국기관 고용	국제기구·외국기관·국내외의 대학·연구기관, 다른 국가기관, 재외교육기관 또는 대통령으로 정하는 민간단체에 임시 고용	고용기간	인정 (상근 10할, 비상근 5할)	인정 (상근 10할, 비상근 5할)	불지급	고용계약서
	육아휴직	자녀(만 8세 이하, 초등학교 2학년 이하)양육이나 여교원이 임신 또는 출산하게 된 경우	자녀 1명에 대하여 3년 이내(분할 휴직 가능)	1년 인정	인정	임금의 40%(상한 100만원, 하한 50만원)	• 진단서 • 주민등록 등본
	입양	만 19세 미만의 아동(육아휴직의 대상이 되는 아동은 제외)을 입양하는 경우	입양자녀 1명에 6개월 이내				
	불임·난임	불임·난임으로 인한 장기간의 치료가 필요한 경우	1년 이내 (1년 범위에서 연장가능)				

국내연수 (연수)	교육부 장관 또는 교육감이 지정하는 국내 연구기관·교육기관 등에서 연수	3년 이내	인정	인정	불지급	입학허가서
가족간호 (간호)	사고·질병으로 장기요양이 필요한 조부모, 부모(배우자의 부모 포함), 배우자, 자녀 또는 손자녀	1년 이내 (재직기간 중 3년 이내)	불인정	불인정	불지급	• 진단서 • 간병확인서
배우자동반	배우자 국외근무, 또는 학위 취득 목적 해외유학의 경우	3년 이내 (3년 연장 가능)	불인정	불인정	불지급	증빙서류
학습연구년	재직기간 10년 이상인 교원이 자기개발을 위한 학습·연구 등의 경우	1년 이내 (재직기간 중 1회만)	인정	인정	지급	선발전형
			불인정	불인정	불지급	자율연수휴직

(4) 복직

① 개념: 휴직, 직위해제 또는 정직 중인 자의 직위 복귀

② 복직의 시기
  ㉠ 휴직사유 소멸 시: 30일 이내 임용권자 또는 임용제청권자에게 복직신고
    ⇨ 지체 없이 복직을 명하여야 한다.
  ㉡ 휴직기간 만료 시: 30일 이내 복귀신고 ⇨ 당연복직
  ㉢ 휴직과 직권면직: 휴직기간 만료 또는 사유소멸 후에도 직무에 복귀하지 않거나 직무를 감당할 수 없을 때는 관할 징계위원회의 의견을 들어 직권면직(「국가공무원법」 제70조)

(5) 직위해제(「국가공무원법」 제73조의3): ① 직무수행능력이 부족하거나 근무성적이 극히 나쁜 자, ② 파면·해임·강등 또는 정직에 해당하는 징계의결이 요구 중인 자, ③ 형사사건으로 기소된 자(약식명령이 청구된 자는 제외), ④ 고위공무원단에 속하는 일반직 공무원으로서 제70조의2 제1항 및 제2호 및 제3호의 사유로 적격심사를 요구받은 자의 직위를 해제하는 행위
⇨ 행정처분에 해당(징계 ×)

5. 징계 − 「국가공무원법」 제10장, 「교육공무원법」 제50조·제51조

12·11. 서울, 10·08. 경기, 07. 경남, 05. 충북, 04. 경기

(1) 개념

① 조직구성원의 의무를 위반했을 때 행해지는 제재
② 본인의 의사에 반하여 타율적·강제적으로 신분조치를 취하는 것
  ⇨ 조직의 질서 유지, 근무기강 확립, 조직의 정상화 도모

(2) 징계의 사유

① 법 및 법에 의한 명령을 위반했을 때
② 직무상 의무를 위반하거나 직무를 태만히 했을 때
③ 직무의 내외를 불문하고 그 체면 또는 위신을 손상하는 행위를 할 때

(3) **징계의 종류**: 교원의 징계는 징계위원회를 설치하여 소속기관장의 징계의결의 요구에 의해 법적 절차에 따라 이루어진다. ⇨ 징계권자는 교육감이다.

	종류	기간	신분 변동	보수, 퇴직급여 제한
중징계	파면	-	• 공무원으로서의 신분 박탈(배제 징계) • 처분받은 날로부터 5년간 공무원 임용 불가	재직기간 5년 미만인 자 퇴직급여액의 1/4, 5년 이상인 자 1/2 감액 지급
	해임	-	• 공무원으로서의 신분 박탈(배제 징계) • 처분받은 날로부터 3년간 공무원 임용 불가	• 퇴직급여 전액 지급 • 금품 및 향응수수, 공금횡령·유용으로 해임된 때 ⇨ 재직기간 5년 미만인 자 퇴직급여의 1/8, 5년 이상인 자 1/4 감액 지급
	강등	3월	• 동종의 직무 내에서 하위의 직위에 임명 예 교장 ⇨ 교감, 교감 ⇨ 교사 • 공무원 신분은 보유, 직무에 종사하지 못함(교정징계). • 대학의 교원 및 조교는 적용 안 됨(강등 ×). • 18개월간 승진 제한(단, 강등처분기간 불포함)	• 강등처분기간 보수의 전액을 감액 • 18개월간 승급 제한(단, 강등처분기간 불포함)
	정직	1~3월	• 신분은 보유하나 직무에 종사하지 못함. ⇨ 직무정지(교정징계) • 18개월간 승진 제한(단, 정직처분기간 불포함) • 처분기간 경력평정에서 제외	• 보수의 전액을 감액 • 18개월간 승급 제한(단, 정직처분기간 불포함)
경징계	감봉	1~3월	12개월간 승진 제한(단, 감봉처분기간 불포함) ⇨ 교정징계	• 보수의 1/3 감액 • 12개월간 승급 제한(단, 감봉처분기간 불포함)
	견책	-	• 전과에 대한 훈계와 회개(교정징계) • 6개월간 승진 제한	6개월간 승급 제한

① 강등·정직·감봉·견책의 경우 그 사유가 금품(예 금전, 물품, 부동산) 및 향응수수, 공금횡령·배임·절도·사기·유용, 소극행정, 음주운전(음주측정에 불응하는 경우 포함), 성폭력, 성희롱, 성매매로 인한 징계처분의 경우(「국가공무원법」 제78조의2, 「공무원임용령」 제32조): 승진·승급 제한기간에 6개월을 추가
② 시험문제 유출·성적 조작, 금품수수, 학생에 대한 상습적이고 심각한 신체적 폭력으로 해임·파면된 경우: 신규 또는 특별채용이 제한 ⇨ 제한 사유
③ 성폭력으로 해임·파면된 경우: 신규 또는 특별채용 불가 ⇨ 결격 사유

(4) **징계사유의 시효**: 징계사유 발생일로부터 3년(금품 및 향응수수, 공금횡령의 경우 5년) ⇨ 징계시효 경과 후면 징계의결요구 불가

> 「교육공무원법」 제52조(징계사유의 시효에 관한 특례) 교육공무원에 대한 징계사유가 다음 각 호의 어느 하나에 해당하는 경우에는 「국가공무원법」 제83조의2 제1항에도 불구하고 징계사유가 발생한 날부터 10년 이내에 징계의결을 요구할 수 있다.
> 1. 「성폭력범죄의 처벌 등에 관한 특례법」 제2조에 따른 성폭력범죄 행위
> 2. 「아동·청소년의 성보호에 관한 법률」 제2조 제2호에 따른 아동·청소년대상 성범죄 행위
> 3. 「성매매알선 등 행위의 처벌에 관한 법률」 제2조 제1항 제1호에 따른 성매매 행위
> 4. 「국가인권위원회법」 제2조 제3호 라목에 따른 성희롱 행위

> 5. 「학술진흥법」 제15조 제1항에 따른 연구부정행위 및 「국가연구개발혁신법」 제31조 제1항에 따른 국가연구개발사업 관련 부정행위
>
> **제17조(보직 등 관리의 원칙)** ① 임용권자나 임용제청권자는 법령에서 따로 정하는 경우를 제외하고는 소속 교육공무원에게 그 자격에 상응하는 일정한 직위를 부여하여야 한다.
> ② 소속 교육공무원에게 보직을 부여할 때에는 그 교육공무원의 자격, 전공분야, 재교육경력, 근무경력 및 적성 등을 고려하여 적절한 직위에 임용하여야 한다.
> ③ 고등학교 이하 각급학교의 장은 교원에 대한 징계처분의 사유가 제52조 각 호의 어느 하나에 해당하는 등 대통령령으로 정하는 사유에 해당하는 경우에는 해당 교원을 징계처분 이후 5년 이상 10년 이하의 범위에서 대통령령으로 정하는 기간 동안 학급을 담당하는 교원(이하 "학급담당교원"이라 한다)으로 배정할 수 없다.

6. **재심청구(소청)**: 「교원지위향상 및 교육활동 보호를 위한 특별법」 제7조~제10조

   (1) **개념**: 징계처분에 불복이 있을 때 이에 재심을 청구하는 제도

   (2) **재심청구기관** 09. 국가직 : 교육부 교원소청심사위원회(일반직 공무원: 국가직 공무원은 안전행정부, 지방직은 시·도 교육청에 청구) ⇨ 각급 학교교원의 징계처분, 그 밖에 그 의사에 반하는 불리한 처분에 대한 소청심사 실시

   ① **구성**: 위원장 1명을 포함하여 9명 이상 12명 이내의 위원으로 구성한다.
   ② 사립학교 교원도 재심을 청구할 수 있다.
   ③ **소청심사 청구**: 소청(재심청구)은 징계처분이 있었던 것을 안 날부터 30일 이내에 할 수 있다.
   ④ **소청심사 결정**: 재심청구를 접수한 날부터 60일 이내에 이에 대한 결정을 내려야 한다(다만, 심사위원회가 불가피하다고 인정하는 경우에는 그 의결을 30일 연장 가능).
   ⑤ **소청심사 불복 시**: 재심결과에 불복할 경우에 교원은 그 결정서의 송달을 받은 날부터 30일 이내에 「행정소송법」으로 정하는 바에 따라 소송을 제기할 수 있다.

7. **휴가**: 「국가공무원 복무규정」 제3장 06. 대구

   (1) **종류**: 연가, 병가, 공가, 특별휴가

   (2) **휴가의 실시원칙**

   ① 휴가는 미리 신청, 허가를 받아야 한다.
   ② 연가는 학생들의 수업 등을 고려하여 특별한 경우 외에는 학교교육활동에 지장이 없는 기간에 실시한다.
   ③ 휴가기간 중의 토요일·공휴일은 그 휴가일수에 산입하지 않으나, 휴가일수가 연속하여 30일 이상 계속되는 경우에는 산입한다.
   ④ 법정 휴가일수를 초과한 휴가는 결근으로 처리한다.

(3) 휴가 종류별 실시방법
  ① 연가
    ㉠ 재직기간별 연가일수: 휴직기간·정직기간 및 직위해제기간 및 강등처분에 따라 직무에 종사하지 못하는 기간은 산입하지 않는다.
      ⓐ 재직기간에 산입되는 휴직기간
        • 임신·출산 또는 자녀를 양육하기 위한 휴직자녀 1명에 대한 총 휴직기간이 1년을 넘는 경우에는 최초의 1년으로 하며, 둘째 자녀부터는 총 휴직기간이 1년을 넘는 경우에도 그 휴직기간 전부로 한다.
        • 법령에 따른 의무 수행으로 인한 휴직
        • 「공무원연금법」에 따른 공무상 질병 또는 부상으로 인한 휴직
      ⓑ 재직기간별 연가일수에 각각 1일을 가산할 수 있는 경우
        • 병가를 받지 않은 공무원
        • 연가보상비를 받지 못한 연가일수가 남아 있는 공무원
    ㉡ 성실근무자(당해 연도 결근·휴직·정직·강등 및 직위해제 사실이 없고 병가 미활용 교원, 연가 실시일수 3일 미만인 교원)는 다음해에만 재직기간별 연가일수에 각각 1일을 더한다.
    ㉢ 연가일수 계산은 1년 단위(1. 1.~12. 31.)로 실시 ⇨ 미사용 연가를 다음해로 이월하여 사용할 수 없다.
  ② 병가
    ㉠ 일반병가: 연 60일의 범위에서 병가를 허가, 질병이나 부상으로 인한 지각·조퇴 및 외출은 누계 8시간을 병가 1일로 계산하고, 연가일수에서 빼는 병가는 병가일수에 산입하지 아니한다.
    ㉡ 공무상 병가: 연 180일 범위 안에서 허가 ⇨ 공무상 병가 만료 후에도 일반병가를 낼 수 있으나 동일한 사유로 재차 공무상 병가를 낼 수 없다.
    ㉢ 병가일수가 연간 6일을 초과하는 경우에는 의사의 진단서를 첨부하여야 한다.
  ③ 공가 11. 광주, 06. 대구, 05. 전남
    ㉠ 사유
      ⓐ 「병역법」이나 그 밖의 다른 법령에 따른 병역판정 검사·소집·검열점호 등에 응하거나 동원 또는 훈련에 참가할 때
      ⓑ 공무와 관련하여 국회, 법원, 검찰 또는 그 밖의 국가기관에 소환되었을 때
      ⓒ 법률에 따라 투표에 참가할 때
      ⓓ 승진시험·전직시험에 응시할 때
      ⓔ 원격지로 전보 발령을 받고 부임할 때
      ⓕ 「산업안전보건법」 제43조에 따른 건강진단 또는 「국민건강보험법」 제52조에 따른 건강검진을 받을 때 또는 「결핵예방법」 제11조 제1항에 따른 결핵검진을 받을 때
      ⓖ 「혈액관리법」에 따라 헌혈에 참가할 때
      ⓗ 「공무원 인재개발법 시행령」 제32조 제5호에 따른 외국어능력에 관한 시험에 응시할 때
      ⓘ 올림픽, 전국체전 등 국가적인 행사에 참가할 때

ⓙ 천재지변, 교통 차단 또는 그 밖의 사유로 출근이 불가능할 때
ⓚ 「공무원의 노동조합 설립 및 운영 등에 관한 법률」 제9조에 따른 교섭위원으로 선임되어 단체교섭 및 단체협약 체결에 참석하거나 같은 법 제17조 및 「노동조합 및 노동관계조정법」 제17조에 따른 대의원회(「공무원의 노동조합 설립 및 운영 등에 관한 법률」에 따라 설립된 공무원 노동조합의 대의원회를 말하며, 연 1회로 한정한다)에 참석할 때
ⓛ 공무국외출장 등을 위하여 「검역법」 제5조제1항에 따른 오염지역 또는 같은 법 제5조의2제1항에 따른 오염인근지역으로 가기 전에 같은 법 제2조제1호에 따른 검역감염병의 예방접종을 할 때
ⓒ 기간: 공가사유에 따라 직접 필요한 기간
ⓒ 승진시험 준비기간은 공가대상이 아니다.

④ **특별휴가**
   ㉠ 경조사별 휴가: 결혼, 사망, 입양, 출산

구분	대상	일수
결혼	본인	5
	자녀	1
출산	배우자	10
입양	본인	20
사망	배우자, 본인 및 배우자의 부모	5
	본인 및 배우자의 조부모·외조부모	3
	자녀와 그 자녀의 배우자	3
	본인 및 배우자의 형제자매	1

✎ 단, 입양 외의 휴가를 실시함에 있어서 원격지일 경우에는 실제 필요한 왕복 소요일수를 가산 가능

   ㉡ 기타 특별휴가

종류	대상	시기	일수
출산휴가	임신 중인 공무원(출산 후의 휴가기간이 45일 이상 되게 실시/한 번에 둘 이상의 자녀를 임신한 경우는 60일)	출산 전후	90일 (한 번에 둘 이상의 자녀를 임신한 경우는 120일)
여성보건휴가	여성 공무원(생리기간 중 휴식과 임신한 경우 검진을 위해)	생리기간 중 또는 검진 시	매월 1일 (생리기간 중 휴식은 무급)
모성보호시간	임신 중인 여성 공무원	임신 중	1일 2시간의 범위 (휴식이나 병원진료)
육아시간(휴가)	5세 이하의 자녀가 있는 공무원	24개월의 범위	1일 최대 2시간
수업휴가	한국방송통신대학 재학 공무원으로 연가일수를 초과하는 출석수업을 받는 공무원	출석 수업기간	연가일수 초과 출석 수업기간

재해구호휴가	• 풍해·수해·화재 등 재해로 인하여 피해를 입은 공무원 • 재해지역에서 자원봉사활동을 하려는 공무원	재해복구상 필요시	5일 이내
유산·사산휴가	소속 여성 공무원이 유산(인공임신중절에 의한 유산은 제외)하거나 사산한 경우	유산 또는 사산 후	10일~90일 (임신기간에 따라 유동)
	남성공무원의 배우자가 유산·사산한 경우		신청시 3일 휴가
불임치료 시술 휴가	인공수정 또는 체외수정 등 난임치료 시술을 받는 공무원(단, 체외수정 시술의 경우 난자채취일 1일 추가 가능)	시술 당일	1일
포상휴가	국가 또는 해당 기관의 주요 업무를 성공적으로 수행하여 탁월한 성과와 공로가 인정된 공무원	수상 후	10일 이내
자녀돌봄휴가	어린이집 등의 공식행사나 교사와의 상담에 참여하는 경우, 자녀의 병원진료에 동행하는 경우	연간	2일 이내 (자녀가 3명 이상인 경우에는 3일)
임신검진휴가	임신기간 중 검진하는 경우	연간	10일 범위

5 교육법

1. **교육법규** 19. 국가직

    (1) **개념**: 「교육기본법」 이외의 교육관계법령을 모두 포괄

    (2) **교육법규의 성격**

    ① 조장적 성격: 지도·조언·육성·이해의 전문적 기술성을 강조

    ② 특별법이자 일반법적 성격

    ㉠ 교육에 관하여 다른 일반법이 교육법에 저촉될 경우에는 교육법이 우선한다. ⇨ 특별법 우선의 원칙

    ㉡ 교육법(교육기본법)은 다른 교육관계 법률에 대하여는 일반법의 성격을 갖는다. ⇨ 상위법 우선의 원칙

    ③ 특수법적 성격: 공법과 사법의 구별이 명확치 않다.

    ④ 윤리적 성격: 국가와 민족에 대한 의무와 책임이 강조되는 윤리적인 성격

    ⑤ 사회법적 성격: 의무교육과 교육기회균등이 개인의 사회 경제적 지위 향상을 위한 필수적 조치이며, 「헌법」에서 평생교육의 진흥 의무를 부과하는 것은 사회복지 증진을 위한 사회법적 성격이 강함.

2. 교육법 이해의 기초

(1) **법(法), 법령(法令), 법규(法規)의 개념**
   ① 법(法): 국가의 공권력에 의해 그 이행이 강제되는 규범
   ② 법령(法令): 법률과 명령을 포함하는 개념 ⇨ 모든 성문법을 통칭함.
   ③ 법규(法規): 국민의 권리를 제한하거나 의무를 부과하는 규정 ⇨ 법, 법령과 같은 의미로 사용함.

(2) **법의 구조**
   ① 성문법(成文法): 문자로 표현되고 문서의 형식을 갖춘 법 ⇨ 국가의 입법기관에서 일정한 절차를 거쳐 제정되는 제정법(制定法)
      예 헌법, 법률, 명령(위임명령, 집행명령), 자치법규(조례, 규칙), 조약
   ② 불문법(不文法): 문장의 형식을 취하지 않는 법 ⇨ 헌법재판소나 법원의 판결을 통해 구체적으로 선언되고 확인됨. 예 관습법, 판례, 조리

(3) **법의 존재형식**: 법원(法源) ⇨ 성문법을 원칙으로 함. 20. 국가직

성문법 (제정법)	헌법	국가의 최상위 법 ⇨ 국민의 기본권 보장, 국가의 통치구조의 원리 규정
	법률	국회 의결을 거쳐 대통령이 서명, 공포 예 「교육기본법」, 「초중등교육법」
	명령	국회의 의결을 거치지 않고 행정기관이 법률에 의해 제정(≒법규명령) ⇨ 대통령령(~시행령), 총리령, 부령, 위임명령, 집행명령
	규칙	국가기관의 소관 사무에 관하여 제정하는 법규 ⇨ 명령과 같은 효력(≒행정명령) 예 국회, 중앙선거관리위원회, 헌법재판소, 감사원 규칙
	자치법규	지방자치단체가 법령의 범위 안에서 제정 예 조례(지방의회), 규칙(지방자치단체 장)
	조약	문서에 의한 국가 간의 합의, 국제적 합의 예 협약, 협정, 규정, 의정서, 헌장, 규약, 교환각서 등
불문법		관습법(반복적 관행을 통해 형성), 판례(법원의 판결을 통해서 형성), 조리(건전한 상식으로 판단) 등

(4) **법의 적용과 해석**(성문법 상호 간의 관계)
   ① 상위법 우선의 원칙(헌법 > 법률 > 명령, 규칙 > 자치법규)
   ② 특별법 우선의 원칙
   ③ 신법(新法) 우선의 원칙
   ④ 국내법 우선의 원칙
   ⑤ 법률 불소급의 원칙

3. 교육법의 기본원리

(1) **교육제도의 법정주의**(교육입법상의 법률주의, 법률에 의한 교육행정의 원리): 교육제도는 법으로 정한다. ⇨ 「헌법」 제31조 제6항

(2) **교육자주성의 원리**(민주교육의 원리, 지방교육자치의 원리): 시·도 교육위원회를 통한 지방 교육자치제 실시, 지방교육재정 교부금제도

(3) **교육권 보장의 원리**: 교육받을 권리를 보장하기 위한 규정을 헌법상의 국가적 의무로 명시 ⇨ 자녀를 교육받게 할 의무
(4) **교육기회 균등의 원리**: 국가는 국민에게 평등한 교육기회 보장할 의무 ⇨ 「헌법」 제31조 제1항
(5) **교육 중립성의 원리**: 교육은 종교적·정치적 중립성을 가진다.
(6) **전문적 관리의 원리**: 교육은 전문적 지도 역량과 자질을 가진 사람들에 의해 운영되어야 한다.

6 교원노조 11. 대전, 10. 국가직, 05. 강원

1. 역사
「교원의 노동조합 설립 및 운영 등에 관한 법률」 공포(1999. 1. 29.)

2. 주요 내용
(1) **입법체계**: 노동조합법의 특별법
(2) **보장범위**: 단결권 및 단체교섭권(단체협약 체결권 포함) ⇨ 다만, 법령·예산·조례 등에 의해 규정되는 내용은 단체협약의 효력을 인정하지 않고 사용자측의 성실이행의무를 부여한다.
(3) **단결권**
  ① 노조의 가입자격(제2조)
    ㉠ "교원"이란 다음 각 호의 어느 하나에 해당하는 사람을 말한다.

    > 1. 「유아교육법」 제20조 제1항에 따른 교원
    > 2. 「초·중등교육법」 제19조 제1항에 따른 교원
    > 3. 「고등교육법」 제14조 제2항 및 제4항에 따른 교원. 다만, 강사는 제외한다.

    [2020. 6. 9. 법률 제17430호에 의하여 2018. 8. 30. 헌법재판소에서 헌법불합치 결정된 이 조를 개정함.]
    ㉡ 노조가입은 자유이다.
  ② 노조의 설립 및 조직, 가입범위(제4조)
    ㉠ 제2조 제1호·제2호에 따른 교원(유치원·초중등교원)은 특별시·광역시·특별자치시·도·특별자치도(이하 "시·도"라 한다) 단위 또는 전국 단위로만 노동조합을 설립할 수 있다. ⇨ 교육지원청 단위나 단위학교 차원에서의 교원노조 설립은 금지
    ㉡ 제2조제3호에 따른 교원(대학교 교원)은 개별학교 단위, 시·도 단위 또는 전국 단위로 노동조합을 설립할 수 있다.
    ㉢ 노동조합을 설립하려는 사람은 고용노동부장관에게 설립신고서를 제출하여야 한다.
    ㉣ 복수노조 결성을 허용한다.
    ㉤ **노조의 가입 범위**: 노동조합에 가입할 수 있는 사람의 범위는 다음 각 호와 같다.

    > 1. 교원
    > 2. 교원으로 임용되어 근무하였던 사람으로서 노동조합 규약으로 정하는 사람

③ 노동조합 전임자의 지위(제5조)
  ㉠ 교원은 임용권자의 동의를 받아 노동조합으로부터 급여를 지급받으면서 노동조합의 업무에만 종사할 수 있다.
  ㉡ 제1항에 따라 동의를 받아 노동조합의 업무에만 종사하는 사람(이하 '전임자'라 함)은 그 기간 중 「교육공무원법」 제44조 및 「사립학교법」 제59조에 따른 휴직명령을 받은 것으로 본다. ⇨ 직권휴직
  ㉢ 전임자는 그 전임기간 중 전임자임을 이유로 승급 또는 그 밖의 신분상의 불이익을 받지 아니한다.

(4) **단체교섭권**(제6조): 교섭 및 체결 권한 등
  ① 교섭구조
    ㉠ 유치원·초중등교원으로 설립한 노동조합의 대표자의 경우: 국·공립의 경우 교육부 장관(전국), 교육감(시·도)과 교섭한다. 사학재단은 시·도 또는 전국단위로 연합하여 사립학교 설립·경영자와 교섭한다. ⇨ 국·공·사립을 불문하고 교육지원청이나 단위학교 차원에서의 교섭은 불허한다.
    ㉡ 대학교교원으로 설립한 노동조합의 대표자의 경우: 교육부장관(전국), 특별시장·광역시장·특별자치시장·도지사·특별자치도지사(시·도), 국·공립학교의 장 또는 사립학교 설립·경영자(학교)
  ② 교섭내용: 임금·근무조건·후생복지 등 경제적·사회적 지위 향상과 관련된 사항으로 한정한다(교육정책에 관한 교섭 ×). 08. 국가직 7급
  ③ 제1항의 경우에 노동조합의 교섭위원은 해당 노동조합의 대표자와 그 조합원으로 구성하여야 한다.
  ④ 노동조합의 대표자는 제1항에 따라 교육부장관, 시·도지사, 시·도 교육감, 국·공립학교의 장 또는 사립학교 설립·경영자와 단체교섭을 하려는 경우에는 교섭하려는 사항에 대하여 권한을 가진 자에게 서면으로 교섭을 요구하여야 한다.
  ⑤ 교육부장관, 시·도지사, 시·도 교육감, 국·공립학교의 장 또는 사립학교 설립·경영자는 제4항에 따라 노동조합으로부터 교섭을 요구받았을 때에는 교섭을 요구받은 사실을 공고하여 관련된 노동조합이 교섭에 참여할 수 있도록 하여야 한다.
  ⑥ 교육부장관, 시·도지사, 시·도 교육감, 국·공립학교의 장 또는 사립학교 설립·경영자는 제4항과 제5항에 따라 교섭을 요구하는 노동조합이 둘 이상인 경우에는 해당 노동조합에 교섭창구를 단일화하도록 요청할 수 있다. 이 경우 교섭창구가 단일화된 때에는 교섭에 응하여야 한다.
  ⑦ 교육부장관, 시·도지사, 시·도 교육감, 국·공립학교의 장 또는 사립학교 설립·경영자는 제1항부터 제6항까지에 따라 노동조합과 단체협약을 체결한 경우 그 유효기간 중에는 그 단체협약의 체결에 참여하지 아니한 노동조합이 교섭을 요구하여도 이를 거부할 수 있다.

⑧ **교섭의 원칙**: 제1항에 따른 단체교섭을 하거나 단체협약을 체결하는 경우에 관계 당사자는 국민여론과 학부모의 의견을 수렴하여 성실하게 교섭하고 단체협약을 체결하여야 하며, 그 권한을 남용하여서는 아니 된다.

⑨ 제1항, 제2항 및 제4항부터 제8항까지에 따른 단체교섭의 절차 등에 관하여 필요한 사항은 대통령령으로 정한다.

(5) **단체협약의 효력**(제7조)

① 제6조 제1항에 따라 체결된 단체협약의 내용 중 법령·조례 및 예산에 의하여 규정되는 내용과 법령 또는 조례에 의하여 위임을 받아 규정되는 내용은 단체협약으로서의 효력을 가지지 아니한다.

② 교육부장관, 시·도지사, 시·도 교육감, 국·공립학교의 장 및 사립학교 설립·경영자는 제1항에 따라 단체협약으로서의 효력을 가지지 아니하는 내용에 대하여는 그 내용이 이행될 수 있도록 성실하게 노력하여야 한다.

(6) **노동쟁의의 조정신청**(제9조)

① 단체교섭이 결렬된 경우에는 당사자 어느 한쪽 또는 양쪽은「노동위원회법」제2조에 따른 중앙노동위원회에 조정(調停)을 신청할 수 있다.

② 제1항에 따라 당사자 어느 한쪽 또는 양쪽이 조정을 신청하면 중앙노동위원회는 지체 없이 조정을 시작하여야 하며 당사자 양쪽은 조정에 성실하게 임하여야 한다.

③ 조정은 신청을 받은 날부터 30일 이내에 마쳐야 한다.

(7) **중재**(仲裁, 제10조): 중앙노동위원회는 다음 각 호의 어느 하나에 해당하는 경우에는 중재(仲裁)를 한다. ⇨ 교원의 노동쟁의를 조정·중재하기 위하여 중앙노동위원회에 교원 노동관계 조정위원회를 둔다.

① 단체교섭이 결렬되어 관계 당사자 양쪽이 함께 중재를 신청한 경우

② 중앙노동위원회가 제시한 조정안을 당사자의 어느 한쪽이라도 거부한 경우

③ 중앙노동위원회 위원장이 직권으로 또는 고용노동부 장관의 요청에 따라 중재에 회부한다는 결정을 한 경우

(8) **중재재정의 확정**(제12조)

① 관계 당사자는 중앙노동위원회의 중재재정(仲裁裁定)이 위법하거나 월권(越權)에 의한 것이라고 인정하는 경우에는「행정소송법」제20조에도 불구하고 중재재정서를 송달받은 날부터 15일 이내에 중앙노동위원회 위원장을 피고로 하여 행정소송을 제기할 수 있다.

② 이 기간 이내에 행정소송을 제기하지 아니하면 그 중재재정은 확정된다.

(9) **정치활동 및 쟁의행위 금지**

① **정치활동 금지**(제3조): 교원의 노동조합은 어떠한 정치활동도 하여서는 아니 된다.(이하 2020.5.26.개정)

② **쟁의행위 금지**(제8조): 노동조합과 그 조합원은 파업, 태업 또는 그 밖에 업무의 정상적인 운영을 방해하는 어떠한 쟁의행위(爭議行爲)도 하여서는 아니 된다. ⇨ 단체행동권 금지

3. 교직단체와 교원노조의 구분

구분	교원전문직 단체	교원노조
추구이념	교원의 자질향상 및 전문성 신장	교원의 경제적·사회적 지위향상
관련 교직관	전문직관	노동직관
법률근거	• 교육관계법:「교육기본법」(제15조) • 민법 제32조	노동관계법:「교원의 노동조합 설립 및 운영 등에 관한 법률」(노동조합법상의 특별법)
설립방법	허가제	자유설립주의(신고제) ⇨ 고용노동부 장관
설립형태	교과별, 학교급별, 지역별	• 유치원, 초·중등학교 교원: 시·도 또는 전국단위 • 대학교 교원: 학교, 시·도 또는 전국단위
가입대상	전 교원 대상(학교장 포함)	유치원, 초·중등학교, 대학교 교원

교섭·협의구조	• 중앙단위: 교육부 장관
	• 시·도단위: 교육감
	※ 국·공·사립 구분 없음.
		• 유치원, 초·중등학교 노동조합 대표자
		  - 국·공립학교: 교육부 장관(전국), 교육감(시·도)
		  - 사립학교: 설립·경영자가 전국 또는 시·도 단위로 연합하여 교섭
		• 대학교 노동조합 대표자: 교육부장관(전국), 특별시장·광역시장·특별자치시장·도지사·특별자치도지사(시·도), 국·공립학교의 장 또는 사립학교 설립·경영자(학교)

교섭·협의내용	처우개선, 근무조건 및 복지후생과 전문성 신장에 관한 사항	임금·근무조건·후생복지 등 경제적·사회적 지위향상과 관련된 사항
교섭·협의시기	연 2회 및 특별히 필요시	최소 2년에 1회
대정부 관계	협력 제휴관계(협의, 의견제시)	노사관계(단체교섭, 협약체결)
대정부 창구	다원적 참여체제	양자 간 교섭체계

7 학교실무 04. 대구

1. 행정업무의 운영 및 혁신에 관한 규정(약칭:「행정업무규정」) 05. 서울, 03. 서울·대전·경남

(1) 공문서의 종류

① 작성주체에 의한 분류: 공문서, 사문서 ⇨ 사문서도 행정기관에 제출·접수된 것은 공문서이다.

② 유통대상에 의한 분류: 대내문서, 대외문서, 전자문서

③ 문서의 성질에 의한 분류

  ㉠ 법규문서: 헌법, 법률, 대통령령, 총리령, 부령, 조례, 규칙 등 ⇨ 조례는 지방의회, 규칙은 지방자치단체장, 교육규칙은 교육감이 제정

ⓒ **지시문서**: 행정기관이 그 하급기관 또는 소속 공무원에 대하여 일정한 사항을 지시하는 문서 예 훈령, 지시, 예규, 일일명령

ⓒ **공고문서**: 행정기관이 일정한 사항을 일반인에게 알리기 위한 문서 예 공고, 고시

ⓔ **비치문서**: 행정기관이 일정한 사항을 기록하여 행정기관 내부에 비치하면서 업무에 활용하는 문서 예 비치대장, 비치카드

ⓜ **민원문서**: 민원인이 행정기관에 대하여 특정한 행위를 요구하는 문서 및 그에 대한 처리 문서 예 허가, 인가, 기타 처분

ⓗ **일반문서**: ㉠~㉤에 속하지 않은 모든 문서 예 회보, 보고서, 전언통신문

(2) **결재**: 기관의 의사결정권자(행정기관의 장)가 직접 그 의사를 결정하는 행위

① **전결**: 결재권자로부터 위임받은 자가 행하는 결재 ⇨ 위임결재, 훈령으로 정함.

② **대결**: 결재권자 부재중 직무대리자가 행하는 결재

✎ **대결문서의 사후보고** 대결한 문서 중 내용이 중요문서인 경우 결재권자에게 사후보고(구두 또는 메모보고) 하는 행위. 서명 × ⇨ 후열(後列)제도 폐지, 사후보고로 개칭

(3) **문서의 효력발생**: 일반문서(수신자에게 도달한 때), 공고문서(고시, 공고 있은 후 5일이 경과한 날), 전자문서(수신자의 컴퓨터 파일에 기록된 때)

(4) **문서처리의 원칙**: 즉일처리의 원칙, 책임처리의 원칙, 적법성의 원칙

(5) **장부관리(문서의 보존)**

① **영구보존**: 졸업대장, 교육관계법규, 도서보존대장, 상벌대장, 학교연혁지, 기밀문서철

② **준영구보존**: 학교생활기록부

㉠ 학교생활기록부(Ⅰ)와 학교생활세부사항기록부(Ⅱ)로 나누어 보존한다.

㉡ 학교생활기록부(Ⅰ): 준영구(50년) 보존

ⓒ 학교생활세부사항기록부(Ⅱ): 전산자료 및 종이 출력물을 초·중등학교에서는 학생 졸업 후 5년 동안 보존 후 폐기, 고등학교는 상급학교 입학전형 자료로 활용할 수 있도록 학생 졸업 후 전산매체로 5년간 추가(총 10년) 보존 후 폐기

예 인적·학적사항, 출결사항, 수상경력, 자격증 및 인증 취득상황, 진로지도상황, 창의적 재량활동상황, 특별활동상황, 교외체험학습상황, 교과학습발달상황, 행동특성 및 종합의견 등

③ **갑류(10년 보존)**: 교과경영 관계서류, 건강기록부, 신체검사표, 학교일람표

④ **을류(3년 보존)**: 출석부, 전입학 관계서류, 출근부, 근무상황부, 교과시간표

⑤ **병류(1년 보존)**: 제증명발급대장, 잡서류

문서의 보존기간(「공공 기록물관리에 관한 법률 시행령」 제26조)
1. 기록물의 보존기간은 영구·준영구·30년·10년·5년·3년·1년으로 구분한다(제1항).
2. 보존기간의 기산일은 단위과제별로 기록물의 처리가 완결된 날이 속하는 다음 연도의 1월 1일로 한다(제3항).
3. 보존기간이 준영구로 되어 있는 기록물에 대하여는 보존기간의 기산일부터 70년(동종·대량기록물로서 보존가치가 낮은 기록물은 50년)이 경과한 후에 기록관 또는 특수기록관의 장이 평가해야 한다.

2. 학교시설 ⇨ 대통령령으로 규정

(1) **학교시설의 조건**: 안정성, 융통성(다양한 활동공간), 미관성, 연계성(교육활동의 원활한 연계 및 동선 확보), 이용성(효율적 시설 활용), 관리성(관리의 용이성)

(2) **학교시설의 종류**: 교지(교사대지, 체육장, 실습지), 교사(교실, 관리실, 특수시설), 공작물(교문, 담장, 상하수도), 설비(냉난방시설, 방송시설, 조명시설)

(3) **교지면적과 체육장**

구분 \ 학생 수	600인까지	600인~1800인	1800인 이상
교지면적	4,000m²(초), 6,000m²(중), 6,700m²(고)	1인당 4m² 가산	1인당 3m² 가산
체육장(배수시설)	3,000m²(초), 4,200m²(중), 4,800m²(고)	1인당 2m² 가산	1인당 1m² 가산

(4) **교실**
  ① 종류: 보통교실, 특별교실(예. 과학실, 음악실, 미술실, 기술실, 컴퓨터실), 특수시설(예. 시청각실, 도서실, 체육관, 강당), 관리실(예. 교장실, 교무실, 행정실, 숙직실, 창고), 보건위생 및 편의시설(예. 보건실, 화장실, 휴게실, 탈의실), 상담실(초등학교는 제외)
  ② 기준면적: 66m² 이상(학생 수가 25인 이하는 45m² 이상)

(5) **급수시설**: 1학급당 급수전 2개 이상

3. 실내 환경관리

(1) 채광(교실면적 1/5 이상)

(2) 조명(300lux 이상, 간접조명)

(3) 소음(55dB 이하)

(4) 온도(섭씨 18℃ 이상)

4. 교육환경 보호구역 02. 경북: 교육감이 설정 ⇨ 「교육환경 보호에 관한 법률」

(1) **절대보호구역**: 학교출입문으로부터 직선거리로 50m(학교설립예정지의 경우 학교경계로부터 직선거리 50미터까지인 지역)

(2) **상대보호구역**: 학교경계선으로부터 직선거리로 200m 지역 중 절대보호구역을 제외한 지역

(3) **관리**: 해당 학교장이 관리
  ① 상·하급학교 간 중복시는 하급학교에서, 하급학교가 유치원인 경우는 그 상급학교가 관리, 같은 급일 경우는 학생 수가 많은 학교의 학교장이 관리
  ② 학교 간 절대보호구역과 상대보호구역이 중복시는 ①의 규정에 불구하고 절대보호구역이 설정된 학교의 학교장이 관리

> **School Zone(어린이 보호구역)**
>
> 학교경계선으로 300m 이내 지역 ⇨ 자동차 서행, 안전시설 설치(녹색 횡단보도, 20cm 이상 안전 턱 설치), 위생업소 설치 불가 등

5. 「학교폭력 예방 및 대책에 관한 법률」(2024.1.9 일부개정, 2024.3.1 시행) 23. 국가직, 23. 국가직 7급, 12. 경기

   (1) **목적**: 학교폭력의 예방과 대책에 관하여 필요한 사항을 규정함으로써 피해학생의 보호, 가해학생의 선도·교육 및 피해학생과 가해학생 간의 분쟁조정을 통하여 학생의 인권을 보호하고 학생을 건전한 사회구성원으로 육성

   (2) **학교폭력의 정의**: 학교(초·중·고교, 특수학교, 각종 학교) 내외에서 학생을 대상으로 발생한 상해, 폭행, 감금, 협박, 약취·유인, 명예훼손·모욕, 공갈, 강요·강제적인 심부름 및 성폭력, 따돌림, 사이버폭력 등에 의하여 신체·정신 또는 재산상의 피해를 수반하는 행위

   ① **따돌림**: 학교 내외에서 2명 이상의 학생들이 특정인이나 특정집단의 학생들을 대상으로 지속적이거나 반복적으로 신체적 또는 심리적 공격을 가하여 상대방이 고통을 느끼도록 하는 모든 행위

   ② **사이버폭력**: 정보통신망(「정보통신망 이용촉진 및 정보보호 등에 관한 법률」 제2조 제1항 제1호의 정보통신망을 말한다)을 이용하여 학생을 대상으로 발생한 따돌림과 그 밖에 신체·정신 또는 재산상의 피해를 수반하는 행위

   (3) **학교폭력의 예방 및 대책방안**

   ① 학교폭력의 예방 및 대책에 관한 계획 수립

계획유형	수립주체	내용	비고
기본계획	교육부장관	• 학교폭력의 근절을 위한 조사·연구·교육 및 계도 • 피해학생에 대한 치료·재활 등의 지원 • 학교폭력 관련 행정기관 및 교육기관 상호 간의 협조·지원 • 전문 상담교사의 배치 및 이에 대한 행정적·재정적 지원 • 학교폭력의 예방과 피해학생 및 가해학생의 치료·교육을 수행하는 청소년 관련단체 또는 전문가에 대한 행정적·재정적 지원 • 그 밖에 학교폭력의 예방 및 대책을 위하여 필요한 사항	매 5년마다 수립
시행계획	교육감		
실시계획	학교장		

② 학교폭력의 예방을 위한 대책기구 설치 : 아래 사항 이외의 규정은 대통령령으로 규정

유형	설립주체	기능	구성
학교폭력 대책 위원회	국무총리 소속 기구	• 학교폭력의 예방 및 대책에 관한 기본계획의 수립 및 시행에 대한 평가 • 학교폭력과 관련하여 관계 중앙행정기관 및 지방자치단체의 장이 요청하는 사항 • 학교폭력과 관련하여 교육청, 학교폭력대책지역위원회, 학교폭력대책지역협의회, 학교폭력대책자치위원회, 전문단체 및 전문가가 요청하는 사항	• 위원장(2명) : 국무총리와 학교폭력 대책에 관한 전문지식과 경험이 풍부한 전문가 중에서 대통령이 위촉하는 사람 • 간사(1명) : 교육부 장관 • 위원 : 20명 이내, 임기 2년(연임 가능) 1. 기획재정부 장관, 미래창조과학부 장관, 교육부 장관, 법무부 장관, 행정안전부 장관, 문화체육관광부 장관, 보건복지부 장관, 여성가족부 장관, 방송통신위원회 위원장, 경찰청장 2. 학교폭력 대책에 관한 전문지식과 경험이 풍부한 전문가 중에서 제1호의 위원이 각각 1명씩 추천하는 사람 3. 관계 중앙행정기관에 소속된 3급 공무원 또는 고위공무원단에 속하는 공무원으로서 청소년 또는 의료 관련 업무를 담당하는 사람 4. 대학이나 공인된 연구기관에서 조교수 이상 또는 이에 상당한 직에 있거나 있었던 사람으로서 학교폭력 문제 및 이에 따른 상담 또는 심리에 관하여 전문지식이 있는 사람 5. 판사·검사·변호사 6. 전문단체에서 청소년보호활동을 5년 이상 전문적으로 담당한 사람 7. 의사의 자격이 있는 사람 8. 학교운영위원회 활동 및 청소년보호활동 경험이 풍부한 학부모
학교폭력 대책 지역 위원회	시·도지사	지역의 학교폭력 문제해결 - 기본계획에 따라 지역의 학교폭력 예방대책을 매년 수립한다.	• 위원장(1인) : 시·도의 부단체장 • 위원 : 11인 이내
전담부서	교육감	학교폭력의 예방과 대책 담당	시·도 교육청에 설치
학교폭력 대책 지역 협의회	시·군·구	• 학교폭력예방 대책 수립 • 기관별 추진 계획 및 상호협력지원방안 등을 협의	위원장 1명 포함 20명 내외의 위원으로 구성
학교폭력 대책 심의 위원회 16. 국가직 7급	교육장	• 학교폭력의 예방 및 대책 • 피해학생의 보호 • 가해학생에 대한 교육, 선도 및 징계 • 피해학생과 가해학생 간의 분쟁조정 : 1월을 넘지 못한다.	• 위원 : 10명 이상 50명 이내 ⇨ 전체위원의 3분의 1 이상을 해당 교육지원청 관할구역 내 학교(고등학교 포함)에 소속된 학생의 학부모로 위촉하여야 한다. • 회의 소집 - 심의위원회 재적위원 4분의 1 이상이 요청하는 경우

		– 학교의 장이 요청하는 경우 – 피해학생 또는 그 보호자가 요청하는 경우 – 학교폭력이 발생한 사실을 신고받거나 보고받은 경우 – 그 밖에 위원장이 필요하다고 인정하는 경우 • 회의의 일시, 장소, 출석위원, 토의내용 및 의결사항 등이 기록된 회의록을 작성·보존하여야 한다.

학교폭력예방에 관한 교육감의 의무(제11조) 14. 국가직

① 교육감은 시·도교육청에 학교폭력의 예방·대책 및 법률지원을 포함한 통합지원을 담당하는 전담부서를 설치·운영하여야 한다.
② 교육감은 관할 구역 안에서 학교폭력이 발생한 때에는 해당 학교의 장 및 관련 학교의 장에게 그 경과 및 결과의 보고를 요구할 수 있다.
③ 교육감은 관할 구역 안의 학교폭력이 관할 구역 외의 학교폭력과 관련이 있는 때에는 그 관할 교육감과 협의하여 적절한 조치를 취하여야 한다.
④ 교육감은 학교의 장으로 하여금 학교폭력의 예방 및 대책에 관한 실시계획을 수립·시행하도록 하여야 한다.
⑤ 교육감은 심의위원회가 처리한 학교의 학교폭력빈도를 학교의 장에 대한 업무수행 평가에 부정적 자료로 사용하여서는 아니 된다.
⑥ 교육감은 전학의 경우 그 실현을 위하여 필요한 조치를 취하여야 하며, 퇴학처분의 경우 해당 학생의 건전한 성장을 위하여 다른 학교 재입학 등의 적절한 대책을 강구하여야 한다.
⑦ 교육감은 대책위원회 및 지역위원회에 관할 구역 안의 학교폭력의 실태 및 대책에 관한 사항을 보고하고 공표하여야 한다. 관할 구역 밖의 학교폭력 관련 사항 중 관할 구역 안의 학교와 관련된 경우에도 또한 같다.
⑧ 교육감은 학교폭력의 실태를 파악하고 학교폭력에 대한 효율적인 예방대책을 수립하기 위하여 학교폭력 실태조사를 연 2회 이상 실시하고 그 결과를 공표하여야 한다.
⑨ 교육감은 학교폭력 등에 관한 조사, 상담, 치유프로그램 운영, 학생 치유·회복을 위한 보호시설 운영, 법률지원을 포함한 통합지원 등을 위한 전문기관을 설치·운영하여야 한다.
⑩ 교육감은 전담기구 구성원의 학교폭력 관련 전문성 향상을 위한 교육 등을 실시할 수 있다.
⑪ 교육감은 관할 구역에서 학교폭력이 발생한 때에 해당 학교의 장 또는 소속 교원이 그 경과 및 결과를 보고하면서 축소 및 은폐를 시도한 경우에는 「교육공무원법」 제50조 및 「사립학교법」 제62조에 따른 징계위원회에 징계의결을 요구하여야 한다.
⑫ 교육감은 관할 구역에서 학교폭력의 예방 및 대책 마련에 기여한 바가 큰 학교 또는 소속 교원에게 상훈을 수여하거나 소속 교원의 근무성적 평정에 가산점을 부여할 수 있다.
⑬ 교육감은 학교의 장 및 교감을 대상으로 학교폭력 예방 및 대책 등에 관한 교육을 매년 1회 이상 실시하여야 한다.
⑭ 제1항에 따라 설치되는 전담부서의 구성과 제8항에 따라 실시하는 학교폭력 실태조사, 제9항에 따른 전문기관의 설치 및 제13항에 따른 교육의 실시에 필요한 사항은 대통령령으로 정한다.

(4) 학교폭력대책심의위원회의 설치·기능(제12조)

① 학교폭력의 예방 및 대책에 관련된 사항을 심의하기 위하여 「지방교육자치에 관한 법률」 제34조 및 「제주특별자치도 설치 및 국제자유도시 조성을 위한 특별법」 제80조에 따른 교육지원청(교육지원청이 없는 경우 해당 시·도 조례로 정하는 기관으로 한다. 이하 같다)에 학교폭력대책심의위원회(이하 "심의위원회"라 한다)를 둔다. 다만, 심의위원회 구성에 있어 대통령령으로 정하는 사유가 있는 경우에는 교육감 보고를 거쳐 둘 이상의 교육지원청이 공동으로 심의위원회를 구성할 수 있다.

② 심의위원회는 학교폭력의 예방 및 대책 등을 위하여 다음 각 호의 사항을 심의한다.
  1. 학교폭력의 예방 및 대책
  2. 피해학생의 보호
  3. 가해학생에 대한 교육, 선도 및 징계
  4. 피해학생과 가해학생 간의 분쟁조정
  5. 그 밖에 대통령령으로 정하는 사항

③ 심의위원회는 해당 지역에서 발생한 학교폭력에 대하여 조사할 수 있고 학교장 및 관할 경찰서장에게 관련 자료를 요청할 수 있다.

(5) 심의위원회의 구성·운영(제13조)

① 심의위원회는 10명 이상 50명 이내의 위원으로 구성하되, 전체위원의 3분의 1 이상을 해당 교육지원청 관할 구역 내 학교(고등학교를 포함한다)에 소속된 학생의 학부모로 위촉하여야 한다.

② 심의위원회의 위원장은 다음 각 호의 어느 하나에 해당하는 경우에 회의를 소집하여야 한다.
  1. 심의위원회 재적위원 4분의 1 이상이 요청하는 경우
  2. 학교의 장이 요청하는 경우
  3. 피해학생 또는 그 보호자가 요청하는 경우
  4. 학교폭력이 발생한 사실을 신고받거나 보고받은 경우
  5. 가해학생이 협박 또는 보복한 사실을 신고받거나 보고받은 경우
  6. 그 밖에 위원장이 필요하다고 인정하는 경우

③ 심의위원회는 회의의 일시, 장소, 출석위원, 토의내용 및 의결사항 등이 기록된 회의록을 작성·보존하여야 한다.

④ 심의위원회는 심의 과정에서 소아청소년과 의사, 정신건강의학과 의사, 심리학자, 그 밖의 아동심리와 관련된 전문가를 출석하게 하거나 서면 등의 방법으로 의견을 청취할 수 있고, 피해학생이 상담·치료 등을 받은 경우 해당 전문가 또는 전문의 등으로부터 의견을 청취할 수 있다. 다만, 심의위원회는 피해학생 또는 그 보호자의 의사를 확인하여 피해학생 또는 그 보호자의 요청이 있는 경우에는 반드시 의견을 청취하여야 한다.

(6) **학교의 장의 자체 해결**(제13조의2)
① 제13조 제2항 제4호 및 제5호에도 불구하고 다음 각 호에 모두 해당하는 경미한 학교폭력에 대하여 피해학생 및 그 보호자가 심의위원회의 개최를 원하지 아니하는 경우 학교의 장은 학교폭력사건을 자체적으로 해결할 수 있다. 이 경우 학교의 장은 지체 없이 이를 심의위원회에 보고하여야 한다.
  1. 2주 이상의 신체적·정신적 치료가 필요한 진단서를 발급받지 않은 경우
  2. 재산상 피해가 없는 경우 또는 재산상 피해가 즉각 복구되거나 복구 약속이 있는 경우
  3. 학교폭력이 지속적이지 않은 경우
  4. 학교폭력에 대한 신고, 진술, 자료제공 등에 대한 보복행위(정보통신망을 이용한 행위를 포함한다)가 아닌 경우
② 학교의 장은 제1항에 따라 사건을 해결하려는 경우 다음 각 호에 해당하는 절차를 모두 거쳐야 한다.
  1. 피해학생과 그 보호자의 심의위원회 개최 요구 의사의 서면 확인
  2. 학교폭력의 경중에 대한 제14조 제3항에 따른 전담기구의 서면 확인 및 심의
③ 학교의 장은 제1항에 따른 경미한 학교폭력에 대하여 피해학생 및 그 보호자가 심의위원회의 개최를 원하는 경우 피해학생과 가해학생 사이의 관계회복을 위한 프로그램(이하 "관계회복 프로그램"이라 한다)을 권유할 수 있다.
④ 국가 및 지방자치단체는 관계회복 프로그램의 개발·보급 및 운영을 위하여 필요한 경우 행정적·재정적 지원을 할 수 있다.

(7) **전문상담교사 배치 및 전담기구 구성**(제14조)
① 학교의 장은 학교에 대통령령으로 정하는 바에 따라 상담실을 설치하고, 「초·중등교육법」 제19조의2에 따라 전문상담교사를 둔다.
② 전문상담교사는 학교의 장 및 심의위원회의 요구가 있는 때에는 학교폭력에 관련된 피해학생 및 가해학생과의 상담결과를 보고하여야 한다.
③ 학교의 장은 교감, 전문상담교사, 보건교사 및 책임교사(학교폭력문제를 담당하는 교사를 말한다), 학부모 등으로 학교폭력문제를 담당하는 전담기구(이하 "전담기구"라 한다)를 구성한다. 이 경우 학부모는 전담기구 구성원의 3분의 1 이상이어야 한다.
④ 학교의 장은 학교폭력 사태를 인지한 경우 지체 없이 전담기구 또는 소속 교원으로 하여금 가해 및 피해 사실 여부를 확인하도록 하고, 전담기구로 하여금 제13조의2에 따른 학교의 장의 자체해결 부의 여부를 심의하도록 한다.
⑤ 전담기구는 학교폭력에 대한 실태조사(이하 "실태조사"라 한다)와 학교폭력 예방 프로그램을 구성·실시하며, 학교의 장 및 심의위원회의 요구가 있는 때에는 학교폭력에 관련된 조사결과 등 활동결과를 보고하여야 한다.
⑥ 피해학생 또는 피해학생의 보호자는 피해사실 확인을 위하여 전담기구에 실태조사를 요구할 수 있다.

⑦ 국가 및 지방자치단체는 실태조사에 관한 예산을 지원하고, 관계 행정기관은 실태조사에 협조하여야 하며, 학교의 장은 전담기구에 행정적·재정적 지원을 할 수 있다.

⑧ 전담기구는 성폭력 등 특수한 학교폭력사건에 대한 실태조사의 전문성을 확보하기 위하여 필요한 경우 전문기관에 그 실태조사를 의뢰할 수 있다. 이 경우 그 의뢰는 심의위원회 위원장의 심의를 거쳐 학교의 장 명의로 하여야 한다.

(8) 학교폭력 예방교육(제15조)

① 학교의 장은 학생의 육체적·정신적 보호와 학교폭력의 예방을 위한 학생들에 대한 교육(학교폭력의 개념·실태 및 대처방안 등을 포함하여야 한다)을 학기별로 1회 이상 실시하여야 한다.

② 학교의 장은 학교폭력의 예방 및 대책 등을 위한 교직원 및 학부모에 대한 교육을 학기별로 1회 이상 실시하여야 한다.

③ 학교의 장은 학교폭력을 예방하기 위하여 교사·학생·학부모 등 학교구성원이 학교폭력에 대한 책임을 인식하고 실천할 수 있도록 필요한 사항을 정하여 운영할 수 있다.

④ 학교의 장은 제1항에 따른 학교폭력 예방교육 프로그램의 구성 및 그 운용 등을 전담기구와 협의하여 전문단체 또는 전문가에게 위탁할 수 있다.

⑤ 교육장은 제1항, 제2항 및 제4항에 따른 학교폭력 예방교육 프로그램의 구성과 운용계획을 학부모가 쉽게 확인할 수 있도록 휴대전화를 이용한 문자메시지 전송, 인터넷 홈페이지 게시 및 그 밖에 다양한 방법으로 학부모에게 홍보하여 참여가 활성화될 수 있도록 노력하여야 한다.

⑥ 교육부장관은 학교폭력 예방 및 대책 등에 관한 홍보영상을 제작하여 「방송법」 제2조 제3호에 따른 방송사업자에게 배포하고 송출을 요청할 수 있다.

(9) 피해학생의 보호(제16조)

① 심의위원회는 피해학생의 보호를 위하여 필요하다고 인정하는 때에는 피해학생에 대하여 다음 각 호의 어느 하나에 해당하는 조치(수 개의 조치를 동시에 부과하는 경우를 포함한다)를 할 것을 교육장(교육장이 없는 경우 제12조 제1항에 따라 조례로 정한 기관의 장으로 한다. 이하 같다)에게 요청할 수 있다. 다만, 학교의 장은 학교폭력사건을 인지한 경우 피해학생의 반대의사 등 대통령령으로 정하는 특별한 사정이 없으면 지체 없이 가해자(교사를 포함한다)와 피해학생을 분리하여야 하며, 피해학생이 긴급보호를 요청하는 경우에는 제1호부터 제3호까지 및 제6호의 조치를 할 수 있다. 이 경우 학교의 장은 심의위원회에 즉시 보고하여야 한다.

1. 학내외 전문가에 의한 심리상담 및 조언
2. 일시보호
3. 치료 및 치료를 위한 요양
4. 학급교체

5. 삭제
6. 그 밖에 피해학생의 보호를 위하여 필요한 조치

② 심의위원회는 제1항에 따른 조치를 요청하기 전에 피해학생 및 그 보호자에게 의견진술의 기회를 부여하는 등 적정한 절차를 거쳐야 한다.

③ 제1항에 따른 요청이 있는 때에는 교육장은 피해학생의 보호자의 동의를 받아 7일 이내에 해당 조치를 하여야 한다.

④ 제1항의 조치 등 보호가 필요한 학생에 대하여 학교의 장이 인정하는 경우 그 조치에 필요한 결석을 출석일수에 산입할 수 있다.

⑤ 학교의 장은 성적 등을 평가함에 있어서 제3항에 따른 조치로 인하여 학생에게 불이익을 주지 아니하도록 노력하여야 한다.

⑥ 피해학생이 전문단체나 전문가로부터 제1항제1호부터 제3호까지의 규정에 따른 상담 등을 받는 데에 사용되는 비용은 가해학생의 보호자가 부담하여야 한다. 다만, 피해학생의 신속한 치료를 위하여 학교의 장 또는 피해학생의 보호자가 원하는 경우에는 「학교안전사고 예방 및 보상에 관한 법률」제15조에 따른 학교안전공제회 또는 시·도교육청이 부담하고 이에 대한 구상권을 행사할 수 있다.

⑦ 학교의 장 또는 피해학생의 보호자는 필요한 경우 「학교안전사고 예방 및 보상에 관한 법률」제34조의 공제급여를 학교안전공제회에 직접 청구할 수 있다.

(10) **가해학생에 대한 조치**(제17조)

① 심의위원회는 피해학생의 보호와 가해학생의 선도·교육을 위하여 가해학생에 대하여 다음 각 호의 어느 하나에 해당하는 조치(수 개의 조치를 동시에 부과하는 경우를 포함한다)를 할 것을 교육장에게 요청하여야 하며, 각 조치별 적용 기준은 대통령령으로 정한다. 다만, 퇴학처분은 의무교육과정에 있는 가해학생에 대하여는 적용하지 아니한다.
1. 피해학생에 대한 서면사과
2. 피해학생 및 신고·고발 학생에 대한 접촉, 협박 및 보복행위(정보통신망을 이용한 행위를 포함한다)의 금지
3. 학교에서의 봉사
4. 사회봉사
5. 학내외 전문가, 교육감이 정한 기관에 의한 특별 교육이수 또는 심리치료
6. 출석정지
7. 학급교체
8. 전학
9. 퇴학처분

② 제1항에 따라 심의위원회가 교육장에게 가해학생에 대한 조치를 요청할 때 그 이유가 피해학생이나 신고·고발 학생에 대한 협박 또는 보복행위(정보통신망을 이용한 행위를 포함한다)일 경우에는 같은 항 제6호부터 제9호까지의 조치를 동시에 부과하거나 조치 내용을 가중할 수 있다.

③ 제1항 제2호부터 제4호까지 및 제6호부터 제8호까지의 처분을 받은 가해학생은 교육감이 정한 기관(대안교육기관을 포함한다)에서 특별교육을 이수하거나 심리치료를 받아야 하며, 그 기간은 심의위원회에서 정한다.

④ 학교의 장은 학교폭력을 인지한 경우 지체 없이 제1항제2호의 조치를 하여야 한다.

⑤ 학교의 장은 피해학생의 보호와 가해학생의 선도·교육이 긴급하다고 인정할 경우 우선 제1항 제1호, 제3호, 제5호부터 제7호까지의 조치를 각각 또는 동시에 부과할 수 있다. 이 경우 심의위원회에 즉시 보고하여 추인을 받아야 한다.

⑥ 학교의 장은 피해학생 및 그 보호자가 요청할 경우 전담기구 심의를 거쳐 제1항 제6호 또는 제7호의 조치를 할 수 있다. 이 경우 심의위원회에 즉시 보고하여 추인을 받아야 한다.

⑦ 제5항 및 제6항에 따라 학교의 장이 부과하는 제1항제6호 조치의 기간은 심의위원회 조치 결정시까지로 정할 수 있다.

⑧ 심의위원회는 제1항 또는 제2항에 따른 조치를 요청하기 전에 가해학생 및 보호자에게 의견진술의 기회를 부여하는 등 적정한 절차를 거쳐야 한다.

⑨ 제1항에 따른 요청이 있는 때에는 교육장은 14일 이내에 해당 조치를 하여야 한다.

⑩ 학교의 장이 제4항부터 제6항까지에 따른 조치를 한 때에는 가해학생과 그 보호자에게 이를 통지하여야 하며, 가해학생이 이를 거부하거나 회피하는 때에는 학교의 장은 「초·중등교육법」 제18조에 따라 징계하여야 한다.

⑪ 제1항 제2호의 처분을 받은 가해학생의 보호자는 가해학생이 해당 조치를 적절히 이행할 수 있도록 노력하여야 한다.

⑫ 가해학생이 제1항 제3호부터 제5호까지의 규정에 따른 조치를 받은 경우 이와 관련된 결석은 학교의 장이 인정하는 때에는 이를 출석일수에 포함하여 계산할 수 있다.

⑬ 심의위원회는 가해학생이 특별교육을 이수할 경우 해당 학생의 보호자도 함께 교육을 받게 하여야 하며, 피해학생이 장애학생일 경우 장애인식개선 교육내용을 포함하여야 한다.

⑭ 가해학생이 다른 학교로 전학을 간 이후에는 전학 전의 피해학생 소속 학교로 다시 전학올 수 없도록 하여야 한다.

⑮ 제1항제2호부터 제9호까지의 처분을 받은 학생이 해당 조치를 거부하거나 기피하는 경우 심의위원회는 제7항에도 불구하고 대통령령으로 정하는 바에 따라 추가로 다른 조치를 할 것을 교육장에게 요청할 수 있다.

⑯ 피해학생 및 그 보호자는 제9항, 제10항 및 제15항에 따른 조치 또는 징계가 지연되거나 이행되지 아니할 경우 교육감에게 신고할 수 있으며, 신고하는 경우 교육감은 지체 없이 사실 여부를 확인하기 위하여 대통령령으로 정하는 바에 따라 교육장 또는 학교의 장을 조사하여야 한다.

> **더 알아보기**

학생징계의 2원화

1. 「학교폭력 예방 및 대책에 관한 법률」(제17조)
   ① 학교 폭력 관련 사안 징계의 경우, '학교폭력대책 심의위원회'에서 징계 수위 결정
   ② 징계(9단계): 피해학생에 대한 서면사과 ⇨ 피해학생 및 신고·고발 학생에 대한 접촉, 협박 및 보복행위(정보통신망을 이용한 행위 포함)의 금지 ⇨ 학교에서의 봉사 ⇨ 사회봉사 ⇨ 학내외 전문가, 교육감이 정한 기관에 의한 특별교육 이수 또는 심리치료 ⇨ 출석정지 ⇨ 학급 교체 ⇨ 전학 ⇨ 퇴학처분
   ③ 퇴학은 의무교육과정(초등학교와 중학교)에서는 시행할 수 없다.

2. 「초·중등교육법」(제18조)와 「초·중등교육법 시행령」(제31조 제1항)
   (1) 「초·중등교육법」제18조
      ㉠ 학교의 장은 교육을 위하여 필요한 경우에는 법령과 학칙으로 정하는 바에 따라 학생을 징계할 수 있다. 다만, 의무교육을 받고 있는 학생은 퇴학시킬 수 없다.
      ㉡ 학교의 장은 학생을 징계하려면 그 학생이나 보호자에게 의견을 진술할 기회를 주는 등 적정한 절차를 거쳐야 한다.
   (2) 「초·중등교육법」 제31조 제1항: 학교 폭력 이외의 사안(예 절도, 사기 등)에 대한 징계의 경우, 선도위원회에서 징계 수위 결정
      ㉠ 징계(5단계): 학교 내의 봉사 ⇨ 사회봉사 ⇨ 특별교육 이수 ⇨ 1회 10일 이내, 연간 30일 이내의 출석정지 ⇨ 퇴학
      ㉡ 퇴학처분은 의무교육과정(초등학교와 중학교)에 있는 학생외의 자로서, 다음 각 호의 어느 하나에 해당하는 자에 한하여 행하여야 한다.
         1. 품행이 불량하여 개전의 가망이 없다고 인정된 자
         2. 정당한 이유없이 결석이 잦은 자
         3. 기타 학칙에 위반한 자

(11) **학교의 장의 의무**(제19조)

① 학교의 장은 제16조(피해학생의 보호), 제16조의2(장애학생의 보호), 제17조(가해학생에 대한 조치)에 따른 조치의 이행에 협조하여야 한다.

② 학교의 장은 학교폭력을 축소 또는 은폐해서는 아니 된다.

③ 학교의 장은 교육감에게 학교폭력이 발생한 사실과 제13조의2(학교의 장의 자체해결)에 따라 학교의 장의 자체해결로 처리된 사건, 제16조, 제16조의2, 제17조 및 제18조(분쟁조정)에 따른 조치 및 그 결과를 보고하고, 관계 기관과 협력하여 교내 학교폭력 단체의 결성예방 및 해체에 노력하여야 한다.

④ 학교의 장은 학교폭력 예방을 위하여 필요한 경우 해당 학교의 학교폭력 현황을 조사하는 등 학교폭력 조기 발견 및 대처를 위하여 노력하여야 한다.

⑿ 학교폭력의 신고의무(제20조)

① 학교폭력 현장을 보거나 그 사실을 알게 된 자는 학교 등 관계 기관에 이를 즉시 신고하여야 한다.

② 제1항에 따라 신고를 받은 기관은 이를 가해학생 및 피해학생의 보호자와 소속 학교의 장에게 통보하여야 한다.

③ 제2항에 따라 통보받은 소속 학교의 장은 이를 심의위원회에 지체 없이 통보하여야 한다.

④ 누구라도 학교폭력의 예비·음모 등을 알게 된 자는 이를 학교의 장 또는 심의위원회에 고발할 수 있다. 다만, 교원이 이를 알게 되었을 경우에는 학교의 장에게 보고하고 해당 학부모에게 알려야 한다.

⑤ 누구든지 제1항부터 제4항까지에 따라 학교폭력을 신고한 사람에게 그 신고행위를 이유로 불이익을 주어서는 아니 된다.

⒀ 학교전담경찰관(제20조의 6)

① 국가는 학교폭력 예방 및 근절을 위하여 학교폭력 업무 등을 전담하는 경찰관을 둘 수 있다.

② 제1항에 따른 학교전담경찰관의 운영에 필요한 사항은 대통령령으로 정한다.

⒁ 비밀누설금지(제21조)

① 이 법에 따라 학교폭력의 예방 및 대책과 관련된 업무를 수행하거나 수행하였던 자는 그 직무로 인하여 알게 된 비밀 또는 가해학생·피해학생 및 제20조에 따른 신고자·고발자와 관련된 자료를 누설하여서는 아니 된다. ⇨ 위반한 자는 1년 이하의 징역 또는 1천만원 이하의 벌금에 처함(제22조).

② 제1항에 따른 비밀의 구체적인 범위는 대통령령으로 정한다.

③ 제16조, 제16조의2, 제17조, 제17조의2, 제18조에 따른 심의위원회의 회의는 공개하지 아니한다. 다만, 피해학생·가해학생 또는 그 보호자가 회의록의 열람·복사 등 회의록 공개를 신청한 때에는 학생과 그 가족의 성명, 주민등록번호 및 주소, 위원의 성명 등 개인정보에 관한 사항을 제외하고 공개하여야 한다.

MEMO

오현준 정통교육학

핵심 체크 노트

★ **1. 교육사회학의 이론**
  ① 구교육사회학: 규범적 접근, 거시이론
   • 기능이론: 구조기능주의, 근대화이론, 인간자본론, 기술기능이론, 신기능이론
   • 갈등이론: 경제적 재생산이론, 급진적 저항이론
  ② 신교육사회학(교육과정사회학): 해석적 접근, 미시이론 ⇨ 문화적 재생산이론, 문화적 헤게모니이론, 문화전달이론(자율이론), 저항이론

2. 교육과 사회
  ① 사회화의 유형: 보편적 사회화(Durkheim), 역할 사회화(Parsons), 규범적 사회화(Dreeben), 차별적 사회화(Bowles & Gintis)
  ② 사회학습: 모방학습, 모형학습, 역할학습, 자아형성
  ③ 사회이동: 블라우와 던컨(Blau & Duncan)

3. 교육과 문화
 ★ ① 문화변동유형: 문화접변, 문화전계, 문화지체, 문화실조
  ② 문화기대(문화구속)와 평균인

4. 학교교육과 사회평등
 ★ ① 평등화기여론: 호레이스만(Horace Mann), 해비거스트(Havighurst), 블라우와 던컨(Blau & Duncan), 인간자본론
  ② 불평등재생산이론: 보울스와 진티스(Bowles & Gintis), 카노이(Carnoy), 라이트와 페론(Wright & Perrone)

★ **5. 교육평등관의 유형**
  ① (취학)기회의 평등: 허용적 평등, 보장적 평등
  ② 내용의 평등: 교육조건의 평등, 보상적 평등(결과적 평등)

★ **6. 교육격차(학업성취도) 발생이론**
  ① 교육 내적 원인: 교사결핍론 ⇨ 로젠탈과 제이콥슨(Rosenthal & Jacobson), 리스트(Rist), 블룸(Bloom), 브루크오버(Brookover)
  ② 교육 외적 원인
   • 지능결핍론: 젠센(Jensen), 아이젠크(Eysenck)
   • 문화환경결핍론: 콜맨(Coleman), 젠크스(Jencks), 플라우덴(Plowden)

★ **7. 교육팽창(학력상승)이론**
  ① 심리적 요인: 매슬로우(Maslow)의 학습욕구이론
  ② 경제적 요인: 클라크(Clark)와 커(Kerr)의 기술기능이론, 신마르크스이론
  ③ 사회적 요인: 지위경쟁이론(Weber, Dore, Collins)
  ④ 정치적 요인: 벤딕스(Bendix)의 국민통합론

CHAPTER 14

교육사회학

01 교육사회학의 기초
02 교육사회학의 이론
03 사회와 교육
04 문화와 교육
05 교육의 기회균등
06 학력상승이론

CHAPTER 14 교육사회학

> **학습 포인트**
> 1. **교육사회학의 이론**: 기능이론, 갈등이론, 신교육사회학
> 2. **학교교육과 사회평등**: 평등화 기여론, 불평등 재생산론, 무효과론
> 3. **교육평등관의 유형**: 허용적 평등, 보장적 평등, 교육조건의 평등, 보상적 평등
> 4. **교육격차 발생이론**: 지능결핍론, 교사결핍론, 문화환경결핍론
> 5. **교육팽창(학력상승) 이론**: 학습욕구이론, 기술기능이론, 신마르크스 이론, 지위경쟁이론, 국민통합론

제1절 교육사회학의 기초

1 교육사회학의 학문적 기초

1. 교육과 사회의 관계

(1) **인간은 사회적 존재이다**: 타인의 배려 없이 인간은 생존할 수 없으며, 신생아는 타인의 의존성을 매개로 사회 안에서 인간으로서 사는 방법을 학습하게 된다.

(2) 사회 안에서 인간으로서 사는 방법의 학습이 곧 교육이다.

(3) 교육은 사회적 과정이며, 사회적 동화의 과정 ⇨ "교육은 곧 사회화이다." (E. Durkheim)

(4) 교육과 사회는 역동적·상호 불가분적 관계에 있다. ⇨ 교육은 사회의 영향을 받으면서도 동시에 사회를 발전시켜 나가는 힘을 가지고 있다.

2. 교육사회학의 탄생과 정의

(1) 교육은 본래 사회성을 전제로 성립되었고, 사회적 맥락 속에서 이루어지기 때문에 교육사회학의 영역이 탄생하게 되었다.

(2) 교육사회학은 사회학적 지식 및 연구방법을 교육현상에 응용하려는 학문영역이다.

3. 교육사회학의 발달 과정

(1) **사회학(Sociology)의 성립**: A. Comte
  ① 19세기 중엽 콩트(A. Comte)가 사회학(Sociology)이란 용어를 처음 사용하였다.
    ⇨ Socius(인간의 집단) + logos(연구) - 인간과 집단의 관계를 연구하는 학문
  ② **사회학**: 인간과 인간과의 관계, 인간과 집단과의 관계, 인간의 사회적 상호작용, 사회구조와 변동 등을 경험적으로 연구하는 학문

(2) **교육사회학의 성립**: E. Durkheim
　① 교육을 사회적 사실(social facts)로 보고 이를 객관적·실증적으로 취급할 것을 제창하면서 교육사회학을 독자적인 학문영역으로 구축하였다.
　② 교육사회학의 연구영역
　　㉠ 교육에 대한 사회적 사실과 그들의 사회적 기능에 관한 연구
　　㉡ 교육과 사회문화적 변동의 상호관계에 관한 연구
　　㉢ 교육제도의 여러 유형에 대한 문화적 비교연구
　　㉣ 사회제도로서의 학교와 학급에 관한 연구
　③ **교육은 사회화(socialization)의 과정이다**: 교육은 새로운 세대의 체계적 사회화, 즉 비사회적인 존재를 사회적 존재로 만드는 과정이며, 사회화는 문화적 동질성을 증식시키고 확대하는 작용이다. 18. 국가직

> "교육은 사회생활을 위하여 준비를 아직 갖추지 못한 사람들에 대한 성인세대들의 영향력 행사다. 그 목적은 전체로서의 정치사회와 아동이 장차 소속하게 되어 있는 특수환경의 양편이 요구하는 지적·도덕적·신체적 제 특성을 아동에게 육성·계발하는 데 있다." ─「뒤르켐(Durkheim)」

(3) **교육사회학의 강좌 개설**
　① 로스(E. A. Ross)가 스탠포드(Stanford) 대학에 '교사를 위한 교육사회학'을 개설
　② 수잘로(H. Suzallo)가 콜롬비아(Columbia) 대학에 '교육적 사회학(Educational Sociology)' 강좌 개설(1907) ⇨ 공식적으로 제도화

(4) **교육사회학회 창립**: 페인(E. G. Payne)의 제창으로 미국 교육사회학회 성립(1923) ⇨ 전문학술지「Journal of Sociology(1928)」창간

(5) **교육사회학의 발전**
　① 교육적 사회학(Educational Sociology): 교육행정가와 교육자들을 중심으로 전개
　② 교육의 사회학(Sociology of Education): 사회학자 중심으로 전개
　③ 신교육사회학(New Sociology of Education): 1970년대 이후 유럽을 중심으로 전개

2 교육사회학의 연구 13. 국가직 7급

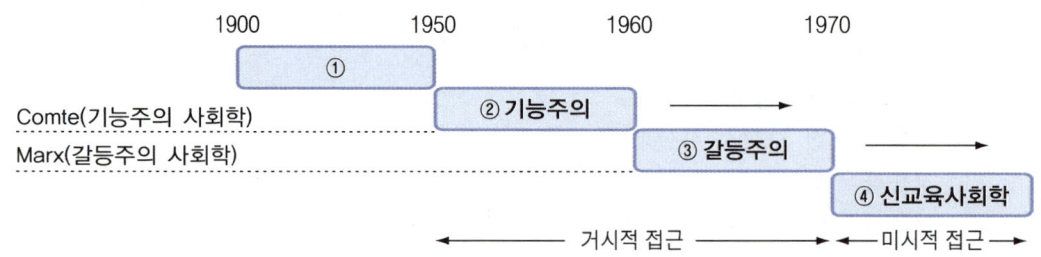

※ ①: 교육적 사회학(Educational Sociology)
②③④: 교육의 사회학(Sociology of Education)

구분	교육적 사회학	교육의 사회학		연구과제	연구방법
		구교육사회학	신교육사회학		
거시적 접근 (규범적 패러다임)		• 기능이론 • 갈등이론		학교 외부문제: 학교와 사회구조	객관적, 실증적, 연역적, 양적
미시적 접근 (해석학적 패러다임)			신교육사회학 (교육과정 사회학)	학교 내부문제: 학교지식, 교사-학생 간 상호작용	현상학적, 해석학적, 귀납적, 질적

제2절 교육사회학의 이론 11. 서울, 09. 국가직

1 구교육사회학: 거시적 접근(규범적 패러다임)

1. 기능이론(functionalism) 10. 경북, 05. 국가직

구조기능주의, 합의이론, 균형이론, 질서유지이론

(1) 기능이론의 전개 과정

① 뒤르켐(Durkheim, 1858~1917): 이론의 발전 ⇨ 사회실재론 10. 충북, 07. 경남
  ㉠ 교육사회학의 아버지 ⇨ 「교육과 사회학」
  ㉡ 교육에 대한 견해: 교육을 개인의 심리가 아니라 '사회적 사실'로 파악
    ⓐ 교육은 사회의 한 하위체제이다.
    ⓑ 교육은 사회의 유지·존속을 위해 필요하다.

▲ Durkheim의 「자살론」

ⓒ 교육은 곧 사회화(socialization)이다 : "교육은 천성(天性)이 비사회적 존재인 개인을 사회적 존재로 만드는 과정이며, 학교교육의 핵심은 사회의 보편적 가치를 가르치는 도덕교육이다." ⇨ 도덕적 사회화(현대 산업사회에 알맞은 도덕적 질서 확립)가 목적

ⓓ 교육의 목적 : 문화기대에 잘 어울리는 사람, 즉 평균인을 양성하는 것

> **더 알아보기**
>
> **교육사회학**
> 1. **교육사회학의 탄생** : Durkheim 이전의 교육학은 윤리학(교육목적)과 심리학(교육방법)의 문제였으며 지극히 개인적인 문제로 받아들여졌다. '사회'가 없었던 것이다. 그러나 Durkheim은 개인을 넘어서는 사회가 실재(實在)한다는 '사회실재론(社會實在論, social realism)'을 주장하면서 교육학의 영역에 '사회'를 포함시켰다. 그 결과 교육현상을 개인적 동기나 성격 등으로 설명하기보다는 사회의 구조적 영향으로 설명하려는 교육사회학이 탄생하게 된다.
> 2. **사회명목론**(社會名目論, social nominalism) : 신교육사회학의 이론적 바탕
> 사회유명론(社會唯名論), 베버(Weber)가 주장, 사회에는 개인이 실재(實在)할 뿐이고 사회는 이름에 지나지 않으며, 개인은 사회보다 우위에 있다고 보는 사회이론

ⓒ 사회화(socialization) 21. 지방직

ⓐ **소극적 개념** : 2중인(homo duplex)적 인간관에 기초 ⇨ 동물적 존재와 사회화된 인격체적 존재
- 교육을 통해 천성(天性)이 비사회적 존재인 개인을 사회적인 존재로 만드는 과정
- 사회의 제도화된 가치 규범을 한 개인에게 내면화시키는 과정 ⇨ 기존질서의 단순 재생산을 지향

ⓑ **적극적 개념** : 미국의 구조기능주의 이론이 체계화되는 과정에서 그 의미가 탈각(脫却)됨.
- 현실적으로 그 사회가 추구하는 이상(理想)에 공감하고 이성적·합리적인 비판과 참여를 통해 그 이상을 실현하는 것
- 19세기 말 프랑스 사회에서 나타났던 아노미 현상을 극복하기 위하여 유기적 연대 방식으로 이루어진 근대 산업사회에 적합한 근대적인 정신(예 이타주의, 도덕성 등)을 함양함으로써 도덕적 개인을 통한 도덕적 산업사회를 형성하는 것
- 새로운 사회(도덕적 산업사회) 건설에 적합한 새로운 인간형(도덕적 개인)을 형성하는 것 ⇨ 보편적 사회화를 통한 도덕적 사회화를 중시

> **아노미(Anomie) : Durkheim**
>
> 사회변동의 과정에서 나타나는 집합의식이나 규범의 부재(탈규범·무규범) 상태 ⇨ 자본주의로 인한 모순(이기주의, 분업으로 인한 인간성 파괴, 상속 등으로 인한 외적 불평등)이 심화되고 노동계급운동이 격화되면서 봉건사회에서의 종교가 수행했던 도덕적 역할이 붕괴됨으로 인해 발생

보편적 사회화와 특수적 사회화

사회화 유형	개념	예	관련 교육
보편적 사회화	• 사회 전체적인 가치와 규범(집합표상)을 새로운 세대에 내면화하는 것 • 사회구성원들의 동질성 확보를 위한 사회화 ⇨ 사회유지 • 전체적 사회가 요구하는 신체적·도덕적·지적 특성의 함양	한국인이라면~	• 보통교육 • 교양교육
특수적 사회화 (≒ 역할사회화)	• 특정 사회체제(분업화된 사회집단)에 부응하는 가치와 규범, 능력을 내면화하는 것 • 개인이 속하게 되는 특수환경(직업집단)이 요구하는 신체적·도덕적·지적 특성의 함양 • 사회가 분화·발전함에 따라 요구되는 지식과 기술 습득	• 교육자가 되려면~ • 예술가가 되려면~	• 전문교육 • 기술교육 • 직업교육

② 파슨스(Parsons, 1902~1979): 이론의 체계화 20. 지방직
  ㉠ 미국의 구조기능주의 학자: 기능주의 이론을 체계화
  ㉡ 사회체제이론(theory of social system): '사회는 어떻게 유지·발전하는가?'라는 질문 제기 ⇨ 사회가 균형을 유지하기 위해서는 4가지 기능(A-G-I-L이론)이 필수적이다.

▲ Parsons

  ⓐ Adaptation(적응): 환경에 적응하는 진보적 기능
    예 회사, 기업체 ⇨ 경제
  ⓑ Goal-Attainment(목표 달성): 목표 달성을 위해 상황의 제반 요소를 통제하는 기능
    예 정부, 정당 ⇨ 정치
  ⓒ Integration(통합): 사회단위 간의 연대를 유지·통합하는 기능
    예 법원, 경찰 ⇨ 사회
  ⓓ Latent pattern maintenance and tension management(잠재유형유지와 긴장관리, 유형유지): 사회문화의 형태를 유지·존속시키는 보수적 기능
    예 학교, 종교, 가정 ⇨ 문화

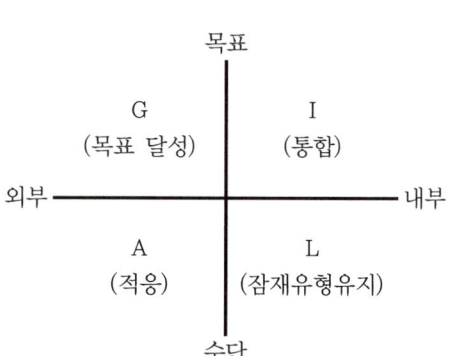

  ㉢ 사회에 대한 견해: 안정성, 상호의존성, 합의 ⇨ 사회의 공통된 특성
    ⓐ 사회란 사회의 요구(필요, 생존이나 유지, 통합, 발전 등)에 의해 기능적으로 분화된 체제들(또는 하위구조들 예 AGIL)이 유기적으로 작동하는 곳이다.
    ⓑ 사회가 발달할수록(복잡해질수록) 기능적으로 분화된 체제들은 점차 늘어나고, 이 체제들은 서로에게 영향을 끼치면서 (유기적으로) 존재·운동하며, 그 결과 사회는 유지된다.

ⓒ 하위체제들을 기능적으로 분화시키는 힘이나 상호 유기적인 관계를 맺도록 하는 힘은 사회구성원에 의해 공유되는 공동의 가치나 규범, 즉 합의(合意)이다.
② 교육에 대한 견해
  ⓐ 교육은 역할사회화의 기능을 수행한다 : 아동들이 장차 성인이 되어 담당하게 될 역할수행에 반드시 필요한 정신적 자세와 자질을 학습하는 것 ⇨ 뒤르켐의 '특수적 사회화'와 유사
  ⓑ 교육은 사회적 선발의 기능을 수행한다.

(2) 기능이론의 개요

① **개념**: 사회를 유기체에 비유하여 사회의 각 부분이 상호의존적으로 전체 사회의 존속을 위해 필요한 기능을 수행하며, 사회는 항상 안정하려는 속성과 동질성과 균형성을 지향하는 경향이 있다고 보는 견해

② **기본전제**
  ㉠ 사회는 하나의 유기체이다.
  ㉡ 사회는 항상 안정을 유지하려는 속성을 가지고 있고, 각 부분은 전체의 유지에 기여한다.
  ㉢ 사회의 각 부분은 독립적(자율적)이며 또한 상호의존적이다.
  ㉣ 사회를 구성하고 있는 각 부분 간에는 우열이 있을 수 없으며 각기 수행하는 기능상의 차이가 있을 뿐이다.
  ㉤ 계층은 기능의 차이에 바탕을 둔 차등적 보상체제의 결과이다.

(3) 기능이론의 주요 내용

① **연구과제** : '사회는 어떻게 유지되고 발전하는가?' ⇨ 생물학적 유기체론에 입각하여 설명

② **사회의 본질(속성)**
  ㉠ 모든 사회는 비교적 지속적이고 안정된 구조를 가지고 있다(안정성).
  ㉡ 모든 사회는 각 부분(요소)들이 잘 통합된 구조이다(통합성).
  ㉢ 사회의 각 부분들은 기능을 가지고 있으며, 체제유지에 공헌하고 있다(기능적 조정).
  ㉣ 모든 기능적인 사회구조는 그 구성원 간의 가치에 대한 합의에 그 토대를 두고 있다(합의).

③ **사회의 핵심요소** : 구조와 기능, 통합(연관), 안정, 합의

구조와 기능	사회는 인체(유기체)의 각 기관처럼 여러 부분(하위구조, 하위체제)들로 전체를 이루고 있으며, 각 부분들은 고유한 기능으로 전체의 존속과 유지에 기여한다.
통합(연관)	사회의 기능적으로 분화된 각 부분들이 유기적으로 통합(또는 연관)되어 있고, 한 부분에서의 변화는 다른 부분에 영향을 미치며, 각 부분들은 동등하며 상호보완적인 관계에 있다.
안정	얼마간의 사회 변화(또는 갈등)는 필연적임을 인정하지만 그것은 새로운 균형으로 나아가기 위한 부수적인(비정상적인, 일탈적인) 과정일 뿐이며 본질적인 것은 아니다. 사회는 급진적인 변동의 힘(예 혁명)보다는 사회의 질서와 균형을 유지하고 안정을 도모하는 힘에 더 지배를 받는다.
합의	어떤 사회든 시각·감정·가치·신념에 대한 일반적인 합의는 존재하여 왔으며, 합의는 기본적으로 가정이나 학교의 사회화 과정을 통해 형성된다.

(4) 기능이론의 교육적 관점 25 · 16. 국가직, 23. 국가직 7급, 03. 경남

① 교육에 대한 기본가정
　㉠ 교육을 사회와 연관시키는 거시적 관점을 취한다.
　㉡ 교육과 사회의 관계, 교육의 기능을 긍정적·낙관적으로 본다.
　㉢ 교육은 전체 사회의 한 하위체제로서 사회 존속을 위한 그 나름의 기능(사회화, 선발·배치)을 수행한다.
　㉣ 교육의 목적은 사회화와 사회적 선발을 통한 사회 질서유지·통합·안정·발전에 있다.
　㉤ 교육과정은 그 사회와 문화의 핵심적 내용을 선정하여 조직한 것으로 학생에게 필수적이다.
　㉥ 학교는 성숙한 교사가 미성숙한 학생을 가르치는 곳이며, 한 사회를 유지 발전시키기 위하여 존재하는 합리적 기관이다.

② 학교교육(schooling)의 기능: 사회화, 선발·배치
　㉠ 사회화(socialization): 현존 사회의 문화와 가치규범을 사회구성원들에게 내면화시킨다.
　㉡ 선발·배치: 사회화된 구성원들이 사회적 역할 수행을 원활하게 하기 위해 가정과 학교 밖의 다른 체제들에 개개인을 적재적소에 배치한다. ⇨ 공정한 경쟁을 통한 사회계층의 합리적 분류 및 배치를 말하며, 개인을 사회로 배출하는 학교교육은 원활한 사회이동(social mobility)의 장치이다.

③ 학교교육 기능의 원활한 수행을 위해 필요한 전제조건
　㉠ 기회의 평등: 교육은 위대한 평등장치이다(Horace Mann).
　㉡ 업적주의(Merton): 개인의 능력과 노력에 따라 차등적 보상이 주어지고 그 결과 사회적 지위와 계층이 분화된다. ⇨ 계층분화는 정당한, 필연적 결과

(5) 기능이론의 주요 이론들 ⇨ 교육은 사회·경제발전의 수단이라고 보는 입장 21. 국가직 7급

① 합의론적 기능주의
　㉠ 사회화 기능론을 주장
　㉡ 대표자: Durkheim(사회화), Parsons(역할사회화, 사회적 선발), Dreeben(규범적 사회화)

② 기술기능이론(technical-functional theory)
　㉠ 산업사회의 기술 발달 ⇨ 고수준의 기술을 필요로 하는 직업 증가 ⇨ 학교교육의 팽창
　㉡ 고학력 사회는 고도산업사회의 결과, 학교는 산업사회를 지탱하는 핵심적인 장치
　㉢ 한계점: 과잉학력현상을 설명하지 못한다. ⇨ 학교인구의 과대한 팽창은 산업계가 요구하는 수준 이상으로 졸업자를 배출하여 일부만 학력에 일치하는 직종에 들어가고 남은 많은 수가 상대적으로 낮은 직종으로 흘러들어가는 현상이다. 즉, 고학력자들이 자신의 학력과 일치하는 직업보다 낮은 지위의 직업에 종사하거나 실업자로 전락하는 현상을 말한다.
　㉣ 대표자: 클라크와 커(Clark & Kerr)
　㉤ 관련 연구: 미국의 중등교육과 고등교육의 대중화가 직업구조 변화(전문직의 증가)와 관련이 있다(Trow). ⇨ 고학력 사회는 고도산업사회의 결과이다.

③ 인간자본론(Human capital theory, 교육투자 효율화 이론) 25. 국가직
  ㉠ 교육을 통해 사회·경제발전에 필요한 인적 자본 생산의 중요성을 강조
  ㉡ 교육을 개인과 사회 모두에게 높은 소득을 가져다 주는 투자의 한 형태로 파악
    ⓐ 교육은 '증가된 배당금(increased dividends)'의 형태로 미래에 되돌려 받을 인간자본에의 투자이며, 인간이 교육을 통해 지식과 기술을 갖추게 될 때 인간의 경제적 가치는 증가하게 된다.
    ⓑ 교육수준의 향상 ⇨ 개인의 생산성 증대 ⇨ 개인의 소득능력 향상(경제적 이익 보장) ⇨ 사회·경제적 발전
  ㉢ 기본가정
    ⓐ 교육받은 노동자가 경쟁해야 하는 노동시장은 완전한 것이며, 보다 좋은 교육을 받은 사람은 보다 좋은 직업을 갖는다.
    ⓑ 상대적으로 높은 미래의 소득을 위해 현재의 소득을 희생한다. 개인은 생애소득의 극대화를 위한 합리적인 의사결정으로서 현재의 긴급한 소득을 포기하고 인간자본에 투자하게 된다.
  ㉣ 대표자: 슐츠(Schultz), 베커(Becker)
  ㉤ Schultz ⇨ 「인간자본에 투자하자(Investment in Human Capital, 1961)」
    ⓐ 교육은 개인적인 소비 차원에서 벗어나 새로운 자본재로서 사회의 투자대상이 된다.
    ⓑ 생산수단의 개념 확장: 인간도 하나의 생산수단이다.
    ⓒ 교육에 대한 투자는 개인에게는 고소득을 보장하고 사회에는 발전의 원동력이 된다.
  ㉥ 관련 연구: 세계 75개국의 분석 결과 1인당 국민소득과 교육수준 간에 상관관계가 존재한다(Harbison&Myers, 1964).
  ㉦ 영향: 발전교육론의 기반 형성, 교육투자 확대에 기여, 교육을 사회발전의 동인으로 간주

④ 근대화이론(Modernization theory) 06. 대구
  ㉠ 한 사회가 근대화되기 위해서는 사회구성원들이 근대적 가치관(의식)을 지녀야 하고, 근대적 가치관은 학교교육을 통해 길러져야 한다: 학교교육 ⇨ 사회구성원들에게 근대적 가치관과 태도를 함양 ⇨ 정치·경제·사회·문화의 근대화 달성
  ㉡ Weber의 가치이론에 토대: "가치가 제도적 구조를 결정한다. 자본주의 정신의 뿌리는 신교(新敎)의 금욕주의이다." ⇨ 사회심리학적 측면에서 교육을 통한 근대적 가치관 형성을 중시
  ㉢ 근대적 가치의 창출은 인간 계획의 결과라는 가정 하에 '근대화 기관(가정, 학교, 기업) ⇨ 근대적 가치 ⇨ 근대적 행위 ⇨ 근대적 사회 ⇨ 근대적 발전'의 다섯 변인 간에 직접적인 인과관계가 있다고 봄.
  ㉣ 대표자: 맥클랜드(McClelland), 인켈스(Inkeles)
    ⓐ McClelland: 「성취사회(The Achieving Society, 1961)」 ⇨ 문명의 발생과 쇠퇴는 사회구성원들의 개인적 가치관에서 비롯되며 '성취동기'가 근대화를 이루는 중요한 가치이다(한 국가의 근대화 원인을 기업의 '성취동기'에서 찾음).
    ⓑ Inkeles: '근대성 척도'인 성취동기를 태도검사로 측정 ⇨ 근대화의 결과 및 영향, 즉 성취인의 행동 특성에 관심

⑤ 발전교육론
  ㉠ 국가발전에 기여하기 위한 교육, 교육을 국가의 경제·정치·사회발전을 위한 중요한 수단으로 간주, 교육의 비본질적(수단적·외재적) 기능 중시
  ㉡ 국가의 정치·경제·사회의 각 부분의 발전을 자극하고 촉진시키기 위하여 교육의 양과 질을 계획적으로 조절하자는 견해
  ㉢ 제2차 세계대전 이후 세계 교육의 특징의 하나로 대두된 이론으로 신생독립국들은 '교육입국', '교육을 통한 조국 건설' 등의 구호를 내걸고 교육에 대한 투자를 확대하였다. 이 이론에 따르면 어떤 물질적인 자원이나 제도보다도 자원과 제도를 다루는 인적 요소가 중요하며 그러기에 교육이야말로 국가발전의 중요한 요소라고 본다.
  ㉣ 발전교육론은 1950년대와 1960년대에 가장 활발하였다.
⑥ 신기능이론: 기능이론의 근본적 결점(예. 기존의 사회체제를 정당화, 분업화된 구조가 효율적이라는 가정, 집단 간 합의를 중시함으로써 집단 간 갈등의 존재 부정)을 극복하고자 제기 ⇨ 세계화 시대의 교육현상에 대한 유용한 해석틀 제공, 학교교육을 비판하면서 동시에 학교교육의 강화를 주장
  ㉠ 집단 간 갈등의 존재를 긍정
  ㉡ 교육팽창을 생태학적 세계 체제이론의 관점에서 국제경쟁에 대한 각 사회의 적응 과정으로 파악
    ⓐ 교육개혁을 통해 수월성 성취와 사회적 기능 수행 중시
    ⓑ 교육을 통한 사회개혁과 국가적 발달 추구 중시 ⇨ 고급인력 육성을 강조
  ㉢ 대표자: 알렉산더(Alexander)

(6) **기능이론의 비판점**
① 인간을 수동적 존재, 사회의 종속적 존재로 파악한다.
② 사회개혁보다는 기존질서 범위 내에서 안정을 지향하는 보수적 입장을 취한다.
③ 학력경쟁을 가열화시켜 고학력화를 부채질하고 인간성을 메마르게 하고 있다.
④ 인지적 측면을 중시하여 인성교육 또는 전인교육을 소홀히 하고 있다.
⑤ 학생들의 개별성보다는 공통성 내지 유사성을 강조함으로써 학교교육을 규격화한다.
⑥ 교육의 본질적 기능보다는 수단적 기능을 중시한다.

2. **갈등이론**(contradiction theory) 17·12. 국가직, 10. 인천, 05. 경기
  (1) **갈등이론의 전개 과정**
    ① 이론적 기초 형성: Marx, Weber
    ② 출현: Dahrendorf, Miller, Coser ⇨ 기능이론에 대한 비판
    ③ 근대: Bowles, Gintis, Giroux, Apple, Carnoy
    ④ 현대: Neo-Marxists ⇨ Illich, Reimer, Freire
      ㉠ 마르크스(Marx): 계급갈등론 ⇨ 경제갈등론
      ㉡ 베버(Weber): 권력갈등론 ⇨ Marx의 경제결정론 비판 & 가치다원론 주장, 사회명목론적 태도(개인을 중심으로 사회 분석), 계급보다는 계층을 중시, 자본주의를 합리적인 체제로 파악

▲ Weber

(2) 갈등이론의 주요 내용 08. 국가직

① **개념**: 사회의 본질을 갈등과 변동, 강제의 과정으로 이해하는 관점

② **기본전제**
  ㉠ 인간의 욕구는 무한한데 욕구충족을 위한 재화는 유한하기 때문에 인간 사이의 경쟁과 갈등은 불가피하다.
  ㉡ 사회는 모든 면에서 변화의 과정과 이견(異見)과 갈등을 겪는다.
  ㉢ 사회의 모든 요소는 사회의 분열(와해)과 변동에 기여한다.
  ㉣ 사회집단은 지배집단과 피지배집단으로 구성되어 있다.
  ㉤ 일정기간 사회가 안정을 유지하는 것은 경제적 권력을 획득한 지배집단이 피지배집단을 억압하고 강제하기 때문이다. 즉, 사회의 합의에 의해 이루어지는 것이 아니라 지배집단의 억압과 강제에 의해 이루어지는 것이다.

③ **사회의 본질**
  ㉠ 모든 사회는 언제나 변화의 과정에 있다(변화).
  ㉡ 모든 사회는 언제나 이견(불일치)과 갈등 속에 있으며, 갈등은 사회진보의 원동력이다(갈등).
  ㉢ 모든 사회는 그 구성원의 일부에 대한 다른 일부의 강제에 토대를 두고 있다(강제).

④ **사회의 핵심요소**: 변화(변동), 갈등, 강제(억압)
  ㉠ **변화(변동)**: 집단 간의 계속적인 투쟁과 갈등은 사회를 항상 유동적 상태에 있게 한다.
  ㉡ **갈등**: 자원의 희소성, 사회집단 간의 목적과 계획의 불일치, 지배집단과 피지배집단 간의 이해 대립으로 인해 갈등이 비롯된다.
  ㉢ **강제(억압)**: 강제는 투쟁의 과정에서 승리한 권력집단이 피지배집단을 통치하고 일시적인 안정과 사회질서를 유지하는 수단으로, 힘에도 의존하지만 피지배집단들에게 압제의 정당성을 얻도록 선전과 교화의 수단을 쓰기도 한다.

(3) 갈등이론의 교육적 관점 19·13. 국가직

① **교육에 대한 기본가정**
  ㉠ 교육을 사회와 연관시키는 거시적 관점을 취한다. ≒ 기능이론
  ㉡ 교육과 사회의 관계, 교육의 기능을 부정적·비판적으로 본다.
  ㉢ 주된 관심사는 교육의 기능을 밝히려는 것이 아니라 사회적 불평등이 학교교육을 통해서 어떻게 유지·강화되는가에 초점을 둔다.
  ㉣ 교육은 기존사회의 불평등한 구조를 유지·재생산한다.
  ㉤ 학교교육 그 자체보다는 부모의 사회경제적 지위를 사회계층의 결정요인으로 중요시한다.

② **교육의 기능**
  ㉠ 교육은 특정집단(지배집단)의 이익을 대변한다.
  ㉡ 교육은 지배집단의 문화를 정당화하고 주입하며, 기존의 불평등한 계층구조를 재생산한다.
  ㉢ 교육은 지배집단의 문화자본을 전수한다.

ⓔ 학교교육은 사회의 불평등 구조를 재생산하고 정당화하므로, 학교의 개혁은 무의미하고 사회의 거시적 개혁만이 필요하다.
　　　ⓜ 능력주의 선발은 허구이며, 기존질서를 정당화하는 장치에 불과하다.
　③ 자본주의 체제하에서의 학교교육의 모순점(Bowles & Gintis)
　　　㉠ 학교교육은 사회적 불평등을 정당화하는 데 기여하고 있다.
　　　㉡ 교육조직은 직업의 구조 또는 노동시장의 구조에 대응하고 있으며, 사회의 불평등 구조를 재생산하고 있다.

(4) 갈등이론의 주요 이론들 25. 지방직
　① 경제적 재생산이론(economic reproduction theory): 학자에 따라 신교육사회학의 이론으로 분류하기도 한다. 09. 경기
　　　㉠ 대표자: 보울스와 진티스(Bowles & Gintis), 『자본주의 미국사회에서의 학교교육(Schooling in Capitalist America, 1976)』 ⇨ 구조기능주의의 평등관 비판 20. 지방직
　　　　ⓐ 미국의 자유주의 교육개혁은 사회통합의 측면에서는 성공한 것으로 보이지만, 사회평등 실현과 전인적 발달의 측면에서는 실패하였다.
　　　　ⓑ 학교교육은 자본주의 사회의 불평등한 계급구조를 재생산하는 도구이다: 경제적 불평등에 따른 교육의 불평등(잠재적 교육과정 속에서 학생의 계급적 위치에 따른 차별적 사회화) ⇨ 경제 불평등의 재생산

> …… 학교 간 또는 학교 내에서 나타나는 사회관계의 차이는 부분적으로 학생의 사회적 배경 및 미래의 경제적 지위를 반영한다. 흑인이나 소수민족이 집중되어 있는 학교는 열등한 직업지위의 특성을 반영하여 억압적이며 임의적이고 혼돈된 내부질서와 강압적 권위구조를 지니고 있으며, 발전 가능성이 지극히 제한되어 있다. 부유한 지역의 학교에서는 학생의 활발한 참여와 선택이 허용되며 직접적인 감독이 적고 내면화된 통제규범에 중점을 둔 가치체계를 중시하지만, 노동자의 자녀가 다니는 학교에서는 통제된 행동과 규칙의 준수를 강조하는 경향이 압도적이다. ……
> － 「보울스와 진티스」(이규환 역)

　　　　ⓒ 학교교육의 실패 원인은 교육체제 자체에 있는 것이 아니라 순치(馴致)된 노동력을 양성하려는 자본주의 경제에 그 원인이 있다.
　　　㉡ 이론적 기초: Marx의 계급이론 ⇨ '토대(하부구조) － 상부구조' 모델 적용
　　　　ⓐ 교육은 경제적 생산관계에 기초한 사회구조를 반영하고 있다(구조주의).
　　　　ⓑ 하부구조 결정론(경제결정론): 학교(상부구조) 또는 인간을 수동적으로 본다.
　　　㉢ 이론의 특징
　　　　ⓐ 학교교육은 자본주의 사회의 불평등한 경제적 구조를 재생산하고 정당화한다.
　　　　　• 학교 교육과정은 사회의 성격, 즉 자본주의 경제구조를 반영한다.
　　　　　• 교육과정은 학생들에게 그들의 부모가 갖고 있는 사회경제적 지위를 재생산하는 역할을 한다.
　　　　ⓑ 학교는 인지적 기술보다 태도나 가치관 형성에 주력한다.

ⓒ 학교는 계층에 기초한 성격적 특징을 차별적으로 사회화시킨다.
- **상류계층 아동**: 자유, 창의성, 독립심, 내면화된 통제규범 중시
- **하류계층 아동**: 순종, 시간엄수, 지시에 대한 복종, 통제된 행동과 규칙준수 강조

ⓓ **상응이론**(Correspondence theory, 대응이론)이라고도 부름: 교육이 노동구조의 사회관계와 똑같은(대응하는) 사회관계로 운영되고 있다.
- 교사는 자본가가 노동자에게 요구하는 것처럼 학생에게 순종과 복종을 강요한다.
- 노동이 외적 보상인 임금을 획득하기 위해 이루어지듯, 교육도 외적 보상인 학업성취의 획득을 위해 이루어진다.
- 교사는 모든 학생에게 똑같은 학업성취를 요구한다(개인차는 무시하고 개별적인 교수도 없다).
- 노동자가 자신의 작업내용을 스스로 결정할 수 없듯이 학생들도 자기가 배워야 할 교육과정에 대하여 아무런 결정권을 갖지 못한다.
- 교육은 노동과 마찬가지로 목적이 아니라 수단이다(임금을 얻기 위한 노동, 졸업장을 얻기 위한 교육).
- 생산현장이 각자에게 잘게 나누어진 분업을 시키듯이, 학교도 계열을 구분하고 지식을 과목별로 잘게 나눈다.
- 생산현장에 여러 직급별 단계가 있듯이 학교도 학년에 따라 여러 단계로 나뉘어 있다.

ⓔ 학교교육은 사회의 구조를 그대로 반영하며 학교의 독자적 기능은 불가능하기 때문에, 자본주의 사회가 존속되는 한 학교교육의 기능은 계속될 것이다. 즉, 자본주의가 계속되는 한 학교는 자본주의적 생산양식을 벗어날 수가 없다. 그러므로 학교의 개혁은 무의미하고, 사회적 진보를 위해서는 근원적 사회개혁만이 나아가야 할 방향이라는 것이다.

더 알아보기

애니온(Jean Anyon, 1980)의 교육과정에 관한 연구 확장 24. 지방직, 20. 국가직 7급

1. 보울스와 진티스(S. Bowles & H. Gintis)의 잠재적 교육과정 명제(잠재적 교육과정이 생산관계의 위계적 질서와 규범을 반영한다는 명제)에 기초하여 실제 잠재적 교육과정을 분석하였다. ⇨ 보울스&진티스 이론의 확장 및 보완
2. 아이들의 사회경제적 배경이 다른 5개 학교의 5학년 학생들을 관찰한 결과 일, 소유, 규율, 의사결정 등과 같은 개념들이 잠재적 교육과정을 통해서 표현되는 방식에 의미 있는 차이가 있음을 규명하였다.

노동계급 학교의 학생들	① 생산과정에서 상대적으로 낮은 위계에 속하는 일의 세계에 적응하는 방법을 배운다. ② 자기들이 잘 이해하지도 못하는 규칙들에 순종하고, 자신들에게는 별 의미가 없는 세계에서 일하고, 외부에서 강제되는 명령에 의문을 제기하지 않고 따르도록 배운다.
중상류계층 학교의 학생들	① 상대적으로 높은 위계에 속하는 일의 세계에 종사하는 방법을 배운다. ② 한 규칙이 어떤 과제의 수행을 위해서 보다 중요한 목적과 부합되는지의 여부를 스스로 판단할 수 있도록 배운다.

3. **대표적 저서**: 교육과 사회적 불평등, 교육개혁의 정치·경제적 맥락 분석 ⇨ 교육과정을 통한 사회계층 구조 재생산의 매커니즘과 그 극복을 위한 구조적 변화를 강조
   ① 「도시 학교의 사회 계급과 학교 지식(Social Class and the Hidden Curriculum of Work, 1980)」: 교과과정과 교육정책이 사회적 계층 구조를 재생산한다고 주장
      ㉠ 다양한 사회계층의 학교에서 학생들이 어떤 방식으로 교육받는지를 비교 연구: 교육이 노동자 계급의 학생들에게 불리하게 작용하고, 상류층의 이익을 대변한다고 주장
         예 상류층 학교(비판적 사고, 창의성을 강조), 노동자 계층 학교(순응과 규율 강조)
      ㉡ 교육과정이 사회적 불평등을 재생산하는 메커니즘을 설명: 보울스와 진티스(Bowles & Gintis)의 잠재적 교육과정 이론을 더 세부적으로 구체화함.
   ② 「급진적인 가능성: 교육개혁의 정치학(Radical Possibilities: Public Policy, Urban Education, and A New Social Movement, 2005)」
      ㉠ 교육정책이 빈곤, 실업, 저임금과 같은 문제들과 어떻게 연관되어 있는지 분석
      ㉡ 교육개혁이 단순히 학교 내부의 변화만으로는 충분하지 않다고 주장, 교육개혁의 선결조건으로 사회·경제·정치적 변화가 필요함을 강조 ⇨ 새로운 사회 운동을 통한 구조적 변화를 제안
   ③ 「게토 (학교)교육: 도시교육 개혁의 정치경제학(Ghetto Schooling: A Political Economy of Urban Educational Reform, 1997)」: 도시교육 문제를 경제적, 정치적 맥락과 연계하여 분석
      ㉠ 도시 빈민 지역 학교들의 열악한 교육 환경과 이를 개선하기 위한 방안 논의
      ㉡ 교육개혁의 성공을 위해 경제적 불평등과 정치적 권력 구조의 변화를 동반해야 함을 주장
4. **결론**: 게토 교육(ghetto schooling), 비판적 교육사회학
   ① 구조(거시적 경제체제)와 행위(학교 내부의 교육)의 변증법적 통합 시도: 거시적 구조에 의한 재생산만을 강조하는 차원을 넘어, 학교 내에서 발생하는 미시적인 행위자들의 저항적 실천을 분석함으로써 구조와 행위가 상호작용하는 변증법적 관점을 제시
   ② 게릴라 교육학* 적 실천의 가능성을 이론적으로 뒷받침하고 설명하는 데 기여: 구조적 제약 속에서 학생과 교사들의 저항(resistance) 행위를 분석
      ✎ **게릴라 교육학**(guerrilla pedagogy) 전통적 교육방식의 한계를 넘어서기 위한 대안적 교육방식으로 '저항과 정의를 위한 교육'을 의미함.
      1. 목표: 학생의 자립과 능동성 함양 & 사회적 불평등과 억압 해소, 사회 정의 실현
      2. 특징: 비판적 사고력 촉진, 학생 중심 교육(교사와 학생 간의 권력관계 재구성·재분배), 학생 참여 학습(**예** 토론, 팀 프로젝트, 실험적 학습 등), 창의·혁신적인 학습, 학습의 유연성(**예** 교실 밖 수업, 온라인 학습), 커뮤니티 중심 교육(지역사회와 협력), 사회적 참여 강조, 평등한 교육기회 제공

② 종속이론
   ㉠ **대표자**: 카노이(Carnoy)의 「문화적 제국주의로서의 교육(Education as Cultural Imperialism, 1974)」
   ㉡ **이론적 특징**
      ⓐ 제국주의적 관점에서 교육을 이해하는 입장: 학교교육을 경제·정치권력의 종속변수로 파악 ⇨ 한 나라의 경제와 정치가 타국에 종속되어 있으면 학교교육도 타국에 종속될 수밖에 없다는 이론
      ⓑ 제3세계 국가의 발전을 결정하는 가장 중요한 요인은 국제적인 권력관계이다.
         ⇨ 제3세계 국가의 저발전은 중심부 국가의 발전 때문, 저발전의 발전(development of undevelopment) - 신식민주의

ⓒ 제도교육은 지배층을 위한 교육 ⇨ 종속적·억압적인 국제질서와 국내 사회구조를 존속시키기 위한 장치
③ 급진적 저항이론(radical resistance theory) 11. 울산
㉠ 대표자: 일리치(Illich)의 「학교 없는(탈학교) 사회(Deschooling Society, 1971)」, 라이머(Reimer)의 「(인간주의) 학교는 죽었다(School is Dead, 1971)」, 프레이리(Freire)의 「페다고지」, 실버맨(Silberman)의 「교실의 위기」
ⓐ 현대 사회의 문명비판: 독점자본주의의 폐해 ⇨ 상품의 물신화(物神化)와 소비신화의 제도화 ⇨ 현대인의 사회생활과 대인관계 행동에 영향
ⓑ 학교의 교육독점과 인간소외 비판: 강요된 청소년기, 의무교육의 병폐, 학교교육의 불평등
ⓒ 탈학교운동 주창: 지금과 같은 학교교육을 없애고, 진정한 학습과 교육을 건설하자.
㉡ 이론의 특징: 교육을 통한 의식화 및 인간성 해방을 강조
④ 지위경쟁이론(지위집단이론)
㉠ 대표자: 베버(Weber), 콜린스(Collins)
㉡ 이론의 특징
ⓐ 학교교육의 팽창 과정을 지위, 권력 및 명예를 위한 집단 간의 경쟁의 결과로 파악한다.
ⓑ 공교육제도는 서로 상충되는 이해관계를 지닌 다양한 지위집단들의 기득권 수호 또는 합법적인 사회적 지위 상승을 위한 제도화된 경쟁의 수단이다.
ⓒ 권력이 교육적 요구의 배경이 되는 결정적 변수이며, 교육이념은 물론 학교의 성격은 지배집단의 권력적 목적에 의해 결정이 된다. 이처럼 학교는 특정 지위문화를 가르치는 도구에 지나지 않는다.
ⓓ 지배집단은 자신의 특권적 지위를 강화하기 위해 학력을 상승시키며, 낮은 지위집단도 특권적 지위를 획득하기 위해 학력을 획득하려 노력한다. 결국 학력상승과 학교교육의 팽창을 가열시키게 된다.

(5) **갈등이론의 공헌점과 비판점**
① 공헌점
㉠ 학교와 사회의 모순을 명확하게 지적하였다.
㉡ 자본주의 사회의 학교교육에 대한 비판적 인식을 높여 주었다. ⇨ 학교는 사회적 불평등을 재생산하고, 지배집단의 문화와 이데올로기를 대변하는 도구이다.
㉢ 학교제도의 문제점을 학교 내에서가 아니라 학교와 사회와의 관련 속에서 찾고 있다.
② 비판점
㉠ 교육이 생산관계에 의해 일방적으로 결정된다는 경제적 결정론에 빠져 있다.
㉡ 기존 교육에 대한 강력한 비판에 비해 그에 대한 대안의 제시가 없다.
㉢ 사회구조를 이분법(지배자 - 피지배자)에 따라 단순화하고 교육을 지배자에게만 봉사하는 것으로 규정함으로써 교육의 본질적 모습을 왜곡·과장하고 있다.
㉣ 개인의 자유의지를 무시하고 사회적 조건만 지나치게 강조한다.
㉤ 자본주의 사회의 학교교육에 대한 비판은 있으나 사회주의 사회의 학교교육에 대한 비판은 없다.

ⓗ 학교교육의 공헌(예 업적주의적 사회이동 가능, 유능한 인재의 선발, 공동체의식을 통한 사회적 결속)을 전혀 무시하고 있다.

(6) **기능이론과 갈등이론의 비교** 22. 지방직, 10. 국가직 7급·울산, 08. 충남·충북

구분	기능이론	갈등이론
사회관	• 사회를 유기체에 비유 ⇨ 사회를 긍정적으로 파악 • 안정성, 통합성, 상호의존성, 합의성 • 사회는 전문가사회, 업적사회, 경쟁적 사회 ⇨ 개인의 능력에 따라 계층이동 가능	• 사회는 갈등과 경쟁의 연속 ⇨ 사회를 부정적으로 파악 • 세력다툼, 이해상충, 저항, 변동 • 사회는 후원적 사회 ⇨ 개인 능력 ×, 부모의 사회경제적 배경에 따라 자녀들의 지위 결정
핵심요소	구조와 기능, 통합, 안정, 합의	갈등, 변동(변화), 강제(억압)
교육의 기능	• 사회화, 선발, 배치 ⇨ 학교교육을 통한 계층이동 가능, 학교는 위대한 평등장치 • 사회유지·발전	• 불평등한 사회구조를 재생산 ⇨ 학교교육을 통한 계층이동이 불가능 • 지배집단의 문화를 정당화·주입
사회-교육의 관계	긍정적·낙관적 ⇨ 학교의 순기능에 주목	부정적·비판적 ⇨ 학교의 역기능에 주목
이론적 특징	• 체제유지 지향적, 현상유지 ⇨ 보수적 • 부분적·점진적 문제해결 ⇨ 개혁 • 안정 지향 • 교육과정: 지식의 절대성 ⇨ 보편성, 객관성	• 체제비판을 통한 변화 ⇨ 진보적 • 전체적·급진적 문제해결 ⇨ 혁명 • 변화 지향 • 교육과정: 지식의 상대성 ⇨ 사회·역사적 맥락 중시
대표자	뒤르켐, 파슨스	보울스, 진티스, 카노이, 일리치, 라이머, 프레이리
대표적 이론	• 합의론적 기능주의 • 인간자본론 • 기술기능이론 • 발전교육론 • 근대화 이론	• 경제적 재생산이론 • 종속이론 • 급진적 저항이론
공통점	• 거시이론 • 교육을 정치, 경제의 종속변수로 파악 • 교육의 본질적(내적) 기능보다 수단적(외적) 기능을 중시	

① 기능·갈등이론의 공통점
  ㉠ 교육을 정치·경제의 종속변수로 인식하고 있다.
  ㉡ 교육은 기존의 사회구조와 문화를 그대로 반영하고 있다고 본다.
  ㉢ 교육의 내적 기능보다는 외적 기능을 강조한다.
  ㉣ 교육을 거시적 관점에서 취급하여 학교의 교육과정을 암흑상자(Black-box)로 무시한다.

② 기능·갈등이론의 한계점
  ㉠ 사회 또는 경제구조가 인간을 지배하고 있다고 본다. ⇨ 교육을 정치·경제의 종속변수로 취급
  ㉡ **수동적 인간관**: 인간은 사회적으로 만들어지고 움직여지는 인형 같은 존재
  ㉢ **거시적 접근의 한계**: 학교 내의 상호작용 연구 소홀
  ㉣ 학교의 교육과정을 암흑상자로 간주하고 투입산출에 의한 외형적 입장에서만 연구

❷ 신교육사회학 : 미시적 접근(해석학적 패러다임) 06. 강원

규범적 패러다임(기능·갈등이론)	해석학적 패러다임(신교육사회학) 25. 지방직
• 교육과 사회에 대한 거시적 접근 • 연역적 접근 • 양적 연구에 의한 이론 형성 • 자연과학적 법칙에 의한 교육 및 사회현상 연구	• 교육의 내적 과정에 대한 미시적 접근 • 귀납적 접근 • 질적 연구에 의한 해석적 기술에 치중 • 사회적 현상과 관계에 대한 변증법적 연구

1. **신교육사회학**(New Sociology of Education, 교육과정 사회학)**의 등장** 13. 지방직, 09. 국가직 7급, 07. 경남
   (1) **영국의 해석학적 관점** 11. 국가직 7급
   ① 개념
      ㉠ 학교 내의 구성원들의 행위와 상호작용의 관계를 토대로 그 의미를 해석하는 데 연구 초점 ⇨ 교사와 학생의 상호관계, 교사의 학생에 대한 기대수준, 인간의 주체적 인식과 해석 등
      ㉡ 교육환경으로 학교문화 등에 대한 미시적 분석 시도
      ㉢ 사회심리학적·문화인류학적·민속학적 연구방법과 이론을 바탕으로 교육현상 설명 ⇨ 상징적 상호작용이론, 민속방법론, 현상학, 해석학
   ② 등장 : 사회학자들이 주도 ⇨ 해석학적 패러다임을 통한 교육사회학의 새로운 방향 모색
   ③ 주요 이론적 관심사
      ㉠ 무엇이 교육과정의 지식으로 간주되는가?
      ㉡ 교육과정으로 간주된 지식은 어떻게 생산되는가?
      ㉢ 이같은 지식은 교실에서 어떻게 전수되는가?
      ㉣ 이러한 지식들은 누구의 이익을 위하여 기여하는가?
   ④ 대표자 : D. Young, B. Bernstein, J. Eggleston
      ㉠ 영(Young)
         ⓐ 신교육사회학을 출범시킨 학자 : 「지식과 통제(Knowledge and Control, 1971)」
         ⓑ 권력과 지식의 위계화를 연결 ⇨ 지식의 위계화는 사회집단의 계층화를 반영한다.
            • 학교에서 가르쳐지는 지식은 사회적·역사적으로 선정·조직된 것이다.
            • **높은 지위를 지니고 있는 지식(권력집단의 지식)의 특징** : 문자로 표현, 지식을 아는 과정과 그 산출방법 및 평가방법이 개인적이다. 학습자의 직접적인 경험과 유리된 추상성, 실생활과의 관련이 적다.
            • '높은 지위를 지니고 있는 지식'이 학교교육의 내용을 차지하므로, 학교교육에 있어 유리한 집단은 권력집단이 되고, 그 결과 피지배층 자녀의 학업성취도는 낮을 수밖에 없다.
      ㉡ 번스타인(Bernstein) 24·14. 국가직
         ⓐ **교육자율이론 주장** : '결정론'에 반대 ⇨ 학교는 문화의 생산에 자율성을 지니고 있다.
         ⓑ **사회언어학적 연구** : 언어(구어양식, 의사소통의 형태)를 통한 계층 재생산에 관심
            • 영국 하류계층의 제한된 어법(restricted linguistic codes)과 중류계층의 세련된 어법(elaborated linguistic codes)은 가정에서의 사회화를 통해 학습된다.

- 학교학습은 세련된 어법의 구어양식(口語樣式)을 매개로 해서 이루어진다.
- 중류계층이 구사하는 언어양식은 보편적으로 진술되는 것이므로 구체적으로 같은 경험을 하지 않은 사람에게도 의미의 전달이 가능하지만, 노동계층의 언어양식은 그렇지가 않다.
- 이러한 구어양식의 차이 때문에 중류계층의 자녀가 노동계층의 자녀보다 학교학습에서 학업성취도가 높다.

어법	의미	주사용계층
세련된 어법 (공식어)	• 보편적 의미(말의 복잡함, 어휘의 다양, 언어의 인과성·논리성·추상성 탁월) • 문장이 길고 수식어가 많다. 문법 적절, 전치사·관계사 많이 사용, 감정이 절제된 언어 **예** 얘야. 수업시간에 떠들면 안 되거든. 조용히 좀 해주겠니!	중류계층
제한된 어법 (대중어)	• 구체적 의미(내용보다는 형식 측면, 화자의 정서적 유대를 통한 의사소통, 구체적 표현) • 문장이 짧고 수식어 적다. 문법 졸렬, 속어·비어 많음, 문장 이외에 표정, 목소리 크기, 행동으로 감정을 표현 **예** 입 닥쳐. 이 ××야.	하류계층 (노동계층)

(2) 미국의 교육과정 사회학(Sociology of Curriculum = Sociology of School Knowledge) 04. 부산, 03. 서울

① 개념: 사회의 정치권력과 교육과정에서 다루어지는 지식의 조직 문제에 관심 ⇨ 학교지식(교육과정)이 어떻게 사회적으로 조직되며, 조직의 과정에 게재된 언어·이데올로기·계급 등의 역할과 요인의 구조에 관심

② 등장: 미국의 교육과정 이론가들이 주도
  ㉠ 미국의 전통적 교육과정론의 양식을 검토·비판: 기존의 교육과정은 지식의 절대성 입장에서 지배계층의 이익과 입장만을 대변 ⇨ 지식의 상대성 입장에서 교육과정 지식은 개선되어야 한다.
  ㉡ '재개념주의 교육과정'이라 불린다.
  ㉢ 잠재적 교육과정(Latent Curriculum), 영 교육과정(Null Curriculum)에 대한 탐구를 통해 교육현상과 교육학에 대한 자기반성과 성찰을 추구

③ 주요 이론적 관심사
  ㉠ 교육과정의 조직에 있어 영향을 주는 정치·경제적 요인은 무엇이며, 역사적 관점에서 교육과정과 사회의 모든 이해세력들 사이의 관계는 무엇인가?
  ㉡ 교육과정에 내재된 이데올로기는 무엇이며, 그 기능은 무엇인가?
  ㉢ 교육과정의 구성은 어떤 정치적 협상과 조정을 거치는가?

④ 특징
  ㉠ **지식의 상대성, 가변성 강조**: 교육과정의 지식은 역사적·문화적·사회적 여건을 고려하여 채택되어야 한다.
  ㉡ 잠재적 교육과정 및 영(零) 교육과정을 중시한다.

⑤ 대표자: 애플(Apple)

2. **신교육사회학의 연구주제**: 교육과 학교의 내적 과정 _{21. 국가직, 11. 경북, 07. 인천}

   (1) **학교지식**(교육과정, 교육내용): 교사가 학생에게 가르치는 교육내용

   (2) 교사와 학생의 상호작용

3. **신교육사회학의 주요 이론들**

   (1) **문화적 재생산이론** _{23·20. 국가직 7급, 19·18. 지방직, 12. 국가직 7급, 11. 국가직·부산, 09. 대전, 05. 국가직·경기}

   ① 대표자: 부르디외(P. Bourdieu)의 「교육의 재생산(Reproduction in Education, 1977)」, 번스타인(Bernstein)

   ② 이론의 개요 _{23. 지방직}

   ▲ Bourdieu

   ㉠ 학교교육을 계급 관계의 문화적 재생산 관계로 파악 ⇨ 학교는 지배집단의 문화자본을 재창조하고 정당화하는 역할을 수행한다.

   ㉡ 교육이 수행해 온 사회화 기능은 일종의 재생산이라고 규정한다(Bourdieu).

   ㉢ 교육제도는 권력과 특권의 세습이 부정되는 사회에서 불평등한 계급관계의 구조를 무리 없이 재생산하는 교묘하고 편리한 제도이다.

   ③ 문화자본과 문화습성

   ㉠ 학교는 문화적 재생산 역할을 통하여 지배계급의 문화자본('아비투스 문화자본'과 '제도화된 문화자본')을 교육과정에 담아 학생들에게 전달함으로써 계급적 불평등을 재생산한다.

   > **더 알아보기**
   >
   > **자본**(Capital)
   > 사회적으로 영향력을 지닌 개인이나 사회적 계급이 소유한 자원이나 특성, 계급을 구성하는 중요한 요소 ⇨ 문화적 자본, 경제적 자본, 사회적 자본으로 구성
   >
   > 1. **문화적 자본**: 자신의 가정이 계급적으로 위치한 범주에 따라 각 개인이 전수받는 일련의 다양한 언어적·문화적 능력
   >   (1) **아비투스**(habitus)**적 문화자본** _{24·21. 국가직, 10. 서울}
   >   ① 개인에게 내면화(무의식적으로 체질화)되어 있는 문화능력(문화적 취향, 심미적 태도, 의미체계), 지속성을 지니는 무형(無形)의 신체적 성향이나 습성
   >   ② 특정한 시간과 자리에서 사회적 문맥에 의해 가르쳐진 획득된 성향, 인지와 평가와 행동의 틀 전체 ⇨ 행위자가 다양한 상황에 대응하도록 하는 사회화된 주관성, 사회적 장에서 계급들 간의 구별을 가능하게 하는 행위분법
   >   ③ 학교문화 구성과 학생선발에서 능력 분류의 준거가 되는 문화자본 ⇨ 한 계급의 의미체계를 다른 계급이 받아들이게 하는 것은 '상징적 폭력'이다.
   >   (2) **객관화된 문화자본**
   >   ① 법적 소유권 형태로 존재하는 문화적 재화 **예** 골동품, 고서, 예술작품
   >   ② 교육내용 구성의 원천이 되는 상징재 형식의 문화자본

> (3) 제도화된 문화자본
>   ① 교육제도를 통해 공식적 가치를 인정받는 시험성적, 졸업장, 자격증, 학위증서
>   ② 학업성취도와 관련된 교육결과에 대한 사회적 희소가치 분배의 기준이 되는 문화자본
> 2. **경제적 자본**: 재산, 소득, 화폐 등 물적 자본
> 3. **사회적 자본**: 가문, 학벌, 정당 등 사회적 연고나 관계로 형성되는 자본

ⓒ 문화습성은 문화자본의 개념을 보다 정교하게 다듬은 것으로, 생활습관이나 의식수준에서 문화가 계급관계를 재생산하는 과정을 설명하기 위해 사용하였다.

> • 문화적 습성은 객관적인 계급구조와 개인의 특정행동과 의식을 연결하기 위한 개념적 도구이다. 각 계급마다 사회화 과정이 다르듯, 각 계급을 구성하고 있는 개인들 간에 공통적으로 나타나는 계급적 습성도 달리 나타난다. 계급적 습성은 곧 특정 계급의 지위문화를 구성하고 있고, 습성은 사회적 구조적 차원에서 계급과 개인 차원에서의 행동성향을 관련시킬 때 의미를 갖는 개념이다.
> • 문화적 습성은 일종의 행동성향의 문화적 특징을 나타낸 것으로, 이 성향은 사회적 성공과 실패의 가능성을 거의 본능적으로 감지해 내는 성향이며, 취향·지식·행동에 대한 계급 편향적 사회원리(a class-based social grammar)를 반영하고 있다.

ⓒ 학교교육은 학생들의 입학 당시의 지적·문화적 불평등 정도를 감소시키지 못하고 오히려 불평등을 유지·강화하며, 이때 문화자본이나 문화습성과 같은 문화현상이 가장 핵심적인 역할을 수행하고 있다.

④ **상대적 자율성과 상징적 폭력**
  ㉠ 계급사회가 어떻게 유지·강화되어 가는가, 즉 어떻게 집단 간의 인위적 권력관계가 자연스러운 것으로 나타나고 합법적인 것으로 수용되며 비교적 저항 없이 다음 세대에 전달되는가에 대한 답은 문화가 지닌 상대적 자율성 때문이다.
  ㉡ 어느 특정계급의 문화를 보편적인 것이며 사회구성원 모두가 공유하는 상징체계로 보는 것은 임의적 조작의 결과이며, 직접적으로 드러나지 않은 상징적 폭력이다.
  ㉢ 학교에서 학생들에게 가르치는 문화는 지배계급의 문화임에도 불구하고, 학교는 계급중립적인 문화를 다루는 곳이라는 상대적 자율성이라는 사회적 인식 때문에 별 저항 없이 학생들에게 전수된다. 학교가 갖는 자율성이라는 명목 아래 학교문화가 갖는 자의성은 은폐되고, 계급편향적인 문화는 모든 학생들에게 강제된 교육내용이 되며, 이는 그 문화를 소유하고 있지 못한 학생들에게는 '상징적 폭력'이 된다.
  ㉣ 상징적 폭력이란 지배계급이 자신들의 문화에 대한 정통성을 확보하기 위해 사용하는 상징적 힘의 행사이며, 이를 통해 불평등한 사회질서는 자연스럽게 유지된다.

(2) **문화적 헤게모니 이론** 23. 국가직
  ① **대표자**: 애플(Apple)
  ② **이론의 특징**: 하부구조(경제)가 상부구조(교육)를 결정하는 것이 아니라 헤게모니와 같은 상부구조가 학교교육을 통제한다. ⇨ 학교의 문화적 재생산의 기능 중시

㉠ 한 사회의 헤게모니(hegemony)가 그 사회체제를 유지하는 데 중요한 기능을 수행한다. 헤게모니는 사회질서나 체제를 유지하는 문화적 도구이며, 사회통제의 한 형태이다.
㉡ 헤게모니란 지배집단이 지닌 의미와 가치체계(ideology)를 말하며, 학교의 교육과정에는 이러한 헤게모니가 깊숙이 잠재되어 있다.

> **예** 사회의 발전이 과학과 산업에 의존한다는 견해, 사회는 경쟁시장을 통해 개인이 자신의 능력을 최대한으로 실현시킬 수 있다는 신념, 훌륭한 삶이란 한 개인으로서의 상품과 서비스를 생산하고 소비하는 것이라는 신념

㉢ 학교는 문화적·이념적 헤게모니의 매개자로서 표면적·잠재적 교육과정을 통하여 보이지 않는 가운데 사회를 통제한다. 즉, 한 사회의 헤게모니가 그 사회체제를 유지하는 데 중요한 기능을 수행하며 특히 학교교육에서 그 기능이 두드러진다.

더 알아보기

헤게모니(Hegemony)
지배집단이 한 사회를 효과적으로 지배하기 위해 사용하는 지도력
1. **사전적 의미**: 패권, 지배권
2. **Gramsci**: 지배계급이 물리력이 아니라 제도, 사회관계, 관념의 조직망 속에서 피지배계급의 문화적 동의를 이끌어냄으로써(자연적, 상식적, 자명한 것으로 수용하게 함으로써) 자신의 지배를 유지하는 수단

(3) 사회구성체이론(자본주의 국가론)

① **대표자**: 알뛰세르(L. Althusser)
② **이론의 개요**: 자본주의 국가는 나름대로의 상대적 자율성을 지니고 기존질서의 유지에 노력 ⇨ 지배계급의 이익을 옹호하고 대변하는 자본주의 국가는 이념적 국가기구를 통해 국가가 중립적이라고 믿게 만들어 피지배계급으로부터 능동적인 동의를 이끌어 냄으로써 기존의 불평등관계를 정당화하고 있다.

㉠ 국가의 중요성을 강하게 부각시켰다. 즉, 전통적 마르크스이론에서 상부구조의 한 부분 정도로 취급했던 국가를 국가기구(state apparatus)라는 개념으로 확대시켰다.

이념적 국가기구	학교(교육), 대중매체(신문, 라디오, 텔레비전 등), 교회(종교), 가정, 법률, 정치, 노동조합, 문화(문학, 예술, 스포츠 등) ⇨ 규범과 가치와 관련된 모든 것들
강제적(억압적) 국가기구	경찰, 군대, 정부, 사법제도 ⇨ Marx가 본 국가

㉡ 자본주의 사회가 존속, 즉 재생산되기 위하여 억압적 국가기구만이 아니라 이념적 국가기구도 작동하여야 무리 없이 원만하게 재생산될 수 있다.
㉢ 교육은 이념적 국가기구의 한 부분이지만 핵심적인 기능을 수행한다. 의무적 국민교육제도야말로 지배이데올로기를 국민들에게 전파·내면화하기 위한 가장 강력한 재생산 장치이다.

(4) 문화제국주의 이론
  ① 대표자: 카노이(Carnoy) ⇨ 「문화적 제국주의로서의 교육(Education as a Cultural Imperialism, 1974)」에서 교육의 국제적 관계를 제국주의(Imperialism)적 관점에서 파악하고 국가 간의 갈등현상이 교육에 어떻게 반영되고 있는가를 분석

  > "우리의 논지는 이렇다. …… 서양의 학교교육은 제3세계 국가들을 해방시키기는커녕 제국주의적 지배의 한 부분을 담당하였다. 그것은 한 나라의 지배계급이 다른 나라의 국민을 경제적·정치적으로 통치한다는 제국주의적 목표와 일치한다. 제국주의 세력은 학교교육을 통하여 식민지 주민을 식민통치에 적합하도록 훈련시킨다. …… 구식의 제국주의와 식민주의는 모두 사라지고 지난 세기의 대제국들도 무너졌다. 그러나 식민지시대의 교육제도는 독립 후에도 거의 그대로 남아 있다. 교육과정, 언어, 어떤 경우에는 심지어 교사들까지도 식민지 시대의 사람들이 그대로 남아 있다. 여러 가지 면에서 전식민지와 식민통치국 사이에는 경제적으로 문화적으로 식민지시대보다 더 강한 관계가 유지되고 있는 것이다."

  ② 이론의 특징
   ㉠ 갈퉁(Galtung)의 중심부와 주변부 이론을 적용, 국가 간의 문화갈등이 교육과정에 어떻게 반영되고 있는가를 연구
   ㉡ 학교교육은 주변국의 노동자들을 제국주의적 식민지 구조에 편입시키기 위한 장치이다.
   ㉢ 제3세계의 학교는 교육을 통하여 식민시대의 유산을 지속·강화하고 있다.
   ㉣ 서구 중심으로 편성된 학교 교육과정은 신식민주의를 강화하는 역할을 한다.
   ㉤ 문화제국주의에서 탈피하지 못하는 이유는 제3세계의 경제적 불안정 구조로 인한 원조의 필요성에서 기인한다.

(5) **저항이론**(resistance theory) 24. 국가직 7급
  ① 대표자: 윌리스(Willis), 지루(Giroux)

  > **더 알아보기**
  > **윌리스(Willis)의 연구**: 「학교(노동현장)와 계급재생산(Learning toLabour)」(1978)
  > 종합고등학교에 다니는 12명의 노동계급 학생들이 어떻게 해서 아버지와 같은 노동계급의 직업을 선택하게 되었는지를 문화기술지를 통해 규명
  > 1. 학생들은 학교로부터 제시된 문화를 적극적으로 거부하고 성장하면서 체득한 세계관에 의해 아버지 직업인 노동계급을 선택
  > 2. **반학교문화**: 아버지의 길 = 반항의 길 = 사나이의 길 = 실패(?)의 길

  ② 이론의 특징
   ㉠ 인간은 사회의 불평등한 구조에 저항·비판·도전하는 능동적인 존재이다.
   ㉡ 피지배집단(노동계급)의 일상적인 삶의 경험 속에 지배 이데올로기를 거부하고 극복할 수 있는 잠재적 힘이 있다고 본다. ⇨ 반학교문화 형성
   ㉢ 노동계급의 학생들(사나이, lads)이 기존의 학교문화에 저항하고 모순을 극복하기 위해 간파(penetration)를 일상생활 속에서 실천하는 반학교문화(counter-school culture 예 선생님한테 '개기기', '거짓말하기', '까불기', '익살떨기', '수업시간에 딴전 피우기', '엉뚱한 반에 들어가 앉

기, '장난거리를 찾아 복도 배회하기', '몰래 잠자기' 등)를 형성하기도 한다. 이런 간파는 제약(limitation)을 통해 저지·중지되기도 한다.

간파 (penetration)	• 저항 행동의 주요 요소로, 현실의 모순을 의심하고 그 의도를 파악해서 폭로하는 것을 말한다. • 한 문화적 형태 안에 있으면서 그 구성원들이 처한 삶의 조건과 전체 사회 속에서 차지하는 위치를 꿰뚫어보려는 충동을 가리키며, 노동계급의 학생들('사나이'들)은 비공식적인 반학교문화를 통해서 자신들의 삶의 조건을 간파한다고 보았다. • 예를 들어, 노동계급 학생들은 이미 부모, 친척 등을 통하여 직업세계에 대한 정보와 경험이 학교교육의 내용과 다르다는 것을 터득함으로써 그들이 속하게 될 직업적 위치를 알고 있다.
제약 (limitation, 한계)	• 간파의 발전과 표출을 혼란시키고 방해하는 이런저런 장해요소와 이데올로기적 영향으로, 간파는 제약을 통해 저지·중지되기도 한다. 윌리스는 제약을 크게 분리(예 육체노동과 정신노동의 분리, 남녀의 분리, 인종차별의 분리 등)와 이데올로기(취업이라는 이데올로기와 공식적인 이데올로기 ⇨ 간파를 흐릿하게 만드는 '확정'과 '교란', '내부의 매개자' 역할)로 구분한다. • 제약(한계)은 노동계급의 학생들은 아무리 노력해도 구조적 불평등 체계로 인해 자신들의 열등한 위치를 벗어날 수 없다고 생각하는 것을 말한다.

　　ⓔ 하류계층 자녀는 지배 이데올로기에 저항하는 반학교문화 형성을 통해 사회불평등과 모순에 도전 : '비행'은 부정적 행위가 아니라 지배 이데올로기에 대항하는 '저항의 몸짓'으로 긍정적인 의미 부여
　　ⓜ 반학교문화(Counter-School Culture) : 노동계급의 학생들(lads)이 자발적으로 형성한 문화 ⇨ 클로워드(Cloward)의 '비행하위문화'와 유사한 개념
　　　ⓐ 교사나 비저항적 학생들('얌전이', 'ear hole')을 경멸하고 학교의 권위와 지적 활동의 가치 및 규칙 등 기존의 학교문화를 거부하고 저항하는 문화
　　　ⓑ 노동계급의 학생들로 하여금 학교공부를 거부하고 나아가 사회적 관계에 저항하게 만드는 요인

> "학교에 대한 사나이들(lads)의 저항은 제도와 규율로부터 자유로운 자신들만의 상징적·물리적 공간을 쟁취하기 위한 싸움과 학교에서 중요하게 인식되는 목적인 공부시키는 것을 타파하는 데서 가장 극명하게 드러난다. 몇몇 사나이들은 자기들 마음대로 얼마든지 학교주변을 돌아다닐 수 있는 배짱을 자랑한다. 그들은 학교의 일과표를 무시하고, 스스로 자기 일과를 구성한다. 이러한 '내 마음대로 하기' 원리는 모든 수업시간과 그 외의 다양한 활동 속에서 발휘되는데, 예를 들면 수업시간 빼먹기, 수업시간에 딴전 피우기, 엉뚱한 반에 들어가 앉기, 장난거리를 찾아 복도 배회하기, 몰래 잠자기 등이다."

　　ⓗ 학교교육이 사회계급 구조의 불평등을 그대로 이행하는 단순한 반영물이 아니라, 사회 모순과 불평등에 도전하는 역할을 수행한다.
③ 교육적 의의
　㉠ 교육이 사회변화를 위해 무엇인가를 할 수 있다는 가능성과 희망을 제공함. ⇨ 반학교문화는 학교에 대한 도전과 저항으로 그치는 것이 아니라 새로운 사회질서를 창조하는 싹이 될 수 있음을 보여 줌. 즉 '탈재생산'의 가능성을 제공함.

ⓒ 계급과 문화가 복합적으로 결합하는 방식에 대한 분석을 시도함으로써 비판적 교육학을 구축할 수 있는 새로운 가능성을 제시함.
④ 한계
　　㉠ 저항의 실체와 본질이 무엇인가에 대한 엄격한 개념 정의가 이루어지지 않은 상태에서 남용되고 있다.
　　㉡ 학생들의 표면적인 저항행위에만 초점을 두고 드러나지 않는 이면적인 행위에 대해서는 간과하는 경향이 있다. 따라서 고도의 정치적 가치를 지닌 저항행위에 대한 분석이 결여되어 있다.
　　㉢ 피지배집단의 저항과 투쟁의 요인에 대한 역사적 발달과정에 대한 분석이 결핍되어 있다.
　　㉣ 인간의 자율적이고 능동적인 의지만을 강조하였기 때문에 지배구조가 개인의 인성에 어떻게 영향을 미치고, 아울러 기존체제의 불평등을 어떻게 영속화하는지에 대해 사회구조적인 측면의 분석을 소홀히 했다.

더 알아보기

저항의 개념

1. **등장배경**: 학교교육에 대한 탈재생산 논의의 출발 ⇨ 재생산이론(reproduction theory)은 교육구조를 경제구조와 문화구조와의 일방적 관계로만 제한함으로써 교육의 자율성을 무시하였고, 인간 존재를 수동적 존재로만 파악하였다고 비판
2. **저항의 개념**
   (1) **애플(Apple)**: 상대적 자율성 ⇨ 저항 개념의 이론적 토대 제공
   　① 교육체제가 상당한 정도로 '자율성 향유를 통한 저항'을 하고 있다고 파악한다.
   　② 즉, 사회구조가 어떤 한계를 규정하기는 하지만 학교교육은 그 자체의 내적 논리에 의해 교육의 목적을 추구할 수 있으며 다만 그러한 노력이 구조적 한계 안에서만 전개될 뿐이다.
   (2) **프레이리(Freire)**: 의식화(意識化) ⇨ 저항을 실천적 개념으로 이해
   　① 저항은 단순한 의식 파악이 아니라 '허위의식의 극복' 과정, 즉 교사와 학생이 함께 현실 문제를 비판적으로 인식하고 지식을 새로이 창조하려는 노력을 말한다.
   　② 비인간화와 비인간화시키는 억압 질서를 주입하는 '은행저금식 교육'에서 인간화와 인간화시키는 질서를 지향하는 '문제제기식 교육'을 통해 인간해방을 실천하려는 노력을 말한다.
   (3) **지루(Giroux)**: 폭로 ⇨ 저항을 의식화를 촉진하는 개념으로 이해
   　① 교사와 학생은 학교 교육과정을 수동적으로만 해석하지 않으며 종종 저항의 방식을 통해 학교의 근본적 메시지와 실천들을 거부하기도 한다.
   　② 이러한 저항 행동의 주요 요소가 간파(penetration)이다. 이는 현실의 모순을 의심하고 그 의도를 파악해서 폭로하는 것을 말한다.
   (4) **윌리스(Willis)**: 반학교문화(counter-school culture) ⇨ 저항을 학교에서의 가시적(可視的) 행동으로 이해
   　① 노동계급의 학생들(lads, 사나이들)은 학교에서 선호하는 지배 이데올로기에 대해 거부하거나 의식적으로 저항하는 간파(看破)를 일상생활 속에서 실천하는 반학교문화를 형성한다.
   　② 간파(看破): 노동계급 학생들은 이미 부모, 친척 등을 통하여 직업세계에 대한 정보와 경험이 학교교육의 내용과 다르다는 것을 터득함으로써 그들이 속하게 될 직업적 위치를 알고 있다.
   　③ 학생들은 학교문화의 일방적 수용자가 아니라 부분적으로 '간파를 통한 저항'을 통해 모순된 사회를 위해 노력하는 능동적 행위 주체이다.

④ 코헨(Cohen)이 제시한 하위문화(sub-culture)와 유사한 개념이다.
- 하류계층은 근본적으로 중류계층과는 근본적으로 다른 문화적 가치와 규범을 갖는데, 이처럼 중류계층의 지배적 문화규범(예 합리적 계획, 자립정신, 인격함양 등)과 명백히 구별되는 지배적 문화규범에 대항하는 하류계층의 문화(예 비공리성, 악의성, 부정성, 단기적 쾌락주의 등)를 하위문화라고 한다.
- 중류계층의 문화가 주류를 차지하는 학교사회에서 학업성취에 결정적으로 불리한 입장에 놓여 있는 하류층 학생들이 학교의 규범적 문화에 대항하는 성격의 준거체제(frame of reference ≒ 간파)를 형성한다. 이 새로운 준거체제는 주류문화에 도전하고 대항하는 비행 성격을 갖고 있으며 이러한 비행성 하위문화가 곧 하위문화이다.

(6) **자율이론**(교육상대성 이론, 문화전달이론) 16. 국가직 7급

① 대표자: 번스타인(B. Bernstein)
② 학교는 나름의 독특한 문화를 재생산 ⇨ 학교가 갖는 상대적 자율성으로 지배계급 문화의 정체가 은폐되고 하류층에게 상징적 폭력으로 작용
  ㉠ 학교는 지배계급의 문화를 그대로 재생산하는 것이 아니라 교육 나름의 독특한 문화를 재생산한다. ⇨ 학교의 상대적 자율성의 확대
  ㉡ 학교에서 학생들에게 가르치는 문화는 지배계급의 문화이며, 학교는 계급 중립적인 문화를 다루는 곳으로 인정된 상대적 자율성을 지닌 기관이다.
  ㉢ 상대적으로 자율성을 지닌 학교에서 가르치는 교육내용이 지배계급의 문화와 관련된 것임에도 불구하고 별 저항 없이 학생들에게 전수된다(학교가 중립적인 기관이라는 편견 때문에).
  ㉣ 학교가 갖는 자율성이란 명목으로 지배계급의 문화의 정체가 드러나지 않고 정당화된다.
  ㉤ 상대적 자율성으로 인해 문화의 자의성(cultural arbitrary)은 은폐되고, 계급편향적인 문화가 모든 학생들에게 강제된(imposed) 교육내용이 되며, 결과적으로 지배계급의 문화자본을 지니지 못한 노동계급의 학생들에게는 상징적 폭력(symbolic violence)이 된다.
③ 사회언어분석에서 출발하여 교육과정의 조직형성과 사회적 지배원리의 관계에 관해 연구: 공식적인 교육을 통한 지식 전수에 관심 ⇨ 교육과정 조직에 권력과 통제가 반영
  ㉠ 교육내용(교육과정)보다는 교육내용의 조직원리에 관심을 기울였다.
  ㉡ 교육과정의 조직원리가 사회질서의 기본원리를 반영하고, 학생들에게 그 원리를 내면화시킨다는 것이다.
  ㉢ 주어진 교육상황에서 존재하는 자율성의 단초를 파악하는 일은 교육상황에 대한 '공식적인 결정 과정'과 '실제 학교현장에서의 수행 과정'을 구분하는 일에서 출발하여야 한다. 실제 교육상황을 결정하는 힘의 본질을 외부로부터 주어지는 힘인 '사회적 통제(social control)'와 교육 내부의 자율적 통제력에 해당하는 '통제의 원리(principles of control)'로 나누어 설명하였다.

ⓔ 사회부문 간 분류가 강한 시대에는 '교육의 코드(code of education)'가 중시되어 교육의 자율성은 상당 정도 유지되지만, 교육과 생산 간의 분류가 약한 시대에는 '생산의 코드(code of production)'가 중시되어 교육의 자율성은 약화되고 교육은 사회·경제적인 하부구조에 예속된다.

④ **교육과정의 조직형태**: 사회계급적인 힘과 교육과의 갈등과 타협의 산물이라는 가정 아래, 분류와 구조라는 개념을 사용하여 구분

> 번스타인(Bernstein)은 생산현장의 노동과정을 분석하여 학교교육에 접목시키고 있다. '분류'는 생산현장에서의 위계적 지위 구분에 해당하며, 교과지식의 사회적 조직형태를 말한다. '구조'는 노동자가 노동과정을 자율적으로 통제할 수 있는 정도로서, 교사와 학생의 상호작용 관계, 즉 수업에 대한 통제의 정도를 말한다.

㉠ 분류(classification): 과목 간, 전공분야 간, 학과 간의 구분 ⇨ 내용들 사이의 관계, 경계 유지의 정도
㉡ 구조(frame)
　ⓐ 과목 또는 학과 내 조직의 문제 ⇨ 가르칠 내용과 가르치지 않을 내용의 구분이 뚜렷한 정도 **예** 계열성의 엄격성, 시간 배정의 엄격성
　ⓑ 교육내용의 선정, 조직, 진도에 대하여 교사와 학생이 소유하고 있는 통제력의 정도 ⇨ 구조화가 철저하면 교사나 학생의 욕구 반영이 어렵고 느슨하면 상대적으로 쉬움.
　ⓒ 지식이 전수되고 학생에 의해 지식이 수용되는 상황, 즉 교사와 학생의 특정한 교수방법상의 관계
㉢ 분류와 구조의 조합차원과 교육과정 유형
　ⓐ 강한 분류·강한 구조: 집합형(collection type) 교육과정 **예** 분과교육과정
　ⓑ 강한 분류·약한 구조: 집합형 교육과정
　ⓒ 약한 분류·강한 구조: 통합형(integrated type) 교육과정 **예** 중핵교육과정
　ⓓ 약한 분류·약한 구조: 통합형 교육과정
㉣ 보이는 교수법(visible pedagogy)과 보이지 않는 교수법(invisible pedagogy)

보이는 교수법	보이지 않는 교수법
• 전통적 교육에서의 교수법	• 진보주의 교육(열린 교육)의 교수법
• 강한 분류, 즉 집합형 교육과정 전수	• 약한 분류, 즉 통합형 교육과정 전수
• 학습내용상 위계질서가 뚜렷	• 학습내용상 위계질서가 뚜렷하지 않음.
• 놀이와 학습을 엄격히 구분	• 놀이와 학습을 엄격히 구분하지 않음.

⑤ **집합형 교육과정(Collection Type)**
㉠ 엄격히 구분된 과목 및 전공분야 또는 학과들로 구성되어 있어 과목 간, 전공분야 간, 학과 간의 상호 관련이나 교류가 거의 없다.
㉡ 횡적 관계는 무시되고 종적 관계가 중시된다. ⇨ 인간관계도 횡적 관계보다 종적 관계, 즉 상하 간의 위계질서가 뚜렷하고 엄격하다.
㉢ 상급 과정으로 올라갈수록 점점 전문화되고 세분화되어 학습영역이 좁아진다.
　예 교육학과 심리학 ⇨ 교육심리학 ⇨ 학습이론 ⇨ 스키너 이론

② 학생과 교사들이 어느 분야 또는 어느 학과에 소속되어 있는가가 분명하며 소속학과에 대한 충성심이 요구된다.
⑩ 타 분야와의 교류는 제한되고 교육과정의 계획과 운영에 학생 참여가 극히 적다.

⑥ 통합형 교육과정(Integrated Type)
㉠ 과목 및 학과 간의 구분이 뚜렷하지 않아 횡적 교류가 활발하다. ⇨ 인간관계는 횡적 관계가 중시된다.
㉡ 여러 개의 과목들이 어떤 상위개념이나 원칙에 따라 큰 덩어리로 조직된다. ⇨ 단일학문보다 상위개념과 이론을 추구한다. **예** 화학, 생물, 지구과학, 물리 ⇨ 과학
㉢ 교사와 학생들의 재량권이 확대되고, 교사와 교육행정가 간의 관계에서도 교사의 권한이 증대된다.

▣ 집합형 교육과정과 통합형 교육과정의 비교

교육과정의 형성	교육과정 유형	집합형 교육과정	통합형 교육과정
	조직형태	강한 분류(종적 관계 중시)	약한 분류(횡적 교류 활발)
	교육과정 예시	분과형 교육과정	중핵 교육과정
	영향 세력 (지배집단)	구중간집단	신중간집단
	사회질서와의 관계	교육과 생산(경제)의 관계가 분명 ⇨ 교육의 자율성 보장	교육과 생산(경제)의 관계가 불분명 (통합) ⇨ 교육의 자율성 상실
		교육의 코드(code of education)가 중시	생산의 코드(code of production)가 중시
문화전달방식 (수업)	수업유형	보이는 교수법 • 놀이와 학습을 구분 • 전통적 교수법	보이지 않는 교수법 • 놀이와 학습을 구분 × • 진보주의 교수법
	교사의 자율성	교사의 자율성(재량권) 축소	교사의 자율성(재량권) 확대

⑦ 교육과정과 사회질서와의 관계: 집합형(Collection Type)에서 통합형(Integrated Type)으로 변화
㉠ 분류가 강한 시대(집합형 교육과정): 교육과 생산(경제)의 구분이 분명하고 교육내용 및 교수활동에 관한 결정이 교육 담당자들에 의해 결정 ⇨ 교육의 자율성 보장
㉡ 분류가 약한 시대(통합형 교육과정): 교육과 생산의 구분이 불분명하고 교육과 생산의 관계가 밀착 ⇨ 교육은 자율성을 상실
㉢ 문화적 활동을 담당하는 집단(중산층)의 자율적 역량이 어느 정도 수준이냐에 따라 정치·경제로부터의 자율수준이 결정
㉣ 이러한 교육과정의 결정은 교육 외적인 힘 간의 갈등, 즉 구중간계급과 신중간계급 간의 계급적 갈등에서 비롯되며, 교육과정이 어떻게 결정되든 지배계급에 유리한 내용으로 조직되기 때문에 피지배계층의 이익 실현과는 무관한 것이 된다.

(7) **상징적 상호작용이론**(symbolic interaction theory)
① 대표자 : 미드(Mead), 쿨리(Cooley), 블러머(Blumer) ⇨ 시카고 학파
  ㉠ 미드(Mead) : 중요한 타자(동일시, 모형학습의 대상), 일반화된 타자(대상으로서의 나, 즉 Me에 반영된 다른 사람의 모습)

▲ Mead

  ⓐ 인간은 생물학적으로 극히 미완성의 상태로 태어난 매우 약한 존재로, 생존을 위하여 집단적 삶을 영위하는데, 이를 가능하게 하는 것은 상징적 수단으로서의 의사소통 능력이다. ⇨ "인간은 상징적 상호작용이론가이다."
  ⓑ 언어를 배우기 전의 유아가 어머니와 소통하는 관례적 몸짓(conventional gesture)을 인지하고 활용할 수 있는 것은 타인의 입장에서 생각할 수 있는 역할취득(role taking)을 했기 때문이다. 역할취득은 자아나 사회의 생성 발전에 매우 중요한 단계이다. 예 교사가 학생의 입장에서 생각하는 능력이 없다면 수업은 성공할 수 없다.
  ⓒ 자아의 형성과정을 역할취득의 수준에 따라 3단계로 제시하였다.

놀이(유희) 단계 (play stage)	어린이는 극히 제한된 중요한 타자(예 아빠, 엄마, 친구)의 입장에 서서 생각한다.
게임 단계 (game stage)	운동경기를 할 때처럼 동시에 여러 타자들의 입장에서 자기를 조망(眺望)할 수 있다. 즉, 어린이는 어떤 조정된 행동에 대하여 여러 타인들로부터 여러 개의 자아상들을 추출해 낼 수 있게 되고 이들과 협력할 수 있게 된다.
일반화된 타자 형성 단계	한 사회 내에 분명히 존재하는 공통적인 입장인 일반화된 타자(generalized others)의 입장에서 생각한다. 보다 넓은 공동체의 입장에서 자기를 인식할 수 있고, 타인들과의 협력도 가능해진다.

  ⓓ 자아는 'I'와 'me'로 구성되며, 이 두 가지 차원의 변증법적 산물이다.

주체적 자아(I)	• 자유와 자율에 의해서 행동을 선택하고 자기를 형성하는 자아 • 불확정적이고 예측 불가능하며, 창의성·신기성·자유로운 성격을 띤 자아
사회적 자아(me)	• 타자의 거울에 비친 자아, 남들의 조직화된 태도가 내면화된 자아 • 일반화된 타자가 내면화된 것으로 사회통제의 힘을 갖는다.

  ㉡ 쿨리(Cooley) : 거울자아이론(looking-glass self) ⇨ 거울에 비친 자아, 영상자아
  ⓐ 자아개념은 고정된 것이 아니고 주위의 타인들(거울)과의 상호작용을 통해 형성된 것으로, 타인이 자신을 어떻게 평가하는지를 상상하고 그로부터 자신에 대한 이미지 혹은 자아감정과 태도를 이끌어낸다는 영상자아(looking-glass self)이론을 주장하였다. 즉, 자아개념은 타인들이 자신을 어떻게 생각하느냐에 영향을 받는다.
  ⓑ 타인들이 자기를 귀한 존재로 보고 대우해 주면 긍정적 자아개념이, 하찮은 존재로 대우해 주면 부정적·열등적인 자아개념이 형성된다.
  ⓒ 자아가 집단적 맥락 속의 상호작용으로부터 나타난다고 보고 자아의 발생과 유지에 중요한 역할을 하는 집단을 1차적 집단(primary group)이라고 불렀다.
  ⓓ **중요한 거울** : 주위에서 자신이 비쳐지는 거울들 중에서 가장 중요시되는 거울들 예 부모, 교사, 또래 친구

ⓒ 블러머(Blumer): 인간의 특성과 사회적 삶의 특성에 관한 기본 명제 제시
  ⓐ 인간사회 혹은 인간의 집단적 삶은 최소한 2인 이상의 행위자들의 상호작용이며, 문화구조나 사회구조라는 것도 궁극적으로는 행위자들 간의 상호작용의 산물이다.
  ⓑ 우리가 어떤 대상을 지향할 때 우리는 우리가 그 대상에 부여하는 의미에 입각하여 행동한다는 것이 상징적 상호작용의 핵심적 명제이다.
  ⓒ 대상의 의미는 행위자들의 입장에 따라 다르므로, 사회현상을 이해하려고 할 때 우리는 행위자들의 입장에서 그들이 특정행위에 어떤 의미를 부여하는가를 분석해야 한다.
  ⓓ 의미는 사회적 산물이긴 하나, 고정된 것이 아니라 변화 가능한 것이다.

② 이론의 전제
  ㉠ 사회적 인간행위는 자연과학처럼 객관적으로 설명될 수 없다. ⇨ 사회학은 사회적 행위를 해석적으로 이해함으로써 과정과 결과를 인과적으로 설명하는 과학이다.
  ㉡ 인간의 사고능력은 사회적 상호작용에 의해서 형성된다.
  ㉢ 인간은 사회적 상호작용을 통하여 인간 고유의 독특한 행위와 사고능력을 행사하도록 해주는 의미와 상징을 습득한다.
  ㉣ 모든 인간은 자기자신과 상호작용할 수 있는 능력, 즉 반성적 또는 자기작용적 자아를 지녔다.

③ 이론의 강조점
  ㉠ 개인과 개인, 개인과 집단, 집단과 집단 간의 관계
  ㉡ 교실에서의 교사와 학생의 상호작용

④ 이론의 특징
  ㉠ 인간끼리의 상호작용은 사회적 행위이다.
  ㉡ 사회구조나 정치구조 또는 사회의 신념체계는 교사·학생 간의 상호작용을 통해 영향을 미친다.
  ㉢ 교실에서의 교사·학생의 상호작용은 교사의 리더십 유형, 학생의 친구 유형, 교실 여건, 교사의 기대수준, 학교문화 등에 따라 달라진다: 학교가 사회계급 구조의 불평등을 이행하는 단순한 반영물이 아니라 사회불평등과 모순에 도전할 수 있는 잠재적 힘을 가졌다고 보는 견해 ⇨ 반학교문화, Apple

⑤ 이론의 유형: 교환이론, 상징적 상호작용론, 역할이론, 민속방법론
  ㉠ 교환이론(exchange theory): 호만스(Homans)가 대표자 ⇨ 인간의 행동은 개인이 주어진 상황에서 지출하는 투자액에 비하여 얼마만큼의 보상과 가치가 돌아오는지를 따져 이윤이 있어야 취하는 결과이며, 사회적 상호작용은 사회적 보상과 형벌의 체계에 의하여 조건화, 즉 학습된 결과라고 보는 이론이다.
  ㉡ 상징적 상호작용론(symbolic interaction theory): 인간은 동물과 달리 사고능력을 소유하고 있으며, 이를 통한 소통이 사회적 상호작용의 본질이다. 사람은 사물이나 타인이 자신에게 주는 의미에 기초하여 사물이나 사람을 향해 행동한다. 사회질서란 상호작용하는 개인들 사이에서 주고받는 말과 행동의 의미를 개인들이 어떻게 해석하여 그러한 해석에 따라 다음 행동을 어떻게 하는가에 달려 있다.

ⓒ 역할이론(role theory): 사람들은 사회생활에서 차지하는 지위에 따라 어떻게 자기의 구실을 하는가를 관찰함으로써 사회질서의 의미를 찾는다.
ⓓ 민속방법론(ethnomethodology): 일반 민중이 그들의 일상사를 통해 예시하는 상호작용 및 사회조직의 속성을 창출해 내고, 이해하기 위해 사용하는 민중의 방법에 대한 체계적인 이해와 관점을 의미한다.

⑥ 이론의 교육적 적용: 낙인(stigma)이론, 피그말리온 효과, Bernstein의 언어연구, Flanders의 수업형태 분석법

4. 학교에서의 상호작용 연구

(1) **하그리브스(Hargreaves)의 교사와 학생 간 상호작용 연구**: 「인간 상호관계와 교육」 ⇨ 교사의 자기개념(교사역할) 유형

① 맹수조련형(lion-tamers): 학생을 모범생으로 만들기 ⇨ 담당교과의 충분한 전문적 지식을 가지고 학생들에게 필요한 지식을 가르치고 윤리적 행동을 훈련시키기
② 연예인형(entertainers): 학생을 친구처럼 대하기 ⇨ 학생들이 학습에 흥미를 느낄 수 있도록 교수자료를 풍부히 만들고 시청각 기법을 활용하여 학생들이 즐겁게 배우도록 해주기
③ 낭만가형(romantics): 학습자 스스로 학습할 수 있는 다양한 여건 조성하기 ⇨ 학생들의 학습능력과 학습의지를 신뢰하기

> **더 알아보기**
>
> **하그리브스(Hargreaves)의 학교사회화**
> 1. 학교는 19세기 말에도 그랬던 것처럼 '자아실현', '개인의 성장' 등을 내세우며 개인주의를 가르치고 있는데, 그 결과 개인주의가 발호하고 무규범상태(anomie)가 만연되었다. 그러므로 학교는 이러한 사회문제를 바로잡기 위하여 지역 공동체 의식을 함양하고 사회적 연대를 강화하는 교육을 수행할 새로운 책임을 사회로부터 부여받게 되었다.
> 2. 따라서 학교는 공동체의식 함양에 도움이 되는 여러 교육활동을 수행하지만, 그 가운데에 '수학여행'이나 '학교캠핑'도 여행 그 자체보다도 공동생활을 통한 연대의식의 함양이라는 점에서 대단한 교육적 가치를 내포하고 있으므로 중시되어야 한다.

(2) **학생의 적응방식**

① 머튼(Merton)의 적응양식 유형: 문화목표와 제도화된 수단 간의 관계에 따른 구분 ⇨ 혁신형, 도피형, 반역형이 비행 유발 유형
ⓐ 동조형(confirmity): 학교교육 의존 입시집착형 ⇨ 목표와 수단을 수용한다.
ⓑ 의례형(ritualism): 무기력 학습기피형 ⇨ 목표는 거부하나 수단을 수용한다.
ⓒ 혁신형(innovation): 사교육 의존 입시집착형 ⇨ 목표를 수용하고 수단을 거부한다.
ⓓ 도피형(retreatism): 도피반항적 학습거부형(예 가출, 자퇴 등) ⇨ 목표와 수단을 모두 거부한다.
ⓔ 반역형(rebellion): 새로운 학습체제 구축형(탈학교형) ⇨ 현존하는 목표와 수단을 거부하고 새로운 목표와 수단으로 대치하려 한다.

② **우즈(Woods)의 학생의 적응양식 유형**: 웨이크포드(Wakeford) 유형을 변형 ⇨ 영국 미드랜즈(Midlands) 지역의 중등학교 대상 민속학적 연구 수행, 학교생활 초기에는 학생들이 공통적인 반응유형을 보이다가 고학년으로 진급하면서 교육과정 선택과 진로 선택 등의 영향으로 '순응'과 '부조화'라는 두 가지 적응 경로로 분화됨, 실험집단(학구적 집단)은 '순응', 통제집단(비학구적 집단)은 '식민화'의 적응양식을 보임.
  ⊙ **맹목적 순응형**: 낙관적 순응형(학교목적과 수단 모두 수용), 도구적 순응형(학교목적 거부, 대입의 도구로 수용)
  ⓒ **식민화 유형**: 자포자기의 순응형 **예** 학업의욕 상실증("졸업장만 타자.")
  ⓒ **도피형**: 학교생활 회피(**예** 학업중퇴자) & 극단적으로는 자살
  ⓔ **비타협형**: 학교목표 거부
  ⓜ **반역형**: 새로운 학교규칙을 만들기 위해 저항
  ⓗ **기회주의형**
  ⓢ **아부형**

(3) **교사의 생존전략**: 전략(strategies)은 교사와 학생의 상호간 대응행위를 말한다.
  ① **우즈(Woods)의 생존을 위한 숨은 교수법(Hidden Pedagogy for Survival)**: 상호작용론적 연구들의 주된 관심사는 교사들의 '생존'이며, 전략(strategies)은 교실 상황에서 적절하게 대처해 나가는 대응행위를 말함. ⇨ 「The Divided School」(1979)
    ⊙ **사회화(Socialization)**: 규정화된 행동양식에 학생을 순응하게 만들기
    ⓒ **지배(Domination)**: 언어적 공격, 체벌, 비난 등을 통한 학생지배
    ⓒ **친목(Fraternization)**: 학생들의 문화를 이해하고 친하게 교제 ⇨ 젊은 교사의 대응전략
      예 학생의 문화, 이를테면 옷 입는 것, 말하는 것, 흥미 있는 것에 관심을 갖거나, 공통의 관심사, 텔레비전 프로그램에 대한 토론과 농담 등을 통해 학생과의 친목을 다져놓으려 한다.
    ⓔ **결근과 자리이동(Absence and Removal)**: 시간표 조정이나 결근 ⇨ 어려운 수업을 회피하기
    ⓜ **치료요법(Occupational Therapy)**: 분주하게 일에 열중하여 관심을 다른 데로 돌리기
    ⓗ **관습적이고 일상적인 전략(Ritual and Routine)**: 학생과 교사 모두가 손쉽게 생각하는 받아적기 등을 통해 통제
  ② **맥닐(McNeil)의 방어적 수업**: 다인수 학급상황에서 강의법을 통한 교사의 생존전략 ⇨ 「방어적 수업과 학급통제(defensive teaching and classroom control)」(1983)
    ⊙ 한 명의 교사가 수십 명의 학생들을 가르치는 학급상황에서 교사는 학생들로부터 자신을 지켜야 한다는 구조적 방어의식을 갖게 되고 그러한 방어의식은 생활지도에서는 학생다움을 요구하는 각종 규제로 구체화되며, 교과지도에서는 방어적 수업(defensive teaching)으로 나타난다고 보았다.
    ⓒ 교사들은 방어적 수업을 위해 강의식 수업을 선호한다. 이는 교과에 대한 정보를 제공해야 한다는 목표와 수업의 효율성을 방해할지도 모르는 개념 및 정보를 제한해야 한다는 서로 상충되는 목표를 달성하는 데 강의식 수업이 가장 효과적이라고 생각하기 때문이다. ⇨ 교사들은 교실에서 가르치는 지식의 범위는 교과서 내용으로만 한정하고, 학생이 알아야 할 교과서 내용의 수준과 중요한 부분을 지적해 주고 집중적으로 가르친다.

ⓒ 교사들이 지식을 통제함으로써 학생을 통제하는 강의전략으로 주로 단순화, 신비화, 생략, 방어적 단편화를 사용한다고 주장하였다.

단순화 (fragmentation)	지식을 잘게 쪼개어 수업내용을 단편적 지식들 혹은 서로 연결되지 않는 목록들로 구성(환원)함으로써 토론과 반대의견 제시를 예방함.
신비화 (mystification)	• 전문적 영역 피해가기, 베껴 쓰기 지시를 통해 교사에의 의존 심화 유도, 복잡한 주제에 관한 토론을 금지함. 예 국제통화기금, 금본위제 등을 언급할 때 그 용어들을 그대로 베껴 쓰라고 함. • 그 주제는 매우 중요하지만 알기 힘든 것처럼 보이게 하는 방법으로, 학생들이 스스로 지식을 추구하거나, 깊이 파고들지 못하도록 하여 외부(교사)에서 제공하는 정보에 의존하는 태도를 형성함.
생략 (omission)	학생들이 반대의견을 제시하거나 토론할 만한 자료 혹은 자료를 보는 관점을 다루지 않기 ⇨ 시사문제나 논쟁의 여지가 있는 주제를 다룰 경우에 주로 적용함. 예 국사교과에서 현대사를 아예 배우지 않기, 사회교과 수업에서 제2차 세계대전 당시 미국의 개입에 대해 저항이 있었다는 점, 트루만의 히로시마 원폭 투하 결정에 반대했던 사람들 등을 언급하지 않고 생략하기
방어적 단편화 (defensive simplification)	• 다양한 설명이 요구되는 주제를 간단히 언급만 하고 넘어가기 ⇨ 교사가 학생들의 능력이나 수업에 대한 관심이 부족하다고 생각할 때 즐겨 사용하는 수업전략 • 학생들을 이해시키기 위해서는 다양한 방법과 많은 시간이 드는 주제를 다룰 경우 이를 간단히 언급만 하고 넘어간다고 약속함으로써 학생들을 동기화시키기보다는 학생들의 불평을 제거하고 학생들이 저항을 하지 않고 협력하게 만드는 전략 ⇨ 이 주제는 복잡한 문제처럼 보이지만 그렇게 시간과 노력을 많이 쏟을 필요가 없는 것이니 양해해달라고 넘어가기 예 수요와 공급, 산업화, 도시화 문제 등은 모든 학생들이 일정한 수준을 이해할 때까지 교사의 많은 노력과 시간이 필요하기 때문에 약간의 설명 이상으로 가르치지 않는다. • 학생들에게 주제의 핵심요소는 빼고 간단히 설명하거나, 시험지의 빈칸을 단편적 사실로 채우게 하거나, 제대로 설명하지 않고 주제의 개요만을 말해주거나, 이 주제는 깊이 공부하지 않아도 된다고 말함으로써 이를 정당화시킴.

(4) **상호작용 연구의 이론적 한계**(Blackledge & Hunt, 1985)
① 상호작용을 주로 대결과 갈등의 관계로 파악함으로써 교사와 학생 간의 관계를 불완전하게 그리고 있다. ⇨ 이해, 협조, 존중, 칭찬 등 협력적 상호작용 전략을 간과하고 있음.
② 행위자의 입장에서 상황을 파악해야 한다고 주장하면서도 국외자인 연구자의 관점이 개입되는 것을 완전히 제거하기가 어렵다. 즉, 연구자의 관점으로 행위자의 언행을 해석하는 것을 완전히 배제할 수 없는 한계를 스스로 지니고 있다.
③ 교사와 학생 각각의 행동 및 상호관계가 일어나는 사회적·역사적 맥락을 경시 또는 무시하는 경향이 있다.

제3절 사회와 교육

1 사회화(socialization)

1. **사회화(socialization)의 개념**: 한 인간이 태어나서 그 사회의 행동양식 또는 생활양식을 습득하면서 그 사회의 한 성원으로 되어 가는 과정

   (1) **사회적 측면**

   ① 개인이 자기가 속한 사회의 행동양식, 가치관, 지식, 규범, 태도 등을 학습하고 내면화하는 과정

   ② 문화전달의 과정: 그 사회의 문화를 구성원에게 전달해 주는 과정

   (2) **개인적 측면**: 개인이 자신이 속한 사회 속에서 독특한 개성을 형성시켜 나가는 자아형성의 과정

2. **교육과 사회화**

   (1) **교육은 사회화의 과정이라는 견해**

   ① Durkheim: 교육은 사회화의 과정이다. ⇨ '사회화'의 개념을 최초로 사용

   ② Dewey: 교육은 사회적 과정이며, 사회생활 그 자체이다.

   (2) **교육과 사회화의 차이점**: 교육 ⊂ 사회화

   ① 교육: 의도적·계획적·가치적 성격의 활동만을 대상으로 한다.

   ② 사회화: 무의도적·비계획적·무가치적 성격의 활동까지도 교육작용에 포함시킨다.

학자	주장	학교사회화
뒤르켐 (Durkheim)	• 사회실재론 • 도덕사회화론	• 학교사회화의 목표: 도덕사회화 • 보편적 사회화와 특수적 사회화

파슨스
(Parsons)
	• 사회체제이론
	• 사회화 기능론
		• 학교는 잠재적 유형유지기능
		• 학교의 주된 기능: 학업성취도를 기준으로 한 사회적 선발기능 ⇨ 직업적 역할의 분배 ⇨ 역할사회화
		  ┌ 인지적 차원의 학업성취도(인지적 사회화): 지식과 기술 등에 대한 학습정도
		  └ 정의적 차원의 학업성취도(인성적 사회화): 협동, 질서준수 등 사회적 규범의 학습정도

드리븐 (Dreeben)	학교규범론	규범적 사회화: 산업사회에 필요한 규범 습득 **예** 독립성, 성취성, 보편성, 특수성

3. **사회화 기관**

   (1) **개요**

   ① 넓은 의미에서 삶의 현장이 곧 사회화의 장(場)이다.

   ② 대표적인 사회화 기관: 가정, 학교, 대중매체, 지역사회

(2) 가정
① 1차적 사회화의 장: 최초의 사회화는 부모와의 관계에서 비롯된다.
② 가정은 사회화를 위한 가장 기본적인 장소이며 정의적 행동 특성에 절대적인 영향을 미치는 곳이다.

(3) 또래집단(= 동료집단, peer group)
① 의미: '사귀는 친구들' ⇨ 연령·신분·흥미·성(性) 등이 비슷하며 '우리라는 감정'을 지니고 같이 느끼고 같이 행동하는 같은 또래의 모임
② 가정이 종적·수직적 사회화 기관인 데 비해 또래집단은 횡적·수평적 사회화를 이루는 기관이다. ⇨ 평등성, 자율성, 적응성, 응집성, 시한성(時限性)의 특징을 지님.
③ 또래집단으로부터의 영향력은 유아기보다 청소년기에 더욱 커진다.
④ 동료집단의 유형

구분	놀이집단(유희집단, play group)	동인집단(동호인 집단, clique)	도당(gang)
개념	4~5세에서 12세의 아동이 5~6명씩 유희를 하면서 형성되는 자발적인 집단	13세 이후의 아동이 2~20명씩 취미를 중심으로 형성되는 비형식적 집단	14~15세의 아동들이 5~10명씩 가정·사회·성인의 눈을 피해 새롭고 흥미있는 경험을 하려고 만든 집단
특징	• 지도자가 없다. • 성별 구분이 없다. • 순간적으로 이합집산한다. • 연령이 증가하면서 집단의 수가 늘고, 놀이시간이 길어지며, 성별이 구분된다.	• 집단의 합의에 의해 성원이 결정 • 민주적으로 지도자를 선출 • 폐쇄적·배타적·특권적 • 주로 정서활동에 치우친다. • 상류계층의 자녀들로 구성된다.	• 강한 동료의식과 집단의식 소유 • 지도자가 존재한다. • 금지된 행동 ⇨ 반사회적 행동 • 의리가 중시 ⇨ 조직에 대한 충성 • 비밀결사의 성격을 지닌다. • 하류계층의 자녀 중심이다.

⑤ 교육적 의의
  ㉠ 민주주의 정신을 배운다.
  ㉡ 정서적 안정감과 소속감을 부여한다.
  ㉢ 문화적 동질감·일체감을 형성한다.
  ㉣ 집단 내의 특수한 지위와 기능을 통해 개인의 역할을 발견한다.
  ㉤ 아동 상호 간의 관계를 통하여 자아개념을 형성한다.

(4) 학교
① 가정이나 또래 집단이 1차적 사회화 기관이라면, 이질적(異質的) 아동들을 집단적으로 수용하여 새로운 사회화를 시도하는 2차적 사회화 대행기관은 학교이다.
② 학교는 계획적·합리적·의도적으로 사회화를 시도하는 기관이다.
③ 학교사회화의 내용
  ㉠ 인지적 사회화: 특정의 지식이나 기술 습득을 통한 사회화 ⇨ 공식적 교육과정
  ㉡ 규범적 사회화(Dreeben): 행동과 실천을 통한 사회화 ⇨ 잠재적 교육과정

④ 드리븐(Dreeben)이 제시한 학교사회화의 내용
  ㉠ 학교의 주된 역할은 학생들을 사회인으로 만드는 것이다. ⇨ 학교는 현대 산업사회에서 요청되는 핵심적인 규범을 효과적으로 사회화하기 위한 기관이다.
  ㉡ 학교에서 학생들이 학습해야 할 규범의 내용: 독립성, 성취성, 보편성, 특수성

독립성	• 학교에서 독자적으로 할 일이 있다는 것을 배우게 된다는 것 ⇨ 학문적 학습활동에 적용되는 규범 • 학생들이 자신의 행동에 대해서 책임감을 느낄 때, 그리고 다른 사람들이 행위자에게 책임을 지울 수 있는 권리를 가진다는 것을 인식할 때 나타나는 학습이다. • 학교에서 과제를 스스로 처리하게 하고 자신의 행동에 책임을 지게 함으로써 습득된다. **예** 시험 시 좌석 분리, 시험 중 부정행위나 표절행위에 대한 처벌을 통해 학습
성취성	• 사람이란 자기의 노력이나 의도에 의해서 보다는 성과에 따라 대우받는다는 것을 배우는 것 ⇨ 학생들이 할 수 있는 최선을 다해 그들의 과제를 수행해야 한다는 전제하에 행동하는 것, 다른 사람들의 성과와 비교하여 자신의 성과를 판단하는 것을 학습 • 공동으로 수행하는 과외활동이나 운동과 같은 경쟁에서 성공을 경험하는 기회를 제공함으로써 학습된다. • 이 규범을 통해 학생들은 실패를 극복하는 방법을 배우고 동시에 어떤 분야에서는 다른 사람들이 훨씬 재능이 있다는 것을 인정하는 것을 배운다.
보편성	• 동일 연령의 학생들이 같은 학습내용과 과제를 공유함으로써 형성되는 것 • 같은 연령의 학생들에게 어떤 특성에 관계없이 똑같은 규칙이 적용된다는 것에서 학습된다. **예** 학교에서 한 학생이 과제물을 늦게 제출했을 경우 교사는 그 학생의 개인적인 사정을 고려하지 않고 과제물 제출이 늦은 것에 대해 조치를 한다.
특수성 (특정성)	동일 연령의 학생들이 다른 학년의 학생과 구별되는 특수한 환경을 공유하여 개인의 흥미와 적성에 맞는 분야의 교육을 수행함으로써 학습된다. **예** 학교에서 한 학생이 과제물을 늦게 제출했을 경우 그 학생이 학교 대표팀의 일원으로 경기에 출전하였기 때문에 과제제출이 늦어졌다면 교사는 그것을 이해하고 감점을 주지 않는다.

⑤ 학교사회화의 대행자: 교사
⑥ 학교문화는 학생들의 사회화에 영향을 미친다: 학교문화란 그 학교의 전통, 역사, 교육풍토, 지리적 위치, 시설, 교직원 구성, 학부모 기대 등이 어우러져 만든 그 학교의 독특한 행동양식이다.

(5) 대중매체
① 대중매체는 다수의 사람들에게 대량의 정보 제공, 간접경험의 기회 확대, 다양한 행동모형 제시, 여론형성 주도 등과 같은 기능을 하는 사회화 기관이다.
② 대중매체의 특징은 대량성, 일방성, 공개성, 신속성, 익명성, 등질성(等質性) 등을 들 수 있다.

2 사회변동(사회 변화, social change)과 교육

1. 사회변동의 개념
(1) 사회구성원 간의 상호작용관계 유형과 사회행위 유형에 새로운 형태와 의미가 더해져 가는 과정
  ① **상호작용관계 유형**: 구성원 개인을 초월해서 형성하고 있는 사회체계, 사회구조, 질서관계, 지위관계, 제도, 조직 등을 의미한다.
  ② **사회행위 유형**: 구성원 개인들이 공유하는 가치관, 규범의식, 사고양식 등을 의미한다.

(2) 사회 내에 형성되어 있는 여러 가지 요소들의 결합관계와 상호작용의 유형(사회구조)이 달라지는 것

2. 사회변동의 과정: 사회변동에 관한 이론적 관점들
(1) **콩트(Comte)**: 모든 사회는 인간 지성(지식)의 발전 과정과 같이 신학적 단계 ⇨ 형이상학적 단계 ⇨ 실증적 단계로 발전한다.

(2) **스펜서(Spencer)**: 군사형 사회(단순사회) ⇨ 산업형 사회(복합사회)
  ① **군사형(군국형) 사회**: 강제성, 국가 지배, 중앙집권적 독재정치, 귀속적·정체적 폐쇄사회, 자급자족적 경제
  ② **산업형 사회**: 자율성, 국가의 봉사성, 지방분권적 민주정치, 성취적·유동적 개방사회, 상호의존적 경제

(3) **뒤르켐(Durkheim)**: 기계적 연대사회 ⇨ 유기적 연대사회
  ① **기계적 연대사회**: 구성원들이 전인적인 상호 믿음과 동료의식에 따라 연대하는 동질적 사회
  ② **유기적 연대사회**: 법과 이성에 기초한 계약적 관계에 따라 연대하는 이질적 사회

(4) **퇴니스(Tönnies)**: 공동사회(gemeinschaft) ⇨ 이익사회(gesellschaft)
  ① **공동사회**: 본질의지에 입각한 인간적·친밀한 유대 중심
  ② **이익사회**: 선택의지에 입각한 비인간적·이해관계 중심

(5) **쿨리(Cooley)**: 1차 사회 ⇨ 2차 사회

3. 사회변동과 교육의 기능
(1) **교육의 보수적 기능**: 사회 변화에 적응, 교육을 학교교육에 한정 ⇨ 과학기술의 변화, 인구변동, 경제적 변동, 정치적 변동, 가족기능의 변천

(2) **교육의 창조적 기능**: 사회 변화의 원동력, 교육을 확대 해석 ⇨ 인간의 개조, 문화전파, 사회적 이동 및 상승

■ **사회 변화의 시기별 강조되는 교육과정의 덕목**: 왈라스(A. Wallace) 11. 경북

사회 변화의 시기	교육과정의 강조점	특징	역사적 예
혁명기 (revolutionary phase)	• 도덕성 > 지성 > 기술 • 사회적 변혁 중시	구체제의 사회적·문화적 질서를 부정하고 새 질서 수립을 위해 새로운 가치와 규범, 즉 혁명이념을 전파하기 위한 도덕을 중시	중국과 쿠바, 그리고 프랑스 혁명 이후 시기
보수기 (conservative phase)	• 기술 > 도덕성 > 지성 • 기존 사회질서 중시	실용주의가 득세하여 지적인 논의와 비판 정신은 약화되며, 그 질서를 유지하기 위한 실용적·실제적 기술이나 지식을 교육과정에 우선적으로 반영	마오쩌둥(毛澤東)이 전개한 문화혁명 이후의 중국
복고기 (reactionary phase)	• 도덕성 > 기술 > 지성 • 구질서 회복 중시	혁명의 실패 시에는 새로운 변화에 저항하고 기존의 질서를 보호하기 위하여 기존의 정치이념과 가치관이 부활하여 학교 교육과정에 반영됨으로써 다시 도덕을 강조하는 경향	보수기 말기, 또는 혁명의 실패 시기

3 사회계층(social status)과 교육

1. 사회계층의 개념

(1) **사회계층**: 한 사회의 구성원들을 그들의 재산, 수입, 교육, 직업 등을 기준으로 분류할 때 비슷한 지위를 차지하고 있다고 인정되는 일군(一群)의 층

(2) **사회계급**: 경제적 조건(예 재산, 직업, 사회적 지위)이 유사한 사람들이 비슷한 생활습관, 태도, 행동, 가치관을 가지고 있을 때 그 집단을 의미한다.

(3) **사회계층과 사회계급의 비교**
① 계층이나 계급은 모두 사회불평등 구조를 의미한다.
② 계층은 통합을 중요시하고 다원적 지표에 의해 분류되는 데 반해 계급은 사회의 모순과 대립을 중요시하고 경제력이라는 단일지표에 의하여 분류된다.
③ 계층은 영속적이고 계급은 일시적이다.
④ 계층은 종합적 개념이고 계급의 상위개념이다.

2. 사회계층의 결정요인

(1) **Marx**: 생산수단의 소유 여부와 생산관계의 지위와 역할의 차이에 따라 사회계급이 결정된다.
① 자본가 계급(부르조아): 생산수단을 소유 ○ ⇨ 유산(有産)계급
② 노동자 계급(프롤레타리아): 생산수단을 소유 × ⇨ 무산(無産)계급

(2) **Weber**: 재산, 권력, 권위

3. 사회계층에 관한 기능이론과 갈등이론의 시각

기능이론	갈등이론
• 계층은 보편적이며 필요하고 또 필연적이다. • 사회조직(사회체제)이 계층체계를 만든다. • 계층은 통합, 조정, 응집을 위한 사회적 욕구에서 생긴다. • 계층은 사회와 개인이 적절한 기능을 하도록 촉진한다. • 계층은 사회적 공통가치의 표현이다. • 권력(Power)은 늘 정당하게 배분된다. • 일자리와 보상은 평등하게 배분된다. • 경제적인 부문을 타부문의 밑에 둔다. • 계층체계는 항상 진보적 과정을 통하여 변화한다.	• 계층은 보편적일지는 모르지만 필요하거나 필연적인 것은 아니다. • 계층체제가 사회조직(사회체제)를 만든다. • 계층은 집단정복, 경쟁, 갈등에서 생긴다. • 계층은 사회와 개인이 적절한 기능을 못하도록 방해한다. • 계층은 권력집단들의 가치의 표현이다. • 권력은 늘 부당하게 배분된다. • 일자리와 보상은 불평등하게 배분된다. • 경제적인 부분을 사회의 맨 위에 둔다. • 계층체계는 항상 혁명적 과정을 통하여 변화한다.

4. 사회계층의 측정방법

(1) **객관적 방법**: 한 사회에서 구성원들 상호 간에 계층을 판단하는 근거를 조사하여 이를 척도화한 후에 그 척도를 사용하여 구성원들의 계층을 측정하는 방법

　　예 워너(W. L. Warner)의 지위특성지표(I. S. C.: Index of Status Characteristics)

(2) **주관적 방법**

① 개념: 사람들이 각자 자기 자신을 또는 다른 사람을 어느 계층 성원으로 인식하고 있는가 하는 주관성에 따라 파악하는 방법

② 종류
　㉠ 자기측정방법: 각자가 자신을 어느 계층으로 인식하는가 파악하는 방법
　㉡ 평판적 방법: 주위 사람들에 대한 주관적 평가에 기초하여 파악하는 방법

(3) **워너(W. L. Warner)의 사회계층연구**

① 지위특성지표(I. S. C.: Index of Status Characteristics): 객관적 방법 ⇨ 한 사람의 계층을 결정하는 요인으로 6가지 사회경제적 특성을 나타내는 기준지표를 설정
　㉠ 직업의 종류: 상류층일수록 전문직에 종사한다.
　㉡ 교육수준(교육연한): 상류층일수록 높다.
　㉢ 수입액(소득액)
　㉣ 수입원(소득원)
　㉤ 주택의 종류: 상류층은 단독주택, 하류층은 공동주택에 거주한다.
　㉥ 거주지역: 상류층은 교외, 하류층은 시내 중심가에 거주한다.

② 평가된 참여(E. P.: Evaluated Participation): 주관적 방법 ⇨ 지역사회 주민들과의 친숙도, 클럽이나 교회의 참여 정도 등과 같은 주거민의 사회적 상호작용 정도를 기준

③ 연구결과: 사회계층을 상, 중, 하로 나누고, 다시 이를 상하로 나누어 상상층(upper-upper class), 상하층(lower-upper class), 중상층(upper-middle class), 중하층(lower-middle class), 하상층(upper-lower class), 하하층(lower-lower class)으로 분류

④ 사회이동(Social mobility)과 교육 12. 국가직

1. 사회이동(사회계층이동)의 개념
(1) 개인이나 집단이 한 사회적 위치나 계급으로부터 다른 사회적 위치나 계급으로 이동하는 현상
   예 농민의 아들이 커서 의사나 변호사가 되는 경우, 상류층 ⇌ 중류층
(2) 사회이동은 단순한 직업, 수입 등에 따른 이동만이 아니라 그 지위에 맞는 행동특성까지도 포함하는 것이다.

2. 사회이동의 형태(유형)
(1) **수직적 이동과 수평적 이동**
   ① 수직적 이동(vertical mobility): 계층적 위치가 상승하거나 하강하는 경우
      ㉠ 상승이동(upper mobility): 수입증대, 직업적 서열의 상승, 높은 사회적 신분의 사람과 결혼 등을 통해 더 높은 계급으로의 사회적 신분상승 예 승진
      ㉡ 하강이동(downward mobility): 부모세대의 사회적 지위보다 낮게 떨어지는 경우의 이동
         예 강임
   ② 수평적 이동(horizontal mobility): 동일한 계층 내에서 위치변화
      예 한 학교의 교사가 다른 학교로 이동하는 경우, 전직과 전보

(2) **세대 간 이동과 세대 내 이동**
   ① 세대 간 이동(inter-generational mobility): 부모와 자녀 간에 나타나는 계층적 위치변화
      예 아버지(농부) ⇨ 나(회사원) ⇨ 아들(사장)
   ② 세대 내 이동(intro-generational mobility, 생애이동): 한 개인이 생애 동안에 계층적 위치가 변화되는 경우로서 그 사람의 경력 또는 이력에 잘 나타난다.
      예 교사 ⇨ 교감 ⇨ 교장

3. 사회이동과 교육의 관계 09. 서울
(1) **기능이론적 관점** 08. 국가직 7급
   ① 학교교육이 사회계층 이동에 긍정적·결정적인 역할을 한다.
      ㉠ 학교교육은 사회상승이동의 중요한 통로, 상승이동으로 통하는 엘리베이터, 출세의 왕도이다.
      ㉡ 평등한 사회계층 이동을 위해서는 교육기회가 균등해야 한다.
   ② 블라우와 던컨(Blau & Duncan)의 학교효과모형
      ㉠ 직업지위획득을 결정하는 결정변수를 아버지의 교육, 아버지의 직업, 본인의 교육, 본인의 첫 번째 직업경험 등 네 가지로 파악하였다. ⇨ 아버지의 교육과 아버지의 직업은 가정배경요인, 본인의 교육과 본인의 첫 번째 직업경험은 자신의 노력(훈련과 경험)을 의미한다.
      ㉡ 가정배경은 어느 정도 학교교육에 영향을 줄 수 있다.
      ㉢ 사회적 성취에 가정배경이 영향을 주지 못한다.

② 교육을 받으면 받을수록 좋은 직업을 얻을 수 있으며, 학교교육은 사회적 출세에 결정적인 역할을 하고 있다.

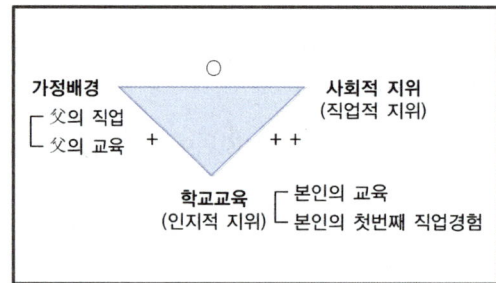
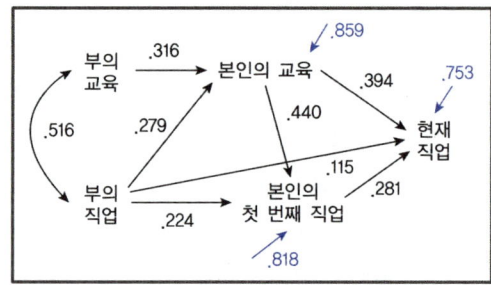

③ 위스콘신 모형 : 스웰(Sewell)과 하우저(Hauser)
  ㉠ 가정배경이 어떻게 교육 및 직업적 성취에 영향을 미치는지를 밝히고자 하였다.
  ㉡ 주로 객관적인 변인(가정배경, 학력)만을 사용한 Blau & Duncan의 모형에 사회심리적 변인(중요한 타자의 영향)을 추가하였다.
  ㉢ 사회심리학적 관점에서 교육과 직업포부에 영향을 미치는 것은 '의미 있는 타인(significant others)', 부모의 격려가 학생들의 사회경제적 배경 및 능력과 교육 포부 사이에 개입하는 강력한 매개변인이다.
  ㉣ 연구 결과 : 아버지의 지위가 아들의 지위나 학교교육에 미치는 직접적인 영향은 나타나지 않았으나, 중요한 타자의 영향을 매개로 하여 직업 및 학교교육 포부수준에 간접적인 영향을 미치는 것으로 나타났다.

사회이동과 교육의 관계(기능론적 관점)

Blau & Duncan	객관적인 변인, 즉 학교교육(본인의 노력)이 사회이동(출세)에 결정적 역할
Swell	사회심리적 변인, 즉 '의미 있는 타인들(부모)'의 격려가 노력과 직업지위의 매개변인으로 작용

(2) 갈등이론적 관점

① 학교교육이 사회계층 이동에 무기능적 · 부정적인 역할을 한다.
  ㉠ 개인의 사회적 지위는 가정의 사회 · 경제적인 배경에 의해서 결정된다.
  ㉡ 학교교육은 현존하는 사회지배계층의 이해관계를 유지하기 위한 하나의 사회적 조정장치이고 계층재생산의 매개변수에 불과하다.
② 학교는 지위이동을 통하여 평등을 실현시키기보다는 현존하는 불평등 구조를 유지 · 존속시키는 역할을 담당한다.
③ 보울스와 진티스(Bowles & Gintis)의 학교교육 효과모형
  ㉠ 학교교육은 사회적 성취에 어느 정도 영향을 미친다.
  ㉡ 가정환경은 학교교육에 일정한 영향력을 행사한다.
  ㉢ 개인의 사회적 성취는 가정배경에 의해 좌우된다.

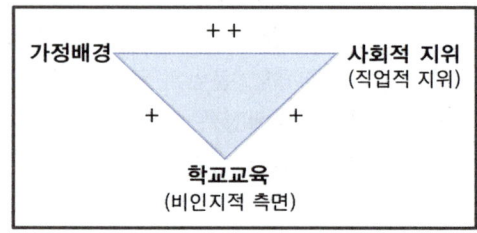

④ 연줄모형: 스탠톤-살라자와 돈부쉬(Stanton-Salazar & Dornbusch) 17. 국가직 7급
  ㉠ 사회적 자본(social capital, 연줄, 사회적 네트워크)의 개념을 사용하여 학생의 교육 및 직업에 대한 기대와 목표가 학업성취에 그리고 제도적 권위를 가진 사람들(예 교사, 카운슬러, 중상류층 친구)과의 사회적 관계 형성에 어떻게 관련되는지를 밝히고 있다.
  ㉡ 사회적 자본은 제도적 후원과 필요한 정보를 얻어낼 수 있는 사회적 관계를 말한다.
  ㉢ 제도적 권위를 가진 사람들과 맺어진 연줄이 교육성취에 영향을 준다: 학업성취가 높은 학생들은 보다 많은 사회적 자본, 즉 연줄을 가지고 있다.
  ㉣ 연줄을 학교기관 속에서 학생들에게 영향을 줄 수 있는 교사나 친구에 국한하고 있다는 점에서 직업획득 과정을 밝히는 데는 한계가 있다는 비판을 받는다.

⑤ 노동시장 분단론 연구
  ㉠ 학교교육이 직업성취에 미치는 효과가 언제, 어디서나 누구에게나 같지 않은 이유는 노동시장이 동질적이지 않고, 분단되어 있으며, 인적 특성에 따른 차별이 존재하기 때문이다.
  ㉡ 노동시장이 동질적이고 경쟁적이라는 기능이론자들(특히 인간자본론자들)의 가설은 잘못되어 있다고 주장한다. ⇨ 노동시장은 분단되어 있고 차별이 존재한다고 주장
  ㉢ 노동자의 인적 특성(예 성별, 계급, 인종, 출신지역)에 따라 차별이 존재하며, 교육의 임금 결정 효과도 달라진다.

사회이동과 교육의 관계(갈등론적 관점)

Bowles & Gintis	가정의 사회·경제적 배경이 사회적 지위를 결정
Stanton-Salazar & Dornbusch	연줄모형 ⇨ 학교 내의 사회적 자본(사회적 네트워크)이 교육 및 직업 획득에 영향(학생의 능력 ×)
노동시장 분단론	개인의 능력이 아닌 인적 특성이 지위획득에 영향

4. 시험의 성격 14. 국가직

(1) **시험의 교육적 기능**(Montgomery): ① 자격 부여, ② 경쟁촉진(우리 교육의 당면 문제), ③ 선발, ④ 목표와 유인(학습목표 제시 및 동기 촉발하는 유인), ⑤ 교육과정 결정(예 중심과목과 주변과목, 선택적 교수와 선택적 학습 기능), ⑥ 학업성취의 확인 및 미래학습의 예언

시험의 순기능	• 질적 수준 유지 • 학교 간 비교를 가능하게 함. • 각 단계별로 이수해야 할 최저학습수준 제시 • 교수의 개별적 평가가 지닌 편견 극복(전국 또는 지역적 표준화검사의 경우)
시험의 역기능	• 암기력을 주로 측정함. • 교육과정의 일부만을 다룸. • 선택적 학습과 선택적 교수를 촉진 • 정상적 공부습관을 약화시킴. • 시험과 관련된 비정상적 행위(예 시험불안) 유발 • 교육과정 및 교수방법 등에 관한 교육개혁의 장애가 됨.

(2) **시험의 사회적 기능**: ① 사회적 선발, ② 지식의 공식화와 위계화, ③ 사회통제(시험 지식을 통한 사회통제), ④ 사회질서의 정당화 및 재생산, ⑤ 문화의 형성과 변화 [20. 국가직]

- 시험은 지식에 대한 관료적 세례이다. 즉 세속적 지식을 성스러운 지식으로 변형시키는 공식적 의식과 같은 것이다(Marx).
- 시험은 지배문화와 지배문화의 가치관을 주입시키는 가장 효과적인 도구이다(Bourdieu).

5 사회집단과 교육

1. 사회집단의 유형 분류

(1) **섬너(Sumner)의 분류**: 내집단과 외집단 ⇨ '우리 의식'의 소유 여부

구분	내집단(In-Group)	외집단(Out-Group)
의미	집단을 구성하고 있는 개인들이 그 집단에 소속한다는 느낌을 가지며, 구성원 간에 우리라는 공동체의식(We-Feeling)이 강한 집단 ⇨ 우리집단(We-Group)	내가 소속된 집단이 아닐 뿐만 아니라 이질감을 가지거나 심지어는 적대감이나 공격적인 태도까지 가지게 되는 경우 ⇨ 타인집단(They-Group)
개인에게 미치는 영향	사람들은 내집단을 통하여 자신을 인정받고 자아정체감을 얻으며, 판단과 행동의 기준을 배운다.	사람들은 외집단을 통해서 집단의 성격을 파악할 수 있게 되고, 내집단의 결속의 필요성을 인식하게 되며, 상이한 판단과 행동의 기준이 존재한다는 것을 알게 된다.
집단의 실례	아군, 자기가 믿는 종교집단, 우리 팀, 한 민족	적군, 다른 종교집단, 상대 팀, 이민족

(2) **퇴니스(Tönnies)의 분류**: 공동사회와 이익사회

구분	공동사회	이익사회
구별기준	구성원의 결합형태(결합의지)에 따른 구별	
결합형태	결합 그 자체에 목적, 자연적 결합 ⇨ 본질의지	특수한 목적을 위해서 결합, 인위적 결합 ⇨ 선택의지
발생	상호 이해, 공통의 신념과 관심에 의해 자연적으로 발생	계약과 규칙에 따라 인위적으로 발생
종류	가족, 친지, 촌락	회사, 정당
가입탈퇴	나면서부터 구성원 가입과 탈퇴를 마음대로 할 수 없다.	자유의사에 따라 가입과 탈퇴를 마음대로 할 수 있다.
현대사회의 비중	공동사회보다 이익사회의 기능이 커지고 있다.	

(3) **쿨리(Cooley)의 분류**: 1차 집단과 2차 집단

구분	1차 집단	2차 집단
구별기준	구성원의 접촉방식에 따른 구별	
접촉방식	대면접촉, 친밀한 관계	간접접촉, 형식적 관계
특징	• 직접 접촉 • 집단의 소규모성 • 관계의 지속성 • 협동	• 특수한 이해나 목적을 위해 접촉 • 인위적 접촉 • 기능적 • 형식적 접촉
종류	가족, 놀이집단	회사, 직업단체
통제방법	도덕, 관습 등 비공식적인 통제	규칙, 법 등과 같은 공식적인 통제, 현대 사회는 2차 집단의 성격이 커짐.

2. 사회집단으로서의 학교

(1) **중간집단**: 스미스(W. R. Smith)가 명명 예 학교, 교회
1차 집단이나 2차 집단에 속할 수 없는 성격의 사회집단

(2) **양차적 집단**: 브라운(F. J. Brown)이 명명 예 학교
구성원의 가입방식이나 접촉방식 면에서 1차 집단이나 2차 집단이 아닌 집단

(3) **전인구속적 조직**: 고프만(Goffman), 일리치(Illich)
① 교도소와 병원처럼 그 기관에 수용된 사람들의 행동 전반을 구속하여 사람들을 보호·관리·통제하는 기관을 말한다.
② 학교가 학생의 지적 교육에만 관여하는 것이 아니라 생활 전반에 걸쳐서 간섭하며, 학생의 행동을 구속한다는 점에서 부르는 말이다.

3. 학교교육의 사회적 기능 12. 경기, 09. 경기·서울

(1) **문화전승(문화전계)의 기능**: 공인된 태도, 규범, 가치관 등의 생활양식과 행동양식을 포함하는 문화내용을 다음 세대에 전달하는 기능 ⇨ 교육의 1차적 기능

(2) **사회통합의 기능**
① 여러 이질적인 요소들이 각기 고유의 기능을 유지하면서 전체적으로는 모순과 갈등이 없이 조화를 이루며 발전하는 기능
② 문화전승의 2차적 기능이라고도 하며, 문화전승기능보다 강제성을 띠는 사회적 통제와 사회적 제재의 기능을 갖는다는 점에서 구분된다.

(3) **사회적 선발의 기능**: 교육받은 수준에 따라 사회성원들에게 특정한 지위를 부여하는 기능

(4) **사회충원의 기능**: 사회의 존속과 발전을 위해 필요한 인력의 선발, 분류, 배치 기능 ⇨ 교육의 가장 현실적이고 구체적인 기능 22. 국가직

(5) **사회이동의 기능**: 개인의 사회적 지위를 수직적으로 이동시켜 주는 중요한 도구이며, 고등교육기관이 몰려 있는 지역으로의 수평적 이동을 촉진하는 기능
(6) **사회개혁의 기능**: 새로운 문화를 창조하고 더 바람직한 방향으로 변화시켜 주는 기능

제4절 문화와 교육 11. 울산

1 문화(文化, culture)의 개념

1. 일정한 사회집단이 공동으로 가지고 있는 사고, 감정, 행동양식을 포함하는 모든 생활양식
2. 사회가 이룩해 놓은 모든 기술적, 예술적, 학문적 업적과 같은 유형·무형의 전 생활양식

2 문화변동(cultural change)과 교육

1. **문화변동(문화변화)**
   (1) **개념**
      ① 하나의 문화 유형이 대내외적인 원인으로 인하여 다른 유형으로 근본적으로 변화하는 것
      ② 어떤 문화가 하나의 형태로부터 다른 형태로 변화하는 것

   (2) **원인**
      ① 대내적 원인: 발견, 발명, 혁명, 인구의 이동, 경제 등에 의한 변화
      ② 대외적 원인: 외래문화와의 접촉으로 인한 변화 ⇨ 문화접변, 문화전파

2. **문화변동의 현상**
   (1) **문화접변**(acculturation, 문화이식)
      ① 한 문화가 다른 문화와 접촉하여 한쪽 또는 양쪽의 문화가 변하는 현상
      ② 다른 문화와의 접촉을 통하여 문화가 변화하는 것
      ③ 문화제국주의론(Carnoy)이 중시하는 요소

   (2) **문화전계**(enculturation, 문화전승, 문화번식)
      ① 문화전계란 한 개인이 그 집단의 문화를 획득하여 내면화하는 과정, 즉 특정문화가 그 문화를 담당한 세대로부터 다음 세대로 전달되고 계승되는 것 ⇨ 문화화(enculturation), 사회화(socialization)와 유사한 개념이다.
      ② 문화전파는 문화접변보다 광의의 개념으로, 개인의 접촉에서 발생하는 모든 종류의 문화모방, 문화차용, 문화전이, 자극적 전파 등을 포함한다.

③ 문화전계가 기존 문화의 전승을 통하여 문화적 정체성을 강화시킨다면, 문화접변은 외래의 새로운 문화를 받아들임으로써 문화적 생동감을 고취시켜 준다.
④ 정상적인 사회라면 문화전계가 중심이고 문화접변은 부수적인 것이다. 그 반대라면 문화적 정체성을 상실하고 문화적 혼란에 빠지게 된다.
⑤ 교육적 과정은 문화전계와 문화접변의 과정이다.

(3) **문화지체**(cultural lag) 11. 대전, 06. 경기

① 문화 구성부분 간의 변동속도의 차이로 인해 생기는 문화적 격차
② 문화요소 간의 부조화 현상
    예 물질문화와 정신문화와의 부조화 현상
③ 오그번(Ogburn)이 『Social change(1966)』에서 제시한 개념

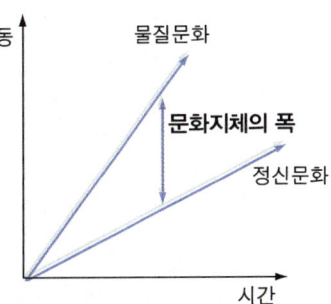

- 휴대폰을 많이 사용함으로써 생활이 편리해졌지만, 무분별한 사용으로 인해 타인에게 불쾌감을 주는 경우가 자주 발생한다.
- 자동차 보급률은 급속하게 증가되고 있지만, 안전운행에 대한 운전자들의 교통의식은 제자리에 머물고 있다.

(4) **문화실조**(cultural deprivation) 06. 대구

① 인간 발달에서 요구되는 문화적 요소의 결핍과 과잉 및 시기적 부적절성에서 일어나는 지적·사회적·인간적 발달의 부분적 상실·지연·왜곡현상
② 문화요소의 부적절성에서 오는 발달의 왜곡현상
③ 문화실조의 원인
    ㉠ 정신문화, 특히 적응문화(기술, 지식, 경험)에 있어서의 발명이나 개혁의 결여
    ㉡ 정신문화의 보수적 타성
    ㉢ 문화변화에 대한 방해
④ 발달 초기 환경의 문화적 결핍은 아동의 지능 발달을 저해하는 현상을 초래한다. ⇨ (극복 대안) 문화환경 개선 또는 문화적 결손 보충을 위한 '보상교육' 실시

3 문화기대와 교육

1. **문화기대**(cultural expectation)**의 개념**

(1) 문화가 그 속에서 태어난 개인에게 문화에 따라 행동할 것을 요구하고 기대하는 것
(2) 문화기대를 하는 이유는 사회를 통제하기 위해서이다.
(3) 문화기대는 개인들에게 '인간성을 판찍는 압력'으로 작용한다.
(4) 문화기대는 '문화가 갖는 구속(문화구속)'이다(Durkheim).

2. 문화기대와 인간상

(1) **평균인**: 문화기대에 어울리는 인간, 기대된 행동양식에 따르는 인간, 사회적으로 승인된 인간

(2) **비정상인**: 기대된 행동양식대로 행동할 수 없는 인간, 사회적으로 승인할 수 없는 인간

(3) **주변인**(경계인, marginal man): Park가 최초로 사용한 용어
   ① 문화변화 과정에서 어느 한쪽의 핵심에 들지 못하고 양쪽에 애착을 느껴 문화의 주변에 있는 사람 ⇨ 청소년기에 현저히 나타난다.
   ② 신·구 문화의 경계선상을 헤매는 사람

제5절 교육의 기회균등: 교육평등관의 발달

1 학교교육과 사회평등 22. 국가직 7급

1. 평등화 기여론(기능이론) 22. 국가직

(1) **개요**
   ① 학교교육 자체가 사회평등화를 실현할 수 있는 제도적 장치라고 보는 견해 ⇨ 진보주의 또는 자유주의자들의 견해
   ② 학교야말로 모든 사람의 삶의 기회를 평등하게 만드는 가장 중요한 기관이다.
   ③ 대표적 학자
      ⊙ 호레이스 만(Horace Mann): 교육은 '위대한 평등장치'이다.
      ⓒ 해비거스트(Havighurst): 교육은 사회적 상승이동을 촉진 ⇨ 사회평등에 기여
      ⓒ 블라우와 던컨(Blau & Duncan)의 지위획득모형: 교육은 직업지위 획득의 결정적 요인
      ⓔ 인간자본론(평등주의 옹호론): 교육은 소득분배의 평등화를 위한 중요 장치

(2) **평등주의적 관점**: 학교교육 자체가 계층 간 격차를 해소하고 사회평등화를 실현하는 장치
   ① 해비거스트(Havighurst)의 연구 14. 국가직 7급, 08. 서울, 06. 국가직 7급: 교육은 직업능력 향상을 통한 계층상승에 기여
      ⊙ 학교교육은 사회적 상승이동을 촉진함으로써 사회평등화에 기여한다: 교육의 보편화는 평등사회에 이르는 촉진제
      ⓒ 사회적 이동을 개인이동과 집단이동으로 구분
         ⓐ 개인상승이동 요인: 중간계급과 기능인력의 구성비를 높이는 방향으로 노동력 구조를 변화시켜 생산성을 향상시키는 과학기술의 발달, 상류계급의 자녀 출산력 감소를 통한 계급재생산의 약화, 개인의 재능과 노력
         ⓑ 집단상승이동 요인: 생산성을 높이는 과학기술의 발달, 증가된 사회적 소득의 분배, 소득증가 집단에 의한 상급지위 상징(예 가구, 자녀교육, 의복 등)의 구매

② 블라우와 던컨(Blau & Duncan)의 직업지위 획득모형: '본인의 교육(학력)'이 직업지위 획득에 가장 중요한 요인 ⇨ 교육을 통한 계층상승과 사회평등에의 기여가 가능하다.
③ 인간자본론: 교육은 소득분배 평등화의 중요장치, 완전경쟁시장을 전제 10. 전북·경기
  ㉠ 내용: 개인의 특성(예 성별·인종·출신지 등)과는 관계없이 개인이 지닌 생산성, 즉 학력(學力)이 소득수준을 결정 ⇨ 교육은 개인의 생산성 증대 및 소득 증대의 요인이다.
  ㉡ 비판
    ⓐ 과잉학력현상: 고학력자가 자기 학력보다 낮은 수준의 직업 종사 혹은 실직 상태
    ⓑ 노동시장분단론(이중노동시장론): 노동시장이 분단(예 내부시장과 외부시장, 대기업과 중소기업)되어 노동시장마다 학력이 직업적 성취에 미치는 영향이 다르며, 인적 특성(예 성별, 인종)에 따른 차별도 존재한다. ⇨ 학교교육은 사회이동의 완전한 도구는 아니다. ⇨ 계층평등이 이루어지려면 교육정책뿐만 아니라 노동시장정책도 중요하다.
    ⓒ 선별이론(screening theory, 선발가설이론): 고용주들은 생산성(예 인지적 기술, 능력)보다 상징(예 비인지적 측면의 요소, 학교 졸업장, 출신 학과)을 고용이나 승진의 중요 요소로 본다. ⇨ 학력(學力)이 생산성 ×, 학력(學歷, 졸업장)은 상징적 지표이고 선별의 도구
    ⓓ 급진주의적 접근: 교육은 사회경제적 변화에 영향을 주지 못하며, 대중들이 소수 자본가들의 소망대로 행동하도록 사회화시키는 장치이다. 교육은 단순히 개인의 부(富) 또는 소득불균형을 세대 간에 전달시키는 도구에 불과
    ⓔ 인문주의적 접근: 교육을 경제발전의 수단으로 취급하는 한 교육은 왜곡될 수밖에 없다. 교육은 인력교육에서 벗어나 인간교육으로 나아가야 한다.

■ 인간자본론과 비판적 주장의 비교

구분	인간자본론	비판적 주장(갈등이론)
기본 전제	완전경쟁시장	노동시장분단론 • 중심시장 - 실력(능력)이 좌우 • 주변시장 - 인적 특성이 결정요소
가설	교육투자 ⇨ 생산성(학력, power) 향상 ⇨ 지위획득	선발가설이론(선별이론): 고용주들은 생산성이 아닌 상징(symbol, 졸업장)을 보고 선발·선별
결과	고학력자 고지위 획득	과잉학력현상 발생

(3) **능력주의 관점**: 계층배치가 능력 본위로 이루어지면 개인의 노력에 따라 사회이동이 나타나 사회불평등이 해소될 수 있다. ⇨ 기능이론의 관점

2. **불평등 재생산이론**(갈등이론)
  (1) 학교교육은 지배층의 이익에 봉사하는 장치로 사회적 불평등을 재생산한다고 보는 이론
  (2) **대표적 연구사례**: 보울스와 진티스(Bowles & Gintis), 카노이(Carnoy)의 연구, 라이트와 페론(Wright & Perrone)의 연구

① 보울스와 진티스(Bowles & Gintis)
  ㉠ 가정배경이 학업성취에 가장 큰 영향을 미치는 요인이다.
  ㉡ 학교교육은 지배층의 이익에 봉사, 불평등 구조를 재생산 ⇨ 교육은 계급 간의 사회이동을 불가능하게 한다.
② 카노이(Carnoy)의 연구: 교육수익률(교육의 경제적 가치)의 교육단계별 변화 분석을 통해 교육이 지배층의 이익에 봉사한다는 것을 규명
  ㉠ 교육수익률이 높은 경우(학교발달 초기)는 학교교육기회가 제한: 학교에 대한 경쟁이 치열하여 중상류층이 주로 다니고 하류층은 다니지 못한다. ⇨ 냉각(cool out)기능
  ㉡ 교육수익률이 낮은 경우(학교발달 후기)는 학교교육기회가 보편화: 하류층에게도 교육기회 개방 ⇨ 가열(warm up)기능
  ㉢ 교육은 가진 자에게만 봉사하고 못 가진 자에게는 도움을 주지 못한다.

가열기능과 냉각기능

1. **가열기능**: 사람들의 능력과 자질에 따라 적절한 분배가 이루어지도록 될 수 있는 대로 많은 사람들이 보다 높은 지위와 역할을 획득하기 위해 경쟁하도록 동기를 부여하는 기능
2. **냉각기능**: 지위 체계의 위계성에 따라 사람들의 수를 준비된 지위와 역할의 수에 맞게 적절한 수준까지 감소시키는 기능

③ 라이트와 페론(Wright & Perrone)의 연구: 교육수준이 소득에 미치는 영향 연구
  ㉠ 교육이 상층집단에게는 도움이 되나, 하층집단에게는 큰 의미가 없다.
  ㉡ 직업집단별, 성별, 인종별로 교육수준이 소득에 미치는 영향을 비교 분석하여 교육과 계층구조와의 관계를 규명: 교육의 수익은 노동계급보다 관리자 계급, 백인 여성과 흑인 남성보다는 백인 남성에 있어서 더 크다.

더 알아보기

사회적 폐쇄(social closure)

1. **개요**
   ① 사회불평등에 대한 갈등이론적 관점에서 파킨(Parkin, 1979)이 개념화한 것이다.
   ② 베버(Weber)적인 입장에서 사회불평등을 '사회적 폐쇄'와 관련지어 설명한다.
2. **개념**
   ① 사회적 폐쇄란 한 사회집단이 다른 집단들에 의한 '자원과 기회에의 접근'을 제한하는 여러 가지 과정들을 지칭한다.
   ② 사회적 폐쇄의 과정은 계급관계에서 드러날 뿐만 아니라 인종적, 성적, 종교적, 그 밖의 착취 형태들을 포함하는 모든 불평등 구조들의 이면에 존재하는 공통 요소임을 강조한다.
3. **사회적 폐쇄의 형태**
   ① 생산적 재산에 대한 통제: 가장 중요한 사회적 폐쇄 형태로, 자본가들은 생산수단의 무소유자인 노동자들을 이익분배나 기업결정 과정에서 배제시키고 자기들의 이익 독점을 추구한다.
   ② 특권적 지위에 대한 접근을 차단시키는 형태: 공식 자격증, 특히 학위 증명을 이용하는 유형이다.
4. **특징**: 파킨(Parkin)은 교육에 의한 사회적 폐쇄를 강조 ⇨ 현대 사회에서는 고급교육 자격증을 가진 사람들은 그들 교육을 바탕으로 하여 사회적 폐쇄를 통해 자신의 사회적 지위를 높이려고 한다.

3. 무효과론(무관론)

(1) **내용**
① 학교교육은 평등화에 관한 한 의미가 없다.
② 교육은 사회평등화보다 다른 가치를 추구한다.

(2) **대표자**: 젠크스(Jencks), 버그(Berg), 앤더슨(Anderson), 부동(Boudon), 치스위크와 민서(Chiswick & Mincer), 써로우(Thurow)

① 젠크스(Jencks)
  ㉠ 가정배경, 지적 능력, 교육수준, 직업지위를 다 동원해도 개인 간의 소득차이를 제대로 설명할 수 없었다.
  ㉡ "학교는 평등화에 관한 한 의미가 없다(School doesn't matter)."고 결론지었다.

② 버그(Berg): 교육수준이 개인의 직업생산성에 영향을 준다는 근거를 찾을 수 없다.

③ 앤더슨(Anderson)
  ㉠ 미국, 스웨덴, 영국의 자료를 분석하였으나, 세 나라 모두 교육수준과 사회이동수준의 관계는 매우 낮게 나타났다.
  ㉡ 교육은 사회이동에 영향을 주는 많은 요인들 가운데 하나일 뿐이며, 그것도 영향력이 낮은 요인에 불과하다.

④ 부동(Boudon)
  ㉠ 교육기회의 분배가 평등하게 이루어지고 교육의 차이가 지위상승에 결정적인 영향을 주는 가설적인 능력주의 상황을 설정하고 이러한 상황하에서 사회평등화가 얼마나 실현될 수 있는가를 모의 분석한 결과, 교육은 사회평등화와 무관하다는 결론에 도달하였다.
  ㉡ 교육기회의 확대는 사회적 불평등을 감소시키지 않으며, 이는 교육기회의 불평등 분배가 호전되어도 마찬가지였다.

⑤ 치스위크와 민서(Chiswick & Mincer)
  ㉠ 1950년부터 1970년까지 미국의 소득분배상황과 교육분배상황을 비교·분석하였으나 양자는 아무런 관계가 없었다.
  ㉡ 교육의 불평등은 일관성 있게 개선되었으나, 소득의 불평등은 개선되지 않았다.

⑥ 써로우(Thurow)
  ㉠ 미국의 소득분배와 교육분배상황을 비교했으나 아무런 관계가 없었다.
  ㉡ 소득분배구조 개선을 학교교육에 기대하는 것은 부질없는 일이라고 강조하면서, "경제적, 사회적 문제의 치유를 위한 사회정책을 교육에 의존하는 것은 부질없는 것뿐이며, 가장 비효과적인 방법"이라고 결론을 지었다.

교육평등관의 개념

1. 교육의 기회균등 ⇨ 민주주의 국가의 기본명제
2. 성별·인종·신앙·정치성·경제적 조건 등에 의해 차별 받지 않고 누구나 능력에 따라서 교육을 받을 수 있는 기회를 갖는 것 ⇨ 「헌법」 제31조 제1항, 「교육기본법」 제4조

2 교육평등의 원리

(1) **공정한 경쟁의 원리**

① **자유주의에서 평등이란 '공정한 경쟁'을 말한다**: 교육평등은 공정한 경쟁이 이루어질 수 있도록 교육의 기회를 모든 사람에게 균등하게 주는 것으로, 교육의 기회균등의 원리를 말한다.

② 교육의 기회균등 원리는 기능주의 이론에서 강조되는 평등이다.
   ㉠ 기능이론의 중요한 교육적 기능은 선발인데, 이는 능력에 따라 이루어지기 때문에 그 결과로 생기는 사회적 불평등은 정당하다(능력주의).
   ㉡ 공정한 선발과 경쟁이 이루어지려면 능력에 의한 선발과 아울러 능력을 개발할 수 있는 기회가 균등하게 주어져야 한다: 학교는 기회를 균등하게 제공하는 기관이다.
   ㉢ 공정한 경쟁이 이루어지기만 한다면 어떤 결과라도 허용된다.

(2) **최대이익의 원리**: 공리주의의 원리

① 우리가 선택을 할 때 최대 다수의 사람에게 최대의 행복, 혹은 최대의 이익이 돌아가게끔 하는 결정을 해야 한다는 공리주의의 원리이다.
   ㉠ 우리의 결정과 행위가 최대 다수의 사람에게 최대의 행복을 가져오는 방향으로 이루어지는 것이 최선이면서 가장 정당한 것이다.
   ㉡ 우리의 행위가 도덕적인가 아닌가에 대한 판단은 그 결과에 달려 있으며, 최선의 행위란 최선의 결과가 따르는 행위이다.

② 무엇을 이익 혹은 행복으로 볼 수 있느냐에 대해서는 직접적으로 말해 주고 있는 바가 없으며, 이는 차후의 문제이다.

③ 우리가 행복이 무엇인지를 안다면 최선의 결정은 행복이라는 결과를 극대화하는 결정이라는 점을 말해줄 뿐이다.

(3) **인간존중의 원리**

① 우리가 도덕적 행위자인 인간들의 동등한 가치를 존중하는 방식으로 행동할 것을 요구한다.

② 황금률의 원리, 즉 "네가 대접받고 싶은 대로 남을 대접하라."는 것이 이 원리의 핵심이다.

③ 내포하고 있는 중요 원리
   ㉠ 인간존중의 원리는 다른 사람을 수단이 아닌 목적으로 대할 것을 요구한다.
   ㉡ 인간을 목적으로 대우한다는 것은 인간이 자유롭고 이성적인 도덕적 행위자란 사실을 가장 중요하게 여기는 것이다. 즉, 다른 사람의 선택의 자유를 존중해 주어야 한다는 것을 의미한다.
   ㉢ 비록 인간들이 각기 다르다고는 하지만 도덕적 행위자로서의 인간은 동등한 가치를 지닌다. 이는 인간의 능력이나 역량을 동등하게 보아야 한다는 의미는 아니다. **예** 더 열심히 일하고 더 많이 공헌했기 때문에 어떤 사람에게는 다른 사람보다 더 많은 봉급을 지불하는 것은 동등한 존중의 정신에 위배되는 것은 아니다.

④ 인간이 도덕적 행위자로서 동등한 가치를 지닌다는 것은 똑같은 기본 권리를 가지고 있고 동등한 가치의 이해관계를 가진다는 것을 의미한다. 예. 모든 사람은 타고난 능력에 상관없이 동등한 기회를 가질 권리가 있다.

(4) **차등의 원칙**: 공리주의의 원리를 비판하는 논리 20. 지방직

① 롤즈(Rawls)가 제시한 원리로, 최소 극대화(Mini-Max)의 해결책을 통한 사회정의 실현을 중시한다.
  ㉠ "어떤 대안의 최악의 결과(최소)가 다른 대안들이 갖는 최악의 결과에 비해 가장 우월한 경우(극대화)에 그 대안을 채택하게 된다는 것"이다.
  ㉡ '원초적 입장'에서 정의의 원칙을 선택하는 사람은 자신이 처할 수 있는 최악의 상황을 고려할 것이고, 그들은 결국 사회의 최소 수혜자들의 불평등의 보상에 합의할 수 있게 된다.

② 차등의 원칙이 지닌 의미
  ㉠ 모든 이익이 평등하게 분배되도록 요구하지는 않지만 불평등, 즉 평등한 분배로부터의 일탈은 결과적으로 모든 사람에게 이득이 될 경우에만 인정되어야 함을 요구한다.
    ⓐ 적은 몫을 받은 사람이 그들이 평등한 분배를 받았을 때보다 오히려 더 풍족하게 되는 경우에만 불평등이 정당화될 수 있다.
    ⓑ 다른 사람들의 복지를 위해 어떤 사람의 복지를 희생하는 불평등은 허용되지 않는다.
  ㉡ 사회적으로 가장 불리한 입장에 있는 사람들의 필요에 특히 신경 쓸 것을 요구한다.
    ⓐ 불리한 사람들에게 이익이 되는 방식으로 자원을 분배할 것을 요구한다. 예. 사회 전체의 복지는 평균적으로 증대되었지만 결과적으로 불리한 사람들이 더 궁핍하게 되었다면 그러한 방식으로 자원을 분배해서는 안 된다.
    ⓑ 사회정의의 시금석은 사회 전체의 평균 복지에 있는 것이 아니라 가장 불리한 입장에 있는 사람들의 복지에 있는 셈이다.
  ㉢ 모든 인간을 평등하게 존중할 것을 요구한다.
    ⓐ 모든 사람이 평등하게 살아야 한다는 것이 아니라 어떤 사람이 다른 사람의 희생으로 잘 살게 되는 것을 금지하고 있을 뿐이다.
    ⓑ 불리한 입장에 있는 사람들을 포함하여 모든 사람에게 이득이 될 때에만 자원분배의 불평등이 인정된다.

3 교육평등관의 유형 24·20. 국가직 7급, 13. 지방직, 12. 국가직 7급, 10. 부산·대전, 04. 경기·부산

구분	평등 유형	내용 및 강조점
기회의 평등	허용적 평등	• 모든 사람에게 동등한 취학기회 보장(기회균등) ⇨ 의무교육제도 • 개인의 능력에 따른 결과의 차별 인정(능력주의, 업적주의) • 재능예비군(reserve of talent) 또는 인재군(pool ability) 제도 • **제도적 평등(선언적 평등)**: 법이나 제도상의 차별 철폐 ⇨ 교육은 특권이 아니라 보편적 권리로 인식 • 「헌법」 제31조 제1항, 「교육기본법」 제4조

	보장적 평등	\ • 취학을 가로막는 현실의 경제적·지리적·사회적 장애 제거 ⇨ 취학기회의 실질적 보장	
		경제적 장애 제거	① 무상의무교육의 실시 ② 고교무상교육의 전면 시행(2021학년도 이후) ③ 학비보조 및 장학금제도 운영
		지리적 장애 제거	① 학교를 지역적으로 유형별로 균형 있게 설립 ② 온라인 등교 ③ 스타 스쿨(star school) ④ 도서 벽지, 산골오지(奧地) 등에 학교 설립, 또는 통학 교통편 제공
		사회적 장애 제거	근로청소년을 위한 야간학급 및 방송통신학교의 설치
		• 영국의 1944년 교육법(중등교육 무상화) • 후센(Husen)의 연구: 교육기회 확대에는 성공했으나 계층 간의 분배구조 변화에는 실패	
내용의 평등	과정(교육조건) 의 평등	• 콜맨(Coleman): "교육기회의 평등은 단지 취학의 평등이 아니라 평등하게 효과적인 학교를 의미함" • 학교의 교육 여건(예, 학교시설, 교육과정, 교사의 자질, 학생 수준)에 있어서 학교 간 차이가 없어야 한다. • 고교평준화 정책(1974): 교육과정, 교사의 자질, 학생 수준에 평등은 실현, 학교시설의 평등은 실패 • 콜맨(Coleman) 보고서(「교육기회의 평등」, 1966): 학생의 가정배경, 학생집단(친구들), 학교시설(학교환경) 중에서 학생의 가정배경이 학생들의 학업성취에 가장 큰 영향을 미친다(문화환경결핍론). ⇨ 보상적 평등이 대두된 계기	
	결과의 평등 (보상적 평등)	• 교육받은 결과, 즉 도착점행동이 같아야 진정한 교육평등이 실현 ⇨ 최종적으로 학교를 떠날 때 학력이 평등해야 하며, 이를 위해 우수한 학생보다 열등한 학생에게 더 많은 투자를 해야 한다.	
		학생 간 격차 해소	① 능력이 낮은 학생에게 더 좋은 교육 여건 제공 ② 학습부진아에 대한 방과 후 보충지도
		계층 간 격차 해소	① 저소득층 취학 전 아동을 위한 보상교육 ② 교육복지 투자 우선지원사업
		지역 간 격차 해소	① 읍·면 지역의 중학교 의무교육 우선실시 ② 농어촌지역 학생의 대학입시 특별전형제
		• 존 롤즈(Rawls)의 「정의론」에 근거: 공정성의 원리, Mini-Maximum(차등의 원리, 최소-극대화의 원리) ⇨ 능력이 낮은 학생에게 더 많은 자본과 노력을 투입, 출발점행동의 문화실조(아동의 불이익)를 사회가 보상 • 외국의 정책 사례: Head Start Project(미국), 교육우선지구(영국, EPA ⇨ EAZ & Eic), Sure Start Program(영국), Fair Start Program(캐나다), Angel Plan Program(일본), 교육우선지역 정책(프랑스, ZEP) • 우리나라의 정책 사례: 교육복지투자 우선지역사업[2003, 교육복지우선지원사업(2006년 개칭)]과 농어촌지역 학생 특별전형제(1995), 기회균등할당제[affirmative action, 기회균형선발제(2007년 도입, 2009년 시행)], 교육안전망 구축(edu-safety net) 정책(2022)	

1. 기회의 평등 08. 서울
   (1) 허용적 평등
   ① 모든 사람에게 교육받을 기회, 즉 출발점행동이 동등하게 보장되어야 한다(기회균등교육).
      ⇨ 초등교육의 의무화 촉진
   ② 주어진 기회를 누릴 수 있느냐의 여부는 개인의 능력에 따라 다를 수 있다(능력에 따른 차별 인정).
   ③ 재능예비군(reserve of talent) 또는 인재군(pool ability) 제도: 중등교육이나 고등교육은 능력 있는 인재에게만 주어져야 한다.
   ④ 법이나 제도상으로 특정 집단에게만 기회가 주어지고 다른 집단에게는 금지되는 일은 철폐되어야 한다.
   ⑤ 우리나라의 「헌법」 제31조 제1항과 「교육기본법」 제4조에 해당한다.

   (2) 보장적 평등 10. 인천, 09. 국가직 7급
   ① 교육기회를 허용해도 경제적·지리적·사회적 장애 등 제반 장애로 인해 교육기회를 받을 수 없는 사람(예 가난한 수재나 산골의 어린이)에게 학교에 다닐 수 있도록 보장해 주는 것
   ② 교육(취학)을 가로막는 제반 경제적·지리적·사회적 장애를 제거함으로써 누구나 학교에 다닐 수 있는 교육기회를 보장해 주어야 한다. 예 중학교 무상의무교육제도, 무상교복 및 무상급식
   ③ 관련사례
      ㉠ 제2차 세계대전 이후의 유럽: 보장적 평등정책을 추구
      ㉡ 영국의 '1944년 교육법': 중등교육의 보편화·무상화 추진(중등교육의 복선제가 지닌 불평등 요소 제거 ⇨ 단선제로 전환)
      ㉢ 후센(Husen)의 연구: 보장적 평등정책은 교육기회의 확대에는 성공했으나, 계층 간의 분배구조 변화에는 실패하였다.

2. 내용의 평등
   (1) 과정의 평등(교육조건의 평등) 22. 지방직, 19. 국가직, 10. 경남
   ① 학교의 교육 여건(예 학교시설, 교사의 자질, 교육과정 등)에 있어서 학교 간의 차이가 없이 평등해야 한다. ⇨ 지식이 조직, 분배되는 과정을 평등하게 해야 한다.
   ② 학생은 누구나 같은 조건 아래서 교육받을 권리가 있기 때문에 교육조건의 평등화는 매우 중요하다.
   ③ 우리나라의 고교평준화 정책(1974): (전제조건) 교사의 평준화, 학생의 평준화, 시설(여건)의 평준화, 교육과정의 평준화 22. 국가직 7급
   ④ 콜맨(Coleman) 보고서(1966): 과정의 평등정책의 실패 증거 ⇨ 보상적 평등론의 대두 배경
      ㉠ "교육기회의 평등은 단지 취학의 평등뿐만 아니라 평등하게 효과적으로 학교교육을 받을 수 있어야 한다."는 것을 의미한다.
      ㉡ 학업성취도에 영향을 주는 주된 요인은 학생의 가정배경과 동료집단이다.
      ㉢ 학교의 교육조건들을 평등하게 해도 학생들의 학업성취도에는 별로 지장을 주지 않는다.

더 알아보기

콜맨(Coleman)과 평등

콜맨(Coleman)은 "교육기회의 평등은 단지 취학의 평등이 아니라 평등하게 효과적인 학교를 의미하는 것이다."라고 주장하였다. 이는 과정의 평등을 의미하는 것으로서 교육기회균등은 사람들에게 학교에 접근할 수 있는 기회를 제공하는 것만으로는 불충분하고, 교육시설이나 교사의 질, 교육과정과 같은 교육조건 등에 있어서 학교 간 차이가 없어야 한다는 것을 지적한다. …… (중략) …… 교육기회균등에 관한 연구로 유명한 콜맨 보고서(Coleman Report, 1966)는 나중에 의도하지 않은 엉뚱한 결과가 나왔지만 사실은 학교 간의 격차에 초점을 두어 학업성적을 결정하는 제반 교육 여건, 예를 들어 도서관, 교과서, 교육과정, 교수방법, 교사의 능력 등이 학교에 따라 어떻게 다르며, 이들 조건의 차이가 학생들의 실제 학업성적과 어떤 관련이 있는지를 분석하려 한 것이었다. 그래서 만일 교육격차가 이러한 교육의 과정에서 연유한다면 교육기회균등 정책은 이런 방향으로 수정되어야 한다는 것을 제시하려 했던 것이었다. 그러나 이 연구결과는 상식을 뒤엎는 엉뚱한 결과가 나왔다. 학교의 교육조건의 차이는 학생들의 성적차와 이렇다 할 관련이 없다는 결론이었다. 학교의 교육조건들은 성적 차이에 별다른 영향을 주지 못하며, 오히려 학생들의 가정배경과 친구집단이 훨씬 강력한 영향을 준다는 것이었다. 콜맨 보고서는 몇 년 뒤에 젠크스(Jencks, 1972)에 의해서 다시 면밀히 분석되었으나 결과는 마찬가지였다. …… 그 결과 결과의 평등, 즉 보상적 평등이 대두되었다.

(2) **결과의 평등(보상적 평등)** 22·13. 국가직 7급·국가직, 12. 경기, 11. 국가직, 10. 국가직 7급, 09·08. 경기, 07. 경남

① 과정의 평등이 이루어졌다 해도 교육결과의 평등이 보장되어야 교육의 평등이 이루어진다.
② 교육받은 결과, 즉 도착점행동이 같아야 진정한 교육평등이 실현된다.
③ 교육을 받는 것은 학교에 다니는 데 목적이 있는 것이 아니고, 배워야 하는 것을 배우는 데 목적이 있다. 최종적으로 학교를 떠날 때 학력이 평등해야 한다. ⇨ 교육결과가 같지 않으면 결코 평등이 이루어진 것이 아니다.
④ 교육결과를 평등하게 하기 위하여 우수한 학생보다 열등한 학생에게 더 좋은 교육조건이 제공되어야 한다. 존 롤즈(J. Rawls)의 「정의론(A Theory of Justice, 1971)」에 근거한 공정성의 원리가 적용되어야 한다.

더 알아보기

존 롤즈(J. Rawls)의 「정의론」 20. 지방직, 05. 서울

1. **제1원칙**: 평등한 자유의 원리(principle of equal liberty, 자유 우선성의 원칙)
2. **제2원칙**: 차등의 원리(difference principle, 공정한 기회균등의 원칙) ⇨ 최소 수혜자(가장 빈곤한 사람들)의 처지를 개선시키는 한도 내에서 약자를 우대하기 위한 사회경제적 불평등(역차별, 최소-극대화 또는 최대-최소, mini-max의 원리)이 허용되어야 한다.

"사람들은 각기 다른 잠재능력을 가지고 각기 다른 환경의 가정에서 태어난다. 그런데 누가 어떤 잠재력을 가지고 어떤 가정에 태어나느냐는 순전히 우연의 결과로, 마치 '자연의 복권추첨'과 같은 것이다. 잠재능력을 잘 타고났거나 좋은 가정에서 태어난 사람은 '복권'을 잘못 뽑아 불리해진 사람에게 어느 정도의 적선(積善)을 하는 것이 도리에 맞으며, 사회는 마땅히 그러한 방향으로 제반 제도를 수립해야 한다."

⑤ '능력이 낮은 학생들에게 더 많은 자원과 노력을 투입해야 한다.'는 역차별의 원리(Mini- Max 의 원리)에 근거해서 가정 및 환경 배경으로 인한 아동의 불이익을 사회가 보상해야 한다.

⑥ 미국의 헤드스타트 프로젝트(Head Start Project), 영국의 EAZ(Education Action Zone)와 EIC(Excellence in City) 등의 교육우선지역(EPA), 프랑스의 ZEP(Zones D'education Prioritaires): 저소득층의 취학 전 어린이에게 기초학습능력을 길러주어 학교교육에서 뒤떨어지지 않도록 예비적 조치 마련 ⇨ 보상교육 17. 국가직

세계 여러 나라의 저소득층의 자녀 지원프로그램 14. 지방직

1. 미국의 헤드스타트 프로젝트(Head Start Project)
2. 캐나다의 페어스타트 프로그램(Fair Start Program)
3. 영국의 슈어스타트 프로그램(Sure Start Program)
4. 일본의 엔젤플랜 프로그램(Angel Plan Program)
5. 우리나라의 드림스타트 프로젝트(Dream Start Project)

⑦ 우리나라의 교육복지 투자우선지역 사업(교육복지우선지원사업), WE start와 농어촌지역 학생 대학입시 특별전형제, 기회균등할당제(기회균형선발제)

더 알아보기

대학입학에 있어서의 기회균등 할당제(affirmative action) : 기회균형선발제

1. 미국에서 시작된 '적극적 조치(Affirmative Action, 차별철폐 조치, 소수인종 우대정책)', 즉 여성, 흑인, 사회적 소수자에게 대학입학, 취업, 진급 등에 일정한 쿼터를 인정해 주는 정책에서 유래하였다.
2. 2009년부터 저소득층과 다문화계층의 자녀들에게 정원 외로 대학에 들어갈 수 있는 '기회균등 할당제(기회균형선발제)'가 도입되었고, 구체적인 실현방안으로 할당제, 가산점제, 목표설정제 등이 제안되었다.
3. 그러나 이러한 '약자에게 차별적인 혜택을 주는 정책'이 결과적으로 선량한 다수들에게 역차별을 가져온다는 반론이 강하게 제기되고 있다.

⑧ 보장적 평등과 보상적 평등의 비교 11. 광주, 10. 경기

유형	실현 정책	비고
보장적 평등 (기회의 평등)	① 무상의무교육의 실시 ② 학비보조 및 장학금제도 운영	경제적 장애 극복
	학교를 지역적으로 유형별로 균형 있게 설립	지리적 장애 극복
	근로청소년을 위한 야간학급 및 방송통신학교의 설치	사회적 장애 극복
보상적 평등 (결과의 평등)	① 능력이 낮은 학생에게 더 좋은 교육 여건 제공 ② 학습부진아(학업에 어려움을 겪는 학생)에 대한 방과 후 보충지도	학생 간 격차 해소
	① 저소득층 취학 전 아동을 위한 보상교육 ② 교육복지 투자우선지역 사업(교육복지우선지원사업)	계층 간 격차 해소
	① 읍·면 지역의 중학교 의무교육 우선실시 ② 농어촌지역 학생의 대학입시 특별전형제	지역 간 격차 해소

4 교육기회 분배의 측정

1. 취학률

(1) 한 학교급 또는 학년의 취학 해당인구 가운데 실제로 취학하고 있는 학생 수의 비율 ⇨ 교육기회가 어느 정도 균등하게 분배되고 있는지를 나타내 주는 지표

$$취학률 = \frac{실제로\ 취학한\ 학생\ 수}{취학대상\ 학생\ 수}$$

(2) 상류계층은 90%가 취학하고 있는데, 하류계층은 20%가 취학하고 있다. ⇨ 교육기회가 균등하지 못하다.

(3) 학교교육의 팽창을 가장 직접적으로 나타내 주는 지표는 취학률의 증가이다.

2. 진급률

(1) 입학 당시의 학생 수를 기준으로 하여 각 학년마다 진급한 학생수의 비율 ⇨ 집단별로 계산

$$진급률 = \frac{실제로\ 진급한\ 학생\ 수}{진급대상\ 학생\ 수}$$

(2) 상류계층은 80%가 진급하고 있는데, 하류계층은 30%가 진급하고 있다. ⇨ 교육기회가 균등하지 못하다.

3. 탈락률

기준연도의 학생 수에 대한 각 학년별 낙제자와 퇴학자를 합한 수의 비율

$$탈락률 = \frac{(유급생\ 수 + 퇴학생\ 수)}{진급대상\ 학생\ 수}$$

4. 교육선발지수

(1) 전체 학생에 대한 집단별 학생 구성비의 전체 인구에 대한 해당 집단인구 구성비의 비율 ⇨ 사회집단에 따른 교육기회의 인구비례 점유율

$$교육선발지수 = \frac{특정\ 계층이\ 특정학교에서\ 차지하는\ 비율}{특정\ 계층이\ 전체\ 인구에서\ 차지하는\ 비율}$$

(2) 전체 학생 가운데 아버지의 직업이 전문직인 학생이 20%인 데 반해 전체 인구 가운데 전문직 직업인이 10%라고 한다면 전문직은 인구비례의 자기 몫의 2배에 해당하는 교육기회를 차지하고 있다고 볼 수 있다.

5. 지니(Gini) 계수

(1) 경제적 소득의 분배상황을 말해주는 지표 ⇨ 교육기회의 분배상황 측정에 적용

(2) 집단별 선발지수를 모아서 하나의 종합지수로 표시한 것

(3) 각 집단이 차지하고 있는 교육기회의 양과 인구비례로 차지했을 때의 양 사이의 차이를 수치로 표시한 것

(4) 지니 계수는 0과 1 사이에 있으며, 수치가 0에 가까울수록 소득균형(교육기회의 평등 분배)을 나타내고, 1에 가까울수록 소득불균형(교육기회의 불평등 분배)을 나타낸다.

5 교육격차(학업성취격차)의 인과론 22·11. 국가직 7급, 07. 인천

> **1. 교육격차를 보는 시각**
> ① **절대적 결핍 대 상대적 결핍**: 한 개인(혹은 집단)이 다른 개인(혹은 집단)보다 교육에서의 결핍이 실질적으로 존재하거나 현상학적으로 지각되고 있다는 갈등
> ② **기회의 균등 대 결과의 균등**: 교육격차를 기회(혹은 투입)의 균등으로 보는 시각과 결과의 균등으로 보는 시각의 갈등
> ③ **교육의 동질화 기능 대 분화 기능**: 학생의 업적을 어떤 방법으로든지 동질화시키고 개인 간의 교육격차를 극소화하려는 시각과 유능한 학생을 선별하기 위해 개인 간의 교육격차를 극대화하려는 시각의 갈등
>
> **2. 교육격차의 설명 모형**: 결핍모형, 기회모형
> ① **결핍모형**: 학생이 지닌 속성의 차이로 교육격차의 발생 원인을 설명
> • **지능이론**(intelligence theory): 유전적 요소(생득적 능력)와 지적 능력의 차이 중시
> • **문화실조론**(cultural deprivation theory): 후천적 요소(생후 경험)와 가정의 문화적 환경 차이 중시 ⇨ 학생의 문화적 경험 부족이 학습 실패의 중요 원인임.
> ② **기회모형**: 교육에 투입되는 자원을 교육격차의 발생 원인으로 제시
> • **교육기회 불평등**: 사교육 및 가정배경(경제적 자본, 문화적 자본, 사회적 자본)에 따른 교육기회의 불평등이 교육격차의 발생 원인이라고 봄.
> • **교육재원의 불평등**: 학교의 물질적 조건[예] 시설, 기구, 도서, 학습자료 등)과 인적 조건[예] 교사 1인당 학생 수와 같은 교사 - 학생 비율, 남녀 혼성학급·동성학급, 동질학급·이질학급, 복수인종 학급·단일인종 학급 등과 같은 학생의 구성형태(학생집단)]의 차이가 교육격차의 발생 원인이라고 봄. ⇨ 콜맨(Coleman) 연구보고서는 교육재원의 격차가 교육격차를 초래하는 원인이 아니라고 봄(단, 학생집단의 영향력은 인정하여 콜맨은 흑백통합학교가 학업성적 향상에 가장 효과적이라고 제안함).

1. 지능결핍론(IQ deficit theory)

(1) 지능지수(IQ)가 학업성취를 예언해 준다고 전제 ⇨ 교육격차는 개인의 낮은 지능지수로부터 기인한다고 보는 이론

(2) **지능지수와 학업성취도 간의 상관관계**: $r = 0.50 \sim 0.70$

(3) 지능지수는 타고난 지적 능력일 뿐만 아니라 후천적 환경의 우열에 따라 달라진다.

(4) **대표자**: Jensen(1969), Eysenck(1971)

2. 문화환경결핍론(cultural deficit theory) 21·14. 지방직, 13. 국가직 7급, 05. 경북

(1) 교육격차는 부모의 사회·경제적 배경에서 기인한 것으로, 가정의 문화환경, 언어모형, 지각·태도의 차이나 상대적 결핍이 개인차를 가져와 학업성취의 차이를 낳는다고 보는 이론

(2) **대표적인 연구**: Coleman 보고서, Jencks의 연구, 영국의 Plowden 보고서

(3) **콜맨(Coleman) 보고서**(「Equality of Educational Opportunity, 1966」): 미국 전지역 6만 명의 교사와 64만 명의 초·중등학생을 대상으로 한 설문조사 ⇨ 학생의 학업성취에 미치는 변인을 가정배경 변인, 학교특성(학교 환경) 변인, 학생집단 변인으로 상정 22·07. 국가직 7급, 09. 국가직, 07. 서울

① 학생의 가정배경(가정의 경제수준, 문화적 환경상태)이 학생의 학업성취에 가장 큰 영향을 미치는 요인이며, 이것은 학생이 학교에 다니는 동안 계속된다.

경제적 자본 (financial capital)	학생의 학업성취를 도울 수 있는 물적 자원, 부모의 경제적 지원 능력 예 소득, 재산, 직업
인적 자본 (human capital, 인간자본)	부모의 학력, 학생의 학업성취를 돕는 인지적 환경 제공 예 부모의 지적 수준, 교육 수준
사회적 자본(social capital) 23·18. 국가직	부모와 자식 간의 관계 ⇨ 학업성취에 가장 큰 영향 요인 예 • 가정 내 사회적 자본: 자녀에 대한 부모의 관심, 노력, 교육적 노하우, 기대수준 등 • 가정 밖 사회적 자본: 부모의 친구관계, 어머니의 취업 여부, 이웃과의 교육정보 교류 정도 등

② 가정배경 ⇨ 학생집단의 사회구조*(친구들) ⇨ [교사의 질 ⇨ 학생구성 특성 ⇨ 기타 학교변인(학교의 물리적 시설, 교육과정 등)] 순으로 학업성취에 영향을 미친다([ ]는 10%).

△ 학생집단의 사회구조(social structure of the student body)는 학생 개인수준(individual-level)에서의 직접적인 사회적 영향력(peer influence 예 또래친구의 기대, 상호작용)을, 학생구성 특성(school composition)은 학교 또는 학급 수준(school-level)에서 간접적으로 영향을 미치는 학생들의 전반적인 특징(contextual effect 예 인종, 사회경제적 배경, 학업 성취 수준 등)을 의미한다.

③ 학생이 환경을 통제할 수 있다는 신념과 태도, 즉 자아개념은 학생의 성적과 매우 관계가 깊다.

④ 학교교육은 학생들의 학업성취에 별로 공헌을 하고 있지 못하며, 사회적 평등을 위한 기능을 제대로 수행하고 있지 못하다.

(4) **영국의 플라우덴(Plowden) 보고서**(1967): 「아동과 초등학교: 영국 교육중앙자문위원회 보고서(Children and their Primary Schools: A Report of the Central Advisory Council for Education)」 ⇨ 학업성취의 격차 원인은 ① 부모의 태도(예 관심, 기대, 격려, 가치 등 심리·사회적 요인), ② 가정환경(예 소득수준, 부모의 학력, 주거조건, 책 보유량 등 물리적·경제적 요인), ③ 학교특성 순으로 영향을 미친다.

(5) **젠크스(Jencks)의 연구**(1972): 「불평등: 미국에서 가족과 학교교육의 효과에 대한 재평가(Inequality: A Reassessment of the Effect of Family and Schooling in America)」 ⇨ 학업성취에 영향을 주는 요인은 ① 가정배경(60%), ② 유전(IQ 등 인지능력, 35~50%), ③ 인종차(race), ④ 학교의 질(School Quality 예 교사 자격, 학급당 인원, 예산 등, 4%)의 순서이다.

3. **교사결핍론(teacher deficit theory)**: 학교 내적 원인 13. 국가직 7급

   (1) 교육의 격차는 학교 자체의 사회적 특성이나 교사·학생의 대인지각의 차이에서 비롯된다는 이론이다.

   (2) **로젠탈과 제이콥슨(Rosenthal & Jacobson)의 연구결과**: 교사의 학생에 대한 기대수준이 학생의 학업성취에 강력한 예언력을 갖는다. ⇨ 피그말리온 효과(Pygmalion effect)

   (3) **블룸(Bloom)의 완전학습이론**: 학습의 격차는 교사의 교수-학습방법에서 기인한다. ⇨ 교수-학습방법만 적절하게 제시되고 학습시간만 충분히 주어진다면 학급의 95% 학생이 90%의 학습효과를 달성할 수 있다.

   (4) **리스트(Rist)의 연구**: 교사의 사회계층에 따른 학생 구분(예 우수학생, 중간학생, 열등학생)이 학업성취에 영향

   (5) **브루코버(Brookover)의 학교풍토에 관한 연구**(1975): 학교의 심리적 풍토(school climate, 예 학생의 학업적 성공에 대한 교사의 기대, 학생의 학습능력에 대한 교사의 평가, 교사의 평가와 기대에 대한 학생의 지각, 학생의 무력감)가 학생 간 학업성취도 차이를 설명하는 주요 요소이다.

더 알아보기

알렉산더, 엔트위슬, 올슨의 방학 중 학습격차 연구(Alexander, Entwisle&Olson, 2007)

「방학 중 학습격차가 미치는 지속적인 영향(Lasting Consequences of the Summer Learning Gap)」

1. **볼티모어 초등학교 성공 연구 (Baltimore Beginning School Study)**: 종단 연구(1982~2007)

    ① 종단 연구: 볼티모어 시의 공립학교 초등학생 약 800명을 대상으로 초등학교 1학년부터 학년이 올라감에 따라 학생들의 학업성취가 어떻게 변화하는지를 추적 연구

    ② 연구 결과: 학생집단의 사회경제적 배경에 따라 방학 중 학습격차(summer lerning gap)가 확대됨. ⇨ 초기연구 결과를 「아동, 학교 그리고 불평등(Children, Schools, and Inequality, 1997)」 저서로 출간

    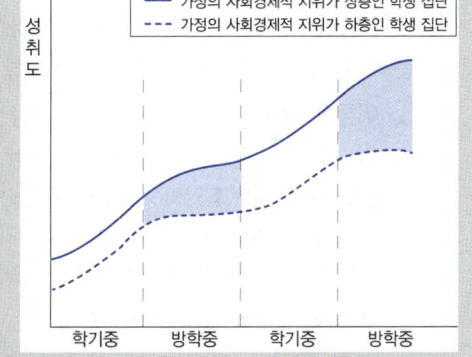

    ㉠ 고소득층 학생집단: 방학 동안 학업 능력이 유지되거나 향상됨. ⇨ 가정에서의 학습지원, 다양한 교육적 경험(예 캠프, 여행, 독서 등)의 영향

    ㉡ 저소득층 학생집단: 방학 동안 학업 능력이 퇴보함.

    ㉢ 누적되는 학습 격차의 지속적 영향: 방학 중 학습 격차는 학년이 올라갈수록 누적되어 학생들의 학업 성취에 장기적으로 부정적인 영향을 미침. ⇨ 초등학교 저학년 때의 작은 방학 중 학습 격차가 시간이 지남에 따라 점점 더 커져, 고학년에 이르러서는 학업 성취 수준의 현저한 차이로 나타남.

2. **학교 교육의 상대적 효과**: 학교는 학습격차 감소에 기여하지만, 방학 동안의 불평등한 경험이 다시 격차를 확대시킨다.

3. **연구의 시사점**: 방학 중 교육격차 심화를 해결하기 위한 적극적 개입이 필요함. ⇨ 저소득층 학생들을 위한 학습 지원 프로그램, 독서 장려 활동, 교육적 경험 제공 등의 중요성을 부각시킴.

> **더 알아보기**
>
> 효과적인 학교 운동 : 교육과정(process) 부분의 중점적 연구를 통한 학교 효과 증대
> 1. **효과적인 학교(effective school)** : 학교의 인적·물적 투입여건(예 학부모의 사회경제적 지위, 학생의 학업능력 등 학교가 통제할 수 없는 것)이 비슷한데, 학생이 얻게 되는 지적·비지적인 산출이나 결과가 다른 학교보다 더 높게 나오는 학교 ⇨ 학교 자체의 특성에서 생기는 효과
> 2. **효과적 학교의 특성** : ① 교장과 교사의 강한 지도력, ② 학생의 학업성취에 대한 교사의 높은 기대, ③ 분명한 교수-학습목표, ④ 학교의 학구적 분위기와 그에 따른 교직원 연수, ⑤ 학생의 학업 진전 상황의 주기적 점검, ⑥ 학부모들의 적극적 참여, ⑦ 동질집단의 구성

4. 문화실조론과 문화다원론 24. 국가직

(1) **문화실조론** : 학업성취의 격차는 학생들의 사회문화적 환경의 차이에서 비롯 ⇨ 가장 이상적인 문화인 '서구 산업사회 백인 중산층 문화'의 실조가 학습결손의 주원인

> 예 농촌, 하류층, 흑인 집단의 학업성취도가 상대적으로 낮은 이유는 '백인 중산층 문화'의 결손 때문

① 이론의 전제 : 환경론의 입장(환경의 차이가 교육격차의 차이 발생원인), 기능이론의 입장, 교육내용은 객관적·보편적·절대적 지식, 서구 중심적 세계관, 학교교육을 통한 계층 상승 가능 ⇨ 문화우월주의 입장

② 영향(학습결손 극복방안) : 불우계층의 저학력 아동에 대한 보상교육 프로그램(예 Project Head Start, Middle Start Project) ⇨ 결과적 평등에 대한 정책 확대

(2) **문화다원론** : 학교가 특정계층의 문화를 가르침으로써 그 문화와 다른 문화권에서 살아와 그 문화에 익숙지 않은 학생들의 학업성취가 낮게 나타난다는 주장

① 이론의 전제 : 현상학·해석학·상호작용이론·갈등이론의 입장. 문화에는 우열이 없고 다만 다를 뿐이다. ⇨ 문화상대주의 입장

> 예 학력이 낮은 집단의 아동들이 쓰는 언어나 그들의 가치, 인지 양식을 결핍으로 보지 않는다. 다만 학교에서 강조하는 내용과 그들의 문화가 다르기 때문에 학업성취가 낮게 나오는 것이므로, 그들의 학업성취가 낮은 것은 그들의 문제가 아니라 편향된 문화를 가르치는 학교의 문제라고 본다.

② 영향(학습결손 극복방안) : 학교의 교육과정이 특정한 집단의 것으로 편향되지 않고, 여러 집단의 문화를 균형 있게 다루어 주어야 한다.

문화실조론과 문화다원론의 비교

구분	문화실조론	문화다원론
기본 전제	문화에는 우열이 있다.	문화에는 우열이 없고, 다만 다를 뿐이다.
학교 교육과정	우수한 문화, 즉 주류문화(서구 사회 백인 중산층 문화)로 구성	특정 계층(지배계층)의 문화만으로 구성 ⇨ 계층편향적인 문화로 구성
교육격차 발생 원인	농촌, 하류층, 흑인 집단의 학생들의 후천적 문화적 경험 부족, 주류문화의 결핍 때문	특정 계층 문화에 익숙하지 않은 학생들의 불이익 ⇨ 상징적 폭력(symbolic violence)
교육격차 극복 방안	불우계층의 저학력 아동들에 대한 보상적 평등 프로그램을 확대 예 Head Start Project	교육과정 재구성 ⇨ 모든 계층의 문화를 균형 있게 학교 교육과정에 편성

5. 교육격차(교육불평등)의 접근모형

퍼셀(Persell)의 거시적 관점과 브루크오버(Brookover)의 미시적 관점 ⇨ 투입의 격차[퍼셀(Persell)의 사회구조 및 브루크오버(Brookover)의 배경요인], 과정의 격차(학교체제의 특성), 결과의 격차(성적, 자아개념, 자신감 등 교육효과)

(1) **퍼셀(Persell)의 거시적 관점**: 사회구조 – 교육제도 – 학습과정을 포괄한 교육불평등의 종합적 접근모형 ⇨ 사회의 지배구조라는 개념에 주안점을 둠, 교육 사회적 상황이 어떻게 교육형태와 실천에 연관되며 그 결과가 어떻게 학생들에게 영향을 주는가를 체계적으로 접근·분석하는 거시적 모형

① 기본 가정: 한 사회에서 상징적으로 표출되는 '지배적 구조'가 그 사회의 교육체제나 이념 속에 깊숙이 파급되어 이것이 학교 안의 교육적 상호작용에까지 영향을 주어, 결과적으로 교육의 격차를 불가피하게 해준다.

② 이론의 개요
   ㉠ 사회·문화배경에 관련된 사회구조적 차원(예 사회계층, 재산, 직업적 지위, 권력, 지위 등)과 교육제도와 이념에 관련된 학교 체제적 차원, 그리고 학급 내 상호작용, 기대, 평가에 관련된 대인지각적 차원으로 대별하여 그 인과적 상호연관성을 체계적으로 분석하였다.
   ㉡ 마르크스(Marx)나 베버(Weber)의 사회지배 구조 개념을 도입하여 교육도 필연적으로 정치나 경제와 같이 사회의 다른 제도와 관련되거나 의존적인 것으로 보았다. 그리하여 사회의 지배구조를 정당화해 주는 이념이 교육체제나 이념 속에 파급되어 그것이 결과적으로 학교교육의 격차를 유발한다는 인과적 논리를 경험적으로 제시하였다.
      ⓐ 마르크스나 베버는 전체 사회의 차원에서 사회이동보다는 계층체계 자체가 어떻게 재생산되고 정당화되는지를 파악하는 데 관심을 두었다. 그 결과 사회의 지배구조(Structure of domination, 베버가 사용; 특권 계층이 자신들의 우월적인 지위를 유지·보호하기 위해 그들의 우세한 재원을 활용하여 그들에게 종속되는 자들을 지배하는 방식)를 정당화하고 재생산하기 위해 교육체계에 크게 의존한다고 보았다. 즉, 사회 내의 지배구조는 교육이념과 구조에 관련된다는 것이다.
      ⓑ 우리의 교육체계 내의 조직 형태는 지배구조의 영향을 받은 것으로 가정할 수 있으며, 주요 교육이념들은 사회 내의 지배집단의 이익과 합치된다고 추측할 수 있다. 그리고 이러한 교육의 구조나 이념이 어떻게 학교 내에서 일어나는 상호작용을 형성하며 이러한 과정들이 어떻게 학생들의 의식의 형성 및 태도, 행동에 영향을 미치는가를 사회화 이론, '상징적 상호작용'이론을 통해 설명한다.
   ㉢ 사회 내의 지배구조가 교육의 산출에 영향을 주는 과정: 사회구조적 단계(사회의 지배구조, 사회의 이념) ⇨ 교육의 제도적 단계 ⇨ 학급 내의 상호작용 단계(교사의 기대, 학급 내 상호작용) ⇨ 교육결과(인지적, 비인지적 결과)

(2) **브루크오버(Brookover)의 미시적 관점**: 학교와 사회적 체제요인, 즉 학교의 인적 배경(투입) – 학교의 사회적 구조 – 학습과정을 중심으로 교육격차에 접근하는 모형 ⇨ 학교학습 규범에 주안점을 둠.

① **기본 가정**: 학교에서 아동들의 행동 중 특히 교과목에 관련된 학습행동은 학교사회 체제에서 파생되는 사회적·문화적 특성과 함수관계가 있다.
  ㉠ 각 학교마다 학생에게 갖는 역할기대, 규범, 평가가 다르다. 이와 마찬가지로 학생의 학업성취의 차이를 가져오는 학교의 사회체제나 환경이 서로 다르다.
  ㉡ 학교사회의 구성원들은 학교의 사회적 특성 차이에 따라 학교마다 각각 상이하되 학생의 학습행동을 사회화시킬 수 있다는 점이다.
② **이론의 개요**: 학교의 사회체제를 분석하기 위한 준거로 투입 - 과정 - 산출 모형을 도입하였다.
  ㉠ 투입변인: 학생집단(학생구성) 특성, 교직원(예 교사, 교장, 행정직원) 배경
  ㉡ 과정변인: 학교의 사회적 구조(학교에 대한 교사의 만족도, 학부모 참여도, 학습프로그램의 다양성, 학교장의 수업지도 관심도, 학급의 개방 폐쇄성 등), 학교의 사회적 풍토(학생, 교사, 교장의 학교에 대한 기대지각, 평가 등)
  ㉢ 산출변인: 학생의 성적, 자아개념, 자신감

제6절 학력상승이론: 학교교육의 팽창과 학력상승의 원인 07. 국가직 7급, 06. 사무관 승진

학력상승(교육팽창)의 원인별 이론 분류
1. **심리적 요인**: 학습욕구이론(인구증가 & 인지적 욕구)
2. **경제적 요인**: 기술·기능이론(과학기술의 발달), 신마르크스이론(자본주의 체제 유지)
3. **사회적 요인**: 지위경쟁이론(사회적 지위 획득을 위한 경쟁)
4. **정치적 요인**: 국민통합론(국민의 정치적 통합)

1 학습욕구이론 10. 충북

1. 개념

인간은 학습욕구(지적 욕구)를 가지고 있으며 학교는 그 욕구를 충족시켜 주는 기관으로 전제하고, 강한 학습욕구에 의해 학력상승이 일어난다고 보는 이론이다.

2. 대표자

(1) 매슬로우(Maslow) - 지적 욕구 또는 심미적 욕구, 자아실현의 욕구 ⇨ 직접적 요인
  ① 인간 욕구의 종류: 생리적 욕구 ⇨ 안전의 욕구 ⇨ 소속·사랑의 욕구 ⇨ 존경의 욕구 ⇨ 자아실현의 욕구(지적 욕구, 심미적 욕구)
  ② 인간은 자아실현의 욕구(지적 욕구, 심미적 욕구)를 가지고 있어 그 욕구충족을 위해 누구나 학교에 다니기를 열망하며 그에 따라 학력은 상승된다.

(2) **클라크(Clark) – 인구의 증가와 경제발전으로 인한 여유의 증대 ⇨ 간접적 요인**

인간은 학습욕구를 가지고 있으며 학교는 그 욕구를 충족시켜 주는 기관이라고 전제하면서, 학교의 팽창을 가져오는 요인으로 인구의 증가와 경제발전으로 인한 여유의 증대(∵ 개인적으로는 학교에 다닐 여유가 많아지고 사회적으로는 교육기관을 설립하고 유지할 재정이 확대되기 때문에)가 가장 중요하다고 보았다.

3. 이론의 한계점

(1) 오늘날의 학교가 학습욕구를 제대로 충족시켜 주는 기관이라는 사실을 입증하기 어렵다.
   ① 많은 연구결과들은 학교가 지적·인격적 학습욕구를 충족시키기에는 적합한 장소가 되지 못한다고 지적하고 있다.
   ② 학교가 교육기관으로서의 기능을 제대로 수행하고 있지 못하다고 비난하고 있다.
(2) 교육학자와 교육평론가들 중 많은 사람들이 학교가 참된 의미의 교육을 제대로 하지 못하고 있을 뿐만 아니라, 오히려 비교육적인 기관으로 변질되고 있다고 주장한다.

❷ 기술·기능이론

1. 개념

(1) 과학기술의 부단한 향상으로 직업기술의 수준이 계속 높아져 사람들의 학력수준이 높아질 수밖에 없다고 보는 이론이다.
(2) 학교교육은 직업에 필요한 높은 수준의 전문기술과 일반능력을 교육시킨다. 그래서 많은 사람들은 취업에 필요한 교육의 수준이 높아지므로 높은 교육을 받게 된다.
(3) 과학기술이 변화하는 한 학교교육 기간은 계속 늘어나게 되고, 학력 또한 계속 상승하게 된다.
(4) 산업사회의 구조가 학력상승을 유발한다는 이론이다.
(5) 학교는 산업사회를 지탱하는 핵심장치이며, 직종수준에 알맞게 학교제도도 발달하였다. ⇨ 학교제도와 직업세계를 일치

2. 대표자: 클라크(Clark), 커(Kerr)

> "우리 시대는 유능한 기술자와 전문가를 계속하여 요구하고 있는 바, 이러한 인재를 양성하는 과업에 교육제도는 더욱 충실하여야 한다. …… 생산과 분배에 관한 기술의 진보로 인하여 직업세계는 날이 갈수록 복잡해지고 전문화되고 있으며, 그에 따라 요구되는 교육수준 또한 계속 상승하고 있다. 노동인력이 처음에는 단순한 읽기, 쓰기, 셈하기를 할 수 있는 정도로 충분하였으나 이제는 더 장기간의 교육을 받지 않으면 안 되게 되었다." – 「전문가 사회의 교육(Educating the Expert Society, 1962)」

3. 이론의 한계점

과잉학력현상으로 인해 직장에서 담당하고 있는 역할이 대학에서 전공하지 않은 분야의 일이거나, 담당하고 있는 일의 수준이 학력수준에 비하여 낮은 경우가 발생하므로 '한 사회의 직업기술수준과 학력수준은 일치한다'는 기술·기능이론의 주장은 잘못되었다.

❸ 신마르크스이론

1. 개념
(1) 자본주의 경제체제를 유지하기 위한 의무교육 실시로 학력이 상승되었다고 보는 이론이다.
(2) 학교교육제도는 자본주의 경제체제를 유지하기 위하여 자본가들의 이익과 요구에 맞는 기술인력을 공급하는 것이며, 자본주의에 적합한 사회규범을 주입시키는 핵심적인 장치이다.
(3) 자본주의 체제하에서의 학교는 자본주의 경제체제를 유지하기 위한 수단이며, 학교교육을 통해 불평등한 계급구조가 재생산된다.

2. 대표자: 보울스와 진티스(Bowles & Gintis)
(1) 미국 학교제도의 발달은 교육 그 자체를 위한 것이 아니고, 전체 국민을 위한 것도 아니다.
(2) 교육제도는 자본주의 사회인 미국의 자본가 계급의 이익을 위하여 자본가 계급에 의해 발전한 것이다.

3. 이론의 공헌점
(1) 학교교육의 확대를 긍정적으로 보는 이론적 경향을 비판하고 부정적 측면이 있음을 지적하였다.
(2) 학교교육을 둘러싸고 벌어지는 계층 간의 이해관계가 서로 엇갈린다는 사실을 지적하였다.

4. 이론의 한계점
(1) 보울스와 진티스(S. Bowles & H. Gintis)의 이론은 미국의 학교발달만을 대상으로 삼고 있기 때문에 쉽게 일반화하기 어렵다.
(2) 교육을 자본가 계급의 이익을 위한 것으로만 단정함으로써 학습자 자신의 이익 등과 같은 교육의 다른 측면에는 주의를 기울이지 않았다.

❹ 지위경쟁이론 10. 전북, 09. 경기, 06·05. 서울

1. 개념
(1) 학력(졸업장)이 사회적 지위획득의 수단이기 때문에 사람들이 경쟁적으로 높은 학력을 취득하는 탓으로 학력은 계속 상승된다고 보는 이론이다.
(2) 현대 사회에서의 학력은 지위획득을 위한 합법적 수단이고 졸업장은 개인의 능력과 노력수준을 나타내는 공인된 품질증명서이다.
(3) 남보다 한 단계 높은 학력을 가지고 있는 것은 사회적 지위의 경쟁에서 결정적으로 유리하기 때문에 모든 사람이 높은 학력, 즉 상급학교 졸업장을 받기 위하여 온갖 힘을 기울인다.
(4) 학교는 확대되지만 경쟁이 끝나지 않으므로 학교의 확대는 상급학교로 파급된다. ⇨ 학력상승 연쇄현상

2. **대표자**: Weber, Dore의 '졸업장병', Collins 「학력주의 사회」 07. 국가직 7급

   (1) **베버(Weber)**: 학력의 팽창은 경제적 부(富)·사회적 지위·권력·위세 등을 둘러싼 개인 및 집단 간의 경쟁의 결과이다.
       ① 학교교육은 보다 높은 사회적 지위와 연결되어 있다.
       ② 학교교육체제를 형성하는 것은 '체제의 요구'가 아니라 갈등하는 이해관계이다.

   (2) **도어(Dore)**: 졸업장병(卒業狀病, diploma disease)
       ① 지위획득의 수단으로 학력이 작용하면 진학률의 상승을 유발하여 졸업생이 증가하고 졸업생의 증가는 학력의 가치를 떨어뜨려 새로운 학력상승의 요인이 된다.
       ② 그러므로 보다 높은 학력을 취득하기 위한 경쟁은 한없이 진행되는데 이것이 '졸업장병'이다.
       ③ 졸업장병은 학력상승(과잉학력)의 결과로 교육의 질적 수준이 저하되는 학력의 평가절하 현상, 교육 인플레이션 현상이다.

   (3) **학력주의 사회(The Credential Society)**: 콜린스(Collins) ⇨ 상징적 학력주의 사회
       ① 사회적 지위를 결정하는 데 학력(學歷)이 결정적 기준으로 작용하는 사회를 말한다.
       ② 베버(Weber)의 권력갈등이론을 계승하고 있는 콜린스(Collins)는 학력(學力)은 생산성의 의미보다는 일종의 '문화화폐'로서 사회적 지위자산으로서 기능하며, 학력에 따른 임금격차를 신임장 효과(credential effect)로 보았다.

3. **이론의 공헌점**: 과잉학력현상을 설명할 수 있다.

4. **이론의 한계점**

   (1) 학력상승, 즉 학교교육 확대를 경쟁의 결과로만 파악하려 하기 때문에 학교교육의 내용적 측면에 관하여는 관심을 두지 않는다.
   (2) '만인의 만인에 대한 경쟁'을 전제로 하고 있으면서 경쟁의 부정적 측면을 강조하고 경쟁의 긍정적 측면을 무시하기 때문에 학교교육의 확대는 나쁘기만 한 것으로 과장하고 있다.
   (3) 학교의 팽창이 교육수요자 간의 경쟁에 의하여 주도되는 측면만을 강조하여, 교육공급자(예 정부, 학교경영자 등)의 영향력을 전혀 고려하지 않는 결함을 가지고 있다.

5 국민통합론 11. 대전

1. **개념**
   (1) 교육은 국민으로서의 정체감을 형성시키는 주요한 요인이다. ⇨ 국민형성모형
   (2) 근대국가의 형성과 이에 따른 국민통합의 필요성 때문에 의무교육이 실시되었고, 그 결과 교육이 팽창되었다고 보는 이론이다.

2. **대표자**: 벤딕스(Bendix), 라미레즈(Ramirez)

   (1) **벤딕스(Bendix)**
       ① 교육팽창, 교육에 대한 정치적 통제는 근대국가의 성장과 밀접하게 관련되어 있다.

② 교육은 다양하고 이질적인 문화적·지역적 집단과 계급으로 구성된 국민들에게 일체성을 형성시키는 제도이다.

(2) **라미레즈(Ramirez)**: 대부분의 국가에서 학교교육제도에 대한 국가의 통제의 정도가 높으며, 고등교육보다 초·중등교육에 대한 통제의 정도가 더 강한 것으로 나타났다.

3. 이론의 공헌점

경제적 측면에만 치중하던 교육팽창에 대한 설명에서 벗어나, 정치적 단위인 국가의 이데올로기 통합 과정에서 교육제도가 수행하고 있는 정치적 기능의 측면에서 새롭게 지적하였다.

4. 이론의 한계점

근대국가 형성 초기의 초등교육의 의무화와 중등교육의 확대는 설명할 수 있으나, 고등교육의 팽창과 과잉학력현상을 설명하는 데는 한계가 있다.

학력상승(교육팽창)의 원인

강조점	이론	주장(학력상승의 원인)	대표자	비판
심리적 원인	학습욕구이론	• 성장욕구, 즉 자아실현의 욕구(인지적 욕구) 추구 • 인구의 증가와 경제발전으로 인한 경제적 여유의 증대	Maslow	학교가 학습욕구를 충족시키는 기관임을 입증하기 어려움.
경제적 원인	기술기능이론	과학기술의 부단한 향상	Clark, Kerr	과잉학력현상 설명 ×
	신마르크스 이론 (상응이론)	자본주의 경제체제 유지(자본가의 요구에 맞는 기술인력 공급 & 자본주의적 사회규범 주입)	Bowles & Gintis	자본계급의 이익 이외의 다른 측면(학습자)에 대한 고려 ×
사회적 원인	지위경쟁이론	• 학력(學歷)은 사회적 지위획득의 수단 ⇨ '졸업장병', '신임장 효과' • 과잉학력현상을 설명	Weber, Dore, Collins	학교교육의 내용적 측면, 경쟁의 긍정적 측면에는 무관심
정치적 원인	국민통합론	국가의 형성과 이에 따른 국민 통합의 필요성 ⇨ 초등교육의 의무화 & 중등교육의 확대	Bendix, Ramirez	고등교육의 팽창과 과잉교육의 문제 설명 ×

학습욕구이론과 기술·기능이론의 비교

학습욕구이론	기술·기능이론

• 매슬로우(Maslow)
• 인간의 지적 욕구가 학력상승으로 나타난다.
 	
    자아실현의 욕구
    심미적 욕구
    인지적 욕구
    존경의 욕구
    소속, 사랑의 욕구
    안전, 보호의 욕구
    생리적 욕구
 	
• 심리적 측면이 강조
	• Clark, Kerr
	• Clark의 「전문가사회의 학교교육」
	• 1960년대 기능이론의 한 종류
	• 산업사회가 고도화, 전문화된다. 이 사회에 인력을 공급하는 학교도 고도화, 전문화된 지식이 필요하기 때문에 학력상승이 나타난다.
	• 학교는 산업사회에 인력을 공급하는 장치이다.
	• 경제적 측면

인간자본론과 지위경쟁이론의 비교

인간자본론	지위경쟁이론
• Schultz 「인간자본에의 투자」 • 1960년대 기능이론 • 교육투자는 경제성장을 촉진시킨다. • 사회적 불평등은 교육투자 불평등에서 유발되는데 불평등을 해소하기 위해서 교육투자와 학력상승이 나타난다. • 경제적 측면	• Weber, Dore, Collins • 사회적 지위경쟁에서 보다 유리한 위치를 얻기 위해 학력상승현상이 나타난다. • Collins 「학력주의 사회」 ⇨ 미국에서는 "기술·기능이론"보다 "지위경쟁이론"이 적합하다. • Dore ⇨ "졸업장병" • 사회적 측면

신마르크스이론과 국민통합론의 비교

신마르크스이론	국민통합론
• Bowles & Gintis • 자본가들이 자신의 이익, 입장을 추구하기 위해 고학력 종업원을 선호하여 나타난다. • 경제적 측면	• Bendix • 정부가 국민들의 정치적 의사를 손쉽게 통합하려고 고학력 현상을 추구한다. • 정치적 측면

6 근대 공교육제도의 형성 및 팽창이론 11. 광주

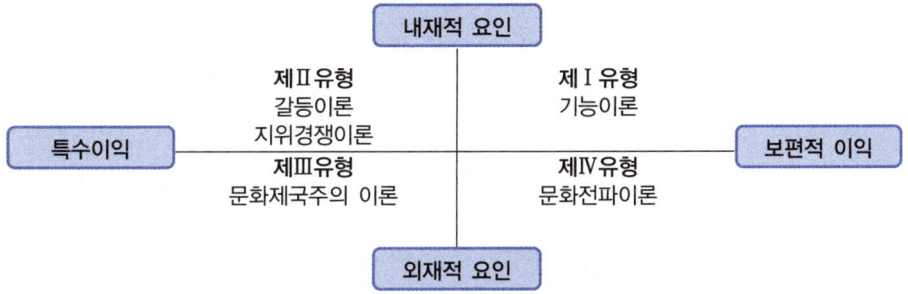

기능이론	근대 공교육제도는 근대사회가 요구하는 내재적 필요를 충족시키기 위한 효율적인 장치로 제도화된 것
갈등이론	근대 공교육제도는 자본주의 사회의 불평등 구조를 재생산하고 정당화하기 위한 사회통제기제로서 제도화된 것
지위경쟁이론	상충되는 이해관계를 지닌 다양한 지위집단들의 기득권 수호 또는 합법적인 사회적 지위상승을 위한 경쟁수단으로 제도화된 것
문화제국주의 이론	• 제3세계에서의 근대교육체제의 형성 과정과 성격을 설명하는 데 적합 ⇨ 마르크스주의와 신식민주의 이론에 바탕 • 제3세계의 교육제도는 식민지교육의 유산을 거의 답습한 것이며, 과거의 식민지에 대한 정치적 및 경제적 영향력을 유지하기 위한 식민지배국의 의도적 노력의 결과라는 것
문화전파이론	근대적인 공교육제도는 동일한 문화전파 원리에 따라 전세계적으로 확산된 것

Index

ㄱ

가설(假說)	766, 796
가설(hypothesis)의 형성	766
각본 분석	640
간접교육비	933
갈등 관리	882
갈등관리모형	883
갈등이론	657, 1006
갈톤(Galton)	783
강임	956
개방풍토	897, 898
개별장학	915
개인교수형	578
개인구념이론	625
개인심리 상담이론	634
객관식 검사	716
거래적 지도자	845
검사	791
게스탈트(Gestalt)	645
게임분석	640
게임형	579
겟젤스(Getzels)	825, 826, 827
겟젤스(Getzels)와 구바(Guba)	806
결과의 평등	1050
결과타당도	707
결재	983
결핍욕구	856
경계인	1042
경력평정	962
경영정보관리(MIS)	867, 930
경쟁	884
경쟁적 이동	924
경제결정론	1008
경제적 재생산이론	1008
경험의 원추모형	566
경험의 장(field of experience)	569
계선조직(직계조직)	880
계층화의 원리	871
고부담(高負擔) 평가	698
고전검사이론	724, 733
공가	975
공감적 이해	612
공교육비	933
공교육제도	1063
공동사회	1038
공문서	982
공변량분석	800
공식어	1014
공식적 조직	879
공인(共因)타당도	705
공정성 이론	863
과업평가검토기법(PERT)	929
과정의 평등	1049
과정이론	862
과학적 관리론	855
관계욕구	860
관계질문	653
관료제 이론	816
관리체제이론	898
관찰법	700
교내장학	917
교사결핍론	1055
교수(수업) 매체	570
교우도	779
교원노조	982
교육감	887
교육감의 권한	888
교육기획	902
교육비 차이도	934
교육선발지수	1052
교육에 관한 행정	805
교육연구	762
교육예산	946
교육용 소프트웨어	578
교육위원회	887
교육을 위한 행정	805
교육이념	924
교육장학	914
교육재원	941
교육재정론	931
교육적 지도성	849
교육전문직	954
교육정책	906
교육제도 유형론	925
교육제도	923
교육통계	736
교육행정	805
교직원의 임무	966, 967
교차교류	639
구념(構念)	625
구바(Guba)	825, 826
구인타당도	706
구조주의	1008
구조화(structuring)	614
군집표집	770
굿맨(Goodman)	571
귤릭과 어윅(Gulick & Urwick)	814
그레그(Gregg)	805, 815
그림좌절검사(PFT)	781
근거이론	764
근대화이론	1005
근무성적평정	961
근무평정	960
근접의 오류	703
글래써(Glasser)	646
급진적 관점(radical paradigm)	829
급진적 저항이론	1011
기계적 기록법	774
기능이론	1000
기대(expectancy)	863
기대이론	862
기술기능이론	1004
기술통계	736
기적질문	652
기호화(encoding)	569
기회균등의 원리	809
기회의 평등	1049
기획	902
기획예산제도	948
깁(Gibb)	837
꿈작업	646

ㄴ

낙인이론	659
내면화	1004
내사(introjection)	645
내용의 평등	1049
내용이론	855
내용타당도	704
내적 일관성 신뢰도	711, 1009
내적 타당도	791
노동시장분단론	1043
논리적 오류 : 뉴콤(Newcomb)	702
놀이집단	1030
눈덩이 표집	772
능력요인	785
능력지향평가	687

ㄷ

다단 표집	771
다답형	719
다면적 인성검사(MMPI)	783

다알리(Darley)	620
단계적 표집	771
단기상담	651
단순무선표집	769
단어연상검사	783
단체교섭권	980
대리적 학습경험	566
대립가설	796
대비의 오류	702
대응이론	1009
대중어	1014
대체형	720
데일(Dale)	566
데일의 경험의 원추모형	566
델파이 조사방법	789
도당(gang)	1030
도덕적 지도성 이론	851, 852
도시법(圖示法)	774
독립변인	737, 790
동간척도	738
동기-위생이론	857
동기요인	858, 860
동기이론	855
동료장학	920
동료지명법	778
동인집단	1030
동형검사 신뢰도	710
동형성 계수	710
뒤르껭(Durkheim)	1000
드리븐(Dreeben)	1031
등위점수	756
디오라마(diorama)	573
또래집단	1030

ㄹ

라이트	1044
래포(rapport)	613
레딘(Reddin)	841
로르샤흐 잉크반점검사(RIBT)	781
로벤펠트	782
로우(Roe)	662
로저스(C. Rogers)	628
로젠츠바이크(Rosenzweig)	781
로크(Locke)	865, 867
로터(Rotter)	783
뢰슬리스버거(Roethlisberger)	817
리커트(Likert)	838, 898
린과 그론룬드(Linn & Gronlund)	707

ㅁ

마이크로티칭	922
막료조직(참모조직)	880, 881
만족화 모형	832
매슬로우(Maslow)	855
매슬로우의 욕구 단계	856
매체비교 연구	571
매체선호 연구	571
매체속성 연구(이론)	571
매체의 선정	572
매체활용의 5P 원칙	572
맥그리거(McGregor)	861
맥닐(McNeil)	1027
머레이(Murray)	702, 780
머튼(Merton)	1026
메이(R. May)	641
메이요(Mayo)	817
메타평가	697
면접법	701
명령통일의 원리	872
명료화(clarification)	615
명명척도	738
명시이월비	937
모레노(Moreno)	777, 779
모르간(Morgan)	780
모자이크 검사	782
모집단(전집)	768
모형(sample)	573
목표관리(MBO)	928
목표관리기법(MBO)	867, 928
목표설정이론	867
몰맨(Moehlman)	805, 819
무관심의 오류	703
무관심풍토	898
무선오차	709
무선화	793
무효과론	1045
문장완성검사	783
문항 내적 합치도	711
문항반응이론	725, 733
문화기대	1001, 1041
문화기술지	796
문화다원론	1056
문화번식	1040
문화실조(론)	1041, 1056
문화유형론	900
문화이식	1040
문화적 자본	1015
문화적 재생산이론	1015
문화적 제국주의	1010
문화적 지도성 이론	849
문화적 헤게모니이론	1016
문화전계	1040
문화전파	1040
문화접변	1040
문화제국주의 이론	1018
문화지체	1041
문화환경결핍론	1054
미드(Mead)	1024
미성숙-성숙 이론	861
미스켈	875, 896
민주성(democracy)의 원리	809
민츠버그(Mintzberg)	875

ㅂ

바나드(Barnard)	820
반복학습형	578
반분 신뢰도	711
반성제거법	643
반영	614
반전(retroflection)	645
반학교문화	1019
발견학습형	580
발달연구	788
발달이론	665
발달장학	913
발전교육론	1006
배경(ground)	645
백분위 점수	756
번스타인(B. Bernstein)	1013, 1021
벌로(Berlo)	568
벌로의 SMCR 모형	568
법치행정(합법성)의 원리	809
베버(Weber)	816, 1001, 1011
변량분석	800
변인	790
변혁적 지도성 이론	844
변혁적 지도자	845
병가	975
보비트(Bobbitt)	813
보수	969
보울스와 진티스(Bowles & Gintis)	1008
보장적 평등	1049
보조조직	881
보통교부금	942
보편적 사회화	1002
복직	972
부르디외(P. Bourdieu)	1015

색인	쪽
부적편포	743
부정형	719
분업화의 원리	872
불완전 문장형	719
불평등 재생산이론	1043
브룸(Vroom)	862
브리지스(Bridges)	835
블라우(Blau)와 스콧(Scott)	873
블라우와 던컨(Blau & Duncan)	1035, 1043
블랜차드	841
블랜차드(Blanchard)와 허시(Hersey)	841
블러머(Blumer)	1025
블레이크와 모튼의 관리망 이론	839
비공식적 조직	879
비례유층표집	769
비비례유층표집	769
비율척도	739
비지시적 상담이론	628
비투사적 매체	573
비합리적 신념	623
비행(非行)의 개념	655
비확률적 표집	771
비환원표집	769
빈스방거(Binswanger)	642
빈의자 기법	646

ㅅ

사고이월비	937
사교육비	933
사례연구(case study)	787, 796
사무관리규정	982
사이먼(Simon)	820
사회계급	1033
사회계층	1033
사회과정모형	826
사회구성체이론	1017
사회명목론	1001
사회변동	1032
사회성 측정 행렬표	778
사회성 측정법	701
사회성	585
사회유명론	1001
사회이동	1004, 1035
사회인지 진로이론	668
사회집단	1038
사회통제이론	657
사회학적 이론	665
사회화 기관	1029
사회화(socialization)	1001, 1029
사후연구	764
살로만(Salomon)	571
상관계수	751
상관관계분석	754
상담활동	609
상대영점	738
상대평가	683, 686
상보교류	639
상승이동	1035
상응이론	1009
상징적 상호작용이론	1024
상징적 폭력	1015
상징체제이론	571
상호교류 분석이론	637
상호교류분석	639
상호제지이론	649
상황이론	840
상황적 지도성 유형	841
생존욕구	860
생태학적 타당도	792
생활지도(guidance)	611
서열척도	738
서지오바니(Sergiovanni)	850, 851
선발-성숙 상호작용	791
선별이론	1043
선택장학	923
선택형	775
성격이론	662
성과주의 예산제도	947
성숙	791
성장욕구	856, 860
성장지향평가	687
셀렌(Thelen)	827
소거에 대한 저항	776
수업사태	572
수업장학	913, 917
수용(acceptance)	612, 614, 884
수용영역	835
수정모형	827
수퍼(Super)	666
수행평가	688
순위차 상관계수	752
쉐논	569
쉐논과 슈람	569
슈람	569
슈미트(Schmidt)	838
스크리븐(Scriven)	678
스터플빔(Stufflebeam)	681
스테이크(Stake)	679
스테펜슨(Stephenson)	786
스토리보드(story board)	580
스폴딩(Spaulding)	813
스피어만(C. Spearman)	724, 752
슬라이드(slide)	575
승급	956
승진	956, 964
시간계열 실험	793
시간표집법	773
시뮬레이션형	578
시어즈(Sears)	805, 814
시청각교육	566
신기능이론	1006
신뢰(thrust)	613
신분보장	970
신호(sign)	569
실물정화	574
실물화상기	576
실존주의 상담이론	641, 670
실천연구	794
실행가설(실천가설)	767
실행연구	794
실험군	790
실험설계	793
실험자 효과	792
실험적 관찰법	773
실험적 도태	791
심리적 성숙도	842
심리치료(psycho-therapy)	612
쓰레기통 모형	833

ㅇ

아노미 이론	656
아노미(Anomie)	1001
아담스(Adams)	863
아들러(A. Adler)	634
아론 벡(A. Beck)	626
아지리스(Argyris)	861
안면모형	679
안정성 계수	710
알뛰세르(L. Althusser)	1017
애플(Apple)	1016, 1020
앨더퍼(Alderfer)	860
앨킨(Alkin)	681
양적 연구	763
양차적 집단	1039
어른 자아(A)	638

어린이 자아(C)	639
어버이 자아(P)	638
업적주의(Merton)	1004
에반스(Evans)와 하우스(House)	843
에치오니(Etzioni)	874
엘리스(J. Ellis)	622
역동적 평가	698
역사	791
역사적 연구	765
역설적 지향	643
역차별	1048
연가	975
연줄모형	1037
영(Young)	1013
영(零)기준 예산제도	949
영가설	796
예언타당도	706
예진(prognosis)	621
오스굿(Osgood)	785
오하라(O'Hara)	667
왈라스(A.Wallace)	1033
외적 타당도	791
요청장학	915
요크	819
욕구위계 수정이론	857
욕구위계이론	855
욕구이론	661
우연적 표집	772
우즈(Woods)	1027, 1028
워너(W. L. Warner)	1034
월페(Wölpe)	649
웹 기반수업(WBI)	581
위생요인	858, 860
위탁활동	610
윌리스(Willis)	1018, 1020
윌리암슨(Williamson)	620
윌슨(Willson)	805
유의도(P)	798
유의수준	798
유인가	862
유층표집	769, 770
융(Jung)	783
융판(felt board)	574
의도적 오류	703
의도적 표집	771
의무교육	926
의미요법	642
의사결정이론	665
이면교류	640
이완결합체제	877
이월효과(carry-over effect)	792
이익사회	1038
이중조직	878
이질통제집단 전후검사설계	793
인간관계론	819, 855
인간자본론	1005, 1043
인간자원장학	922
인상의 오류	702
인성이론(RIASEC 6각형 모델)	663
인지적 과부하(cognitive overload)	594
인지적 오류	627
인지치료	626
인터넷 활용수업	581
일치	613
일화기록법	773
임상장학	917, 920
임용	956

ㅈ

자기장학	921
자기평가보고서	690
자기효능감(self-efficacy)	668
자동적 사고	626
자문활동	610
자본(Capital)	1015
자본주의 국가론	1017
자아상태(PAC)	638
자원기반 학습모델	598
자유도(df)	800
자유반응형	775
자유연상(free association)	632
자율이론	1021
자이가닉 효과	645
자주성 존중의 원리	809
잡음(noise)	569
장면선택법	773
장부관리	983
장학(獎學)	911
재검사 신뢰도	710
재결단	641
재구조화(restructuring)	884
재래식 학습모델	598
저항(resistance)	632
저항이론	1018
적도집권(適度集權)의 원리	809
적도집권의 원리	872
적률상관계수(r)	751
전경(figure)	645
전기적 연구	764
전보(轉補)	956, 965
전이(轉移, transference)	632
전인구속적 조직	1039
전직(轉職)	956, 965
전집조사	768
전집타당도	792
전통적 장학	921
절대영점	739
절대평가	684, 686
절충이론	650
점증적 모형	832
정답형	718
정상분포	683, 748
정상분포곡선	748
정신분석이론	667
정신분석적 상담이론	631
정의론	1050
정적 평가	697
정적편포	743
정치(定置)활동	609
정화(catharsis)	632
제1종의 오류(오류)	797
제2종의 오류(오류)	797
조작적 연구	794
조정의 원리	872
조정활동	611
조직개발기법(OD)	867, 930
조직문화	899
조직풍토	895
조직화된 무질서	877
조하리의 창	870
존 롤즈	1050
존디	782
존디검사	782
존스(E. S. Jones)	650
졸업장병	1061
종단-연속적 연구	789
종단적 연구법	788
종속변인	737, 790
종속이론	1010
주관식 검사	717
주변부	1018
주변인	1042
주제통각검사(TAT)	780
준거지향평가	686
준거타당도	705
준실험설계	793
중다처치	792

중심부	1018	추리통계	736	통신과정모형	569
중화(中和) 이론	658	추수(追隨)활동	610	통제 관찰	773
지구자율장학	915	추인법(推人法)	778	통제군	790
지능결핍론	1053	취학률	1052	통합형 교육과정	1023
지니(Gini)계수	1053	취학의 의무	926	퇴니스(Tönnies)	1032, 1038
지도성 이론	837	측정도구	791	투사적 매체	574
지루(Giroux)	1020			투시물환등기(OHP)	575
지방교육재정 교부금	942	**ㅋ**		특별교부금	943
지시적 상담이론	620	카노이(Carnoy)	1044	특별장학	915
지위경쟁이론	1011, 1063	카리스마적 지도성	845, 846	특성요인이론	661
지위특성지표	1034	카우프만(Kaufman)	822, 823	특성이론	837
직권휴직	971	카츠(Katz)와 칸(Kahn)	873	특수적 사회화	1002
직면(直面)	616	칼슨(Carlson)	874		
직무성숙도	842	커플(couple) 장학	920	**ㅍ**	
직무특성이론	859	컨설팅(consulting) 장학	916	파슨스(Parsons)	821, 873, 1002
직무확장	859	컴퓨터 관리수업	580	패욜(Fayol)	814
직무확장이론	859	컴퓨터 리터러시(computer literacy)	581	펄스(F. Perls)	644
직업흥미모형	668	컴퓨터 매개통신(CMC)	581	페론(Wright)	1044
직위해제	972	컴퓨터 보조수업(CAI)	578	페인(Payne)	783
직접교육비	933	컴퓨터 적응평가(CAT)	581	평가요인	785
진급률	1052	컴퓨터 프로젝터	582	평균인	1001
진단(diagnosis)	621	켈리	625	평정기록법	774
진단평가	695, 696	코스웨어(courseware)	580	폐쇄풍토	897, 898
진로발달이론	665	콜맨 보고서	1049, 1054	포사이스와 캣츠	778
진실험설계	793	쿠프만	819	포스트모더니즘	829
진즈버그(Ginzberg)	665	쿨리(Cooley)	1024, 1039	포터(Porter)	857
질적 연구	764	크럼볼츠(Krumboltz)	649	포트폴리오 평가	688
집단상담	653	클라크(Clark)	1059	포트폴리오(portfolio)	690
집중경향의 오류	701	클로버	896	표본(sample)	768
집합형 교육과정	1022	키스토닝(keystoning) 현상	574	표본(specimen)	573
징계	972	킨더(Kinder)	567	표준교육비	934
		킨더의 지적과정이론	567	표준의 오류	703
ㅊ				표준점수	757
차별접촉이론	659	**ㅌ**		표준편차	748
참여적 의사결정	835	타넨바움과 슈미트의 지도성 유형 연속선	838	표집(sampling)	768
참여풍토	898	타이드만(Tiedeman)	667	표집장학	915
처치방산	792	타일러(Tyler)	677	품목별 예산제도	946
척도질문	653	타협	884	프랭크	779
청원휴직	971	탈락률	1052	프랭클(Frankl)	642
체계적 둔감법	649	탈목표모형	678	프레이리(Freire)	1020
체계적 오차	709	태도수정기법	643	프로이트	631, 779
체계적 표집	769	터너(Tunner)	924	피드백협의회	919
체제접근모형	822	테일러(F. W. Taylor)	812	피들러(Fiedler)	840
초우량 지도성 이론	850	토마스(Thomas)와 제미슨(Jamieson)	883	피셔(Fisher)	800
총괄평가	695, 697			피어슨(K. Pearson)	751
총체적 질 관리(TQM)	885	통계적 가설	796	피험자의 선발	791
최면요법	632	통계적 회귀	791	필름스트립(film strips)	575
최선답형	718	통솔범위의 원리	872		
최적화 모형	833				

ㅎ

하강이동	1035
하그리브스(Hargreaves)	1026
하부구조 결정론	1008
하우스(House)	845
하위문화이론	657
학교 컨설팅	916
학교관료제	817
학교단위 책임경영제	885
학교생활기록부	983
학교시설	984
학교운영위원회	891
학교조직풍토론	896
학교지도성 유형	850
학교폭력	985
학교회계제도	935
학급경영	930
학기말, 학년말	697
학무장학	915
할당표집	772
합답형	719
합리적 모형	831
합리적 선택이론	660
합리적·정의적 상담	622
해독(decoding)	569
해리스(Harris)	637
해몬드(Hammond)	677
해비거스트(Havighurst)	1042
해석(interpretation)	616, 633
해석적 관점(interpretive paradigm)	829
해써웨이(Hathaway)	783
핼핀(Halpin)과 위너(Winer)	838
핼핀(Halpin)과 크로프트(Croft)	895
행동과학적 교육행정	805
행동기록법	774
행동수정이론	649
행동실험	618
행동이론	837
행렬표집	771
행로-목표이론	843
허쉬	841
허용적 평등	1049
허즈버그(Herzberg)	857
헌법 제31조	979
헐(Hull)	622
헤게모니(Hegemony)	1017
현상적 장	629
현실치료적 상담이론	646
현장개선연구	794
현존분석	642
현직교육	959
협동장학	912
협동적 연구	794
협력	884
형성평가	695, 696
형태주의 상담이론	644
호소(appeal)	643
호손실험	817, 818
호이(Hoy)와 미스켈(Miskel)	875
호이	896
호이와 타터(W. K. Hoy & C. J. Tarter)	835
호퍼(Hopper)	925
혼합모형	832
홀(Hall)	775
홀랜드(Holland)	662, 663
확률적 표집	769
환상게임	646
환원표집	769
활동요인	785
회귀분석	754
회피	884
횡단-연속적 연구	789
횡단적 연구법	789
효과적인 학교	1056
후원적 이동	924
휴가	974
휴직	971

기타

1차 집단	1039
2차 집단	1039
3차원 지도성 유형	841
A-G-I-L이론	1002
A. Comte	998
ABCDE 모형	623
AECT(미국 교육공학회)	562
Alexander	1006
Althusser	1017
Apple	1014
Blumer	1024
Campbell	810
Carnoy	1010
CIPP 평가모형	681
circle type	574
Clark	1004
CR검증	798
CSE(UCLA) 평가모형	681
C점수	758
E-learning	585
EAZ	1048
Eic	1048
EPA	1048
ERG이론	860
Eysenck	1053
F검증	800
Galtung	1011
Gramsci	1017
guidance	606
H. Suzallo	999
Horace Mann	1004
HTP 검사(House-Tree-Person Test)	782
Husen	1048
ICT 활용 수업	600
Inkeles	1005
Katz & Kahn	810
Kerr	1004
Kuder-Richardson 공식	711
L. J. Cronbach	674
LPC	840
magic number	872
McClelland	1005
Melchor	914
Montgomery	1037
Mooney	872
peer group	1030
Perrone	1044
PODCoCon	814
POSDCoRB	814
R. W. Tyler	674
rapport	609
RET이론	622
Schultz, Becker	1005
Shadow box type	574
SMCR 모형	568
Top view type	574
t검증	799
T점수	757
WE start	1051
Weber	816
X·Y이론	861
x^2검증(카이자승법)	800, 801
ZEP	1048
Z점수	757

REFERENCE 참고 도서

- 윤정일·허형·이성호·이용남·박철홍·박인우(2006), 신교육의 이해, 학지사
- 성태제·강이철·곽덕주·김계현·김천기·김혜숙·봉미미·유재봉·이윤미·이윤식·임웅·한숭희·홍후조(2007), 최신 교육학개론, 학지사
- 김창걸·이규영(2006), 교육학개론, 형설출판사
- 신차균·안경식·유재봉(2007), 교육철학 및 교육사의 이해, 학지사
- 김대현·김석우(2006), 교육과정 및 교육평가, 학지사
- 김재춘·부재율·소경희·채선희(2006), 교육과정과 교육평가, 교육과학사
- 신동로(2007), 교육과정 및 교육평가, 형설출판사
- 변영계(2007), 교수학습이론의 이해, 학지사
- 백영균·박주성·한승록·김정겸·최명숙·변호승·박정환·강신천(2007), 유비쿼터스 시대의 교육방법 및 교육공학, 학지사
- 나일주(2007), 교육공학 관련 이론, 교육과학사
- 이성진(2006), 교육심리학 서설, 교육과학사
- 임규혁·임웅(2007), 학교학습 효과를 위한 교육심리학, 학지사
- 권대훈(2007), 교육심리학의 이론과 실제, 학지사
- 심우엽(2006), 교육심리학, 교육과학사
- 신명희·박명순·권영심·강소연(2007), 교육심리학의 이해, 학지사
- 송인섭·최명구·김누리·남궁정·박소연·이희연·한윤영·안혜진·김희정·김효원(2007), 교육심리학, 학지사
- 김언주·구광현(2006), 신교육심리학, 문음사
- William Crain, 송길연·유봉현 역(2007), 발달의 이론, 시그마프레스
- 김현택·박동건·성한기·유태용·이순묵·이영호·진영선·한광희·황상민(2007), 인간의 이해 심리학, 학지사
- 이장호·정남운·조성호(2007), 상담심리학의 기초, 학지사
- 성태제(2005), 현대교육평가, 학지사
- 성태제(2005), 교육연구방법의 이해, 학지사
- 김석우·최태진(2007), 교육연구방법론, 학지사
- 윤정일·송기창·조동섭·김병주(2007), 교육행정학 원론, 학지사
- 주삼환·천세영·명제창·신붕섭·이명주·이석열(2006), 교육행정 및 교육경영, 학지사
- 김신일(1996), 교육사회학, 교육과학사
- 김병성(2006), 교육과 사회, 학지사
- 김천기(2007), 교육의 사회적 이해, 학지사
- 김병성(2005), 교육사회학 이론 신강, 학지사

- 김경식·안상헌·윤주국·이병환·장홍재(2007), 교육사회학, 교육과학사
- 존경갑(1994), 현대 사회학의 이론, 한길사
- Hans Scheuerl, 이강서 외 역(2006), 교육학의 거장들 1~4, 한길사
- 서울대학교 교육연구소(1998), 교육학 백과대사전, 하우동설
- 이인학·이기영·최성열·류관열·신성철(2009), 최신 교육의 이해, 학지사
- 이지헌·김누리·김수정·김영록·김희봉·노석준·손승남·이두휴·이정화(2009), 교육학의 이해, 학지사
- 이해경·김성기·김진숙·권이종·박호근·서영곤·신창호(2008), 평생학습자를 위한 교육학의 이해, 학지사
- 주영흠(2003), 서양교육사상사, 양서원
- 박승배(2008), 교육과정학의 이해, 학지사
- 최호성(2008), 교육과정 및 교육평가 – 이해와 응용, 교육과학사
- 전성연·최병연·이흔정·고영남·이영미(2007), 협동학습 모형 탐색, 학지사
- 전성연·송선희·이옥주·이용운·김수동·고영남·허창범·오만록·이병석(2007), 현대 교수학습의 이해, 학지사
- 이성진·임진영·여태철·김동일·신종호·김동민·김민성·이윤주(2009), 교육심리학 서설, 교육과학사
- Paul Eggen·Don Kauchak, 신종호·김동민·김정섭·김종백·도승이·김지현·서영석 역(2007), 교육심리학 – 교육실제를 보는 창, 학지사
- Woolfolk, 김아영·백화정·정명숙 역(2007), 교육심리학, 박학사
- 나동진(2008), 교육심리학, 학지사
- 이건인·이해춘(2008), 교육심리학, 학지사
- 이현림·김영숙(2008), 새롭게 보는 교육심리학, 교육과학사
- G.Martin·J.Pear, 이임순·이은영·임선아 역(2008), 행동수정, 학지사
- 김계현·김동일·김봉환·김창대·김혜숙·남상인·조한익(2007), 학교상담과 생활지도, 학지사
- 권대훈(2008), 교육평가, 학지사
- 탁진국(2007), 심리검사 – 개발과 평가방법의 이해, 학지사
- 박세훈·권인탁·고명석·유평수·정재균(2008), 교육행정 및 교육경영, 학지사

오현준

주요 약력

서울대학교 사범대학 교육학과 졸업
現) • 서울교육청, 강원교육청 핵심인재 특강 전임강사
   • 박문각 임용고시학원 교육학 및 5급 교육사무관 승진 전임강사
   • 박문각 공무원 교육학 온라인·오프라인 전임강사
   • 창원중앙고시학원, 대구한국공무원학원, 유성제일고시학원, 청주행정고시학원 교육학 전임강사
   • 서울교육청, 인천교육청, 강원교육청 5급 교육사무관 전임 출제위원
前) • 교육부 의뢰, 제7차 교육과정「특별활동 교사용 지침서」발간
   • 22년간 중등교사로 서울에서 재직 활동(교육부총리, 교육감상 수상 / 교재연구 우수교원 교육부 장관상 수상 / 연구학교 우수교사 수상 / 교육복지투자 우선지역 사업 선도 교사)
   • 매년 1급 정교사 자격연수 대상자들을 대상으로 교수법 특강
   • 통일부 위촉, 통일 전문 강사 활동
   • 광주교육청 주관, 학교교육복지 정책 관련 특강
   • 중앙대 교원임용고시 대비 특강
   • 5급 교육사무관 대비 교육학 및 역량평가, 심층면접 강의-전국 최대 사무관 배출
   • 티처빌 교육전문직 대상 교육학 전임강사

주요 저서

- 오현준 정통교육학 (박문각, 2007~2026 刊)
- 오현준 교육학 끝짱노트 (박문각, 2023~2025 刊)
- 오현준 교육학 단원별 기출문제 1344제 (박문각, 2016~2025 刊)
- No.1 오현준 교육관계법령 (박문각, 2025 刊)
- 오현준 교육학 실전동형 모의고사 (박문각, 2016~2025 刊)
- 오현준 핵심교육학 (박문각, 2016~2024 刊)
- 오현준 명작교육학 (박문각, 2016~2022 刊)
- 오현준 교육학 논술 핵심 229제 (박문각, 2019~2022 刊)
- 오현준 끝짱교육학 (고시동네, 2020~2022 刊)
- 오현준 교육학 기출문제 종결자 (고시동네, 2014~2016 刊)
- TOPIC 교육학 (고시동네, 2013 刊)

인터넷 강의

박문각 www.pmg.co.kr

오현준 정통교육학 #2

초판인쇄 | 2025. 7. 21. 초판발행 | 2025. 7. 25. 편저자 | 오현준 발행인 | 박 용 발행처 | (주)박문각출판
등록 | 2015년 4월 29일 제2019-000137호 주소 | 06654 서울시 서초구 효령로 283 서경 B/D 4층
팩스 | (02)584-2927 전화 | 교재 주문·내용 문의 (02)6466-7202

저자와의 협의하에 인지생략

이 책의 무단 전재 또는 복제 행위를 금합니다.

정가 49,000원   ISBN 979-11-7262-997-7
              ISBN 979-11-7262-995-3(Set)

교재관련 문의 02-6466-7202   홈페이지 www.pmg.co.kr   편지 서울시 서초구 효령로 283 서경B/D 4층   E-mail team1@pmg.co.kr
동영상강의 문의 www.pmg.co.kr(Tel. 02-6466-7201)

* 본 교재의 정오표는 박문각출판 홈페이지에서 확인하실 수 있습니다.